TOMBES ET NÉCROPOLES DE MARI

PAR

Marylou JEAN-MARIE

INSTITUT FRANÇAIS D'ARCHÉOLOGIE DU PROCHE-ORIENT
BEYROUTH - DAMAS - AMMAN
BIBLIOTHÈQUE ARCHÉOLOGIQUE ET HISTORIQUE - T. CLIII

MISSION ARCHÉOLOGIQUE DE MARI
Tome V

TOMBES ET NÉCROPOLES DE MARI

PAR

Marylou JEAN-MARIE

Ouvrage publié avec le concours
de la Direction Générale des Relations Culturelles, Scientifiques et Techniques
du Ministère des Affaires Étrangères

BEYROUTH
1999

Maquette : Rami Yassine
PAO : Antoine Eid
Responsable : Charlotte Yazbeck

Directeur de la publication : Jean-Marie Dentzer

B.P. : 11-1424 Beyrouth, Liban
Tél. : 961.1.615849
Télécopie : 961.1.615866
Email : ifapo@lb.refer.org
ISBN 2-912738-02-4
Dépôt légal : 3e trimestre 1999

Toutes les opinions que nous avons sont nécessairement fausses. Ce ne sont tout au plus que des vérités provisoires. Car la vérité absolue suppose tout connu.

Claude Bernard

SOMMAIRE

REMERCIEMENTS

Je remercie Jean Margueron qui m'a accueillie dans son équipe en 1982, m'a permis de participer aux missions de fouilles à Mari et m'a confié l'étude de l'ensemble des tombes découvertes sur ce site depuis 1933. J'ai essayé à partir des archives laissées par A. Parrot (1933-1974) et des documents des fouilles actuelles (de 1979 jusqu'en 1993) de faire la synthèse de toutes les données.

Je remercie Marc Lebeau pour ses conseils concernant la datation des céramiques, Dominique Beyer qui a proposé des dates pour certains cylindres, Anne Horrenberger qui a fait de nombreux dessins d'objets et de céramiques, ainsi que Denyse Vaillancourt qui a assuré la relecture parfois un peu ingrate du texte et du catalogue et qui m'a prodigué ses conseils pour la réalisation de l'ensemble des documents.

Je remercie aussi Annie Caubet, Conservateur général chargé du Département des Antiquités Orientales du Musée du Louvre, qui m'a permis de publier des dessins et photos de certains objets déposés dans ce musée, Odile Valansot, Assistante technique au Musée Historique des Tissus de Lyon qui a fait des analyses de linceuls, et Arlette Plu, du Laboratoire d'Ethnobotanique et d'Ethnozoologie du Muséum National d'Histoire Naturelle de Paris, qui a étudié certains restes végétaux.

Enfin, je remercie Marie-Anne Desbals pour ses conseils et son soutien.

PRÉFACE

Le dernier volume paru de la série Mission Archéologique de Mari qui publie les rapports définitifs, était consacré au trésor d'Ur ; il portait le numéro IV et a vu le jour en 1968, il y a déjà plus de trente ans.

L'arrêt des travaux conduits sur le terrain par André Parrot en 1974, la mise en veilleuse du chantier et de l'ensemble des activités de la Mission pendant cinq ans, la nomination d'un successeur en 1979, l'élaboration d'un nouveau programme de recherche qu'il a fallu d'abord engager puis adapter, et surtout la parution de huit numéros de la revue Mari, Annales de Recherches Interdisciplinaires (titre abrégé sous la forme M.A.R.I.) aux éditions Recherche sur les Civilisations expliquent pour partie qu'aucune synthèse archéologique d'envergure n'ait vu le jour pendant toute cette période.

Il convenait, en effet, avant de reprendre le rythme régulier de publication, d'une part de décider comment exploiter la documentation engrangée par André Parrot, d'autre part d'évaluer comment et dans quelles conditions il serait possible de faire se rejoindre celle-ci avec celle rassemblée depuis 1979 selon des méthodes différentes tant sur le terrain que pour l'enregistrement. Le problème se posait en fait dans les termes suivants : fallait-il présenter à la communauté scientifique ce que le premier fouilleur n'avait pas encore publié et de façon indépendante, les nouvelles recherches, ou bien convenait-il d'associer les deux sources documentaires ?

Il est vite apparu que l'on ne pouvait établir une règle unique et qu'il faudrait décider en fonction de chaque situation ; cependant malgré les disparités inhérentes aux séries documentaires, il a semblé qu'il serait préférable d'incorporer le plus souvent possible l'ancienne documentation dans la nouvelle. C'est ce qui a été tenté avec la présente étude portant sur les tombes de Mari.

En effet, André Parrot avait, avec la collaboration de Lucienne Laroche, commencé à préparer le volume des tombes qu'il avait fouillées depuis le début de ses recherches à Mari. Ce dossier faisait partie des archives de la Mission. Mais dès la reprise des travaux en 1979, il est apparu que ce dernier ne pouvait être considéré comme achevé.

D'autre part, le plan de publication d'André Parrot ne prévoyait pas, semble-t-il, de replacer ces tombes dans un contexte archéologique complet, mais au contraire de les étudier sous la forme d'un catalogue. La nature des renseignements rassemblés par André Parrot rendait difficile un changement de méthode. Aussi a-t-il paru préférable de ne pas bouleverser le plan d'origine, et d'inclure dans les tombes des vingt et une premières campagnes celles dégagées depuis la reprise des fouilles de 1979.

Nous n'avons cependant pas renoncé à replacer chacune des tombes des fouilles récentes dans leur contexte originel ; cet aspect tout à fait essentiel de la connaissance des coutumes funéraires sera réalisé, pour les fouilles récentes et seulement pour elles, lors de la publication de chacun des chantiers de fouille ; le jeu des relations qui unissent les tombes à leur environnement sera alors précisé.

C'est à Madame Marylou Jean-Marie que j'ai confié le présent travail. Comme l'une de ses attributions depuis son arrivée dans l'équipe était l'étude ostéologique, il m'a semblé intéressant de lui confier aussi le dégagement des tombes chaque fois qu'un responsable de chantier en signalait une ; l'objectif de cette façon de faire était de systématiser la prise de renseignements et de rendre la documentation aussi homogène que possible ; l'ensemble des observations était alors réuni dans un seul dossier.

Cette reprise des publications se veut ainsi symbolique : cet ouvrage est le lien entre l'ancienne et la nouvelle équipe. Il marque qu'en dépit d'une évolution bien compréhensible des méthodes et des objectifs, la continuité est assurée et que le but ultime reste de connaître la capitale de la moyenne vallée de l'Euphrate au IIIe et au début du IIe millénaire dans sa complexité.

Un programme de publication est maintenant élaboré et le rythme de parution devrait être régulier. En ce qui concerne l'archéologie de terrain, ce sera tout d'abord le rapport définitif de B. Geyer et J.-Y. Monchambert sur la prospection géomorphologique et archéologique qu'ils ont réalisée dans la vallée de l'Euphrate entre 1982 et 1987. Ce sera ensuite la publication du petit Palais Oriental ou palais des Shakkanakku du chantier A par P. Butterlin, B. Muller et moi-même. Le chantier B devrait suivre assez rapidement. En ce qui concerne le matériel, le premier dossier sera celui des ors de Mari, réalisé par G. Nicolini ; N. Pons prépare une première publication sur la céramique qui s'appuie sur les fouilles du chantier F ; B. Muller fera le point sur l'ensemble des peintures, D. Beyer s'est chargé de la glyptique et I. Weygand des terres cuites. Pour ma part je prendrai en charge la publication des palais du IIIe millénaire et compléterai l'étude du palais du début du second millénaire grâce à la documentation recueillie dans ce secteur depuis 1964.

Ce programme est vaste. Souhaitons que les moyens soient accordés pour qu'il puisse être réalisé dans un délai raisonnable.

Jean-Claude Margueron

LISTES DES REVUES, DES COLLECTIONS ET DES ABRÉVIATIONS

AAAS : Annales Archéologiques Arabes Syriennes, Damas.
AASOR : Annual of the American Schools of Oriental Research, Cambridge, Mass.
AJA : American Journal of Archaeology, Baltimore-Princeton.
Akkadica : fondation assyriologique Georges Dossin, Bruxelles.
Annals of Archaeology and Anthropology, University of Liverpool.
Annuaire de l'Institut de philologie et d'histoire orientales et slaves, Université libre, Bruxelles.
Antiquity, Quarterly Review of Archaeology, Newbury.
Archéologia, Trésor des âges, Paris.
Archéologie, dossiers : Dossiers d'archéologie, documents, Paris.
ARM : *Archives royales de Mari*, Paris.
BAH : Bibliothèque archéologique et historique, Beyrouth-Paris. Institut Français d'Archéologie du Proche-Orient.
Bulletin du Musée de Beyrouth, Paris.
EDA : Études et Documents d'Archéologie, Maisonneuve, Paris.
ERC : Édition Recherche sur les civilisations, Paris.
Iran, Journal of the British Institute of Persian Studies, British Academy, Londres.
Iranica Antiqua, Seminaar voor de Archeologie van het Nabije Oosten, Leyde.
Iraq, British School of Archaeology in Iraq, Londres.
L'Homme, Revue française d'anthropologie, Paris.
M.A.R.I. : Mari, annales de recherche interdisciplinaire, ERC, Paris.
Mémoires de la délégation archéologique en Iran, Paris.
Mémoires de la mission archéologique de Perse, Ministère de l'Instruction publique et des Beaux-Arts, Paris.
Mémoires de Nabu, SEPOA, Paris.
Mesopotamia, Centro Ricerche Archeologiche e Scavi di Torino per il Medio Oriente e l'Asia, Turin.
Nature, Londres.
OIC : Oriental Institute Communications, Chicago.
OIP : Oriental Institute Publications, Chicago.
RA : Revue d'Assyriologie et d'Archéologie Orientale, Paris.
RDAC : Report of the Department of Antiquities, Cyprus, Nicosie.
Syria : Revue d'Art oriental et d'Archéologie, Geuthner, Paris puis IFAPO, Beyrouth.
Topoi, Lyon.
World Archaeology, University College, Londres.
WVDOG : Wissenschaftliche Veröffentlichungen der Deutschen Orient-Gesellschaft, Berlin, Leipzig.

INTRODUCTION

La plupart des sociétés ont élaboré des pratiques funéraires, soit sans conserver la dépouille – c'est le cas de l'Inde brahmanique – soit en la conservant – c'est le cas de nombreuses autres sociétés. En Inde, l'incinération et la dispersion des cendres dans un fleuve font disparaître la dépouille, alors que dans d'autres sociétés, l'inhumation manifeste un désir de la conserver.

Les pratiques funéraires qui tendent à sauvegarder une certaine intégrité de l'individu ont été, depuis quelque années, l'objet d'études approfondies.

L. R. Bindford [1] a attribué aux pratiques funéraires une valeur symbolique dont il a cherché le sens : selon lui, une même pratique attestée dans deux cultures peut avoir un sens différent, tandis que des pratiques différentes peuvent recouvrir une signification identique ; il a mis en évidence, en étudiant des sociétés contemporaines, le lien qui unit le domaine funéraire à celui des vivants : « la forme et la structure qui caractérisent les pratiques funéraires d'une société donnée sont conditionnées par la forme et la complexité des caractéristiques organisationnelles de la société elle-même ». Les coutumes varient donc en fonction de la complexité de la société ; les rites dépendent de différents paramètres : âge, sexe, cause du décès (épidémie, massacre, mort au combat, etc.). L. R. Bindford évoque le « potentiel » social et idéologique des pratiques funéraires, l'hétérogénéité observée devenant alors significative du degré de complexité de l'organisation sociale du groupe.

De même, A. Saxe [2] a émis différentes hypothèses d'analyse qu'il a appliquées à des sociétés contemporaines d'Afrique et des Philippines et il a recherché les relations entre les pratiques funéraires et les composantes du système socio-culturel ; son but était double, expliquer les pratiques funéraires dans un système socio-culturel donné et essayer de prouver qu'elles permettent de comprendre la complexité sociale et son évolution, c'est-à-dire comment le traitement que l'on fait subir au mort est relié à d'autres éléments du système socio-culturel ; pour cet auteur des pratiques funéraires différentes reflètent des statuts sociaux différents.

P. J. Ucko [3], également à partir de l'étude de sociétés africaines contemporaines, a tenté de montrer comment les rites funéraires varient en fonction des situations.

J.-D. Forest [4] a étudié les pratiques funéraires du cinquième au troisième millénaire av. J.-C. en Mésopotamie à partir des résultats des fouilles de Tepe Gawra et d'Ur d'une part, et des résultats de ses propres fouilles à Kheit Qasim d'autre part ; il a dégagé, dans la lignée de L. R. Bindford et A. Saxe, leur caractère symbolique, les mettant en relation avec le statut socio-culturel du défunt ; il a mis en évidence des traits formels : la disposition des corps, le type et la localisation des tombes, le mobilier funéraire, qui, selon lui, rendent compte du statut du défunt : la localisation des tombes, par exemple, est liée aux catégories d'âges (enfants inhumés sous l'habitat, adultes dans les cimetières).

Tous ces auteurs relient donc l'ensemble des pratiques funéraires au statut socio-culturel que les défunts avaient de leur vivant, et renoncent à une interprétation purement religieuse, comme on le faisait avant eux [5].

La mort est un passage dans un autre monde, différent de celui des vivants, et les sociétés apportent un soin plus ou moins grand, d'une part, au moment du passage proprement dit, et d'autre part, à ce qui suit ; la dépouille est conservée dans une tombe qui est souvent cachée pour ne pas être violée, des offrandes sont faites pour conserver les traces du statut social et familial qui était celui de l'individu de son vivant. Pour J.-P. Vernant [6], l'idéologie funéraire rassemble « tous les éléments significatifs qui, dans les pratiques comme dans les discours relatifs aux morts, renvoient aux formes de l'organisation sociale, aux structures du groupe, traduisent les écarts, les équilibres, les tensions au sein d'une communauté, portent témoignage sur sa dynamique, sur les influences subies, sur les changements opérés (...) ; le monde des morts (ou du moins ce qui nous

1 - Bindford L. R., 1972, p. 208-243.
2 - Saxe A., 1970, 240 p.
3 - Ucko P. J., 1969, p. 262-277.
4 - Forest J.-D., 1983, 242 p.
5 - Strommenger E., 1954 et 1957, p. 581-593.
6 - Vernant J. P., 1989, p. 103-115.

en reste) se présente comme le reflet, l'expression plus ou moins directe, plus ou moins médiatisée, travestie, voire fantasmatique, de la société des vivants ».

Peut-on considérer que le monde des morts reflète fidèlement celui des vivants et peut-on projeter les coutumes des sociétés contemporaines comme celles étudiées par L. R. Bindford, A. Saxe, P. J. Ucko, dans le monde antique et particulièrement dans celui de la Mésopotamie du troisième millénaire av. J.-C. qui nous intéresse ? Je ne me hasarderai pas à le faire comme le fait J.-D. Forest : beaucoup trop de renseignements nous manquent, hélas ! D'autre part, peut-on être sûr que la société des morts s'organise comme celle des vivants ? P. Y. Balut [7] considère que le monde des morts ne donne pas une image fidèle de la société des vivants, « rien n'assure, et il s'en faut de beaucoup qu'on le saisisse souvent, que la société des morts s'organise avec les mêmes différences de statuts, de métiers, de rôles sociaux que connaissent les vivants ». Il est sûrement présomptueux de généraliser, le monde des morts peut être différent de celui des vivants ; si nous arrivons par la fouille des nécropoles à connaître le monde des morts, il est des cas, comme en préhistoire, où nous connaissons mal le monde des vivants ; il est donc hasardeux de considérer qu'à partir de l'observation des pratiques funéraires on pourra connaître parfaitement le monde des vivants.

Pour I. Morris [8], qui a étudié la société athénienne, selon les époques le droit à la sépulture a varié : alors que du onzième au huitième siècle av. J.-C., il était réservé à une élite, à l'époque sub-mycénienne (1125-1050), pendant le Géométrique tardif (760-700) et au sixième siècle av. J.-C., il était largement diffusé ; le nombre de tombes n'a donc pas de rapport constant avec le nombre des vivants et n'est pas représentatif de la population ; l'auteur fait le lien entre les variations de l'accès à la sépulture et les transformations socio-politiques. Dans un récent ouvrage consacré également à l'Antiquité classique de l'Orient grec à l'Occident romain [9], cet auteur considère que la structure sociale évolue, si bien que les pratiques funéraires évoluent aussi ; il essaie d'élaborer une nouvelle lecture de l'idéologie funéraire : selon lui, les rituels changent en fonction de l'époque, du lieu, et peuvent alors avoir des significations différentes, parfois opposées ; il pense donc qu'il faut inclure l'étude des rituels funéraires dans un contexte plus large, apporter des données complémentaires, telles que l'étude des ossements, la paléodémographie, la paléopathologie, les analyses chimiques, l'étude des textes quand il y en a ; l'évolution des sociétés dans les domaines politique, culturel, social, influence les rituels funéraires et il faut donc replacer l'idéologie funéraire dans celle de la cité.

Généralement, les rituels se déroulent en trois temps [10] : le traitement du cadavre qui peut varier selon l'âge, le sexe, le statut du défunt, mais la dépouille est toujours préparée ; la déposition dans une tombe qui permet de préserver le corps et qui peut être plus ou moins importante selon les individus et les époques ; le don d'offrandes qui selon leur quantité, leur qualité et leur répartition dans la tombe, constituent un message complexe. Ces dispositifs reflètent certes la société des vivants, ils sont le résultat d'actes intentionnels et montrent donc l'importance de l'étude de l'idéologie funéraire en tant que reflet de la communauté des vivants ; le défunt dans sa tombe continue d'appartenir à son propre groupe social, il y a une certaine continuité entre lui et le monde des vivants.

Les Mésopotamiens, comme beaucoup d'autres peuples, ont apporté un soin extrême à la conservation de leurs morts ; ils considéraient la mort comme « un passage à un type nouveau d'existence, mystérieuse et surtout négative, plus morne, plus triste, moins remuante et active que celle d'ici-bas » [11]. Il restait deux choses de l'individu : les ossements (*esemtu*) et une sorte de calque, de double (*etemmu*), l'âme. Nous savons peu de choses des rites funéraires mésopotamiens ; le corps du défunt était enseveli sous la terre dans une tombe, soit en pleine terre, soit dans un récipient en terre cuite, soit dans une tombe construite ; des offrandes étaient déposées auprès de lui, céramiques, objets, nourriture, boisson étaient nécessaires à sa nouvelle existence, afin qu'il ait de quoi « manger, boire, se vêtir, se parer, se défendre, de quoi savoir se conduire dans sa nouvelle existence dans ce " Pays sans retour " (*erset lâ târi*) » [12]. On inhumait les morts sous les sols des maisons pour conserver le lien avec la famille, et aussi pour préserver les tombes du pillage ; cependant il y a aussi des inhumations dans des cimetières, certaines sont situées dans des maisons abandonnées, en ruines, dont le pillage était fréquent ; c'est plus probablement la quantité des inhumations qui explique la diversité de leur localisation.

S'il est facile d'intégrer les pratiques funéraires au monde des vivants en ce qui concerne les sociétés contemporaines, cela est sûrement beaucoup plus difficile pour les sociétés anciennes ; la « New Archaeology » selon L. R. Bindford et A. Saxe a tout expliqué par le contexte socio-culturel ; or, selon nous, il ne faut pas raisonner de

7 - Balut P. Y., 1992, p. 131-140.
8 - Morris I., 1987, 262 p.
9 - Morris I., 1992, 264 p.
10 - Agostino B. d', Schnapp A., 1982, p. 17-25.
11 - Bottero J., 1982, p. 373-406.
12 - Bottero J., 1982, p. 373-406.

façon aussi tranchée et il ne faut négliger aucune explication, aucun critère qui permette de replacer ces pratiques dans la société. Les pratiques funéraires des sociétés anciennes sont difficiles à interpréter car, d'une part, les renseignements sur les fouilles sont souvent incomplets, les tombes ayant été exhumées trop hâtivement, la recherche des objets étant parfois plus importante que l'observation des données sur le rituel ; d'autre part, l'étude de la société des vivants peut être difficile s'il n'y a pas de texte, et la comparaison du monde des morts avec celui des vivants s'avère alors hypothétique.

Nous avons entrepris l'étude des tombes mises au jour à Mari depuis 1933, à partir des archives laissées par A. Parrot et déposées à l'Université de Strasbourg (UMR 7571, PROTASI), et des résultats des missions dirigées par J. Margueron depuis 1979.

A. Parrot avait projeté d'écrire un volume sur les nécropoles de Mari dans le cadre de la série des publications MAM (Mission Archéologique de Mari), il n'en pas eu, hélas, le temps ; il n'avait publié aucun objet ni aucune céramique trouvés dans les tombes, à quelques très rares exceptions près ; il avait fait mention de certaines tombes dans ses rapports préliminaires publiés dans la revue *Syria*. L'ensemble de ce volume rassemble les tombes mises au jour lors des missions dirigées par A. Parrot (tombes 1 à 671) et celles trouvées lors des missions dirigées par J. Margueron jusqu'en 1993 (tombes 672 à 1108).

L'étude n'a pas été aisée, pour les premières campagnes de fouilles, en effet, les documents sont très fragmentaires, et c'est dans ces années-là que le plus grand nombre de tombes a été trouvé (tombes médio-assyriennes, tombeaux construits). Les tombes ont été souvent fouillées de façon trop hâtive et des renseignements manquent, surtout dans le domaine ostéologique, stratigraphique : il y a très peu de dessins et de photos du mobilier, il est sûr que fouiller près de quatre cents tombes médio-assyriennes alors que les murs du palais de Zimri-Lim apparaissent peut sembler négligeable !

L'ensemble des données a été rassemblé dans le catalogue qui est accompagné de planches d'illustration : au total plus de mille cent tombes ont été étudiées, ainsi que mille quatre cents céramiques et mille cinq cents objets ; les différents chapitres traiteront des tombes datées :

- du Bronze Ancien : dynasties archaïques et époque des Shakkanakku,
- du Bronze Moyen I et II,
- du Bronze Récent, de l'époque médio-assyrienne,
- de l'époque hellénistique.

Des tombes récentes, islamiques, sont insérées dans le catalogue, mais n'ont pas été étudiées en détail.

Cette étude couvre toute l'histoire de Mari, de sa fondation vers 2900-2800 av. J.-C., jusqu'à sa chute vers 1760, et continue aux époques médio-assyrienne et séleucide alors que le site était encore occupé.

Dans la conclusion générale, les particularités de Mari au sein des villes mésopotamiennes seront étudiées.

ESSAI D'INTERPRÉTATION

LES TOMBES DU BRONZE ANCIEN

ÉPOQUE DES DYNASTIES ARCHAÏQUES (2750-2350 AV. J.-C.) [1]

Quarante-quatre tombes : trente-six en pleine terre, trois jarres, cinq tombeaux construits.

Tombes en pleine terre

Trente-six tombes réparties de la façon suivante :

- secteur nord du tell : 2, 3, 4, 5, 6, 7, 8, 9
- quartier d'habitation à l'est du temple d'Ishtar : 82, 83, 84, 85, 86, 90, 91
- temple d'Ishtar : 101, 102, 240, 243, 244, 245, 246
- chantier A : 771
- chantier B : 732, 765, 766, 767, 773, 781, 796, 797, 800, 819, 823, 826, 910

soit 81,8% des tombes de cette époque.

Renseignements ostéologiques

ossements épars	9	25,0%
corps couché sur le côté droit	5	13,9%
corps couché sur le côté gauche	3	8,3%
corps couché sur le dos	2	5,6%
corps couché sur un côté	8	22,2%
pas de renseignement	9	25,0%

Pour les tombes notées sans renseignement ostéologique, il n'y a pas de mention d'ossement, ou bien le fouilleur n'a rien noté, ou bien il n'y avait pas d'ossement et alors on peut se demander s'il s'agissait véritablement d'une inhumation ; il y a des renseignements pour vingt-sept tombes.
Dans T 4 et 82, des ossements « brûlés » et des cendres ;
dans T 3, 6, 7 et 9, des squelettes désarticulés ;
dans T 86 et 765, les corps étaient enveloppés de nattes ;
T 781 a cassé le mur nord de la pièce V ;
dans T 819, le squelette était sous l'angle d'un mur ;
T 823 était entourée par deux petits murs en briques crues ;
le squelette de T 800 était incomplet ; dans l'ensemble, les tombes du chantier B étaient mal conservées.

Dans 25% des cas, les ossements ont été retrouvés épars et les squelettes incomplets ; les attaques post-inhumation par de petits animaux, les perturbations par des fosses et des constructions qui étaient au-dessus ont pu détériorer les squelettes, il faut donc être très prudent avant de conclure à des désarticulations volontaires de l'individu, comme l'a fait A. Parrot.

Les corps étaient le plus souvent couchés sur un côté (44,4% des cas).

Répartition enfant-adulte

Il y avait quatre enfants (11,1%) et trente-deux adultes (88,9%). Pour ces tombes d'enfants (T 5, 8, 9, 797), on n'observe pas de position préférentielle : un était couché sur le côté droit, deux sur le côté gauche, des os épars pour le quatrième.

Il y avait donc peu d'enfants parmi ces inhumations.

Orientation

NE-SO	2	5,6%
SO-NE	1	2,8%
NO-SE	7	19,4%
N-S	3	8,3%
S-N	1	2,8%
E-O	8	22,2%
O-E	5	13,9%
pas de renseignement	9	25,0%

Il n'y avait pas toujours d'orientation indiquée sur les notes des fouilleurs, elles ont été lues sur les plans quand les tombes étaient portées sur ces derniers.

D'une façon générale, c'est l'orientation E-O/O-E qui est le plus souvent trouvée (36,1% des cas).

1 - La chronologie est celle proposée par J. MARGUERON, 1991, p. 55-85.

Mobilier

Les tombes ont été divisées en quatre catégories : celles sans aucun mobilier, celles sans céramique et avec objet, celles avec céramique et sans objet, enfin celles contenant céramique et objet :

tombes sans céramique ni objet	5
tombes sans céramique, avec objet	1
tombes avec céramique, sans objet	18
tombes avec céramique et objet	12

Trente et une tombes sur trente-six (86,1%) étaient accompagnées de mobilier.

- Les céramiques

Trente tombes avec céramique et six tombes sans ; au total 234 céramiques :

vase globulaire [2]	149	63,7%	dont 2 vases à tenons et 2 vases à goulot
jarre	19	8,1%	dont 2 jarres à décor
coupe	28	12,0%	dont 3 coupes-supports
gobelet	8	3,4%	
vase	22	9,4%	dont 5 vases à goulot
bouteille	3	1,3%	
bol	5	2,1%	

Certaines tombes contenaient beaucoup de céramiques : trente-cinq dans T 2, dix-neuf dans T 4, trente dans T 7, quinze dans T 82, vingt et une dans T 86 ; d'autres en avaient une seule (T 101, 796).

La disposition des céramiques était :

tout autour du corps formant un cercle dans T 7 ;

sur les os dans T 2, 4, 6, 82 ;

à proximité de la tête dans T 5, 240, 823 ;

le long du corps dans T 246, 800, 819 ;

parmi elles, il y avait deux jarres à décor : M 60 (T 4) et M 616 (T 86) qui étaient associées à des coupes-supports : une non inventoriée (T 4) et M 617 (T 86).

La majeure partie des céramiques était représentée par des vases globulaires.

- Les objets

Treize tombes avec objet et vingt-trois tombes sans ; au total 32 objets répertoriés, ainsi que des perles et des coquillages [3] :

a) armes

- 5 poignards : 2 avec soie à trois rivets, 2 avec talon et trois rivets, 1 sans rivet.
- 1 hache à languette repliée [4].

Toutes les armes étaient en bronze.

b) outils

- 1 ciseau, 1 hache [5], 1 fourreau, le tout en bronze
- 1 aiguisoir en pierre

c) récipients [6]

- 1 coupe et 1 vase en albâtre

d) parures

- 9 épingles en bronze : 5 avec chas et droites, 2 avec chas et courbes, 2 sans chas et droites
- 9 bagues : 2 en or, 4 en argent, 3 en bronze
- 1 bracelet en argent
- 1 cylindre gravé en pierre
- des perles en fritte, cornaline, lapis-lazuli, gypse, et des coquillages.

Des fragments d'œufs d'autruche ont été trouvés.

La tombe 86 était particulièrement riche en céramiques et objets, il est regrettable que nous n'ayons pas de renseignement sur l'âge et le sexe du défunt, on pourrait penser que c'était un enfant, car le bracelet M 641 était de petit diamètre (0,044-0,375 m).

La position des objets était variable :

dans T 766, l'épingle était sur le crâne, le poignard, le fourreau et l'aiguisoir étaient sur le bassin, mais une autre lame de poignard se trouvait près du crâne ;

dans T 823, les épingles ont été trouvées sous le bras, le poignard ainsi que le ciseau et la hache à proximité du dos ;

dans T 819, un poignard était enfoncé dans une vertèbre lombaire ;

la hache de T 86 était dans une jarre ;

les perles étaient toujours disséminées dans la terre ;

la position de la coupe en albâtre de T 86 et celle du cylindre de T 83 n'a pas été précisée.

Deux décès par agression peuvent être notés : dans T 819, un poignard était enfoncé dans la quatrième vertèbre lombaire, mais il est étonnant que l'individu ait été inhumé avec l'arme encore en place ; dans T 823, le bec du vase en albâtre était enfoncé dans le crâne au-dessus des orbites.

Tombes d'enfants

T 5 : trois céramiques.

T 8 : quatre céramiques.

T 9 : cinq céramiques.

T 797 : trois céramiques et un coquillage.

Dans ces tombes, il y avait un seul objet, un coquillage.

Offrandes

Dans T 773, une corne de capriné.

Jarres

Trois jarres au chantier B : 761, 799, 801
soit 6,8% des tombes de cette époque.

2 - J'ai appelé vase globulaire une céramique dont le diamètre est supérieur ou égal à la hauteur.

3 - Les perles et les coquillages non décrits et non inventoriés n'ont pas été pris en compte, seuls ont été décomptés les colliers reconstitués.

4 - La définition d'armes pour les haches a été faite selon F. Tallon, 1987.

5 - La définition d'outils pour les haches a été faite selon J. Christophe et J. Deshayes, 1964.

6 - J'ai appelé récipient tout contenant autre que la céramique.

Renseignements ostéologiques
Deux corps couchés sur le côté droit, un sur le côté gauche.

Répartition enfant-adulte
Trois enfants dont un nouveau-né.

Orientation
Une jarre orientée N-S, une S-N et pas de renseignement pour la troisième.

Mobilier
- Les céramiques
Une tombe contenait une coupe.
- Les objets
Pas d'objet.

Tombeaux construits

Cinq tombeaux construits (déjà publiés [7]) :
- secteur nord du tell : 21, 22
- temple d'Ishtar : 241, 242, 300
soit 11,4% des tombes de cette époque.

Renseignements ostéologiques
Des ossements épars dans T 21, 22 et pas de renseignement pour T 241, 242, 300 ;
le crâne humain de T 300 ne me semble pas, comme je l'ai déjà écrit, appartenir à cette tombe, mais être plutôt celui d'un pillard qui aurait essayé de s'y introduire.

Orientation

NE-SO	T 21, 22, entrée au NE
O-E	T 241, 242, entrée à l'ouest
S-N	T 300, entrée au sud

Mobilier
Cinq tombeaux avec céramiques et objets.
- Les céramiques
Au total 47 céramiques :

vase globulaire	6	12,8%	dont 1 vase à tenons
jarre	9	19,2%	dont 2 jarres *scarlet ware*
jatte	1	2,1%	
coupe	8	17,0%	dont 4 coupes-supports
bouteille	3	6,4%	
flacon	3	6,4%	
bol	16	34,0%	dont 1 bol à goulot
couvercle	1	2,1%	

Il y avait quarante-quatre céramiques dans T 300, trois dans T 21, 22 et celles de T 241, 242 n'ont pas été inventoriées ;
parmi celles de T 300, il y avait deux jarres *scarlet ware* M 1436 et M 1437 associées à trois coupes-supports M 1438, M 1439, M 1442 ;
la céramique du tombeau 300 a été publiée par M. Lebeau [8].

- Les objets
Au total 39 objets répertoriés, ainsi que des perles :
a) armes
- 4 pointes de flèches
- 1 poignard avec soie à deux rivets
- 1 hache en forme de croissant
Toutes les armes étaient en bronze.
b) outils
- 1 fourreau
- 1 spatule
- 2 tiges bifides
Tous les outils étaient en bronze.
c) récipients
- 1 aiguière, 1 plat, 1 gobelet, 2 vases, 3 bols
Tous les récipients étaient en bronze.
d) parures
- 4 épingles en bronze : 1 avec chas et droite, 3 avec chas et courbes
- 10 bijoux : 2 colliers de perles en or et lapis-lazuli ; 4 amulettes-pendentifs : 1 en ivoire, 1 en pierre, 1 en coquille, 1 en cristal de roche ; 1 bandeau frontal en or ; 2 cabochons : 1 en or, 1 en argent ; 1 rosace en argent
- 3 pièces vestimentaires, 2 en or, 1 en argent
- des perles en pierre blanche
- 1 cylindre gravé en pierre
- 1 cercle en coquille
- 1 miroir en bronze
- 1 peigne en os
Tous les objets de T 300 ont été trouvés disséminés parmi les céramiques, sûrement à cause d'une tentative de pillage.

Datation des tombes

Il a été difficile de proposer une date précise pour ces tombes, car des renseignements manquaient : absence de description, de dessin et de photo pour un grand nombre de céramiques, pas de détail de stratigraphie, données floues quant à la profondeur reconnue pour les tombes fouillées par A. Parrot lors des premières campagnes, difficulté pour interpréter la stratigraphie du chantier B, les résultats définitifs de la fouille n'étant pas encore publiés.

- Les tombes en pleine terre du secteur nord du tell ont été comparées avec les tombeaux en pierre déjà publiés : les tombes 2 à 9 étaient, d'après A. Parrot, de 0,40 à 1,20 m sous le niveau du début de la fouille, mais au-dessus de celui des tombeaux jumelés 21, 22 qui étaient à 2,60 m sous le

7 - Jean-Marie M., 1990, p. 303-336.

8 - Lebeau M., 1990 a, p. 349-374.

niveau de départ, elles peuvent être plus récentes que ces derniers.

- Les tombes du secteur du temple d'Ishtar 240 à 246 étaient au-dessus des tombeaux en pierre 241, 242, à une hauteur non précisée. En effet, il n'y avait pas dans la documentation de dessin ni de photo des céramiques retrouvées ; la tombe 240 était scellée par un mur du niveau c [9], on peut penser que cette tombe et les autres en pleine terre appartenaient au niveau d ; si le niveau c est daté du DA II [10], les tombes en pleine terre peuvent être datées du DA I comme les tombeaux en pierre.

- Dans le quartier à l'est du temple d'Ishtar, le cylindre a permis de dater T 83 [11], la céramique de dater T 86.

- Pour les tombes des chantiers A et B, les propositions de stratigraphie faites par J. Margueron, ainsi que celles faites par M. Lebeau pour la datation de la céramique ont été retenues.

- L'ensemble des tombes a été comparé à d'autres, mises au jour dans des sites datés : Kish, Ur, Abu Salabikh, Til-Barsib, Carchemish, Amarna, Tell Brak, Khafadjah, Sialk, sites du Luristan etc. (voir les comparaisons à la fin du chapitre).

Sur quarante-quatre sépultures, trente-huit ont été datées de façon précise, les six autres sont sûrement du début du IIIe millénaire en raison de leur proximité avec les premières.

D A I	14	31,8%	Tombes 21, 22, 240, 241, 242, 243, 244, 245, 246, 300, 797, 801, 823, 910.
D A III	24	54,5%	Tombes 2, 3, 4, 5, 6, 7, 8, 9, 83, 84, 85, 86, 761, 765, 766, 767, 771, 773, 781, 796, 799, 800, 819, 826.
D A	6	13,7%	Tombes 82, 90, 91, 101, 102, 732.

La plupart des tombes sont du D A III, il n'y en a pas qui soient datées de façon précise du D A II ; on peut envisager que le site, ou une partie, a été abandonné provisoirement pendant cette période, ou bien que les inhumations se faisaient alors ailleurs et nous ne les avons pas mises au jour.

Époque des Shakkanakku (Akkad et Ur III, 2350-2000 av. J.-C.)

J.-M. Durand [12] a reconstitué la séquence complète des Skakkanakku de Mari et proposé une chronologie qui commence en 2266 avec Ididis comme premier « gouverneur militaire » de Mari, c'est-à-dire dès l'époque d'Akkad, et se termine aux environs de 1920. Il n'a pas été trouvé de façon nette de niveau archéologique d'époque akkadienne, le DA III se prolonge en Akkad où s'installent les Shakkanakku ; c'est pour cela que les tombes ont été regroupées sous le titre de « l'époque des Shakkanakku », elles regroupent celles de l'époque d'Akkad et de la troisième dynastie d'Ur.

Deux cents tombes (soixante-dix en pleine terre, quatre-vingt-quinze jarres, sept tombes ou tombeaux construits et vingt-huit sarcophages) ont été datées de cette époque ; pour proposer cette date, j'ai repris les études de J. Margueron et M. Lebeau (chantiers A, B, C, D, F) et utilisé des comparaisons de céramiques et objets découverts dans des tombes ou des sites déjà datés (voir les comparaisons à la fin du chapitre).

Tombes en pleine terre

Soixante-dix tombes réparties de la façon suivante :

- secteur du temple d'Ishtar : 40, 41
- secteur sud de la haute terrasse : 427, 473, 595
- secteur nord de la haute terrasse : 530, 532, 533, 534
- chantier A : 957, 1024, 1030, 1036, 1037
- chantier B : 684, 685, 688, 704, 708, 710, 711, 712, 716, 718, 722, 724, 727, 733, 746, 750, 752, 770, 772, 790, 810, 1040
- chantier C : 815, 816, 820
- chantier D : 818, 842
- chantier F : 938, 941, 942, 1017, 1019, 1025, 1031, 1033, 1039, 1042, 1047, 1051, 1053, 1055, 1057, 1063, 1065, 1070, 1071, 1073, 1080, 1082, 1083, 1088, 1089, 1091, 1092, 1101,1104

soit 35,0% des tombes de cette époque.

Renseignements ostéologiques

ossements épars	12	17,1%
corps couché sur le côté droit	17	24,3%
corps couché sur le côté gauche	13	18,6%
corps couché sur le dos	7	10,0%
corps couché sur un côté	21	30,0%

Dans le cas des tombes sans renseignement ostéologique précis, les os étaient parfois très mal conservés (beaucoup d'humidité au chantier C et dans la zone nord du chantier B par exemple), et il a été difficile de déterminer leur position exacte ;

seuls les os du crâne étaient conservés (T 711, 724, 746, 750, 1088), ou seuls ces os ont été dégagés dans une fouille incomplète de certaines tombes ;

9 - Tunca O., 1984, p. 48-49.
10 - Porada E. 1965, p. 133-200.
11 - Amiet P., 1985, p. 475-485.
12 - Durand J.-M., 1985, p. 147-172.

des briques ou des tessons recouvraient le corps dans T 530, 533, 1017, 1047, 1089, 1101, ou étaient sous le corps dans T 1073 ;

la tête était recouverte d'un tesson dans T 1040 ;

des briques crues recouvraient le squelette de l'enfant de T 1051 ;

une double inhumation dans T 1070 ;

T 1080 était en partie sous un sarcophage (T 1067), les deux inhumations ont pu être faites en même temps, l'une dans la cuve, un adulte, et l'autre au-dessous, un adolescent.

La majorité des corps était couchée sur un côté (72,9% des cas), en position fléchie plus ou moins contractée, les bras souvent repliés vers la tête.

Répartition enfant-adulte

Il y avait vingt tombes d'enfants (28,6%) et cinquante tombes d'adultes (71,4%) ; il n'y avait pas de position préférentielle pour les enfants :

trois crânes d'enfants dans T 59 ;

dans T 711, des os de la calotte crânienne de deux nouveau-nés ;

dans T 790, des fragments de crâne d'un enfant ;

dans T 957, un enfant très jeune, dans un petit trou sous un sol ;

dans T 1030, un nouveau-né sous un mur ;

dans T 1051, 1055, un très jeune enfant ;

l'enfant de T 1065 était dans un mur de fondation en briques crues, mais la fosse creusée dépassait du mur, on peut penser que l'inhumation a été placée en creusant dans la tranchée de fondation comblée puis dans le mur lui-même pour placer le corps en position recroquevillée ;

dans T 1088, seul le crâne a été retrouvé.

Orientation

NE-SO	2	2,9%
SO-NE	2	2,9%
NO-SE	7	10,0%
N-S	11	15,7%
S-N	2	2,9%
E-O	4	5,8%
O-E	30	42,9%
pas de renseignement	12	17,0%

La plus grande partie des tombes était orientée E-O/O-E (48,7% des cas).

Mobilier

tombes sans céramique ni objet	19
tombes sans céramique, avec objet	4
tombes avec céramique, sans objet	21
tombes avec céramique et objet	26

Cinquante et une tombes sur soixante-dix (72,9%) étaient accompagnées de mobilier.

- Les céramiques

Quarante-sept tombes avec céramique et vingt-trois sans ; au total 319 céramiques :

vase globulaire	60	18,8%	dont 3 vases à goulot et 5 vases à tenons
jarre	88	27,6%	dont 2 jarres à décor
coupe	115	36,1%	dont 1 coupe à anses et 2 coupes-supports
vase	53	16,6%	dont 2 vases à anses, 1 vase à col trilobé, 1 vase à bec verseur, 1 vase avec un décor, 2 vases à tenons, 2 vases portant un personnage féminin sur le haut de l'épaule.
bouteille	1	0,3%	
cruche	2	0,6%	

Il y avait surtout des coupes et des jarres.

Les céramiques étaient :

tout autour du squelette dans T 532, 716, 727, 1082 ;

près de la tête dans T 40, 815, 1042, 1065 ;

au niveau des jambes dans T 722, 938, 1047, 1101 ;

près du bassin dans T 1065, 1083 ;

tout le long du corps dans T 1053, 1104 ;

près de la tête et des pieds dans T 1031, 1071 ;

derrière le squelette dans T 1019 ;

les coupes étaient posées sur des jarres dans T 818.

Certaines tombes avaient beaucoup de céramiques : onze dans T 716, quatorze dans T 733, vingt-cinq dans T 727, quinze dans T 1053, dix-neuf dans T 1082, dix-huit dans T 1092, trente et une dans T 1104 ;

dans T 938, l'enfant avait un vase miniature dans le creux du coude gauche, les autres céramiques étant devant les genoux ;

dans T 1025, un vase était déposé dans les mains ;

dans T 1065, un vase était déposé devant la tête et l'autre sur le bassin.

- Les objets

Trente tombes avec objet et quarante sans ; au total 132 objets répertoriés ainsi que des perles et des coquillages :

a) armes

- 4 pointes de flèches
- 1 pointe de lance
- 4 poignards avec soie : 2 sans rivet, 1 avec deux rivets et 1 avec trois rivets
- 3 haches à languette repliée.

Toutes les armes étaient en bronze.

b) outils
- 3 haches plates à talon droit
- 1 aiguille
- 3 couteaux
- 2 ciseaux

Tous les outils étaient en bronze.

c) récipients
- 1 coupe, 1 gobelet, 1 bol et 2 vases en bronze
- 2 coupes en albâtre dont 1 à quatre tenons
- 2 vases en albâtre

d) parures
- 22 épingles : 20 droites en bronze (8 avec chas, 7 sans chas, 5 à enroulement) et 2 droites en argent
- 19 bagues : 9 en bronze, 10 en argent
- 5 bracelets, 2 en bronze et 3 en argent
- 6 bijoux : 1 en bronze et or, 2 en bronze, 1 en or, 1 en argent, 1 en argent et électrum
- 15 boucles d'oreilles : 4 en argent, 3 en bronze et 8 en or
- 4 cylindres gravés en pierre
- 13 plaques : 12 en bronze et 1 en bronze et argent
- 3 godets à fard
- 1 cylindre creux en argent
- 7 fragments perforés en os
- des perles en or, lapis-lazuli, cornaline, argent et des coquillages

e) divers
- 4 figurines en terre cuite
- 1 vase en terre crue
- 1 tige en bronze
- 1 chalumeau en bronze
- des fragments d'œufs d'autruche

La position des objets était variable :

dans T 40, un vase en terre crue était déposé dans la main, le godet à fard dans le creux du coude droit ;

dans T 595, les objets étaient près de la tête ;

dans T 688, le bijou en bronze a été trouvé près de la tête ;

le cylindre de T 716 était près des jambes ;

dans T 1031, les objets étaient posés au niveau des bras et des jambes ;

la hache de T 1031 et le poignard de T 1033 étaient sur une jambe ;

dans T 1053, des épingles se trouvaient sur l'omoplate, près du crâne et au niveau des pieds.

Il faut noter la richesse de la tombe 1082 : des objets en or, argent, électrum, os, deux cylindres gravés avec capsules en or, l'un en cornaline, l'autre en lapis-lazuli, deux vases en bronze parmi de nombreuses céramiques.

Tombes d'enfants

T 532 : sept céramiques.

T 711 : une céramique.

T 722 : cinq céramiques, deux bagues, un bracelet, une figurine.

T 790 : quatre céramiques, des coquillages.

T 938 : six céramiques, trois bagues.

T 1063 : six céramiques, deux pointes de flèches, trois plaques, un cylindre creux, un bijou.

T 1065 : deux céramiques, un coquillage.

T 1071 : deux céramiques, deux boucles d'oreilles.

T 1080 : quatre céramiques, un coquillage.

T 1089 : une céramique.

T 718, 816, 941, 957, 1024, 1030, 1040, 1051, 1055, 1088 : rien.

La moitié des tombes d'enfants étaient dépourvues de mobilier.

Offrandes

Des ossements de capriné ont été trouvés près de T 689 ;
une corne de capriné dans T 1092 ;
des ossements d'oviné dans T 1104.

Jarres

Quatre-vingt-quinze tombes réparties de la façon suivante :

- quartier d'habitation à l'est du temple d'Ishtar : 45, 46, 47, 48, 49, 51, 52, 53, 55, 56, 57, 58, 59, 60, 61, 62, 63, 64, 65, 66, 67, 68, 69, 70, 71, 72, 73, 74, 75, 76, 77, 78, 79, 80, 81, 87, 88, 89
- secteur est de la haute terrasse :1
- secteur nord de la haute terrasse : 354, 356, 372, 395, 396, 397, 398, 527, 529, 531
- chantier A : 953, 960
- chantier B : 680, 693, 715, 719, 747, 748, 760, 777, 780, 782, 809, 811, 1035
- chantier C : 784
- chantier F : 959, 1048, 1050, 1059, 1061, 1062, 1064, 1066, 1068, 1072, 1074, 1075, 1077, 1078, 1079, 1081, 1084, 1085, 1086, 1090, 1094, 1095, 1096, 1097, 1098, 1099, 1100, 1102, 1105, 1108

soit 47,5% des tombes de cette époque.

Renseignements ostéologiques

ossements affaissés	16	16,8%
corps couché sur le côté droit	4	4,2%
corps couché sur le côté gauche	15	15,8%
corps couché sur le dos	1	1,1%
corps couché sur un côté	14	14,7%
pas de renseignement	45	47,4%

Pour les tombes pour lesquelles nous n'avons pas de renseignement précis, ou bien A. Parrot n'a rien noté (T 45 à 57), ou bien il a noté dans son journal quotidien qu'il s'agissait de tombes d'enfants (T 58 à 60 et 66 à 81).

Bien que de nombreux renseignements nous manquent, on peut dire que la plupart des corps étaient couchés sur un côté (34,7% des cas).

Répartition enfant-adulte

Il y avait trente-six enfants (37,9%) et cinquante-neuf adultes (62,1%),

les tombes 953, 959, 1050, 1059, 1072, 1074, 1075, 1085, 1094, 1100 contenaient les ossements d'un nouveau-né.

Orientation

SO-NE	10	10,5%
NO-SE	8	8,4%
SE-NO	19	20,0%
N-S	7	7,4%
E-O	6	6,3%
O-E	21	22,1%
pas de renseignement	10	10,5%
debout	13	13,7%
renversée	1	1,1%

La plupart des jarres étaient contre un mur, T 63, 66 à 81 étaient alignées en deux rangées ;

certaines avaient percé des murs (T 52, 55, 56) ;

quelques-unes étaient debout, une était renversée sur les ossements (T 715) ;

dans le secteur de la haute terrasse, les tombes étaient dans une maison qu'A. Parrot a datée de la IIIe dynastie d'Ur (T 354, 356, 372, 398, 527, 529, 531), étaient-elles sous ou sur un sol ?

les tombes 395, 396, 397 étaient sur la face NE du Massif rouge ;

certaines étaient regroupées dans une même fosse : T 1077, 1078, et T 1096, 1097, 1098, 1099 avec les sarcophages 1106, 1107, ce pouvaient être des inhumations simultanées.

Les jarres étaient orientées soit E-O/O-E (28,4%) et NO-SE/SE-NO (28,4%), en général inclinées contre un mur.

Jarres funéraires

La hauteur des jarres variait de 0,14 à 0,36 m pour les tombes d'enfants (sauf trois exceptions, 0,66 m pour T 1, 0,84 m pour T 58 et 1,20 m pour T 760) ; pour les adultes, les jarres étaient plus grandes, de 0,50 à plus de 1,10 m ; cependant les dimensions exigeaient que le corps soit mis en position contractée.

Trente-deux jarres étaient sans décor mais onze étaient cassées et les tessons trouvés n'ont pas été décrits, quarante-quatre avaient un bourrelet sur la panse, seize avaient une moulure et/ou des rainures sur l'épaule ou le col, trois jarres portaient un décor incisé et en relief (T 1, 527, 1086) ;

certaines jarres avaient un enduit bitumé (T 45, 531, 760, 1081, 1090, 1098) ;

sur la jarre de T 760 des traces de cordes étaient encore visibles à l'extérieur (sûrement pour le transport car elle mesurait 1,20 m de hauteur) ;

certaines jarres avaient des anses (T 46, 354, 1078) ;

les deux jarres T 809 et 811 étaient placées l'une au-dessus de l'autre, T 1077 et 1078 étaient dans une même fosse.

Les jarres étaient fermées par différents systèmes :

une jarre ou un vase globulaire	27
un couvercle plat à poignée	5
une coupe	10
un plat/assiette	2
une brique	1
une dalle de gypse	1
un couvercle-passoire	1
pas de renseignement	48

La moitié des jarres a été trouvée sans couvercle, ou du moins le fouilleur n'en a pas signalé.

Mobilier

tombes sans céramique ni objet	46
tombes sans céramique, avec objet	7
tombes avec céramique, sans objet	30
tombes avec céramique et objet	12

Quarante-neuf tombes sur quatre-vingt-quinze (51,6%) étaient accompagnées de mobilier.

- Les céramiques

Quarante-deux tombes avec céramique et cinquante-trois sans ; les coupes, jarres, vases et plats qui formaient les systèmes de fermeture n'ont pas été incorporés dans le décompte ; au total 120 céramiques et 2 tessons décorés :

vase globulaire	6	5,0%
jarre	7	5,8%
coupe	34	28,3%
vase	47	39,2%
bouteille	26	21,7%

Les céramiques se trouvaient à l'extérieur, à côté des jarres funéraires, sauf pour T 1 où elles étaient à l'intérieur de la jarre elle-même.

- Les objets

Dix-neuf tombes avec objet et soixante-seize sans ; au total 76 objets répertoriés, ainsi que des perles :

a) armes
- 1 pointe de flèche
- 2 poignards avec soie : 1 à deux rivets, 1 à trois rivets
- 1 hache à languette repliée

toutes les armes étaient en bronze

b) outils
- 2 aiguilles en bronze
- 1 outil en bronze
- 1 pierre à aiguiser
- 1 polissoir

c) récipients
- 1 coupe et 1 bol en bronze

d) parures

- 5 épingles : 2 à enroulement et 1 non décrite en bronze, 2 en argent avec un anneau en or
- 27 bagues : 3 en bronze, 1 en or, 9 en argent et 14 en coquille
- 9 bracelets en bronze
- 6 anneaux de cheville en bronze
- 1 élément de collier en or
- 6 boucles d'oreilles : 4 en or et 2 en argent
- 1 cylindre gravé en pierre
- 3 plaques en bronze
- des perles en or dont deux à godrons (T 89, 809), cornaline, lapis-lazuli, fritte

e) divers

- 2 figurines en terre cuite
- 1 récipient en terre crue
- 4 tiges en bronze

Les objets étaient dans les jarres funéraires, sauf dans T 61 où les bracelets ont été trouvés à l'extérieur (on peut penser que la tombe a été perturbée).

La tombe 760, du fils du Shakkanaku, était particulièrement riche : deux épingles et huit bagues en argent, un bracelet en bronze, une bague en or, un sceau-cylindre inscrit en hématite [13], une coupe et un bol en bronze, y ont été trouvés.

Tombes d'enfants

T 1 : trois céramiques.

T 59 : une coupe, une épingle.

T 529 : quatre céramiques, une figurine.

T 953 : trois céramiques.

T 960 : deux céramiques.

T 760 : cinq céramiques, deux épingles, neuf bagues, un bracelet, une coupe, un bol et une plaque en bronze, des perles, un cylindre gravé.

T 784 : une céramique.

T 1074 : une céramique.

T 1075 : une céramique.

T 1085 : deux céramiques.

T 58, 60, 66, 67, 68, 69, 70, 71, 72, 73, 74, 75, 76, 77, 78, 79, 80, 81, 397, 715, 959, 1050, 1059, 1072, 1094, 1100 : rien.

La majorité des tombes d'enfants étaient dépourvues de mobilier.

Offrandes

Des ossements de boviné dans T 1077,1078 ;
des ossements d'oviné, de capriné et de boviné dans T 1090 ;
des ossements de capriné dans T 1102.

13 - Beyer D., 1985, p. 173-189.

14 - Margueron J., 1984 b, p. 197-215.

Tombes et tombeaux construits

Sept tombes et tombeaux construits répartis de la façon suivante :

tombes :
- secteur sud du temple d'Ishtar : 42, 44
- secteur de la haute terrasse : 477
- chantier B : 755
- chantier F : 1054

tombeaux :
- chantier A : 763, 928

soit 3,5% des inhumations de cette époque.

Les tombes 42, 44 et 477 étaient construites en briques cuites et devaient être voûtées en encorbellement (la partie supérieure était écroulée) ;

la tombe 755 était en briques cuites et recouverte par des dalles de gypse qui étaient protégées par une natte enduite de bitume ;

la tombe 1054 était en briques crues.

Le tombeau 763 était en briques cuites pour la chambre funéraire qui était voûtée en encorbellement, en dalles de gypse pour le *dromos*, et était situé sous la salle I du palais oriental [14] ;

le tombeau 928 était en briques cuites, voûté en encorbellement, il était situé sous la salle du trône du palais oriental [15].

Renseignements ostéologiques

Les tombes 42, 477, 755 ainsi que les tombeaux 763 et 928 étaient vides ;

T 44 contenait un squelette couché sur le côté gauche ;

T 1054 contenait quelques ossements épars.

Mobilier

Les tombes 42, 44, 477, 755, 1054 :

- Les céramiques

Quatre tombes avec céramique, au total 6 céramiques :

vase globulaire	3	dont 1 vase à tenons
jarre	1	
coupe	2	

- Les objets

Deux tombes avec des objets ; au total 8 objets répertoriés, ainsi que des perles :

a) outils

- 1 couteau en bronze
- 1 hache plate en bronze

15 - Margueron J., 1990 b, p. 402-422.

b) récipients
- 2 bols et 1 cruche en bronze

c) parures
- 1 épingle droite en bronze
- 1 bracelet en bronze
- des perles en lapis-lazuli, agate, ambre, cornaline, argent, serpentine, pâte blanche

d) divers
- 1 enrouleur en os

Les tombeaux 763 et 928 :

- Les céramiques

Deux tombeaux avec des céramiques ; au total 48 céramiques :

jarre	25
coupe	14
gobelet	1
bouteille	8

Les céramiques de T 763 [16] et de T 928 [17] ont été publiées par M. Lebeau.

- Les objets

Deux tombeaux avec des objets ; au total 19 objets répertoriés, ainsi qu'un grand nombre d'éléments d'incrustation :

a) outils
- 2 clous
- 6 tiges

les outils étaient en bronze

b) parures
- 1 épingle à enroulement en bronze
- 1 bague en argent
- 1 plaque en bronze
- 2 perles en or

d) divers
- 1 élément de cloisonnement en bronze
- 1 élément en argent
- 3 yeux en bronze, fritte et coquille
- 1 plaque en gypse
- des éléments d'incrustation en lapis-lazuli, cornaline, pierre rouge, fritte, nacre, ocre, argent (à peu près 200).

Offrandes

Dans le tombeau 763, des ossements de capriné et deux vertèbres de poisson ont été trouvés dans la chambre funéraire.

Sarcophages

Vingt-huit sarcophages répartis de la façon suivante :

- quartier d'habitation à l'est du temple d'Ishtar : 50, 54
- secteur NE de la haute terrasse : 535
- chantier A : 1032
- chantier B : 687, 692, 709, 788
- chantier F : 939, 940, 945, 947, 956, 1018, 1022, 1023, 1026, 1034, 1052, 1060, 1067, 1069, 1076, 1087, 1093, 1103, 1106, 1107 [18]

soit 14,0% des tombes de cette époque.

Les tombes 535 et 1034, 1093, 1103 étaient constituées d'un sarcophage entouré de murs, mais elles ont été classées dans la catégorie des sarcophages :

T 535 était entourée de quatre assises de briques crues ;

T 1034 était dans un espace délimité par quatre murs de briques crues de plus de 1,0 m de hauteur ;

dans T 1093 les deux longs côtés étaient entre deux murs en briques crues posées en encorbellement ;

dans T 1103 des murs en briques crues à l'ouest et au sud de la cuve.

Les cuves étaient rectangulaires, à angles arrondis, fond plat, parois verticales ; leur longueur variait de 0,90 à 1,30 m, leur largeur de 0,50 à 0,80 m, et leur hauteur de 0,30 à 0,64 m,

le fond de la cuve de T 1093 était percé de neuf rangées de quatre, cinq ou six trous, le fond de celle de T 1103 avait une rangée médiane de six trous.

Les couvertures étaient :

couvercle plat en terre cuite (dont un couvercle avec poignée dans T 1103 et deux couvercles superposés dans T 1093)	12
dalles de gypse	2
fragments de jarre	2
briques	1
rien	9

Renseignements ostéologiques

ossements épars	5	19,2%
corps couché sur le côté droit	8	30,8%
corps couché sur le côté gauche	6	23,1%
corps couché sur le dos	1	3,8%
tombe vide	6	23,1%

Le squelette (adulte) était toujours en position contractée, bras et jambes repliés, la longueur maximale des cuves étant de 1,30 m.

Dans T 1023, l'extrémité proximale du fémur gauche était hypertrophiée ;

dans T 1026, le fémur gauche était plus long que le droit de 1,5 cm.

La plus grande partie des corps était couchée sur un côté (53,9% des cas).

16 - Lebeau M., 1984, p. 217-221.

17 - Lebeau M., 1990 b, p. 375-383.

18 - Les tombes 1106 et 1107 n'ont été que partiellement fouillées et ne sont pas prises en compte dans les différentes rubriques.

Répartition enfant-adulte

Aucun enfant n'a été retrouvé dans les vingt sarcophages qui contenaient des ossements ; certaines tombes avaient été violées puisque six étaient vides, mais étant donné que leurs dimensions (+ de 1,0 m de longueur) étaient comparables à celles qui contenaient des ossements, elles étaient sûrement destinées à des adultes.

Orientation

NE-SO	1	3,8%
SO-NE	2	7,7%
NO-SE	2	7,7%
N-S	2	7,7%
E-O	4	15,4%
O-E	13	50,0%
pas de renseignement	2	7,7%

La plupart des tombes étaient orientées E-O/O-E (65,4% des cas).

Mobilier

tombes sans céramique ni objet	5
tombes sans céramique, avec objet	4
tombes avec céramique, sans objet	7
tombes avec céramique et objet	10

Vingt et une tombes sur vingt-six (80,8%) étaient accompagnées de mobilier.

- Les céramiques

Dix-sept tombes avec céramique et neuf sans ; au total 140 céramiques :

vase globulaire	27	19,3%	dont 1 vase à goulot
jarre	41	29,3%	
coupe	49	35,0%	
gobelet	1	0,7%	
vase	16	11,4%	
bouteille	5	3,6%	
couvercle	1	0,7%	

Dans certaines tombes, il y avait beaucoup de céramiques : dix-huit dans T 940, vingt-six dans T 1034, dix-sept dans T 1052, treize dans T 1093,

elles étaient situées dans la majorité des cas à l'extérieur, contre les parois des sarcophages (T 940, 1023, 1034, 1069, 1087) ; parfois il y en avait à l'extérieur et à l'intérieur (T 945, 1022, 1052, 1053, 1060, 1067, 1093, 1103).

- Les objets

Quatorze tombes avec objet et douze sans ; au total 63 objets répertoriés ainsi que des perles :

a) armes

- 4 pointes de flèches
- 4 poignards avec soie : 2 à un rivet, 1 à deux rivets, 1 à trois rivets
- 4 haches à languette repliée

toutes les armes étaient en bronze

b) outils

- 1 couteau en bronze

c) récipient

- 1 bol en bronze

d) parures

- 17 épingles en bronze : 8 à enroulement, 7 droites sans chas, 2 droites avec chas
- 2 bagues en bronze
- 3 bracelets en bronze
- 1 bijou en bronze
- 5 boucles d'oreilles en argent
- 2 cylindres gravés en pierre
- 14 plaques en bronze
- 1 anneau en bronze
- des perles en pierre, cornaline, or

e) divers

- 1 figurine fragmentaire en terre cuite
- 1 balle de fronde
- 2 tiges en bronze

La position des objets était variable :

dans T 1018, l'épingle, la plaque et la pointe de flèche étaient situées derrière le squelette ;

dans T 1022, la pointe de flèche était près du crâne ; le poignard a été trouvé à l'extérieur, mais le fouilleur l'a associé à cette tombe ;

dans T 1023, la pointe de javeline était sur l'épaule, le poignard sur le côté, une plaque sur la tête, une près des jambes, des épingles près des mains ;

dans T 1026, le poignard était près d'une jambe, une plaque près des bras avec une épingle, une autre plaque près du bassin, la hache sur l'épaule ;

la hache a été trouvée lors du démontage de la tombe T 1034 ;

dans T 1052, deux épingles, une plaque, un couteau près de la tête, une épingle près des pieds avec des perles, une plaque sur le thorax ; la hache a été trouvée à l'extérieur du sarcophage, contre la paroi sud, lors du démontage de la tombe ;

dans T 1067, 1069, 1103, les épingles étaient dans le creux d'un bras ;

dans T 1093, les épingles étaient sous le crâne avec les plaques, la hache était derrière la tête, le poignard contre un bras, le bol en bronze posé de chant devant la tête avec la pointe de flèche.

Offrandes

- T 940 : un squelette fragmentaire d'un jeune capriné, dont une patte reposait sur une coupe, était placé à la base de la paroi sud du sarcophage, toutes les céramiques étaient à proximité des os animaux ;
- T 945 : des ossements de capriné étaient placés entre la cuve et les céramiques ;
- T 947 : des ossements de capriné en mauvais état de conservation étaient au nord de la cuve ;
- T 1034 : des ossements d'ovine ont été trouvés sous une coupe qui était renversée au sud du sarcophage ;
- T 1052 : deux os longs et une corne de capriné dans une coupe, à l'extérieur, ainsi qu'une demi-mandibule ;
- T 1060 : une demi-mandibule de capriné était posée sur un vase ;
- T 1103 : des ossements d'oviné et de capriné à l'extérieur de la cuve.

Discussion

Étant donné les difficultés rencontrées pour dater de façon très précise les tombes, il a semblé préférable de discuter de l'ensemble des tombes du Bronze Ancien, DA et époque des Shakkanakku.

Les différents types de tombes

Au total 244 tombes : 106 tombes en pleine terre, 98 jarres, 12 tombes construites et 28 sarcophages,

	tombes pleine terre	jarres	tombes construites	sarcophages	total
DA	36-81,3%	3-6,8%	5-11,4%	0	44
Shak.	70-35%	95-47,5%	7-3,5%	28-14%	200
total	106	98	12	28	244

La répartition sur le tell était la suivante :

secteur septentrional (chantier B)	56
quartier est du temple d'Ishtar + chantier F	127
secteur du temple d'Ishtar	14
palais oriental (chantier A)	11
secteur nord du tell	10
secteur de la haute terrasse	19
secteur des temples	1
secteur du rempart (chantier C)	4
chantier D	2

Toutes ces inhumations étaient sous des sols : bâtiment du chantier B, secteur du temple d'Ishtar, palais oriental, habitat dans la zone de la haute terrasse, quartier d'habitation situé entre le palais et le temple d'Ishtar. Pour les tombeaux construits (T 241, 242, 300, 763, 928), leur aménagement a dû être fait lors de la construction du bâtiment. Lorsque les tombes sont situées sous les sols des maisons d'habitation, il est difficile de savoir si elles ont été mises en place lorsque ces dernières étaient occupées ou abandonnées ; dans le quartier situé entre le palais et le temple d'Ishtar, les tombes sont dans les fondations des bâtiments.

Les tombes d'enfants

tombes	pleine terre	jarres	t.construites	sarcophages
DA	4-11,1%	3-100%	0	0
Shak.	20-28,6%	36-37,9%	0	0

On peut voir que les pourcentages augmentent beaucoup à l'époque des Shakkanakku pour les tombes en pleine terre, les enfants avaient-ils alors droit à une sépulture ? Pour les jarres, le très faible nombre trouvé au DA ne permet aucune comparaison, bien que les trois jarres contenaient des restes d'enfants.

Dès l'époque d'Obeid, des inhumations sous les sols des maisons coexistaient avec des nécropoles :

- À Tepe Gawra, J.-D. Forest [19] a montré que dès le niveau XVA/XV, il y avait des inhumations sous l'habitat et un cimetière ; cet auteur oppose les individus enterrés dans l'habitat à ceux enterrés dans le cimetière et considère que l'augmentation de la population qui a pour conséquence l'apparition d'individus de statuts différents provoque l'apparition des cimetières et donc une évolution dans les pratiques funéraires.
- Des cimetières existaient aussi en Mésopotamie du sud, L. Woolley [20] a mis au jour à Ur, une cinquantaine de tombes de l'époque d'Obeid et presque quatre cents tombes qu'il a datées de Djemdet Nasr ; il a différencié les individus selon leur position : ceux d'Obeid II étaient allongés sur le dos, ceux d'Obeid III étaient en position contractée, souvent enveloppés dans des nattes, et ceux de Djemdet Nasr en position très contractée, en forme d'arc ; aucun vestige d'architecture n'ayant été retrouvé au-dessus de ces tombes, le fouilleur a donc considéré qu'il s'agissait d'un cimetière ; J.- D. Forest [21] a daté, quant à lui, ces tombes des D A I et II.
- Dès le cinquième millénaire des cimetières existaient aussi en Iran, au Luristan, à Dum Gar-Parchinah [22], Hakalan [23], dégagés par L. Vanden Berghe, avec des cistes construits en gros mœllons, couverts par des dalles plates ou avec une toiture en dos d'âne ; ces tombes étaient souvent collectives.

19 - Forest J.-D., 1983, p. 19-110.
20 - Woolley L., 1956, p. 87-102.
21 - Forest J.-D., 1983, p. 111-131.
22 - Vanden Berghe L., 1975, p. 46-61.
23 - Vanden Berghe L., 1973 a, p. 49-58.

Au troisième millénaire, on trouve des nécropoles en Mésopotamie :

- À Kheit Qasim, J.-D. Forest [24] a mis au jour des tombeaux construits en briques crues.

- À Kish, E. Mackay [25] a trouvé cent cinquante tombes en pleine terre installées dans les ruines du palais A qui a dû être abandonné pendant un temps assez long, avant l'installation de la nécropole [26] ; ces tombes ont été datées du D A III/Akkad par C. Breniquet [27] ; pour P. Moorey [28], ce cimetière a dû être en usage pendant un temps assez court, deux ou trois générations seulement.

- À Ur, dans le cimetière royal, mille cent tombes ont été dégagées par L. Woolley [29], dans le secteur des seize tombes royales : le fouilleur les a réparties en trois périodes en fonction de leur profondeur et de la céramique qui y a été trouvée, « Predynastic » : six cent cinquante-neuf tombes, dont la majeure partie était en pleine terre et les seize tombes royales, « 2nd dynasty » : quinze tombes, et « Sargonic » : quatre cent dix tombes ; aucune trace de bâtiment n'a été repérée au-dessus, L. Woolley pensait donc que c'était un cimetière ; en fait, ces tombes en pleine terre n'étaient pas toutes au-dessus des tombes royales, certaines étaient presque en surface (0,30 m), mais d'autres étaient aussi profondes que les tombes royales (jusqu'à 12 m) ; l'ensemble a été daté du D A III a par E. Porada [30], et S. Pollock [31] a considéré que ce cimetière a été utilisé jusqu'au début d'Ur III, c'est-à-dire pendant une très longue période. Très peu de tombes d'enfants ont été signalées : douze seulement dans la première série et neuf dans la troisième ; il est étonnant de trouver si peu d'enfants, étant donné le taux de mortalité infantile qui devait être important à cette époque [32] ; ou bien les renseignements donnés par les fouilleurs sont lacunaires, ou bien il existait un autre endroit où les enfants étaient inhumés. Il faut signaler que L. Woolley ne publie dans ses catalogues que les tombes qui contenaient du matériel, les tombes sans mobilier devaient exister à Ur, mais il n'en a pas été tenu compte, peut-être les enfants étaient-ils inhumés sans offrande ?

En Iran, une nécropole a été mise au jour à Tepe-Giyan par R. Ghirshman [33], elle semblait succéder à une période d'habitation, car des restes d'architecture existaient au-dessus des tombes ; de même, à Kalleh Nisar [34], Mirkhair [35], Badr [36], Bani Surmah [37], L. Vanden Berghe a trouvé des caveaux collectifs datés du D A III.

En Syrie, des nécropoles ont été trouvées :

- À Tawi par I. Kampschulte [38] et W. Orthmann [39], où les tombes étaient en rangées régulières, couvertes de dalles en pierre locale, collectives ou individuelles.

- À Halawa par W. Orthmann [40], où il y avait un cimetière hors du rempart avec des chambres à puits.

- À Apamée par D. Collon [41], où des tombes construites avec des blocs calcaires et recouvertes de dalles ont été trouvées, collectives et individuelles.

- À Samseddin et Djerniye par J.-W. Meyer [42], à Wreide par W. Orthmann [43], avec de nombreux caveaux à puits et chambres multiples contenant plusieurs inhumations et constituant des nécropoles.

Cependant, au troisième millénaire, les inhumations se faisaient aussi sous les sols des maisons :

En Mésopotamie, à Khafadjah, P. Delougaz [44] a trouvé cent soixante-huit tombes, soit des simples fosses en pleine terre, soit des tombes construites en briques, les morts étaient souvent enveloppés dans des nattes.

- À Fara, H. P. Martin [45] a mis au jour des tombes qui étaient placées suivant l'orientation des murs des maisons, il y avait surtout des jarres et des sarcophages qui ont été datés du D A II et III et Ur III.

- À Abu Salabikh, H. P. Martin [46] a dégagé de nombreuses tombes datées du D A III, ce sont des fosses parfois très profondes qui aboutissent dans des chambres et qui sont associées aux bâtiments au-dessous desquels elles se trouvent ; elles sont intramurales, c'est-à-dire parallèles aux murs ; ce sont en général des tombes riches en mobilier.

- À al'Ubaid [47], une centaine de tombes notées par H. R. Hall et L. Woolley « Early, Middle, Late », sans plus de précision, mais datées plus tard du D A II-III par H. P. Martin [48], étaient sous des maisons.

- À Kish [49], des tombes dont six contenaient des chariots, ont été trouvées dans le sondage Y, sous les sols d'un habitat privé ; G. Algaze [50] pense que ces tombes étaient

24 - Forest J.-D., 1983, p. 133-142.
25 - Mackay E., 1925.
26 - Mackay E., 1929.
27 - Breniquet C., 1984, p. 19-28.
28 - Moorey P. R.S., 1978.
29 - Woolley L., 1934.
30 - Porada E., 1965, p. 133-200.
31 - Pollock S., 1985, p. 129-158.
32 - Masset C., 1973, p. 95-131.
33 - Ghirshman R., 1935, p. 91-108.
34 - Vanden Berghe L., 1970 a, p. 64-73.
35 - Vanden Berghe L., 1979 a, p. 1-37.
36 - Vanden Berghe L., 1970 b, p. 10-21.
37 - Vanden Berghe L., 1968, p. 53-63 et 1979 b, p. 39-50.
38 - Kampschulte I., Orthmann W., 1984.
39 - Orhtmann W., 1977, p. 97-105.
40 - Orthmann W., 1981.
41 - Collon D., Otte C. et M., Zaqzouq A., 1975.
42 - Meyer J.-W., 1991.
43 - Orthmann W. 1991.
44 - Delougaz P., Hill H. D., Lloyd S., 1967.
45 - Martin H. P., 1988, p. 27-42.
46 - Martin H. P., Moon J., Postgate J. N, 1985.
47 - Hall H. R., Woolley L., 1927.
48 - Martin H. P., 1982, p. 145-185.
49 - Watelin L. Ch., Langdon S., 1934.
50 - Algaze G., 1983, p. 135-194.

contemporaines de l'occupation des maisons et les date du D A I final, Mc G. Gibson [51] considère lui, que ces tombes ont été installées après l'abandon complet des maisons, et les date du D A I-II.

- Enfin à Tello, A. Parrot [52] a mis au jour des tombes sous un habitat.

En Syrie, dans de nombreux sites, les fouilleurs ont trouvé des tombes sous des habitations :

- À Chagar Bazar, M. Mallowan [53] en a découvert soixante-seize, sous forme de simples inhumations, sous les sols des maisons, avec 80 à 90% d'enfants, on peut penser que les adultes étaient inhumés ailleurs.

- À Til-Barsib, des cistes entouraient l'hypogée, ces tombes datées par F. Thureau-Dangin [54] du IIe millénaire, devaient en fait, selon M. Mallowan [55] et C. Schaeffer [56], être plus anciennes et dater plutôt du IIIe millénaire.

- À Carchemish, des tombes à cistes placées sous des maisons, ont été datées du troisième millénaire par L. Woolley [57].

- À Tell Hadidi [58], des inhumations d'enfants dans des zones domestiques existaient à côté des grandes tombes à encorbellement et appareil cyclopéen.

- À Ras-Shamra [59], des inhumations d'enfants dans des jarres de type usuel ont été trouvées sous les sols.

- À Tell Selenkahiye [60], les enfants étaient parfois enterrés sous les maisons, alors que les adultes étaient en dehors des habitations.

- Plus à l'est de la Syrie, à Asharah, F. Thureau-Dangin [61] a trouvé des jarres contenant des corps d'enfants.

- À Melebiya, quelques tombes d'enfants ont été mises au jour sous les sols des maisons, aucune tombe d'adulte n'a été trouvée, M. Lebeau [62] pense que le cimetière devait être à la périphérie de la cité.

Au Liban, à Byblos, M. Dunand [63] a mis au jour des jarres qui contenaient soit des corps de petits enfants, soit des adultes, datées des époques les plus anciennes du site.

Pour terminer ce tour d'horizon des différents types d'inhumations, il faut citer les grands tombeaux construits au troisième millénaire : à Ur [64] les tombes royales, l'hypogée de Til-Barsib [65], ainsi que de nombreux caveaux trouvés à Ras-Shamra [66], mais qui sont plus tardifs.

On peut conclure que depuis le cinquième millénaire, il existe simultanément des inhumations sous les sols des maisons et des cimetières ; le problème est de savoir si les inhumations sous les maisons se faisaient alors que celles-ci étaient occupées ou lorsqu'elles étaient abandonnées ; pour M.-T. Barrelet [67], trois possibilités peuvent exister :

- présence concomitante des vivants et des morts dans une même maison,

- pas de concomitance : ou bien les familles auraient abandonné les maisons transformées alors en dépôts funéraires, ce qui impliquerait un mouvement des implantations de l'habitat, ou bien on enterrait les morts dans des maisons abandonnées,

- les deux possibilités pouvaient exister simultanément : inhumations sous les maisons habitées et dans des maisons abandonnées.

De toute façon, toutes les inhumations ne pouvaient se faire sous les sols des maisons, il était nécessaire qu'il y ait des cimetières soit dans l'agglomération elle-même, soit plus ou moins éloignés.

À Mari, dans la première moitié du troisième millénaire (D A), il y a donc près de 82% des tombes qui sont en pleine terre, orientées le plus souvent E-O, et seulement 6,8% de jarres, toutes en relation avec un habitat ; cela représente peu de tombes mises au jour, étant donné l'importance de la ville pendant cette longue période ; il n'y avait que quatre enfants et trente-deux adultes inhumés en pleine terre ; à cette époque le taux de mortalité infantile était élevé, le nombre de tombes d'enfants est donc faible ; ou bien les enfants n'étaient pas inhumés sous les maisons, ce qui serait en opposition avec ce qui se passait dans tous les sites qui viennent d'être évoqués, ou bien les enfants étaient enterrés en pleine terre sous les maisons mais leurs os se sont mal conservés ; cependant, s'ils étaient inhumés avec des objets, on aurait retrouvé ceux-ci ; on peut aussi penser que les très petits enfants n'étaient pas inhumés ; on sait qu'il manque toujours une partie des enfants les plus jeunes dans les cimetières [68], soit qu'ils n'aient pas été inhumés (la pratique de l'inhumation des petits enfants est, par exemple, exceptionnelle dans les sites préhistoriques), soit qu'ils aient été déposés ailleurs que dans les cimetières.

À Mari, pour les enfants, on utilisait au début du IIIe millénaire, les deux modes d'inhumation : dans une jarre

51 - Gibson Mc G., 1972.
52 - Parrot A., 1948.
53 - Mallowan M., 1936, p. 1-86.
54 - Thureau-Dangin F., Dunand M., 1936.
55 - Mallowan M., 1937 b, p. 328-339.
56 - Schaeffer C., 1948, p. 81-84.
57 - Woolley L., 1952.
58 - Dornemann R. H., 1977, p. 217-234.
59 - Contenson H. de, 1970, p. 1-23.
60 - van Loon M., 1968, p. 21-32.
61 - Thureau-Dangin F., Dhorme P., 1924, p. 265-293.
62 - Lebeau M., 1993.
63 - Dunand M., 1973.
64 - Woolley L., 1934.
65 - Thureau-Dangin F., Dunand M., 1936.
66 - Margueron J., 1983 b, p. 5-31.
67 - Barrelet M.-T., 1980, p. 1-27.
68 - Bocquet J.-P., Masset C., 1977, p. 65-90.

(trois cas sur trois tombes), et en pleine terre (quatre cas sur trente-six tombes).

On trouve parfois les corps déposés en pleine terre entourés de nattes (T 86,765) comme à Khafajah [69] et Ur [70]; ils sont couchés sur un côté, droit (13,9%) ou gauche (8,3%), et orientés plutôt E-O (22,2%).

A. Parrot a évoqué la présence d'ossements « brûlés », de cendres plus ou moins abondantes, de squelettes désarticulés dès le début du troisième millénaire et les a interprétés comme des inhumations avec dislocation et des incinérations ; étant donné que la description des ossements est insuffisante, on ne peut arriver à la même conclusion, d'autant plus que la pratique de la crémation apparaît beaucoup plus tard, vers la moitié du deuxième millénaire seulement :

- En Syrie, à Hama, H. Ingholt [71] a trouvé plus de quatre cents urnes cinéraires ; à Atchana, trois tombes à incinération ont été signalées par L. Woolley [72].

- En Palestine, à Jéricho [73], une tombe de ce type dans laquelle était un scarabée au nom du pharaon Thoutmosis III (1479-1425), à Beit Mirsim [74] une tombe.

- En Asie Mineure, à Troie, une nécropole à incinération a été trouvée en dehors de la citadelle et datée de 1450-1400 par C. W. Blegen [75] ; à Bogaskoy [76] un rituel en cunéiforme trouvé dans la couche III mentionne la pratique de l'incinération.

- En Iran, à Tchoga-Zanbil, R. Ghirshman [77] a trouvé dans les sépultures princières des ossements calcinés et a considéré que cette pratique d'incinération avec du mobilier funéraire devait être réservée aux personnalités de haut rang.

C. Schaeffer [78] considérait que l'incinération, pratiquée à l'époque préhistorique, a disparu, puis a été réintroduite au milieu du deuxième millénaire, peut-être par un élément ethnique étranger.

- À Ras el Bassit, P. Courbin [79] a mis au jour des urnes contenant des ossements et des offrandes calcinés, mais elles sont beaucoup plus tardives.

Il faut noter que les tombes à incinération que nous venons de citer étaient des jarres qui contenaient pour la plupart des ossements calcinés d'enfants, il n'y a pas de comparaison possible avec les tombes en pleine terre trouvées par A. Parrot lors de la première campagne de fouilles à Mari, et qu'il considérait comme participant d'un rituel d'incinération.

- À l'époque des Shakkanakku, un nombre plus grand de tombes (200) permet des conclusions plus sûres ; la proportion des jarres devient supérieure à celle des tombes en pleine terre (47,5% pour 35,0%), et on trouve des sarcophages (14,0%) ; la répartition enfant-adulte change aussi, il y a 28,6% d'enfants dans les tombes en pleine terre, 37,9% dans les jarres mais aucun enfant inhumé dans un sarcophage ; on utilise davantage de jarres qu'à l'époque précédente, soit posées debout, soit plus ou moins inclinées ou couchées. Les renseignements concernant le côté sur lequel sont déposés les morts sont trop variables pour en tirer une conclusion nette, on peut seulement dire que dans les tombes en pleine terre, les corps sont mis sur un côté, souvent le droit (22,9%), dans les jarres les ossements sont souvent affaissés et il est difficile de déterminer la position du corps, enfin dans les sarcophages le côté droit est le plus représenté (30,8%). L'orientation la plus fréquemment rencontrée est O-E (42,9% pour les tombes en pleine terre, 22,1% pour les jarres et 50,0% pour les sarcophages).

Le mobilier

- Les céramiques

Les pourcentages de tombes contenant ou non des céramiques sont variables selon les époques :

		tombes avec céramique	tombes sans céramique	nombre de céramiques
D A	pleine terre	30-83,3%	6	234
	jarre	1-33,3%	2	1
	tombeau	5-100%	0	47
Shak	pleine terre	47-67,1%	23	319
	jarre	42-44,2%	53	120
	t.construite	4-80,0%	1	6
	tombeau	2-100,0%	0	48
	sarcophage	17-65,4%	9	140

Pour les comparaisons, les trois jarres des D A et les tombes et tombeaux construits (cinq des D A et sept Shakkanakku) n'ont pas été pris en compte, leur nombre étant trop restreint.

Le plus grand pourcentage de tombes avec céramiques se rencontre pour les tombes en pleine terre (83,3% et 67,1%), ainsi que les sarcophages (65,4%) ; d'autre part, ce sont les sarcophages qui contiennent le plus grand nombre

69 - Delougaz P., Hill H. D., Lloyd S., 1967.
70 - Woolley L., 1934, 1956.
71 - Ingholt H., 1940, p. 69-118.
72 - Woolley L. , 1955.
73 - Garstang J., 1932, p. 35-54.
74 - Albright W. F., 1938, p. 76.
75 - Blegen C. W., 1935, p. 26.
76 - Bittel K., 1937, p. 14 et suiv.
77 - Ghirschman R., 1968.
78 - Shaeffer C., 1948, p. 559.
79 - Courbin P., 1993.

de céramiques : 140 pour 17 tombes, alors que les tombes en pleine terre en contiennent 234 pour 30 (DA) et 319 pour 47 (Shak.) ; les jarres Shakkanakku sont les plus pauvres avec 120 céramiques pour 42 tombes, et il n'y a que 44,2% de tombes en jarres qui en contiennent.

Les types les plus représentés sont :

D A : les vases globulaires (63,7%) et les coupes (12,0%) pour les tombes en pleine terre

Shak. : les jarres (27,6%) et les coupes (36,1%) pour les tombes en pleine terre, les coupes (28,3%) et les vases (39,2%) pour les tombes en jarres, les jarres (29,3%) et les coupes (35,0%) pour les sarcophages.

L'association jarre *scarlet ware*, jarre à décor incisé ou en relief/coupe-support se retrouve plusieurs fois à Mari (T 4, 86, 300, 1053), comme à Kafadjah [80], Abu Salabikh [81],[82], Fara [83], Kish [84] et dans d'autres sites [85] ; mais on trouve aussi des coupes-supports seules (T 21, 22, 766) comme à Ur [86] et à Tello [87].

Deux vases portant une figurine féminine nue appliquée, ont été trouvés :

III Z16 SO51 (T 733) : la figurine est assise sur la partie supérieure de la panse, les bras croisés sous les seins, dans une pose typique de l'époque d'Ur III, et est comparable à celle trouvée à Alalakh [88].

III E1 SE28 (T 1053) : la figurine est debout, en position d'atlante, les bras repliés à angle droit vers le haut, et est comparable à celle trouvée à Larsa [89].

L'origine de ces figurines appliquées peut être cherchée dans les anses-idoles du DA III retrouvées dans la Diyala [90], à Kish [91], à Mari [92], faisant référence à la déesse-mère ; à cette époque, seuls un visage et un buste féminin étaient représentés ; l'évolution qui s'est faite vers une représentation du corps entier, a abouti à Ur [93] (DA III) où un personnage entier, un bras le long du corps, un bras replié à la taille a été trouvé, puis à la fin troisième/début deuxième millénaire, on trouve des figurines comme celles de Mari, Hama, Larsa, Alalakh.

D'après M.-T. Barrelet [94], la position des bras différencie les époques : à celle d'Akkad, les figurines ont un bras allongé le long du corps et un bras replié contre la poitrine ou la taille ; à celle d'Ur III, les figurines ont les deux bras pliés, appuyés au corps, mains jointes soutenant les seins ; la position en atlante est plus rare, un relief avec une figure féminine ayant les bras repliés vers le haut, a été mis au jour à Alalakh [95] par L. Woolley et daté du Bronze Récent.

Trois jarres funéraires portent un décor incisé et en relief :

M 31 (T 1) : trois registres séparés par des bourrelets, deux serpents venant boire au bec de la jarre, des lions affrontés, des rosaces, un arbre stylisé.

M 3640 (T 527) : trois registres séparés par des bourrelets cordés, des serpents venant boire au bec cassé de la jarre, des scorpions, des quadrupèdes, un homme nu tenant un rameau, des animaux schématisés entre des triangles pointillés.

III H2 NO32 (T 1086) : deux serpents viennent boire de part et d'autre du bord du goulot.

Ce type de décor de serpents et autres animaux a été trouvé dès le troisième millénaire et jusqu'au début du deuxième, dans la Diyala, par P. Delougaz [96].

Les céramiques déposées dans les tombes peuvent être considérées soit comme des offrandes faites au défunt, soit comme lui appartenant ; est-ce que ce sont des céramiques fabriquées spécialement, non utilisées précédemment ? À Mari, elles ne sont pas différentes des autres céramiques trouvées sur le site (voir les comparaisons à la fin du chapitre) ; si elle ont été utilisées, elles ont pu l'être lors d'un banquet funéraire ; le fait de trouver certaines coupes près de la tête fait penser à une offrande de nourriture ou de boisson faite lors de l'inhumation ; à Mari, pour le troisième millénaire, il n'a pas été fait mention de reste de nourriture trouvé dans des céramiques ; cette éventualité est d'ailleurs difficile à détecter, car souvent les vases sont retrouvés cassés ou pleins de terre d'infiltration. Cependant, la présence d'ossements animaux dans certaines tombes peut faire penser à un banquet qui se déroulerait lors de la mise en terre, mais toutes les tombes ne contenant pas de céramique ou d'autre offrande, le banquet, s'il existait, n'était pas une cérémonie généralisée à tous les défunts.

Nous avons vu que c'est dans les tombes en pleine terre et les sarcophages que l'on trouve la plus grande quantité de céramiques alors que pour les tombes en jarres il y en a beaucoup moins (excepté les tombeaux des DA et

80 - Delougaz P., Hill H. D., Lloyd S., 1967, pl. 62 A-B-D.
81 - Martin H. P., Moon J., Postgate J. N., 1985: T 1, 5, 17, 32, 38, 84.
82 - Postgate J. N., 1990, p. 95-106.
83 - Martin H. P., 1988.
84 - Langdon S., 1924, pl.XV-1.
85 - Moon J., 1982, p. 39-69.
86 - Woolley L., 1934.
87 - Cros G., 1910.
88 - Woolley L., 1955, pl. LVIII-a, b.
89 - Parrot A., 1933, p. 180.
90 - Delougaz P., 1952, pl. 87.
91 - Mackay E., 1925, pl. X-2 et 1929, pl. XLV-XLVIII.
92 - Parrot A., 1956, pl. LXX-M 702.
93 - Woolley L., 1934, pl. 187-a.
94 - Barrelet M.-T., 1968, p. 72-86.
95 - Woolley L., 1955, pl. LIV-o.
96 - Delougaz P., 1952, pl. 92-95.

Shakkanakku et les jarres des DA qui n'ont pas été pris en compte) ; d'une part, les céramiques ne sont pas différentes d'une catégorie de tombes à l'autre, ce sont toujours les mêmes types de coupes, vases, jarres, vases globulaires, etc., que l'on trouve dans toutes les sépultures ; d'autre part, il y a des tombes avec beaucoup de céramiques et d'autres sans mobilier ; enfin, des tombes d'enfants peuvent être plus riches que des tombes d'adultes. Il est donc difficile de conclure à l'existence d'une hiérarchie sociale, mais cependant cette différence de statut pouvait exister, des individus plus riches pouvaient être accompagnés de plus de céramiques que d'autres.

- Les objets

Les pourcentages de tombes contenant des objets sont variables selon les époques :

		tombes avec objet	tombes sans objet	objets répertoriés
D A	pleine terre	13-36,1%	23	32
	jarre	0	3	0
	tombeau	5-100,0%	0	39
Shak.	pleine terre	30-42,9%	40	132
	jarre	19-20,0%	76	76
	t. construite	2-40,0%	3	8
	tombeau	2-100,0%	0	19
	sarcophage	14-53,8%	12	63

Excepté les tombes et tombeaux construits, le pourcentage de tombes qui contiennent des objets est le plus grand pour les sarcophages (53,8%), puis les tombes en pleine terre (36,1 et 42,9%), les jarres étant les plus pauvres (20,0%).

a) Les armes

Leur répartition est la suivante :

DA	4 tombes en pleine terre (11,1%) avec 6 armes [97]
	2 tombeaux (40%) avec 6 armes [98]
Shak.	7 tombes en pleine terre (10,0%) avec 12 armes [99]
	3 jarres (3,2%) avec 4 armes [100]
	7 sarcophages (26,9%) avec 12 armes [101]

Pour les tombeaux des D A, on ne sait pas si les pointes de flèches et le poignard ont été trouvés dans un seul des tombeaux 241, 242 ou répartis dans les deux.

Excepté les tombeaux construits, le plus fort pourcentage de tombes avec des armes est celui des sarcophages (26,9%) ; ce sont les tombes en pleine terre (6 armes pour 4 tombes et 12 pour 7 tombes) et les sarcophages (12 armes pour 7 tombes) qui en contiennent le plus, alors que les jarres sont les plus pauvres (4 pour 3 tombes).

Il n'y avait pas d'arme dans les tombes et les tombeaux construits de l'époque des Shakkanakku mais ils étaient presque tous vides de restes humains.

Presque toutes les tombes qui contiennent des armes, ont aussi des céramiques et souvent d'autres objets.

Les trois types d'armes les plus représentés sont : les poignards (16), on en trouve de deux sortes, avec soie et avec talon, les pointes de flèches (13) qui sont à lame losangique, les haches (10), neuf sont à languette repliée et une est en forme de croissant.

Parfois les poignards sont associés à des pointes de flèches, mais on trouve le plus souvent des poignards et des pointes de flèches sans autre arme (sur seize poignards, quatre se trouvaient avec une pointe de flèche).

b) Les outils

Les outils sont très diversifiés, il y en 33 : 5 couteaux, 5 haches plates, 3 ciseaux, 3 aiguilles, 2 fourreaux, 1 spatule, 2 tiges bifides, 6 tiges, 1 outil non identifié, 2 clous, 1 polissoir et 2 pierres à aiguiser.

Leur répartition est la suivante :

DA	2 tombes en pleine terre (5,6%) avec 4 outils [102]
	1 tombeau (20%) avec 4 outils [103]
Shak.	7 tombes en pleine terre (10,0%) avec 9 outils [104]
	3 jarres (3,2%) avec 5 outils [105]
	1 tombe construite (20%) avec 2 outils [106]
	2 tombeaux (100%) avec 8 outils [107]
	1 sarcophage (3,8%) avec 1 outil [108]

Excepté les tombes et tombeaux construits, c'est dans les tombes en pleine terre de l'époque des Shakkanakku que le pourcentage est le plus élevé (10,0%) ; mais le nombre d'objets est le plus grand dans les tombes en pleine terre des DA (4 outils pour 2 tombes).

Le nombre total d'outils étant petit, on ne peut avoir une conclusion nette.

c) Les récipients

Leur répartition est la suivante :

DA	2 tombes en pleine terre (5,6%) avec 2 récipients [109]
	1 tombeau (20%) avec 8 récipients [110]
Shak.	6 tombes en pleine terre (8,6%) avec 9 récipients [111]
	1 jarre (1,1%) avec 2 récipients [112]
	1 tombe construite (20%) avec 3 récipients [113]
	1 sarcophage (3,8%) avec 1 récipient [114]

97 - T 86, 766, 819, 823.
98 - T 241, 242 et 300.
99 - T 688, 704, 708, 727, 1033, 1053, 1063.
100 - T 65, 811, 1048.
101 - T 1018, 1022, 1023, 1026, 1034, 1052, 1093.
102 - T 766, 823.
103 - T 300.
104 - T 595, 688, 710, 770, 1031, 1053, 1092.
105 - T 65, 354, 747.
106 - T 44.
107 - T 763, 928.
108 - T 1052.
109 - T 86, 823.
110 - T 300.
111 - T 40, 595, 716, 733, 1036, 1082.
112 - T 760.
113 - T 44.
114 - T 1093.

Excepté les tombes et tombeaux construits, le plus grand pourcentage de tombes avec des récipients est observé pour les tombes en pleine terre (5,6 et 8,6%).

Au total vingt-cinq récipients : dix-neuf en bronze dont huit dans T 300, deux dans la jarre 760, et six en albâtre dans des tombes en pleine terre (T 40, 86, 716, 823, 1036) ; les deux vases de T 1036 portent un décor élaboré.

Le nombre total de récipients étant petit, on ne peut avoir de conclusion nette.

d) Les parures

En tenant compte de tous les objets considérés comme étant des parures, y compris les perles et les coquillages non inventoriés, la répartition des tombes contenant des objets de parures est la suivante [115] :

D A	11 tombes en pleine terre (30,6%) [116]
	5 tombeaux (100%) [117]
Shak.	25 tombes en pleine terre (35,7%) [118]
	10 jarres (10,5%) [119]
	2 tombes construites (40%) [120]
	2 tombeaux (100%) [121]
	12 sarcophages (46,2%) [122]

Excepté les tombeaux, ce sont les sarcophages qui ont le plus grand pourcentage de parures (46,2%), ainsi que les tombes en pleine terre (30,6 et 35,7%).

- Les épingles

Il y en a cinquante-neuf :

D A	5 tombes en pleine terre (13,9%) avec 9 épingles [123]
	tombeaux 241-242 (40%) avec 4 épingles
Shak.	9 tombes en pleine terre (12,9%) avec 22 épingles [124]
	3 jarres (3,2%) avec 5 épingles [125]
	1 tombe construite (20%) avec 1 épingle [126]
	1 tombeau (50%) avec 1 épingle [127]
	9 sarcophages (34,6%) avec 17 épingles [128]

Comme pour les armes, on ne sait pas si les épingles des tombeaux des D A ont été trouvées dans un ou dans les deux tombeaux.

Le pourcentage de tombes avec épingles est le plus grand pour les sarcophages (34,6%), mais le nombre d'épingles est le plus élevé pour les tombes en pleine terre Shakkanakku (22 pour 9 tombes) et pour les sarcophages (17 pour 9 tombes).

Les épingles sont en général en bronze, droites ou courbes, avec ou sans chas, ou bien à enroulement ; celles de T 760 sont en argent et ont un anneau en or passé dans le chas ; dans T 1082, une épingle en argent est munie d'un anneau en or. Elles sont souvent par deux, trois ou même quatre ensemble.

On peut penser que les morts étaient inhumés avec des vêtements et que les épingles servaient à maintenir ceux-ci ; dans le panneau du temple de Dagan du IIIe millénaire [129] de Mari, les vêtements des prêtresses sont maintenus par de longues épingles ; le plus souvent ces objets sont trouvés à proximité des bras et des mains, mais parfois on les trouve aussi près du crâne ou des pieds. Si le mort était inhumé avec un vêtement et/ou enveloppé dans un linceul, les épingles ont pu se déplacer au cours du temps et tomber à côté du squelette.

- Les bagues

Il y en a cinquante-huit :

D A	2 tombes en pleine terre (5,6%) avec 9 bagues [130]
Shak.	8 tombes en pleine terre (11,4%) avec 19 bagues [131]
	4 jarres (4,2%) avec 27 bagues [132]
	1 tombeau (50,0%) avec 1 bague [133]
	2 sarcophages (7,7%) avec 2 bagues [134]

Dix-sept bagues sont en bronze, vingt-quatre en argent, quatorze en coquille, trois en or (deux T 86 et une dans la jarre 760) ; la dénomination bague a été faite en fonction du diamètre de l'objet, car on ne les trouve pas toujours à proximité des mains et souvent d'ailleurs, l'endroit précis où elles étaient est inconnu ; ce sont soit des anneaux ouverts, soit des anneaux fermés ; celles en or et en argent présentent en général un travail du métal plus élaboré que celles en bronze qui sont de simples anneaux.

115 - On ne peut donner dans ce cas le nombre total d'objets de parure, car souvent les perles et coquillages ne sont pas dénombrés.
116 - T 83, 86, 101, 102, 765, 766, 771, 773, 797, 823, 910.
117 - T 21, 22, 241, 242, 300.
118 - T 40, 473, 595, 688, 708, 710, 712, 716, 722, 727, 733, 790, 938, 1031, 1037, 1042, 1053, 1063, 1065, 1071, 1080, 1082, 1089, 1092, 1104.
119 - T 59, 61, 89, 531, 760, 809, 1048, 1066, 1077, 1095.
120 - T 44, 1054.
121 - T 763, 928.
122 - T 535, 687, 940, 947, 1018, 1023, 1026, 1052, 1067, 1069, 1093, 1103.
123 - T 83, 765, 766, 771, 823.
124 - T 40, 712, 716, 727, 1031, 1037, 1042, 1053, 1082.
125 - T 59, 760, 1048.
126 - T 44.
127 - T 928.
128 - T 535, 1018, 1023, 1026, 1052, 1067, 1069, 1093, 1103.
129 - Parrot A., 1974, fig.18, p. 49.
130 - T 86, 766.
131 - T 40, 688, 722, 727, 938, 1031, 1082, 1104.
132 - T 531, 760, 1066, 1095.
133 - T 928.
134 - T 940, 1018.

- Les bracelets

Il y en a dix-neuf :

D A	1 tombe en pleine terre (2,8%) avec 1 bracelet [135]
Shak.	4 tombes en pleine terre (5,7%) avec 5 bracelets [136]
	4 jarres (4,2%) avec 9 bracelets [137]
	1 tombe construite (20%) avec 1 bracelet [138]
	2 sarcophages (7,6%) avec 3 bracelets [139]

Seize bracelets sont en bronze et trois en argent (un dans T 86 et deux dans T 1082), simples anneaux fermés ou ouverts ; ils sont, en général, par deux.

- Les anneaux de cheville

Six anneaux en bronze trouvés en place dans deux jarres (T 809 et 1095), ce sont de simples anneaux ouverts ou fermés.

- Les bijoux

Il y en a dix-huit :

D A	5 tombeaux (100%) avec 10 bijoux [140]
Shak.	3 tombes en pleine terre (4,3%) avec 6 bijoux [141]
	1 jarre (1,1%) avec 1 bijou [142]
	1 sarcophage (3,8%) avec 1 bijou [143]

Sept étaient dans le tombeau 300 : un bandeau en or, deux cabochons, un en or et un en argent, une rosace en argent, deux colliers, un pendentif en cristal de roche ; une amulette dans T 21, 22 et deux dans T 241, 242.

Huit bijoux pour l'époque des Shakkanakku :

- un pendentif en or et bronze en forme de croissant et un élément en forme d'oméga en bronze dans T 688 ;
- un bandeau en or, un bijou à double spirale en argent, un élément en argent et électrum dans T 1082 ;
- un bijou en bronze dans T 1063 ;
- un fermoir de collier en or dans la jarre 809, et il y avait aussi dans cette tombe une perle à godrons en or ;
- un élément en forme d'oméga en bronze dans le sarcophage 1093.

- Les boucles d'oreilles

Il y en a vingt-six :

Shak.	4 tombes en pleine terre (5,7%) avec 15 boucles d'oreilles [144]
	3 jarres (3,2%) avec 6 boucles d'oreilles [145]
	2 sarcophages (7,7%) avec 5 boucles d'oreilles [146]

Douze sont en or, onze en argent et trois en bronze ; celles en or sont faites soit de croissants soudés surmontés de l'anneau de suspension : trois croissants dans la boucle d'oreille de T 809 ; deux dans celle de T 1048 qui est aussi ornée d'un grènetis dans la partie antérieure ; deux dans celles de T 1066 ; une avec deux et une autre avec trois croissants soudés dans T 1082, soit ce sont des anneaux ouverts : six dans T 1082.

Les boucles d'oreilles en argent (quatre dans T 1042 ; trois dans T 1023 ; deux dans T 1066 ; deux dans T 1093) et en bronze (une dans T 40 ; deux dans T 1071) sont de simples anneaux ouverts.

- Les plaques

Trente-trois plaques : trente en bronze, deux en or et une en argent, presque toutes fragmentaires, perforées, de profil plus ou moins incurvé, ont été trouvées ; on peut les interpréter comme des pièces vestimentaires, des parures de poitrine par exemple ; une dans T 1082, est circulaire en argent et porte une bordure perforée en bronze, dans le tombeau 300, deux sont en or et une en argent.

- Les cylindres

Neuf cylindres gravés, en pierre, ont été trouvés ; ils ont permis, pour certains, de dater les tombes : cinq dans des tombes en pleine terre (un dans T 83, un dans T 40, un dans T 716, deux dans T 1082), un dans le tombeau 300, un dans la jarre 760, deux dans les sarcophages 535 et 1067 ; les deux de T 1082, un en cornaline et l'autre en lapis-lazuli, sont ornés de capsules en or.

Le cylindre M 428 de T 40 a été daté de l'époque d'Akkad [147], ce qui place cette tombe au tout début de la période des Shakkanakku.

135 - T 86.
136 - T 688, 722, 1082, 1092.
137 - T 61, 89, 760, 1095.
138 - T 1054.
139 - T 535, 1093.
140 - T 21, 22, 241, 242, 300, on ne sait pas exactement où ont été trouvés les objets.
141 - T 688, 1063, 1082.
142 - T 809.
143 - T 1093.
144 - T 40, 1042, 1071, 1082.
145 - T 809, 1048, 1066.
146 - T 1023, 1093.
147 - Proposition de D. Beyer, 1994.

- Les autres objets de parure

Un miroir en bronze et un peigne en os (T 300), un cercle en coquille (T 21 et 22), trois godets à fard (T 40, 1080, 1082) et sept objets perforés en os (T 1082). Des perles sont trouvées très fréquemment dans les tombes, elles sont en or, argent, cornaline, fritte, lapis-lazuli, gypse, pierre blanche, agate, ambre, serpentine.

e) Les objets divers

Sept figurines en terre cuite, trois yeux en bronze, deux éléments en argent et bronze, une plaque en gypse, deux récipients en terre crue, des tiges fragmentaires en bronze, une balle de fronde en terre cuite, un enrouleur en os, un très grand nombre d'éléments d'incrustation, qui pouvaient appartenir à un panneau ou un coffret en marqueterie (dans le tombeau 928), un chalumeau en bronze.

Il faut noter la richesse particulière de la tombe 1082, une femme inhumée en pleine terre, et qui contenait des épingles, des cylindres gravés, un bandeau en or, une pièce vestimentaire, de nombreuses perles, des éléments de parure, des boucles d'oreilles, des bracelets, une coquille de fard.

Les offrandes

L'étude approfondie des offrandes a fait l'objet d'une publication [148].

Des ossements animaux ont été trouvés :

- dans quatre tombes en pleine terre (T 689, 773, 1092, 1104) ;
- dans quatre jarres (T 1077, 1078, 1090, 1102) ;
- dans sept sarcophages (T 940, 945, 947, 1034, 1052, 1060, 1103) ;
- un tombeau (T 763) ;

une seule tombe de l'époque des D A (T 773), les autres de l'époque des Shakkanakku.

Ce sont des ossements de capriné, d'oviné ou de boviné, non pas des squelettes entiers mais surtout des pattes et des cornes, placés soit près du corps en pleine terre, soit à l'extérieur des jarres, soit le long des parois des sarcophages, à l'extérieur, souvent parmi des céramiques ; ces ossements constituent soit une offrande faite au mort lors de l'inhumation, soit ce sont les restes d'un banquet funéraire, mais aucune trace de décarnisation n'a été notée et les os étaient en connexion, soit encore les deux possibilités à la fois c'est-à-dire que les pattes non consommées étaient offertes et le reste de l'animal pouvait être consommé ; on peut d'ailleurs distinguer dans les ossements trouvés, des membres, c'est-à-dire des quartiers de viande qui sont des offrandes purement alimentaires comestibles, et des offrandes plus symboliques, les mandibules et les cornes, sans viande ; si ces ossements étaient seulement les restes d'un banquet, on trouverait l'animal entier, pourquoi ne laisser que les pattes à proximité de la tombe et éliminer les autres parties du corps ? Si c'était seulement une offrande, pourquoi les pattes plutôt qu'une autre partie de l'animal ?

Des offrandes d'ossements animaux dans des sépultures sont connues depuis le Paléolithique, c'est-à-dire depuis qu'existent les premières inhumations intentionnelles, tant en Europe qu'en Orient, par exemple à Qafzeh [149] (Paléolithique moyen) où un massacre de cervidé a été trouvé posé sur les mains d'un enfant, c'était donc un dépôt intentionnel ; au Néolithique, des ossements animaux ont été trouvés à Ein Mallaha [150] en Israël où le squelette d'une femme était accompagné de celui d'un jeune chien âgé de trois à cinq mois. Pour une période plus récente, des ossements d'animaux ont été trouvés en Mésopotamie : à Abu Salabikh [151,152] ce sont des parties de squelette ou des animaux entiers (équidés), à Tell Razuk [153] et à Tell Madhhur [154] des squelettes d'équidés, à Ur [155] dans le cimetière royal des ossements et des squelettes de boviné.

Au Bronze Ancien, à Mari, il n'y a que des offrandes d'ossements animaux, on peut penser qu'elles reflètent le statut social du défunt puisqu'elles se trouvent plutôt dans les tombes qui ont le mobilier, céramiques et objets, le plus riche, c'est-à-dire les sarcophages.

RÉFÉRENCES COMPARATIVES

Des céramiques et des objets ont été comparés à ceux trouvés dans des sites étudiés pour les pratiques funéraires ; cependant, les comparaisons ne sont pas exhaustives, le but de ce travail n'étant pas de faire une publication de la céramique et des objets trouvés dans les tombes, ceci sera fait dans un contexte plus général concernant Mari.

148 - Jean-Marie M., 1997, p. 693-705.
149 - Vandermeersch B., 1982, p. 10-14.
150 - Davis S. J. M., Valla F. R., 1978, p. 608-610.
151 - Postgate J. N., Moon J., 1982, p. 103-136.
152 - Martin H. P., Moon J., Postgate J. N., 1985.
153 - Gibson Mc G., 1981.
154 - Curtis J., 1982, p. 40-47.
155 - Woolley L., 1934.

Époque des dynasties archaïques

La céramique

M 55, M 56 (T 2), III Z21 SE44, III Z21 SE45 (T 910) : vases globulaires

- Apamée	Collon, 1975, pl. XLVIII-LIII-LVIII-LXII	D A III
- Halawa	Orthmann, 1981, fig. 45-n° 1-4-5	D A
- Khafadjah	Delougaz, 1952, pl. 103 c, pl. 145-A.655.520 a	D A III
- Khafadjah	Delougaz, 1952, pl. 163-B.655.520 et B.655.540 a	D A III
- Mari	Parrot, 1956, fig. 101-M 531	D A I
- Samseddin	Meyer, 1991, pl. 24-3 et 25-4	D A
- Tawi	Kampschulte, 1984, pl. 4-n° 25 et pl. 17-n° 16	D A
- Tell Amarna	Woolley, 1914, pl. XXIII-n° 11	IIIe mill.
- Tell Brak	Oates, 1982, fig. 1-n° 1	D A III
- Tell Chuera	Khüne, 1976, n° 56 et 57	D A
- Tell Melebiya	Lebeau, 1993, pl. 172-n° 14	D A II
- Tell' Atij	Fortin, 1988, fig. 9	D A
- Tell' Atij	Fortin, 1990 a, fig. 17-28-30	Ninive V-D A
- Tell' Atij	Fortin, 1990 b, fig. 22, 23, 24, 25, 26, 36	Ninive V-D A
- Ur	Woolley, 1934, pl. 256-83 a	D A III

M 58 (T 3), M 623 (T 86) : vases globulaires

- Chagar Bazar	Mallowan, 1937 a, fig. 11-n° 6 et fig. 17-n° 2	D A
- Mari	Parrot, 1956, fig. 101-M 686 et 687	D A I
- Samseddin	Meyer, 1991, pl. 24-2	D A
- Tawi	Kampschulte, 1984, pl. 7-n° 58	D A
- Tell Amarna	Woolley, 1914, pl. XXIII-9	IIIe mill.
- Tell Asmar	Delougaz, 1952, pl. 158-B.543.520	Akkad
- Tell Asmar	Delougaz, 1952, pl. 187-C.654.520	D A III
- Tell Brak	Oates, 1982, fig. 6-n° 85	D A III
- Tell Chuera	Khüne, 1976, n° 29	D A
- Tell Melebiya	Lebeau, 1993, pl. 163-n° 1 et 2	D A III
- Til-Barsib	Thureau-Dangin, 1936, pl. XXII-1, 2	IIIe mill.
- Ur	Woolley, 1934, pl. 256-83 c et 84	D A III
- Wreide	Orthmann, 1991, pl. 13	D A

M 60 (T 4), M 616 (T 86) : jarres carénées à décor incisé

- Abu Salabikh	Martin, 1985, fig. 140-n° 1	D A III
- Khafadjah	Delougaz, 1952, pl. 181-C.526.471b	D A III
- Kish	Mackay, 1925, pl. IX-14 et 15	D A III
- Kish	Mackay, 1929, pl. XLVIII-1	D A III
- Mari	Parrot, 1956, pl. LXX-M 702	D A I
- Suse	Allotte de la Fuye, 1934, fig. 55-n° 5	IIIe mill.
- Tell Sabra	Tunca, 1987, pl. 66-n° 3	D A
- Ur	Woolley, 1934, pl. 187 b	D A III

M 617 (T 86) : coupe-support

- Carchemish	Woolley, 1952, pl. 57-58-59	IIIe mill.
- Kish	Mackay, 1925, pl. XI-XII	D A III
- Kish	Mackay, 1929, pl. XLIX-L	D A III
- Mari	Parrot, 1956, fig. 105-M 805	D A
- Tell Amarna	Woolley, 1914, pl. XIX	IIIe mill.
- Til-Barsib	Thureau-Dangin, 1936, pl. XXIII-5 à 9	IIIe mill.

M 618 (T 86) : jarre

- Chagar Bazar	Mallowan, 1937 a, fig. 14-9	D A
- Tawi	Kampschulte, 1984, pl. 8-n° 72	D A
- Ur	Woolley, 1934, pl. 260-150 a et b	D A III

M 619, M 620 (T 86) : jarres

- Khafadjah	Delougaz, 1967, pl. 159-B.546.122	D A III
- Mari	Parrot, 1956, fig. 106-M 862	D A
- Tell Brak	Oates, 1982, fig. 1-n° 17	D A III
- Tell Melebiya	Lebeau, 1993, pl. 174-n° 1 et 2	D A III
- Wreide	Orthmann, 1991, pl. 14	D A

M 621 (T 86) : vase

- Chagar Bazar	Mallowan, 1937 a, fig. 14-7	D A
- Khafadjah	Delougaz, 1952, pl. 158-B.545.220 c	D A III
- Mari	Parrot, 1956, fig. 106-M 872	D A
- Til-Barsib	Thureau-Dangin, 1936, pl. XII-13 et 14	IIIe mill.

M 622 (T 86) : vase globulaire

- Kish	Mackay, 1925, pl. XV, type K	D A III

M 624 (T 86) : vase

- Chagar Bazar	Mallowan, 1937 a, fig. 13-n° 8	D A

- Khafadjah — Delougaz, 1952, pl. 164-B.665.520 — D A I et II
- Kish — Mackay, 1925, pl. XVI-type N — D A III
- Tell Melebiya — Lebeau, 1993, pl. 163-n° 2 et 5 — D A III
- Ur — Woolley, 1934, pl. 257-101 — D A III

M 625 (T 86) : vase

- Chagar Bazar — Mallowan, 1937a, fig. 13-n° 6 — D A
- Mari — Parrot, 1956, fig. 107 — D A
- Tell Asmar — Delougaz, 1952, pl. 166-B.755.540 — D A III

M 626 (T 86) : vase globulaire

- Abu Salabikh — Martin, 1985, fig. 9c-n° 54 et fig. 55-n° 31 — D A III
- Kish — Mackay, 1929, pl. LIII-1 et 2 — D A III
- Ur — Woolley, 1934, pl. 252-32 et 258-119, 120 — D A III

M 627 (T 86) : vase globulaire

- Fara — Martin, 1988, pl. 3 n° 49 — D A
- Khafadjah — Delougaz, 1952, pl. 150-B.175.220 a, B.175.220 b — D A III
- Mari — Parrot, 1967b, fig. 305-M 2774 — D A
- Uch Tepe — Gibson, 1981, pl. 73-n° 13,10 et 74 -3 — D A
- Ur — Woolley, 1934, pl. 252-32 a et pl. 258-110 c — D A III

M 628 (T 86), IX P50 NE39 (T 771) : vases à goulot

- Abu Salabikh — Martin, 1985, fig. 9 c-62.90 — D A III
- Khafadjah — Delougaz, 1952, pl. 182-C.527.362 — D A III
- Kish — Mackay, 1925, pl. XIV-type D — D A III
- Mari — Parrot, 1956, fig. 102-M 694 et 695 — D A
- Mari — Parrot, 1967 b, fig. 305-M 2829 — D A
- Ur — Hall, 1927, pl. LIII — D A II/III
- Ur — Woolley, 1934, pl. 264-205 et 265-211 — D A III

M 630 (T 86) : gobelet

- Tawi — Kampschulte, 1984, pl. 6-n° 42 — D A
- Tell Brak — Oates, 1982, fig. 4-53 — D A III
- Tell Chuera — Khüne, 1976, n° 10-11 — D A
- Tell Melebiya — Lebeau, 1993, pl. 155-n° 2 — D A III
- Wreide — Orthmann, 1991, pl. 38-10,11 — D A

M 634 (T 86) : coupe

- Tawi — Kampschulte, 1984, pl. 10-12 — D A
- Tell Amarna — Woolley, 1914, pl. XXIII-8 — IIIe mill.
- Ur — Woolley, 1934, pl. 252-30 b — D A III

M 636 (T 86) vase globulaire

- Tell Chuera — Khüne 1976, n° 49-36 — D A

M 637 (T 86) : petit vase à col étroit

- Mari — Parrot, 1956, fig. 106-M 691 — D A
- Tawi — Kampschulte, 1984, pl. 11-n° 107, 108 — D A
- Tell Amarna — Woolley, 1914, pl. XXIII n° 12 — IIIe mill.
- Wreide — Orthmann, 1991, pl. 47-I : 4 a — D A

III Z17 NE70, III Z18 SE8 (T 781) : vases globulaires à tenons

- Tell Melebiya — Lebeau, 1993, pl. 174-n° 4 — D A II

III Y18 SE16, III Y18 SE19, III Y18 SE21 (T 819) : coupes

- Kafadjah — Delougaz, 1952, pl. 140-A.001.300 — D A III

III Z20 SO7 (T 766) : coupe-support

- Abu Salabikh — Martin, 1985, fig 9 c-n° 52 et fig. 82-n° 9.41 — DA III
- Khafadjah — Delougaz, 1952, pl. 174-C.365.810 b — DA III
- Kish — Mackay, 1925, pl. XI — DA III
- Kish — Mackay, 1929, pl. XLIX — D A III
- Suse — Allotte de la Fuye, 1934, fig. 55 n° 6 — IIIe mill.
- Tell Sabra — Tunca, 1987, pl. 41-n° 5 — DA III
- Ur — Woolley, 1934, pl. 180 b — DA III

III Z19 NO12, III Z19 NO13, III Z19 NO14, III Z19 NO15 (T 765), IX P50 NE41, IX P50 NE42 (T 771), III Y19 SE1 (T 826) : vases à col étroit

- Kafadjah — Delougaz, 1952, pl. 159-B.545.540 — D A III
- Tell Melebiya — Lebeau, 1993, pl. 161-n° 2 — D A III

III Z20 SO3 (T 766) : vase

- Tell Melebiya — Lebeau, 1993, pl. 161-n° 3 — DA III
- Til-Barsib — Thureau-Dangin, 1936, pl. XXII-12 — IIIe mill.

IX P50 NE40 (T 771) : vase

- Khafadjah — Delougaz, 1952, pl. 151-B.184.220 c — D A III

Les armes

M 1317, M 1318, M 1319, M 1320 (T 241-242) : pointes de flèches en bronze

- Halawa	Orthmann, 1981, pl. 69	D A
- Suse	Tallon, 1987, type A1, 223-224	D A
- Tawi	Kampschulte, 1984, pl. 11-n° 115	D A
- Ur	Woolley, 1934, pl. 227-5b	D A III

M 1321 (T 241-242) : poignard avec soie à deux rivets, en bronze

-	Maxwell-Hyslop, 1946, type 17B	
- Abu Salabikh	Martin, 1985, fig. 142-Gr 93.16	D A III
- Kish	Langdon, 1924, pl. XVIII-4	D A III
- Kish	Mackay, 1929, pl. LXII-22	D A III
- Qatna	Du Mesnil du Buisson, 1935, fig. 54	IIIe mill.
- Tell Amarna	Woolley, 1914, pl. XXIV	IIIe mill.
- Tello	Genouillac, 1934, pl. 92-1c	IIIe mill.
- Til-Barsib	Thureau-Dangin, 1936, pl. XXX-n° 7	IIIe mill.
- Ur	Woolley, 1934, pl. 228 type 4-U 8140	D A III

III Z19 NO1 (T 766) : poignard avec soie à trois rivets, en bronze

-	Philip, 1989, type 38, fig. 53	
- Kish	Mackay, 1925, pl. XVII-14	D A III
- Ur	Woolley, 1934, pl. 228, types 3-5-7	D A III

III Y18 SE20 (T 819) : poignard avec soie à trois rivets, en bronze

-	Philip, 1989, type 38, fig. 53 n° 1113	
- Chagar Bazar	Mallowan, 1937a, fig. 13-3	D A
- Kish	Mackay, 1925, pl. III-5	D A III
- Mari	Parrot, 1956, pl. LXIV-M 601	D A
- Nippur	Mac Cown, 1967, pl. 155-9	Ur III
- Suse	Tallon, 1987, type B-159	D A III
- Tello	Genouillac, 1934, pl. 92 : I, b	D A III
- Ur	Woolley, 1934, pl. 228, types 6 et 9	Akkad
- Ur	Woolley, 1976, pl. 98 : U 17794	BM I

III Z20 SO1 (T 766) : poignard en bronze

-	Philip, 1989, type 10, fig. 35	
- Kish	Mackay, 1925, pl. XVII-10	D A III

III Z21 SE16 (T 823) : poignard à talon en bronze

-	Maxwell-Hyslop, 1946, type 20-21	
-	Philip, 1989, fig. 44 n° 1235	
- Tawi	Kampschulte, 1984, pl. 31 n° 3 a et b	D A
- Tell Amarna	Woolley, 1914, pl. XXIV	IIIe mill.

M 638 (T 86) : hache à languette repliée en bronze

- Abu Salabikh	Postgate, 1976, p. 167	D A III
- Kish	Mackay, 1929, pl. LXII-3	D A III
- Mari	Parrot, 1956, pl. LXIV, M 583-602-603	D A
- Nippur	Mac Cown, 1967, pl. 154-20, 22	Akkad
- Suse	Tallon, 1987, type A1, 76-90	D A
- Ur	Woolley, 1934, pl. 225 type 9.14	D A III

M 1477 (T 300) : hache en forme de croissant en bronze

- Kish	Langdon, 1924, pl. XIX-1	D A III
- Kish	Mackay, 1925, fig. 57 et pl. XVII-n° 8, B34	D A III
- Suse	Tallon, 1987, type 95	D A III
- Tawi	Kampschulte, 1984, pl. 30	D A
- Tell Amarna	Tubb, 1982, fig. 1 : BM116050	D A III
- Til-Barsib	Thureau-Dangin, 1936, pl. XXVIII-6	Akkad
- Ur	Woolley, 1934, pl. 224, type A13-U11754	D A III

Les outils

III Z21 SE12 (T 823) : hache plate en bronze

- Chagar Bazar	Mallowan, 1937a, fig. 13-n° 1	D A
- Chagar Bazar	Mallowan, 1947, pl. XXXI-9	D A
- Fara	Heinrich, 1931, pl. 40 a	D A
- Kish	Mackay, 1929, pl. LXI-12	D A III
- Suse	Tallon, 1987, type 427	D A
- Uch Tepe	Gibson, 1981, pl. 50-n° 11	D A

M 1476 (T 300) : spatule en bronze

- Tello	Genouillac, 1934, pl. 93	D A

M 1478 (T 300) : tiges bifides en bronze

- Kish	Langdon, 1924, pl. XVIII-3	D A III
- Kish	Mackay, 1929, pl. LXI-14	D A III
- Kish	Watelin, 1934, pl. XVIII-5	D A III
- Suse	Tallon, 1987, type A1-300, 320	D A III
- Tawi	Kampschulte, 1984, pl. 16-n° 15, 16, 17	D A
- Uch Tepe	Gibson, 1981, pl. 50 n° 5	D A
- Ur	Woolley, 1934, pl. 227-8	D A III
- Uruk	Van Ess, 1992, pl. 17-103, 106	D A

M 1481 (T 300) : fourreau en bronze

- Sialk	Ghirshman, 1939, pl. LVII-S 827	IIe mill.

Les récipients

M 1480 (T 300) : aiguière en bronze

- Uruk	Van Ess, 1992, pl. 17-108	D A

M 1482 (T 300) : plat en bronze

- Kish	Mackay, 1925, pl. XX-7	D A III
- Kish	Watelin, 1934, pl. X	D A III
- Ur	Woolley, 1934, pl. 234-30	D A III

M 1484, M 1486 (T 300) : vases à parois incurvées en bronze

- Suse	Tallon, 1987, type C3b-772	D A
- Tello	Cros, 1910, fig. B, p. 127	Ur III
- Tello	Genouillac, 1934, pl. 80	Ur III
- Ur	Woolley, 1934, pl. 233-type 26, pl. 234-type 38	D A III

M 1485, M 1488 (T 300) : bols en bronze

- Kish	Mackay, 1925, pl. XX-2	D A III
- Kish	Watelin, 1934, pl. XX	D A III
- Ur	Woolley, 1934, pl. 234-41	D A III

Les parures

M 1322, M 1323, M 1324 (T 241-242), III Z21 SE14 (T 823) : épingles recourbées en bronze

- Carchemish	Woolley, 1952, pl. 60-61	IIIe mill.
- Chagar Bazar	Mallowan, 1936, fig. 8-n° 5	D A
- Fara	Heinrich, 1931, pl. 40 b	D A
- Halawa	Orthmann, 1981, pl. 66, 68, 71	D A
- Kish	Langdon, 1924, pl. XIX-4	D A III
- Kish	Mackay, 1925, pl. XIX-4	D A III
- Kish	Mackay, 1929, pl. LVIII-13	D A III
- Tawi	Kampschulte, 1984, pl. 1-11-16-29	D A
- Tell Amarna	Woolley, 1914, pl. XXIV	IIIe mill.
- Til-Barsib	Thureau-Dangin, 1936, pl. XXX-4 et 6	IIIe mill.
- Ur	Woolley, 1934, pl. 231, type 7 b et c	D A III

M 1325 (T 241-242), IX P50 NE35, IX P50 NE36 (T 771) : épingles droites, à tête ronde, en bronze

- Halawa	Orthmann, 1981, pl. 68	D A
- Kish	Langdon, 1924, pl. XIX-n° 2 et 3	D A III
- Tawi	Kampschulte, 1984, pl. 29-7 à 12, pl. 32-4 à 6	D A

III Z21 SE42 (T 910) : épingle droite, à tête aplatie, en bronze

- Chagar Bazar	Mallowan, 1947, pl. XXXI-n° 3	D A

III Z20 SO2 (T 766) : épingle à enroulement en bronze

- Suse	Tallon, 1987, type B-872	D A
- Tell Brak	Mallowan, 1947, pl. 53-32	Akkad
- Ur	Woolley, 1934, pl. 231-type 5	D A III

III Z19 NO17 (T 765) : épingle, avec anneaux, en bronze

- Sialk	Ghirshman, 1939, pl. XCIII-h	IIe mill.

M 639, M 640 (T 86) : bagues en or

- Ur	Woolley, 1934, pl. 129	D A III

M 642 (T 86) : bague en bronze

- Chagar Bazar	Mallowan, 1947, p. XXXVI-n° 9 et 10	D A

M 1427 (T 300) : bandeau frontal en or

- Kish	Mackay, 1925, pl. IV-24	D A III
- Kish	Mackay, 1929, pl. LIX-8	D A III
- Ur	Woolley, 1934, pl. 139 : U 8173	D A III

M 1434 (T 300) : pendentif en cristal de roche

- Chagar Bazar	Mallowan, 1937a, fig. 14-n° 24, 25	D A

M 1425, M 1426 (T 300) : pièces vestimentaires en or

- Kish	Mackay, 1925, pl. IV-20 à 23	D A III
- Kish	Mackay, 1929, pl. XLIII-51, 8	D A III
- Larsa	Huot, 1978, pl. V-3	D A
- Sialk	Girshman, 1939, pl. XXVIII-n° 4 et LV-5597	IIe mill.
- Ur	Woolley, 1934, pl. 219 : U 8374 et 8007	D A III
- Ur	Woolley 1956, pl. 30 : U 19947	D A I/II

M 1433 (T 300) : cylindre en pierre blanche

- Chagar Bazar	Mallowan, 1937 a, fig. 14-n° 20	D A

M 1479 (T 300) : miroir en bronze

- Kish	Watelin, 1934, pl. XIX-1, 2, 3	D A III
- Sialk	Ghirshman, 1939, pl. LII-LXVIII-LXIX	IIe mill.
- Suse	Tallon, 1987, type B1, 1233-1235	D A
- Til-Barsib	Thureau-Dangin, 1936, pl. XXIX	IIIe mill.

Ur III

La céramique

III C1 NE5 (T 940) : vase globulaire

- Assur	Haller, 1954, pl. 1-g	Ur III

III C1 NE14, III C1 NE16 (T 940), III C1 SE6 (T 945), III E1 SE36 (T 1053) : vases globulaires

- Assur	Haller, 1954, pl. 1-f	Ur III

III C1 NE8 (T 940), III C1 SE6 (T 945), III D1 NE22 (T 1034), III E1 SO51 (T 1052), III E1 SE34, III E1 SE36 (T 1053) : vases globulaires

- Assur	Haller, 1954, pl. 1-l	Ur III

III C1 SO1, III C1 SO2 (T 942), III E1 NO11 (T 1050) : vases globulaires

- Assur	Haller, 1954, pl. 1-l	Ur III
- Chagar Bazar	Mallowan, 1936, fig. 11	IIIe mill.

III Z17 SE6 (T 692), IX M43 NO3, IX M43 NO9 (T 818), III C1 NE7 (T 940) : jarres

- Tell Selenkahiye	Meijer, 1977, fig. 3b	Ur III

M 31 (T 1), M 3640 (T 527), III H2 NO32 (T 1086) : jarres avec un décor incisé et en relief

- Mari	Parrot, 1962, pl. XVII-3 et 4, M 1991	BM I
- Tell Asmar	Delougaz, 1952, pl. 128 et 129	BM I
- Tell ed Der	Gasche, 1984, pl. 9-6 D2723	2100

III C1 NE57 (T 1042) : coupe

- Assur	Haller, 1954, pl. 1-p1	Ur III

III D1 NE12, III D1 NE13, III D1 NE14, III D1 NE15, III D1 NE16, III D1 NE20, III D1 NE24, III D1 NE60 (T 1034), III E1 NE14 (T 1047), III E1 SE32, III E1 SE33 (T 1053) : coupes

- Assur	Haller, 1954, pl. 1-o1	Ur III

III D1 NE18, III D1 NE19, III D1 NE34 (T 1034), III E1 NE12 (T 1047) : coupes

- Assur	Haller, 1954, pl. 1-p2	Ur III

III G1 NO8, III G1 NO9, III G1 NO10 (T 1060), III F1 NO5 (T 1063), III H1 SE10 (T 1076), III G2 NO27 (T 1080) : coupes

- Tell ed Der	Gasche, 1984, pl. 12-2, D 4214	2000

III H2 SO20, III H2 SO25, III H2 SO28 (T 1093), III J3 SO22 (T 1103) : coupes

- Tell ed Der	Gasche, 1984, pl. 12-5, D 4224	2000

M 2039 (T 395) : vase

- Mari	Parrot, 1956, fig. 108-M 947	IIe mill.

III Z16 SO51 (T 733), III E1 SE28 (T 1053) : vases portant une figure féminine sur l'épaule

- Alalakh	Woolley, 1955, pl. LVIII-a, b	début IIe mill.
- Hama	Ingholt, 1940, pl. XIX-b	début IIe mill.
- Larsa	Parrot, 1933, p. 180	début IIe mill.
- Musée Borovski, Jérusalem, BLMJ 130, provenant de Syrie du nord (communication personnelle d'Agnès Spycket)	2000-1550
- Til-Barsib	Thureau-Dangin, 1936, pl. XXVII-4	IIIe mill.

III F1 NO27 (T 1066) : petit vase à panse globulaire

- Tell ed Der	Gasche, 1984, pl. 9-2, D 2544	2100

III F1 NO28 (T 1066) : petit vase à panse globulaire

- Tell ed Der	Gasche, 1984, pl. 11-2, D 4133	2000

M 1926, M 1927 (T 356) : bouteilles

- Mari	Parrot, 1956, fig. 109-M 910	D A

III Z17 NO57 (T 722) : cruche miniature

- Ay	Marquet-Krause, 1949, pl. LVI et pl. LVII-n° 842	IIIe mill.

Les armes

III Z17 SO107 (T 727) : pointe de flèche en bronze

- Suse	Tallon, 1987, type A1-218, 221	IIIe mill.

III Z17 SO115 (T 727), III D1 SE9 (T 1023), III H2 SO35 (T 1093) : pointes de flèches en bronze

- Kish	Mackay, 1929, pl. LXI-17	D A III
- Sialk	Ghirshman, 1939, pl. LVII-S 793	IIe mill.
- Suse	Tallon, 1987, 223	D A
- Ur	Woolley, 1934, pl. 227-type 5	D A III

III D1 SO4 (T 1018), III E2 SO10 (T 1022) : pointes de flèches en bronze

- Kish	Mackay, 1929, pl. LXII-10	D A III

III Z17 SO33 (T 704) : pointe de lance en bronze

- Chagar Bazar	Mallowan, 1937 a, fig. 13, n° 10-11	IIIe mill.
- Sialk	Ghirshman, 1939, p. LVII-S 829	IIe mill.

III Z16 SO12 (T 688) : poignard en bronze

- 	Maxwell-Hyslop, 1946, type 1
- Kish	Mackay, 1925, pl. XVII-10	D A III
- Til-Barsib	Thureau-Dangin, 1936, pl. XXX-9	IIe mill.
- Ur	Woolley, 1934, pl. 228-U 12679	D A III

III E2 SO35 (T 1022) poignard en bronze

- Chagar Bazar	Mallowan, 1937 a, fig. 13-4	IIIe mill.
- Mari	Parrot, 1956, pl. LXIV-M 646	Ur III
- Suse	Tallon, 1987, type B1-150	Ur III
- Ur	Woolley, 1976, pl. 98	Isin-Larsa

III Z17 SO39 (T 708) : poignard avec soie à deux rivets, en bronze

- Baghouz	Du Mesnil du Buisson, 1948, pl. LX-Z 193	IIe mill.
- Suse	Tallon, 1987, type B-158	Ur III
- Til-Barsib	Thureau-Dangin, 1936, pl. XXVIII-4	IIIe mill.
- Ur	Woolley, 1934, pl. 228	D A III

III E2 SO28 (T 1026), III H2 SO37 (T 1093) : poignards avec soie à deux rivets, en bronze

- Kish	Mackay, 1925, pl. III-5 et pl. XVII-10	D A III
- Mari	Parrot, 1959, pl. XXXIII-M 1397	IIe mill.
- Suse	Tallon, 1987 type B1-158	Ur III
- Ur	Woolley, 1934, pl. 228-type 6	D A III

III Y18 NE27 (T 811), III D1 SO40 (T 1033), III D1 SE8 (T 1023) : poignards avec soie à trois rivets, en bronze

- Fara	Heinrich, 1931, pl. 40 c	IIIe mill.
- Kish	Mackay, 1925, pl. XVII-12 et pl. XXXIX-5	D A III
- Mari	Parrot, 1956, pl. LXIV-M 669	Ur III
- Suse	Tallon, 1987, type A3-121-128	Ur III
- Tello	Genouillac, 1934, pl. 92 : 3 d	Ur III
- Ur	Woolley, 1934, pl. 228	D A III

III Z17 SO40 (T 708), III D1 NE41 (T 1034), III H2 SO36 (T 1093) : haches à languette repliée, en bronze

- Abu Salabikh	Postgate, 1976, p. 167	D A III
- Nippur	Mac Cown, 1967, pl. 154-20, 22	Akkad
- Suse	Tallon, 1987, type A1a-79	IIIe mill.
- Tepe Giyan	Ghirshman, 1935, pl. XXIV-n° 5	IIe mill.
- Ur	Woolley, 1934, pl. 226-U 8506	D A III

III Z17 SO103 (T 727), III E2 SO23 (T 1026), III E1 SO66 (T 1052) : haches à languette repliée, en bronze

- Suse	Tallon, 1987, type A1-86	Akkad

III E1 SE18 (T 1053) : hache à languette repliée, en bronze

- Mari	Parrot, 1967b, fig. 293-M 2801	IIe mill.
- Suse	Tallon, 1987, type A3-93, 94	Ur III
- Ur	Woolley, 1934, pl. 225	D A III

Les outils

III D1 SE43 (T 1031), III G2 NO31 (T 1092) : haches plates en bronze

- Mari	Parrot, 1967 b, fig. 293-M 2354	IIe mill.
- Suse	Tallon, 1987, 434, 438	D A

M 1955 (T 354) : aiguille en bronze

- Kish	Mackay, 1925, pl. XIX-10	D A III
- Sialk	Ghirshman, 1939, pl. XCIII-e	IIe mill.
- Tawi	Kampschulte, 1984, pl. IX	D A
- Ur	Woolley, 1934, pl. 231-U 9181	D A III

M 1956 (T 354) : aiguille en bronze

- Chagar Bazar	Mallowan, 1936, fig. 8-5	IIIe mill.
- Kish	Mackay, 1925, pl. XIX-23	D A III
- Qatna	Du Mesnil du Buisson, 1935, pl. XLVII-B	IIIe mill.
- Suse	Tallon, 1987, 1004	D A III

III Z16 SE18 (T 770) : ciseau en bronze

- Suse	Tallon, 1987, type E-503	Ur III

Les récipients

III Z16 SO54 (T 772) : vase en bronze

- Suse	Tallon, 1987, type C3-774	IIIe mill.
- Tello	Genouillac, 1934, pl. 91 : 4	Ur III/I.L
- Tepe Gyan	Ghirshman, 1935, pl. V-3	Akkad

III G2 NE68 (T 1082) : vase en bronze

- Assur	Haller, 1954, pl. 9-i, tombe 18	Ur III
- Suse	Mecquenem, 1934, fig. 67, p. 221	IIIe mill.
- Suse	Tallon 1987, type 723	23e s.
- Ur	Woolley 1934, pl. 235, type 50 et pl. 184 b, U 11937	D A III

III H2 SO38 (T 1093) : vase en bronze

- Kish	Mackay, 1925, pl. XX :1, 3-6	D A III
- Suse	Tallon, 1987, type A1b-705/707	25-23e s.
- Tello	Genouillac, 1934, pl. 50 : 3 et 56 : 2c	D A
- Til-Barsib	Thureau-Dangin, 1936, pl. XXVIII-3	Akkad
- Ur	Woolley, 1934, pl. 232, type 4	D A II

IV A17 SO30 (T 760) : coupe en bronze

- Suse	Tallon, 1987, type F2 a-784	IIe et IIIe mill.

IX N50 SE2 (T 1036) : vase en albâtre à décor végétal et animal

- Assur	Haller, 1954, fig. 3, p. 8, tombe 7	Ur III
- Mari	Parrot, 1956, M 156, p. 118 et pl. XLIX	IIIe mill.

IX N50 SE6 (T 1036) : vase en albâtre à décor de cercles pointés, pieds de boviné

- Al Ubaid	Hall, 1927, pl. LXII, type XXXV	IIIe mill.
- Mari	Parrot, 1956, M 591, p. 120 et pl. LII	IIIe mill.
- Oman	Amiet, 1986, n° 141, p. 302, chlorite	début du IIe mill.

- Suse	Amiet, 1986, n° 89, p. 278, chlorite	fin du IIIe mill.
- Tell Bia	Rouault, 1993, n° 272, p. 322	IIIe mill.
- Ur	Woolley, 1934, pl. 233, n° 24 (vase en bronze)	D A III
- Ur	Woolley, 1934, pl. 245, types 52 et 53	D A III

Les parures

M 449 (T 44), III G2 NO4 (T 1067), III G2 NO11 (T 1069) : épingles droites, sans chas, en bronze

- Sialk	Ghirshman, 1939, pl. LVIII	IIe mill.

III Z17 SO69, III Z17 SO70 (T 716), III G2 NO5 (T 1067), III G2 NO10 (T 1069) : épingles droites, à chas, en bronze

- Baghouz	Du Mesnil du Buisson, 1948, pl. LXIII	IIe mill.
- Sialk	Ghirshman, 1939, pl. V-5	IIe mill.

III C1 NE59, III C1 NE 60 (T 1042) : épingles droites, à chas, en bronze

- Kish	Mackay, 1929, pl. LVIII-17	D A III
- Mari	Parrot, 1968a, fig. 18 et pl. XIII-2	D A III
- Qatna	Du Mesnil du Buisson, 1935, pl. XLVII-2	IIIe mill.
- Suse	Tallon, 1987, type E2-1000	
- Tell Brak	Mallowan, 1947 pl. XXXI-3	Akkad
- Til-Barsib	Thureau-Dangin, 1936, pl. XXX-4	Akkad

III Z17 SE39 (T 712), III DI SE41 (T 1031) : épingles, à tête sphérique, en bronze

- Sialk	Ghirshman, 1939, pl. V-5 et LVIII-18	IIe mill.

III Z17 SO104 (T 727), III D1 SO3 (T 1018), III D1 SE42 (T 1031), III E1 SO8, III E1 SO10 (T 1048), III E1 SO55, III E1 SO56, III E1 SO57 (T 1052), III E1 SE20, III E1 SE23, III E1 SE42 (T 1053), III H2 SO34 (T 1093), III J3 SO24, III J3 SO25 (T 1103) : épingles à enroulement en bronze

- Chagar Bazar	Mallowan, 1947, pl. XXXI-6	IIIe mill.
- Kish	Mackay, 1925, pl. XIX-6, 7, 8	D A III
- Qatna	Du Mesnil du Buisson, 1935, pl. XLVII-H	IIe mill.
- Sialk	Ghirshman, 1939, pl. XCIII-1440 et pl. XIX-B15.31	IIe mill.
- Suse	Tallon, 1987, type B-872, 877	D A III
- Til-Barsib	Thureau-Dangin, 1936, pl. XXX-3	IIIe mill.
- Ur	Woolley, 1934, pl. 231 type 4 et pl. 218-U 8550	D A III

III Z16 SO19 (T 688) : bague en bronze

- Suse	Tallon, 1987, 1111-1114	Ur III

M 557, M 558 (T 61) : bracelets ouverts en bronze

- Baghouz	Du Mesnil du Buisson, 1948, pl. LXII-Z 146	IIe mill.

M 679, M 680 (T 89) : bracelets ouverts en bronze

- Baghouz	Du Mesnil du Buisson, 1948, pl. LXII-Z 146	IIe mill.
- Sialk	Ghirshman, 1939, pl. LXXIX-S 990	IIe mill.
- Suse	Tallon, 1987, 1080-1085	
- Tchoga Zanbil	Ghirshman, 1968, pl. LXV-n° 4	IIe mill.

III Y18 NE16, III Y18 NE17, III Y18 NE38 (T 809), IV A17 SO29 (T 760), III H2 SO32, III H2 SO33 (T 1093) : bracelets ouverts en bronze

- Suse	Tallon, 1987, 1068-1069	Ur III

IV A17 SO31 (T 760) : bracelet en or

- Chagar Bazar	Mallowan, 1947, pl. XXXVI-13	IIIe mill.

III Z16 SO25 (T 688), III Z17 NO52, III Z17 NO56 (T 722), III Z17 SO90 (T 727) : anneaux en bronze

- Chagar Bazar	Mallowan, 1947, pl. XXXVI-n° 9, 10, 16	D A
- Kish	Mackay, 1925, pl. XX-15 et 16	D A III
- Qatna	Du Mesnil du Buisson, 1935, pl. XLVIII	IIIe mill.
- Sialk	Ghirshman, 1939, pl. LXXIII-S 936 c et d	IIe mill.
- Suse	Tallon, 1987, 1137-1138-1139	IIIe mill.
- Tepe Gyan	Ghirshman, 1935, pl. 76-4 et 5	IIe mill.
- Ur	Woolley, 1934, pl. 219-type 6	D A III

III Z16 SO18 (T 688), III H2 SO29 (T 1093) : bijoux en bronze

- Kish	Mackay, 1929, pl. LXI-8	D A III
- Suse	Tallon, 1987, 1197-1198	Ur III
- Tchoga Zanbil	Ghirshman, 1968, pl. XLIV-n° 1	IIe mill.
- Ur	Woolley, 1934, pl. 226-U 9574 A-PG643	Ur III

III Y18 NE8 (T 809) : boucle d'oreille en or

- Isin	Hrouda, 1977, pl. 12-IB 201	IIe mill.
- Suse	Tallon, 1987, 1152-1153	Ur III
- Tello	Cros, 1910, fig. F	IIIe mill.
- Ur	Woolley, 1934, pl. 219-type 3	D A III

III D1 SE46 (T 1048) : boucle d'oreille en or

- Chagar Bazar	Mallowan, 1947, pl. XXXVI-28	IIIe mill.
- Ur	Woolley, 1934, pl. 219-type 10	D A III

M 681 (T 89), III Y18 NE6 (T 809) : perles à godrons en or

- Ebla	Matthiae, 1985, pl. 82	18e s.
- Larsa	Huot, 1978, pl. V-1	IIe mill.
- Mari	Parrot, 1959, fig. 71-M 944	IIe mill.

M 445 (T 44) : perle en pâte blanche incrustée

- Kish	Mackay, 1929, pl. LX-54	D A III

Divers

M 446 (T 44) : enrouleur en os

- Mari	Parrot, 1956, pl. LXIII-M 202, 419, 435	D A

III G2 NE42 (T 1082) : pièce vestimentaire en bronze et argent

- Kish	Mackay, 1925, pl. IV-18	D A III
- Uruk	Van Ess, 1992, pl. 48-524 et pl. 83-970	IIIe mill.

LES TOMBES DU BRONZE MOYEN

BRONZE MOYEN I (2000-1760 AV. J.-C.)

Soixante-sept tombes ont été datées de cette époque : cinq en pleine terre, cinquante-trois jarres et neuf sarcophages ; pour proposer cette date, des comparaisons de céramiques et objets avec ceux d'autres sites datés (voir à la fin du chapitre) ont été faites ; la plupart des tombes de cette époque ayant été fouillées par A. Parrot, les renseignements stratigraphiques sont très lacunaires, parfois même inexistants.

Tombes en pleine terre

Cinq tombes réparties de la façon suivante :
- secteur NE de la haute terrasse : 344, 346, 348, 350
- secteur du temple d'Ishtarat : 404 bis

soit 7,5% des tombes de cette époque.

Renseignements ostéologiques

corps couché sur le côté droit	2
corps couché sur le côté gauche	3

Les corps étaient en position contractée.

Répartition enfant,adulte

Trois enfants (60%) et deux adultes.

Orientation

N-S	2
E-O	1
O-E	1
pas de renseignement	1

Mobilier

tombe sans céramique ni objet	1
tombe sans céramique, avec objet	0
tombes avec céramique, sans objet	2
tombes avec céramique et objet	2

Quatre tombes sur cinq (80%) étaient accompagnées de mobilier.

- Les céramiques

Quatre tombes avec céramique et une sans ; au total 12 céramiques :

vase globulaire	1	
jarre	4	
coupe	5	dont 1 coupe à pied
gobelet	1	
bouteille	1	

Aucun renseignement quant à la position des céramiques par rapport au squelette n'était indiqué.

- Les objets

Deux tombes avec objet et trois sans ; au total 3 objets : 1 coupe et 2 anneaux en bronze

Tombes d'enfants

T 344 : quatre céramiques, une coupe en bronze.
T 346 : trois céramiques, un bracelet, un coquillage.
T 348 : deux céramiques.
Il y avait des céramiques dans les trois tombes d'enfants.

Jarres

Cinquante-trois jarres réparties de la façon suivante :
- secteur NE de la haute terrasse : 349, 387, 393, 402
- secteur sud de la haute terrasse : 439, 440, 444, 448, 453, 454, 456, 457, 470, 471, 590, 591, 592, 593
- secteur du temple d'Ishtarat : 404, 405, 405 bis, 406, 407
- sondage nord *temenos* de la haute terrasse : 539, 547, 550, 551, 552, 553, 554 a, 554 b, 555, 556, 557, 558, 559, 561, 566, 567.1, 567.2, 567.3, 567.4, 567.5
- palais : 652
- chantier A : 1021
- chantier B : 673, 674, 679, 683, 695, 697

- chantier D : 808, 817
soit 79,1% des tombes de cette époque.

Renseignements ostéologiques

ossements affaissés	20	37,7%
corps couché sur le côté droit	1	1,9%
corps couché sur le côté gauche	1	1,9%
corps couché sur un côté	6	11,3%
tombe vide	3	5,7%
pas de renseignement	17	32,1%
os dans une coupe	5	9,4%

La plus grande partie des tombes contenant des ossements affaissés, on ne peut savoir quelle était la position initiale du corps, mais il était probablement couché sur un côté.

Répartition enfant-adulte

Vingt-deux enfants (41,5%) et trente et un adultes (58,5%).

Dans les tombes 550, 551, 554 a et b, 556, des ossements de petite taille étaient dans une coupe mise dans la jarre funéraire ; il semble qu'il s'agissait, d'une part, de très petits enfants si les ossements pouvaient être mis dans une coupe, d'autre part, les ossements ont été déposés dans les coupes un certain temps après la mort.

Dans les cinq tombes numérotées 567, la taille des jarres laisse à penser que c'étaient des inhumations de petits enfants (0,23 à 0,30 m de hauteur).

Dans T 1021, des ossements de nouveau-né.

Orientation

SO-NE	3	5,7%
NO-SE	4	7,5%
SE-NO	3	5,7%
N-S	6	11,4%
S-N	4	7,5%
E-O	4	7,5%
O-E	3	5,7%
pas de renseignement	7	13,2%
debout	19	35,8%

La plupart des tombes étaient verticales (35,8% des cas).

Jarres funéraires

La hauteur des jarres variait de 0,65 à 1,20 m pour les jarres d'adultes (sauf pour T 454 et 593), et de 0,23 à 0,45 m pour les jarres d'enfants (sauf T 592 qui est exceptionnellement grande pour une tombe d'enfant), ce qui obligeait à mettre le corps en position contractée.

Certaines jarres portaient un décor fait d'un bourrelet cordé sur la panse, mais la plupart n'avait pas de décor. Des tombes avaient du bitume, soit sur la panse (T 439, 561, 566), soit au fond, à l'extérieur et à l'intérieur (T 439, 470, 561, 566, 590).

Les jarres étaient fermées par différents systèmes :

une jarre	11
un couvercle	1
une coupe	1
un plat	2
une brique	2
pas de renseignement	36

Mobilier

tombes sans céramique ni objet	22
tombes sans céramique, avec objet	2
tombes avec céramique, sans objet	22
tombes avec céramique et objet	7

Trente et une tombes sur cinquante-trois (58,5%) étaient accompagnées de mobilier.

- Les céramiques

Vingt-neuf tombes avec céramique et vingt-quatre sans ; au total 64 céramiques :

vase globulaire	7	10,9%	
jarre	13	20,3%	dont 1 jarre avec un décor incisé
coupe	20	31,2%	
gobelet	6	9,4%	
vase	8	12,5%	
bouteille	10	15,6%	

Certaines céramiques étaient à l'intérieur des jarres funéraires : une coupe dans T 349 sur le squelette, un vase dans T 402, une coupe et un gobelet dans T 566 ; d'autres étaient à l'extérieur soit contre la jarre dans T 405, soit la plupart du temps à proximité.

- Les objets

Neuf tombes avec objet et quarante-quatre sans ; au total 12 objets répertoriés, ainsi que des perles et des coquillages :

a) arme
  - 1 hache fenestrée en bronze

b) outil
  - 1 fourreau en bronze

c) récipient
  - 1 coupe en bronze

d) parures
  - 4 épingles droites, en bronze : 3 avec chas, une sans chas
  - 1 bague en bronze
  - 1 bracelet en bronze
  - 2 anneaux de cheville en bronze
  - des perles en ambre, lapis-lazuli, cornaline et des coquillages

e) divers
  - 1 pierre

Les objets étaient à l'intérieur des jarres funéraires, sauf dans T 673 où la coupe en bronze et le fourreau ont été trouvés à l'extérieur : faisaient-ils partie du mobilier ou bien la jarre a-t-elle été pillée ?

Tombes d'enfants

T 448 : deux céramiques, un bracelet.

T 539 : une céramique.

T 551 : une céramique.

T 552 : une céramique.

T 557 : quatre céramiques.

T 558 : une céramique, deux coquillages, deux fragments de bronze.

T 592 : onze céramiques, une bague.

T 652 : trois céramiques, un coquillage, une pierre.

T 673 : une coupe en bronze, un fourreau, une amulette.

T 1021 : une céramique.

T 550, 553, 554 a,554 b, 555, 556, 567.1, 567.2, 567.3, 567.4, 567.5, 679 : rien.

La plus grande partie des tombes d'enfants n'avait pas de mobilier.

Offrandes

Un ossement animal se trouvait au pied de la jarre de T 547 (espèce non déterminée) ;

un fragment de corne d'animal (espèce non déterminée) reposait sur un tesson près de la jarre de T 558.

Sarcophages

Neuf sarcophages répartis de la façon suivante :

- secteur du Massif rouge : 399, 400, 401
- secteur du temple d'Ishtarat : 403
- secteur sud de la haute terrasse : 468, 480, 589
- secteur nord de la haute terrasse : 525
- sondage nord *temenos* de la haute terrasse : 583

soit 13,4% des tombes de cette époque.

Les cuves étaient rectangulaires, à angles arrondis, fond plat, parois verticales ; leur longueur, sauf pour T 468, variait de 1,0 à 1,27 m, leur largeur de 0,60 à 0,70 m, leur hauteur de 0,36 à 0,60 m.

La tombe 525 avait un bourrelet orné de nervures sur le bord ;

le fond de T 589 était percé de quatre alignements de trous.

Les couvertures étaient :

des couvercles à poignée dans T 399, 403, 468 ;

une dalle en terre cuite dans T 401 ;

le couvercle de T 480 était cassé en deux morceaux qui portaient chacun un décor incisé, circulaire pour l'un et piriforme pour l'autre ;

des tessons de grosses jarres dans T 525 et 583.

Renseignements ostéologiques

ossements épars	4
corps couché sur le côté droit	1
corps couché sur le côté gauche	4

Les corps étaient couchés sur un côté (55,6% des cas), en position contractée, bras et jambes fléchis, la longueur maximale des cuves étant de 1,27 m.

Répartition enfant-adulte

Aucun corps d'enfant n'a été trouvé dans les sarcophages.

Orientation

NO-SE	2
N-S	3
E-O	2
O-E	1
pas de renseignement	1

L'orientation était N-S (33,3%) et E-O/O-E (33,3%).

Mobilier

tombe sans céramique ni objet	0
tombe sans céramique, avec objet	1
tombes avec céramique, sans objet	3
tombes avec céramique et objet	5

Les neuf tombes (100%) étaient accompagnées de mobilier.

- Les céramiques

Huit tombes avec céramique et une sans ; au total 54 céramiques :

vase globulaire	4	7,4%	
jarre	25	46,3%	
coupe	17	31,5%	
gobelet	2	3,7%	
vase	6	11,1%	dont 1 vase à bec

Les céramiques se trouvaient souvent à l'extérieur, le long des parois des cuves ; quelques cas cependant de céramiques à l'intérieur des cuves : une coupe près d'une main du défunt dans T 403, une jarre à côté de la tête dans T 583.

- Les objets

Six tombes avec objet et trois sans ; au total 18 objets répertoriés, ainsi que des perles :

a) armes
- 2 pointes de flèches
- 1 pointe de lance
- 1 poignard avec soie à 1 rivet

toutes les armes étaient en bronze

b) outil
- 1 spatule en bronze

c) parures
- 1 épingle droite, à chas, en bronze
- 9 anneaux : 5 en bronze, 4 en argent
- 2 bracelets en bronze
- 1 boucle d'oreille en or
- des perles en verre, cristal de roche, fritte, pierre

BRONZE MOYEN II (1760-1594 AV. J.-C.)

Soixante-quatorze tombes (quarante-huit en pleine terre, vingt-trois jarres et trois sarcophages) ont été datées de cette époque ; pour préciser les dates, des renseignements stratigraphiques ont été utilisés et des comparaisons de céramiques avec celles d'autres sites ont été faites (voir à la fin du chapitre).

Tombes en pleine terre

Quarante-huit tombes réparties de la façon suivante :
- palais : 342, 343, 653
- chantier A : 672, 675, 681, 694, 702, 703, 705, 707, 713, 714, 720, 721, 723, 726, 728, 729, 730, 731, 734, 735, 759, 764, 768, 774, 776, 778, 779, 791, 795, 944, 949, 950, 951, 954, 1028, 1043, 1044, 1045
- chantier B : 757, 825
- chantier D : 807, 813, 814, 843
- chantier F : 1058

soit 64,9% des tombes de cette époque.

Renseignements ostéologiques

ossements épars	8	16,7%
corps couché sur le côté droit	5	10,4%
corps couché sur le côté gauche	6	12,5%
corps couché sur le dos	8	16,7%
corps couché sur un côté	21	43,7%

Des fragments de crâne d'enfant et des petits ossements au niveau du bassin d'un adulte dans T 342 ;

une double inhumation : un enfant et un adulte, placés sous une couverture de plaques de *djuss* disposées en demi-bâtière, dans T 731, et une double inhumation d'un homme et d'une femme dans T 954 ;

plusieurs inhumations : trois crânes recouverts de tessons de jarres et des ossements bouleversés dans T 764 ;

des tessons de jarres recouvraient le corps dans T 734, 764, 774 ;

des éléments d'une plinthe en gypse avaient été utilisés comme couverture dans T 735, qui était en partie dans un mur ;

les tombes 768, 807, 944 étaient dans un mur, T 951 se situait le long d'un mur.

Les corps couchés sur un côté (66,7% des cas) étaient en position contractée, bras repliés vers la tête, les jambes fléchies ; les corps couchés sur le dos (16,7%) étaient allongés, les bras repliés sur le thorax (T 653), les jambes parfois fléchies (T 728-735).

Répartition enfant-adulte

Il y avait neuf enfants (18,0%), et quarante et un adultes ; on observe en effet deux doubles inhumations.

Un très jeune enfant dont les sutures crâniennes n'étaient pas fermées et qui présentait un trou à la jonction os frontal-os pariétaux, dans T 951 ;

des taches rouges sur la face interne de certains os du crâne (frontal, pariétaux et occipital) ont été relevées, alignées en deux bandes dans T 1043, des empreintes de sang des méninges ?

des ossements d'enfant ont été retrouvés dans une jarre à proximité des ossements de T 843, s'agissait-il d'une double inhumation, l'une en pleine terre, l'autre dans une jarre ?

Orientation

NE-SO	1	2,1%
SO-NE	4	8,4%
NO-SE	11	22,9%
SE-NO	2	4,2%
N-S	6	12,5%
S-N	5	10,4%
E-O	2	4,2%
O-E	5	10,4%
pas de renseignement	12	25,0%

La plus forte proportion dans les orientations était NO-SE/SE-NO (27,1% des cas), les tombes étaient installées le long des murs du secteur.

Mobilier

tombes sans céramique ni objet	19
tombes sans céramique, avec objet	3
tombes avec céramique, sans objet	23
tombes avec céramique et objet	3

Vingt-neuf tombes sur quarante-huit (60,4%) étaient accompagnées de mobilier.

- Les céramiques

Vingt-six tombes avec céramique, vingt-deux sans ; au total 65 céramiques :

jarre	3	4,6%	
coupe	2	3,1%	
gobelet	21	32,3%	
vase	6	9,2%	dont 1 vase peint
vase à col étroit	8	12,3%	
bouteille	23	35,4%	
plat	2	3,1%	

Il y avait beaucoup de bouteilles (35,4%) et de gobelets (32,3%), qui étaient en général associés dans une même tombe, et des vases à col étroit (12,3%).

Les céramiques se trouvaient :
soit près de la tête dans T 342, 343, 726, 728, 730, 731, 807 ;
au niveau des bras dans T 342 ;
au niveau des jambes dans T 343 ;
au niveau des pieds dans T 1043 ;
près du bassin dans T 1044 ;

- Les objets

Six tombes avec objet et quarante-deux sans ; au total 6 objets répertoriés, ainsi que des perles :

a) parures
- 2 épingles droites, à chas, en bronze
- 1 bague en bronze
- 2 bracelets en bronze
- des perles en cornaline

b) divers
- 1 rondelle en gypse

Il n'y avait ni arme, ni outil, ni récipient.

Tombes d'enfants

T 731 : sept céramiques, un bracelet (inhumation double).
T 768 : deux céramiques.
T 779 : un bracelet.
T 795 : deux céramiques.
T 951 : cinq céramiques.
T 1043 : quatre céramiques.
T 694, 729, 1028 : rien.

Les tombes d'enfants contenaient surtout de la céramique.

Jarres

Vingt-trois jarres réparties de la façon suivante :
- secteur NE de la haute terrasse : 347
- secteur sud de la haute terrasse : 441
- secteur du Massif rouge : 389, 391
- sondage nord *temenos* de la haute terrasse : 546
- chantier A : 696, 698, 725, 736, 737, 738, 775, 794, 917, 926, 927, 943, 946, 948, 952, 1020, 1046
- chantier D : 834

soit 31,1% des tombes de cette époque.

Renseignements ostéologiques

ossements affaissés	16	69,6%
corps couché sur le côté droit	2	8,7%
corps couché sur le côté gauche	2	8,7%
corps couché sur un côté	1	4,3%
pas de renseignement	2	8,7%

Dans la majeure partie des cas, les ossements étaient affaissés dans les jarres et il était impossible de déterminer la position du corps, 21,7% au moins étaient couchés sur un côté.

Répartition enfant-adulte

Douze enfants (52,2%) et onze adultes (47,8%).
De très jeunes enfants dans T 794, 917, 943 (4 à 5 ans), 1046 ; un nouveau-né dans T 946, un enfant de six mois dans T 948.

Orientation

SO-NE	3	13,0%
NO-SE	1	4,3%
SE-NO	3	13,0%
N-S	1	4,3%
S-N	3	13,0%
E-O	2	8,7%
pas de renseignement	4	17,4%
debout	6	26,1%

La plupart des tombes étaient verticales (26,1% des cas).

Jarres funéraires

La hauteur des jarres était de 0,49 à 1,06 m pour les tombes d'adultes et de 0,21 à 0,55 m pour les tombes d'enfants.

Certaines jarres portaient un décor : quatre avaient un bourrelet cordé sur la panse, une un bourrelet simple, trois avaient des nervures et des incisions, deux des bandes enduites de bitume, treize étaient sans décor ;

la jarre de T 441 était renforcée de bitume ;

la jarre de T 834 portait un décor incisé fait de trois bandes parallèles avec sous la plus haute un bouquet de trois fleurs ; un tenon sur la lèvre de la jarre.

Les jarres étaient fermées par différents systèmes :

une jarre	3
une coupe	4
une assiette	1
un couvercle	1
des dalles de gypse	1
pas de renseignement	13

Dans la majorité des cas, nous n'avons pas de renseignement sur le système de fermeture des jarres.

Mobilier

tombes sans céramique ni objet	5
tombes sans céramique, avec objet	2
tombes avec céramique, sans objet	14
tombes avec céramique et objet	2

Dix-huit tombes sur vingt-trois (78,3%) étaient accompagnées de mobilier.

- Les céramiques

Seize tombes avec céramique et sept sans ; au total 31 céramiques :

jarre	1	3,2%	
coupe	1	3,2%	
gobelet	7	22,6%	
vase	8	25,8%	
bouteille	13	41,9%	dont 1 porte un décor au bitume
jatte	1	3,2%	

Les bouteilles représentaient la plus grande proportion de céramiques (41,9%).

Les céramiques se trouvaient à l'extérieur des jarres funéraires dans T 347, 389, 441, 546, 834, 952, elles étaient à l'intérieur devant les bras de l'enfant dans T 1046.

- Les objets

Quatre tombes avec objet et dix-neuf sans ; au total 10 objets répertoriés, ainsi que des perles et des coquillages :

a) parures

- 4 bagues : 2 en argent, 2 en coquille
- 5 bracelets en bronze
- des perles en cornaline, pierre, cristal de roche, fritte et des coquillages

b) divers

- 1 figurine animale en terre cuite

Il n'y avait ni arme, ni outil, ni récipient.

Tombes d'enfants

T 698 : trois céramiques.
T 736 : deux céramiques.
T 775 : une céramique.
T 917 : quatre céramiques, une bague.
T 926 : deux céramiques.
T 943 : deux bracelets.
T 946 : une céramique.
T 1046 : deux céramiques, deux bracelets, trois bagues, un bracelet, des perles.
T 696, 725, 794, 948 : rien.

La plupart des tombes d'enfants contenaient de la céramique.

Sarcophages

Trois sarcophages répartis de la façon suivante :
- secteur du Massif rouge : 390, 392
- chantier D : 824

soit 4,0% des tombes de cette époque.

Les cuves étaient rectangulaires, à angles arrondis, fond plat, parois plus ou moins verticales.

Le haut de T 392 était entouré d'une natte bitumée ;

certaines tombes étaient décorées : T 390 portait des rainures et T 392 avait un bourrelet cordé.

- Les céramiques

2 bouteilles dans une tombe.

- L'objet

1 plaque en bronze perforée.

Les sarcophages du Bronze Moyen II étaient particulièrement pauvres en mobilier.

Discussion

Elle portera sur l'ensemble du Bronze Moyen I et II.

Les différents types de tombes

Au total 141 tombes :

tombes	pleine terre	jarres	sarcophages	total
BM I	5-7,5%	53-79,1%	9-13,4%	67
BM II	48-64,9%	23-31,1%	3-4,0%	74
total	53	76	12	141

La majeure partie des inhumations était dans des jarres (53,9%).

La répartition sur le tell était la suivante :

secteur de la haute terrasse	57
temple d'Ishtarat	7
palais	4
palais oriental (chantier A)	56
secteur septentrional (chantier B)	8
chantier D	8
chantier F	1

La plupart des tombes étaient situées dans le secteur de la haute terrasse (57) et dans les ruines du palais oriental (56) où elles formaient un cimetière ; quelques-unes étaient dans le secteur septentrional du tell (chantier B : 8), elles étaient dans un secteur d'habitat (quartier à l'est et au sud de la haute terrasse, sondage nord *temenos*, maison à l'ouest du Massif rouge). Certaines encore ont été mises au jour lors de la fouille du temple d'Ishtarat (7).

L'habitat n'a pas été clairement décrit par A. Parrot, peut-on dire que les tombes de cette époque étaient, comme dans les époques précédentes, sous les sols ? Ont-elles été installées dans un habitat abandonné ?

Les tombes d'enfants

tombes	pleine terre	jarres	sarcophages
BM I	3-60%	22-41,5%	0
BM II	9*-18%	12-52,2%	0
total	12	34	0

* Il y a deux doubles inhumations dont une avec un enfant, donc 9 enfants et 41 adultes.

Comme au Bronze Ancien, il n'y avait pas d'enfant enterré dans un sarcophage. Le pourcentage élevé trouvé pour les tombes en pleine terre du BM I est peu fiable puisqu'il n'y a que cinq tombes.

Au début du deuxième millénaire, on trouve des tombes sous des habitations :

- À Haradum [156], ce sont uniquement des sépultures de nouveau-nés déposés dans des marmites fermées par une assiette ou un bol, et toujours placées verticalement sous une pièce « à vivre », jamais au-dessous d'un magasin ; ces inhumations ne sont accompagnées ni d'offrande ni de parure ; C. Kepinski-Lecomte pense que les adultes devaient être enterrés à l'extérieur de la ville.

- À Terqa, G. Buccellati [157] a trouvé des tombes d'enfants dans des jarres fermées par un plat, datées du dix-septième siècle, et des tombes d'adultes datées du seizième siècle av. J.-C., elles étaient sous des maisons.

- À Nippur [158], les enfants étaient enterrés sous des pièces particulières de certaines maisons ; cette pratique existe dès les D A, les cimetières apparaissant seulement au deuxième millénaire ; la rareté des tombes à l'époque d'Isin-Larsa a fait dire à D. Mc Cown que les adultes étaient inhumés dans des endroits ouverts dans ou hors de la cité.

- À Ur, cent quatre-vingt-dix-huit tombes du début du deuxième millénaire ont été trouvées par L. Woolley [159], quarante-huit tombes étaient voûtées et construites en briques, elles étaient soit sous le pavement d'une chapelle privée, soit sous la pièce principale, soit encore sous l'espace central d'une maison ; il y avait aussi beaucoup de jarres avec des corps d'enfants et des sarcophages placés à proximité de ces tombes ; L. Woolley les a qualifiées de tombes « subsidiaires » utilisées quand on n'avait pas le temps d'ouvrir les tombes voûtées.

- H. Gasche a mis au jour des inhumations sous des habitations, à Tell ed Der [160] dans le sondage A, avec des corps parallèles aux murs, et une forte proportion de nouveau-nés dans des jattes, mais il y avait aussi des tombes à l'extérieur des bâtiments.

- À Alalakh, L. Woolley [161] a dégagé des tombes situées sous les maisons, mais en petite quantité par rapport à l'importance de la ville, il a pensé que ce type d'inhumation n'était pas le seul utilisé.

- À Mari :

Au BM I, les corps étaient couchés sur le côté dans les jarres et les sarcophages, les jarres étaient souvent debout (35,8% des cas) ; la proportion d'enfants est de 60% pour les tombes en pleine terre (mais il n'y a que cinq tombes), 41,5% pour les jarres et aucun enfant n'a été trouvé dans les sarcophages, comme au troisième millénaire.

Au BM II, la plupart des tombes (56) se trouvaient dans les ruines du palais oriental (chantier A), creusées dans le sol et les éboulis des murs après le dernier abandon et la ruine de l'édifice ; en effet, le palais oriental, comme le palais de Zimri-Lim, a dû être détruit par les troupes d'Hammurabi [162] ; certaines tombes ont été placées au-dessus du tombeau en briques cuites 763 daté de l'époque des Shakkanakku ; ces tombes qui étaient pour la plupart en pleine terre, constituaient un véritable enclos funéraire [163] ; elles étaient placées le long des murs, et même dans des murs ; les inhumations n'ont pas dû être placées là de façon

156 - Kepinski-Lecomte C., 1992, p. 14.
157 - Buccellati G., Buccellati-Kelly M., 1977-78, p. 71-96.
158 - Mc Cown D. E., 1967, p. 117-144.
159 - Woolley L., Mallowan M., 1976, p. 108-153.
160 - Gasche H., 1978, p. 57-131.
161 - Woolley L., 1955, p. 201-223.
162 - Margueron J., 1987 b, p. 483-498.
163 - Beyer D., 1983, p. 37-60.

fortuite, les gens devaient connaître l'existence du tombeau en briques de la fin du troisième millénaire, et les inhumations se faisaient préférentiellement dans ce secteur ; cela n'est pas sans rappeler ce que L. Woolley a trouvé à Ur où de très nombreuses tombes étaient au-dessus et autour des tombes royales.

Il n'y avait que trois sarcophages, la plupart des inhumations étant en pleine terre (64,9%) ; les jarres étaient souvent debout (26,1% des cas) ; les corps étaient couchés sur un côté et orientés comme les murs.

Le mobilier

- Les céramiques

Les pourcentages de tombes contenant ou non des céramiques sont les suivants :

		tombes avec céramique	tombes sans céramique	nombre de céramiques
BM I	pleine terre	4-80,0%	1	12
	jarre	29-54,7%	24	64
	sarcophage	8-88,9%	1	54
BM II	pleine terre	26-54,2%	22	65
	jarre	16-69,6%	7	31
	sarcophage	1-33,3%	2	2

Le pourcentage des tombes avec céramique est assez élevé pour tous les types de tombes, mais le nombre de céramiques est faible par rapport au Bronze Ancien.

Il faut noter la présence dans T 592 d'une bouteille M 4092 portant un décor incisé au-dessus de trois bourrelets cordés : un homme debout de face et un aigle avec les ailes éployées.

- Les objets

Les pourcentages de tombes contenant ou non des objets sont les suivants :

		tombes avec objet	tombes sans objet	objets répertoriés
BM I	pleine terre	2-40,0%	3	3
	jarre	9-17,0%	44	12
	sarcophage	6-66,7%	3	18
BM II	pleine terre	6-12,5%	42	6
	jarre	4-17,4%	19	10
	sarcophage	1-33,3%	2	1

Le pourcentage de tombes contenant des objets est le plus grand pour les sarcophages (66,7% au BM I) qui en contiennent aussi le plus (les pourcentages trouvés pour les tombes en pleine terre du BM I et les sarcophages du BM II ne sont pas pris en compte car il n'y a que cinq et trois tombes).

a) Les armes

Leur répartition est la suivante :

BM I	1 jarre (1,9%) avec 1 arme [164]
	3 sarcophages (33,3%) avec 4 armes [165]

Les pointes de flèches étaient à lame losangique ;

il y avait une hache fenestrée et un poignard avec soie à un rivet.

b) Les outils

Leur répartition est la suivante :

BM I	1 jarre (1,9%) avec 1 outil [166]
	1 sarcophage (11,1%) avec 1 outil [167]

c) Les récipients

Leur répartition est la suivante :

BM I	1 tombe en pleine terre (20%) avec 1 récipient en bronze [168]
	1 jarre (1,9%) avec 1 récipient en bronze [169]

Il n'y avait ni arme, ni outil, ni récipient au BM II.

d) Les parures

En tenant compte de tous les objets considérés comme étant des parures, y compris les perles et les coquillages non inventoriés, la répartition des tombes contenant des objets de parure est la suivante :

BM I	1 tombe en pleine terre (20%) [170]
	8 jarres (15,1%) [171]
	5 sarcophages (55,6%) [172]
BM II	6 tombes en pleine terre (12,5%) [173]
	3 jarres (13,0%) [174]
	1 sarcophage (33,3%) [175]

- Les épingles

BM I	2 jarres (3,8%) avec 4 épingles [176]
	1 sarcophage (11,1%) avec 1 épingle [177]
BM II	1 tombe en pleine terre (2,1%) avec 2 épingles [178]

Les épingles étaient droites, à chas, en bronze, à tête sphérique ou conique.

164 - T 444.
165 - T 399, 401, 589.
166 - T 673.
167 - T 399.
168 - T 344.
169 - T 673.
170 - T 346.
171 - T 387, 439, 448, 457, 558, 592, 673, 808.
172 - T 399, 400, 401, 480, 525.
173 - T 681, 703, 713, 731, 779, 825.
174 - T 917, 943, 1046.
175 - T 824.
176 - T 387, 808.
177 - T 401.
178 - T 825.

Pour les autres objets de parure, ils étaient en trop petit nombre pour en faire une étude de répartition dans les différents types de tombes :

les anneaux n'ont pas été suffisamment décrits pour qu'on puisse en faire une interprétation ;

les bracelets, en bronze, étaient ouverts ;

les anneaux de cheville n'ont pas été décrits ;

une boucle d'oreille en or en forme de croissant dans le sarcophage 400.

On peut dire que les sarcophages sont les tombes les plus riches en céramiques, armes et parures au Bronze Moyen I, mais d'une façon générale, le nombre d'armes a déjà tendance à diminuer, on n'en trouve plus dans les tombes en pleine terre ; il faut noter au BM II l'absence d'arme, d'outil et de récipient. Dans l'ensemble ce sont des tombes pauvres ; à cette époque-là, Mari avait été pillée et détruite par les troupes d'Hammurabi et la plupart de ses monuments étaient déjà en ruines.

L'absence d'arme rappelle les conclusions de G. Philip [179] qui constate que les armes (poignards et pointes de flèches) disparaissent au début du Bronze Moyen II ; il associe les armes au statut des hommes et leur donne une signification symbolique : elles peuvent être personnelles ou représenter une prise faite à un ennemi ; cependant on connaît des cas d'enfants inhumés avec des armes (à Jéricho). L'argument qui fait correspondre la diminution du nombre des armes à une période de paix ne semble pas valable pour cet auteur, car en Égypte cette diminution se produit aussi et il y a des périodes de guerre. Alors que dans la deuxième moitié du troisième millénaire, en Syrie (Til-Barsib) comme en Mésopotamie (Ur), on trouve des armes dans les tombes, au deuxième millénaire il n'y en a plus : il y a là sûrement une évolution dans le symbolisme de ces objets.

RÉFÉRENCES COMPARATIVES

Bronze Moyen I

La céramique

M 2115 (T 401) : vase globulaire

- Khafadjah	Delougaz, 1952, pl. 158-B.543.520	Akkad

M 2116 (T 401) : vase globulaire

- Baghouz	Du Mesnil du Buisson, 1948, pl. LXXIX-Z 119	IIe mill.

M 4058 (T 592) : vase globulaire

- Ebla	Matthiae, 1977, fig. 33	Mardikh IIIA

179 - Philip G., 1989.

M 2107 (T 401) : jarre

- Baghouz	Du Mesnil du Buisson, 1948, pl. LXXII-Z 168	IIe mill.

M 2119 (T 401) : jarre

- Khafadjah	Delougaz, 1952, pl. 158-B.545.220 c	BM I
- Mari	Parrot, 1956, fig. 109-M 914	IIe mill.

M 2108 (T 401) : coupe

- Baghouz	Du Mesnil du Buisson, 1948, pl. LXXX-S 26	IIe mill.

M 2109 (T 401) : coupe

- Ebla	Matthiae, 1977, fig. 33	Mardikh IIIA

M 2755 (T 404 bis), M 4061, M 4062 (T 592), IX M43 SO7 (T 808) : coupes

- Baghouz	Du Mesnil du Buisson, 1948, pl. LXXX-forme V	IIe mill.
- Ebla	Matthiae, 1977, fig. 33	Mardikh IIIA
- Ur	Woolley, 1976, pl. 101-8 b	BM I

M 3390.10 (T 480), M 3608, M 3609, M 3611, M 3612 (T 525) : coupes

- Baghouz	Du Mesnil du Buisson, 1948, pl. LXXIX et LXXX	IIe mill.
- Mari	Parrot, 1956, fig. 110-M 922	IIe mill.

M 3610 (T 525) : coupe

- Ebla	Matthiae, 1977, fig. 34-2	Mardikh IIIA

M 2114 (T 401) : gobelet

- Khafadjah	Delougaz, 1952, pl. 153-B.236.300	BM I
- Mari	Parrot, 1956, fig. 110-M 934	IIe mill.

M 2754 (T 404 bis) : gobelet

- Alalakh	Woolley, 1955, pl. CXVII-93 c	BM I
- Baghouz	Du Mesnil du Buisson, 1948, pl. LXXVII-Z 102	IIe mill.
- Haradum	Kepinski-Lecomte, 1992, fig. 87	BM II
- Khafadjah	Delougaz, 1952, pl. 153-B.236.200c et B.236.300	BM I
- Nippur	Gibson, 1978, fig. 59-4 et 5	BM
- Tell ed Der	Gasche, 1978, pl. 20-1 et 2	BM I
- Tell Yelkhi	Invernizzi, 1980, fig. 76	BM I
- Ur	Woolley, 1976, pl. 113-130	BM I

M 2117 (T 401) : vase-bouteille
- Baghouz — Du Mesnil du Buisson, 1948, pl. LXIX-Z 200 — IIe mill.
- Mari — Parrot, 1956, fig. 109-M 938 — IIe mill.

M 2753 (T 404 bis) : bouteille
- Khafadjah — Delougaz, 1952, pl. 159-B.546.370 — BM I
- Mari — Parrot, 1956, fig. 108-M 947 — IIe mill.

M 4729 (T 652) : bouteille
- Mari — Parrot, 1959, fig. 85-M 723 — IIe mill.
- Ur — Woolley, 1976, pl. 108-82 b — BM I

M 2113 (T 401) : flacon
- Baghouz — Du Mesnil du Buisson, 1948, pl. LXXV-Z 48 — IIe mill.

Les armes

M 2086 (T 401) : pointe de lance en bronze
- Mari — Parrot, 1959, pl. XXXIII-M 1316 — IIe mill.
- Suse — Tallon, 1987-214 — IIe mill.

M 4036 (T 589) : poignard avec soie à un rivet, en bronze
- Baghouz — Du Mesnil du Buisson, 1948, pl. LX-Z 193 — IIe mill.
- Suse — Tallon, 1987, type B1-157 — IIe mill.
- Ur — Woolley, 1976, pl. 98-a — BM I

M 3180 (T 444) : hache fenestrée en bronze
- — Philip type 1, fig. 6
- Baghouz — Du Mesnil du Buisson, 1948, pl. LX-Z 102.305 — IIe mill.
- Mari — Parrot, 1959, pl. XXXIII-M 999 — IIe mill.
- Ras-Shamra — Schaeffer, 1932, pl. XIII-4

Les outils

M 2083 (T 399) : spatule en bronze
- Sialk — Ghirshman, 1939, pl. V — IIe mill.

Les parures

M 1957, 1958 (T 387) : épingles droites en bronze
- Ur — Woolley, 1976, pl. 99-U 6009 — BM I

M 2088 (T 401) : épingle droite, à chas, en bronze
- Baghouz — Du Mesnil du Buisson, 1948, pl. LXII-n° 11 — IIe mill.

IX M43 SO8, IX M43 SO9 (T 808) : épingles droites, à chas, en bronze
- Baghouz — Du Mesnil du Buisson, 1948, pl. LXIII-Z 286 — IIe mill.

M 2085 (T 399), M 2091 (T 401) : bracelets ouverts en bronze
- Baghouz — Du Mesnil du Buisson, 1948, pl. LXII-3, pl. LXV-Z 52 — IIe mill.

M 2079 (T 400) : boucle d'oreille en or
- Chagar Bazar — Mallowan, 1947, pl. XXXVI-n° 28 — IIe mill.

Bronze moyen II

La céramique

M 4868 (T 653) : vase globulaire — BM II
- Haradum — Kepinski-Lecomte, 1992, fig. 100-13

IV P3 NO1 (T 917) : jarre
- Haradum — Kepinski-Lecomte, 1992, fig. 63-5 et pl. XX-1 — BM II

IX Q50 NE11 (T 736) : jarre
- Assur — Haller, 1954, pl. 1-ae — BM II

IX S50 NO12 (T 948) : jarre
- Haradum — Kepinski-Lecomte, 1992, pl. XVI-2 et 3 — BM II

IX M43 SE15 (T 843) : jarre
- Haradum — Kepinski-Lecomte, 1992, fig. 74-1 — BM II

IV R1 SE34 (T 927) : coupe
- Haradum — Kepinski-Lecomte, 1992, fig. 124-3 — BM II

IV P3 NO2, IV P3 NO3, IV P3 NO4 (T 917), IX R49 NO13 (T 951), IX R49 NE9 (T 952) : coupes
- Baghouz — Du Mesnil du Buisson, 1948, pl. LXVI-Z 12 — IIe mill.
- Haradum — Kepinski-Lecomte, 1992, fig. 122 — BM II

IX Q50 NE6 (T 731) : coupe
- Ebla — Matthiae, 1977, fig. 41-5 — début IIe mill.

IV N1 SE2 (T 1043), IV N1 SE10 (T 1046), IV P3 NO5 (T 917), IV R1 SE35 (T 927), IX O50 NE1 (T 791), IX P50NE6, IX P50 NE7 (T 681), IX P50 NE103, IX P50 NE104 (T 795), IX Q49 NE6, IX Q49 NE7 (T 698), IX Q50 NO26 (T 726), IX Q50 NO28 (T 728), IX Q50 NE7 (T 731), IX Q50 SE8 (T 734), IX Q50 SE22 (T 778), IX R49 NO11,

IX R49 NO12, IX R49 NO18 (T 951), IX R49 NE10 (T 952), IX R49 SE3 (T 944), III Y19 SE3 (T 825), IX M43 SE1 (T 813) : gobelets

- Alalakh — Woolley, 1955, pl. CXX-n° 124 — IIe mill.
- Asharah — Thureau-Dangin, 1924, pl. LIX-n° 1 et 3 — IIe mill.
- Baghouz — Du Mesnil du Buisson, 1948, pl. CXX-n° 124 — IIe mill.
- Ebla — Matthiae, 1977, fig. 41-1 — Mardikh IIIB
- Haradum — Kepinski-Lecomte, 1992, fig. 97 — BM II
- Khafadjah — Delougaz, 1952, pl. 132 a — BM II
- Mari — Parrot, 1956, fig. 109-M 913 — début IIe mill.
- Mari — Parrot, 1959, fig. 88-M 915 — début IIe mill.
- Tchoga Zanbil — Ghirshman, 1968, fig. 42 et pl. XLIV-n° 6 — IIe mill.
- Ur — Woolley, 1976, fig. 113 — IIe mill.

IX Q50 SE23 (T 778) : gobelet

- Haradum — Kepinski-Lecomte, 1992, fig. 87 — BM II

M 4867 (T 653) : vase

- Mari — Parrot, 1959, fig. 88-M 874 — IIe mill.
- Baghouz — Du Mesnil du Buisson, 1948, pl. LXXVI-Z 280 — IIe mill.

IV N1 NE6 (T 1044) : vase

- Isin — Hrouda, 1987, pl. 29-IB 1455 — BM II
- Mari — Parrot, 1959, fig. 90-M 766 et 785, pl. XXXVI — IIe mill.
- Nippur — Mc Cown, 1967, pl. 91-n° 16 — BM II
- Nippur — Gibson, 1978, fig. 60-4 b — BM II
- Tell ed Der — Gasche, 1978, pl. 22-1 et 2 — BM II

IX P50 NE4 (T 681), IX R49 NO16 (T 951) : vases

- Haradum — Kepinski-Lecomte, 1992, fig. 101-5 — BM II

IX Q50 NE10 (T 735) : vase

- Baghouz — Du Mesnil du Buisson, 1948, pl. LXXVI — IIe mill.
- Haradum — Kepinski-Lecomte, 1992, fig. 84-2 — BM II

IV A17 SO2 (T 757) : vase

- Haradum — Kepinski-Lecomte, 1992, fig. 102-5 — BM II

M 2025 (T 389) : bouteille

- Baghouz — Du Mesnil du Buisson, 1948, pl. LXIV-Z 309, Z 187 — IIe mill.
- Haradum — Kepinski-Lecomte, 1992, fig. 91 et 136 — BM II
- Mari — Parrot, 1956, fig. 108-M 946 — IIe mill.

M 2027 (T 390) : bouteille

- Mari — Parrot 1956, fig. 108-M 947 — IIe mill.

M 4864 (T 653) : bouteille

- Baghouz — Du Mesnil du Buisson 1948, pl. LXV-Z 74 — IIe mill.
- Haradum — Kepinski-Lecomte 1992, fig. 83 — BM II
- Mari — Parrot 1956, fig. 108-M 906 — IIe mill.

M 4865, M 4866 (T 653) : bouteilles

- Haradum — Kepinski-Lecomte 1992, fig. 82-5 — BM II

IX Q50 NE10 (T 735) : vase

- Baghouz — Du Mesnil du Buisson 1948, pl. LXXVI — IIe mill.
- Haradum — Kepinski-Lecomte 1992, fig. 84-2 — BM II

M 2028 (T 390), M 3452, M 3453, M 3454 (T 441), IV N1 SE11 (T 1046), IX P50 NO1 (T 672), IX Q50 NO25 (T 726), IX Q50 NO27 (T 728), IX Q50 NO29 (T 730), IX Q50 NE2, IX Q50 NE3, IX Q50 NE4, IX Q50 NE5 (T 731), IX Q50 NE9 (T 735), IX Q50 SE7 (T 734), IX Q50 SE19 (T 774), IX Q50 SE21 (T 778), IX R49 SE2 (T 944), IV A17 SO1 (T 757), IX M43 NE7 (T 807), IX M43 SE12, IX M43 SE13 (T 834) : bouteilles

- Asharah — Thureau-Dangin, 1924, pl. LIX-n° 6 — IIe mill.
- Assur — Haller, 1954, pl. 1-a e — BM II
- Baghouz — Du Mesnil du Buisson, 1948, pl. LXXVII-Z 74 et 96 — IIe mill.
- Haradum — Kepinski-Lecomte, 1992, fig. 92 — BM II
- Isin — Hrouda, 1977, pl. 28-IB 682 et 693 — BM II
- Khafadjah — Delougaz, 1952, pl. 114 f — BM II
- Mari — Parrot, 1956, fig. 108-M 906 et 911 — IIe mill.
- Mari — Parrot, 1959, fig. 87-M 887 — XVIIIe s.
- Nippur — Gibson, 1978, fig. 60-5 — BM II
- Tchoga Zanbil — Ghirshman, 1968, fig. 44 — IIe mill.
- Tell ed Der — Gasche, 1978, pl. 15 et 20 — BM II
- Ur — Woolley, 1976, pl. 95-g et pl. 108-82 b — BM II

IX Q50 SE12 (T 775) : bouteille

- Baghouz — Du Mesnil du Buisson, 1948, pl. LXXVIII-Z 305 — IIe mill.
- Haradum — Kepinski-Lecomte, 1992, fig. 92 — BM II

IX Q50 NE8 (T 731) : flacon

- Baghouz	Du Mesnil du Buisson, 1948, pl. LXXVII-Z 289	IIe mill.
- Megiddo	Loud, 1948, pl. 24-31	B M IIA

Les parures

III Y19 SE2, III Y19 SE4 (T 825) : épingles droites, à chas, en bronze

- Baghouz	Du Mesnil du Buisson, 1948, pl. LXII-11	IIe mill.

IX Q50 NE9 (T 731), IX R50 SO13, IX R50 SO14 (T 943) : bracelets en bronze

- Suse	Tallon, 1987, type A2	IIe mill.

IV N1 SE15 (T 1046), IV P3 NO6 (T 917) : anneaux en coquille

- Baghouz	Du Mesnil du Buisson, 1948, pl. LXII-8 et 11	IIe mill.
- Haradum	Kepinski-Lecomte, 1992, fig. 168-4	BM II

LES TOMBES DU BRONZE RÉCENT

Les tombes médio-assyriennes (1350-1200 av. J.-C.)

À l'époque médio-assyrienne, près de quatre siècles après la chute de Mari, les palais et les bâtiments du secteur de la haute terrasse qui avaient été détruits par les troupes d'Hammurabi [180] étaient complètement en ruines ; dans le palais, la partie inférieure avait été comblée par l'effondrement de la partie supérieure, sitôt après l'incendie ; la population qui occupait la région quelques siècles après, a installé, dans ce secteur, des tombes qui ont été réparties en trois cimetières, séparés par un espace plus ou moins grand non occupé par des inhumations :

- le cimetière 1 à l'emplacement de la cour 106 et de quelques salles environnantes,
- le cimetière 2 à l'emplacement de la cour 131 et des salles environnantes,
- le cimetière 3 au nord et à l'est de la haute terrasse.

Le cimetière 1

Au total on compte soixante-trois tombes : trente-six en pleine terre, deux jarres, vingt-cinq doubles cloches.

Tombes en pleine terre

Trente-six tombes :

- cour 106 : 105, 107, 108, 109, 110, 111, 112, 114, 117, 121, 129, 130, 131, 132, 133, 136, 137, 138, 139, 140, 141, 142, 143, 144, 146, 147, 148, 150, 151, 152, 153, 154
- salle 65 : 96, 98
- salle 77 : 99
- couloir 112 : 106

soit 57,1% des tombes de ce cimetière.

Les tombes, mises au jour en 1936, étaient surtout situées dans la moitié ouest et nord de la cour 106 ; dans MAM II-1, p. 92, une tombe assyrienne dans l'angle du bassin en briques est signalée, or l'architecte P. François indique dans ses notes qu'il s'agissait d'un puits postérieur ; sur le plan, il n'y a pas de tombe à cet endroit. Les tombes ont été mises au jour sur une épaisseur de 1,50 m au-dessus du sol de la cour ; étant donné que la fouille dans ce secteur, comme dans la cour 131, a été conduite de façon assez désordonnée (**pl. 260**), il est très difficile de savoir exactement à quelle hauteur elles se trouvaient par rapport au sol de la cour. Cette remarque est surtout valable pour la zone sud où la peinture de l'Investiture a été trouvée ; on a interrompu la fouille de la cour dès sa mise au jour afin de la préserver et de la déposer. La hauteur des murs conservée était, selon A. Parrot, de 1,68 m au portail nord (MAM II-1, p. 83), de 2,40 m dans l'angle nord-ouest de la cour (MAM II-1, p. 90, fig. 94), et de plus de 3 m au niveau de la porte cour 106-salle 64 ; quand les premières tombes sont apparues (T 119 à +1,75 m, T 118 à +1,80 m), les murs de la cour étaient déjà bien visibles au moins du côté ouest. Cinq tombes étaient au niveau du sol ou presque (T 138 et 153 à ce niveau même, et T 112, 133, 151 à 0,20-0,30 m au-dessus), or une partie du sol de cette cour était plâtrée (pl. 260-261), les tombes 112, 151 et 153 auraient dû laisser une trace dans ce plâtre (T 133 et 138 étaient en dehors de la zone plâtrée) ; bien que des lacunes soient visibles dans le plâtre, elles ne correspondent pas à des traces de fosse de tombe.

Il faut noter que la tombe 106 est dessinée sur le plan dans l'épaisseur du mur qui sépare la cour 106 du couloir 112, en fait T 106 est notée comme étant dans le mur sud du couloir 112, à 0,80 m du sol.

Renseignements ostéologiques

corps couché sur le côté droit	4	11,1%
corps couché sur le côté gauche	13	36,1%
corps couché sur le dos	16	44,4%
corps couché sur un côté	2	5,6%
pas de renseignement	1	2,8%

Les squelettes de T 132 et 133 étaient fragmentaires, il n'en restait que la partie supérieure ;

dans T 154, seul le crâne a été retrouvé dans le mur ouest de la cour (MAM II-1, fig. 94).

Quand il n'y avait pas de renseignement donné par le fouilleur, les positions ont été lues sur un plan fait par un architecte (**pl. 8**) ; les corps étaient couchés soit sur un côté (52,8%), soit sur le dos (44,4%).

180 - Margueron J., 1990 c, p. 423-431.

Répartition enfant-adulte

Six tombes d'enfants (16,7%) et trente d'adultes (83,3%) ; quatre enfants étaient couchés sur le côté gauche et deux sur le dos.

Orientation

N-S	4	11,1%
E-O	29	80,5%
O-E	2	5,6%
pas de renseignement	1	2,8%

Comme pour les renseignements ostéologiques, l'orientation des corps a été souvent lue sur un plan (**pl. 8**) ; si le dessin n'a pas été « standardisé », les corps étaient, dans la presque totalité des cas, orientés E-O (80,5% des cas).

Mobilier

tombes sans céramique ni objet	9
tombes sans céramique, avec objet	9
tombes avec céramique, sans objet	6
tombes avec céramique et objet	12

Vingt-sept tombes sur trente-six (75%) étaient accompagnées de mobilier.

- Les céramiques

Dix-huit tombes avec céramique et dix-huit sans ; au total 23 céramiques :

coupe	22	95,7%
vase	1	4,3%

Les coupes étaient :

près de la tête dans T 96, 131, 138, 140, 148, 150, 151, 152, 153 ;

sur le bassin, une main posée dessus dans T 112 ;

sur le thorax dans T 114, 147 ;

au niveau des pieds dans T 141.

Les coupes constituent la presque totalité des céramiques.

- Les objets

Vingt et une tombes avec objet et quinze sans ; au total 181 objets répertoriés, ainsi que des perles et des coquillages :

a) armes

- 8 pointes de flèches en bronze

b) récipients

- 3 coupes dont une à décor polychrome
- 1 pyxide
- 5 vases dont 3 cylindriques

tous les récipients étaient en faïence.

c) parures

- 122 bagues : 14 en bronze, 5 en fer, 103 en coquille
- 4 bracelets : 3 en bronze, 1 en fer
- 3 anneaux de cheville en bronze
- 6 bijoux : 1 serre-tête en argent, 5 colliers
- 16 anneaux en or : boucles d'oreilles ? bagues ?
- 4 anneaux de nez en or
- 3 scarabées en faïence
- 2 cylindres gravés : 1 en pierre, 1 en fritte
- 1 masque en faïence
- des perles en ambre, cornaline, cristal, pierre, fritte/faïence et des coquillages percés

d) divers

- 2 cachets en cristal de roche
- 1 œuf d'autruche

La position des objets était variable :

dans T 96 et T 138, la coupe et le vase étaient posés près de la tête ;

dans T 114 et T 129, la coupe et le vase étaient sur le bassin, les mains du défunt posées dessus ;

dans T 140, la pyxide était sur la jambe gauche, les mains posées dessus ;

la position du masque M 1193 de T 137 n'a pas été notée par le fouilleur ;

l'œuf d'autruche de T 144 était posé sur le bassin ;

le vase cylindrique de T 151 contenait deux bagues.

Une seule tombe (T 106) contenait des armes : huit pointes de flèches en bronze.

On trouve des objets en fer : des bagues et un bracelet.

Dans T 138, le serre-tête a été retrouvé sous forme de traces rondes alignées (visibles sur la photo de la **pl. 32**) ;

dans T 150, A. Parrot indique que le défunt tenait une corbeille, il ne la décrit pas et il ne note pas la nature du matériau utilisé.

Parmi ces tombes, certaines avaient beaucoup de mobilier : T 96, 133, 137, 138.

Tombes d'enfants

T 107 : une céramique, des coquillages.

T 111 : deux bracelets, quatre bagues, une coupe en faïence.

T 153 : une céramique, des perles, deux bagues, un bracelet, un anneau de cheville.

T 108, 109, 130 : rien.

La moitié des tombes était dépourvue de mobilier.

Offrandes

Des ossements d'oviné sont signalés dans T 133, situés près de la tête du défunt.

Jarres

Deux tombes :

- cour 106 : 116, 120

soit 3,2% des tombes de ce cimetière.

Deux tombes d'enfants pour lesquelles nous n'avons pas de renseignement ostéologique ;

l'orientation était : NE-SO et SO-NE ;

les deux tombes ont été trouvées à 1,60 et 1,70 m au-dessus du sol de la cour 106 ;

il n'y avait pas de mobilier, ni céramique, ni objet.

Doubles cloches

Vingt-cinq tombes :

- cour 106 : 104, 113, 115, 118, 119, 122, 123, 124, 125, 126, 127, 128, 134, 135, 145, 149, 155, 156, 158
- porte 70-77 : 93
- salle 28 : 95
- porte 65-66 : 97
- salle 64 : 103
- espace 113 : 314
- cour 1 : 92

Soit 39,7% des tombes de ce cimetière.

Ces tombes étaient de 1,80 à 0,90 m au-dessus du sol de la cour 106 et elles étaient soit au même niveau, soit au-dessus des tombes en pleine terre qui étaient, elles à 1,50 m au-dessus du sol de la cour.

Renseignements ostéologiques

corps couché sur le côté droit	2	8%
corps couché sur le côté gauche	1	4%
corps couché sur le dos	14	56%
corps couché sur un côté	4	16%
pas de renseignement	3	12%
vide	1	4%

Dans la majeure partie des tombes, les défunts étaient couchés sur le dos (56%), 28% étaient sur un côté.

Dans T 92, le squelette était enveloppé dans une peau et il y avait des restes de tissu, s'agissait-il d'un linceul ou d'un suaire ?

Un linceul de tissus superposés a été trouvé dans T 124 ;

le squelette de T 156 était fragmentaire, la tête et les côtes manquaient, mais l'intervalle entre les deux jarres étant de 0,60 m, on peut penser que cette tombe a subi une tentative de pillage avec élimination d'une partie du squelette ;

de même, T 158 a dû être violée car le squelette était complètement disloqué.

Répartition enfant- adulte

Trois enfants (12%) et vingt-deux adultes (88%).

Il y avait très peu d'enfants inhumés dans ce type de tombe.

Orientation

E-O	21	84%
N-S	4	16%

Comme pour les tombes en pleine terre, l'orientation des tombes a été lue sur le plan de la pl. 8.

La majeure partie des tombes était orientée E-O (84% des cas).

Jarres funéraires

La longueur totale des tombes était variable : de 1,05 à 1,85 m pour les adultes, chaque jarre mesurant en moyenne de 0,60 à 0,90 m, leur diamètre maximum était de 0,75 m et était toujours inférieur à la hauteur ; les tombes d'enfants mesuraient de 0,95 à 1,30 m ; on utilisait en général des jarres de format plus petit pour les enfants ; parfois les deux jarres avaient la même hauteur, mais parfois l'une était plus haute que l'autre.

Les jarres étaient couchées, ouverture contre ouverture ; certaines étaient jointes, mais dans certains cas il y avait un espace entre les deux (0,10 m dans T 115 ; 0,25 m dans T 128 ; 0,12 m dans T 135 ; 0,23 m dans T 155 ; 0,60 m dans T 156).

Les jarres étaient soit à base annulaire (T 95, 97, 103, 134, 155, 156), soit à fond plat (T 92), soit avec une base en bouton (T 155, 156) ;

des briques crues fermaient le joint des deux jarres de T 92 ;

le col, la panse et le fond des jarres de T 93, 128, 135 étaient renforcés par une natte bitumée ;

le col de T 113 était enduit de bitume ;

une jarre de T 122 portait un inscription faite au bitume (non précisée).

Mobilier

tombes sans céramique ni objet	7
tombes sans céramique, avec objet	10
tombe avec céramique, sans objet	0
tombes avec céramique et objet	8

Dix-huit tombes sur vingt-cinq (72%) étaient accompagnées de mobilier.

- Les céramiques

Huit tombes avec céramique et dix-sept sans ; au total 14 céramiques :

coupe	8	57,1%
vase	6	42,9%

Dans certaines tombes, les céramiques étaient à l'extérieur des jarres (T 103 et 123), une coupe était posée dans l'intervalle entre les deux jarres de T 125,

dans d'autres tombes, les céramiques étaient à l'intérieur :

une coupe sur l'épaule du défunt dans T 115, 122 ;

dans T 135 deux vases au niveau de la taille ;

dans T 149 une coupe sur les jambes.

On trouve donc très peu de céramiques dans les tombes de cette époque.

- Les objets

Dix-huit tombes avec objets et sept sans ; au total 148 objets répertoriés, ainsi que des perles et des coquillages :

a) armes
- 5 pointes de flèches en fer
- 1 carquois en bronze

b) récipients
- 1 coupe en bronze
- 1 passoire-entonnoir en bronze
- 4 pyxides, 3 coupes, 2 vases, 1 support en faïence
- 1 couvercle en os

c) parures
- 56 bagues : 9 en bronze, 4 en fer, 43 en coquille
- 20 bracelets : 6 en bronze, 14 en fer
- 6 anneaux de cheville en fer
- 10 bijoux : 7 colliers, 2 serre-têtes en perles de pierre et d'or, 1 amulette en os
- 14 anneaux boucles d'oreilles en or
- 5 anneaux de nez en or
- 7 scarabées en faïence
- 2 peignes en os
- des perles en cornaline, ambre, pâte de verre, pierre, lapis-lazuli, or, agate, turquoise, pâte bleue, cristal, fritte, bitume, ainsi que des coquillages percés ou non.

d) divers
- 9 œufs d'autruche.

La position des objets était variable :

dans T 122, la pyxide était posée sur le côté gauche du bassin, celle de T 128 était dans les mains et posée sur le bassin, celle de T 149 était près de la main droite ;

la position des coupes en fritte de T 123, 125 et du vase de T 135 n'est pas connue, alors que dans T 149 le vase était près du coude gauche et le support à côté de la tête ;

le peigne de T 127 était posé sur le côté gauche du thorax ;

la passoire-entonnoir, le carquois et les pointes de flèches, étaient à l'extérieur de T 134, au niveau de la base de l'une des jarres, y avait-il eu tentative de pillage ?

dans T 135, A. Parrot signale que de nombreuses perles devaient être dans un coffret en bois dont il ne restait que des traces et qui devait être recouvert par un couvercle ovale, en os, dont il a retrouvé un fragment (M 1249) ;

les œufs d'autruche de T 104 n'ont pas été situés, ceux de T 135 étaient près de la jambe droite, celui de T 149 était dans la main gauche ;

la coupe en bronze de T 135 était sur le genou gauche ;

dans T 149 une résille a été signalée par A. Parrot, mais elle n'a pas fait l'objet d'une description.

On trouve des objets en fer : des bagues, des bracelets, des pointes de flèches.

Parmi ces tombes, certaines avaient beaucoup de mobilier : T 104, 122, 123, 125, 135, 149.

Tombes d'enfants

T 124 : une céramique, un bracelet.

T 126 : des perles.

T 149 : quatorze boucles d'oreilles en or, un collier, quatre bracelets, deux anneaux de cheville, deux bagues, une pyxide, un vase, un support et un scarabée en faïence, de nombreux coquillages, un œuf d'autruche, une coupe.

La tombe 149 était particulièrement riche.

Offrandes

Dans T 124, une coupe située près de la main droite, contenait des noyaux de dattes ;

dans T 125, une coupe retournée, avec des ossements animaux (espèce non déterminée) était posée sur le bassin ;

dans T 135, une grande coupe avec des ossements animaux (espèce non déterminée) et des noyaux de dattes se trouvait près du bassin.

Le cimetière 2

Au total il compte deux cent trente-trois tombes : soixante-huit en pleine terre, quarante-sept jarres, un sarcophage, cent dix-sept doubles cloches.

La majeure partie des tombes de ce cimetière était située dans la moitié est de la cour 131. Les fouilles se sont faites dans ce secteur pendant trois campagnes :

- En 1936, a eu lieu le dégagement de la cour ; la hauteur des murs conservée était de 1,0 m au nord (porte 152) (MAM II-1, pl. XIX-1 et 4) et de plus de 2,0 m au sud (MAM II-1, p. 63) ; les tombes 161 à 239 ont été mises au jour (**pl. 8, 262-263**) ; elles ont été repérées à partir de 1,20 m au-dessus du niveau du dallage de la cour, certaines étaient à ce niveau, d'autres avaient même percé le dallage (T 165, 172, 176, 180, 181, 213, 233) ; la tombe 228 était sous le niveau du dallage mais dans la partie libre de dalles.

- En 1964, le début du sondage dans la moitié sud-est de la cour, qui mettra au jour le palais du troisième millénaire, a permis de dégager les tombes 596 à 651 (**pl. 15, 264**) ; certaines étaient sous la partie libre de dalles ; la plupart étaient sous le dallage ; elles étaient jusqu'à 1,0 m au-dessous du niveau de la cour (T 606) ; on peut d'ailleurs voir sur les photos des planches 263 et 265, les trous faits dans le dallage par l'intrusion des tombes.

- En 1974, la suite de la fouille du palais du troisième millénaire a mis au jour les tombes 655 à 671, sous la partie libre de dalles, certaines étaient situées sur des murs de ce palais (T 662, 663, 665, 669, 670) ; elles étaient jusqu'à 0,80 m au-dessous du niveau de la cour ; aucun plan de la dernière campagne de fouilles d'A. Parrot n'a été retrouvé dans les archives, ce qui fait que ces tombes-là ne sont pas situées exactement.

La cour 131 étant beaucoup plus grande que la cour 106 (cour 131 :1500 m^2, cour 106 : 760 m^2, MAM II-1, p. 56

et 83), la hauteur des déblais y était moins importante (la hauteur des murs conservée y était d'ailleurs plus petite : 1,0 à 2,0 m dans la cour 131, et 1,68 à 3,0 m dans la cour 106). Alors que dans la cour 106, le sol n'a pas été traversé par les tombes, dans la cour 131 il l'a été ; la zone où ont été placées les inhumations se trouve à l'ouest pour la cour 106 (32 tombes) et surtout à l'est pour la cour 131 (59 tombes).

Certaines tombes ont été trouvées dans des salles du palais ; les plans de la planche 9 en montrent certaines dessinées dans des murs, on ne sait pas si elles étaient dans les murs eux-mêmes ou au-dessus ; cependant dans la salle S, les tombes 268, 269 et 270 étaient bien dans des murs ; dans la salle 198, une double cloche dans l'entrée (T 328, MAM II-1, fig. 295), et une dans l'angle sud-est du mur (T 275) ; dans l'espace 146, une double cloche sur le dallage (T 286, MAM II-1, fig. 293 et 303).

Tombes en pleine terre

Soixante-huit tombes :

-cour 131 : 171, 173, 177, 183, 185, 200, 202, 208, 211, 214, 215, 217, 220, 222, 223, 224, 225, 228, 596, 597, 603, 604, 605, 606, 613, 614, 615, 617, 618, 619, 620, 621, 622, 623, 624, 625, 626, 627, 630, 631, 632, 633, 635, 640, 642, 644, 645, 646, 650, 656, 658, 659, 660, 664, 665, 667, 669, 670, 924

-salle 133 : 247, 641

-salle 134 : 255

-salle 135 : 648, 649

-salle 136 : 256

-salle 162 : 307

-entrée des chars : 320, 321

soit 29,2% des tombes de ce cimetière.

Renseignements ostéologiques

corps couché sur le côté droit	7	10,3%
corps couché sur le côté gauche	13	19,1%
corps couché sur le dos	39	57,4%
corps couché sur un côté	5	7,3%
pas de renseignement	4	5,9%

La majeure partie des individus était couchée sur le dos (57,4%) mais une proportion non négligeable était couchée sur un côté (36,7%).

Certaines tombes étaient plâtrées (T 656, 658, 659, 665, 670) : le corps était déposé sur des couches de plâtre blanc et violet, du plâtre recouvrait aussi certaines parties du corps, surtout les os des jambes, mais il n'y en avait pas au niveau du crâne. J. Mallet [181] a conclu que la présence de plâtre représentait une nouvelle coutume funéraire à l'époque assyrienne à Mari.

Une partie des squelettes des tombes 185, 202, 217, 603, 604, 613, 614, 618, 622, 659, 664 , 670 manquait ;

les squelettes de T 604 et 617 étaient recouverts de briques et dans T 604 une brique était posée de chant derrière la tête.

Répartition enfant-adulte

Douze tombes d'enfants (17,6%) et cinquante-six d'adultes (82,4%).

Une tombe d'enfant était enduite de plâtre (T 656).

Orientation

N-S	1	1,5%
E-O	59	86,8%
O-E	2	3,0%
SE-NO	5	7,3%
pas de renseignement	1	1,5%

L'orientation des tombes a été souvent lue sur le plan d'architecte (**pl. 8**) ; les corps étaient presque tous orientés E-O (86,8%)

Mobilier

tombes sans céramique ni objet	20
tombes sans céramique, avec objet	18
tombes avec céramique, sans objet	9
tombes avec céramique et objet	21

Quarante-huit tombes sur soixante-huit (70,6%) étaient accompagnées de mobilier.

- Les céramiques

Trente tombes avec céramique et trente-huit sans ; au total 45 céramiques :

coupe	37	82,2%	dont 1 coupe-support
vase	8	17,8%	dont 6 vases à bouton terminal

Les coupes constituent la majeure partie des céramiques.

Les coupes étaient :

près de la tête dans T 183, 202, 222, 603, 604, 615, 617, 619, 626, 630, 631, 632, 640, 644, 645, 646, 664, 665, 670, 641 ;

sur ou près de l'épaule : T 224, 627, 667 ;

près des jambes : T 618, 648.

Les vases à bouton accompagnaient souvent les coupes.

- Les objets

Trente-neuf tombes avec objet et vingt-neuf sans ; au total 205 objets répertoriés, ainsi que des perles et des coquillages :

181 - Mallet J., 1975, p. 23-36.

a) récipients

- 4 pyxides, 1 coupe, 3 vases cylindriques, 2 vases, 1 gobelet, en faïence
- 1 récipient en bois

b) parures

- 4 épingles : 1 en bronze, 1 en argent, 1 en os, 1 en fritte
- 107 bagues : 23 en bronze, 11 en fer, 59 en coquille, 13 en os, 1 en faïence
- 10 bracelets : 8 en bronze, 2 en pierre
- 16 anneaux de cheville : 12 en bronze, 4 en fer
- 35 bijoux : 2 plastrons et 2 serre-têtes en fritte, 16 amulettes, 15 colliers
- 5 anneaux de nez en or
- 4 scarabées en faïence
- 6 cylindres : 5 en fritte, 1 en stéatite
- 1 masque en faïence
- 2 disques : 1 en pâte, 1 en or
- des perles en fritte, pierre, cornaline, coquille, améthyste, cristal de roche, stéatite, turquoise, agate, ambre, or, pâte bleue, ainsi que des coquillages

c) divers

- 2 fusaïoles
- 1 tige en pierre noire

L'emplacement du masque dans T 255 n'a pas été noté.

Des traces de vêtements ont été signalées dans T 631, 633 ;

une empreinte de ceinture dans T 667 avec des traces de fibres conservées, ainsi que des restes de fibres sous les mains : y avait-il un récipient ?

Tombes d'enfants

T 202 : une céramique, des perles.

T 597 : des perles et des coquillages.

T 605 : un anneau de cheville, des coquillages.

T 618 : une céramique, des perles, deux bagues.

T 627 : une céramique.

T 644 : deux céramiques, des perles, trois bagues, un bracelet.

T 656 : quatre bagues, un plastron, un serre-tête, deux bracelets, une coupe, quatre colliers dont l'un avait une amulette au nom du pharaon Aménophis III (1391-1353 av. J.-C.)

T 648 : une céramique.

T 664 : une céramique, deux anneaux de cheville.

T 228, 635, 320 : rien.

La majeure partie des tombes d'enfants était accompagnée de mobilier.

Offrandes

Dans T 656, une demi-mandibule (espèce non déterminée) près de la tête du défunt

Jarres

Quarante-sept tombes :

- cour 131 : 170, 174, 180, 182, 187, 189, 193, 197, 201, 203, 209, 210, 218, 221, 230, 231, 232, 235, 237, 238, 239, 609, 634, 639, 663, 668
- couloir 120 : 159, 160
- salle 132 : 638
- espace 146 : 257
- salle 164 : 313
- salle 199 : 272, 275, 283
- cour 148 : 266
- dépendances [182] : 263, 264, 273, 289
- extérieur du palais : 274, 277, 288, 290, 291, 294, 296, 341

soit 20,2% des tombes de ce cimetière.

Renseignements ostéologiques

corps couché sur le côté droit	4	8,5%
corps couché sur le côté gauche	2	4,3%
corps couché sur le dos	3	6,4%
corps couché sur un côté	25	53,2%
pas de renseignement	10	21,3%
vide	3	6,4%

Un squelette incomplet dans T 235, 289 ;

pas de crâne dans T 273, 288.

La majorité des corps était couchée sur un côté (66,0% des cas).

Répartition enfant-adulte

Vingt-trois tombes d'enfants (48,9%) et vingt-quatre d'adultes (51,1%).

Dans T 668 : un lot de trois céramiques, sans ossement, a été interprété comme étant une tombe ; la jarre ainsi qu'un vase étaient couchés sur du plâtre ; la hauteur de la jarre étant de 0,51 m, on peut penser qu'elle était destinée à un enfant ;

dans T 663, un enfant avait du plâtre sous le bas de la jambe gauche ;

la jarre de T 638, qui mesurait 0,42 m, devait convenir à un enfant ;

un enfant de quelques mois dans T 180-182 ;

les enfants de T 187 et 189 ont été introduits dans la jarre, la tête au fond.

Orientation

NE-SO	2	4,3%
SO-NE	1	2,1%
NO-SE	1	2,1%
SE-NO	1	2,1%
N-S	6	12,7%
S-N	4	8,6%
E-O	14	29,8%
O-E	16	34,0%
debout	2	4,3%

La majeure partie des tombes était orientée E-O (29,8%) et O-E (34%).

182 - La répartition des différents secteurs du palais a été reprise dans l'étude faite par J.Margueron, 1982 b, p. 209-380.

Jarres funéraires

La hauteur des jarres était 0,30 à 0,80 m pour les tombes d'enfants, et de 0,60 à 1,0 m pour celles des adultes, leur diamètre étant de 0,40 à 0,75 m (0,75 m pour une hauteur de 1,0 m), ce qui imposait de mettre le corps en position contractée.

Certaines jarres portaient un décor : plusieurs nervures dans T 159, 160 ; le plus souvent elles avaient un fond bombé.

Les jarres étaient fermées par différents systèmes :

une jarre plus petite dans T 197, 272, 289 ;

des tessons dans T 201, 237 ;

une brique dans T 203, 609 ;

une coupe dans T 668 ;

pour les autres tombes, le système de fermeture est inconnu.

Mobilier

tombes sans céramique ni objet	28
tombes sans céramique, avec objet	13
tombes avec céramique, sans objet	5
tombe avec céramique et objet	1

dix-neuf tombes sur quarante-sept (40,4%) étaient accompagnées de mobilier.

- Les céramiques

Six tombes avec céramique et quarante et une sans ; au total 10 céramiques :

coupe	6
plat	1
vase à bouton	3

On ne sait pas si les céramiques étaient à l'intérieur ou à l'extérieur des jarrres.

- Les objets

Quatorze tombes avec objet et trente-trois sans ; au total 23 objets répertoriés, ainsi que des perles et des coquillages :

a) récipient

- 1 vase cylindrique en faïence

b) parures

- 7 bagues : 3 en bronze, 4 en coquille
- 7 bracelets : 5 en bronze, 2 en fer
- 2 anneaux de cheville en bronze
- 2 bijoux : 1 chaînette en bronze, 1 collier
- 2 anneaux de nez : 1 en or, 1 en argent
- 1 scarabée en faïence
- des perles en pâte de verre, ambre, cristal, fritte, cornaline, pâte bleue, et des coquillages

c) divers

- 1 œuf d'autruche (fragments)

Des empreintes de tissu (?) dans T 663.

Tombes d'enfants

T 170 : une céramique, une coupe, un plat.

T 180 : deux bagues, deux bracelets, un anneau de nez, des perles.

T 182 : un anneau de cheville, une chaînette, une bague, un scarabée, des perles.

T 187 : deux bagues, des perles.

T 189 : une céramique.

T 201, 203, 237, 263, 283 : des perles.

T 218 : un vase cylindrique en faïence, une bague.

T 609 : des coquillages.

T 634 : une céramique, des coquillages.

T 663 : des perles, un bracelet, un anneau de cheville.

T 668 : deux céramiques.

T 266 : une céramique.

T 174, 197, 210, 238, 289, 296, 638 : rien.

La plus grande partie des tombes d'enfants était accompagnée de mobilier.

Offrandes

Une coupe contenant des graines dont un calice de grenade dans T 266 ;

des ossements d'animaux (boviné) dans T 291 ;

une demi-mandibule de petit animal (non identifié) était sur la jarre de T 668.

Sarcophage

- extérieur : 293

soit 0,4% des tombes de cette époque.

Situé au sud de la salle 199.

Un adulte couché sur le côté droit, orienté N-S.

Mobilier

- L'objet

M 1386 : cylindre, qui doit être de l'époque médio-assyrienne finale [183].

Doubles cloches

Cent dix-sept tombes :

- cour 131 : 161, 162, 163, 164, 165, 166, 167, 168, 169, 172, 176, 178, 179, 181, 184, 186, 188, 190, 191, 192, 194, 195, 196, 198, 199, 204, 205, 206, 207, 212, 213, 216, 219, 226, 227, 229, 233, 234, 236, 599, 600, 610, 611, 612, 616, 628, 629, 637, 651, 657, 662
- salle 127 : 157
- salle 132 : 175
- salle 133 : 248
- salle 134 : 249, 251, 643
- salle 135 : 253, 254, 636
- salle 136 : 252
- salle 141 : 250

183 - Proposition faite par D. Beyer.

- salle 145 : 259, 260, 328
- espace 146 : 285, 286
- salle 158 : 319
- vestibule 159 : 297, 298
- salle 161 : 304, 305, 308
- salle 162 : 301
- salle 163 : 302, 303
- salle 164 : 311, 312
- salle 190 : 316, 317, 318
- salle 194 : 325, 326, 327
- couloir 200 : 258, 278, 279, 280, 281, 322
- salle 198 : 276
- salle 199 : 265, 267, 268, 269, 270
- cour 160 : 306, 309, 310, 315
- dépendances : 261, 262, 284
- entrée des chars : 323, 324
- extérieur : 271, 282, 287, 292, 295, 339, 340, 602, 607
- zone des communs : 598, 601, 608

soit 50,2% des tombes de ce cimetière.

Renseignements ostéologiques

ossements épars	10	8,5%
corps couché sur le côté droit	18	15,4%
corps couché sur le côté gauche	12	10,3%
corps couché sur le dos	43	36,8%
corps couché sur un côté	16	13,7%
pas de renseignement	13	11,1%
vide	5	4,3%

La tête manquait dans T 163, 184, 616 ;

dans T 166, 167, 281, 287, 295, 601, le squelette était disloqué ;

dans T 194, 213, 226, 662, le squelette était incomplet, on peut faire l'hypothèse d'une tentative de pillage ;

dans T 657, on a relevé des restes de plâtre sous l'articulation de la jambe gauche.

Alors que 36,8% des corps étaient couchés sur le dos, 39,4% l'étaient sur un côté.

Répartition enfant-adulte

Quatorze enfants (12%) et 103 adultes (88%).

Une double inhumation dans T 643 : un adulte dont le squelette était disloqué et repoussé dans le fond d'une jarre, et un enfant ; l'inhumation de l'enfant était sûrement postérieure à celle de l'adulte.

Orientation

Les tombes étaient couchées, ouverture contre ouverture,

NE-SO	7	6,0%
SO-NE	4	3,4%
SE-NO	6	5,1%
N-S	10	8,5%
S-N	9	7,7%
E-O	77	65,8%
O-E	4	3,4%

La plus grande partie des tombes était orientée E-O (65,8%).

Jarres funéraires

La longueur totale des tombes d'enfants était de 0,75 à 1,45 m, alors que celle des tombes d' adultes, sauf deux cas, était de plus de 1,20 m ; les jarres mesuraient de 0,50 à 0,90 m de hauteur et leur diamètre était toujours inférieur à leur hauteur.

Certaines jarres étaient séparées par un espace pouvant aller de 0,10 à 0,55 m, la longueur maximale atteignait alors 1,95 m sans espace (T 192) à 2,15 m (T 233 : jarres = 1,60 et espace = 0,55 m).

Quelques jarres étaient décorées de bourrelets : T 161 ;

d'autres avaient une base en bouton : T 636 ;

une jarre à bouton et une jarre à pied dans T 229 ;

l'extérieur des jarres de T 657 était enduit de bitume ;

des briques à la jonction des deux jarres dans T 165, 198, 259, 643 ;

des tessons servaient de joint entre les deux jarres dans T 328 ;

les deux jarres de T 178 étaient scellées par un enduit de boue et de briques crues.

De nombreuses tombes étaient brisées : T 599, 600, 610, 611, 612, 628, 629, 637, 651, 662, 262, 280, 297, 311, 315, 319, 327.

Certaines tombes n'ont pas été dégagées : T 269, 270, 276, 286.

Mobilier

tombes sans céramique ni objet	62
tombes sans céramique, avec objet	28
tombes avec céramique, sans objet	12
tombes avec céramique et objet	15

Cinquante-cinq tombes sur cent dix-sept (47,0%) étaient accompagnées de mobilier.

- Les céramiques

Vingt-sept tombes avec céramique et quatre-vingt-dix sans ; au total 35 céramiques :

coupe	25	71,4%	
vase	10	28,6%	dont 9 vases à bouton terminal

Les coupes et les vases étaient :

sur le côté dans T 162 ;

près de la tête dans T 176, 179, 233, 637, 651 ;

près du thorax dans T 278 ;

à l'intérieur dans T 206, 227 ;

à l'extérieur dans T 169, 206, 212, 227, 229, 612, 616, 628, 629, 312.

- Les objets

Quarante-trois tombes avec objet et soixante-quatorze sans ; au total 223 objets répertoriés, ainsi que des perles et des coquillages :

a) armes
- 29 pointes de flèches
- 1 carquois

toutes les armes étaient en bronze

b) récipients
- 3 pyxides : 2 en albâtre, 1 en faïence
- 2 coupes en faïence
- 5 vases en faïence, dont 2 cylindriques
- 3 coupes en bronze
- 1 gobelet en bronze
- 1 coupe en bois
- 1 coffret en os

c) parures
- 4 épingles : 2 en os, 2 en bronze
- 49 bagues : 10 en bronze, 1 en fer, 34 en coquille, 3 en os, 1 en argent
- 5 bracelets en fer
- 37 anneaux de cheville : 34 en bronze, 3 en fer
- 29 bijoux : 1 chaînette en bronze, 1 serre-tête en pierres, 10 colliers, 13 amulettes, 4 pendentifs
- 4 anneaux en bronze
- 19 boucles d'oreilles : 11 en or, 3 en bronze, 5 en argent
- 4 anneaux de nez en or
- 4 scarabées : 1 en faïence, 3 en pâte de verre
- 5 cachets dont 1 en cristal de roche
- 3 cylindres : 2 en pierre, 1 en fritte
- 1 masque en faïence
- 1 miroir en bronze
- 3 disques en bronze
- des perles en cornaline, ambre, pâte de verre, pierre, lapis-lazuli, or, agate, turquoise, pâte bleue, cristal de roche, fritte, et des coquillages

d) divers
- 5 tiges : 3 en bronze, 2 en plomb
- 1 plaque en calcaire
- 3 œufs d'autruche

La position des objets était variable :

dans T 166, les plaques du carquois étaient à l'extérieur et à l'intérieur de la tombe, mais le squelette étant disloqué, on peut penser que cette tombe a été pillée ;

dans T 236, le masque était sous le menton de la défunte, les œufs d'autruche se trouvaient l'un au coude gauche, les autres sur chaque genou, le miroir sur l'épaule droite, la coupe en bronze sur le thorax, le vase en faïence à la main droite ;

dans T 308, le gobelet en bronze était contre la tête, la coupe en bronze sur la hanche gauche, des éléments d'un coffret en os sur le bassin avec une plaque en calcaire ;

dans T 616, la pyxide était posée sur le bras gauche, une coupe en bronze se trouvait entre les jambes ;

dans T 657, une pointe de flèche en bronze était dans l'orbite droit, elle a dû traverser le nez obliquement vers le cerveau et sans doute causer la mort de l'individu.

Le squelette de T 168 était enveloppé dans une peau ;

dans T 204, un linceul et un suaire en tissu ;

dans T 285, des bandelettes de tissu sur la tête, sans doute des restes de turban ;

des fragments de tissu dans T 610 et T 643, restes de linceul ou suaire.

Tombes d'enfants

T 157 : dix anneaux de cheville, des perles.

T 162 : une céramique, une bague, une tige.

T 179 : une céramique, des bagues.

T 181 : six anneaux en or, deux anneaux de cheville, une bague, des perles.

T 216 : des perles.

T 262 : deux boucles d'oreilles, des perles.

T 302 : une coupe en faïence, un anneau, des perles.

T 304 : quatre cachets, des perles.

T 317 : des coquillages.

T 318 : dix anneaux de cheville, une épingle, deux bagues, des amulettes.

T 636 : une boucle d'oreille.

T 295, 315, 643 : rien.

La plupart des tombes d'enfants était accompagnée de mobilier.

Offrandes

Une coupe pleine d'ossements d'oviné dans T 179 ;

quelques fruits (des nèfles ?) dans T 204 ;

un vase ayant contenu des aliments dans T 629.

Le cimetière 3

Au total on compte quatre-vingt-huit tombes : une en pleine terre, treize jarres, soixante-quatorze doubles cloches.

Les tombes ont été mises au jour par A. Parrot, lors de plusieurs campagnes de fouilles :

- 1933-34 : les tombes 10 à 36 ont été dégagées, elles étaient sous un habitat très modeste
- 1937 : tombes 330, 337
- 1951-52 : tombes 350 à 402 dans les ruines d'un habitat « médiocre » (pl. 265),
- 1960 : tombes 477 à 522
- 1962 : tombes 523 à 535
- 1963 : tombes 536, 537

Tombe en pleine terre

- secteur est de la haute terrasse : 345

soit 1,1% des tombes de ce cimetière.

Un adulte couché sur le dos, orienté E-O.

Mobilier

- Les objets

- 1 anneau avec 6 clochettes en bronze
- 1 bague en bronze, type chevalière

Jarres

Treize tombes :

- secteur nord de la haute terrasse : 23, 26, 34, 329, 333, 490, 507, 513, 515, 536, 537
- secteur NE de la haute terrasse : 364, 371

soit 14,8% des tombes de ce cimetière.

Renseignements ostéologiques

corps couché sur le côté gauche	1
corps couché sur le dos	1
corps couché sur un côté	4
pas de renseignement	7

Dans T 490, le corps de l'enfant a été introduit avec la tête au fond de la jarre ;

les squelettes de T 507, 515 étaient incomplets, ce qui pourrait être l'indice d'une tentative de pillage.

Dans T 536, on observe une double inhumation : un enfant en bas âge et un adulte.

Répartition enfant-adulte

Trois enfants (23,1%) et dix adultes (76,9%).

Orientation

NE-SO	3
NO-SE	1
N-S	2
E-O	3
O-E	2
?	1
debout	1

La plus grande partie des corps était orientée E-O/O-E (38,5%).

Jarres funéraires

Les jarres des enfants mesuraient de 0,39 à 0,52 m, celles des adultes de 0,55 à 1,05 m, ce qui imposait de placer le corps en position très contractée ; leur diamètre n'a pas été mesuré.

Les jarres étaient fermées par différents systèmes :

une autre jarre dans T 371 ;
une brique dans T 364 ;
un tesson dans T 536 ;
une dalle de pierre dans T 513 ;

La jarre de T 23 avait des incisions, des nervures dans T 490, un bourrelet dans T 507, 513.

Mobilier

tombes sans céramique ni objet	9
tombes sans céramique, avec objet	3
tombe avec céramique, sans objet	0
tombe avec céramique et objet	1

Quatre tombes sur treize (30,8%) étaient accompagnées de mobilier.

- Les céramiques

Une tombe avec céramique et douze tombes sans ; au total, 2 coupes.

- Les objets

Quatre tombes avec objet et neuf sans ; au total 8 objets répertoriés, ainsi que des perles :

a) récipient
- 1 vase en faïence

b) outil
- 1 spatule en bronze

c) parures
- 3 bracelets en bronze
- 1 anneau en or
- 1 amulette
- des perles en bronze, fritte, pâte de verre, ambre, cristal de roche

d) divers
- 1 plaque en ambre

Des traces de peau (suaire ?) dans T 513.

Tombes d'enfants

T 490 : trois bracelets et des perles.

T 371, 513 : rien.

Doubles cloches

Soixante-quatorze tombes : 10, 16, 18, 24, 25, 27, 28, 29, 30, 31, 32, 33, 35, 36, 330, 331, 332, 334, 335, 336, 337, 355, 357, 358, 359, 362, 367, 368, 373, 374, 375, 376, 377, 378, 380, 388, 478, 479, 481, 482, 483, 484, 485, 486, 487, 488, 489, 492, 497, 498, 499, 500, 501, 503, 504, 505, 506, 508, 509, 510, 511, 512, 514, 516, 517, 518, 520, 521, 522, 523, 524, 528, 538, 564

soit 84,1% des tombes de ce cimetière.

Renseignements ostéologiques

ossements épars	8	10,8%
corps couché sur le côté droit	14	18,9%
corps couché sur le côté gauche	11	14,9%
corps couché sur le dos	4	5,4%
corps couché sur un côté	15	20,3%
pas de renseignement	20	27,0%
vide	2	2,7%

La plus grande partie des corps étaient couchée sur un côté (54,1% des cas), très peu étaient sur le dos (5,4% des cas).

Un squelette disloqué dans T 498, 514, bouleversé dans T 501, 506, les tombes ont dû être pillées.

Répartition enfant-adulte

Dix enfants (13,5%) et soixante-quatre adultes (86,5%).

Un squelette incomplet dans T 485, disloqué dans T 510, les tombes ont dû être pillées.

Orientation

NE-SO	5	6,8%
SO-NE	4	5,4%
NO-SE	12	16,2%
SE-NO	1	1,4%
N-S	3	4,1%
S-N	5	6,8%
E-O	42	56,7%
O-E	2	2,7%

La majeure partie des tombes était orientée E-O (56,7% des cas).

Jarres funéraires

Les jarres étaient couchées, souvent placées les unes à côté des autres (**pl. 265**).

La longueur totale était inférieure à 1,0 m pour trois tombes d'adultes (T 18, 523, 538), supérieure à 1,0 m pour les quarante-sept autres pour lesquelles nous avons les mesures et pouvait atteindre 1,90 m (T 488) ; les jarres mesuraient de 0,50 à 1,10 m de hauteur et leur diamètre était toujours inférieur à leur hauteur ; pour les enfants, les tombes avaient de 0,64 m (T 388) à 0,98 m (T 485) (six sont connues sur les dix), sauf T 355 qui mesurait 1,55 m ;

certaines jarres avaient : soit une base annulaire (T 330, 334, 355, 367, 483, 492, 497, 498, 499, 500, 523), soit un bourrelet sur la panse (T 355, 367, 497, 498, 500, 510, 516, 523), soit une jarre à bouton et une jarre à base annulaire (T 367), soit des nervures (T 478, 479, 481, 483, 484, 488, 489, 492, 499, 500) ;

un espace existait entre certaines jarres : 0,32 m dans T 335, 0,21 m dans T 336 ;

elles présentaient un raccord de briques dans T 16, 27, 28, 355, 357, 359, 373, 374 ;

une jarre de T 492 et T 499 était réparée avec du bitume ;

dans T 511, le haut d'une jarre était placé contre le fond cassé d'une autre jarre à ouverture étroite ;

les tombes 367, 376, 528 étaient dans un mur, tandis que T 505 était sur un mur ;

certaines tombes étaient cassées : T 29, 30, 510, 518, 520, 521.

Mobilier

tombes sans céramique ni objet	47
tombes sans céramique, avec objet	23
tombe avec céramique, sans objet	1
tombes avec céramique et objet	3

Vingt-sept tombes sur soixante-quatorze (36,5%) étaient accompagnées de mobilier.

- Les céramiques

Quatre tombes avec céramique et soixante-dix sans ; au total 7 céramiques :

coupe	3
vase	2
jarre	2

- Les objets

Vingt-six tombes avec objet et quarante-huit sans ; au total 84 objets répertoriés, ainsi que des perles et des coquillages :

a) armes
- 26 pointes de flèches : 7 en bronze et 19 en fer

b) récipients
- 4 pyxides en bois
- 2 éléments de socle en bois
- 5 vases en faïence
- 1 entonnoir
- 1 passoire-entonnoir en bronze

c) parures
- 4 bagues : 2 en bronze et 2 en argent
- 21 bracelets en bronze
- 5 anneaux de cheville en bronze
- 3 colliers
- 5 boucles d'oreilles en bronze
- 4 anneaux de nez : 2 en argent et 2 en or
- des perles en cornaline, pâte de verre, fritte, pierre et des coquillages

d) divers
- 3 plaques en os

La position des objets était variable :

les pyxides en bois de T 492 et 516 étaient situées près de la tête du défunt, celle de T 524 était posée sur le thorax.

Des traces de tissu dans T 332, s'agit-il d'un linceul ?

des restes de ceinture faite de lanières tressées en cuir, du bois, du tissu, des restes de roseau dans T 337 ;

un linceul en tissu dans T 355, 357, 362, 377 ;

le corps dans T 359 était enveloppé dans une peau (?).

Tombes d'enfants

T 331 : trois boucles d'oreilles.

T 376 : deux bracelets, des perles.

T 485 : quatre anneaux de cheville.

T 517 : une céramique, un bracelet, des perles.

T 518 : deux bracelets, une boucle d'oreille.

T 33, 330, 388, 483, 510 : rien.

La moitié des tombes d'enfants était accompagnée de mobilier.

Offrandes

Dans T 337, des ossements animaux (espèce non déterminée) situés près de la tête du défunt ;

dans T 355, des ossements d'oviné.

LES TOMBES MÉDIO-ASSYRIENNES DU CHANTIER E

Deux tombes : 853, 863.

Tombe en pleine terre

T 853 : squelette couché sur le dos, couvert de briques crues, orienté S-N.

Mobilier

- La céramique

une coupe

Double cloche

T 863 : orientée E-O, squelette couché sur le dos, qui reposait sur une couche de plâtre présentant des coulées violettes.

Mobilier

- Les céramiques

Une coupe à l'intérieur, un gobelet et un tesson incisé à l'extérieur.

- Les objets

Un fond de coupe en faïence à l'extérieur.

Discussion

Les tombes d'époque médio-assyrienne ont été regroupées, excepté les deux tombes du chantier E, en trois cimetières dans lesquels la répartition des types de tombes et la quantité d'objets et céramiques était différente :

Les types de tombes

tombes	pleine terre	jarres	sarcophages	doubles cloches	total
c1	36-57,1%	2-3,2%	0	25-39,7%	63
c2	68-29,2%	47-20,2%	1-0,4%	117-50,2%	233
c3	1-1,1%	13-14,8%	0	74-84,1%	88
total	105-27,3%	62-16,1%	1-0,3%	216-56,3%	384

Dans le cimetière c1 il y avait surtout des tombes en pleine terre (57,1%) et dans les cimetières c2 et c3 des tombes en double cloche (50,2 et 84,1%).

Globalement, il y avait beaucoup plus de doubles cloches (216 soit 56,3%) que de tombes en pleine terre (105 soit 27,3%) et de jarres (62 soit 16,1%), et un seul sarcophage.

Il y a moins de tombes en pleine terre qu'au Bronze Ancien (81,8% au DA et 35,0% à l'époque des Shakkanakku) et qu'au BM II (64,9%), le pourcentage de jarres est aussi inférieur à celui des périodes précédentes (47,5% Shakkanakku, 79,1% au BM I et 31,1% au BM II).

Les tombes d'enfants

tombes	pleine terre	jarres	sarcophage	doubles cloches
c 1	6-16,7%	2-100%	0	3-12,0%
c 2	12-17,6%	23-48,9%	0	14-12,0%
c 3	0	3-23,1%	0	10-13,5%
total	18-17,1%	28-45,2%	0 ·	27-12,5%

C'est dans les tombes en jarres, et ceci pour les trois cimetières, qu'il y avait le plus grand pourcentage d'enfants (100-48,9-23,1%), et c'est dans les doubles cloches que le pourcentage était le plus faible (12-12-13,5%)

Globalement, il y avait 17,1% d'enfants dans les tombes en pleine terre, 45,2% dans les jarres et 12,5% dans les doubles cloches ; cependant le pourcentage de tombes d'enfants reste à peu près constant (11,1% au D A, 28,6% à l'époque des Shakkanakku et 18% au BM II pour les tombes en pleine terre, alors que pour les jarres il y en avait 37,9% à l'époque des Shakkanakku, 41,5% au BM I et 52,2% au BM II [184].

Mobilier

- Les céramiques

Les pourcentages de tombes contenant ou non des céramiques sont les suivants :

tombes	avec céramique	sans céramique	nombre de céramiques
c1 : pleine terre	18-50%	18	23
c1 : jarre	0	2	0
c1 : d. cloche	8-32%	17	14
c2 : pleine terre	30-44,1%	38	45
c2 : jarre	6-12,8%	41	10
c2 : sarcophage	0	1	0
c2 : d. cloche	27-23,1%	90	35
c3 : pleine terre	0	1	0
c3 : jarre	1-7,7%	12	2
c3 : d. cloche	4-5,4%	70	7

C'est dans le cimetière c1 que le pourcentage de tombes contenant de la céramique était le plus grand : 50% pour les tombes en pleine terre, 32% pour les doubles cloches, ainsi que dans les tombes en pleine terre de c2 (44,1%).

184 - Dans ces comparaisons, les périodes où les tombes sont très peu nombreuses, jarres des D A (3), pleine terre au BM I (5), sarcophages du BM II (3) et médio-assyrien (1), n'ont pas été prises en compte.

D'une façon générale, le pourcentage est de 45,7% (48 tombes sur 105) pour les tombes en pleine terre et 11,3% (7 tombes sur 62) pour les jarres ; il diminue à l'époque médio-assyrienne, puisqu'on avait 83,3% de tombes en pleine terre qui contenaient de la céramique au D A, 67,1% à l'époque des Shakkanakku et 54,2% au BM II ; de même il y avait 44,2% de tombes en jarres de l'époque des Shakkanakku, 54,7% de tombes du BM I et 69,6% de tombes du BM II qui contenaient des céramiques.

Enfin, le nombre de céramiques est faible par rapport aux époques antérieures, il semble que la céramique ait perdu son rôle d'offrande ou d'utilisation lors de banquets funéraires, qu'on pouvait lui attribuer au Bronze Ancien et Moyen.

Pour les tombes en double cloche, seulement 18,1% (39 tombes sur 216) contenaient de la céramique.

On trouve surtout des coupes et quelques vases à bouton.

Le cimetière 1 est donc le plus riche en céramique, alors que le cimetière 3 en est presque totalement dépourvu.

- Les objets

Les pourcentages de tombes contenant des objets ou non sont les suivants :

tombes	avec objet	sans objet	objets répertoriés
c1 : pleine terre	21-58,3%	15	181
c1 : jarre	0	2	0
c1 : d. cloche	18-72,0%	7	148
c2 : pleine terre	39-57,4%	29	205
c2 : jarre	14-29,8%	33	23
c2 : sarcophage	1-100%	0	1
c2 : d. cloche	43-36,8%	74	223
c3 : pleine terre	1-100%	0	2
c3 : jarre	4-30,8%	9	8
c3 : d. cloche	26-35,1%	48	84

Comme précédemment, le plus grand pourcentage est observable pour les tombes en pleine terre (58,3%) et les doubles cloches (72%) du cimetière 1, et pour les tombes en pleine terre (57,4%) du cimetière 2 ; c'est pour les jarres que le pourcentage est le plus faible.

D'une façon globale, le pourcentage est de 58,1% (61 tombes sur 105) pour les tombes en pleine terre, 29% (18 tombes sur 62) pour les jarres et 40,3% (87 tombes sur 216) pour les doubles cloches ; si on compare avec les périodes précédentes, il y avait des pourcentages inférieurs (36,1% au D A, 42,9% à l'époque Shakkanakku et 12,5% au BM II pour les tombes en pleine terre ; 20,0% à l'époque Shakkanakku, 17,0% au BM I et 17,4% au BM II pour les tombes en jarres).

a) Les armes

1 tombe en pleine terre (2,8%) avec 8 armes dans c1 [185]
1 tombe en double cloche (4%) avec 6 armes dans c1 [186]
7 tombes en double cloche (6%) avec 30 armes dans c2 [187]
2 tombes en double cloche (2,7%) avec 26 armes dans c3 [188]

C'est dans les tombes en double cloche (10) qu'il y a le plus d'armes (62), au total soixante pointes de flèches en bronze à lame losangique (du moins pour celles qui ont été dessinées ou photographiées), mais concentrées dans un petit nombre de tombes (5 dans T 134, 23 dans T 176, 8 dans T 368 et 18 dans T 506), et deux carquois en bronze portant un décor (un dans T 134 qui contenait des pointes de flèches et l'autre dans T 166).

Alors qu'au BM II on ne trouve aucune arme dans les tombes, à l'époque médio-assyrienne quelques tombes (11 tombes sur 384) en contenaient.

b) Les outils

1 jarre (7,7%) avec 1 outil dans c3 [189]

c)Les récipients

9 tombes en pleine terre (25%) avec 9 récipients dans c1 [190] 8 tombes en double cloche (32%) avec 13 récipients dans c1 [191]
11 tombes en pleine terre (16,2%) avec 12 récipients dans c2 [192] 1 jarre (2,1%) avec 1 récipient dans c2 [193] 11 tombes en double cloche (9,4%) avec 16 récipients dans c2 [194]
1 jarre (7,7%) avec 1 récipient danc c3 [195] 8 tombes en double cloche (10,8%) avec 13 récipients dans c3 [196]

C'est encore dans le cimetière 1 que le pourcentage de tombes contenant des récipients est le plus élevé (25 et 32%), ainsi que dans les tombes en pleine terre de c2 (16,2%).

Ce sont les objets en faïence polychrome qui sont les plus nombreux :

- 10 pyxides, la plupart avec couvercle plat à anses plates, panse côtelée (T 104, 122, 128, 140, 149, 176, 185, 247, 596, 626) ;

- 9 coupes (T 96, 104, 111, 114, 123, 125, 198, 302, 617) dont une à décor végétal plus ou moins stylisé de couleur orange et bleue (T 96) ;

185 - T 106.
186 - T 134.
187 - T 165, 166, 172, 176, 249, 628, 657.
188 - T 368, 506.
189 - T 507.
190 - T 96, 111, 114, 121, 129, 137, 138, 140, 151.
191 - T 104, 122, 123, 125, 128, 134, 135, 149.
192 - T 185, 222, 247, 307, 596, 617, 626, 642, 665, 667, 669.
193 - T 218.
194 - T 172, 176, 198, 213, 234, 236, 287, 302, 305, 308, 616.
195 - T 536.
196 - T 355, 357, 358, 486, 492, 516, 524, 563.

- 15 vases à fond arrondi ou plat (T 121, 135, 138, 149, 236, 307, 358, 536, 563, 665) ;

- 9 vases cylindriques (T 129, 137, 151, 213, 218, 222, 234, 665, 669) : la plupart ont deux anses, un seul en est dépourvu (M 1250, T 137) ; l'un d'eux a deux tenons intérieurs et un couvercle percé de deux trous (M 1094-T 104) ; la distribution de ce type d'objets est identique à celle des masques, ils apparaissent en Babylonie pendant la période kassite ; la plupart proviennent de tombes [197], mais on en trouve aussi dans des structures différentes ;

-un gobelet (T 642) ;

-un support (T 149).

La glaçure est en général vert pâle-bleu (cuivre), jaune (antimoine) [198] ou blanche ; la production de ces objets en faïence s'étend en Mésopotamie et en Syrie dès la moitié du quinzième siècle, avec une apogée vers le douzième siècle [199].

Deux pyxides en albâtre : une sans anse, panse côtelée et couvercle à bouton de préhension (T 172), une à anses plates, panse côtelée et couvercle décoré d'une double rosace (T 616).

Huit récipients en bronze dont deux passoires-entonnoirs (T 134, 355), un entonnoir (T 486), quatre coupes (T 135, 236, 308, 616) et un gobelet (T 308).

Deux récipients en os : un coffret et un couvercle (T 135, 308).

Huit récipients en bois : quatre pyxides comparables à celles qui sont en faïence (T 357, 492, 516, 524), deux éléments de socle (T 492), un récipient non décrit (T 667) et une coupe (T 305).

d) Les parures

L'ensemble des objets constituant des parures a été pris en compte, y compris les perles et les coquillages non inventoriés, pour répertorier le nombre de tombes qui en contenaient, mais leur nombre total n'est pas connu :

15 tombes en pleine terre (41,7%) dans c1 [200]
18 tombes en double cloche (72,0%) dans c1 [201]
37 tombes en pleine terre (54,4%) dans c2 [202]
14 jarres (29,8%) dans c2 [203]
1 sarcophage (100%) dans c2 [204]
37 tombes en double cloche (31,6%) dans c2 [205]
1 tombe en pleine terre (100%) dans c3 [206]
3 jarres (23,1%) dans c3 [207]
19 tombes en double cloche (25,7%) dans c3 [208]

C'est encore dans le cimetière c1 et dans les tombes en pleine terre de c2 que les pourcentages sont les plus élevés (41,7-72,0-54,4%), excepté la tombe en pleine terre de c3.

- Les épingles

Huit épingles : trois en bronze dont deux fibules, une en argent, trois en os et une en fritte.

- Les bagues

Ce sont les objets les plus nombreux : trois cent quarante-cinq, dont soixante et une en bronze, vingt et une en fer, deux cent quarante-trois en coquille, seize en os, trois en argent et une en fritte.

Les bagues en métal sont des anneaux ouverts ou fermés, les bagues en coquille présentent en général un décor incisé, géométrique ou animalier ou végétal [209].

Sauf dans un cas, on trouve toujours dans une même tombe des bagues en différents matériaux : bronze, fer, coquille.

Dans T 96, il y avait soixante-quatre bagues, elles pouvaient être fixées sur un vêtement comme élément décoratif.

Quelques cas de bagues à chaton, type chevalière (T 345).

- Les bracelets

Soixante-dix dont quarante-six en bronze, vingt-deux en fer et deux faits de pierres semi-précieuses, ce sont des anneaux ouverts ou fermés qui sont, en général, mal décrits.

- Les anneaux de cheville

Soixante-neuf dont cinquante-six en bronze et treize en fer, ce sont des anneaux ouverts ou fermés.

- Les bijoux

Des serre-têtes : un en argent sous forme de traces (T 138), un en or (T 135) fait de douze disques décorés au

197 - Clayden T., 1992, p. 141-155.
198 - Caubet A., 1984, p. 39-41.
199 - Moorey P. R. S., 1985, p. 142-165.
200 - T 96, 98, 105, 107, 111, 112, 114, 117, 133, 136, 137, 138, 150, 151, 153.
201 - T 92, 95, 103, 104, 113, 115, 119, 122, 123, 124, 125, 126, 127, 128, 134, 135, 149, 155.
202 - T 185, 200, 202, 208, 224, 225, 255, 307, 596, 597, 605, 613, 617, 618, 622, 623, 626, 630, 631, 633, 640, 641, 642, 644, 645, 646, 648, 649, 650, 656, 658, 659, 664, 665, 667, 669, 670.
203 - T 180, 182, 187, 201, 203, 209, 218, 235, 237, 263, 283, 609, 634, 663.
204 - T 293.
205 - T 157, 162, 168, 176, 178, 179, 181, 190, 192, 198, 199, 206, 212, 216, 226, 234, 236, 249, 253, 254, 258, 262, 268, 271, 278, 287, 302, 303, 304, 305, 306, 308, 309, 317, 318, 616, 636.
206 - T 345.
207 - T 364, 490, 536.
208 - T 331, 332, 337, 355, 358, 362, 367, 376, 380, 482, 485, 487, 488, 508, 517, 518, 521, 254, 528.
209 - Beyer D., 1982, p. 169-189.

repoussé et d'une rosace à onze pétales, un en pierres (T 236) fait de vingt-deux perles dont douze sont serties d'or, deux en fritte (T 656, 665).

Parmi les perles, il faut citer celles en forme de grenade dans les tombes 119, 125, 236.

Des objets en or : les éléments à quadruple enroulement des tombes 125 et 135 :

M 1215 (T 125) : un fil est enroulé autour de chaque extrémité d'un tube central, puis est enroulé sur lui-même en double spirale, dans ce collier, les éléments en or alternent avec des perles en pierres.

M 1242 (T 135) : une petite feuille découpée en rectangle est enroulée en un cylindre dont les extrémités sont conformées en quatre spirales. K. R. Maxwell-Hyslop [210] a interprété ce motif à quadruple enroulement comme un symbole de fertilité à signification religieuse.

Un collier fait de clochettes en bronze réunies par une chaîne torsadée (T 345).

Des amulettes en fritte en forme d'animaux (oiseaux-lions), à décor floral (T 304).

Un collier était accompagné d'une amulette au nom du pharaon Aménophis III [211] (T 656).

- Les anneaux en or

Certains anneaux ouverts en or sont des boucles d'oreilles, des bagues ou des anneaux de nez, ils portent en général une protubérance en leur milieu. La destination de ces objets reste floue en l'absence de photos, de dessins, et d'informations concernant leur localisation (T 96, 181), elle n'était sans doute pas unique.

- Les anneaux de nez

Vingt sont en or et trois en argent.

Il a été difficile de préciser de façon sûre leur nature puisqu'un seul a été photographié en place (T 123). Ils sont en forme de croissant, mais leurs extrémités sont soit symétriques sous forme de deux fils incurvés, soit dissymétriques avec un fil qui part d'une extrémité de l'anneau ; leurs dimensions sont toujours de 1,1 à 1,2 cm de diamètre ; certains peuvent avoir été utilisés comme boucles d'oreilles.

- Les boucles d'oreilles

Trente-huit anneaux ont été interprétés comme étant des boucles d'oreilles : vingt-cinq en or, cinq en argent, huit en bronze.

- Les scarabées

Les seize scarabées en faïence sont percés et portent des hiéroglyphes sur leur face inférieure : M 1229 (T 133) a un Horus tenant un sceptre *was* ; sur M 1206.3 (T 119), un pharaon assomme un ennemi ; M 1206.5 (T 119) est inscrit au nom du pharaon Setnakht.

Trois sont en pâte de verre bleue (T 287), avec un décor.

- Les cylindres

Quatre sont en pierre et sept en fritte (ou en faïence), ils portent tous un décor.

- Les cachets

Sept dont trois en cristal de roche, gravés : un scorpion dans M 987 (T 99), un animal de profil dans M 988 (T 99), un capriné dans M 1289 (T 168).

- Les masques

Trois masques en faïence polychrome : deux dans des tombes en pleine terre (T 137, 255) et un dans une double cloche (T 236) ; ce dernier ayant été trouvé au niveau du cou, on peut penser que ces objets étaient portés comme pendentifs. Leur interprétation est difficile, était-ce des personnages masculins ou féminins ? A. Parrot [212] y a vu des hommes imberbes, C. Schaeffer [213] pensait que celui qu'il a trouvé à Minet el-Beida dans le tombeau VI, était un personnage féminin, D. Oates [214] a aussi interprété celui de Tell Al-Rimah comme un personnage féminin. Deux objets semblables, trouvés à Kish dans un contexte inconnu, ont été publiés par E. Peltenburg [215] qui pense que ce sont des pendentifs dont l'origine se situe en Babylonie vers le milieu du quatorzième siècle et qu'on trouve jusqu'à la fin du douzième siècle ; cet auteur y voit la représentation d'une déesse-mère protectrice du défunt. Mais, si les masques de Mari ont été trouvés dans des tombes, ceux de Tell-Al-Rimah, Isin, Tchoga Zanbil (voir références comparatives) proviennent de temples, celui de Nippur n'est pas d'origine funéraire. La signification de ces objets n'est donc pas nécessairement funéraire.

- Les œufs d'autruche

Treize œufs entiers (un dans T 144, un dans T 149, trois dans T 236, quatre dans T 104 et quatre dans T 135) et des fragments dans T 634 ; ils étaient placés sur le bassin (T 144, 149) ou sur la jambe (T 135) ou près du coude gauche et des genoux (T 236).

210 - Maxwell-Hyslop K. R., 1960, p. 105-115.
211 - Leclant J., 1975, p. 19-21.
212 - Parrot A., 1969 b, p. 409-418.
213 - Schaeffer C., 1933, p. 93-127.
214 - Oates D., 1966, p. 122-139.
215 - Peltenburg E., 1977, p. 177-200.

On connaît l'existence des œufs d'autruche comme objet d'apparat dès le troisième millénaire en Mésopotamie, dans les tombes royales d'Ur [216] où a été trouvé un œuf portant un décor de mosaïque fait de triangles en coquille et bitume, dans celles de Kish [217], Asharah [218] ; au deuxième millénaire, ils sont en général vidés par un trou , décorés ou non et on les interprète comme des symboles de fécondité garants de la naissance et de la renaissance [219]. E. Peltenburg [220] rapproche le masque, déesse de la fertilité, des œufs d'autruche, symboles de fécondité.

À Mari, la tombe 236 contenait un masque et trois œufs d'autruche, T 137 et 255 contenaient seulement un masque ; les tombes 135 et 236 ont été interprétées par A. Parrot comme des tombes de femmes ; d'autre part, T 149 contenait le corps d'un adolescent et T 634 le corps d'un enfant ; les œufs d'autruche pouvaient donc être offerts aussi bien aux adultes qu'aux enfants.

- Les peignes

Deux objets en os (T 125, 127) mal décrits.

Les offrandes

Des ossements animaux ont été trouvés dans neuf tombes : cinq tombes en double cloche (T 125, 135, 179, 337, 355), deux tombes en pleine terre (T 133, 656) et deux jarres (T 291, 668) ; hélas les déterminations d'espèces manquent dans plusieurs cas.

Des restes alimentaires ont été trouvés dans quatre tombes en double cloche (T 124, 135, 204, 629) et une jarre (T 266) : ce sont des graines ou des noyaux, en général déposés dans une coupe.

C'est donc dans les tombes en double cloche que ces offrandes sont les plus nombreuses, et dans le cimetière 2 (sept cas : T 179, 204, 266, 291, 629, 656, 668), alors qu'il n'y a que deux cas dans le cimetière 3 (T 337, 355) et quatre cas dans le cimetière 1 (T 124, 125, 133, 135) ; il faut noter que les tombes 125 et 135 sont parmi les plus riches des tombes mises au jour à Mari.

En conclusion de cette étude des tombes médio-assyriennes, on peut dire que :

La plupart de ces inhumations datent sûrement de la deuxième moitié du deuxième millénaire et ont été installées dans ces cimetières plusieurs siècles après la destruction du palais et des bâtiments environnants (le palais a été détruit par Hammurabi de Babylone en 1761) ; il est difficile de les dater de façon très précise car les renseignements concernant la céramique sont pratiquement absents (pas de dessin ni de photo) ; je me suis basée pour proposer cette date, sur la présence dans ces tombes d'objets en faïence, masques et récipients entre autres, qui peuvent être datés plus facilement, par comparaison avec ceux trouvés dans d'autres sites.

Globalement ce sont les tombes en double cloche qui sont les plus nombreuses, 56,3%, les tombes en pleine terre représentent 27,3% et les jarres 16,1%. Le pourcentage de tombes en pleine terre et de jarres a diminué par rapport au BM II (respectivement 64,7 et 31,3%) au profit des doubles cloches ; la quasi-absence de sarcophage (un seul) est à souligner, car on en a trouvé aux époques précédentes (Shakkanakku, BM I et II) et on en trouvera à l'époque séleucide (voir plus loin).

Dans les trois cimetières, la répartition des types de tombes est différente : c'est dans le cimetière 1 que les tombes en pleine terre sont les plus nombreuses et les plus riches en objets (récipients et parures notamment) ; dans les cimetières 2 et 3, on trouve surtout des tombes en double cloche qui sont, elles, assez pauvres.

Le pourcentage de tombes d'enfants reste assez constant par rapport aux périodes précédentes : 17,1% dans les tombes en pleine terre, 45,2% dans les jarres et 12,5% dans les doubles cloches, il était de 18% pour les tombes en pleine terre et de 52,2% pour les jarres au BM II.

Dans les périodes précédentes, les enfants étaient, comme les adultes, inhumés sous les habitations, à l'époque médio-assyrienne ils sont dans les cimetières avec les adultes.

Le mobilier évolue, on note une diminution nette des pourcentages de tombes en pleine terre et jarres contenant des céramiques et au contraire, une augmentation des pourcentages de ces mêmes tombes qui contiennent des objets ; il y a une inversion dans la distribution des deux catégories : céramiques et objets, par rapport aux époques précédentes.

Le nombre de tombes contenant des armes est très petit (11 sur 384 tombes), alors qu'au BM I et II, les armes avaient disparu. Si, comme le pensait A. Parrot, la ville de Mari abritait à l'époque médio-assyrienne une garnison, les hommes n'étaient plus enterrés avec leurs armes qui avaient peut-être alors perdu leur caractère symbolique. On sait que toute la région du Khabur, secteur de Sheikh Hamad (Dur-Katlimmu), était occupée pendant cette période par les Assyriens qui y avaient affirmé leur pouvoir dès le treizième siècle [221] et y assuraient un contrôle de façon continue, la présence d'une garnison à Mari était tout à fait possible.

216 - Woolley L., 1934, pl. 156-U 9255 dans PG/430.
217 - Mackay E., 1929, p. 136.
218 - Thureau-Dangin F., Dhorme P., 1924, p. 265-293.
219 - Caubet A., 1983 b, p. 193-198.
220 - Peltenburg E., 1977, p. 177-200.
221 - Akkermans P. M. G. G., 1993, p. 1-52.

Certaines tombes étaient très riches : T 125, 135, 149, 236 et contenaient surtout de très beaux objets de parure associés à des masques et des œufs d'autruche, qui suggèrent une croyance de renaissance et de fertilité.

Le fait que ces trois cimetières soient différents les uns des autres quant aux types de tombes et à la quantité de mobilier qui les accompagne, suggère soit qu'ils ont été utilisés en même temps et qu'il y avait alors une différence dans le statut social des personnes qui y étaient inhumées, soit qu'il y a eu une extension horizontale à partir par exemple du cimetière 1 (la cour 106 étant la plus petite a dû être comblée par la ruine du palais avant la cour 131) vers la cour 131 et enfin vers le secteur de la haute terrasse ; il y aurait alors un appauvrissement de la population au cours du temps qui justifierait celui des tombes ; cependant la durée totale de vie des trois cimetières doit se situer au treizième/douzième siècle, celle du cimetière 2 pouvant être un peu plus longue que celle du cimetière 1, l'épaisseur de sédiment dans lequel on a trouvé des tombes étant de 2,5 m. Certaines tombes ont même traversé le dallage de la cour 131, alors que la hauteur de sédiment dans lequel on trouve des tombes dans le cimetière 1 est de 1,80 m.

RÉFÉRENCES COMPARATIVES

Les objets des trois cimetières étant de même type, les comparaisons ont été faites pour l'ensemble :

La céramique

M 1923 (T 355) : jarre

- Tell Imlihiye	Boehmer, 1985, pl. 43 et 44	kassite
- Tell Zubeidi	Boehmer, 1985, pl. 109, n° 79/225	kassite

M 1921 (T 355) : coupe

- Assur	Haller, 1954, pl. 2-ar	médio-assyr.
- Tell Zubeidi	Boehmer, 1985, pl. 119 n° 245	kassite

M 3554 (T 517) : coupe

- Assur	Haller, 1954, pl. 2-as1	médio-assyr.
- Meskéné	Caubet, 1982a, p. 77-n° 4	XIV-XIIe s.

M 4132 (T 617), M 4170 (T 612), M 4177 (T 631), M 4178 (T 630), M 4191 (T 644), M 5249 (T 656), M 5340 (T 664), M 5342 (T 665), M 5347 (T 667) : coupes

- Assur	Haller, 1954, pl. 2-aw	médio-assyr.
- Tell Imlihiye	Boehmer, 1985, pl. 28	kassite
- Tell Zubeidi	Boehmer, 1985, pl. 114	kassite

M 4171, M 4172 (T 612), M 4179 (T 626) : coupes

- Tell Sabi Abyad	Akkermans, 1993, fig. 13 n° 14	médio-assyr.
- Tell Zubeidi	Boehmer, 1985, pl. 116 n° 204	kassite

M 4183 (T 640), M 5375, M 5376 (T 670), III C20 NE1 (T 853) : coupes

- Tell Imlihiye	Boehmer, 1985, pl. 31 n° 66 à 69	kassite
- Tell Zubeidi	Boehmer, 1985, pl. 116 n° 194	kassite
- Uruk	Boehmer, 1987, pl. 34-219	kassite

M 4184 (T 640) : coupe

- Tell Imlihiye	Boehmer, 1985, pl. 30 n° 64-65	kassite
- Tell Zubeidi	Boehmer, 1985, pl. 115 n° 181	kassite

M 4192 (T 644) : coupe

- Tell Imlihiye	Boehmer, 1985, pl. 33 n° 95	kassite
- Tell Sabi Abyad	Akkermans, 1993, fig. 15 n° 27	médio-assyr.

M 4265 (T 650), M 5379 (T 668), III C20 SE8 (T 863) : coupes

- Tell Zubeidi	Boehmer, 1985, pl. 115 n° 160 et 164	kassite
- Uruk	Boehmer, 1987, pl. 31 n° 156-157 et pl. 35 n° 242	kassite

M 4194 (T 645), M 4263 (T 650), M 5378 (T 668) : vases à bouton

- Assur	Haller, 1954, pl. 2-aq	médio-assyr.
- Larsa	Parrot, 1968 b, fig. 14	kassite
- Tell Bezari	Lyonnet, 1992, fig. 6a n° 10	médio-assyr.

Les armes

M 1236 (T 134), M1302 (T 176) : pointes de flèches en bronze

- Lébéa	Guigues 1938, fig. 51-b	IIe mill.
- Sialk	Ghirshman 1939, pl. XCII-19 et 20	IIe mill.
- Tell Sabi Abyad	Akkermans, 1993, fig. 21 n° 71	médio-assyr.
- Tell Zubeidi	Boehmer, 1985, pl. 150	XIII-XIIe s.

M 4142 (T 628) : pointe de flèche en bronze

- Sialk	Ghirshman, 1939, pl. V	IIe mill.

M 1234 (T 134) : carquois en bronze

- Uruk	Van Ess, 1992, pl. 28	Ier mill.
- War Kabud	Vanden Berghe, 1967, fig. 4 et p. 57-n° 5	VIII-VIIe s.

Les récipients

M 825 (T 96) : coupe en faïence, à décor polychrome

- Meskéné	Caubet, 1982b, fig. 1, p. 112	XIV-XIIe s.

M 1255 (T 111), M 4130 (T 617) : coupe en faïence

- Meskéné	Matoïan, 1993, pl. 1-10	XIV-XIIe s.

M 1226 (T 129), M 1271 (T 151), M 1308 (T 222), M 1353 (T 213), M 1354 (T 218), M 1355 (T 234), M 5346 (T 665), M 5366 (T 669) : vases cylindriques en faïence

- Babylone	Reuther, 1926, pl. 58-d et 58-34	kassite
- Enkomi	Murray, 1900, fig. 63,35	kassite
- Isin	Hrouda, 1977, pl. 28-IB 601	IIe mill.
- Megiddo	Guy, 1938, fig. 185	IIe mill.
- Meskéné	Matoïan, 1993, pl. 2-7 et 8	XIV-XIIe s.
- Tell Imlihiye	Boehmer, 1985, pl. 27 n° 14 à 17	kassite
- Tell Zubeidi	Boehmer, 1985, pl. 142 n° 552 à 563	XIII-XIIe s.
- Ur	Woolley, 1976, pl. 96-d	BM I
- Uruk	Boehmer, 1987, pl. 60-695	kassite
- Uruk	Lindemeyer, 1993, pl. 98-A, B	kassite
- Uruk	Van Ess, 1992, pl. 92-1149	kassite

M 1208 (T 122), M 1222 (T 128), M 1259 (T 140), M 1297 (T 185), M 1301 (T 176), M 4094 (T 596), M 4141 (T 626) : pyxides en faïence

- Alalakh	Woolley, 1955, pl. LXXX-AT39/124	IIe mill.
- Assur	Haller, 1954, pl. 16-i	médio-assyr.
- Babylone	Reuther, 1926, pl. 48-24 d	kassite
- Lébéa	Guigues, 1939, pl. X-b	IIe mill.
- Meskéné	Matoïan, 1993, pl. 2-3 et 4	XIV-XIIe s.
- Minet el-Beida	Schaeffer 1932, pl. VIII-2	XIIIe s.
- Tchoga Zanbil	Ghirshman, 1968, pl. LXXXIV-Z 822, pl. XXXVI-9	IIe mill.

M 1194 (T 104), M 1304 (T 198) : coupes en faïence

- Meskéné	Matoïan, 1993, pl. 1-11	XIV-XIIe s.

M 1212 (T 123) : coupe en faïence

- Meskéné	Matoïan, 1993, pl. 2-1	XIV-XIIe s.
- Minet el-Beida	Schaeffer, 1935, pl. XXX-3	XIIIe s.

M 1264 (T 149) : vase en faïence

- Meskéné	Matoïan, 1993, pl. 3-6	XIV-XIIe s.

M 1251 (T 138), M 1256 (T 121), M 1517, M 1518 (T 305), M 1522 (T 307) : vases en faïence

- Meskéné	Matoïan, 1993, pl. 4-1 et 2	XIV-XIIe s.

M 1347 (T 236) : vase en faïence

- Meskéné	Matoïan, 1993, pl. 3-6	XIV-XIIe s.

M 1244 (T 135), M 1346 (T 236) : coupes en bronze

- Megiddo	Guy, 1938, fig. 186-5 et 9	IIe mill.
- Ur	Woolley, 1962, p. 23-U 480	Ier mill.

M 1528 (T 308) : coupe en bronze

- Megiddo	Guy, 1938, fig. 186-6	IIe mill.

M 1234 (T 134), M 1919 (T355) : passoire-entonnoir en bronze

- Alalakh	Woolley, 1955, pl. LXXIV-AT/46/41	IIe mill.
- Chamzi Mumah	Vanden Berghe 1977, p. 61	Fer III

M 1529 (T 308) : gobelet en bronze

- Megiddo	Guy, 1938, fig. 186-3	IIe mill.
- Ur	Woolley, 1962, pl. 23-U 6644 et pl. 32-type 13	kassite
- Uruk	Van Ess, 1992, pl. 20, 21, 22	kassite

Les parures

M 1305 (T 198) : épingle en os

- Assur	Haller, 1954, pl. 20-c	médio-assyr.
- Ur	Woolley, 1976, pl. 99-U 16636	kassite

M 1394 (T 287), M 1526 (T 307) : fibules en bronze

-	Stronach, 1959, type I-5 et III	
- Ur	Woolley, 1962, pl. 34-U 409	kassite

M 837 (T 96), M 1118 (T 105), M 1201 (T 112), M 1237 (T 119), M 1274 (T 155), M 1352 (T 182), M 1354 (T 218), M 1355 (T 234), M 1356 (T 178), M 4165 (T 631), M 4199 (T 644), M 4203 (T 646) : bagues en coquille

- Luristan	Vanden Berghe, 1973 b, pl. XXVI-2	Fer
- Luristan	Vanden Berghe, 1973 c, p. 21	Fer
- Tell Imlihiye	Boehmer, 1985, pl. 22-Nr. 2 a-e	kassite
- Tell Zubeidi	Boehmer, 1985, pl. 145	XIII-XIIe s.
- Ur	Woolley, 1965, pl. 36-U 16187	kassite

M 1207 (T 119), M 1217 (T 125), M 1348 (T 236) : colliers de perles en cornaline

- Megiddo	Loud ,1948, pl. 215-114	IIe mill.
- Uruk	Limper, 1988, P.188-F 389	IIe mill.

M 5357 (T 665), M 5338 (T 667) : plastrons de coquillages

- Megiddo	Guy, 1938, pl. 227-4	IIe mill.

M 1241 (T 135) : perle sertie

- Assur	Haller, 1954, pl. 14-c	médio-assyr.

M 1240 (T 135) : serre-tête en or

- Babylone	Reuther, 1926, pl. 50-8 c	IIe mill.
- Daylaman	Terrace, 1962, fig. 3	IIe mill.

M 1344 (T 236) : serre-tête en pierres

- Nimrud	Mallowan, 1966, fig. 58	IIe mill.
- Uruk	Limper, 1988, p. 186-F 320	IIe mill.

M 1215 (T 125) : élément à quatre spirales en or

-	Huot, 1980-n° 16	
- Babylone	Reuther, 1926, pl. 55-e et fig. 14-a	IIe mill.
- Larsa	Huot, 1978, pl. V-4	IIe mill.
- Marlik	Maxwell-Hyslop, 1971, pl. 145	

M 1242 (T 135) : élément à quatre spirales en or

-	Huot, 1980-n° 15	
-	Maxwell-Hyslop, 1971, pl. 252	
- Chagar Bazar	Mallowan, 1947, pl. XXXII-8 et XXXIII-21	IIe mill.
- Tepe Nus-i-Jan	Roaf, 1990, p. 183	IIe mill.
- Tepe Nus-i-Jan	Stronach, 1969, pl. VIII-b et IX-a	IIe mill.

M 1539 (T 304) : perles

- Babylone	Reuther, 1926, pl. 48-16	IIe mill.

M 1754 (T 345) : anneau avec des clochettes en bronze

- Masjid-i-S.	Ghirshman, 1976, pl. CIII-5 et 6	III-Ier s.
- Sialk	Ghirshman, 1939, pl. LVI-S 834	IIe mill.
- Tell ed-Der	Haerinck, 1980, pl. 8-3	IIe mill.

M 814 (T 96), M 1266 (T 149), M 1358 (T 181) : anneaux en or

-	Musche, 1992, pl. LII-type 1	
- Megiddo	Loud, 1948, pl. 225-15	IIe mill.
- Ur	Woolley, 1965, pl. 36-U 7532B	kassite

M 1343 (T 236) : boucles d'oreilles en or

-	Musche, 1992, pl. LII-1,3 et 4	
- Alalakh	Woolley, 1955, pl. LXIX-i	IIe mill.
- Babylone	Reuther, 1926, pl. 49-d	IIe mill.
- Bogazköy	Boehmer ,1972, pl. LIX-1731	IIe mill.
- Megiddo	Loud, 1948, pl. 225-n° 5	IIe mill.
- Uruk	Van Ess, 1992, pl. 45-451-B	IIe mill.

M 738 (T 95), M 1394 (T 287) : anneaux de nez en or

-	Musche, 1992, pl. LXII-type 1	
- Alalakh	Woolley, 1955, pl. LXIX-v	IIe mill.
- Assur	Haller, 1954, pl. 17-k	fin IIe mill.
- Megiddo	Guy, 1938, fig. 178-5	IIe mill.
- Megiddo	Lamon, 1939, pl. 86-n° 34	IIe mill.
- Nimrud	Curtis, 1971, pl. XXX-b et c et pl. XXXI-g	Ier mill.
- Tell M. Arab	Roaf, 1984, pl. XII-h	médio-assyr.
- Ur	Woolley, 1962, pl. 22-U 463 et pl. 24 -U 6677	Ier mill.

M 739 (T 95) : anneau de nez en or

- Nimrud	Curtis, 1971, pl. XXXI-a	Ier mill.
- Ur	Woolley, 1976, pl. 99-U 7526	BM I

M 1202 (T 117) : anneau de nez en or

- Megiddo	Guy, 1938, fig. 178-2	IIe mill.

M 1214 (T 123), M 1252 (T 138), M 1291 (T 133), M 1296 (T 200), M 4093 (T 596), M 4137 (T 623), M 5348 (T 665) : anneaux de nez en or

- Babylone	Reuther, 1926, pl. 50-8 b	kassite
- Tell Yelkhi	Invernizzi, 1980, fig. 74	kassite
- Tell Zubeidi	Boehmer, 1985, pl. 151 n° 675	XIII-XIIe s.
- Ur	Woolley, 1976, pl. 99-U 7526	BM I

M 1193 (T 137), M 1342 (T 236), M 1364 (T 255) : masques en faïence

- Isin	Hrouda, 1981, pl. 26 et 27	kassite
- Kish	Peltenburg, 1977, fig. 223-180 n° 5 et 6	kassite
- Minet el-Beida	Schaeffer 1933, pl. XI-2	XIIIe s.
- Nippur	Gibson, 1978, fig. 29-6 a et b	kassite

- Tchoga Zanbil	Ghirshman, 1966, pl. LI-5 et pl. XCV-GTZ.7	XIIIe s.
- Tell el-Rimah	Oates D., 1966, pl. 34 a	XIV-XIII[e] s.
- Ur	Woolley, 1976, pl. 96b-U 3254 et pl. 60-U 6820	II[e] mill.

M 1218 (T 125) : peigne en os

- Ur	Woolley, 1962, pl. XX-U 7913	Ier mill.

M 1221 (T 127) : peigne en os

- Babylone	Reuther, 1926, pl. 54-n	IIe mill.

M 1345 (T 236) : miroir en bronze

- Sialk	Ghirshman, 1939, pl. LII-LXVIII-LXIX	IIe mill.
- Ur	Woolley, 1962, pl. 24-U 6668	kassite

LES TOMBES DU PREMIER MILLÉNAIRE AV. J.-C.

Quatre tombes en double cloche ont été datées du premier millénaire :
- salle 164 du palais : 299
- secteur nord de la haute terrasse : 480 bis, 563
- secteur NE de la haute terrasse : 363

Renseignements ostéologiques

corps couché sur le côté droit	1
corps couché sur le côté gauche	1
corps couché sur le dos	2

Répartition enfant-adulte
Aucun enfant parmi ces sépultures.

Orientation

NE-SO	1
N-S	2
E-O	1

Jarres funéraires

Les jarres étaient couchées, ouverture contre ouverture ; leur longueur totale maximale était 1,76 m.

Elles avaient une base annulaire (T 299, 480 bis, 563), un bourrelet sur la panse (T 299, 480 bis, 563).

Mobilier

tombe sans céramique ni objet	0
tombes sans céramique, avec objet	2
tombe avec céramique, sans objet	1
tombe avec céramique et objet	1

les quatre tombes (100%) étaient accompagnées de mobilier.

- Les céramiques

Deux tombes avec céramique, deux sans ; au total 3 céramiques : 3 coupes dont 1 coupe tripode.

Les coupes de T 299, 480 bis ont été trouvées à l'extérieur de la tombe.

- Les objets

Trois tombes avec objet, une sans ; au total 48 objets répertoriés, ainsi que des perles :

a) récipients
- 1 coupe en bronze
- 1 pyxide en bois (fragments)
- 2 vases en faïence

b) parures
- 1 bracelet en bronze
- 10 anneaux de cheville en bronze
- 4 colliers
- 1 boucle d'oreille en argent
- 1 anneau de nez en or
- 8 anneaux en bronze et argent
- 2 scarabées en faïence
- 8 cylindres : 5 en pierre dont 1 en cornaline, 2 en fritte, 1 en cristal de roche
- 3 cachets en faïence
- des perles en cornaline, fritte

c) divers
- 3 plaques : 2 en os, 1 en pierre
- 2 tiges en fer
- 1 chaîne en fer

Dans T 363, la coupe en bronze était près de la bouche du défunt ;

dans T 563, les vases en fritte, les plaques et un cylindre (M 3952) étaient à l'extérieur des jarres, à l'intérieur se trouvaient les cachets, six cylindres, les scarabées et le reste du mobilier (la tombe a dû subir une tentative de pillage).

Le corps de T 299 était enveloppé dans un linceul.

Discussion

Les tombes 363 et 563 contenaient des cylindres datés de l'époque néo-assyrienne [222] ; pour T 299, 480 bis, datées plutôt de la période néo-babylonienne, la céramique a été comparée à celle de sites datés de cette période (voir références comparatives).

La tombe 563 était particulièrement riche en mobilier, elle contenait sept cylindres, trois cachets et des objets de parure (A. Parrot indique que cette tombe était celle d'une femme).

222 - Proposition faite par D. Beyer.

- Les cylindres

Huit portaient un décor gravé.

- Les cachets

L'un était décoré d'un rapace, le deuxième d'un disque ailé et le troisième d'un scorpion.

- Les plaques

Elles étaient percées aux angles, on peut penser que c'étaient des couvercles de coffret.

RÉFÉRENCES COMPARATIVES

La céramique

M 1496 (T 299) : coupe

- Nimrud	Lines, 1954, pl. XXXVII-7 et 8	néo-assyr.
- Sippar	Haerinck, 1980, pl. 12 n° 13	VIe s.

M 1497 (T 299) : coupe tripode

- Nimrud	Lines, 1954, pl. XXXVIII-1	néo-assyr.
- Tell Fakhariyah	Mc Ewan, 1958, pl. 34 n° 97	âge du Fer

M 3472 (T 480 bis) : coupe

- Nimrud	Lines, 1954, pl. XXXVII-9	néo-assyr.

Les récipients

M 1931 (T 363) : coupe en bronze, avec anneau de préhension

- Assur	Haller, 1954, pl. 22-g	médio-assyr.
- Ur	Woolley, 1965, pl. 35-U 6656	kassite

La parure

M 3960 (T 563) : anneau de nez en or

- Tell M. Arab	Roaf, 1984, pl. XII-h	médio-assyr.

LES TOMBES DE L'ÉPOQUE HELLÉNISTIQUE

LES TOMBES SÉLEUCIDES (300 AV.-300 APR. J.-C.)

Cent trente-deux tombes : cinq en pleine terre, cinquante et une jarres, neuf tombes construites, quarante-deux sarcophages et vingt-cinq doubles cloches, ont été datées de cette époque.

Tombes en pleine terre

Cinq tombes réparties de la façon suivante :

- chantier A : 850, 866, 916, 937
- chantier D : 827

soit 3,8% des tombes de cette époquè.

Renseignements ostéologiques

os épars	1
corps couché sur le côté droit	1
corps couché sur le côté gauche	1
corps couché sur le dos	2

Dans T 916, un bras du défunt était passé autour de la pointe d'une jarre-torpille ;

dans T 937, les deux bras étaient repliés vers une jarre-torpille.

Répartition enfant-adulte

Cinq adultes.

Orientation

NE-SO	1
N-S	2
E-O	1
O-E	1

Mobilier

tombe sans céramique ni objet	0
tombes sans céramique, avec objet	2
tombes avec céramique, sans objet	2
tombe avec céramique, et objet	1

Les cinq tombes (100%) étaient accompagnées de mobilier.

- Les céramiques

Trois tombes avec céramique, deux sans ; au total 4 céramiques :

cruche à glaçure	1
amphore	1
jarre-torpille	2

Dans T 866, la cruche et l'amphore étaient placées sur le bassin ;

les jarres-torpilles, dont l'intérieur était enduit de bitume, étaient près de la tête.

- Les objets

Trois tombes avec objets, deux tombes sans ; au total 9 objets répertoriés :

a) les récipients
- 2 vases en faïence

b) les parures
- 2 bagues : 1 en bronze, 1 en fer

- 1 boucle d'oreille en argent
- 3 bijoux : 2 en argent, 1 pendentif en pierre et bronze
- 1 plaque en bronze
- des perles en bronze

Jarres

Cinquante et une tombes réparties de la façon suivante :

- secteur nord de la haute terrasse : 14, 15, 17, 19, 38, 366, 382, 383, 519, 526, 586, 588
- secteur sud de la haute terrasse : 409, 410, 416, 421, 424, 425, 431, 432, 433, 434, 437, 442, 447, 449, 452, 455, 460, 461, 463, 465, 466, 469, 472, 475
- chantier A : 762, 828, 829, 832, 835, 836, 840, 847, 848, 849, 858, 894, 896, 903, 913

soit 38,6% des tombes de cette époque.

Renseignements ostéologiques

corps couché sur le côté droit	13	25,5%
corps couché sur le côté gauche	11	21,6%
corps couché sur le dos	9	17,6%
corps couché sur un côté	11	21,6%
pas de renseignement	6	11,8%
vide	1	2,0%

Dans neuf cas, les corps avaient été introduits avec la tête au fond de la jarre ;

le squelette, dans T 463, était incomplet ;

le crâne de T 832 était hors du col de la jarre, ce qui peut constituer un indice de tentative de violation ;

dans T 847, les pieds étaient hors de la jarre et reposaient sur un tesson.

Les corps étaient couchés sur un côté (68,7% des cas).

Répartition enfant-adulte

Sept tombes d'enfants (13,7%) et quarante-quatre (86,3%) d'adultes.

Orientation

NE-SO	17	33,3%
SO-NE	4	7,8%
NO-SE	6	11,8%
SE-NO	2	3,9%
N-S	4	7,8%
S-N	3	5,9%
E-O	9	17,6%
O-E	3	5,9%
pas de renseignement	3	5,9%

La plus grande partie des jarres était orientée NE-SO (33,3% des cas).

Jarres funéraires

La hauteur était de 0,40 à 0,66 m pour les jarres d'enfants et de 1,00 à 1,50 m pour celles des adultes (sauf trois cas : T 416 : 0,55 m ; T 421 : 0,85 m et T 460 : 0,60 m) ; leur diamètre variait de 0,50 à 0,80 m, c'est-à-dire atteignait un peu plus que la moitié de la hauteur (0,80 m pour 1,50 m) ; les jarres étaient plus longues qu'à l'époque médio-assyrienne (1,50 pour 1 m).

Les jarres étaient fermées par différents systèmes :

des briques	12
une pierre plate	2
des tessons	4
une jarre	2
pas de renseignement	31

Certaines jarres portaient un décor incisé (T 416, 460, 463, 836), un décor imprimé (T 849) ;

les jarres étaient couchées, certaines avaient été découpées pour introduire le corps (T 14, 15, 366, 382, 409, 433, 449, 465, 519, 526, 829, 858) ;

des jarres étaient coupées : T 410, 469 selon le diamètre, T 442, 452, 461, 472 selon la longueur, T 847 transversalement au tiers inférieur et le fond était calé par des tessons et des briques ;

dans T 832, il ne restait que la moitié longitudinale de la jarre ;

T 461 avait deux anses ;

les jarres de T 835, 894, 913 étaient des jarres-torpilles qui contenaient le corps d'un très jeune enfant.

Mobilier

tombes sans céramique ni objet	29
tombes sans céramique, avec objet	7
tombes avec céramique, sans objet	12
tombes avec céramique et objet	3

Vingt-deux tombes sur cinquante et une (43,1%) étaient accompagnées de mobilier.

- Les céramiques

Quinze tombes avec céramique et trente-six sans ; au total 29 céramiques :

vase globulaire	2	
jarre	8	dont 2 jarres-torpilles et 1 jarre avec 2 anses
coupe	10	
vase	4	
cruche	5	dont 1 à 2 anses

Certaines céramiques étaient à l'extérieur (T 19, 366, 425, 432, 460, 461, 847, 903) ;
dans T 832, le vase était à l'intérieur de la tombe.

- Les objets

Dix tombes avec objet et quarante et une sans ; au total 28 objets répertoriés, ainsi que des perles et des coquillages :

a) outil
- 1 spatule en bronze

b) parures
- 1 épingle en os
- 4 bagues en bronze
- 2 bracelets en bronze
- 1 anneau de cheville en bronze
- 6 bijoux : 1 collier, 1 feuille en or, 1 pendentif en fritte, 3 bijoux en argent
- 8 boucles d'oreilles en argent
- 1 scarabée en faïence
- 2 peignes
- 1 miroir en bronze
- des perles en cornaline, fritte, os, bronze, lapis-lazuli et des coquillages

c) divers
- 1 fusaïole en pierre

Le matériau dans lequel étaient faits les peignes n'a pas été indiqué.

Un turban dans T 14, 455 ;
un linceul en tissu dans T 14, 449, 455, 472, 829, 848 ;
des fragments de cuir au niveau du bassin dans T 828, 829, 903, des restes de ceinture.

Tombes d'enfants

T 762 : un bracelet, des perles.
T 835 : une bague.
T 913 : une bague, un pendentif, un coquillage.
T 447, 836, 848, 894 : rien.

Offrandes

Des ossements animaux (rongeur) dans T 437 ;
des restes de fleurs dans T 437, T 449, T 455, des branchages dans T 848.

Tombes construites

Neuf tombes réparties de la façon suivante :
- secteur sud de la haute terrasse : 476
- chantier A : 792, 830, 831, 833, 841, 920, 922, 929

soit 6,8% des tombes de cette époque.

Toutes ces tombes étaient construites en briques crues, T 830 et 831 avaient une couverture de briques posées en bâtière, sur le fond de T 841 il y avait des dalles de gypse.

Renseignements ostéologiques

corps couché sur le côté droit	2
corps couché sur le côté gauche	2
corps couché sur le dos	3
pas de renseignement	2

Répartition enfant-adulte

Aucun corps d'enfant n'a été trouvé dans les neuf tombes.

Orientation

NE-SO	2
SO-NE	2
SE-NO	2
N-S	1
E-O	2

Le nombre de tombes est trop petit pour avoir une conclusion nette.

Mobilier

tombe sans céramique ni objet	1
tombe sans céramique, avec objet	1
tombes avec céramique, sans objet	7
tombe avec céramique et objet	0

Huit tombes sur neuf (88,9%) étaient accompagnées de mobilier.

- Les céramiques

Sept tombes avec céramique, deux sans ; au total 11 céramiques :

vase globulaire	2	
jarre	5	dont 2 jarres à 2 anses et 2 jarres-torpilles
coupe	1	
vase	3	

- Les objets

Une tombe avec objet, huit sans ; au total 1 objet répertorié :

parure
- 1 serre-tête partiel fait de douze feuilles en or

Sarcophages

Quarante-deux tombes réparties de la façon suivante :
- secteur nord de la haute terrasse : 11, 12, 13, 20, 351, 352, 353, 369, 370, 379, 381, 384, 386, 587
- secteur sud de la haute terrasse : 338, 411, 412, 413, 414, 417, 419, 420, 429, 446, 451, 458, 459, 467

- secteur est de la haute terrasse : 350 bis
- chantier A : 678, 686, 706, 739, 743, 749, 756, 844, 845, 895, 897, 915, 936

soit 31,8% des tombes de cette époque.

Ces tombes étaient de trois sortes :

- sept sarcophages proprement dits (16,7%) : des cuves rectangulaires, à angles arrondis, fond plat ou légèrement bombé, parois verticales (T 12, 338, 429, 446, 451, 459, 897), munies d'un couvercle plat ou fermées par des tessons ; leur longueur était de 1,14 à 1,30 m ;
- vingt-huit « coquilles de noix » (66,7%) : des cuves ovales, à fond bombé ou plat, recouvertes par une cuve identique (T 11, 13, 20, 350 bis, 351, 352, 353, 369, 370, 379, 384, 386, 413, 414, 417, 419, 420, 467, 587, 678, 706, 743, 749, 756, 844, 845, 895, 915) ; leur longueur était de 1,05 à 1,52 m ;
- sept tombes couvercles (16,7%) : souvent des coquilles de noix, qui reposaient sur le corps couché à même la terre (T 381, 411, 412, 458, 686, 739, 936) ; leur longueur était de 1,06 à 1,52 m.

Il n'y a pas suffisamment de renseignements sur les dimensions des tombes d'enfants pour savoir si les cuves étaient plus petites que celles utilisées pour les adultes.

Renseignements ostéologiques

- sarcophages :

corps couché sur le côté droit	1
corps couché sur le côté gauche	3
corps couché sur un côté	1
vide	2

- « coquilles de noix » :

ossements épars	3
corps couché sur le côté droit	12
corps couché sur le côté gauche	4
corps couché sur le dos	6
corps couché sur un côté	1
pas de renseignement	2

- tombes-couvercles :

corps couché sur le côté droit	4
corps couché sur le côté gauche	1
corps couché sur le dos	1
corps couché sur un côté	1

Une partie seulement du corps était sous la tombe-couvercle 936, les jambes du défunt étaient à l'extérieur, protégées par des briques crues posées en bâtière.

La plus grande partie des corps était couchée sur le côté gauche dans les sarcophages, sur le côté droit dans les « coquilles de noix » et les tombes-couvercles.

Répartition enfant-adulte

Cinq tombes d'enfants (11,9%) pour trente-sept d'adultes (88,1%) : deux dans les « coquilles de noix » (T 353, 915) et trois dans les tombes-couvercles (T 412, 686, 739).

C'est la première fois qu'on trouve des enfants inhumés dans des sarcophages par rapport aux périodes précédentes.

Orientation

- sarcophages

N-S	2
S-N	1
E-O	4

- « coquilles de noix »

NE-SO	1
SO-NE	2
NO-SE	2
N-S	8
S-N	6
E-O	4
O-E	4
pas de renseignement	1

- tombes-couvercles

NE-SO	1
SO-NE	1
NO-SE	2
E-O	2
O-E	1

La plus grande partie des « coquilles de noix » est orientée N-S/S-N (50%).

Mobilier

- tombes sans céramique ni objet : 15 dont 3 sarcophages, 8 « coquilles de noix », 4 tombes-couvercles.
- tombes sans céramique, avec objet : 8 dont 2 sarcophages, 6 « coquilles de noix ».
- tombes avec céramique, sans objet : 16 dont 1 sarcophage, 12 « coquilles de noix », 3 tombes-couvercles
- tombes avec céramique et objet : 3 dont 1 sarcophage, 2 « coquilles de noix ».

Vingt-sept tombes sur quarante-deux étaient accompagnées de mobilier : quatre sarcophages (9,5%), vingt « coquilles de noix » (47,6%) et trois tombes-couvercles (7,1%).

- Les céramiques

Dix-neuf tombes avec céramique, vingt-trois tombes sans ; au total 21 céramiques :

coupe	2	9,5%
jarre-torpille	7	33,3%
vase	2	9,5%
cruche	10	47,6%

Ce sont les cruches qui sont les plus représentées.

Il y avait seize céramiques dans les « coquilles de noix », deux dans les sarcophages et trois dans les tombes-couvercles.

Certaines céramiques étaient à l'extérieur (T 13, 350 bis, 351, 369, 379, 384, 451, 459, 467, 678, 844, 936), d'autres étaient à l'intérieur (T 20, 352, 386, 411).

- Les objets

Onze tombes avec objet (trois sarcophages et huit « coquilles de noix ») et trente et une sans : au total 50 objets répertoriés, ainsi que des perles et des coquillages (quinze dans les sarcophages et trente-cinq dans les « coquilles de noix ») :

- sarcophages :

parures

- 4 bagues : 3 en bronze, 1 en argent
- 1 bracelet en bronze
- 3 bijoux : 1 collier, 2 éléments en bronze et argent
- 5 anneaux en bronze
- 1 scarabée en faïence
- 1 perle en cornaline

- « coquilles de noix »

a) armes

- 3 pointes de flèches en fer
- 1 pointe de lance en fer

b) récipients

- 2 paniers en fibres végétales
- 3 vases en albâtre gypseux
- 1 coffret en bois

c) parures

- 2 bagues en argent
- 4 bracelets en bronze
- 1 anneau de cheville en bronze
- 4 bijoux : 1 collier, 2 pendentifs en argent, 1 bijou en bronze
- 2 anneaux en argent
- 8 anneaux en bronze
- 3 boucles d'oreilles : 1 en bronze, 2 en bronze et argent
- des perles en cornaline, fritte, lapis-lazuli, argent, agate, pierre, verre

d) divers

- 1 fouet en bois et cuir

Le panier de T 420 était posé sur le thorax et contenait un coffret en bois, celui de T 845 était posé renversé sur le bras droit ;

les vases en albâtre de T 844 étaient à l'extérieur de la tombe.

Un turban dans T 11, 13, 451 ;

un linceul en tissu dans T 11, 13, 20, 351, 352, 369, 370, 420, 587, 678, 756, 845 ;

un suaire en tissu dans T 350 bis, 351, 678, 845 ;

des bandelettes de toile sur les jambes dans T 350 bis, 352, 845 ;

une sandale en cuir dans T 845, trouvée en place ;

des fragments de bois dans T 678.

Tombes d'enfants

T 353, 412, 686, 739, 915 : pas de mobilier.

Offrandes

Un bouquet dans T 420 et 451, des branchages d'une rosacée dans T 845.

Doubles cloches

Vingt-cinq tombes réparties de la façon suivante :

- secteur nord de la haute terrasse : 360, 385, 491, 582, 585
- secteur sud de la haute terrasse : 415, 422, 423, 426, 428, 430, 436, 438, 445, 450
- chantier A : 677, 783, 846, 857, 911, 931, 932, 933, 934, 935

soit 18,9% des tombes de cette époque.

Renseignements ostéologiques

corps couché sur le côté droit	5	20%
corps couché sur le côté gauche	11	44%
corps couché sur le dos	2	8%
corps couché sur un côté	5	20%
pas de renseignement	1	4%
vide	1	4%

La plus grande partie des corps était couchée sur le côté gauche (44% des cas).

Répartition enfant-adulte

Aucun corps d'enfant n'a été retrouvé.

Orientation

NE-SO	1	4%
NO-SE	3	12%
SE-NO	2	8%
N-S	7	28%
S-N	6	24%
E-O	6	24%

La majeure partie des tombes était orientée N-S (28% des cas).

Jarres funéraires

Les dimensions des tombes étaient de 0,93 à 1,85 m, la hauteur des jarres était de 0,40 à 0,90 m, leur diamètre de

0,47 à 0,82 m, c'est-à-dire à peu près égal à leur hauteur ; dans certains cas les corps devaient être placés en position contractée ; les jarres étaient couchées.

Les jarres séleucides mises dans les tombes en doubles cloches étaient plus trapues que celles mises dans les tombes en doubles cloches médio-assyriennes.

Certaines jarres avaient un décor :

un bourrelet cordé (T 491, 934, 935) ;

des nervures (T 385, 422, 491) ;

un décor estampé (T 783) ;

un décor imprimé (T 933) ;

un décor incisé (T 422, 423, 426, 428, 430, 436, 582, 677, 783, 846, 857) ;

un décor de bitume (T 935) ;

des jarres avaient des anses (T 422, 423, 426, 428, 430, 436, 783) ;

les jarres de T 582 étaient placées fond contre fond (cassés) ;

les jarres de T 911 étaient plâtrées l'une contre l'autre.

Mobilier

tombes sans céramique ni objet	8
tombes sans céramique, avec objet	3
tombes avec céramique, sans objet	9
tombes avec céramique et objet	5

Dix-sept tombes sur vingt-cinq (68,0%) étaient accompagnées de mobilier.

- Les céramiques

Quatorze tombes avec céramique, onze sans ; au total 27 céramiques :

jarre	6	22,2%	dont 4 jarres-torpilles
coupe	12	44,4%	
gobelet	2	7,4%	
cruche	6	22,2%	
amphore	1	3,7%	

Certaines céramiques étaient à l'extérieur (T 360, 385, 422, 428, 430, 450, 582, 783, 857, 931, 933, 934), d'autres à l'intérieur (T 360, 430).

- Les objets

Huit tombes avec objet, dix-sept sans objet ; au total 21 objets répertoriés, ainsi que des perles :

a) armes

- 8 pointes de flèches : 7 en fer, 1 en bronze

b) récipient

- 1 panier en fibres végétales

c) parures

- 5 bagues : 3 en bronze, 1 en fer, 1 en argent
- 2 bracelets en argent
- 1 collier
- 4 boucles d'oreilles :.2 en bronze, 2 en argent
- des perles en cornaline, fritte

Le panier de T 491 était à droite de la tête du défunt ;

les pointes de flèches de T 932 étaient à l'extérieur de la tombe.

On a trouvé un corps enveloppé dans une peau dans T 428 ;

un turban dans T 445 ;

un linceul en tissu dans T 445, 491, 582, 585, 857, 677, 931, 935 ;

des restes de cuir dans T 857 dans la région du bassin (ceinture) et près du crâne (bonnet) dans T 931, 935.

Discussion

Au total 132 tombes séleucides réparties de la façon suivante :

- secteur N-NE de la haute terrasse : 32 tombes
- secteur sud de la haute terrasse : 49 tombes
- chantier A (palais oriental) : 50 tombes
- chantier D : 1 tombe

Celles placées au N-NE de la haute terrasse étaient dans les ruines d'un habitat médiocre, mélangées à des tombes plus anciennes, médio-assyriennes et il a été difficile de les différencier les unes des autres. Si on superpose les plans des planches 3-4 et 12 (**pl. 266**), on peut voir que l'habitat mis au jour par A. Parrot en 1933 (**pl. 3-4**) au NE de la haute terrasse, est le même que celui mis au jour en 1951 (**pl. 12**) ; les plans ont été dessinés par des architectes différents et avec vingt ans d'intervalle, sans carroyage sur le terrain, les murs ne coïncident pas très exactement !

Les tombes du secteur sud de la haute terrasse étaient, d'après A. Parrot, « [...] dans des installations assyriennes qui ont succédé à des maisons de l'époque de Babylone I, reposant elles-mêmes sur un habitat présargonique ».

Celles du chantier A étaient dans les ruines du palais oriental ; là aucune tombe assyrienne n'a été trouvée, le cimetière séleucide s'est installé au-dessus du cimetière du BM II.

Les types de tombes

	pleine terre	jarres	tombes construites	sarcophages	doubles cloches	total
tombes	5-3,8%	51-38,6%	9-6,8%	42-31,8%	25-18,9%	132

Le plus fort pourcentage est pour les jarres (38,6%) et a augmenté par rapport à l'époque assyrienne où il était de 16% ; le pourcentage de tombes en pleine terre et double cloche a fortement diminué, on en avait précédemment 27,3% pour les premières et 56,3% pour les secondes.

Les tombes d'enfants

	pleine terre	jarres	tombe construite	sarcophages	double cloche
tombes	0	7-13,7%	0	5-11,9%	0

C'est la première fois qu'on trouve des inhumations d'enfants dans les sarcophages, deux dans des « coquilles de noix » sur vingt-huit (7,1%) et trois dans des tombes-couvercles sur sept (42,9%).

Mobilier

- Les céramiques

Les pourcentages de tombes contenant des céramiques ou non sont les suivants :

	tombes avec céramique	tombes sans céramique	nombre de céramiques
pleine terre	3-60,0%	2	4
jarre	15-29,4%	36	29
t.construite	7-77,8%	2	11
sarcophage	19-45,2%	23	21
d.cloche	14-56,0%	11	27

Alors que les pourcentages de tombes contenant des céramiques ont diminué à l'époque médio-assyrienne dans les tombes en pleine terre et les jarres (par rapport aux périodes précédentes), les valeurs augmentent dans les tombes séleucides, au moins dans les jarres [223] et les doubles cloches ; cependant, le nombre total de céramiques est faible, il n'y avait en général qu'une céramique par tombe ; les « coquilles de noix » étaient plus riches que les sarcophages proprement dits.

Ce sont les coupes et les cruches qui sont les plus nombreuses.

- Les objets

Les pourcentages de tombes contenant ou non des objets sont les suivants :

	tombes avec objet	tombes sans objet	objets répertoriés
pleine terre	3-60,0%	2	9
jarre	10-19,6%	41	28
t.construite	1-11,1%	8	1
sarcophage	11-26,2%	31	50
d.cloche	8-32,0%	17	21

Ce sont les sarcophages et les doubles cloches pour lesquels le pourcentage est le plus élevé (26,2 et 32%).

Alors qu'à l'époque médio-assyrienne, les pourcentages de tombes contenant des objets était plus élevé que ceux des tombes contenant des céramiques, à la période séleucide c'est l'inverse, les pourcentages de tombes contenant des objets sont plus faibles que ceux des tombes contenant des céramiques.

a) Les armes

1« coquille de noix » (3,6%) avec 4 armes [224]
1 tombe en double cloche (4%) avec 8 armes [225]

Les pointes de flèches sont à lame losangique, certaines sont pourvues d'un raccord entre la pointe elle-même et la soie.

b) L'outil

1 jarre (2%) avec 1 outil [226]

c) Les récipients

1 tombe en pleine terre (20%) avec 2 vases en faïence [227]
3 « coquilles de noix » (10,7%) avec 6 récipients [228]
1 tombe en double cloche (4%) avec 1 récipient [229]

Dans deux « coquilles de noix » (T 420-845) et une double cloche (T 491) il y avait un panier rond en fibres végétales, muni d'un couvercle et entouré d'une enveloppe de cuir ; celui de T 420 est muni d'une cordelette pour la préhension [230], il contenait un coffret en bois rectangulaire.

d) Les parures

Comme précédemment, il a été tenu compte de tous les objets considérés comme des parures, y compris les perles et les coquillages non inventoriés ; la répartition des tombes contenant des objets de parure est la suivante :

3 tombes en pleine terre (60%) [231]
10 jarres (19,6%) [232]
1 tombe construite (11,1%) [233]
3 sarcophages (42,9%) [234]
6 « coquilles de noix » (21,4%) [235]
6 tombes en double cloche (24%) [236]

C'est pour les sarcophages que le pourcentage est le plus élevé (42,9%).

- L'épingle

Une seule épingle, en os, a été trouvée dans une jarre (T 452) ; alors qu'à cette époque, les corps étaient souvent ensevelis dans des linceuls en tissu, il est étonnant de trouver si peu d'épingles ; les corps étaient peut-être enveloppés dans un linceul qui était cousu.

223 - Le nombre restreint de tombes en pleine terre (5) n'a pas été pris en compte dans les comparaisons.
224 - T 749.
225 - T 932.
226 - T 452.
227 - T 827.
228 - T 420, 844, 845.
229 - T 491.
230 - MARGUERON J., 1984 c, p. 271-275.
231 - T 827, 850, 937.
232 - T 366, 425, 452, 469, 762, 835, 840, 858, 896, 913.
233 - T 833.
234 - T 12, 429, 459.
235 - T 11, 379, 420, 844, 845, 895.
236 - T 360, 385, 423, 426, 430, 933.

- Les bagues

Dix-sept bagues : onze en bronze, deux en fer, quatre en argent ; ce sont des anneaux ouverts ou fermés ; certaines sont de type chevalière et portent des perles.

On ne trouve plus de bagues en coquille comme à l'époque médio-assyrienne.

- Les bracelets

Sept en bronze et deux en argent : tous sont des anneaux ouverts ; deux, en bronze, ont leurs extrémités décorées d'une tête de capriné (T 844), trois sont décorés de têtes de serpents (T 11, 379, 459), deux sont de simples anneaux ; ceux en argent ont aussi leurs extrémités décorées d'une tête de serpent (T 430).

- Les anneaux de cheville

Deux anneaux ouverts en bronze ; celui de T 845 est décoré.

- Les bijoux

Dix-huit bijoux :

- quatre colliers de perles en cornaline, fritte, lapis-lazuli, argent, agate, pierre dure, verre (T 423, 429, 840, 845) ;
- un serre-tête fait de feuilles en or (T 833), trouvées alignées au-dessous du crâne, celles situées au-dessus manquaient ; ces feuilles, de forme triangulaire, présentent des pliures et des petites perforations qui doivent permettre de les fixer sur un support ;
- une feuille en or (T 858) identique à celles de T 833 ;
- deux objets en argent qui ont posé un problème quant à leur interprétation : ils ont été trouvés à côté du crâne d'un enfant âgé de six mois (T 937) : ce sont soit des boucles d'oreilles, soit des parures de chevelure, soit des pendentifs, mais leur poids, supérieur à 27 g, est important pour que ce soient des boucles d'oreilles ; de toute façon, ils ne pouvaient pas être portés par un bébé, ils lui étaient peut-être destinés pour un âge plus avancé et on les a déposés avec lui lors de l'inhumation. Chacun est décoré de deux visages féminins accolés et de tresses qui devaient être souples ;
- un pendentif en marcassite et bronze (T 937) ;
- un pendentif en fritte (T 913) ;
- deux pendentifs en argent (T 844-895) ;
- trois bijoux en argent : deux torsadés et présentant un visage féminin (T 840), qui devaient être suspendus par l'anneau qui se trouve à l'arrière ; un élément à enroulement (T 840), trouvé près du crâne et qui pouvait être un élément de chevelure ;
- deux crochets en bronze et argent-bronze (T 429) ;
- un objet en bronze, recourbé, trouvé près de la tête (T 845) et qui pouvait aussi être un élément de coiffure.

- Les anneaux

Quinze anneaux : treize en bronze et deux en argent ; ils sont presque tous ouverts, certains portent une protubérance en leur centre, d'autres ont la forme d'un oméga. Deux d'entre eux sont fermés, l'un porte une perle en cornaline ; ce sont peut-être des bagues ou des éléments de chevelure ou de décoration fixés sur un vêtement. Les deux anneaux en argent ont un décor torsadé.

- Les boucles d'oreilles

Seize boucles d'oreilles : onze en argent, deux en bronze et argent, trois en bronze :

- les trois de T 840 sont annelées, les trois de T 423 et T 896 présentent sur la partie antérieure un personnage féminin, mains sur les hanches, les trois de T 452 et 469 présentent une tête de capriné, celle de T 850 une tête d'animal non identifié, celle de T 385 est un anneau en forme de croissant ;
- les deux en bronze et argent (T 420), sont formées d'un anneau ouvert suspendu à un autre anneau ;
- celles en bronze (T 360, 385) sont des anneaux ornés d'une perle en cornaline.

- Les scarabées

Deux scarabées en faïence (T 429, 452) mal décrits par le fouilleur.

- Les peignes

Deux peignes ont été trouvés en T 366, leur matériau n'a pas été précisé.

-Le miroir

En bronze (T 840).

-Le fouet

En bois et cuir (T 587), mal décrit.

Les linceuls, suaires, turbans, le cuir

Dans de nombreuses tombes, six jarres, treize « coquilles de noix », huit doubles cloches, le corps était enveloppé dans un linceul et/ou un suaire en tissu ;

certains d'entre eux ont été étudiés au Musée Historique des Tissus de Lyon, ce sont des tissus d'une grande finesse :

- IV R2 SE3 (T 829) : armure toile à aspect reps [237]
- IV R1 SO6 (T 845) : deux tissus qui entouraient les os des jambes sous forme de bandelettes et le squelette sous forme de linceul :

- A : armure toile [238]
- B : armure toile à aspect reps

237 - Les fils de chaîne sont entièrement recouverts par les fils de trame, ce qui donne un aspect côtelé dit aspect reps.

238 - Les fils de chaîne alternent à chaque coup au-dessus et au-dessous des fils de trame.

- IV R1 SO7 (T 845) : deux tissus de couleurs différentes formant un suaire :
  - l'un brun-rouge, armure toile à aspect reps
  - l'autre bleuté : armure à trames cordées [239]
    - IV R1 NE23 (T 848) : armure toile à aspect reps
    - IV R2 SE25 (T 857) : armure toile à aspect reps
    - IX R50 NE21 (T 935) : armure gros de Tours [240]
    - IX R50 SE6 (T 931) : armure gros de Tours

IV R1 SO6 est sûrement du lin, pour les autres échantillons IV R2 SE3-IV R1 SO7-IV R2 SE25-IV R1 NE23, c'est très probable.

IX R50 NE21 et IX R50 SE6 sont d'origine animale, type camélidé.

Des restes de turban étaient encore très visibles lors de la mise au jour de certaines tombes, c'est le cas de T 13, 14, 445, 455, 451.

Une sandale en cuir, fragmentaire, a été trouvée en place dans T 845.

Des fragments de cuir dans T 828, 829, 857, 903, 931, 935 : certains étaient dans la région du bassin, ce sont des fragments de ceinture ; dans T 857, il y en avait aussi près du crâne, ce sont des restes d'une coiffure.

Les offrandes

Sept tombes contenaient des offrandes, des fleurs dans T 420, 437, 449, 451, 455, 845, 848 ;

dans T 420, un bouquet de minces tiges était posé sur le visage du défunt ;

dans T 845 : un bouquet de rosacée [241] était sur le linceul, un autre type de branchage avait été utilisé pour fixer les bandelettes de tissu mais il n'a pas pu être identifié.

On a trouvé des ossements de rongeur dans T 437, il est douteux que ce soit les restes d'une offrande.

En conclusion de cette étude des tombes séleucides, on peut dire que :

L'utilisation d'un cercueil, à la fin du premier millénaire s'est généralisée puisqu'on ne trouve plus que 3,8% d'inhumations en pleine terre. Il y en a de plusieurs types : des jarres dont on découpait une zone dans la partie supérieure pour introduire le corps, des sarcophages, des « coquilles de noix », quelques tombes-couvercles ; il y a peu de tombes construites en briques.

Le nombre de tombes d'enfants est très faible, on n'en trouve que dans les jarres (13,7%, alors qu'il y en avait de 38 à 52,0% aux périodes précédentes) et les sarcophages (11,9%), « coquilles de noix » et tombes-couvercles, alors qu'on n'en a jamais trouvé précédemment. Cette observation conduit à s'interroger sur la pratique des inhumations d'enfants à cette époque : la mortalité infantile étant sûrement toujours élevée, pourquoi trouve-t-on si peu de tombes d'enfants ? Y avait-il un endroit délimité pour les inhumer, que nous n'avons pas trouvé ou qui a disparu à cause de l'érosion du tell ? Les enfants étaient-ils tous et toujours inhumés ?

Les armes sont très rares (deux tombes sur cent trente-deux en contenaient) comme depuis le Bronze Moyen.

Cinq tombes contenaient des récipients, on peut noter la présence de paniers en fibres végétales et d'un coffret en bois.

Les parures sont peu nombreuses (vingt-neuf tombes seulement sur cent trente-deux en contenaient).

Dans l'ensemble, ces tombes séleucides sont pauvres, ce qui reflète sûrement la modestie des habitants de la région à cette époque.

RÉFÉRENCES COMPARATIVES

La céramique

M 3191 (T 434), M 3312 (T 476) : jarres à deux anses

- Doura Europos	Dyson, 1968, fig. 18 n° 5	séleucide
- Failaka	Hannestad, 1984, fig. 3	séleucide
- Larsa	Lecomte, 1983, pl. XVIII-52	séleucide
- Nippur	Mc Cown, 1978, pl. 57-3	séleucide

M 3313 (T 476) : jarre à deux anses

- Doura Europos	Dyson, 1968, fig. 18 n° 6	séleucide
- Failaka	Hannestad, 1984, fig. 12	séleucide

Jarres 426, 430, 436 :

- Tell Sabra	Tunca, 1987, pl. 88-11	séleucide

Jarre 463 :

- Tell Sabra	Tunca, 1987, pl. 88-8	séleucide

Jarre 585 :

- Nippur	Gibson, 1978, fig. 52-2 et fig. 55-3	séleucide

IV R1 NO1 (T 849) : jarre avec décor

- Doura Europos	Cumont 1926, pl. CXXIV-7	séleucide
- Nimrud	Mallowan, 1966, fig. 296	séleucide
- Nippur	Gibson, 1978, fig. 79-6	séleucide
- Sippar	Haerinck, 1980, pl. 17-3 et 15	séleucide
- Tell Sabra	Tunca, 1987, pl. 87	séleucide

T 350 bis, T 385, IV Q2 NE11 (T 792), IV R1 NE8 (T 847), IV R2 SE29 (T 857), IV S1 NE14 (T 922), IV S1 SO7 (T 916), IV S2 SO4 (T 903), IX R50 NO2 (T 929), IX S50 NO8 (T 937) : jarres-torpilles

- Abu Qubur	Gasche, 1991, fig. 8	IIe s. av. J.-C.

239 - Les trames sont groupées par deux en torsades.

240 - Armure à côtes parallèles, formées par des flottés de chaîne dus à l'insertion de 2 coups de trame consécutifs dans le même pas.

241 - Détermination faite au Laboratoire d'Ethnobotanique et d'Ethnozoologie du Museum d'Histoire Naturelle, Paris.

- Doura Europos	Cumont, 1926, pl. CXXIII-5	séleucide
- Doura Europos	Dyson, 1968, fig. 20 n° 6	séleucide
- Sippar	Haerinck, 1980, pl. 8-4	séleucide

M 1943 (T 385) : coupe

- Failaka	Hannestad, 1983, pl. 37-344 et pl. 38-348	séleucide
- Failaka	Hannestad, 1984, fig. 18	séleucide
- Nippur	Gibson, 1978, fig. 33-13	séleucide
- Séleucie	Valtz, 1984, fig. 3-15	séleucide

M 1946 (T 379) : coupe

- Failaka	Hannestad, 1983, pl. 38-351	séleucide
- Failaka	Hannestad, 1984, fig. 18	séleucide
- Nippur	Gibson, 1978, fig. 33-13	séleucide

M 2969, M 2970, M 2971, M 2972, M 2992 (T 409) : coupes

- Doura Europos	Dyson, 1968, fig. 1 et 2	séleucide
- Failaka	Hannestad, 1984, fig. 8	séleucide
- Larsa	Lecomte, 1983, pl. VII-33	séleucide
- Nippur	Gibson, 1978, fig. 33-10	séleucide
- Séleucie	Valtz, 1984, fig. 1-7	séleucide

M 3269 (T 645) : coupe

- Doura Europos	Dyson, 1968, fig. 2 n° 33	séleucide

M 3314 (T 476) : coupe

- Nippur	Gibson, 1978, fig. 33-12	séleucide

IV R1 SE5 (T 844) : coupe

- Doura Europos	Toll, 1946, pl. XXXIV-X	séleucide
- Failaka	Hannestad, 1984, pl. 18	séleucide
- Séleucie	Valtz, 1984, fig. 1-1	séleucide

IX R50 NE3 (T 933), IX R50 SE3 (T 931) : coupes

- Nippur	Gibson, 1978, fig. 33-4	séleucide

M 3041 (T 413) : vase

- Doura Europos	Dyson, 1968, fig. 16 n° 12	séleucide
- Larsa	Lecomte, 1983, pl. XVII-46	séleucide
- Nippur	Gibson, 1978, fig. 33-11	séleucide

M 3045 (T 417) : vase

- Doura Europos	Dyson, 1968, fig. 11 n° 294	séleucide

M 3232 (T 452) : vase

-Doura Europos	Dyson, 1968, fig. 3 n° 47 et fig. 5 n° 131	séleucide

M 1924 (T 360), M 1942 (T 384), M 3040 (T 410), M 3134 (T 430), M 3256 (T 460), IV R1 SE4 (T 844), IX R50 SO7 (T 936) : cruches

-Doura Europos	Dyson, 1968, fig. 8 n° 159 et fig. 17 n° 24	séleucide
- Séleucie	Valtz, 1984, fig. 3-17	séleucide

M 1934 (T 351) , M 1948 (T 386), M 3040 (T 410), M 3042 (T 411), M 3136 (T 426), IX Q50 SE1 (T 678) : cruches

-Doura Europos	Dyson, 1968, fig. 4 n° 57 et fig. 9 n° 214	séleucide
- Nippur	Mc Cown, 1978, pl. 56-1	séleucide
- Séleucie	Valtz 1984, fig,4-20	séleucide

M 3257 (T 461) : cruche

- Nippur	Mc Cown, 1978, pl. 57-6	séleucide

M 3268 (T 465) : cruche

- Failaka	Hannestad, 1984, fig. 11	séleucide
- Larsa	Lecomte, 1983, pl. XI-19	séleucide

IV R1 NE26 (T 866), IX R50 NE18 (T 934) : amphores

- Doura Europos	Toll, 1943, fig. 6	séleucide
- Masjid-i S.	Ghirsman, 1976, pl. 35-473 et pl. 66-350	séleucide
- Séleucie	Valtz, 1984, fig. 2-12	séleucide

Les armes

IX R50 NE7, IX R50 NE8, IX R50 NE9, IX R50 NE10, IX R50 NE11, IX R50 NE12, IX R50 NE13, IX R50 NE14 (T 932) : pointes de flèches en bronze

- Masjid-i S.	Ghirshman, 1976, pl. 81-632 b	séleucide

L'outil

M 3237 (T 452) : spatule en bronze

- Masjid-i S.	Ghirshman, 1976, pl. CVIII-5	séleucide

Les récipients

IV R1 SE6, IV R1 SE7, IV R1 SE8 (T 844) : vases en albâtre gypseux

- Babylone	Reuther, 1926, pl. 76-148	séleucide
- Doura Europos	Toll 1946, pl. LVII, tombe 49	séleucide
- Masjid-i S.	Ghirshman, 1976, pl. CXVIII-2 et pl. 48	séleucide

IX M43 NO11 (T 827) : vase en faïence

- Doura Europos	Toll, 1943, fig. 27-232.540	séleucide
- Doura Europos	Toll, 1946, pl. XXXVIII-540	séleucide

IX M43 NO12 (T 827) : vase en faïence

- Doura Europos	Toll, 1943, fig. 27-4778, 549	séleucide
- Doura Europos	Toll, 1946, pl. XLIII-549	séleucide

Les parures

M 3233 (T 452) : épingle en os

- Babylone Reuther, 1926, fig. 15 kassite

M 3155 (T 423), M 3156 (T 423), M 3170 (T 429), IV R1 SE12 (T 844), IX S50 NO7 (T 937) : bagues en bronze, de type chevalière

- Doura Europos Toll, 1946, pl. XLI-XLVI-L séleucide
- Masjid-i S. Ghirshman, 1976, pl. CVIII-1 et pl. 35-55-79 séleucide

IV R1 NE1 (T 835) : bague en bronze

-Doura Europos Toll, 1946, pl. XXXV tombe 6-IV, pl. L tombe 33-XI séleucide

IV R2 NE7 (T 850) : bague en bronze

- Doura Europos Toll, 1946, pl. XLIV séleucide

IV S1 NO12 (T 896) : bague en bronze

- Masjid-i S. Ghirshman, 1976, pl. 56-529 séleucide

IX R50 NE4 (T 933) : bague en bronze

- Doura Europos Toll, 1946 pl. LIV, tombe 40-XVI séleucide

M 85 (T 11), M 1947 (T 379), M 3132, M 3133 (T 430), M 3274 (T 459) : bracelets en bronze

- Doura Europos Toll, 1946, pl. XL tombe 22 séleucide
- Masjid-i S. Ghirshman, 1976, pl. 54-286 séleucide

IV R1 SE9, IV R1 SE10 (T 844) : bracelets en bronze

- Doura Europos Toll, 1946, pl. LVII tombe 49 séleucide
- Nippur Mc Cown, 1978, pl. 74-9 séleucide

IV R1 NE15 (T 840) : bijou en argent

- Baghouz Toll, 1946, pl. LXI séleucide
-Doura Europos Toll, 1946, pl. LI tombe 36-II et fig. 51B séleucide

IX S50 NO9, IX S50 NO10 (T 937) : bijoux en argent

-Doura Europos Toll, 1946, pl. XXXV tombe 6-IV et fig. 51C séleucide

M 3157 (T 423), IV S1 NO10 (T 896), IV S1 NO11 (T 896) : boucles d'oreilles en argent

-Doura Europos Toll, 1946, pl. XL tombes 6-II, 22, pl. LVIII tombe 54 séleucide
- Masjid-i S. Ghirshman, 1976, pl. 55-281a séleucide

M 3235, M 3238 (T 452), M 3286 (T 469), IV R2 NE6 (T 850) : boucles d'oreilles en argent

- Megiddo Lamon, 1939, pl. 86-22 séleucide

IV R1 SE16 (T 844) : anneau en bronze

- Masjid-i S. Ghirshman, 1976, pl. 72-639 e séleucide

IV R1 SE18 (T 844) : anneau en bronze

- Nippur Mc Cown, 1978, pl. 74-8 séleucide

IV R2 NE3 (T 833), IV R2 SE9 (T 858) : feuilles en or

- Bogazköy Boehmer, 1972, pl. LXII-1793 séleucide
-Doura Europos Toll, 1946, pl. XXXVI, XL, XLII, LVII séleucide

IV R1 NE7 (T 840) : miroir en bronze

- Doura Europos Toll, 1946, pl. XXXVI séleucide

IV R1 SO5 (T 845) : sandale en cuir

- Doura Europos Cumont, 1926, pl. XCIV-1 et 2 séleucide

M 3187 (T 420), IV R1 SO2 (T 845) : paniers en fibres végétales

- Uruk Van Ess, 1992, pl. 139, 140 séleucide

LES TOMBES ISLAMIQUES

Quatre-vingt-dix-huit tombes :

- NE de la haute terrasse : 37
- chantier B : 682
- chantier E [242] : 852, 854, 855, 856, 859, 860, 861, 862, 864, 865, 867, 868, 869, 870, 871, 872, 873, 874, 875, 876, 877, 878, 879, 880, 881, 882, 884, 885, 886, 887, 888, 889, 890, 891, 892, 900, 901, 902, 904, 905, 906, 907, 908, 961, 962, 963, 964, 965, 966, 967, 968, 969, 970, 971, 972, 973, 974, 975, 976, 977, 978, 979, 980, 981, 982, 983, 984, 985, 986, 987, 988, 989, 990, 991, 992, 993, 994, 995, 996, 997, 998, 999, 1000, 1001, 1002, 1003, 1004, 1005, 1006, 1007, 1008, 1009, 1010, 1011, 1014, 1015

242 - Le chantier E est situé au N-NO du tell sur un des points les plus élevés ; des restes d'habitat médio-assyrien y ont été mis au jour et de nombreuses tombes islamiques y ont été trouvées en surface.

Elles étaient presque toutes orientées O-E, les corps étaient couchés sur le côté droit, quatre cas seulement couchés sur le dos (T 682, 856, 873, 885), un cas sur le côté gauche (T 868).

Quinze tombes d'enfants avec cinq très jeunes dont un nouveau-né (T 876) et deux adolescents.

La plupart avait une couverture faite soit de dalles de gypse, soit de briques cuites ou crues, posées à plat ou en bâtière ou en demi-bâtière, soit de tessons de jarres.

Étant donné leur grand nombre dans un même secteur de fouille, certaines n'ont pas été fouillées.

Le mobilier

Aucune céramique n'a été trouvée.

Cinq objets :

- 2 bracelets : 1 en fer, 1 en verre et argent
- 1 collier en bronze
- 1 anneau en fritte
- 1 perle en agate.

LES TOMBES NON DATÉES

Tombes trouvées lors des fouilles dirigées par A. Parrot :

94, 100, 365, 394, 408, 435, 443, 462, 464, 474, 493, 494, 495, 496, 502, 560, 584, 594, 654, 655, 661

Les renseignements sont très insuffisants pour pouvoir proposer une date, il manque des données de stratigraphie, la description, et les dessins ou photos du mobilier quand il y en avait.

Tombes trouvées lors des fouilles dirigées par J. Margueron :

676, 689, 690, 691, 699, 700, 701, 717, 740, 741, 742, 744, 745, 751, 753, 754, 758, 769, 785, 786, 787, 789, 793, 798, 802, 803, 804, 805, 806, 812, 821, 822, 837, 838, 839, 851, 893, 898, 899, 909, 912, 918, 919, 921, 923, 925, 930, 958, 1012, 1013, 1016, 1027, 1029, 1038, 1041, 1049

Parmi ces tombes, certaines étaient en surface et pouvaient être récentes, d'autres n'ont pas été fouillées, parfois il n'y avait que quelques ossements isolés ; quand il n'y avait pas de mobilier, il était difficile de proposer une date.

CE NE SONT PAS DES TOMBES

Dans le catalogue, les descriptions affectées d'un numéro n'ont pas été considérées comme des tombes :

N° 39 : 5 assises de briques, pas d'ossement.

N° 43 : construction en briques avec un escalier.

N° 361 : jarre effondrée, pas d'ossement.

N° 540, 541, 542, 543, 544, 545, 548, 549 : jarres dont les dimensions (de 0,16 à 0,28 m de hauteur) et le col étroit semblent peu adaptés pour pouvoir y déposer un corps même si c'était un très jeune enfant, d'autre part ces jarres étaient vides.

N° 562 : deux jarres vides.

N° 647 : squelette trouvé sous les débris d'une poutre calcinée qui n'a pas été considéré comme étant inhumé volontairement, mais appartenant à un individu mort accidentellement lors de l'effondrement des superstructures.

N° 666 : squelette d'un chien, pas d'ossement humain.

N° 671 : citerne fouillée en 1984.

N° 883 : ossements retrouvés dans une canalisation.

N° 914 : des fragments de jarre écrasée.

N° 955 : une jarre vide.

CONCLUSION GÉNÉRALE

Chaque chapitre se terminant par une discussion concernant l'époque traitée, nous nous limiterons ici à des considérations d'ordre général.

D'après les résultats des fouilles, on peut dire que les inhumations se faisaient à Mari, depuis l'origine de la ville (début du Bronze Ancien), sous les sols des habitations. Cependant, au début du deuxième millénaire, la ville ayant été saccagée par les troupes d'Hammurabi, les grands bâtiments ont été détruits et des cimetières se sont installés dans les ruines, l'un, au début du deuxième millénaire, dans les ruines du palais oriental, au-dessus d'un grand tombeau construit à la fin du Bronze Ancien, et trois à l'époque médio-assyrienne dans les ruines du palais de Zimri-Lim et dans le secteur de la haute terrasse. Puis à l'époque séleucide, les tombes se sont mélangées aux tombes médio-assyriennes dans le secteur de la haute terrasse et certaines ont été mises dans les ruines du palais oriental. Il y a donc continuité dans l'emplacement des cimetières, l'habitat a dû s'installer ailleurs, il a disparu à cause de l'érosion du tell, et les ruines des bâtiments anciens sont restées des cimetières.

Nous avons essayé de dégager certains traits spécifiques :

Les types de tombes

Les nombres de tombes aux différentes époques sont les suivants :

	pleine terre	jarre	tombe construite	sarcophage	double cloche	total
DA	36	3	5	0	0	44
Shak.	70	95	7	28	0	200
B M I	5	53	0	9	0	67
B M II	48	23	0	3	0	74
M A	106	62	0	1	217	386
Ier mill.	0	0	0	0	4	4
Sél.	5	51	9	42	25	132
total	270	287	21	83	246	907

soit la répartition suivant les époques :

	pleine terre	jarre	tombe construite	sarcophage	double cloche	total
B A	106-43,4%	98-40,2%	12-4,9%	28-11,5%	0	244
B M	53-37,6%	76-53,9%	0	12-8,5%	0	141
M A	106-27,5%	62-16,1%	0	1-0,2%	217-56,2%	386
Ier mill.	0	0	0	0	4-100%	4
Sél.	5-3,8%	51-38,6%	9-6,8%	42-31,8%	25-18,9%	132
total	270	287	21	83	246	907

On note une évolution des types d'inhumations en fonction du temps (**fig. 1**) : au Bronze Ancien, le pourcentage de tombes en pleine terre est de 43,4%, puis il diminue à 37,6% au Bronze Moyen, il est de 27,5% à l'époque médio-assyrienne, et n'est plus que de 3,8% à l'époque séleucide où les inhumations sans cercueil n'existent pratiquement plus ; pour les jarres, l'évolution est différente : alors qu'il y en a 40,2% à la fin du Bronze Ancien, le pourcentage augmente à 53,9% au Bronze Moyen, puis diminue à 16,1% à l'époque médio-assyrienne, mais il augmente à 38,6% à l'époque séleucide ; à l'époque médio-assyrienne, les jarres sont remplacées par les tombes en double cloche (56,2%). Les sarcophages absents aux Dynasties archaïques, apparaissent à l'époque des Shakkanakku (11,5%), puis diminuent à 8,5% au Bronze Moyen, disparaissent complètement à la période médio-assyrienne et réapparaissent à l'époque séleucide (31,8%) où les tombes en forme de « coquilles de noix » sont plus nombreuses que les sarcophages proprement dits, les sarcophages ont alors tendance à remplacer les tombes en double cloche qui diminuent à 18,9%. Il y a donc une alternance : quand les tombes en double cloche diminuent, ce sont les sarcophages et les jarres qui augmentent et inversement quand les tombes en double cloche apparaissent, ce sont les jarres et les sarcophages qui diminuent.

On voit donc que les inhumations en pleine terre sont remplacées progressivement par les tombes en jarres, en doubles cloches et les sarcophages.

Il y a très peu de tombeaux construits, cinq au Dynasties archaïques sous le secteur du temple d'Ishtar et deux à l'époque des Shakkanakku sous le palais oriental ; ils devaient être réservés à de hautes personnalités puisque leur

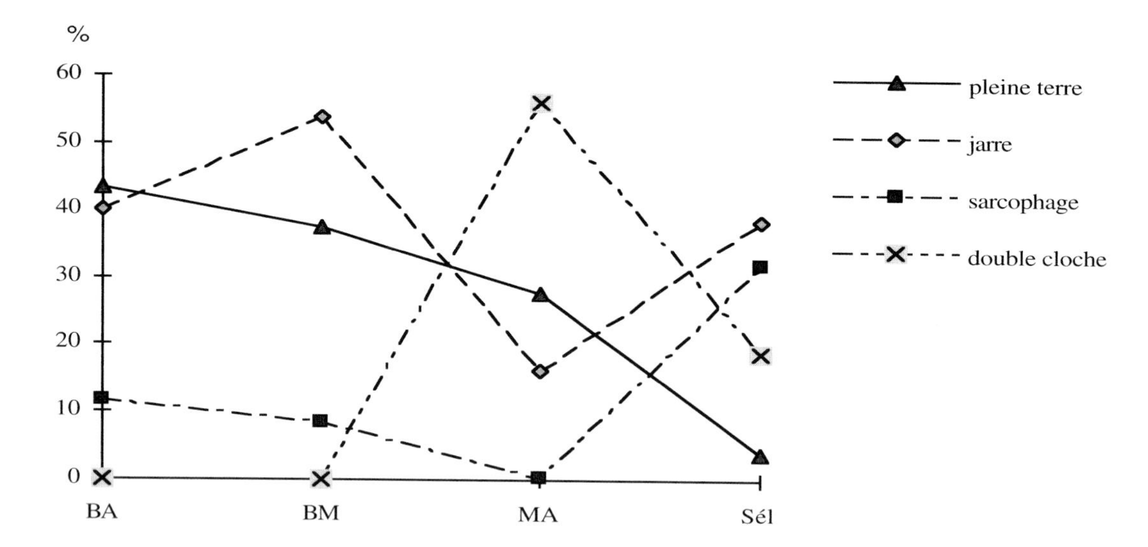

Fig. 1 - Pourcentages des différents types de tombes en fonction des époques : Bronze Ancien (BA), Bronze Moyen (BM), médio-assyrienne (MA) et séleucide (Sél).

mise en place a dû se faire lors de la construction des bâtiments ; hélas, ils ont été pillés dès l'Antiquité, il ne nous est resté que leurs structures.

Il est sûr que le faible nombre de tombes mises au jour pour la première moitié du troisième millénaire (44) ainsi que pour l'époque des Shakkanakku (200) n'est pas représentatif de la population, mais la totalité de l'habitat du BA n'est pas mise au jour ; on peut aussi penser que des cimetières pouvaient exister dès ces époques. Le droit à l'inhumation était-il réservé à certains individus, on peut aussi se poser la question ; pour les enfants, surtout les très petits, le droit à l'inhumation pouvait être limité en fonction de l'âge.

Au Bronze Moyen II, le cimetière du palais oriental contient des tombes en pleine terre (37,6%) et des jarres (53,9%) alors que les cimetières médio-assyriens contiennent plutôt des tombes en double cloche (56,2%).

Les dimensions des jarres évoluent : alors qu'elles ne dépassent pas en général 1 m de hauteur au Bronze Ancien, Moyen, et à l'époque médio-assyrienne, elles sont plus hautes à l'époque séleucide et peuvent atteindre 1,50 m. Les jarres qui constituent les tombes en double cloche médio-assyriennes mesurent de 0,50 à 0,90 m de hauteur et leur diamètre est toujours inférieur à leur hauteur ; à la période séleucide, ces jarres sont plus trapues, leur diamètre étant presque toujours égal à leur hauteur ; la longueur totale des tombes en double cloche atteint parfois près de 2 m, car un espace était laissé entre les deux jarres.

Des ruptures existent entre le Bronze Moyen II et l'époque médio-assyrienne d'une part, et entre les époques médio-assyrienne et séleucide d'autre part ; la cité a-t-elle été abandonnée ? Il est possible qu'au début du premier millénaire, il y ait eu abandon, puis retour d'une population à la fin du premier millénaire, lors de l'implantation de villes comme Doura Europos qui est située à quelques kilomètres de Mari.

- La position du corps et son orientation

De nombreux renseignements manquent pour tirer des conclusions précises, souvent il est indiqué que le corps est couché sur un côté sans préciser lequel.

Les pourcentages sont les suivants :

	côté droit	côté gauche	dos	côté ?	?
D A pl. terre	13,9	8,3	5,6	22,2	25
Shak. pl. terre	24,3	18,6	10,0	30,0	épars : 17,1
Shak. jarre	4,2	15,8	1,1	14,7	47,4
Shak. sarcophage	30,8	23,1	3,8		épars : 19,2
B M I jarre	1,9	1,9		11,3	32,1
B M II pl. terre	10,4	12,5	16,7	43,7	épars : 16,7
M A c1 pl. terre	11,1	36,1	44,4	5,6	2,8
M A c2 pl. terre	10,3	19,1	57,4	7,3	5,9
M A c2 jarre	8,5	4,3	6,4	53,2	21,3
M A c1 d.cloche	8,0	4,0	56,0	16,0	12,0
M A c2 d.cloche	15,4	10,3	36,8	13,7	11,1
M A c3 d.cloche	18,9	14,9	5,4	20,3	27,0
Sél. jarre	25,5	21,6	17,6	21,6	11,8
Sél. sarcophage	40,5	19,0	16,7	7,1	épars : 7,1
Sél. d.cloche	20,0	44,0	8,0	20,0	4,0

Dans les tombes en pleine terre, les corps sont couchés plutôt sur un côté au Bronze Ancien (44,4 et 72,9%) et au Bronze Moyen II (66,6%) ; à l'époque médio-assyriennne, ils sont aussi couchés sur un côté (52,8% dans c1 et 36,7% dans c2), mais dans un pourcentage aussi élevé (44,4 et 57,4%), ils sont couchés sur le dos.

Pour les tombes en jarres, les précisions manquent, il est vrai que souvent elles sont debout ou inclinées, appuyées contre un mur et les ossements se sont affaissés, les crânes roulent vers le fond après rupture des vertèbres cervicales ; lorsque les jarres mesurent plus de 1,0 m de long, elles sont couchées et alors la position des corps est déterminable ; en général les corps sont couchés sur le côté, 34,7% à l'époque Shakkanakku, 66,0% dans le cimetière c2 médio-assyrien et 68,7% dans les jarres séleucides.

Dans les tombes en double cloche, les corps sont couchés sur le dos dans c1, 56,0%, alors qu'il y en a 28,0% sur un côté ; dans c2, il y en a 36,8% sur le dos et 39,4% sur un côté ; dans c3, il y a 54,1% sur un côté et 5,4% sur le dos ; à l'époque séleucide, il y a 84,0% de corps couchés sur un côté et seulement 8,0% sur le dos. Lorsque la longueur des deux jarres n'était pas suffisante pour déposer le corps allongé, on laissait un espace plus ou moins grand entre elles, que l'on bouchait soit avec des briques, soit avec des céramiques.

Dans les sarcophages, les corps sont le plus souvent sur le côté (53,9%), plutôt sur le côté droit (30,8%), au Bronze Ancien et 3,8% seulement sur le dos ; à l'époque séleucide, 66,6% sont sur le côté, plutôt sur le côté droit, 40,5%, et 16,7% sur le dos ; les cuves atteignent 1,20 m de long et les défunts qui sont dans presque tous les cas des adultes, sont donc déposés en position contractée.

Dans tous les cas, les corps qui sont couchés sur un côté le sont en position plus ou moins contractée, les fosses des tombes en pleine terre ne dépassant pas 1 m de longueur, les jarres mesurant de 1 à 1,50 m de long ; dans les doubles cloches les corps peuvent être allongés.

Les orientations sont le plus souvent E-O/O-E au Bronze Ancien et à l'époque médio-assyrienne, au Bronze Moyen et à la période séleucide, on trouve toutes les orientations car les corps sont déposés le long des murs en ruines.

- Les tombes d'enfants

Les pourcentages de tombes d'enfants selon les époques, sont les suivants :

	pleine terre	jarre	sarcophage	double cloche
D A	4-11,1%		0	0
Shak.	20,0-28,6%	36-37,9%	0	0
B M I		22-41,5%	0	0
B M II	9,0-18%	12-52,2%	0	0
M A	18,0-17,1%	28-45,2%	0	27-12,5%
Sél.		7-13,7%	5-11,9%	0

Quelles que soient les époques, on trouve des enfants parmi les inhumations (**fig. 2**), dans les tombes en pleine terre et dans les jarres ; il n'y en a pas en général dans les sarcophages, à l'exception des cinq de l'époque séleucide, mais à cette période il n'y en a pas dans les tombes en double cloche.

Il y a globalement davantage d'enfants inhumés dans les jarres que dans les autres types de tombes : alors que les courbes d'évolution des nombres de tombes en fonction des époques montrent que les tombes d'enfants sont beaucoup moins nombreuses que les tombes d'adultes pour les inhumations en pleine terre, les sarcophages et les tombes en double cloche, pour les jarres, leur nombre est alors comparable (**fig. 3**).

-Le mobilier

Les pourcentages de céramiques et d'objets dans les différents types de tombes aux différentes époques sont les suivants :

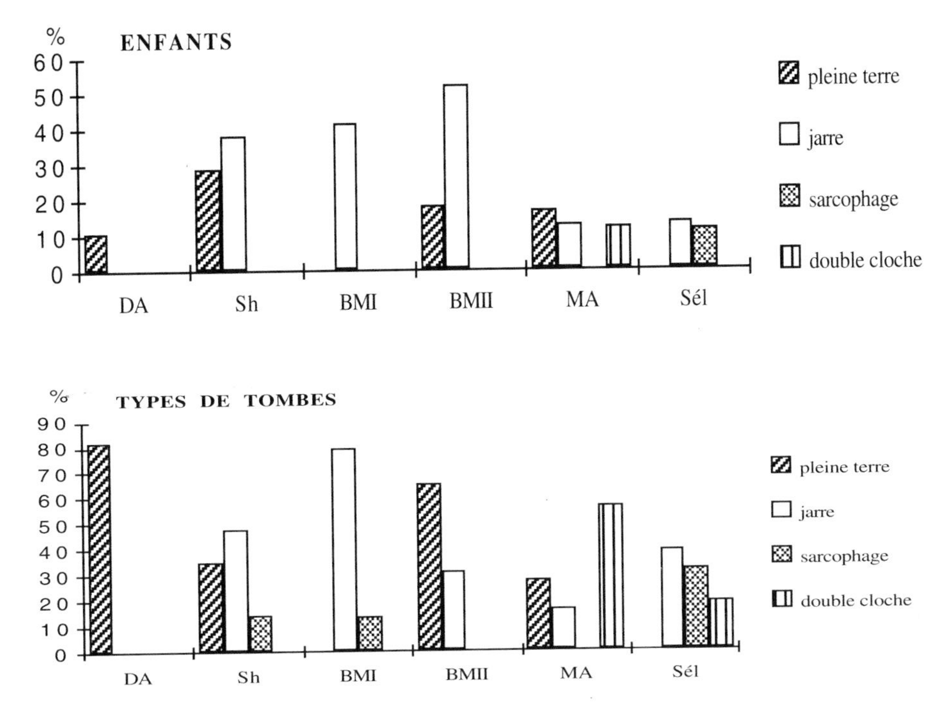

Fig. 2 - Pourcentages des types de tombes et des tombes d'enfants en fonction des époques : Dynasties archaïques (DA), Shakkanakku (Sh), Bronze Moyen I et II (BMI, BMII), médio-assyrienne (MA) et séleucide (Sél).

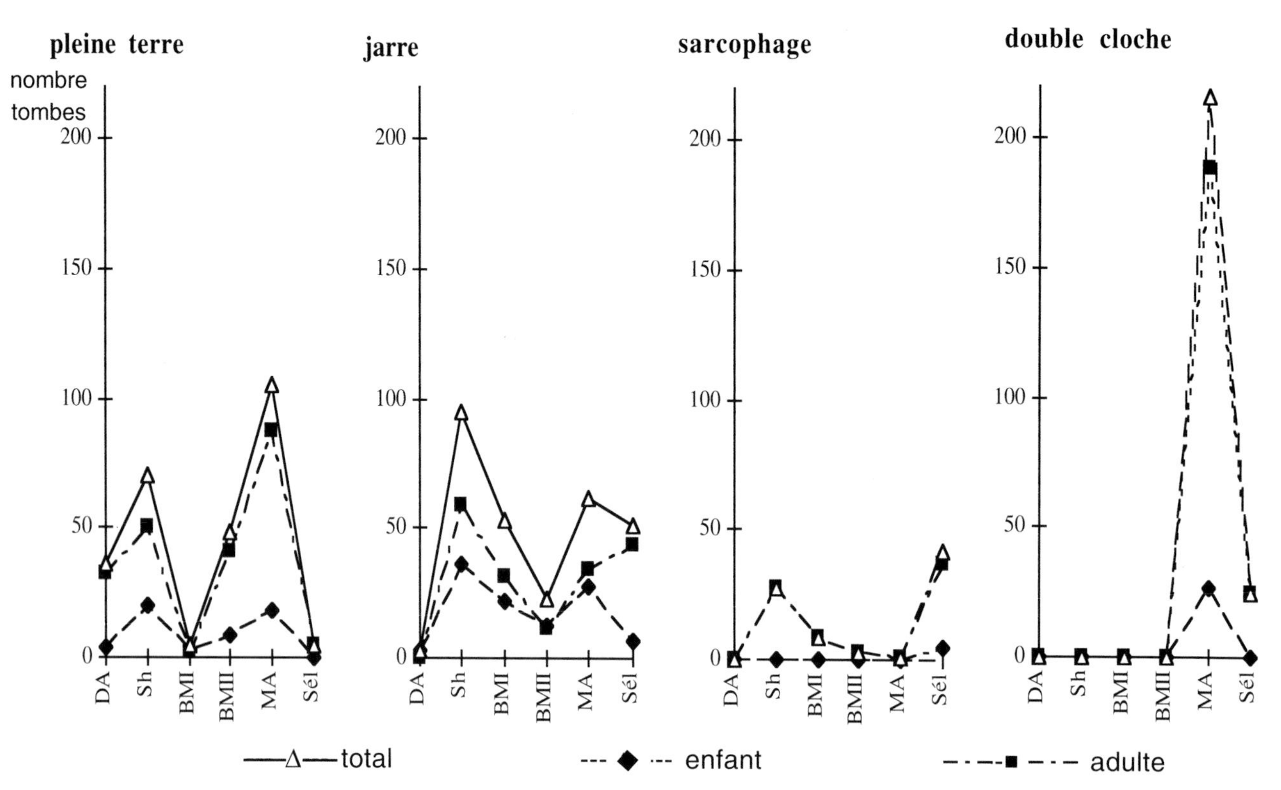

Fig. 3 - Répartition des tombes d'enfants et d'adultes par rapport au nombre total de tombes en fonction des types de tombes : pleine terre, jarre, sarcophage, double cloche, et des époques : Dynasties archaïques (DA), Shakkanaku (Sh), Bronze Moyen I et II (BMI, BMII), médio-assyrienne (MA) et séleucide (Sél).

	céramiques	nombre	objets	nombre
D A pl. terre	30-83,3%	234	13-36,1%	32
Shak. pl. terre	47-67,1%	319	30-42,9%	132
Shak. jarre	42-44,2%	120	19-20,0%	76
Shak. sarc.	17-65,4%	140	14-53,8%	63
B M I jarre	29-54,7%	64	9-17,0%	12
B M I sarc.	8-88,9%	54	6-66,7%	18
B M II pl. terre	26-54,2%	65	6-12,5%	6
B M II jarre	16-69,6%	31	4-17,4%	10
M A pl. terre	48-45,7%	88	61-58,0%	388
M A jarre	7-11,3%	12	18-29,0%	31
M A d.cloche	39-18,0%	56	88-41,0%	455
Sél. jarre	15-29,4%	29	10-19,6%	28
Sél. sarc.	19-45,2%	21	11-26,2%	50
Sél. d.cloche	14-56,0%	27	8-32,0%	21

Si on compare l'évolution des pourcentages de céramiques et d'objets en fonction du temps (**fig. 4**), on s'aperçoit qu'au Bronze Ancien et Moyen ainsi qu'à l'époque séleucide, il y a toujours, quels que soient les types de tombes, davantage de tombes qui contiennent des céramiques que de tombes contenant des objets ; à l'époque médio-assyrienne, c'est l'inverse, les tombes contenant des objets sont plus nombreuses que celles contenant des céramiques. Les céramiques qui constituaient souvent des offrandes importantes en quantité au Bronze Ancien et au Bronze Moyen, perdent donc leur rôle prépondérant à l'époque médio-assyrienne, pour le retrouver à l'époque séleucide.

Les armes sont peu nombreuses : le pourcentage de tombes en contenant diminue peu à peu jusqu'au B M II, puis augmente un peu (**fig. 5**) :

D A : 11,1% [1]
Shakkanakku : 8,9% [2]
B M I : 6,5% [3]
B M II : 0
Médio-assyrien : 3,4% [4]
Séleucide : 3,0% [5]

Les outils sont en quantité très faible, ils évoluent comme les armes :

D A : 5,6% [6]
Shakkanakku : 6,1% [7]
B M I : 3,2% [8]

1 - Les pourcentages sont calculés en fonction du nombre de tombes contenant le type d'objet étudié: 4 tombes en pleine terre sur 36.

2 - Il y a 7 tombes en pleine terre sur 70, 3 jarres sur 95 et 7 sarcophages sur 26, soit 17 tombes sur 70 + 95 + 26 =191.

3 - Il y a 1 jarre sur 53 et 3 sarcophages sur 9, soit 4 tombes sur 53 + 9 = 62.

4 - Il y a 1 tombe en pleine terre sur 105 et 10 doubles cloches sur 216, soit 11 tombes sur 105 + 216 = 321.

5 - Il y a 1 sarcophage sur 42 et 1 double cloche sur 25, soit 2 tombes sur 42 + 25 = 67.

6 - Il y a 2 tombes en pleine terre sur 36.

7 - Il y a 7 tombes en pleine terre sur 70, 3 jarres sur 95, 1 sarcophage sur 26 et 1 tombe construite sur 5, soit 12 tombes sur 70 + 95 + 26 + 5 = 196.

8 - Il y a 1 jarre sur 53 et 1 sarcophage sur 9, soit 2 tombes sur 53 + 9 = 62.

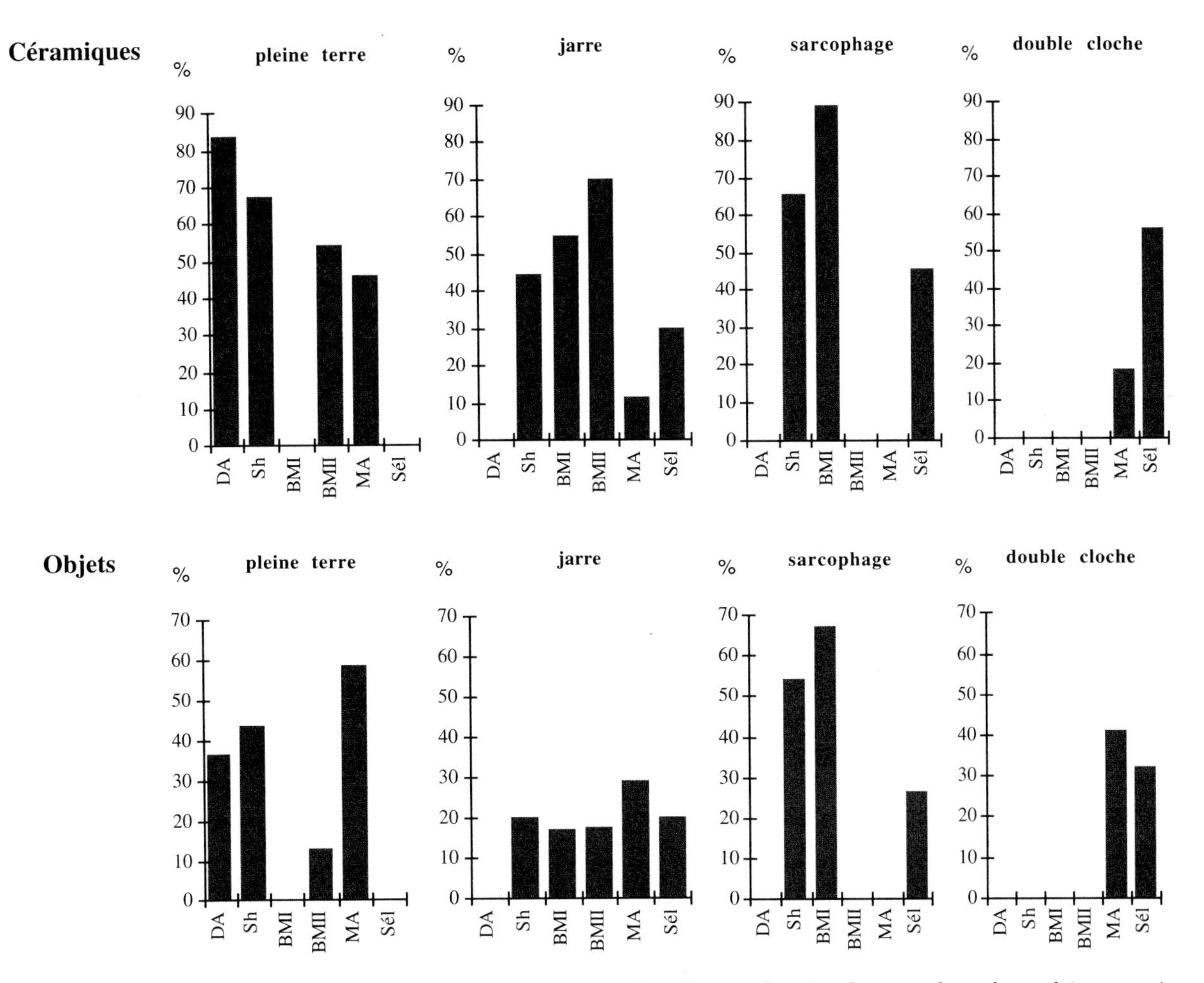

Fig. 4 - Pourcentages des tombes contenant des céramiques et des objets, en fonction des types de tombes : pleine terre, jarre, sarcophage, double cloche, et des époques : Dynasties archaïques (DA), Shakkanakku (Sh), Bronze Moyen I et II (BMI, BMII), médio-assyrienne (MA) et séleucide (Sél).

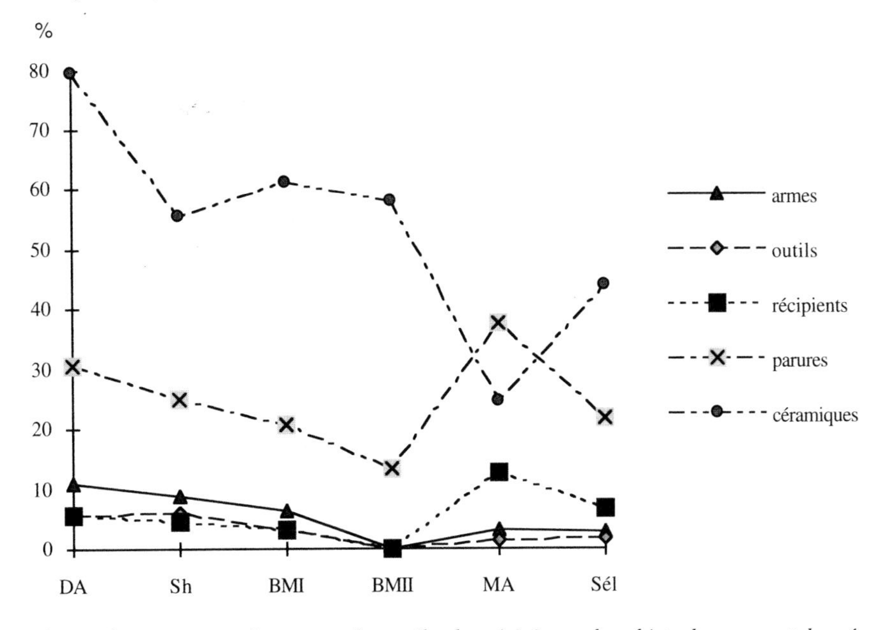

Fig. 5 - Pourcentages des tombes contenant des armes, des outils, des récipients, des objets de parure et des céramiques, en fonction des époques : Dynasties archaïques (DA), Shakkanakku (Sh), Bronze Moyen I et II (BMI, BMII), médio-assyrienne (MA) et séleucide (Sél).

B M II : 0
Médio-assyrien : 1,6% [9]
Séleucide : 2,0% [10]

Les pourcentages de tombes contenant des récipients augmentent beaucoup à la période médio-assyrienne où il y a surtout des objets en faïence, puis se raréfient ensuite :

D A : 5,6% [11]
Shakkanakku : 4,6% [12]
B M I : 3,4% [13]
B M II : 0
Médio-assyrien : 12,7% [14]
Séleucide : 6,9% [15]

Les pourcentages de tombes contenant des parures sont les plus grands, cependant ils diminuent au Bronze Ancien et Moyen, puis augmentent beaucoup à la période médio-assyrienne et diminuent ensuite à l'époque séleucide :

D A : 30,6% [16]
Shakkanakku : 25,0% [17]
B M I : 20,9% [18]
B M II : 13,5% [19]
Médio-assyrien : 37,8% [20]
Séleucide : 22,0% [21]

Les épingles sont presque toujours les plus nombreuses, elles servaient sûrement à fixer un vêtement ou un linceul dans lequel le corps était inhumé.

Si on compare les pourcentages de tombes contenant des céramiques :

D A : 79,5% [22]
Shakkanakku : 55,5% [23]
B M I : 61,2% [24]
B M II : 58,1% [25]
Médio-assyrien : 24,5% [26]
Séleucide : 43,9% [27]

avec les pourcentages de tombes contenant différents types d'objets, armes, outils, récipients et parures, on voit que les pourcentages relatifs aux céramiques sont très supérieurs sauf pendant la période médio-assyrienne.

Les tombes d'enfants contenaient du mobilier (**fig. 6**) : dans les tombes en pleine terre et les doubles cloches, le nombre de tombes contenant du mobilier était supérieur ou égal à celui des tombes n'en contenant pas ; pour les jarres, c'est variable en fonction des périodes.

- Les tombes les plus riches de Mari

Certaines tombes étaient particulièrement riches, parmi elles il y avait aussi bien des tombes de femmes, d'enfants/adolescents et d'hommes :

Tombes de femmes :

à l'époque des Shakkanakku :

T 40 (tombe en pleine terre) : une coupe en albâtre, un bol en bronze, un cylindre gravé, des épingles, des bagues, une boucle d'oreille en bronze, quinze céramiques.

T 1082 (tombe en pleine terre) : un bandeau et des boucles d'oreilles en or, des éléments de parure en argent, des épingles en argent et en bronze, deux cylindres gravés, l'un en cornaline, l'autre en lapis-lazuli sertis de capsules en or, deux vases en bronze, de nombreuses perles en or et pierres diverses, des coquillages, des bracelets en argent, des éléments en os, une coquille contenant du khôl, dix-neuf céramiques.

T 1103 (sarcophage) : des épingles en bronze , des perles en or, sept céramiques, des offrandes alimentaires.

T 1104 (tombe en pleine terre) : des anneaux en argent, trente et une céramiques, des offrandes alimentaires.

à l'époque médio-assyrienne :

T 96 (tombe en pleine terre) : des perles, des anneaux en or, soixante-quatre bagues en coquille, une coupe et un scarabée en faïence, une épingle et un anneau en bronze, une céramique.

T 122 (double cloche) : un serre-tête en pierre, un collier de perles en cornaline, des bracelets en fer, des bagues, une amulette, une pyxide en faïence, une céramique.

T 125 (double cloche) : un collier et un anneau en or, un collier de perles en cornaline, un peigne en os, un bracelet en fer, une coupe en faïence, deux céramiques, des offrandes alimentaires.

T 135 (double cloche) : un serre-tête en or, une perle et un enroulement en or, un vase en faïence, une coupe en

9 - Il y a 1 jarre sur 62.
10 - Il y a 1 jarre sur 51.
11 - Il y a 2 tombes en pleine terre sur 36.
12 - Il y a 6 tombes en pleine terre sur 70, 1 jarre sur 95, 1 tombe construite sur 5 et 1 sarcophage sur 26, soit 9 tombes sur 70 + 95 + 5 + 26 = 196.
13 - Il y a 1 tombe en pleine terre sur 5 et 1 jarre sur 53, soit 2 tombes sur 5 + 53 = 58.
14 - Il y a 20 tombes en pleine terre sur 105, 2 jarres sur 62 et 27 doubles cloches sur 216, soit 49 tombes sur 105 + 62 + 216 = 383.
15 - Il y a 1 tombe en pleine terre sur 5, 3 sarcophages sur 42 et 1 double cloche sur 25, soit 5 tombes sur 5 + 42 + 25 = 72.
16 - Il y a 11 tombes en pleine terre sur 36.
17 - Il y a 25 tombes en pleine terre sur 70, 10 jarres sur 95, 2 tombes construites sur 5 et 12 sarcophages sur 26, soit 49 tombes sur 70 + 95 + 5 + 26 = 196.
18 - Il y a 1 tombe en plein terre sur 5, 8 jarres sur 53 et 5 sarcophages sur 9, soit 14 tombes sur 5 + 53 + 9 = 67.
19 - Il y a 6 tombes en pleine terre sur 48, 3 jarres sur 23 et 1 sarcophage sur 3, soit 10 tombes sur 48 + 23 + 3 =74.
20 - Il y a 53 tombes en pleine terre sur 105, 17 jarres sur 62, 1 sarcophage et 74 doubles cloches sur 216, soit 145 tombes sur 105 + 62 + 1 + 216 = 384.
21 - Il y a 3 tombes en pleine terre sur 5, 10 jarres sur 51, 9 sarcophages sur 42, 1 tombe construite sur 9 et 6 doubles cloches sur 25, soit 29 tombes sur 5 + 51 + 42 + 9 + 25 = 132.
22 - Il y a 30 tombes en pleine terre sur 36 et 1 jarre sur 3, soit 31 tombes sur 36 + 3 = 39.
23 - Il y a 47 tombes en pleine terre sur 70, 42 jarres sur 95 et 17 sarcophages sur 26, soit 106 tombes sur 70 + 95 + 26 =191.
24 - Il y a 4 tombes en pleine terre sur 5, 29 jarres sur 53 et 8 sarcophages sur 9, soit 41 tombes sur 5 + 53 + 9 = 67.
25 - Il y a 26 tombes en pleine terre sur 48, 16 jarres sur 23 et 1 sarcophage sur 3, soit 43 tombes sur 48 + 23 + 3 = 74.
26 - Il y a 48 tombes en pleine terre sur 105, 7 jarres sur 62 et 39 doubles cloches sur 216, soit 94 tombes sur 105 + 62 + 216 = 383.
27 - Il y a 3 tombes en pleine terre sur 5, 15 jarres sur 51, 23 sarcophages sur 42, 7 tombes construites sur 9 et 11 doubles cloches sur 25, soit 59 tombes sur 5 + 51 + 42 + 9 + 25 = 132.

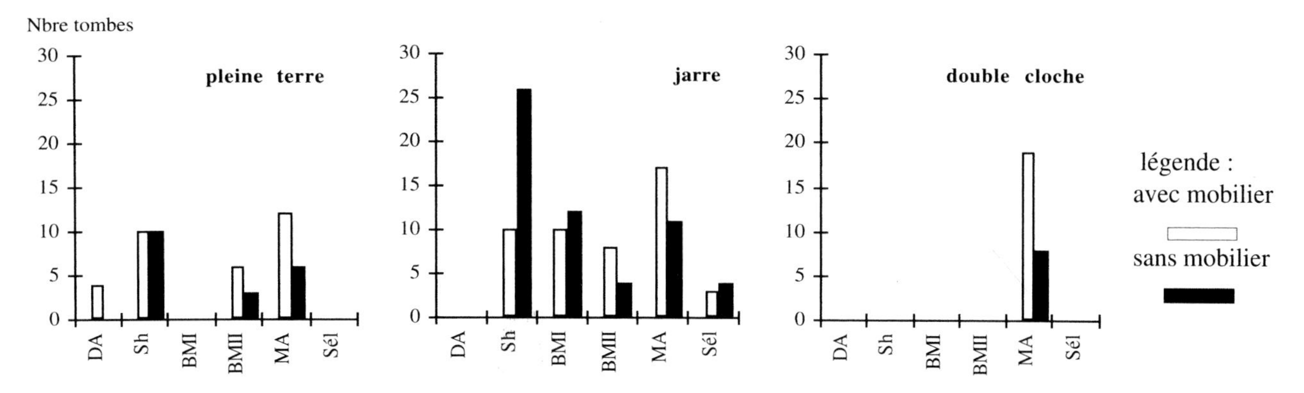

Fig. 6 - Tombes d'enfants, répartition du mobilier en fonction des types de tombes : pleine terre, jarre, double cloche, et des époques : Dynasties archaïques (DA), Shakkanakku (Sh), Bronze Moyen I et II (BM I, BM II), médio-assyrienne (MA) et séleucide (Sél).

bronze, des bracelets en bronze, des bagues, des anneaux de cheville en fer, des perles, un coffret en os, quatre œufs d'autruche, trois céramiques, des offrandes alimentaires.

T 138 (tombe en pleine terre) : un vase en faïence, un anneau en or, des bagues, des perles, des coquillages, une céramique.

T 236 (double cloche) : un masque en faïence, des boucles d'oreilles en or, un serre-tête en perles serties d'or, un collier de perles en cornaline, un miroir et une coupe en bronze, un vase en faïence, des bracelets en fer, des aiguilles en os, trois œufs d'autruche.

T 665 (tombe en pleine terre) : un vase en faïence, des anneaux en or et en bronze, des bagues, une épingle en argent, des perles, une bouteille en fritte, un serre-tête de perles en fritte, une céramique.

T 667 (tombe en pleine terre) : un récipient en bois, des bagues, des colliers, des amulettes, des coquillages, deux céramiques.

au premier millénaire :

T 563 (double cloche) : sept cylindres gravés, deux vases en faïence, des plaques en os et en pierre, des cachets et des scarabées en faïence, un anneau en or, dix anneaux de cheville et un bracelet en bronze, quatre colliers de perles, des éléments en fer.

à l'époque séleucide :

T 840 (jarre) : un miroir en bronze, des boucles d'oreilles, des bijoux en argent, des perles et des coquillages.

T 844 : (sarcophage) : des vases en albâtre, des bracelets, des perles, des bagues, un pendentif en argent, des anneaux, trois céramiques.

T 845 (sarcophage) : un panier en fibres végétales, un élément de chevelure en bronze, un anneau, un bouquet de fleurs.

Tombes d'enfants / adolescents :

à l'époque des Shakkanakku :

T 1 (jarre) : la jarre funéraire a un décor incisé et en relief, trois céramiques.

T 760 (jarre) : des épingles et des bagues en argent, un cylindre gravé en hématite, un bracelet, une coupe et un bol en bronze, une bague en or, cinq céramiques.

T 1063 (tombe en pleine terre) : un élément de parure, des plaques en bronze, deux pointes de flèches en bronze, six céramiques.

au Bronze Moyen I :

T 592 (jarre) : une bague, onze céramiques dont une jarre avec un décor incisé.

au Bronze Moyen II :

T 1046 (jarre) : des bracelets en bronze, des perles, des bagues en argent et deux céramiques.

à l'époque médio-assyrienne :

T 149 (double cloche) : une pyxide, un vase et un scarabée en faïence, des boucles d'oreilles en or, un collier de perles en cornaline, des bagues, des bracelets de cheville en fer, des coquillages, un œuf d'autruche, une céramique.

T 355 (double cloche) : une passoire-entonnoir en bronze, des perles, un anneau en or, des bagues, quatre céramiques, des offrandes alimentaires.

T 656 (tombe en pleine terre) : une amulette au nom du pharaon Aménophis III, des perles, des bracelets, des bagues, un serre-tête et un plastron de perles en fritte, une céramique, des offrandes alimentaires.

à l'époque séleucide :

T 937 (tombe en pleine terre) : des perles, une bague en fer, deux bijoux en argent, une céramique ; pour cette tombe qui contenait le corps d'un enfant de six mois, les bijoux étaient des offrandes et ne pouvaient avoir été portés par l'enfant de son vivant, étant donné leur poids et leur taille. La question de l'appartenance des offrandes au mort est donc problématique, parfois elles peuvent être mises dans la tombe sans avoir appartenu au défunt ou sans avoir été utilisées par lui de son vivant.

Tombes d'hommes :

à l'époque des Shakkanakku :

T 1018 (sarcophage) : une pointe de flèche, une épingle, des plaques en bronze.

T 1022 (sarcophage) : une pointe de flèche, un poignard en bronze, sept céramiques.

T 1023 (sarcophage) : un poignard, une pointe de javeline, des plaques, des épingles en bronze, des boucles d'oreilles en argent, des perles, quatre céramiques.

T 1026 (sarcophage) : une hache, une épingle, un poignard, des plaques en bronze, cinq céramiques.

T 1031 (tombe en pleine terre) : des épingles, une hache, une plaque en bronze, des perles, deux anneaux en argent, cinq céramiques.

T 1052 (sarcophage) : des épingles, des plaques, un couteau, une hache en bronze, des perles, dix-sept céramiques, des offrandes alimentaires.

T 1093 (sarcophage) : des bracelets, un poignard, une hache, une pointe de flèche, une épingle, un élément de parure, des bracelets, un bol, des plaques en bronze, des anneaux en argent, treize céramiques.

à l'époque médio-assyrienne :

T 657 (double cloche) : une pointe de flèche encore fichée dans l'œil droit.

Pour certaines tombes, la détermination du sexe et de l'âge du défunt n'a pas été faite ou n'a pas pu être faite :

T 86, tombe en pleine terre D A, qui me semble-t-il pouvait être celle d'un enfant, à cause du diamètre du bracelet (0,044-0,0375).

T 134, double cloche médio-assyrienne, qui contenait une passoire-entonnoir, un carquois en bronze et cinq pointes de flèches en fer, pouvait être celle d'un homme.

T 176, double cloche médio-assyrienne, qui contenait une pyxide en faïence, vingt-trois pointes de flèches, une bague en bronze, un anneau de cheville en fer, pouvait être celle d'un homme.

Il est regrettable que nous n'ayons pas suffisamment de renseignements pour la tombe 527 (la jarre funéraire porte un décor incisé et en relief), pour T 137 et T 255 qui contenaient un masque en faïence, pour T 420 qui contenait un panier en fibres végétales, un coffret en bois et des boucles d'oreilles en bronze et argent.

On peut admettre que c'est dans les tombes de femmes que l'on trouve plutôt les parures, et dans les tombes d'hommes que l'on trouve les armes, mais certains hommes pouvaient être inhumés avec des objets de parure, les tombes 1023 et 1093 contenaient des perles et anneaux en argent ; les tombes de femmes ne contiennent jamais d'arme.

Nous avons pu ainsi dégager quelques renseignements sur les inhumations de Mari, du Bronze Ancien à l'époque séleucide, sur les types de tombes utilisés, les positions et orientations, la présence de tombes d'enfants, les offrandes, céramiques, objets et autres qui accompagnaient les défunts.

On sait, d'après les textes, que des cérémonies funéraires avaient lieu périodiquement à Mari, que les morts étaient honorés par des libations et des repas ; ces offrandes (*kispum*) consistaient en un repas composé de différents pains *NINDA* et d'huile, offerts aux mânes des rois défunts ; ils avaient lieu en présence du roi, deux fois par mois, à la Nouvelle et à la Pleine Lune [28]. Mais les textes ne nous font pas connaître de façon précise les rituels funéraires, quelques rares références ont cependant été trouvées :

-*ARM* 3, 40 [29] : Kibri-Dagan fait part au roi de la volonté que « l'on consacre des repas funéraires aux mânes de Iahdun-Lim ».

-*ARM* 6, 37 [30] : Bahdi-Lim a fait rechercher le corps de quelqu'un, « on a enseveli son corps dans des vêtements et on l'a abandonné au Habur [...] sa tête doit être enterrée à l'extérieur (ou) à l'intérieur de la ville, et lorsque nous l'enterrerons, l'enterrerons-nous dans la règle... »

-*ARM* 7, 58 [31] : il est fait mention de « 1 qa d'huile-de-marmites, 1 qa d'huile de cèdre, pour le sépulcre d'Ahâtani, la bru (ou la fiancée?) de Mût-Bisir » ; ces huiles pouvaient être utilisées pour l'onction du cadavre à l'huile aromatique, soit pour la combustion (d'aromates) faite après la mise au tombeau.

-*ARM* 21, 329 [32] : « un arc complexe pour la tombe de Yabinum, l'« homme » de Humzan ».

347 [33] : « un tapis de première qualité pour le tombeau de Dame Patiha »

-*ARM* 25, 539 [34] : « 1 sicle d'argent, poids d'un bracelet, pour le tombeau de Yahdun-Lim, le fils du roi ».

565 [35] : « 3 flacons (à huile), pour le tombeau de Dame Batahra ».

571 [36] : « 4 sicles d'argent, pour les [...] du tombeau de Dame Addu-duri ».

-*Syria* 20 [37] : « un anneau en argent, du poids d'un sicle, pour le cerceuil de Iahdulim, fils du roi ».

-*Syria* 55 [38] : « un objet précieux destiné au tombeau de Yarim-Lim ».

Ces mentions nous donnent quelques renseignements sur les offrandes funéraires.

Beaucoup de données nous ont manqué pour envisager des conclusions sûres ; cependant cette étude qui porte sur plus de mille cent tombes permet, nous l'espérons, d'amener quelques précisions sur les rituels funéraires de Mari et tout en appréhendant le monde des morts peut aussi faire connaître celui des vivants.

28 - Talon P., 1978, p. 53-75.
29 - Kupper J. R., 1950, p. 65.
30 - Kupper J. R., 1954, p. 59-61.
31 - Bottero J., 1957, p. 19.
32 - Durand J.-M., 1983, p. 439.
33 - Durand J.-M., 1983, p. 459.
34 - Limet H., 1986, p. 169.
35 - Limet H., 1986, p. 176.
36 - Limet H., 1986, p. 177.
37 - Dossin G., 1939, p. 106.
38 - Birot M., 1978, p. 342.

ANNEXE 1

RÉFÉRENCES DES PUBLICATIONS CONCERNANT LES TOMBES DE MARI

Rapports préliminaires d'A. Parrot

Syria 16, 1935, p. 1-28 : première campagne, 1933-34 : tombes 1 à 44

« [...] dans le sous-sol des habitations, des tombes fort curieuses [...]. Il s'agit presque toujours de la pratique d'inhumation avec dislocation. Il y a parfois des traces d'une incinération partielle ou complète. Inhumation et incinération coexistent donc au même moment [...]. Mobilier funéraire d'habitude abondant, aussi bien dans les cas d'incinération que de désarticulation, ce qui exclut de ces rites toute idée de vengeance [...]. Dans le même secteur, mais à un niveau inférieur à celui des sépultures présargoniques, deux tombeaux plus luxueux [...] ».

Tombes en pleine terre 2 à 9 et tombeaux en pierre 21 et 22 ; les tombes en pleine terre sont à un niveau supérieur à celui des tombeaux en pierre.

« [...] au centre même du tell [...] une colline en briques crues, aux pentes dallées de belles briques crues [...] nombreuses tombes creusées dans son épaisseur et qui sont toutes des temps assyriens ou néo-babyloniens [...]. Au bas de la pente, des maisons très modestes détruites par un violent incendie, mais les tombes étaient restées habituellement intactes [...]. Les sépultures sont de types divers : en pleine terre ; en briques crues ; faites de deux jarres-cloches, placées ouverture contre ouverture ; sarcophages en céramique avec ou sans couvercle ; énormes jarres découpées pour permettre l'introduction du corps, le morceau étant replacé, l'inhumation une fois faite. Les corps sont couchés ordinairement sur le côté, jambes repliées. L'orientation semble chose indifférente. Le mobilier est pauvre [...]. Cadavre souvent enveloppé dans un suaire, tombe 13 [...] ».

Tombes 10 à 39 ; toutes ces tombes ne sont pas d'époque assyrienne ou néobabylonienne, certaines comme T 13 citée par A. Parrot, sont plus tardives et d'époque séleucide. Les tombes 40 à 44 se trouvaient au sud du secteur du temple d'Ishtar, secteur fouillé par A. Parrot, mais dont il n'a pas fait mention dans le rapport (visible sur les photos aériennes prises à cette époque, MAM I, *1956, pl. X-2).*

Syria 17, 1936, p. 1-31 : deuxième campagne, 1934-35 : tombes 45 à 98

La ville à l'est du temple d'Ishtar...

« immédiatement en surface, la ville (B) contemporaine de la IIIe dynastie d'Ur [...] les maisons étaient faites en briques crues [...]. Les tombes, nombreuses, étaient creusées dans le sous-sol et faites presque toujours d'un grand *pithos*, très souvent muni d'un couvercle plat avec poignée de préhension ou quelquefois recouvert par une autre jarre. Ces récipients sont habituellement disposés ou verticalement, ou légèrement inclinés. Les enfants sont enterrés dans des jarres trapues, à large ouverture fermée par une grande assiette. Ces sépultures sont alors groupées de façon à constituer un véritable petit cimetière [...] ».

Tombes 45 à 81 et 87 à 89 ; pour les tombes 66 à 81, aucun renseignement ostéologique n'est donné, il est fait seulement mention de « sépultures d'enfants ».

« [...] Sous la ville B, la cité sargonique et présargonique [...]. Les tombes sont dans les sous-sols, mais cette fois en pleine terre. Elles nous ont donné une abondante céramique très caractéristique [...] ».

Tombes 82 à 86 et 90, 91.

La fouille dans les premières salles du palais a alors commencé, mais A. Parrot ne mentionne pas les tombes 92 à 98 mises au jour.

Syria 18, 1937, p. 54-84 : troisième campagne, 1935-36 : tombes 99 à 246

Le temple d'Ishtar le niveau antérieur d :

« [...] deux grands tombeaux jumelés [...] antérieurs à l'installation (niveau c) et postérieurs aux maisons du niveau d. Une troisième grande tombe est apparue en fin de campagne [...]. Quelques tombes en pleine terre (240, 244, 245, 246) nous ont redonné cette céramique « grenade », rencontrée dès la première campagne, tombes des gens du niveau c et de date postérieure aux grands tombeaux de pierre [...] ».

Tombeaux en pierre 241, 242 et 300, tombes en pleine terre 240, 243 à 246.

Le palais : « [...] Dans ses ruines qui s'ensablent, une petite garnison assyrienne s'installe, quelque sept siècles après [...]. Les grandes cours dont les murs sortent encore de terre, deviennent des enclos funéraires et la colonie assyrienne y enterre ses morts [...]. Nécropole absolument intacte [...], quelques tombes avaient été creusées dans les murs très épais de la salle 65, mais la plupart étaient nettement localisées et groupées à l'intérieur des cours 106 et 131 et plus généralement le long des murs. Certaines n'ont été établies qu'en défonçant le dallage, surtout dans la cour 131. Près de 150 sépultures, intactes, ont été dégagées, qui ont abandonné un abondant et très varié mobilier. On déposait le corps soit en pleine terre, soit dans de grosses céramiques rapprochées deux à deux, ouverture contre ouverture. Le cadavre est placé habituellement sur le côté, jambes fléchies, mais dans de nombreux cas on trouve aussi des cadavres étendus rigoureusement sur le dos, jambes allongées [...]. Des enfants sont enterrés dans le cimetière des adultes, soit en pleine terre, soit dans une céramique de même type mais de module plus petit [...]. Mobilier funéraire riche : récipients en fritte vernissée, petits masques d'hommes imberbes, nombreux bronzes [...]. Trois tombes plus spécialement riches : T 125, 135 et 236 [...]. Tout cela jalonne assez bien les grandes voies de circulation en pleine activité vers le milieu du IIe millénaire [...] ».

salle 65 : aucune mention de tombes dans un mur (T 96, 97, 98).

cour 106 : T 104 à 156, T 158.

cour 131 : T 161 à 239 ; dans le dallage : T 165, 172, 176, 180, 181, 213, 233, 238.

Remarque : A. Parrot indique les hauteurs des tombes par rapport au sol des cours, la fouille a été conduite de façon anarchique lorsque les murs ont été plus ou moins bien dégagés ; pour la cour 106, la partie sud a été dégagée avant le reste à cause de la présence de la peinture de l'Investiture ; les valeurs des hauteurs données semblent très aléatoires.

Syria 19, 1938, p. 1-29 : quatrième campagne 1936-37 : tombes 247 à 328

Le temple d'Ishtar : « [...] Un troisième tombeau (n° 300) [...] fut dégagé [...] ».

Le palais : « [...] de nouvelles tombes assyriennes, creusées dans les éboulis, ont donné des mobiliers rappelant ceux recueillis précédemment [...] ».

Dans différentes salles, à l'extérieur, le secteur des dépendances, l'entrée des chars : T 247 à 328.

Syria 20, 1939, p. 1-22 : cinquième campagne 1937 : tombes 329 à 343

Le secteur de la haute terrasse : « [...] Des tombes appartenant à l'installation la plus récente, vraisemblablement parthe-sassanide. Puis d'autres tombes, bien caractéristiques de l'époque assyrienne et groupées systématiquement sur la pente nord de la *ziggurat* [...] ».

Secteur de la haute terrasse : T 329 à 338.

Palais : T 339 à 343 non mentionnées dans le rapport.

Syria 21, 1940, p. 1-28 : sixième campagne 1938 : tombes 344 à 350

Le secteur de la haute terrasse, à l'est, « [...] Grand bâtiment dont il ne reste que les fondations [...] monument de l'époque du Palais à en juger d'après la céramique [...] ».

Tombes 344 à 350 non mentionnées dans le rapport.

Syria 29, 1952, p. 183-203 : septième campagne 1951-52 : tombes 350 bis à 402

Le quartier nord de la haute terrasse : « [...] Nécropole séleucide et assyrienne (les tombes des deux époques pourtant bien différentes, sont parfois au même niveau), installée dans les ruines d'un habitat d'assez médiocre apparence [...] nous croyons qu'il s'agit de maisons de l'époque du Palais de Mari (XVIIIe siècle av. J-C.), profondément remaniées après la destruction de la ville par Hammurabi et réoccupées par des rescapés [...]. La nécropole était intacte :

« Époque séleucide : le corps est renfermé dans une enveloppe de terre dont la forme varie. Ce peut être soit un cercueil de céramique avec un couvercle (l'ensemble ayant l'aspect de deux coquilles de noix), soit un couvercle seul, retourné sur le corps. On rencontre aussi une grande jarre de type *pithos*, couchée à plat et découpée pour l'introduction du cadavre. Parfois on trouve des jarres-cloches assyriennes réemployées mais le mobilier funéraire (grandes jarres pointues, cruches à anse) permet de reconnaître immédiatement la réutilisation. Le corps est généralement couché sur le côté, en position fléchie. Il était fréquemment enveloppé dans un linceul [...] ces tombes n'ont abandonné que des objets courants.

« Époque assyrienne : tombes exclusivement du type double cloche, souvent serrées côte à côte [...] le mobilier est pauvre (T 358) ; plus riche étaient les sépultures 355 et 357.

« Époque du palais de Mari : en défonçant certains des sols des maisons dégagées, nous avons mis au jour quelques tombes différentes et remontant aux temps de la Ire dynastie de Babylone [...] grand *pithos* dressé, avec une légère inclinaison et recouvert par un récipient à large ouverture ; mobilier courant [...]. Cette nécropole et ces maisons recouvrent des installations d'époque présargonique [...] ».

Tombes 350 bis à 388, même secteur que celui des tombes 10 à 39 mises au jour pendant la première campagne.

Dans son journal du 27-11-1951, A. Parrot indique deux types de sépultures : un niveau supérieur avec des cuves à couvercle et un niveau inférieur avec des doubles cloches ouverture contre ouverture.

Dans son journal du 28-11-1951, il différencie trois époques : séleucide (cuves avec couvercle), assyrienne (doubles cloches) et époque de Zimri-Lim en profondeur.

Cas de réemploi à l'époque séleucide : T 360, 368, 385.

Le Massif rouge : « [...] les sanctuaires au pied de ce Massif avaient souffert de la destruction qui ravagea le sanctuaire présargonique et de l'installation, plusieurs centaines d'années après, à l'époque hammurabienne, de tombeaux en terre cuite, descendus à ce niveau archaïque, à la faveur de larges puits ; ces tombeaux originairement très riches furent retrouvés régulièrement pillés (belle boucle d'oreille en or massif M 2079) [...] ».

Tombes 389 à 402 du Bronze Moyen et Ancien. La boucle d'oreille vient de T 400.

Syria 30, 1954 a, p. 196-221 : huitième campagne 1952 : tombes 403 à 405

Le temple d'Ishtarat : tombes 403 à 405 non mentionnées.

Syria 31, 1954 b, p. 151-171 : neuvième campagne 1953 : tombes 405 bis à 417

Le sondage en R 28 et L 35 : « [...] en surface, ce sont à nouveau des tombes séleucides, intactes parce que pauvres, qui sont insérées dans des installations assyriennes qui recouvrent des maisons de l'époque de Babylone I, reposant elles-mêmes sur un habitat présargonique [...] ».

Syria 32, 1955, p. 185-211 : dixième campagne 1954 : tombes 419 à 476

Le quartier des sanctuaires et le monument en R 28 : « [...] la jonction des deux chantiers fut réalisée par une longue tranchée [...] la totalité du secteur avait été transformée en cimetière à l'époque séleucide [...] si nous retrouvions des sépultures identiques à celles que nous avions rencontrées précédemment (hivers 1933/34, 1951/52), d'autres nous permettaient des constatations nouvelles, soit à cause de la forme ou du type des jarres funéraires utilisées et que nous n'avions pas encore rencontrées, soit à cause du mobilier bien conservé [...]. Dans une tombe (T 420) composée de deux coques de terre cuite [...] la défunte reposait avec sur sa poitrine un panier circulaire en paille tressée, retourné sur un coffret en bois [...]. À un niveau inférieur, d'autres tombes plus anciennes (début du IIe millénaire) réapparaissaient aussi, elles sévèrement pillées [...]. Un magnifique tombeau rectangulaire (n° 443), en briques cuites, véritable maison, fut retrouvé non seulement dévasté, mais en moitié détruit [...] d'autres sépultures de même époque mais de type différent (T 480) [...] ».

La maison rouge (secteur R 28) : « [...] en surface, nécropole séleucide particulièrement dense, dont les sépultures en céramique avaient été placées dans des maisons ruinées, d'une époque très antérieure [...] ».

Vers le sud-est et l'est de la maison rouge

« [...] les habitats de surface, d'époque du palais, reposent sur un niveau ruiné contemporain de cette époque agadéenne, bien repérée désormais, avec de nombreuses tombes dans les sous-sols [...] ».

Onzième campagne 1960 : tombes 477 à 522, pas de rapport préliminaire.

Syria 39, 1962, p. 151-179 : douzième campagne 1961 : tombes 523 à 535

Le secteur de la haute terrasse : « [...] Lorsque les Assyriens installèrent à Mari une tête de pont, ils ne s'occupèrent du secteur de la *ziggurat* que pour le transformer en hypogée. Sans souci des monuments anciens, ils y installèrent leurs tombes, faites, comme au Palais, de deux jarres, placées ouverture contre ouverture. Dans toute cette zone, dans les couches de surface, ce n'est qu'un cimetière, assyrien dans sa grande majorité, séleucide plus rarement [...] mobilier funéraire, sauf exception, de la plus grande pauvreté (coffret en bois M 3489 dans la tombe 492) [...] ».

« [...] Dans un habitat d'Ur III, une véritable accumulation de sépultures, la plupart dans de grandes jarres de la période d'Isin-Larsa, entassées sur un sarcophage en céramique (T 535), et de même époque [...]. Une jarre funéraire (M 3640), dont l'extérieur était ornementé d'une décoration incisée et pastillée [...] cette céramique qui avait été visiblement réemployée, semble être le produit d'un potier ornementiste de Mari, elle peut recevoir la date d'Isin-Larsa, soit le début du IIe millénaire [...] ».

Syria 41, 1964 a, p. 3-20 : treizième campagne 1963 : tombes 536 à 588

La zone au nord du mur du *temenos* : « [...] habitats de basse époque, dans lesquels les Assyriens étaient venus déposer leurs tombes (note : celles-ci sont faciles à reconnaître : deux jarres-cloches ouverture contre ouverture, de forme assez allongée, par quoi on les distingue des jarres-cloches séleucides) [...] ».

La tranchée de sondage jusqu'à la limite septentrionale du tell : « [...] une cinquantaine de sépultures de dates diverses : début du IIe millénaire, assyrienne, séleucide. Dans des angles de salles et au pied des murs, de nombreuses tombes d'enfants, avec les potiches caractéristiques, destinées à contenir les ossements des défunts [...]. Parmi les tombes assyriennes, une d'elles (T 563), quoique violée, mérite une mention spéciale, eu égard à son riche mobilier [...]. Six cylindres avec les thèmes habituels de la glyptique néo-assyrienne [...] ».

En note, A. Parrot indique que dans toutes les tombes assyriennes dégagées à Mari, le petit mobilier est toujours à l'intérieur et jamais à côté des réceptacles, contrairement à ce qui se passe pour la tombe 563.

« [...] À l'extrémité du sondage, se trouvaient réunies un groupe de sépultures, toutes séleucides, avec les trois types jusqu'ici reconnus à Mari : deux jarres-cloches, ouverture contre ouverture ; grande jarre-*pithos* ; « coquille de noix » [...].

Comme à l'accoutumée, ces tombes étaient pauvres [...], dans l'une d'elles (T 587), un fouet [...] ».

Syria 42, 1965 a, p. 1-24 : quatorzième campagne 1964 : tombes 589 à 651

Au delà de la zone sacrée : « [...] habitat du IIIe millénaire, avec implantation de tombes de l'époque du Palais. On y retrouve les modes d'ensevelissement bien connus à cette époque : tombes en pleine terre, tombes construites en briques crues, cuves en céramique (T 589), grandes jarres funéraires (T 591, 592) [...].

Dans un ensemble de céramiques (T 592), une jarre (M 4052), portant un décor incisé [...] ».

Le secteur du palais, dans la zone des « communs » : des tombes assyriennes.

Le sondage stratigraphique de l'angle sud-est de la cour 131 : « [...] une véritable nécropole assyrienne, suite de celle découverte en 1936 alors sur ou au-dessus du dallage de la cour. Une cinquantaine de tombes (T 596-651), deux types de sépultures : pleine terre ou double cloche, les deux jarres étant placées ouverture contre ouverture. L'orientation en est sensiblement E-O (tête à l'est), le corps étant parfois couché sur le dos, plus souvent, sur le côté, en position fléchie. Le mobilier est moins riche [...] offrandes précieuses dans les tombes 623, 616 [...] ».

Lors de la mise au jour du palais du IIIe millénaire « [...] des derniers occupants il n'est resté qu'un survivant tout au moins à l'état de squelette et ce ne fut pas la découverte la moins impressionnante que celle de cet homme, étendu sur le sol de la petite salle V, recouvert par les éboulis d'une superstructure carbonisée et retrouvé dans une position qui n'est pas celle d'un cadavre enterré mais d'un individu surpris et mort dans d'atroces souffrances. La main gauche, crispée, gardait encore la marque de cet effroi et de cette pénible agonie [...] ».

Le squelette 647 n'a pas été considéré comme une inhumation, il s'agit d'un individu mort, sans doute accidentellement, lors de l'effondrement de superstructures.

Syria 42, 1965 b, p. 197-225 : quinzième campagne 1965 : pas de tombe.

Syria 44, 1967 a, p. 1-26 : seizième campagne 1966 : pas de tombe.

Syria 46, 1969 a, p. 192-208 : dix-septième campagne 1968 : tombe 652

Salle 229 du palais : T 652 non mentionnée.

Syria 47, 1970, p. 225-243 : dix-huitième campagne 1969 : tombes 653-654

Couloir 200 : T653 et couloir LXII : T 654, non mentionnées.

Syria 48, 1971, p. 253-270 : dix-neuvième campagne 1971 : pas de tombe.

Syria 49, 1972, p. 281-302 : vingtième campagne 1972 : pas de tombe.

Syria 52, 1975, p. 1-17 : vingt et unième campagne 1974 : tombes 655 à 671

La cour 131 : « [...] Les objets recueillis permettaient de situer la nécropole à l'époque assyrienne [...] nous proposions la première moitié du XIIIe siècle av. J.-C., soit l'Assyrien moyen, entre XIe et XVe siècles [...]. Dans la tombe 656, une plaquette de fritte, en forme de cartouche, les deux faces incisées de hiéroglyphes, a été datée par J. Leclant de l'époque d'Aménophis III, soit du XVe-XIVe siècles av. J.-C. [...]. Toujours dans le secteur de la cour 131, est apparue une grande tombe n° 671 en briques cuites [...] ».

« Le secteur des espaces centraux III et IV : des tombes à puits, les premières de ce genre découvertes à Mari [...] toutes avaient été pillées [...] ».

La tombe 671 mise au jour par A. Parrot et dont il n'a pas terminé la fouille en 1974, a été dégagée en 1984 et interprétée comme étant une citerne.

Deux tombes à puits (T 655-661) ont été fouillées.

Rapports préliminaires de J. Margueron

M.A.R.I. 1, 1982 a, p. 9-30 : campagne de 1979 : tombes 672 à 738

- Le sondage stratigraphique : les tombes :

« [...] nombreuses (plus d'une trentaine) et très différentes les unes des autres (inhumations en pleine terre le plus souvent, mais aussi dans des sarcophages en terre cuite ou dans des jarres en double cloche) [...]. Pauvreté du mobilier [...]. On ne peut penser qu'elles sont de basse époque : si certaines sont apparues dès la surface, la plupart ont été trouvées sur toute la hauteur des 2,50 m de la fouille et certaines ont crevé le sol plâtré qui a marqué l'arrêt des travaux [...] ».

- Le sondage sur la bordure septentrionale :

« un très grand nombre de tombes dans les premières couches traversées [...] deux grandes périodes paraissent décelables dans les inhumations :

« -dans la couche supérieure, un cimetière principalement Bronze Moyen/Bronze Récent a occupé l'essentiel de la surface de fouille.

« -dans le niveau inférieur de la couche de surface, vers 1,60 m de profondeur, quelques tombes de la fin du Bronze Ancien ; elles étaient accompagnées d'un riche mobilier [...] ».

M.A.R.I. 2, 1983 a, p. 9-35 : campagne de 1980 : tombes 739 à 786

-Les recherches conduites au chantier A : la grande tombe du niveau inférieur :

« [...] Au centre de la salle I, une grande tombe construite en briques cuites [...]. Grand nombre d'ensevelissements pratiqués dans cette pièce I après la ruine de cet édifice [...] ».

-Le chantier B ou sondage stratigraphique septentrional :

« tombes nombreuses [...]. Dans l'extension orientale, une grande tombe de forme rectangulaire aux parois légèrement en encorbellement, construite en briques cuites [...]. Une tombe en jarre fermée par une pierre [...] avec un cylindre au nom du fils du Shakkanakku Idin-ilum [...] ».

Tombes 755 et 760.

M.A.R.I. 3, 1984 a, p. 7-39 : campagne de 1982 : tombes 787 à 827

-Travaux dans les carrés ouverts en 1979-1980 :

« [...] achèvement de l'étude de la tombe, la seconde chambre a été complètement dégagée [...] ».

-Carré IV Q2.

« [...] présence perturbatrice d'une grande tombe de basse époque, perse ou séleucide [...] ».

Tombe 792.

-Le chantier B, sondage stratigraphique, niveau du D A I :

« [...] une tombe enfoncée dans un sol avec du matériel du D A I [...] ».

-Le bâtiment aux tablettes :

« [...] deux tombes intéressantes, l'une a donné une belle boucle d'oreille ou de nez en or, l'autre a montré que le défunt avait reçu un coup de couteau [...] ».

Tombes 809, 819 et 823.

-Le chantier C ou étude des remparts :

« [...] des tombes ont été retrouvées [...] ».

-Le chantier D :

« [...] quelques tombes [...] qui appartiennent au Bronze Moyen II et I [...] ».

M.A.R.I. 5, 1987 a, p. 5-36 : campagne de 1984 : tombes 828 à 910

-Le chantier A, IV R2 :

« [...] des tombes en pleine terre, à l'occasion entourées de *leben*, d'autres étaient constituées de jarres en céramique [...] la plupart d'entre elles appartiennent à l'époque séleucide [...]. Pauvreté extrême à l'exception toutefois d'une seule où l'on a retrouvé des fleurs découpées dans une feuille d'or, au nombre de 12 et qui formaient peut-être à l'origine un bandeau frontal [...] ».

Tombe 833.

-Le chantier A, IVR1 :

« [...] un grand nombre de tombes généralement d'époque séleucide [...]. Dans IV R1 SOT1 un petit panier [...] ».

Tombe 845.

-Le chantier du Palais : la citerne.

En 1974, A. Parrot dégageait partiellement une construction en briques cuites appelée T 671 ; complètement fouillé pendant cette campagne de 1984, ce monument a été interprété comme étant une citerne.

M.A.R.I. 6, 1990 a, p. 5-18 : campagne de 1985 : tombes 911 à 936

Aucune tombe n'est mentionnée dans le rapport.

M.A.R.I. 7, 1993, p. 5-38 : campagne de 1987 : tombes 937 à 1009

-Le chantier E :

« [...] des restes d'une installation médio-assyrienne. C'est la première fois qu'à Mari est ainsi attesté un habitat qui correspond chronologiquement au cimetière dégagé par A. Parrot dans la région centrale du tell à l'emplacement des ruines du grand palais royal [...]. Le travail dans ce secteur a été ralenti par le très grand nombre de tombes d'époque récente qu'il a fallu dégager [...]. Il est fort possible que la petite bourgade médio-assyrienne qui a donné les tombes retrouvées essentiellement dans les ruines du palais du IIe millénaire, ait été installée sur le versant nord du tell [...] ».

-Le chantier F, niveau supérieur Ur III :

« [...] sept tombes ont été dégagées dans le carré III C1 à environ une vingtaine de centimètres sous la surface : trois étaient en pleine terre et les quatre autres comportaient un sarcophage. Parmi ces dernières, deux d'entre elles (SET1 et NET1) étaient mieux conservées et riches en matériel céramique [...]. À trois des tombes en sarcophage étaient en outre associés des vestiges de capriné, témoignant d'une coutume funéraire particulière [...] dans le bâtiment en III C2, une tombe en sarcophage très mal conservée a été trouvée le long de la paroi nord sous les murs du bâtiment [...] ».

Tombes 940, 945 et 959.

niveau inférieur : habitat de l'époque akkadienne :

« [...] une maison privée qui a subi une destruction lente, puis a été perturbée par les tombes d'un cimetière [...] ».

M.A.R.I. 8, 1997, p. 9-70 : campagnes de 1990 et 1991 : tombes 1010 à 1056

-Le chantier A (1991) :

« [...] au sud de l'angle du palais a été dégagée une tombe (IX N50 SET1) qui comprenait notamment deux vases en albâtre cylindriques décorés. L'un présente trois pieds et un décor de cercles pointés, sur trois registres. L'autre présente également des cercles pointés, associés à des motifs schématiques de végétaux, d'animaux et deux motifs astraux, où l'on peut lire un motif solaire et un motif lunaire [...] ».

Tombe 1036.

-Le chantier B (1991) :

« [...] une grande tombe associée au bâtiment et installée sous le sol de la pièce, elle fut retrouvée entièrement vide [...] ».

Tombe 1041.

-Le chantier F (1990) :

« [...] trois tombes ont été fouillées dans la partie méridionale du carré III E2 ; elles appartiennent toutes à l'époque des Shakkanakku avec un intéressant mobilier de vases et de bronzes. Une autre tombe située plus au nord et à l'écart des autres a donné un matériel un peu différent. Elles se trouvaient à l'origine dans le sol des maisons [...] ».

Tombes 1019, 1022 et 1026 situées au sud du carré et T 1025, au nord.

« [...] plusieurs tombes ont été mises au jour dans la partie méridionale du carré III D1, elles appartiennent à l'époque des Shakkanakku [...] ».

Tombes 1018, 1023 et 1031.

-Le chantier F (1991) :

Le carré III C1 : « [...] une tombe en pleine terre (III C1 NET3) avec sept vases, deux épingles en bronze et quatre boucles d'oreilles en argent a été trouvée dans la berme, mais est à associer à un niveau postérieur à la maison [...] ».

Tombe 1042.

Le carré III D1 : « la tombe III D1 NET1, entourée de quatre murs en briques crues carrées et rectangulaires délimitant un espace de 3 m sur 2,60 m, la tombe était couverte par une armature de branchages disposés à plat dont les empreintes avaient été relevées à la fin de la campagne précédente. Le corps reposait dans un sarcophage en terre cuite, placé le long d'un des murs du petit côté. Dans l'espace résiduel gisaient vingt-sept vases en terre cuite, une hachette en bronze ainsi que des ossements de mouton et une patte de capriné [...] cette tombe construite venait en fait d'un niveau supérieur [...] il n'y a cependant aucun doute pour qu'elle ait appartenu à une maison d'habitation [...] ».

Tombe 1034.

Le carré III E1 : « [...] la maison du potier a été dégagée, la pièce orientale a été perturbée par l'insertion d'une tombe postérieure (NE T1) [...]. Sous les *loci* 1 et 2, deux tombes ont été dégagées. Le squelette de la tombe SE T1, sous le sol du *locus* 2, reposait en pleine terre entouré de nombreux objets : quinze vases en terre cuite, une perle en cornaline, huit objets en bronze ; celui de la tombe SO T3 gisait dans un sarcophage, accompagné de nombreux objets déposés à l'intérieur ou à l'extérieur de celui-ci : sept vases en terre cuite, sept objets en bronze, une perle en cornaline et un coquillage percé. Ainsi l'existence de tombes sous le sol de la maison est ici bien attesté [...] ».

Tombes 1047, 1053 et 1052.

M.A.R.I 9, campagne 1993 : à paraître : tombes 1057 à 1108.

Publications de D. Beyer

M.A.R.I. 2, 1983, p. 37-60 : « Stratigraphie de Mari : remarques préliminaires sur les premières couches du sondage stratigraphique (chantier A) ».

-La couche de surface (couche 0) et les premières installations (couche 1) :

« [...] tombes à double jarre et tombes à cuve et couvercle en « coquille de noix [...] ».

-Les tombes des couches 2 et 3 :

« [...] simples sépultures en pleine terre, à l'exception de quelques petites tombes d'enfants dont les corps avaient été placés dans de petites jarres couchées sur le côté [...]. Concentration de tombes dans la salle I [...] ».

M.A.R.I. 4, 1985, p. 173-189 : « Nouveaux documents iconographiques de l'époque des Shakkanakku de Mari ».

Dans cet article est publié le cylindre gravé de la tombe 760.

Publications de M. Jean-Marie

M.A.R.I. 6, 1990, p. 303-336 : « Les tombeaux en pierres de Mari ».

Tombeaux 21-22-241-242-300.

M.A.R.I. 8, 1997, p. 693-705 : « À propos de certaines offrandes funéraires à Mari ».

L'étude des offrandes autres que les céramiques et objets y a été envisagée.

Publications de M. Lebeau

M.A.R.I. 2, 1983, p. 165-193 : « Mari, 1979, rapport préliminaire sur la céramique du chantier A ».

-Tombes récentes : « [...] du Bronze Récent à l'époque séleucide voire parthe [...] ».

-Tombes des couches 2 et 3 : « [...] courant du XVIIIe siècle, vraisemblablement dans la seconde moitié [...] ».

M.A.R.I. 3, 1984, p. 217-221 : « La céramique du tombeau IX Q50 SET6 ».

Le matériel céramique est daté « [...] de la fin du XXIe siècle (en chronologie moyenne) ou, en tout cas, de la seconde moitié de ce siècle [...] ».

La céramique du tombeau 763 y a été étudiée.

M.A.R.I. 4, 1985, p. 93-126 : « Rapport préliminaire sur la séquence céramique du chantier B (IIIe millénaire) ».

Tombes 765, 766, 797 et 823.

M.A.R.I. 5, 1987, p. 415-442 : « Rapport préliminaire sur la céramique des premiers niveaux de Mari (chantier B-1984) ».

La céramique de la tombe 910 y a été étudiée.

M.A.R.I. 6, 1990 a, p. 349-374 : « La céramique du tombeau 300 de Mari (temple d'Ishtar) ».

La céramique du tombeau 300 y a été étudiée.

M.A.R.I. 6, 1990 b, p. 375-384 : « La céramique du tombeau IV R2 SET7 de Mari (chantier A, Palais oriental) ».

La céramique du tombeau 928 y a été étudiée.

Publication de J. Mallet

Syria 52, 1975, p. 23-36 : « Mari : une nouvelle coutume funéraire assyrienne ».

« [...] Deux nécropoles : la première, insoupçonnée jusqu'alors, demeure anonyme. Des nombreux puits d'un mètre de diamètre environ [...] un seul a été complètement vidé, assurant la présence de tombes dont l'exploration reste à faire mais que la stratigraphie cantonne dans les siècles qui séparent la destruction du palais présargonique de l'édification de celui de Zimri-Lim. La seconde nécropole est depuis longtemps familière aux fouilleurs de Mari [...]. Une cinquantaine de tombes, véritable nécropole assyrienne, suite de celle découverte en 1936 alors sur ou au-dessus du dallage de la cour 131 [...]. Six tombes nous font connaître une nouvelle coutume : en effet, elles étaient en pleine terre et recouvertes de plâtre [...]

seul le plâtre les distingue des autres tombes en pleine terre [...] la poterie rattache les tombes plâtrées à la période médio-assyrienne (seconde moitié du IIe millénaire), sans plus [...]. Les tombes plâtrées ont été creusées sous la partie de la cour 131 découverte libre de dalles par A. Parrot. Elles forment la couche la plus ancienne du cimetière assyrien et peuvent fort bien avoir appartenu aux premiers soldats dépêchés à Mari avec leur famille par les souverains d'Assur dans la seconde moitié du XIVe siècle av. J.-C [...]. ».

Les tombes « à puits » sont trop peu nombreuses (bien que plusieurs puits aient été repérés, deux ont été fouillés), pour conclure à une coutume funéraire nouvelle. Par contre, les six tombes plâtrées constituent une originalité, mais pas non plus une nouvelle coutume (six sur près de quatre cents tombes assyriennes).

Publications de J. Margueron

M.A.R.I. 3, 1984 b, p. 197-215 : « Une tombe monumentale à Mari ».

Tombe 763 située sous la salle I du palais des Shakkanakku.

M.A.R.I. 3, 1984 c, p. 271-275 : « Un panier et un coffret en bois dans une tombe de Mari »

Il s'agit du panier M 3187 et du coffret M 3188 de la tombe 420.

M.A.R.I. 6, 1990 b, p. 402-422 : « Une tombe royale sous la salle du trône du palais des Shakkanakku ».
Tombe 928.

Publication de D. Parayre

Akkadica 29, 1982, p. 1-29 : « Les sépultures de Mari : typologie provisoire ».

Cet auteur a essayé, à partir des rapports préliminaires d'A. Parrot, d'établir une typologie, mais dans ses rapports A. Parrot n'a pas décrit toutes les tombes qu'il a mises au jour, les renseignements étaient donc beaucoup trop parcellaires pour tirer des conclusions ; quelques erreurs se sont donc glissées dans cette publication qui n'était, comme l'écrit D. Parayre, qu'une typologie « d'attente ».

ANNEXE 2

TABLEAU DE CONCORDANCE DES NUMÉROS DÉFINITIFS ET DES NUMÉROS DE CHANTIER POUR LES TOMBES FOUILLÉES DEPUIS 1979

672 .... IX P50 NOT1
673 .... III Z16 NOT1
674 .... III Z17 SOT1
675 .... IX P50 NOT2
676 .... IX P49 NET1
677 .... IX Q50 NOT1
678 .... IX Q50 SET1
679 .... III Z17 SOT2
680 .... III Z17 SET1
681 .... IX P50 NET1
682 .... III Z16 NET1
683 .... III Z17 NOT1
684 .... III Z17 SOT4
685 .... III Z17 SOT5
686 .... IX Q50 NOT2
687 .... III Z16 SOT1
688 .... III Z16 SOT2
689 .... III Z17 SOT3
690 .... IX Q50 NOT3
691 .... IX Q50 NOT4
692 .... III Z17 SET2
693 .... III Z17 SET3
694 .... IX Q50 NOT5
695 .... III Z17 SOT6
696 .... IX Q49 NOT1
697 .... III Z17 NOT2
698 .... IX Q49 NET1
699 .... III Z17 NOT3
700 .... III Z17 SOT7
701 .... IX P49 SOT1
702 .... IX P50 SET1
703 .... IX Q49 NET2
704 .... III Z17 SET4
705 .... IX P50 NOT3
706 .... IX Q50 NET1
707 .... IX Q50 SOT1
708 .... III Z17 SOT8
709 .... III Z16 SOT3
710 .... III Z16 SOT4
711 .... III Z16 NOT2
712 .... III Z17 SET5
713 .... IX Q50 SOT2
714 .... IX Q50 SOT3
715 .... III Z16 NOT3
716 .... III Z17 SOT9
717 .... IX Q50 SOT4
718 .... III Z16 NOT4
719 .... III Z17 NOT5
720 .... IX Q50 NET2
721 .... IX Q50 NET3
722 .... III Z17 NOT4
723 .... IX Q50 SET2
724 .... III Z17 SET6
725 .... IX Q50 NOT6
726 .... IX Q50 NOT7
727 .... III Z17 SOT10
728 .... IX Q50 NOT8
729 .... IX Q50 NOT9
730 .... IX Q50 NOT10
731 .... IX Q50 NET4
732 .... III Z18 SOT1
733 .... III Z16 SOT5
734 .... IX Q50 SET3
735 .... IX Q50 NET5
736 .... IX Q50 NET6
737 .... IX Q50 SET4
738 .... IX Q50 SET5
739 .... IV Q1 NET1
740 .... IV Q1 SET1
741 .... IV Q1 NET2
742 .... IV Q1 NET3
743 .... IV Q1 SET2
744 .... IV Q1 SET3
745 .... IV Q1 SET4
746 .... III Z16 NOT5
747 .... III Z16 NOT6
748 .... III Z16 NOT7
749 .... IV P1 SET1
750 .... III Z16 NOT8
751 .... III Z16 NET2
752 .... III Z16 NOT9
753 .... III Z16 NET3
754 .... III Z16 NOT1
755 .... III Z17 SET7
756 .... IV Q1 SET5
757 .... IV A17 SOT1
758 .... IV A17 SOT2
759 .... IX P50 NOT4
760 .... IV A17 SOT3
761 .... III Z18 NET1
762 .... IV P1 SET2
763 .... IX Q50 SET6
764 .... IX Q50 SET7
765 .... III Z19 NOT1
766 .... III Z19 NOT2
767 .... III Z19 NOT3
768 .... IX Q50 SET8
769 .... III Z16 SET1
770 .... III Z16 SET2
771 .... IX P50 NET2
772 .... III Z16 SET3
773 .... III Z19 NOT4
774 .... IX Q50 SET9
775 .... IX Q50 SET10
776 .... IX Q50 SET11
777 .... III Z16 SOT6
778 .... IX Q50 SET12
779 .... IX Q50 SET13
780 .... III Z16 NOT11
781 .... III Z18 SET1
782 .... III Z16 NOT12
783 .... IX Q50 NOT11
784 .... XII T37 NET1
785 .... XII T37 NET2
786 .... XII T37 NET3
787 .... IX Q50 SET101
788 .... IV A17 NOT1
789 .... IX O50 NET1
790 .... IV A17 NOT2
791 .... IX O50 NET2
792 .... IV Q2 NET1
793 .... III Z17 SET8
794 .... IX P50 NET101
795 .... IX P50 NET102
796 .... IV A18 SOT1
797 .... III Z20 NOT1
798 .... III P6 SOT1
799 .... IV A17 SOT101
800 .... IV A17 SOT102
801 .... III Z21 SOT1
802 .... IX M43 NOT1
803 .... IV O2 NET1
804 .... IV O2 NET2
805 .... IX M43 NOT2
806 .... IX M43 NET1
807 .... IX M43 NET2
808 .... IX M43 SOT1
809 .... III Y18 NET1
810 .... III Y18 SOT1
811 .... III Y18 NET2
812 .... III Y18 SOT2
813 .... IX M43 SET1
814 .... IX M43 SET2
815 .... XII T37 SET1
816 .... XII T37 SET2
817 .... IX M42 NET1
818 .... IX M43 NOT3
819 .... III Y18 SET1
820 .... XII T36 NOT1
821 .... IX M42 SET1
822 .... III Y18 SOT3
823 .... III Z21 SET1
824 .... IX M43 NOT4
825 .... III Y19 SET1
826 .... III Y19 SET2
827 .... IX M43 NOT5
828 .... IV R2 SOT1
829 .... IV R2 SET1
830 .... IV R2 SET2
831 .... IV R2 SET3
832 .... IV R2 NET1
833 .... IV R2 NET2
834 .... IX M43 SET3
835 .... IV R1 NET1
836 .... IV R1 NET2
837 .... IV R2 NET3
838 .... IV R1 NOT1
839 .... IV R1 NOT2
840 .... IV R1 NET3
841 .... IV R2 NET4
842 .... IX M42 SET2
843 .... IX M43 SET4
844 .... IV R1 SET1
845 .... IV R1 SOT1
846 .... IV R1 NET4
847 .... IV R1 NET5
848 .... IV R1 NET6
849 .... IV R1 NOT3
850 .... IV R2 NET5
851 .... IV R1 NET7
852 .... III C20 NOT1
853 .... III C20 NET1
854 .... III C20 SOT
855 .... III C20 SOT2
856 .... III C20 SOT3
857 .... IV R2 SET4
858 .... IV R2 SET5
859 .... III C20 SOT4
860 .... III C20 SOT5
861 .... III C20 SET1
862 .... III C20 SET2
863 .... III C20 SET3
864 .... III C20 SOT6
865 .... III C20 SOT7
866 .... IV R1 NET8
867 .... III A20 NET1
868 .... III A20 NET2
869 .... III A20 NET3
870 .... III B20 NET1
871 .... III B20 NET2

872 .... III B20 NOT1
873 .... III B20 NOT2
874 .... III B20 NOT3
875 .... III B20 NOT4
876 .... III B20 NOT5
877 .... III B20 NET3
878 .... III B20 NET4
879 .... III B20 NET5
880 .... III B20 NET6
881 .... III B20 NET7
882 .... III B20 NET8
883 .... IV R2 SET6
884 .... III A21 SET1
885 .... III A21 SET2
886 .... III A21 SET3
887 .... III A21 SET4
888 .... III B20 NET9
889 .... III B20 NET10
890 .... III B20 SOT1
891 .... III B20 SOT2
892 .... III B20 SET1
893 .... IV S1 NOT1
894 .... IV S1 NOT2
895 .... IV S1 NOT3
896 .... IV S1 NOT4
897 .... IV S1 NOT5
898 .... IV S1 NOT6
899 .... IV S2 SOT1
900 .... III B20 NOT6
901 .... III B20 NOT7
902 .... III B20 SET2
903 .... IV S2 SOT2
904 .... III B20 SET3
905 .... III B20 SET4
906 .... III B20 SET5
907 .... III B20 SET6
908 .... III B20 SET7
909 .... IV S1 NOT7
910 .... III Z21 SET2
911 .... IV R1 SOT2
912 .... IV S1 SOT1
913 .... IV S1 SOT2
914 .... IV S1 SOT3
915 .... IV R1 SET2
916 .... IV S1 SOT4
917 .... IV P3 NOT1
918 .... IV S1 NET1
919 .... IV S1 SOT5
920 .... IV S1 SET1
921 .... IV S1 NET2
922 .... IV S1 NET3
923 .... IV S1 SET2
924 .... III R7 NET1
925 .... IV S1 NET4
926 .... IV S1 SET3
927 .... IV R1 SET3
928 .... IV R2 SET7
929 .... IX R50 NOT1
930 .... IX R50 SOT1
931 .... IX R50 SET1
932 .... IX R50 NET1
933 .... IX R50 NET2
934 .... IX R50 NET3
935 .... IX R50 NET4
936 .... IX R50 SOT2
937 .... IX S50 NOT1
938 .... III C1 NOT1
939 .... III C1 NOT2
940 .... III C1 NET1
941 .... III C1 NET2
942 .... III C1 SOT1
943 .... IX R50 SOT3
944 .... IX R49 SET1
945 .... III C1 SET1
946 .... IX S50 SOT1
947 .... III C5 SOT2
948 .... IX S50 NOT2
949 .... IX S50 NOT3
950 .... IX R49 NOT1
951 .... IX R49 NOT2
952 .... IX R49 NET1
953 .... IX R49 SET2
954 .... IX S50 NOT4
955 .... IX S50 NET1
956 .... III C2 NOT1
957 .... IX R49 NET2
958 .... IX S50 NET2
959 .... III C2 NOT2
960 .... IX S49 NOT1
961 .... III B21 NOT1
962 .... III B21 NOT2
963 .... III B21 NOT3
964 .... III B21 NET1
965 .... III B21 NET2
966 .... III B21 NET3
967 .... III B21 NET4
968 .... III B21 NET5
969 .... III B21 SOT1
970 .... III B21 SOT2
971 .... III B21 SOT3
972 .... III B21 SOT4
973 .... III B21 SOT5
974 .... III B21 SOT6
975 .... III B21 SOT7
976 .... III B21 SOT8
977 .... III B21 SOT9
978 .... III B21 SOT10
979 .... III B21 SET1
980 .... III B21 SET2
981 .... III B21 SET3
982 .... III B21 SET4
983 .... III B21 SET5
984 .... III B21 SET6
985 .... III B21 SET7
986 .... III B21 SET8
987 .... III B21 SET9
988 .... III B21 SET10
989 .... III B21 SET11
990 .... III B21 SET12
991 .... III B21 SET13
992 .... III B21 SET14
993 .... III B21 SET15
994 .... III B21 SET16
995 .... III B21 SET17
996 .... III B22 NOT1
997 .... III B22 NOT2
998 .... III B22 NET1
999 .... III B22 NET2
1000 .... III B22 SOT1
1001 .... III B22 SET1
1002 .... III B22 SET2
1003 .... III B22 SET3
1004 .... III B22 SET4
1005 .... III B22 SET5
1006 .... III B22 SET6
1007 .... III B22 SET7
1008 .... III B22 SET8
1009 .... III B22 SET9
1010 .... III C21 NOT1
1011 .... III C21 SOT1
1012 .... IX R48 NOT1
1013 .... IX R48 NOT2
1014 .... III C21 SOT2
1015 .... III C21 SOT3
1016 .... IX S48 SET1
1017 .... III D1 SOT1
1018 .... III D1 SOT2
1019 .... III E2 SET1
1020 .... IX S48 NOT1
1021 .... IX R48 SOT1
1022 .... III E2 SOT1
1023 .... III D1 SET1
1024 .... IX R49 SET3
1025 .... III E2 NOT1
1026 .... III E2 SOT2
1027 .... IX O49 NET1
1028 .... IX R48 SOT2
1029 .... IX O49 NOT1
1030 .... IX R48 NET1
1031 .... III D1 SET3
1032 .... IX O49 NOT2
1033 .... III D1 SOT3
1034 .... III D1 NET1
1035 .... III Y17 SOT1
1036 .... IX N50 SET1
1037 .... IX N50 NET1
1038 .... IX N50 SET2
1039 .... III E1 SOT1
1040 .... III Y17 NOT1
1041 .... III Y17 SOT2
1042 .... III C1 NET3
1043 .... IV N1 SET1
1044 .... IV N1 NET1
1045 .... IV N1 SET2
1046 .... IV N1 SET3
1047 .... III E1 NET1
1048 .... III E1 SOT2
1049 .... IV P4 NET1
1050 .... III E1 NOT2
1051 .... III E1 NET2
1052 .... III E1 SOT3
1053 .... III E1 SET1
1054 .... III E1 NOT3
1055 .... III E1 NET3
1056 .... III E1 NET4
1057 .... III E1 NOT1
1058 .... III G1 SET1
1059 .... III G1 SET2
1060 .... III G1 NOT1
1061 .... III G1 SOT1
1062 .... III F1 SET1
1063 .... III F1 NOT1
1064 .... III G2 SET1
1065 .... III E1 SET2
1066 .... III F1 NOT2
1067 .... III G2 NOT1
1068 .... III G1 NOT2
1069 .... III G2 NOT2
1070 .... III D1 NET2
1071 .... III G2 NOT3
1072 .... III F2 NET1
1073 .... III F2 SET1
1074 .... III H1 NET1
1075 .... III H1 NET2
1076 .... III H1 SET1
1077 .... III D1 SET4
1078 .... III D1 SET5
1079 .... III E1 SOT4
1080 .... III G2 NOT4
1081 .... III G2 NET1
1082 .... III G2 NET2
1083 .... III E1 SET3
1084 .... III H2 NOT1
1085 .... III H2 NOT2
1086 .... III H2 NOT3
1087 .... III H2 SOT1
1088 .... III G2 SOT1
1089 .... III G2 SOT2
1090 .... III J3 SOT1
1091 .... III G2 NOT5
1092 .... III G2 NOT6
1093 .... III H2 SOT2
1094 .... III J2 NOT1
1095 .... III J2 NOT2
1096 .... III H2 NET1
1097 .... III H2 NET2
1098 .... III H2 NET3
1099 .... III H2 NET4
1100 .... III H3 SET1
1101 .... III F2 SOT1
1102 .... III J2 NOT3
1103 .... III J3 SOT2
1104 .... III F2 NOT1
1105 .... III H2 NOT4
1106 .... III H2 NET5
1107 .... III H2 NET6
1108 .... III J2 NOT4

ANNEXE 3

TABLEAU DE CONCORDANCE DES NUMÉROS DE CHANTIER ET DES NUMÉROS DÉFINITIFS POUR LES TOMBES FOUILLÉES DEPUIS 1979

III A20 NET1 867
III A20 NET2 868
III A20 NET3 869
III A21SET1 884
III A21 SET2 885
III A21 SET3 886
III A21 SET4 887
III B20 NET1 870
III B20 NET2 871
III B20 NET3 877
III B20 NET4 878
III B20 NET5 879
III B20 NET6 880
III B20 NET7 881
III B20 NET8 882
III B20 NET9 888
III B20 NET10 889
III B20 NOT1 872
III B20 NOT2 873
III B20 NOT3 874
III B20 NOT4 875
III B20 NOT5 876
III B20 NOT6 900
III B20 NOT7 901
III B20 SET1 892
III B20 SET2 902
III B20 SET3 904
III B20 SET4 905
III B20 SET5 906
III B20 SET6 907
III B20 SET7 908
III B20 SOT1 890
III B20 SOT2 891
III B21 NET1 964
III B21 NET2 965
III B21 NET3 966
III B21 NET4 967
III B21 NET5 968
III B21 NOT1 961
III B21 NOT2 962
III B21 NOT3 963
III B21 SET1 979
III B21 SET2 980
III B21 SET3 981
III B21 SET4 982
III B21 SET5 983
III B21 SET6 984
III B21 SET7 985
III B21 SET8 986
III B21 SET9 987
III B21 SET10 988
III B21 SET11 989
III B21 SET12 990
III B21 SET13 991
III B21 SET14 992
III B21 SET15 993
III B21 SET16 994
III B21 SET17 995
III B21 SOT1 969
III B21 SOT2 970
III B21 SOT3 971
III B21 SOT4 972
III B21 SOT5 973
III B21 SOT6 974
III B21 SOT7 975
III B21 SOT8 976
III B21 SOT9 977
III B21 SOT10 978
III B22 NET1 998
III B22 NET2 999
III B22 NOT1 996
III B22 NOT2 997
III B22 SET1 1001
III B22 SET2 1002
III B22 SET3 1003
III B22 SET4 1004
III B22 SET5 1005
III B22 SET6 1006
III B22 SET7 1007
III B22 SET8 1008
III B22 SET9 1009
III B22 SOT1 1000
III C1 NET1 940
III C1 NET2 941
III C1 NET3 1042
III C1 NOT1 938
III C1 NOT2 939
III C1 SET1 945
III C1 SOT1 942
III C1 SOT2 947
III C2 NOT1 956
III C2 NOT2 959
III C20 NET1 853
III C20 NOT1 852
III C20 SET1 861
III C20 SET2 862
III C20 SET3 863
III C20 SOT1 854
III C20 SOT2 855
III C20 SOT3 856
III C20 SOT4 859
III C20 SOT5 860
III C20 SOT6 864
III C20 SOT7 865
III C21 NOT1 1010
III C21 SOT1 1011
III C21 SOT2 1014
III C21 SOT3 1015
III D1 NET1 1034
III D1 NET2 1070
III D1 SET1 1023
III D1 SET3 1031
III D1 SET4 1077
III D1 SET5 1078
III D1 SOT1 1017
III D1 SOT2 1018
III D1 SOT3 1033
III E1 NET1 1047
III E1 NET2 1051
III E1 NET3 1055
III E1 NET4 1056
III E1 NOT1 1057
III E1 NOT2 1050
III E1 NOT3 1054
III E1 SET1 1053
III E1 SET2 1065
III E1 SET3 1083
III E1 SOT1 1039
III E1 SOT2 1048
III E1 SOT3 1052
III E1 SOT4 1079
III E2 NOT1 1025
III E2 SET1 1019
III E2 SOT1 1022
III E2 SOT2 1026
III F1 NOT1 1063
III F1 NOT2 1066
III F1 SET1 1062
III F2 NET1 1072
III F2 NOT1 1104
III F2 SET1 1073
III F2 SOT1 1101
III G1 NOT1 1060
III G1 NOT2 1068
III G1 SET1 1058
III G1 SET2 1059
III G1 SOT1 1061
III G2 NET1 1081
III G2 NET2 1082
III G2 NOT1 1067
III G2 NOT2 1069
III G2 NOT3 1071
III G2 NOT4 1080
III G2 NOT5 1091
III G2 NOT6 1092
III G2 SET1 1064
III G2 SOT1 1088
III G2 SOT2 1089
III H1 NET1 1074
III H1 NET2 1075
III H1 SET1 1076
III H2 NET1 1096
III H2 NET2 1097
III H2 NET3 1098
III H2 NET4 1099
III H2 NET5 1106
III H2 NET6 1107
III H2 NOT1 1084
III H2 NOT2 1085
III H2 NOT3 1086
III H2 NOT4 1105
III H2 SOT1 1087
III H2 SOT2 1093
III H3 SET1 1100
III J2 NOT1 1094
III J2 NOT2 1095
III J2 NOT3 1102
III J2 NOT4 1108
III J3 SOT1 1090
III J3 SOT2 1103
III P6 SOT1 798
III R7 NET1 924
III Y17 NOT1 1040
III Y17 SOT1 1035
III Y17 SOT2 1041
III Y18 NET1 809
III Y18 NET2 811
III Y18 SET1 819
III Y18 SOT1 810
III Y18 SOT2 812
III Y18 SOT3 822
III Y19 SET1 825
III Y19 SET2 826
III Z16 NET1 682
III Z16 NET2 751
III Z16 NET3 753
III Z16 NOT1 673
III Z16 NOT2 711
III Z16 NOT3 715
III Z16 NOT4 718

ANNEXE 4

LISTE DES TOMBES SELON LES DATES PROPOSÉES

ÉPOQUE DES DYNASTIES ARCHAÏQUES

tombes en pleine terre : 2, 3, 4, 5, 6, 7, 8, 9, 82, 83, 84, 85, 86, 90, 91, 101, 102, 240, 243, 244, 245, 246, 732, 765, 766, 767, 771, 773, 781, 796, 797, 800, 819, 823, 826, 910

jarres : 761, 799, 801

tombeaux construits : 21, 22, 241, 242, 300

ÉPOQUE DES SHAKKANAKKU

tombes en pleine terre : 40, 41, 427, 473, 530, 532, 533, 534, 595, 684, 685, 688, 704, 708, 710, 711, 712, 716, 718, 722, 724, 727, 733, 746, 750, 752, 770, 772, 790, 810, 815, 816, 818, 820, 842, 938, 941, 942, 957, 1017, 1019, 1024, 1025, 1030, 1031, 1033, 1036, 1037, 1039, 1040, 1042, 1047, 1051, 1053, 1055, 1057, 1063, 1065, 1070, 1071, 1073, 1080, 1082, 1083, 1088, 1089, 1091, 1092, 1101, 1104

jarres : 1, 45, 46, 47, 48, 49, 51, 52, 53, 55, 56, 57, 58, 59, 60, 61, 62, 63, 64, 65, 66, 67, 68, 69, 70, 71, 72, 73, 74, 75, 76, 77, 78, 79, 80, 81, 87, 88, 89, 354, 356, 372, 395, 396, 397, 398, 527, 529, 531, 680, 693, 715, 719, 747, 748, 760, 777, 780, 782, 784, 809, 811, 953, 959, 960, 1035, 1048, 1050, 1059, 1061, 1062, 1064, 1066, 1068, 1072, 1074, 1075, 1077, 1078, 1079, 1081, 1084, 1085, 1086, 1090, 1094, 1095, 1096, 1097, 1098, 1099, 1100, 1102, 1105, 1108

tombes et tombeaux construits

tombes : 42, 44, 477, 755, 1054

tombeaux : 763, 928

sarcophages : 50, 54, 535, 687, 692, 709, 788, 939, 940, 945, 947, 956, 1018, 1022, 1023, 1026, 1032, 1034, 1052, 1060, 1067, 1069, 1076, 1087, 1093, 1103, 1106, 1107

BRONZE MOYEN I

tombes en pleine terre : 344, 346, 348, 350, 404 bis

jarres : 349, 387, 393, 402, 404, 405, 405, bis, 406, 407, 439, 440, 444, 448, 453, 454, 456, 457, 470, 471, 539, 547, 550, 551, 552, 553, 554 a, 554 b, 555, 556, 557, 558, 559, 561, 566, 567-1, 567-2, 567-3, 567-4, 567-5, 590, 591, 592, 593, 652, 673, 674, 679, 683, 695, 697, 808, 817, 1021

sarcophages : 399, 400, 401, 403, 468, 480, 525, 583, 589

BRONZE MOYEN II

tombes en pleine terre : 342, 343, 653, 672, 675, 681, 694, 702, 703, 705, 707, 713, 714, 720, 721, 723, 726, 728, 729, 730, 731, 734, 735, 757, 759, 764, 768, 774, 776, 778, 779, 791, 795, 807, 813, 814, 825, 843, 944, 949, 950, 951, 954, 1028, 1043, 1044, 1045, 1058

jarres : 347, 389, 391, 441, 546, 696, 698, 725, 736, 737, 738, 775, 794, 834, 917, 926, 927, 943, 946, 948, 952, 1020, 1046

sarcophages : 390, 392, 824

TOMBES MÉDIO-ASSYRIENNES

tombes en pleine terre : 96, 98, 99, 105, 106, 107, 108, 109, 110, 111, 112, 114, 117, 121, 129, 130, 131, 132, 133, 136, 137, 138, 139, 140, 141, 142, 143, 144, 146, 147, 148, 150, 151, 152, 153, 154, 171, 173, 177, 183, 185, 200, 202, 208, 211, 214, 215, 217, 220, 222, 223, 224, 225, 228, 247, 255, 256, 307, 320, 321, 345, 596, 597, 603, 604, 605, 606, 613, 614, 615, 617, 618, 619, 620, 621, 622, 623, 624, 625, 626, 627, 630, 631, 632, 633, 635, 640, 641, 642, 644, 645, 646, 648, 649, 650, 656, 658, 659, 660, 664, 665, 667, 669, 670, 853, 924

jarres : 23, 26, 34, 116, 120, 159, 160, 170, 174, 180, 182, 187, 189, 193, 197, 201, 203, 209, 210, 218, 221, 230, 231, 232, 235, 237, 238, 239, 257, 263, 264, 266, 272, 273, 274, 275, 277, 283, 288, 289, 290, 291, 294, 296, 313, 329, 333, 341, 364, 371, 490, 507, 513, 515, 536, 537, 609, 634, 638, 639, 663, 668

doubles cloches : 10, 16, 18, 24, 25, 27, 28, 29, 30, 31, 32, 33, 35, 36, 92, 93, 95, 97, 103, 104, 113, 115, 118, 119, 122, 123, 124, 125, 126, 127, 128, 134, 135, 145, 149, 155, 156, 157, 158, 161, 162, 163, 164, 165, 166, 167, 168, 169, 172, 175, 176, 178, 179, 181, 184, 186, 188, 190, 191, 192, 194, 195, 196, 198, 199, 204, 205, 206, 207, 212, 213, 216, 219, 226, 227, 229, 233, 234, 236, 248, 249, 250, 251, 252, 253, 254, 258, 259, 260, 261,

ANNEXE 5

INDEX DES NUMÉROS D'INVENTAIRE

TOMBES

CÉRAMIQUES

OBJETS

CATALOGUE DES TOMBES

Les tombes sont numérotées par ordre chronologique : de 1 à 671 pour celles mises au jour pendant les campagnes de fouilles dirigées par A. Parrot (de 1933 à 1974), de 672 à 1108 pour celles mises au jour pendant les campagnes dirigées par J. Margueron (de 1979 à 1993).

Pour chaque tombe, sont indiqués :

- la date de la mise au jour ;
- le type de tombe :
  - pleine terre : le corps a été déposé à même la terre dans une fosse, sans enveloppe.
  - jarre : le corps a été mis dans un récipient en terre cuite posé dans une fosse.
  - tombe construite : soit en pierres, soit en briques cuites ou crues ; le corps est déposé à l'intérieur dans une fosse ; les grandes constructions en pierres ou briques cuites ont été appelées tombeaux pour les différencier des tombes plus modestes et de plus petites dimensions.
  - sarcophage : on distingue trois formes de cuves en terre cuite : le sarcophage lui-même, rectangulaire, à parois verticales, et muni en général d'un couvercle plat ; la « coquille de noix » dans laquelle le couvercle a la même forme que la cuve ; la tombe-couvercle où le corps posé à même la terre est recouvert par une cuve renversée au-dessus de lui.
  - double cloche : deux jarres en terre cuite couchées ouverture contre ouverture *.
- l'emplacement sur le tell.

A. Parrot a utilisé deux systèmes de carroyage : le premier (**pl. 1**) est constitué de carrés de 100 m de côté, repérés par des lettres (de A à M) dans l'axe ouest-est, et des chiffres (de I à XIV) dans l'axe nord-sud, en partant de l'angle nord-ouest du tell ; chaque carré de 100 m est divisé en carrés de 20 m de côté, affectés en plus d'une lettre (de a à e) d'ouest en est, et d'un chiffre (de 1 à 5), du nord vers le sud. Dans un deuxième temps, A. Parrot a désigné chaque carré de 20 m de côté par des lettres portant soit le symbole seconde, soit rien, soit le symbole prime, d'ouest en est, et des chiffres (de 1 à 70), du nord vers le sud (**pl. 2 et 6**).

J. Margueron a utilisé un troisième type de carroyage (**pl. 88**) : le tell est divisé en grands secteurs (numérotés de I à XV) de 25 m de côté de l'ouest vers l'est et de 50 m de côté du sud vers le nord ; chaque secteur est divisé en carrés de 10 m de côté portant chacun une lettre (de A à Z, excepté le I) d'ouest en est, et un numéro (de 1 à 50) du sud vers le nord ; enfin chaque carré est partagé en quadrants : NE-NO-SE-SO. Les tombes, comme les objets, portent donc le numéro du secteur, suivi de la lettre et du numéro du carré, puis le quadrant, et enfin celui de la tombe ou de l'objet. Pour faciliter la lecture du texte, les tombes fouillées depuis 1979 ont reçu des numéros différents de ceux des chantiers, qui font suite à ceux donnés par A. Parrot (de 672 à 1108). L'emplacement des tombes est indiqué selon les différents chantiers ouverts, de A à F.

- l'altitude.

Pour les tombes fouillées par A. Parrot, les chiffres sont parfois affectés d'un signe moins, l'auteur indique alors la distance évaluée par rapport au niveau de départ de la fouille, parfois affectés d'un signe plus, l'auteur indique alors la distance par rapport au sol de l'espace fouillé.

Pour les tombes mises au jour depuis 1979, c'est l'altitude absolue qui a été calculée.

- l'orientation : la première indiquée est celle de la tête du défunt pour les tombes en pleine terre ; dans le cas des jarres, elle est donnée de l'ouverture vers le fond ; en général, la tête du défunt est placée près de l'ouverture, aussi l'orientation de la jarre et celle du corps sont identiques ; il est rare que les orientations soient différentes, c'est-à-dire que la tête du défunt soit au fond de la jarre ; pour les sarcophages et les tombes en double cloche, l'orientation est celle du corps ;
- la description de la tombe elle-même : jarre, sarcophage, double cloche, tombe construite ;
- la description du squelette : position, tête, bras, jambes, âge et sexe quand il est possible de les déterminer en fonction des renseignements trouvés dans les archives ou des études faites lors des fouilles ;
- le mobilier selon deux catégories :
  - les céramiques sont classées en plusieurs types : jarre, gobelet, bouteille, vase, cruche, coupe-support, etc., en fonction des formes et des dimensions, après étude des photos et dessins pour les fouilles anciennes, après étude *de visu* pour celles plus récemment trouvées ; cependant, cette publication n'est pas une étude exhaustive de la céramique et la typologie a été faite dans le seul but de mettre en évidence le rôle des céramiques dans le rituel funéraire ;
  - les objets : armes, outils, récipients autres que les céramiques, parures, n'ont pas tous été décrits. Un grand nombre d'entre eux déposés en Syrie n'ont pas été vus ; certaines dimensions sont indiquées qui permettent de désigner l'objet, bracelet, bague, anneau.

Les lieux de dépôt des céramiques et des objets sont : de 1933 à 1938 soit Paris, Musée du Louvre (n° AO indiqué dans la plupart des cas), soit en Syrie, Musée d'Alep (première à sixième campagne) ; de 1951 à 1966, Musée de Damas (septième à seizième campagne) ; de 1968 à 1974, Musée d'Alep (dix-septième à vingt et unième campagne) ; depuis 1979, tous les objets sont déposés en Syrie au Musée de Deir ez-Zor (n° TH suivi de l'année de mise au jour et d'un numéro de musée).

Le numéro de chantier des céramiques et des objets (secteur + carré + quadrant + numéro propre) a été conservé, car il était impossible de les affecter d'un numéro différent comme les tombes, vu leur très grand nombre et le fait qu'ils se trouvent pour la plupart dans des musées.

Lorsque certaines tombes ou pièces de mobilier ont été déjà citées dans des publications, la référence est donnée après leur description.

* - C'est le type d'enveloppe qui a été considéré, si bien que, lorsqu'un sarcophage est entouré d'une construction en briques, la tombe est classée dans la catégorie des sarcophages.

Enfin, le mobilier n'est considéré qu'en tant que matériel accompagnant le défunt, et étudié dans le cadre du rituel funéraire ; l'étude proprement dite des céramiques et des objets, c'est-à-dire le matériau, le type de fabrication, la forme, etc, sera faite ultérieurement de façon plus précise.

Toutes les dimensions sont indiquées en mètres.

TOMBE 1 (**pl. 1, 3, 4, 16**)
20-12-1933, jarre, Ie-V2, E-O
M 31 : jarre à fond arrondi, bec cassé sous le col, dont le haut de la panse porte trois bourrelets et un décor incisé en relief (**pl. 16**) :
- entre le col et le premier bourrelet : deux serpents, en relief, affrontés, viennent boire au bec de la jarre, leur corps est marqué de stries et de taches de bitume.
- entre le premier et le deuxième bourrelet, décor incisé fait de rosaces à huit pétales, d'arbres stylisés et d'animaux : de gauche à droite un arbre, une grande rosace, un arbre, deux lions affrontés de part et d'autre d'une petite rosace située sous le bec de la jarre, trois traits courbes semblant indiquer que les animaux tiennent un objet dans leur gueule, un arbre, une rosace, un arbre, une rosace ; de chaque côté de ce décor, un espace vide ; une rosace à l'opposé du bec (Paris, Musée du Louvre AO 19828).
Un pied circulaire décoré de deux bourrelets cordés adhère au fond de la jarre.
Jarre : H = 0,66, D = 0,71, ouv. = 0,44
Support : H = 0,105, D = 0,22
A. Parrot, 1953, n° 77.
La jarre était couchée et calée par des briques crues. A. Parrot indique, dans son carnet de chantier quotidien, que la jarre était « posée sur une base de *leben* ».
Squelette d'un enfant.
Céramiques
Trouvées à l'intérieur de M 31 :
M 28 : petite coupe à bord dentelé (Alep, Musée national).
M 29 : petit vase piriforme portant un décor (Alep, Musée national).
M 30 : petit vase (Alep, Musée national).
Une jarre (non inventoriée) à l'extérieur et qui devait, d'après la photo (**pl. 16**), être le couvercle de la tombe.

TOMBE 2 (**pl. 1, 3, 4, 17**)
28-12-1933, pleine terre, Ja-IV2, - 0,40 m, NE-SO
Ossements épars dont une vertèbre, deux phalanges placées sur un petit vase, recouverts par trente-cinq céramiques posées debout ; des traces de cendres.
A. Parrot, 1935, p. 7, pl. II-1.
Céramiques
Vingt-huit vases globulaires, en terre cuite grossière, et deux en terre cuite noire très fine, cinq jarres assez grosses ; seules les deux céramiques fines ont été inventoriées :
M 55 : petit vase globulaire (Paris, Musée du Louvre AO 18233) (**pl. 17**).
A. Parrot, 1956, p. 209, fig. 100, pl. LXX.
M 56 : petit vase globulaire (Alep, Musée national).

TOMBE 3 (**pl. 1, 3, 4**)
28-12-1933, pleine terre, Ja-IV2, - 0,40 m, NE-SO
Ossements épars.
Céramiques
Trois vases en terre cuite fine, dont un retrouvé cassé non inventorié.
M 58 : petit vase globulaire à large ouverture (Alep, Musée national) (**pl. 17**).
A. Parrot, 1956, p. 209, fig. 100, pl. LXX.
M 59 : vase décoré de trois cercles de peinture rouge en haut de la panse (Paris, Musée du Louvre AO 24293).

TOMBE 4 (**pl. 1, 3, 4, 17**)
29-12-1933, pleine terre, Ja-IV2, - 0,40 m, N-S
Squelette brûlé entouré de cendres abondantes et recouvert par dix-sept céramiques placées debout ; plus au sud, une coupe-support cassée, posée à l'envers, et une grande jarre légèrement inclinée.
A. Parrot, 1935, p. 7-8 et pl. II-2,3.
Céramiques
Seize vases globulaires et une jarre sur les ossements, une coupe-support (non inventoriés) ; seule la jarre placée au sud a été inventoriée :
M 60 : jarre de forme carénée, à anse, dont le haut de la panse porte un décor géométrique : une bande d'incisions en croix bordée de deux lignes incisées horizontales ; au-dessous, un bourrelet cordé (Alep, Musée national) (**pl. 17**).
A. Parrot, 1935, p. 9, fig. 4.

TOMBE 5 (**pl. 1, 3, 4**)
29-12-1933, pleine terre, Ja-IV2, - 1,00 m, N-S
Squelette d'un enfant couché sur le côté droit, tête au nord posée sur la main droite, jambes repliées.
Céramiques
Trois vases globulaires en mauvais état, dont un posé sur la nuque (non inventoriés).

TOMBE 6 (**pl. 1, 3, 4, 18**)
28-12-1933, pleine terre, Ja-IV2, - 0,90 m, E-O
Ossements éparpillés distants de 1,65 m : le crâne, privé de la mandibule, posé debout, était tourné vers le nord, le squelette disloqué était recouvert par douze céramiques.
Céramiques
Onze petits vases globulaires et une coupe profonde (non inventoriés).

TOMBE 7 (**pl. 1, 3, 4, 18**)
28-12-1933, pleine terre, Ja-IV2, - 1,20 m, E-O
Squelette dont les os étaient éparpillés parmi trente céramiques qui formaient plus ou moins un cercle autour des ossements : les jambes étaient au nord, le bassin proche des omoplates, des côtes et des vertèbres, les pieds étaient au sud, les mains entouraient une vertèbre cervicale.
Céramiques
Trente vases globulaires dont un seul a été inventorié :
M 96 : petit vase, trouvé près de l'omoplate (Paris, Musée du Louvre AO 24302).

TOMBE 8 (**pl. 1, 3, 4**)
28-12-1933, pleine terre, Ja-IV2, - 1,10 m, O-E
Squelette d'un enfant couché sur le côté gauche en position fléchie, tête posée sur une main, face vers le nord.
Céramiques
Trois coupes et un vase globulaire (non inventoriés).

TOMBE 9 (**pl. 1, 3, 4, 18**)
28-12-1933, pleine terre, Ja-IV2, - 1,10 m, E-O
Squelette d'un enfant couché sur le côté gauche en position fléchie, la mandibule était désarticulée, jambes fortement repliées, des vertèbres près des jambes.
Céramiques
Cinq coupes en terre cuite grossière (non inventoriées).

TOMBE 10 (**pl. 1, 3, 4**)
4-01-1934, double cloche, Id-IV5, - 0,80 m, NO-SE
Deux jarres à base annulaire, portant un bourrelet en haut de la panse, couchées.

H totale = 1,70
Squelette couché sur le dos, mains sur le thorax, jambes fléchies sur un côté.

TOMBE 11 (**pl. 1, 3, 4**)
4-01-1934, sarcophage, Ic-IV4, - 0,75 m, O-E
Cuve ovale, type coquille de noix, recouverte d'une cuve semblable.
Intérieur L = 1,43, l = 0,52, H = 0,52
Squelette couché sur le côté droit, tête à l'ouest portant des restes de turban, jambes repliées ; il était enveloppé dans un linceul en tissu brun foncé.
Objets
M 85 : bracelet ouvert, D = 0,064-0,055, en bronze, dont les extrémités sont ornées d'une tête de serpent (Paris, Musée du Louvre AO 18354) (**pl. 18**).
Une boucle d'oreille en bronze, cassée (non inventoriée).

TOMBE 12 (**pl. 1, 3, 4**)
4-01-1934, sarcophage, Id-IV5, - 0,30 m, E-O
Cuve ovale à fond bombé, fermée par des tessons, située sous une couche de cendres.
Extérieur L = 1,14, l = 0,60, H = 0,49, ép. = 0,06
Intérieur L = 1,01, l = 0,49
Squelette couché sur un côté, en mauvais état.
Objet
M 86 : perle en cornaline (Paris, Musée du Louvre ?).

TOMBE 13 (**pl. 1, 3, 4, 19**)
5-01-1934, sarcophage, Ib-IV4, - 0,60 m, N-S
Cuve ovale, type coquille de noix, recouverte par une cuve identique.
L = 1,18, l = 0,51, H = 0,51, ép. = 0,025
Squelette couché sur le dos, tête au nord coiffée d'un turban brun-rouge dont on voyait encore les plis et le nœud, des restes de cheveux, bras repliés, mains sur le thorax, jambes fléchies vers la gauche ; il était enveloppé dans un linceul en tissu noir et violet.
A. Parrot, 1935, p. 11.
Céramique
Une jarre-torpille (non inventoriée), a été trouvée à l'extérieur au nord de la tombe.

TOMBE 14 (**pl. 1, 3, 4**)
5-01-1934, jarre, Ic-IV4-5, - 1,20 m, NE-SO
Grande jarre à fond arrondi, découpée dans son tiers supérieur pour introduire le corps, couchée et fermée par des briques crues (0,34 x 0,34 x 0,11).
H = 1,34, D = 0,50, ouv. = 0,35
Squelette avec des restes de cheveux, il était enveloppé dans un linceul en tissu et coiffé d'un turban.

TOMBE 15 (**pl. 1, 3, 4, 20**)
5-01-1934, jarre, Ic-IV4, - 1,50 m, NE-SO
Grande jarre à fond arrondi, découpée dans son tiers supérieur pour introduire le corps (découpe en U), couchée.
H = 1,40, D = 0,55, ouv. = 0,32-0,38
Squelette couché sur le côté gauche, tête au nord-est, jambes repliées.

TOMBE 16 (**pl. 1, 3, 4**)
9-01-1934, double cloche, Id-IV5, - 1,10 m, NO-SE
Deux jarres couchées, dont les bords étaient recouverts par des briques plates carrées.
H totale = 1,60
Pas de renseignement sur le squelette.

TOMBE 17 (**pl. 1, 3, 4**)
9-01-1934, jarre, Id-IV5, - 1,20 m, SO-NE
Grande jarre à fond arrondi.
H = 1,40
Pas de renseignement sur le squelette.

TOMBE 18 (**pl. 1, 3, 4**)
9-01-1934, double cloche, Ic-IV5, - 2,00 m, NO-SE
Deux jarres H = 0,80- ?
Pas de renseignement sur le squelette.

TOMBE 19 (**pl. 1, 3, 4**)
9-01-1934, jarre, Ic-IV5, - 1,60 m, NE-SO
Grande jarre à fond arrondi, effondrée.
Pas de renseignement sur le squelette.
Céramiques
Une grande jarre et deux vases (non inventoriés), trouvés devant l'ouverture de la tombe.

TOMBE 20 (**pl. 1, 3, 4, 20**)
11-01-1934, sarcophage, Ic-IV4, O-E
Cuve ovale, type coquille de noix, recouverte par une cuve identique.
L = 1,15, l = 0,45
Squelette d'une femme couché sur le côté droit, tête à l'ouest, main droite sous la tête, main gauche sur la bouche, jambes repliées ; il était enveloppé dans un triple linceul en tissu laineux.
A. Parrot, 1935, p. 11, fig. 5.
Céramique
M 105 : cruche, posée sur le bassin (Alep, Musée national).

TOMBEAUX 21 et 22 (**pl. 1, 3, 4, 21**)
01-1934, pierre, Jab-IV1, N.NE-S.SO
Tombeaux jumelés, voûtés en encorbellement, dont le sol était en terre.
L = 4,50, l = 4,50-3,90, H = 2,05-1,90
Sur le côté ouest, trois alignements de dalles de gypse.
L = 4,50, l = 1,00-1,30-0,60
Pas de squelette intact mais des ossements épars mêlés à des cendres abondantes.
A. Parrot, 1935, p. 7-10, pl. II-4.
M. Jean-Marie, 1990, p. 303-336.
Céramiques (**pl. 20**)
Des céramiques ont été retrouvées, trois ont été inventoriées :
M 95 : support de coupe (Alep, Musée national).
M 99 : bol décoré de deux rangées de cercles incisés (Alep, Musée national).
M 101 : couvercle à poignée plate (Paris, Musée du Louvre AO 18391).
Objets (**pl. 20**)
M 97 : amulette, en forme de gazelle au repos, en ivoire (Paris, Musée du Louvre AO 18267).
M 98 : perles en cristal opaque (Alep, Musée national).
M 103 : anneau en coquille, cassé (Paris, Musée du Louvre AO 30034 et 30035).

TOMBE 23 (**pl. 1, 3, 4**)
9-01-1934, jarre, Ic-IV5, - 1,20 m, NE-SO
Jarre dont la panse était décorée d'une ligne ondulée et de trois rainures incisées.
H = 1,05
Pas de renseignement sur le squelette.

TOMBE 24 (**pl. 1, 3, 4**)
02-1934, double cloche, Ib-IV5, - 1,20 m, NE-SO
Deux jarres, H totale = 1,95, D intérieur = 0,71
Pas de renseignement sur le squelette.

TOMBE 25 (**pl. 1, 3, 4**)
02-1934, double cloche, Ib-IV5, - 1,20 m, NE-SO
Deux jarres, H totale = 1,85
Pas de renseignement sur le squelette.

TOMBE 26 (**pl. 1, 3, 4**)
02-1934, jarre, Ib-IV5, - 1,20 m, E-O
Jarre, H = 0,74
Pas de renseignement sur le squelette.

TOMBE 27 (**pl. 1, 3, 4**)
02-1934, double cloche, Ib-IV5, - 1,20 m, NO-SE
Deux jarres couchées, dont les bords étaient recouverts par des briques carrées.
H totale = 1,10
Pas de renseignement sur le squelette.

TOMBE 28 (**pl. 1, 3, 4**)
02-1934, double cloche, Ib-IV5, - 1,20m, NO-SE
Deux jarres couchées, dont les bords étaient recouverts par des briques.
H totale = 1,75, D = 0,81
Pas de renseignement sur le squelette.

TOMBE 29 (**pl. 1, 3, 4**)
02-1934, double cloche, Ib-IV5, - 1,20 m, NO-SE
Deux jarres cassées.
H totale = 1,20, D intérieur = 0,61
Pas de renseignement sur le squelette.

TOMBE 30 (**pl. 1, 3, 4**)
02-1934, double cloche, Ib-V1, en surface, NE-SO
Deux jarres cassées.
H totale = 1,70, D = 0,65
Pas de renseignement sur le squelette.

TOMBE 31 (**pl. 1, 3, 4**)
02-1934, double cloche, Ib-V1, - 0,30 m, E-O
Deux jarres, H totale = 1,55, D = 0,64
Pas de renseignement sur le squelette.

TOMBE 32 (**pl. 1, 3, 4**)
02-1934, double cloche, Ia-IV5, en surface, E-O
Deux jarres, H totale = 1,45, D = 0,63
Pas de renseignement sur le squelette.

TOMBE 33 (**pl. 1, 3, 4**)
02-1934, double cloche, Ia-IV5, E-O
Deux jarres, H totale = 0,95
Squelette d'un enfant.

TOMBE 34 (**pl. 1, 3, 4**)
02-1934, jarre, Ia-IV5, NO-SE
Jarre, H = 0,85, D = 0,65
Pas de renseignement sur le squelette.

TOMBE 35 (**pl. 1, 3, 4**)
02-1934, double cloche, Ia-IV5, E-O
Deux jarres, H totale = 1,70, D intérieur = 0,62
Pas de renseignement sur le squelette.

TOMBE 36 (**pl. 1, 3, 4**)
02-1934, double cloche, Ia-V1, E-O
Deux jarres, H totale = 1,10, D = 0,45
Pas de renseignement sur le squelette.

TOMBE 37 (**pl. 1, 3, 4**)
02-1934, pleine terre, Ia-V1
Pas de renseignement sur le squelette.

TOMBE 38 (**pl. 1, 3, 4**)
02-1934, jarre, Ib-IV4, S-N
Grande jarre à fond arrondi.
H = 1,40
Pas de renseignement sur le squelette.

N° 39
02-1934, briques, Ic-IV4, NO-SE
Cinq assises de briques cuites à la base, le reste en briques crues.
L = 3,38, l = 1,35, H = 0,70
Ce n'est pas une tombe.

TOMBE 40 (**pl. 2, 21**)
9-03-1934, pleine terre, A26, - 1,30 m, O-E
Squelette d'une femme couché sur le dos, tête abîmée à l'ouest, main droite à la taille, bras gauche replié, main sur l'épaule droite, jambes fortement fléchies vers la droite, pieds sous les fémurs.
Céramiques
M 423 : petit vase globulaire à col étroit, situé à droite de la tête (Paris, Musée du Louvre ?).
M 424 : vase globulaire à large ouverture, à deux tenons percés chacun de deux trous (Paris, Musée du Louvre AO 18231) (**pl. 21**).
M 426 : jarre (Paris, Musée du Louvre AO 24286) (**pl. 21**).
Une coupe près des genoux et onze jarres groupées au-delà des jambes vers le sud (non inventoriées).
Objets
M 421 : petit vase en terre crue, posé près de la main gauche (Alep, Musée national).
M 422 : coquillage bivalve, contenant du fard noir, trouvé dans le creux du coude droit (Alep, Musée national).
M 425 : coupe décorée de traits incisés et de cercles, dont le bord est muni de quatre tenons, en pierre translucide (albâtre ?), posée sur le vase M 424 (Alep, Musée national).
M 427 : bol en bronze, posé sur la jarre M 426 (Paris, Musée du Louvre AO 24286) (**pl. 21**).
M 428 : cylindre en pierre blanche, portant un décor, trouvé sur le bassin près des deux épingles M 429 (Paris, Musée du Louvre AO 18373).
M 429 : deux épingles et une bague, D = 0,034, en bronze, situées sur le bassin (Paris, Musée du Louvre AO 18346) (**pl. 21**).
Deux épingles en bronze de part et d'autre du bassin et deux bagues en bronze de part et d'autre du vase M 421 (non inventoriées).
Une boucle en bronze à l'oreille droite (non inventoriée).

TOMBE 41 (**pl. 2, 21**)
9-03-1934, pleine terre, A26, - 1,30 m, O-E
Située à 2 m de la précédente.
Squelette d'un homme couché sur le côté gauche, tête à l'ouest, face vers le nord, bras droit replié vers le crâne, main droite sous la mandibule, bras gauche replié à la hauteur du thorax, jambes fortement fléchies, pieds sous les fémurs.
Céramiques
M 430 : vase globulaire à large ouverture, à deux tenons percés chacun de deux trous (Alep, Musée national).
Une jarre et deux coupes près de la tête, une jarre et une coupe au niveau des pieds (non inventoriées).

TOMBE 42 (**pl. 2, 22**)
13-03-1934, briques, A24, N-S
Tombe en briques cuites (0,325 x 0,325 x 0,052) : couverture en encorbellement à partir de la dixième assise, cinq assises de

couverture encore en place du côté est, sol dallé de briques cuites.
Dimensions au sol :
L ext. = 2,10, l ext = 1,70, H conservée = 0,90
L int. = 1,48, l int. = 1,10
Vide. Tombe violée ?
Céramique
Une grande jarre (non inventoriée) à l'extérieur à l'angle est.

N° 43
14-03-1934, Y''25, E-O
Construction en briques cuites (0,33 x 0,33 x 0,05) cassées, sur un des côtés un escalier à trois marches, sol recouvert par une pierre de seuil, nombreux tessons à l'intérieur.
L = 1,25, l = 1,05, H = 0,60
Ce n'est pas une tombe.

TOMBE 44 (**pl. 2, 22**)
14-03-1934, briques, Y''24, E-O
En contrebas du n° 43.
Tombe en briques cuites dont la couverture, en encorbellement, était effondrée.
L = 2,20, l = 1,60
Squelette couché sur le côté gauche.
Céramique (**pl. 22**)
M 443 : vase globulaire à large ouverture, à deux tenons percés chacun d'un trou, posé sur M 442 et qui contenait les objets M 444, 445 et 446 (Alep, Musée national).
Objets (**pl. 22**)
M 442 : cruche en bronze qui contenait les objets M 450 (Alep, Musée national).
M 444 : perles en lapis-lazuli, agate, serpentine, ambre, cornaline, argent (Alep, Musée national).
M 445 : trois perles en cornaline, une incrustée de pâte blanche, une en forme de trèfle, une en forme de haricot (Alep, Musée national).
M 446 : enrouleur en os (Alep, Musée national).
M 447 : bol en bronze (Alep, Musée national).
M 448 : bol fragmentaire en bronze (Alep, Musée national).
M 449 : épingle droite en bronze (Alep, Musée national).
M 450 : hache à talon, lame de couteau et fragments en bronze (Alep, Musée national).

TOMBE 45 (**pl. 2, 5, 22**)
30-12-1934, jarre, B21, - 2,00 m, N-S
Grande jarre à fond plat dont la panse était ornée de trois bourrelets cordés, le col portait une bande de bitume (**pl. 23-1**), inclinée contre un mur et fermée par une jarre de module plus petit à fond plat, renversée.
H = 0,58, D = 0,49, ouv. = 0,36
Pas de renseignement sur le squelette.
Céramique
Une bouteille (non inventoriée) à l'extérieur à l'est, près de la jarre-couvercle.

TOMBE 46 (**pl. 2, 5, 22**)
30-12-1934, jarre, B21, - 2,00 m, SO-NE
À côté de T 45 et T 47.
Grande jarre à fond plat dont la panse était ornée de deux bourrelets cordés, deux anses verticales à la base du col (**pl. 23-1**), inclinée contre un mur et fermée par un couvercle plat à poignée centrale.
H = 0,98, D = 0,70, ouv. = 0,60
Pas de renseignement sur le squelette.
Céramiques
Deux bouteilles (non inventoriées), trouvées près du fond à l'extérieur.

TOMBE 47 (**pl. 2, 5, 22**)
30-12-1934, jarre, B21, - 2,00 m, O-E
À côté de T 45 et T 46.
Grande jarre à fond plat dont la panse était ornée de deux bourrelets cordés (**pl. 23-1**), inclinée contre un mur et fermée par une jarre à fond plat de module plus petit, renversée.
H = 0,90, D = 0,64, ouv. = 0,48
Pas de renseignement sur le squelette.

TOMBE 48 (**pl. 2, 5**)
30-12-1934, jarre, B21, - 1,50 m, O-E
Grande jarre située au pied d'un mur.
H = 0,78
Pas de renseignement sur le squelette.

TOMBE 49 (**pl. 2, 5**)
30-12-1934, jarre, B22, - 1,50 m, SO-NE
Grande jarre à fond plat, fermée par une jarre plus petite à fond plat, renversée (**pl. 23-1**), située dans un mur.
H = 0,75, D = 0,62, ouv. = 0,42
Pas de renseignement sur le squelette.

TOMBE 50 (**pl. 2, 5**)
15-03-1934, sarcophage, B21, - 2,00 m, N-S
Cuve rectangulaire à rebord mouluré, angles arrondis, fond plat, parois verticales (**pl. 23-1**), recouverte par deux dalles de gypse.
L = 1,05, l = 0,61, H = 0,40, ép. = 0,04
Vide. Tombe violée ?

TOMBE 51 (**pl. 2, 5**)
30-12-1934, jarre, B22, - 1,50 m, O-E
Grande jarre à fond plat dont la panse était ornée de deux bourrelets cordés, fermée par un couvercle plat à poignée centrale (**pl. 23-1**).
H = 0,88, D = 0,72, ouv. = 0,57
Pas de renseignement sur le squelette.

TOMBE 52 (**pl. 2, 5**)
30-12-1934, jarre, B21, - 1,50 m, N-S
Grande jarre fermée par une autre jarre plus petite, renversée, située dans un mur.
Pas de renseignement sur le squelette.

TOMBE 53 (**pl. 2, 5**)
30-12-1934, jarre, B21, - 2,20 m, E-O
Grande jarre dont la panse était ornée de deux bourrelets cordés.
H = 0,80, D = 0,67
Pas de renseignement sur le squelette.

TOMBE 54 (**pl. 2, 5**)
15-03-1934, sarcophage, B22, - 1,10 m, E-O
Cuve rectangulaire à rebord mouluré, angles arrondis, fond plat, parois verticales.
L = 1,07, l = 0,62, ép. = 0,05
Vide. Tombe violée ?

TOMBE 55 (**pl. 2, 5**)
30-12-1934, jarre, A-B22, N-S
Grande jarre à fond arrondi dont la panse était ornée de deux bourrelets cordés, située dans un mur, au fond d'un puits creusé par des pillards.
H = 0,78, D = 0,65
Pas de renseignement sur le squelette.

TOMBE 56 (**pl. 2, 5**)
30-12-1934, jarre, B22, E-O

Grande jarre à fond arrondi dont la panse était ornée de deux bourrelets cordés, située dans un mur en bordure d'un puits de pillards.
H = 0,78, D = 0,65
Pas de renseignement sur le squelette.

TOMBE 57 (**pl. 2, 5**)
30-12-1934, jarre, B21, - 2,20 m, O-E
Grande jarre à fond plat dont la panse était ornée de quatre bourrelets cordés (**pl. 23-1**), fermée par une jarre plus petite, renversée.
H = 0,54, D = 0,46, ouv. = 0,22
Pas de renseignement sur le squelette.

TOMBE 58 (**pl. 2, 5, 24**)
02-1935, jarre, C22, - 2,60 m, debout
Grande jarre à fond arrondi, col mouluré (**pl. 23-1**).
H = 0,84, D = 0,68, ouv. = 0,34
Squelette d'un enfant affaissé.

TOMBE 59 (**pl. 2, 5, 24**)
02-1935, jarre, C22, - 2,60 m, SE-NO
Accolée à T 58, au nord-ouest, entièrement cassée.
Trois crânes d'enfants. Tombe violée ?
Céramique
Une coupe (non inventoriée).
Objet
Une épingle en bronze (non inventoriée).

TOMBE 60 (**pl. 2, 5, 24**)
02-1935, jarre, C22, - 2,60 m, SE-NO
Accolée à T 58, au nord-est, cassée.
Squelette d'un enfant.

TOMBE 61 (**pl. 2, 5**)
11-01-1935, jarre, B22-23, - 1,10 m, E-O
Grande jarre à fond arrondi dont la panse était ornée de deux bourrelets cordés, située à l'angle d'un mur.
H = 0,70
Pas de renseignement sur le squelette.
Céramique
Une jarre (non inventoriée), à l'extérieur et à l'ouest de la tombe.
Objets (**pl. 24**)
M 557 : deux bracelets ouverts, D = 0,064-0,055, en bronze (Alep, Musée national).
M 558 : deux bracelets ouverts, D = 0,073-0,063 et 0,069-0,058, en bronze (Paris, Musée du Louvre AO 18442), trouvés à l'extérieur de la tombe.

TOMBE 62 (**pl. 2, 5**)
I.1935, jarre, B23, - 1, 00 m, E-O
Grande jarre à fond arrondi, dont la panse était ornée d'un bourrelet cordé.
H = 0,75
Pas de renseignement sur le squelette.

TOMBE 63 (**pl. 2, 5**)
01-1935, jarre, C22, - 1,80 m, NO-SE
Grande jarre à fond arrondi dont la panse était ornée d'un bourrelet cordé, adossée à un mur.
Pas de renseignement sur le squelette.

TOMBE 64 (**pl. 2, 5**)
01-1935, jarre, B21, - 2,20 m, N-S
Grande jarre à fond arrondi.
H = 0,53
Pas de renseignement sur le squelette.

TOMBE 65 (**pl. 2, 5**)
01-1935, jarre, B22, - 1,50 m, O-E
Grande jarre inclinée, fermée par une jarre plus petite, renversée.
H = 0,50
Pas de renseignement sur le squelette.
Objets (**pl. 24**)
M 537 : poignard en bronze à bout arrondi et soie à deux rivets (Alep, Musée national).
A. Parrot, 1956, p. 182 et p. LXIV.
M 538 : pierre à aiguiser percée d'un trou à une extrémité, angles arrondis, de couleur gris-vert (Alep, Musée national).
A. Parrot, 1956, p. 177 et p. LXIII.

Dans le même espace que les tombes 58, 59, 60, au pied d'un mur, deux rangées de seize sépultures, n° 66 à 81, toutes orientées SE-NO, à 2,60 m de profondeur, très légèrement inclinées contre un mur. Aucun renseignement sur les ossements retrouvés, cependant A. Parrot indique que ce sont des sépultures d'enfants.

TOMBE 66 (**pl. 2, 5, 23, 24**)
19-01-1935, jarre, C22, - 2,60 m, SE-NO
M 959 : jarre à rebord plat, large ouverture, petite moulure au bas du col, trois rainures en haut de la panse, pied tourné, terre cuite jaunâtre (**n° 6, pl. 23-2**) (Paris, Musée du Louvre ?).
H = 0,25, D = 0,256, ouv. = 0,204
Pas de renseignement sur le squelette.

TOMBE 67 (**pl. 2, 5, 23, 24**)
19-01-1935, jarre, C22, - 2,60 m, SE-NO
M 960 : jarre à rebord plat biseauté, large ouverture, deux rainures sur la panse, pied tourné, terre cuite jaunâtre, fermée par une coupe (**n° 5 et 12, pl. 23-2**).
Jarre, H = 0,27, D = 0,232, ouv. = 0,192
Coupe, H = 0,064, D = 0,176
Pas de renseignement sur le squelette.

TOMBE 68 (**pl. 2, 5, 23, 24**)
19-01-1935, jarre, C22, - 2,60 m, SE-NO
M 958 : jarre à rebord plat biseauté, col mouluré, large ouverture, fond arrondi, terre cuite jaunâtre (**n° 4, pl. 23-2**) (Alep, Musée national).
H = 0,29, D = 0,267, ouv. = 0,185
Pas de renseignement sur le squelette.

TOMBE 69 (**pl. 2, 5, 23, 24**)
19-01-1935, jarre, C22, - 2,60 m, SE-NO
M 956 : jarre à rebord plat biseauté, large ouverture, légère moulure au col, fond plat, terre cuite jaunâtre (**n° 2, pl. 23-2**) (Paris, Musée du Louvre AO24287).
H = 0,26, D = 0,286, ouv. = 0,208
Pas de renseignement sur le squelette.

TOMBE 70 (**pl. 2, 5, 23, 24**)
19-01-1935, jarre, C22, - 2,60 m, SE-NO
Jarre à rebord plat biseauté, large ouverture, légère moulure au col, fond plat, terre cuite jaunâtre (**n° 2, pl. 23-2**).
H = 0,26, D = 0,286, ouv. = 0,208
Pas de renseignement sur le squelette.

TOMBE 71 (**pl. 2, 5, 23, 24**)
19-01-1935, jarre, C22, - 2,60 m, SE-NO
Jarre à large ouverture, cassée (**n° 1, pl. 23-2**).
Pas de renseignement sur le squelette.

TOMBE 72 (**pl. 2, 5, 23, 24**)
19-01-1935, jarre, C22, - 2,60 m SE-NO

Jarre à large ouverture, cassée, fermée par une coupe à panse carénée (**n° 2 et 13, pl. 23-2**).
Coupe, H = 0,05, D = 0,16
Pas de renseignement sur le squelette.

TOMBE 73 (**pl. 2, 5, 23, 24**)
19-01-1935, jarre, C22, - 2,60 m, SE-NO
Jarre à rebord plat, large ouverture, légère moulure au col, fond légèrement arrondi, terre cuite jaunâtre, cassée, fermée par une coupe à panse carénée (**n° 1 et 9, pl. 23-2**).
Jarre, H = 0,296, D = 0,248, ouv. = 0,172
Coupe, H = 0,07, D = 0,20
Pas de renseignement sur le squelette.

TOMBE 74 (**pl. 2, 5, 23, 24**)
19-01-1935, jarre, C22, - 2,60 m, SE-NO
M 962 : jarre à rebord plat, large ouverture, col mouluré, panse décorée de deux rainures, fond plat, pied tourné, terre cuite jaunâtre (**n° 8, pl. 23-2**) (Alep, Musée national).
H = 0,276, D = 0,27, ouv. = 0,20
Pas de renseignement sur le squelette.

TOMBE 75 (**pl. 2, 5, 24**)
19-01-1935, jarre, C22, - 2,60 m, SE-NO
Jarre cassée.
Pas de renseignement sur le squelette.

TOMBE 76 (**pl. 2, 5, 23, 24**)
19-01-1935, jarre, C22, - 2,60 m, SE-NO
M 955 : jarre à rebord plat, large ouverture, légère moulure au col, fond légèrement arrondi, terre cuite jaunâtre, fermée par une coupe (**n° 1 et 11, pl. 23-2**) (Alep, Musée national)
Jarre, H = 0,296, D = 0,248, ouv. = 0,172
Coupe, H = 0,066, D = 0,206
Pas de renseignement sur le squelette.

TOMBE 77 (**pl. 2, 5, 23, 24**)
19-01-1935, jarre, C22, - 2,60 m, SE-NO
M 957 : jarre à rebord plat biseauté, large ouverture, légère moulure au col, panse décorée de trois rainures, pied tourné, terre cuite jaunâtre, fermée par une coupe (**n° 3 et 11, pl. 23-2**) (Alep, Musée national).
Jarre, H = 0,28, D = 0,252, ouv. = 0,18
Coupe, H = 0,066, D = 0,206
Pas de renseignement sur le squelette.

TOMBE 78 (**pl. 2, 5, 23, 24**)
19-01-1935, jarre, C22, - 2,60 m, SE-NO
Jarre à rebord plat biseauté, large ouverture, légère moulure au col, fond plat, terre cuite jaunâtre (**n° 2, pl. 23-2**).
H = 0,26, D = 0,286, ouv. = 0,206
Pas de renseignement sur le squelette.

TOMBE 79 (**pl. 2, 5, 23, 24**)
19-01-1935, jarre, C22, - 2,60 m, SE-NO
Jarre à rebord plat biseauté, large ouverture, légère moulure au col, fond plat, terre cuite jaunâtre (**n° 2, pl. 23-2**).
H = 0,26, D = 0,286, ouv. = 0,206
Pas de renseignement sur le squelette.

TOMBE 80 (**pl. 2, 5, 23, 24**)
19-01-1935, jarre, C22, - 2,60 m, SE-N0
M 961 : jarre à rebord plat, large ouverture, col mouluré, fond plat, pied tourné, terre cuite jaunâtre (**n° 7, pl. 23-2**) (Alep, Musée national).
H = 0,216, D = 0,288, ouv. = 0,24
Pas de renseignement sur le squelette.

TOMBE 81 (**pl. 2, 5, 23, 24**)
19-01-1935, jarre, C22, - 2,60 m, SE-NO
Jarre profonde à large ouverture, à rebord mouluré, pied tourné (**n° 10, pl. 23-2**).
H = 0,14, D = 0,308
Pas de renseignement sur le squelette.

TOMBE 82 (**pl. 2, 26**)
12-01-1935, pleine terre, C22, - 0,30 m, E-O
Non située sur le plan de la planche 5.
Squelette calciné recouvert par quinze céramiques placées debout et portant des traces de combustion.
Céramiques
Quinze vases globulaires (non inventoriés).

TOMBE 83 (**pl. 2, 5**)
17-01-1935, pleine terre, C22, - 2,00 m, E-O
Pas de renseignement sur le squelette.
Céramiques
Deux petits vases globulaires et un gobelet (non inventoriés).
Objets
Deux épingles droites, à chas, en bronze (non inventoriées).
M 566 : cylindre en pierre vert clair (onyx ?), portant un décor (Paris; Musée du Louvre AO 18358).
A. Parrot, 1956, p. 189 et p. LXV.
P. Amiet, 1985, p. 478, fig. 10.

TOMBE 84 (**pl. 2, 5**)
22-01-1935, pleine terre, C21, - 2,40 m
Pas de renseignement sur le squelette.

TOMBE 85 (**pl. 2, 5**)
22-01-1935, pleine terre, C21, - 2,00 m, E-O
Pas de renseignement sur le squelette.

TOMBE 86 (**pl. 2, 5**)
25-01-1935, pleine terre, D22, - 1,50 m, E-O
Squelette en position fléchie, tête à l'est, enveloppé de nattes.
Céramiques (**pl. 25, 26**)
M 616 : jarre de forme carénée avec une anse, portant un décor sur le haut de la panse : une bande de lignes incisées en croix et au-dessous un bourrelet ; sur l'anse, une ligne verticale entourée d'incisions en chevrons (Alep, Musée national).
M 617 : coupe-support portant un décor : quatre bourrelets cordés, deux à mi-hauteur, un sous la coupe, un sur le pied ; le bord supérieur porte une ligne d'incisions en chevrons ; des lignes incisées parallèles sous la coupe et sur le pied (Alep, Musée national).
A. Parrot, 1956, p. 215, fig. 105-1.
M 618 : jarre qui contenait le bronze M 638 (Paris, Musée du Louvre AO 18497).
M 619 : jarre (Paris, Musée du Louvre AO 24333).
M 620 : jarre portant un décor de cercles incisés (Paris, Musée du Louvre ?).
M 621 : vase (Paris, Musée du Louvre AO 18496).
M 622 et M 623 : vases globulaires (Alep, Musée national).
M 624 : vase (Alep, Musée national).
M 625 : vase (Paris, Musée du Louvre AO 24310).
M 626 et M 636 : petits vases globulaires (Alep, Musée national).
M 627 : petit vase globulaire (Paris, Musée du Louvre AO 24288).
M 628 : vase à goulot en haut de la panse (Paris, Musée du Louvre AO 24885).

M 629 : gobelet (Paris, Musée du Louvre AO 24311).
M 630, M 632 et M 633 : gobelets (Alep, Musée national).
M 631 : gobelet (Paris, Musée du Louvre AO 24294).
A. Parrot, 1956, p. 220.
M 634 : coupe (Alep, Musée national).
M 637 : petit vase à fond pointu (Paris, Musée du Louvre AO 24300).
Objets
M 635 : coupe en albâtre, à fond arrondi, portant un décor de cercles gravés à la partie supérieure (Alep, Musée national).
A. Parrot, 1956, p. 120 et pl. LII.
M 638 : hache à languette repliée, en bronze, trouvée dans la jarre M 618 (Alep, Musée national) (**pl. 25**).
A. Parrot, 1956, p. 185 et pl. LXIV.
M 639 et M 640 : deux bagues ouvertes, D = 0,017 et 0,0154, H = 0,009 et 0,008, en or (Paris, Musée du Louvre AO 18240) (**pl. 25**).
A. Parrot, 1956, p. 172 et 173 et p. LXII.
D. Benazeth, 1979, p. 29, n° 71.
M 641 : bracelet torsadé, D = 0,044-0,0375, en argent (Paris, Musée du Louvre AO 30008) (**pl. 25**).
M 642 : deux bagues ouvertes, D = 0,012 et 0,011, en bronze (Alep, Musée national) (**pl. 25**).
M 643 et M 644 : quatre bagues ouvertes en argent (Alep, Musée national) (**pl. 25**).

Tombe 87 (**pl. 2, 5**)
01-1935, jarre, D21, - 1,70 m, debout
Grande jarre à fond arrondi, dont la panse était ornée de deux bourrelets cordés, placée contre un mur.
H = 0,82
Pas de renseignement sur le squelette.

Tombe 88 (**pl. 2, 5, 26**)
01-1935, jarre, C21, - 2,50 m, N-S
Grande jarre à fond plat, large ouverture, dont la panse était ornée de deux bourrelets, inclinée et fermée par un couvercle plat à poignée centrale.
H = 0,94, D = 0,51
Pas de renseignement sur le squelette.
Céramiques
Une bouteille recouverte par une coupe renversée (non inventoriées), à l'extérieur au sud-ouest.

Tombe 89 (**pl. 2, 5**)
01-1935, jarre, C22-23, - 1,60 m, debout
Grande jarre à fond arrondi, dont la panse était ornée d'un bourrelet cordé, placée contre un mur.
H = 0,70
Pas de renseignement sur le squelette.
Objets
M 679 : bracelet ouvert, D = 0,11-0,091, en bronze (Paris, Musée du Louvre AO 18443) (**pl. 24**).
M 680 : bracelet ouvert, D = 0,11-0,098, en bronze (Paris, Musée du Louvre AO 18451) (**pl. 24**).
M 681 : perle à godrons en or (Alep, Musée national).

Tombe 90 (**pl. 2, 5**)
30-01-1935, pleine terre, D21
Pas de renseignement sur le squelette.

Tombe 91 (**pl. 2, 5**)
30-01-1935, pleine terre, B22
Pas de renseignement sur le squelette.

Tombe 92 (**pl. 6, 7**)
31-01-1935, double cloche, cour 1, - 0,30 m, N-S
Deux jarres dont le haut de la panse était orné d'un bourrelet, la plus petite avait le fond percé, couchées, le joint étant fermé par des briques crues.
H = 0,90-0,57, D = 0,70-0,58
Squelette couché sur le côté droit, tête au nord, jambes repliées ; il était enveloppé dans une peau ; des restes de tissu.
Objet
M 703 : collier de perles en cornaline, bitume, lapis-lazuli, fritte bleue, pierre blanche (Paris, Musée du Louvre AO 18474).

Tombe 93 (**pl. 6, 7**)
2-02-1935, double cloche, porte cour 70-salle 77, N-S
Deux jarres couchées :
- celle du nord, cassée, à fond arrondi bitumé, portait un bourrelet en haut de la panse, la zone entre le col et le bourrelet était enduite de bitume.
- celle du sud avait une base annulaire.
H = 0,86-0,82, D = 0,46-0,55
Squelette couché sur un côté.

Tombe 94
21-02-1935, pleine terre, salle 6
Squelette féminin calciné.
Objets
M 742 : deux anneaux de cheville, ouverts, en bronze (Alep, Musée national).
M 743 : anneau de cheville ouvert, D = 0,112-0,095, en bronze (Paris, Musée du Louvre AO 18452).
A. Parrot, 1959, p. 97.

Tombe 95 (**pl. 6, 7, 27**)
23-02-1935, double cloche, salle 28, E-O
Deux jarres à base annulaire, portant des bourrelets en haut de la panse, couchées.
H = 0,70-0,75
Squelette tête à l'est.
Céramique
Une coupe (non inventoriée), à l'extérieur de la tombe.
Objets
M 735 : deux bagues ouvertes, D = 0,023, en bronze ; l'une est fragmentaire (Paris, Musée du Louvre AO 18476).
M 736 : deux bagues, D = 0,023-0,019 et 0,022-0,018, en coquille (Alep, Musée national).
M 737 : perles en coquille (Alep, Musée national).
M 738 et M 739 : anneaux en or, D = 0,013 et 0,012, en forme de croissant, anneaux de nez ? (Paris, Musée du Louvre AO 18248 et AO 18249) (**pl. 27**).

Tombe 96 (**pl. 6, 7, 27**)
25-03-1935, pleine terre, salle 65, en surface, N-S
Squelette d'une femme couché sur le dos, tête petite au crâne étroit, face vers l'est, bras repliés, mains sur le thorax, jambes allongées.
Céramique
Une coupe (non inventoriée), renversée près de la tête.
Objets (**pl. 27, 34**)
Sur le côté droit du squelette, des coquillages percés (non décrits), rassemblés en un collier.
Sur le côté gauche et au niveau du bassin, les objets M 811 à M 847 (sauf M 825).
M 811 : scarabée inscrit en faïence (Alep, Musée national).
M 812 : perles diverses en pierre, cornaline, cristal de roche, réunies en un collier (Alep, Musée national).

M 813 : perle en agate (Alep, Musée national).
M 814 : seize anneaux ouverts, D = 0,011 x 0,0105, en or, boucles d'oreilles ? bagues ? (Alep, Musée national).
M 819 à M 823 : cinq bagues en coquille décorées (M 820, 821, 823 : Alep, Musée national ; M 819 et M 822 : Paris, Musée du Louvre AO 18319 et AO 18320).
D. Beyer, 1982, p. 170, fig. 5 (AO 18319) et p. 174, fig. 8 (AO 18320).
M 825 : coupe en faïence dont l'intérieur est décoré de motifs végétaux orange et bleus, plus ou moins stylisés ; trouvée renversée près de la tête (Paris, Musée du Louvre AO 18235) (**pl. 27, 34**).
M 829 : quatre bagues en coquille (Paris, Musée du Louvre AO 18321).
D. Beyer, 1982, p. 174, fig. 10, 11.
M 830 : quatre bagues en coquille (Alep, Musée national).
M 831 : quatre bagues en coquille (Alep, Musée national).
M 832 : cinq bagues en coquille (Paris, Musée du Louvre AO 18322 et AO 18329).
M 833 : cinq bagues en coquille (Alep, Musée national).
M 834 : deux bagues en coquille (Paris, Musée du Louvre AO 18323).
M 835 : trois bagues en coquille (Paris, Musée du Louvre AO 18335).
D. Beyer, 1982, p. 174, fig. 15.
M 836 : une bague en coquille (Paris, Musée du Louvre AO 18337).
D. Beyer, 1979, p. 66, n° 229.
M 837 : une bague en coquille (Paris, Musée du Louvre AO 18324).
M 838 : deux bagues en coquille (Paris, Musée du Louvre AO 18326).
D. Beyer, 1982, p. 174, fig. 14.
M 839 : deux bagues en coquille (Paris, Musée du Louvre AO 18325).
D. Beyer, 1982, p. 174, fig. 16.
M 840 : trois bagues en coquille (Paris, Musée du Louvre AO 18330).
M 841 : deux bagues en coquille (Paris, Musée du Louvre AO 18327).
M 842 : quatre bagues en coquille (Paris, Musée du Louvre AO 18336).
D. Beyer, 1982, p. 174, fig. 18.
M 843 : une bague en coquille (Alep ? Paris, Musée du Louvre AO 24290 ?).
M 844 : cinq bagues en coquille (Paris, Musée du Louvre AO 18333, 18334, 18331).
D. Beyer, 1982, p. 174, fig. 17.
M 845 : deux bagues en coquille (Paris, Musée du Louvre AO 18332).
M 846 : quatre bagues en coquille (Paris, Musée du Louvre AO 18328).
M 847 : cinq bagues en coquille (Paris, Musée du Louvre AO 18338).
Au total, soixante-quatre bagues inventoriées, toutes décorées (il y en a soixante-cinq sur la photo de la planche 27).
Une épingle fragmentaire à enroulement en bronze (non inventoriée).
Un anneau fragmentaire en bronze (non inventorié), bague ?

Tombe 97 (**pl. 6, 7**)
26-03-1935, double cloche, porte s. 65-66, - 0,75 m, E-O
Deux jarres couchées :
- celle de l'est avait le fond arrondi et un bourrelet en haut de la panse.
- celle de l'ouest avait une base annulaire.
H totale = 1,60
Pas de renseignement sur le squelette.
A. Parrot, 1958, p. XXIX-1.

Tombe 98 (**pl. 6, 7**)
26-03-1935, pleine terre, salle 65
Squelette couché sur un côté.
Céramique
Une coupe (non inventoriée).
Objets
Des coquillages percés (non décrits) et un anneau en or en forme de croissant, anneau de nez ? (non inventorié).

Tombe 99 (**pl. 6, 7**)
4-01-1936, pleine terre, salle 77, N-S
Pas de renseignement sur le squelette.
Objets
M 980 : bague, D = 0,020-0,014, en bronze (Paris, Musée du Louvre ?).
M 987 et M 988 : cachets gravés en cristal de roche (Alep, Musée national).
M 989 : perles en cornaline, ambre, cristal, fritte (Alep, Musée national).

Tombe 100 (**pl. 2**)
8-01-1936, jarre, Y''24, - 1,10 m, E-O
Ossements à l'extérieur de la jarre.
Objets
Des fragments de coquilles, cinq masses d'armes, une boucle d'oreille en bronze (non inventoriés), plus ou moins éloignés des os.

Tombe 101 (**pl. 2**)
11-01-1936, pleine terre, A24, - 1,75 m, E-O
Pièce 13 du temple d'Ishtar.
Pas de renseignement sur le squelette.
Céramique
Un vase à goulot en haut de la panse (non inventorié).
Objets
Quelques perles en fritte très friables (non inventoriées) et des coquillages (non décrits).

Tombe 102 (**pl. 2**)
16-01-1936, pleine terre, Y''22, - 1,30 m
Pièce 13 du temple d'Ishtar.
Quelques ossements.
Objets
Des perles diverses dont une en or (non inventoriées) et des fragments d'œufs d'autruche.

Tombe 103 (**pl. 6, 7**)
24-01-1936, double cloche, salle 64, - 0,70 m, N-S
Deux jarres à base annulaire, couchées.
H totale = 1,05, D = 0,50
Vide. Tombe violée ?
Céramique
Une coupe (non inventoriée), de chant à l'extérieur au niveau du bord supérieur des deux jarres.
Objets
Des coquillages percés (non décrits) et deux bagues en coquille (non inventoriées) dans la jarre sud.

Tombe 104 (**pl. 6, 7, 8**)
29-01-1936, double cloche, cour 106, E-O
Zone ouest de la cour.
Deux jarres couchées.
Squelette couché sur le dos, tête à l'est.

Objets
M 1094 : pyxide en faïence, à deux tenons intérieurs horizontaux, couvercle percé de deux trous verticaux (Alep, Musée national) (**pl. 34**).
M 1095 : perle en pâte de verre bleue (Alep, Musée national).
M 1096 : quatre bagues, deux en coquille et deux en bronze ; des perles en fritte ; de très nombreux coquillages percés (non décrits) (Paris, Musée du Louvre ?).
M 1194 : coupe en faïence (Alep, Musée national).
M 1195 : deux bagues, D = 0,027-0,021, en bronze (Alep, Musée national).
M 1196 : deux bracelets, D = 0,054-0,041, en fer (Alep, Musée national).
Quatre œufs d'autruche (non situés).

Tombe 105 (**pl. 6, 7, 8**)
5-02-1936, pleine terre, cour 106, + 1,20 m, E-O
Dans la porte cour 106-couloir 112.
Squelette couché sur le côté gauche, tête à l'est, bras allongés, jambes fléchies.
Céramique
Une coupe (non inventoriée).
Objets
M 1118 : deux bagues, D = 0,025-0,022 et 0,022-0,018, en coquille, portant un décor (Alep, Musée national).

Tombe 106 (**pl. 6, 7, 8**)
5-02-1936, pleine terre, couloir 112, + 0,80 m, E-O
Contre le mur sud du couloir 112.
Squelette couché sur le côté gauche, tête à l'est, bras allongés, jambes fléchies.
Objets
M 1197 : huit pointes de flèches en bronze (Paris, Musée du Louvre ?).

Tombe 107 (**pl. 6, 7, 8**)
5-02-1936, pleine terre, cour 106, + 1,20 m, E-O
Zone nord de la cour.
Squelette d'un enfant couché sur le côté gauche, tête à l'est, bras allongés, jambes fléchies.
Céramique
Une coupe (non inventoriée).
Objets
Des coquillages (non décrits).

Tombe 108 (**pl. 6, 7, 8**)
29-01-1936, pleine terre, cour 106, + 1,25 m, E-O
Zone nord de la cour.
Squelette d'un enfant couché sur le côté gauche, tête à l'est, bras allongés, jambes fléchies.

Tombe 109 (**pl. 6, 7, 8**)
29-01-1936, pleine terre, cour 106, + 0,90 m, E-O
Zone nord de la cour.
Squelette d'un enfant couché sur le côté gauche, tête à l'est, bras allongés, jambes fléchies.

Tombe 110 (**pl. 6, 7, 8**)
29-01-1936, pleine terre, cour 106, + 1,00 m, E-O
Zone nord de la cour.
Squelette couché sur le côté gauche, tête à l'est, bras allongés, jambes fléchies.

Tombe 111 (**pl. 6, 7, 8**)
6-02-1936, pleine terre, cour 106, + 1,50 m, E-O
Zone nord de la cour, contre le mur.
Squelette d'un enfant couché sur le côté gauche, tête à l'est, bras allongés, jambes fléchies.
Objets
M 1198 : deux bracelets, D = 0,048 et 0,039, et deux bagues ouvertes, D = 0,020 et 0,015, en bronze (Alep, Musée national).
M 1199 : deux bagues, D = 0,023-0,014 et 0,025-0,019, en coquille (Alep, Musée national).
M 1255 : coupe en faïence, de forme carénée, avec des restes de glaçure orangée et bleu-vert à l'intérieur (Paris, Musée du Louvre AO 18935) (**pl. 34**).

Tombe 112 (**pl. 6, 7, 8, 28**)
12-02-1936, pleine terre, cour 106, + 0,30 m, E-O
Zone sud-est de la cour.
Squelette d'un homme couché sur le dos, tête à l'est, bras le long du corps, mains posées sur une coupe, jambes allongées, les pieds manquaient.
Céramique
Une coupe (non inventoriée), posée sur le bassin.
Objets
M 1200 : deux anneaux de cheville ouverts, D = 0,084-0,068 et 0,082-0,066, en bronze (Paris, Musée du Louvre AO 19024).
M 1201 : quatorze bagues, D = 0,031-0,023 et 0,027-0,020, sept en coquilles, fermées et portant un décor, trouvées sur le thorax et près de la tête, trois en fer et quatre en bronze ouvertes (Paris, Musée du Louvre AO 19025).
D. Beyer, 1979, p. 66, n° 232.

Tombe 113 (**pl. 6, 7, 8**)
10-02-1936, double cloche, cour 106, - 0,20 m, E-O
Zone est de la cour.
Deux jarres :
- celle de l'ouest avait le col bitumé.
H totale = 1,33
Squelette, tête à l'est.
Objets
Des bagues en coquille (non inventoriées).

Tombe 114 (**pl. 6, 7, 8, 28**)
13-02-1936, pleine terre, cour 106, + 0,50 m, E-O
Devant la porte cour 106-couloir 112.
Squelette couché sur le dos, tête à l'est, bras le long du corps, mains posées sur une coupe en faïence, jambes allongées.
Céramique
Une coupe (non inventoriée), posée sur le thorax.
Objets
M 1257 : coupe en faïence, avec des restes de glaçure bleue à l'extérieur et blanche à l'intérieur, posée sur le bassin (Paris, Musée du Louvre AO 18936) (**pl. 34**).
M 1258 : trois bagues, D = 0,025-0,019, une en bronze, deux en coquille, à la main gauche (Paris, Musée du Louvre ?).
Quelques perles en cristal (non inventoriées).

Tombe 115 (**pl. 6, 7, 8**)
14-02-1936, double cloche, cour 106, + 1,20 m, E-O
Zone sud de la cour.
Deux jarres séparées par un intervalle de 0,10 m.
H totale = 1,75
Squelette couché sur le dos, tête à l'est, bras gauche replié, main gauche sur la droite, jambes allongées ; il était enveloppé dans un linceul en tissu.
Céramique
Une coupe (non inventoriée), placée sur l'épaule droite.
Objets
M 1239 : sept bagues, six en coquille et une en bronze (Alep, Musée national).

TOMBE 116 (**pl. 6, 7, 8**)
13-02-1936, jarre, cour 106, + 1,70 m, SO-NE
Zone sud de la cour, au-dessus de T 115.
Squelette d'un enfant.

TOMBE 117 (**pl. 6, 7, 8**)
13-02-196, pleine terre, cour 106, + 1,00 m, E-O
Zone sud-ouest de la cour.
Squelette couché sur le côté gauche, tête à l'est, bras allongés, jambes fléchies.
Objets (**pl. 29**)
M 1202 : anneau en or, 0,011x0,010, en forme de croissant, anneau de nez ? (Alep, Musée national).
M 1203 : scarabée inscrit en faïence (Alep, Musée national).
M 1204 : trois bagues, une en coquille, une en fer, une en bronze ; des perles en ambre, cornaline, cristal, réunies en un collier (Alep, Musée national).
Un objet non identifié (sur la photo de la planche 29).

TOMBE 118 (**pl. 6, 7, 8**)
15-02-1936, double cloche, cour 106, + 1,80 m, E-O
Zone sud-ouest de la cour.
Deux jarres couchées.
Squelette couché sur le dos, tête à l'est, face vers le sud-ouest, bras repliés, main gauche sur le thorax, jambes allongées.

TOMBE 119 (**pl. 6, 7, 8**)
14-02-1936, double cloche, cour 106, + 1,75 m, E-O
Zone sud-ouest de la cour.
Deux jarres couchées.
Squelette couché sur le dos, tête à l'est.
Objets (**pl. 29**)
M 1205 : cinq perles en or (Paris, Musée du Louvre AO 19042).
M 1206 : six scarabées en faïence ; M 1206-5 (AO 19035) est inscrit au nom du pharaon Sethnakht (Paris, Musée du Louvre AO 19031 à 19036).
D. Beyer, 1982, p. 179, fig. 23 (M 1206-5).
M 1207 : nombreuses perles dont quatorze en cornaline en forme de grenade, les autres en ambre, cristal, faïence, pâte de verre, réunies en deux colliers (Paris, Musée du Louvre AO 19037 à 19040).
D. Beyer, 1979, p. 66, n° 226 (AO 19037).
M 1237 : neuf bagues en coquille, huit simples et une avec un décor (Paris, Musée du Louvre AO 19041).
D. Beyer, 1982, p. 170, fig. 4 et p. 174, fig. 13, pl. 7-5.
Un anneau en bronze fragmentaire (non inventorié), bague ?
Deux éléments plus ou moins carrés avec un décor circulaire rayonnant incisé (non inventoriés).

TOMBE 120 (**pl. 6, 7, 8**)
13-02-1936, jarre, cour 106, + 1,60 m, E-O
Zone sud-ouest de la cour.
Squelette d'un enfant.

TOMBE 121 (**pl. 6, 7, 8**)
13-02-1936, pleine terre, cour 106, + 1,20 m, E-O
Zone sud-ouest de la cour.
Squelette couché sur le côté gauche, tête à l'est, bras allongés, jambes fléchies.
Objet (**pl. 36**)
M 1256 : petit vase en faïence, à fond arrondi, dont le col est bouché ; des restes de glaçure orangée sur le col et blanchâtre sur la panse (Paris, Musée du Louvre AO 18938).

TOMBE 122 (**pl. 6, 7, 8, 28**)
14-02-1936, double cloche, cour 106, + 0,90 m, E-O
Zone ouest de la cour.
Deux jarres couchées et séparées par un intervalle de 0,15 m.
- celle de l'est était inscrite au bitume.
H = 0,80-0,75
Squelette d'une femme couché sur le dos, tête à l'est, bras droit replié, main sur le thorax, bras gauche allongé, main sur le bassin, jambes allongées, la droite légèrement fléchie vers l'extérieur.
Céramique
Une coupe (non inventoriée), posée sur l'épaule droite.
Objets
M 1208 : pyxide en faïence, à deux anses plates percées et dont la panse porte un décor polychrome avec des restes de glaçure bleue et blanche à l'intérieur, couvercle à anses plates percées avec un décor ; posée sur la hanche gauche (Paris, Musée du Louvre AO 18932) (**pl. 35**).
M 1209 : serre-tête fait de trente et une perles en cornaline, lapis-lazuli, agate, ambre ; trouvé en place (Alep, Musée national).
M 1210 : collier de perles en cornaline intercalées de perles en fritte jaune (Alep, Musée national).
M 1211 : quatre bracelets en fer, deux à chaque bras ; quatre bagues, D = 0,024-0,019, en coquille ; une bague en fer (Alep, Musée national).
M 1238 : amulette en os (Alep, Musée national).

TOMBE 123 (**pl. 6, 7, 8, 28**)
14-02-1936, double cloche, cour 106, + 1,40 m, E-O
Zone ouest de la cour.
Deux jarres couchées.
H totale = 1,85
Squelette couché sur le dos, tête à l'est, tournée vers le nord, bouche ouverte ; il était enveloppé dans un linceul en tissu.
Céramiques
Quatre petits vases (non inventoriés), à l'extérieur de la tombe, à l'est.
Objets
M 1212 : coupe en faïence, portant un décor de deux couleurs ocre, trouvée à l'extérieur et à l'est de la tombe (Paris, Musée du Louvre AO 18929) (**pl. 34**).
M 1213 : une bague, D = 0,023-0,018, en bronze ; deux bagues en coquille, une unie et une décorée ; un bracelet en fer à chaque bras (Alep, Musée national).
M 1214 : anneau de nez, en forme de croissant, en or, trouvé en place (Paris, Musée du Louvre ?).
Des perles diverses (non inventoriées).

TOMBE 124 (**pl. 6, 7, 8**)
14-02-1936, double cloche, cour 106, + 1,50 m, E-O
Zone ouest de la cour.
Deux jarres, H totale = 1,25, D = 0,65
Squelette d'un enfant couché sur le côté droit, tête à l'est ; il était enveloppé dans un linceul fait de tissus superposés.
Céramique
Une coupe (non inventoriée), contenant des noyaux de dattes, près de la main droite.
Objet
Un bracelet en fer (non inventorié).

TOMBE 125 (**pl. 6, 7, 8**)
14-02-1936, double cloche, cour 106, + 1,30 m, E-O
Zone ouest de la cour.
Deux jarres couchées et séparées par un intervalle de 0,42 m dans lequel était posée une coupe.
H = 0,80-0,75
Squelette d'une femme couché sur le dos, tête à l'est.

Céramiques
Deux coupes (non inventoriées) : une à l'extérieur, l'autre à l'intérieur retournée sur le bassin contenait des ossements animaux.
Objets
M 1215 : collier fait de onze éléments à quadruple enroulement en or et de neuf perles en pierres (trois en cornaline, trois en lapis-lazuli, deux en ambre, une en pâte de verre) (Alep, Musée national) (**pl. 29**).
A. Parrot, 1937, pl. XV-2.
A. Parrot, 1945, fig. 39.
M. Pic, 1983, p. 196, n° 230.
M 1216 : anneau en or, 0,013 x 0,011, en forme de croissant, anneau de nez ? (Alep, Musée national) (**pl. 29**).
A. Parrot, 1937, pl. XV-2.
A. Parrot, 1945, fig. 39.
M 1217 : collier fait de seize perles en cornaline en forme de grenade et de perles en fritte (Alep, Musée national).
M 1218 : peigne en os avec deux rangées de dents et un décor de cercles pointés sur la bande médiane (Paris, Musée du Louvre ?) (**pl. 29**).
M 1219 : coupe en faïence (Alep, Musée national) (**pl. 34**).
M 1220 : un bracelet en fer au poignet gauche, un anneau en fer à chaque cheville, quatre bagues en coquille (Alep, Musée national).

TOMBE 126 (**pl. 6, 7, 8**)
13-02-1936, double cloche, cour 106, + 1,70 m, E-O
Zone nord-ouest de la cour.
Deux jarres couchées.
H = 0,45-0,50
Squelette d'un enfant, tête à l'est.
Objets
Des perles en fritte (non inventoriées).

TOMBE 127 (**pl. 6, 7, 8**)
14-02-1936, double cloche, cour 106, + 1,20 m, E-O
Zone nord-ouest de la cour.
Deux jarres couchées.
H totale = 1,53
Squelette couché sur le côté gauche, tête à l'est, jambes fléchies.
Objets
M 1221 : peigne en os avec une rangée de dents très fines, trouvé sur le côté gauche du thorax (Alep, Musée national) (**pl. 29**).
M 1225 : trois bagues, D = 0,024-0,019, en coquille (Alep, Musée national).

TOMBE 128 (**pl. 6, 7, 8**)
14-02-1936, double cloche, cour 106, + 1,50 m, E-O
Zone nord-ouest de la cour.
Deux jarres couchées et séparées par un intervalle de 0,25 m ; des nattes bitumées au niveau du col de la jarre ouest, sur la panse et le fond de la jarre est.
H = 0,80-0,70
Squelette couché sur le dos, tête à l'est, les mains tenant une pyxide.
Objets
M 1222 : pyxide en faïence, à deux anses plates percées, dont la panse porte un décor et des restes de glaçure polychrome, pas de couvercle retrouvé ; posée sur le bassin (Paris, Musée du Louvre AO 18937) (**pl. 35**).
M 1223 : anneau en or, 0,0115 x 0,0113, en forme de croissant, anneau de nez ? (Alep, Musée national).
M 1224 : cinq bagues, deux en fer, D = 0,026-0,021 et 0,021-0,015, trois en coquille (Alep, Musée national).

TOMBE 129 (**pl. 6, 7, 8**)
13-02-1936, pleine terre, cour 106, + 0,50 m, E-O
Zone sud de la cour.
Squelette couché sur le dos, tête à l'est, les mains jointes sur le bassin tenant un vase en faïence, jambes allongées.
Objet (**pl. 34**)
M 1226 : petit vase cylindrique en faïence, à deux anses verticales, avec des restes de glaçure blanche à l'extérieur et à l'intérieur sur le fond, des restes de glaçure bleue à la base des parois intérieures (Paris, Musée du Louvre AO 18928).

TOMBE 130 (**pl. 6, 7,8**)
13-02-1936, pleine terre, cour 106, + 1,50 m, E-O
Zone sud-ouest de la cour.
Squelette d'adolescent couché sur le dos, tête à l'est, bras le long du corps, jambes allongées.

TOMBE 131 (**pl. 6, 7, 8**)
13-02-1936, pleine terre, cour 106, + 1,40 m, E-O
Zone sud-ouest de la cour.
Squelette dont les ossements n'étaient pas en connexion, qui devait être couché sur le côté droit en position contractée, tête à l'est, jambes repliées sur le thorax.
Céramique
Une coupe (non inventoriée), près de la tête.

TOMBE 132 (**pl. 6, 7, 8**)
13-02-1936, pleine terre, cour 106, + 0,50 m, E-O
Zone sud de la cour.
Squelette dont il ne restait que la partie supérieure, tête à l'est, et qui devait être couché sur le côté gauche, bras allongés.

TOMBE 133 (**pl. 6, 7, 8**)
13-02-1936, pleine terre, cour 106, + 0,20 m, E-O
Zone sud-ouest de la cour.
Squelette couché sur le dos, tête à l'est, le bas du corps avait disparu ; près de la tête, des ossements d'oviné.
Objets (**pl. 30**)
M 1229 : scarabée en faïence, Horus tenant le sceptre *was* (Paris, Musée du Louvre AO 19015).
M 1230 : cylindre en pierre noire, portant un décor (Paris, Musée du Louvre AO 19016).
M 1231 : cylindre en faïence, portant un décor (Paris, Musée du Louvre AO 19017).
M 1232 : perles en cornaline, pierre, fritte, montées en deux colliers (Paris, Musée du Louvre AO 19018).
M 1233 : cinq bagues, D = 0,024-0,016, quatre en coquille et une en bronze (Paris, Musée du Louvre AO 19062).
M 1291 : anneau en or, D = 0,012, en forme de croissant, anneau de nez ? (Paris, Musée du Louvre AO 19019).
Un élément circulaire non identifié (sur la photo de la planche 30).

TOMBE 134 (**pl. 6, 7, 8, 30**)
15-02-1936, double cloche, cour 106, E-O
Sur le mur est de la cour.
Deux jarres à base annulaire couchées.
H = 0,90-0,85
Squelette couché sur le dos, tête à l'est, tournée vers le sud, mains à hauteur du crâne, jambes fléchies à droite.
Objets
M 1234 : passoire-entonnoir en bronze, munie d'une anse et recouverte par un bol en bronze (non inventorié) ; situés à l'extérieur de la tombe, vers l'ouest (Paris, Musée du Louvre AO 29721) (**pl. 30**).
M 1235 : carquois fragmentaire en bronze portant un décor de cercles en relief, trouvé à l'extérieur sous la passoire (Paris, Musée du Louvre AO 19494) (**pl. 30**).

M 1236 : cinq pointes de flèches à lame losangique, en fer (une est cassée), trouvées à l'extérieur (Paris, Musée du Louvre AO 19494) (**pl. 30**).
Un bracelet en bronze au poignet gauche (non inventorié).

TOMBE 135 (**pl. 6, 7, 8, 31**)
13-02-1936, double cloche, cour 106, E-O
Zone nord-ouest de la cour.
Deux jarres à base annulaire, dont la panse était ornée d'un bourrelet, couchées et séparées par un intervalle de 0,12 m ; des nattes bitumées sur les cols et au fond de la jarre est.
H = 0,75-0,75, D = 0,80- ?
Squelette d'une femme couché sur le dos, tête à l'est, mains sur le bassin, jambes allongées ; des restes de tissu rouge près de la tête (suaire ?).
A. Parrot, 1974, p. 149, fig. 92.
Céramiques
Deux vases (non inventoriés), au niveau du thorax.
Une coupe (non inventoriée), contenant des noyaux de dattes et des ossements animaux, trouvée au niveau du bassin.
Objets (**pl. 31**)
M 1240 : serre-tête composé de douze disques décorés et d'une rosace en or (Paris, Musée du Louvre AO 19074) (**pl. 31**).
A. Parrot, 1937, pl. XV-2.
A. Parrot, 1945, fig. 40.
M 1241 : perle en agate sertie dans une monture en or (Paris, Musée du Louvre AO 19075) (**pl. 31**).
A. Parrot, 1937, pl. XV-2.
A. Parrot, 1945, fig. 40.
M 1242 : quadruple enroulement en or (Paris, Musée du Louvre AO 19076) (**pl. 31**).
A. Parrot, 1937, pl. XV-2.
A. Parrot, 1945, fig. 40.
M 1243 : vase en faïence, avec des restes de glaçure jaunâtre (Paris, Musée du Louvre AO 24342) (**pl. 36**).
M 1244 : coupe en bronze, trouvée au niveau du genou gauche (Paris, Musée du Louvre AO 19084).
M 1245 et M 1246 : quatre bracelets ouverts, D = 0,070-0,059 et 0,059-0,046, en bronze, deux à chaque poignet (Paris, Musée du Louvre AO 19013 et 19014).
M 1247 : un anneau en fer à chaque cheville ; une bague en fer ; deux bagues en coquille, une unie et l'autre ayant un décor ; une bague en bronze (Paris, Musée du Louvre AO 19084).
M 1248 : perles en cornaline, lapis-lazuli, agate, cristal, fritte, pâte de verre, qui devaient être dans un coffret en bois dont il ne restait que des traces (Paris, Musée du Louvre AO 19027).
M 1249 : couvercle fragmentaire en os (du coffret ?), de forme ovale (Paris, Musée du Louvre AO 30009).
Quatre œufs d'autruche percés, posés près de la jambe droite.

TOMBE 136 (**pl. 6, 7, 8**)
15-02-1936, pleine terre, cour 106, + 0,90 m, E-O
Zone nord-ouest de la cour.
Squelette couché sur le côté droit, tête à l'est, face vers le nord, bras allongés, jambes fléchies.
Objets
Trois bagues en coquille (non inventoriées).

TOMBE 137 (**pl. 6, 7, 8**)
13-02-1936, pleine terre, cour 106, + 1,00 m, O-E
Zone sud-ouest de la cour.
Squelette couché sur le côté droit, tête à l'ouest, face vers le sud, bras allongés, jambes fléchies.
Céramique
Une coupe (non inventoriée).
Objets
M 1193 : masque en faïence, dont les yeux sont incrustés dans du bitume et les oreilles percées de trois trous (système d'attache ?) (Alep, Musée national) (**pl. 38**).
A. Parrot, 1937, pl. XIV-3.
A. Parrot, 1969 b, p. 410, fig. 1.
M 1250 : petit vase cylindrique en faïence, sans anse (Alep, Musée national) (**pl. 34**).
Quelques coquillages (non décrits).

TOMBE 138 (**pl. 6, 7, 8, 32**)
13-02-1936, pleine terre, cour 106, E-O
Zone ouest de la cour, au niveau du sol.
Squelette d'une femme couché sur le dos, tête à l'est avec sur le front des traces de serre-tête fait de cercles alignés (en argent ?) (**pl. 32**), bras croisés sur le thorax, jambes légèrement fléchies.
Céramique
Une coupe (non inventoriée), près de la tête.
Objets
M 1251 : petit vase à col étroit en faïence, placé près de la tête (Alep, Musée national).
M 1252 : anneau en or, 0,012 x 0,012, en forme de croissant, anneau de nez ? (Paris, Musée du Louvre AO 19052) (**pl. 29**).
M 1253 : douze bagues, D = 0,028 à 0,024, dix en coquille unies ou décorées, une en bronze, une en fer cassée ; un bracelet en fer, cassé (Paris, Musée du Louvre AO 19058) (**pl. 29**).
M 1254 : perles en pierre, fritte, cornaline, cristal, ambre (Paris, Musée du Louvre AO 19026).
De nombreux coquillages (non décrits).

TOMBE 139 (**pl. 6, 7, 8, 32**)
15-02-1936, pleine terre, cour 106, E-O
Zone ouest de la cour.
Squelette couché sur le dos, tête à l'est inclinée vers le sud-ouest, bras droit replié, main droite ramenée vers la tête, bras gauche replié à angle droit, main gauche placée sous le coude droit, jambes allongées.

TOMBE 140 (**pl. 6, 7, 8, 32**)
15-02-1936, pleine terre, cour 106, E-O
Zone ouest de la cour.
Squelette couché sur le dos, tête à l'est, bras allongés, mains sur une pyxide, jambes allongées.
Céramiques
Quatre coupes (non inventoriées), deux à plat renversées l'une sur l'autre à droite, les deux autres de chant à gauche de la tête.
Un vase (non inventorié) posé à plat sur le bassin, du côté droit du squelette.
Objets
M 1259 : pyxide en faïence, à deux anses plates percées, dont la panse porte un décor, avec un couvercle plat à décor incisé et anses percées, des restes de glaçure moirée jaune et bleue à l'extérieur et sur le couvercle ; trouvée sur la jambe gauche (Paris, Musée du Louvre AO 18931) (**pl. 35**).
D. Beyer, 1979, p. 65, n° 222.
Quelques bagues (non inventoriées).

TOMBE 141 (**pl. 6, 7, 8**)
15-02-1936, pleine terre, cour 106, E-O
Zone ouest de la cour.
Squelette couché sur le côté gauche, tête à l'est désarticulée, jambes repliées.
Céramiques
Deux coupes (non inventoriées), renversées l'une sur l'autre au niveau des pieds.

TOMBE 142 (**pl. 6, 7, 8**)
15-02-1936, pleine terre, cour 106, O-E
Zone ouest de la cour.
Squelette couché sur le côté droit, tête à l'ouest, mains sur le bassin, jambes légèrement fléchies.

TOMBE 143 (**pl. 6, 7, 8**)
17-02-1936, pleine terre, cour 106, E-O
Zone sud-est de la cour.
Squelette couché sur le dos, tête à l'est, mains sur le bassin, jambes allongées.
Céramique
Une coupe (non inventoriée).

TOMBE 144 (**pl. 6, 7, 8**)
17-02-1936, pleine terre, cour 106, + 1,00 m, E-O
Zone sud-ouest de la cour.
Squelette couché sur le côté gauche, tête à l'est, bras droit replié, main ramenée vers le crâne, jambes fléchies.
Objet
Un œuf d'autruche, trouvé au niveau du bassin.

TOMBE 145 (**pl. 6, 7, 8**)
17-02-1936, double cloche, cour 106, E-O
Près du mur est de la cour.
Deux jarres.
Pas de renseignement sur le squelette.

TOMBE 146 (**pl. 6, 7, 8**)
17-02-1936, pleine terre, cour 106, + 1,40 m, E-O
Zone sud de la cour.
Squelette couché sur le dos, tête à l'est, bras et jambes allongés.

TOMBE 147 (**pl. 6, 7, 8, 33**)
17-02-1936, pleine terre, cour 106, + 1,20 m, E-O
Zone nord-ouest de la cour.
Squelette couché sur le dos, tête à l'est, bras croisés sur le thorax, jambe droite dont il ne restait que le fémur placé sur la jambe gauche qui était allongée.
Céramique
Une coupe (non inventoriée), située sur l'épaule droite.

TOMBE 148 (**pl. 6, 7, 8, 33**)
17-02-1936, pleine terre, cour 106, + 1,40 m, E-O
Zone nord-ouest de la cour.
Squelette couché sur le dos, tête à l'est inclinée vers le sud-ouest, bras allongés, mains sur le bassin, jambes allongées.
Céramique
Une coupe (non inventoriée), posée de chant derrière la tête.

TOMBE 149 (**pl. 6, 7, 8, 33**)
18-02-1936, double cloche, cour 106, + 1,40 m, E-O
Zone nord-ouest de la cour, à proximité de T 147 et T 148.
Deux jarres couchées.
H totale = 1,30
Squelette d'adolescent couché sur le dos, tête à l'est inclinée vers le sud, bras croisés, jambes allongées, pieds à plat ; une résille (?) près de la tête.
Céramique
Une coupe (non inventoriée), posée sur les jambes.
Objets
M 1263 : pyxide en faïence, dont la panse porte un décor, l'intérieur est séparé en quatre compartiments, fond légèrement pointu, couvercle avec un bouton de préhension et dont la face inférieure a aussi quatre compartiments ; posée sur le thorax près de la main droite (Alep, Musée national) (**pl. 35**).
M 1264 : vase en faïence, à fond plat, avec des restes de glaçure bleue et orangée à l'intérieur et à l'extérieur ; trouvé sur le bras gauche (Paris, Musée du Louvre AO 18939) (**pl. 36**).
M 1265 : support en faïence, situé à côté de la tête (Alep, Musée national).
M 1266 : quatorze boucles d'oreilles en or, six à droite et huit à gauche (Paris, Musée du Louvre AO 19028 bis) (**pl. 33**).
M 1267 : collier de perles en cornaline, agate, ambre, lapis-lazuli, trouvé autour du cou (Paris, Musée du Louvre AO 19043).
M 1268 : scarabée en faïence, posé près de la tête (Paris, Musée du Louvre AO 19029).
M 1269 : deux bracelets en fer et un en bronze au poignet droit, deux bracelets en fer au poignet gauche ; un anneau en fer à chaque cheville ; une bague, D = 0,024 et 0,023, en coquille, décorée, à chaque main (Paris, Musée du Louvre AO 19030).
D. Beyer, 1982, p. 174, fig. 6-7.
De nombreux coquillages près du coude gauche (non décrits).
Un œuf d'autruche posé sur le bassin.

TOMBE 150 (**pl. 6, 7, 8**)
18-02-1936, pleine terre, cour 106, + 1,20 m, N-S
Zone nord-ouest de la cour.
Squelette couché sur le dos, tête au nord, mains sur le bassin tenant une corbeille (?), jambes allongées.
Céramiques
Un vase et une coupe (non inventoriés), au niveau de la tête.
Objets
M 1270 : six bagues, D = 0,025, en coquille et une bague, D = 0,016, en bronze (Paris, Musée du Louvre AO 19064).

TOMBE 151 (**pl. 6, 7, 8**)
18-02-1936, pleine terre, cour 106, + 0,30 m, E-O
Zone sud de la cour.
Squelette couché sur le côté gauche, tête à l'est, face vers le sud, jambes fléchies.
Céramique
Une coupe (non inventoriée), près de la tête.
Objets
M 1271 : petit vase cylindrique en faïence, à deux anses verticales (l'une est cassée) (Alep, Musée national) (**pl. 34**).
À l'intérieur de ce vase, deux bagues, une en coquille et une en bronze (non inventoriées).

TOMBE 152 (**pl. 6, 7, 8**)
19-02-1936, pleine terre, cour 106, E-O
Zone nord-ouest de la cour.
Squelette couché sur le dos, tête à l'est, bras croisés, jambes allongées.
Céramique
Une coupe (non inventoriée), à gauche de la tête.

TOMBE 153 (**pl. 6, 7, 8**)
19-02-1936, pleine terre, cour 106, N-S
Zone sud-ouest de la cour, sur le sol.
Squelette d'un enfant couché sur le dos, tête au nord, mains sur le bassin, jambes allongées.
Céramique
Une coupe (non inventoriée), à droite de la tête.
Objets
M 1273 : des perles diverses ; une bague en coquille, une bague en bronze cassée ; un bracelet ouvert ; un anneau en bronze à la cheville droite (Paris, Musée du Louvre AO 19057).

TOMBE 154 (**pl. 6, 7, 8**)
19-02-1936, pleine terre, cour 106, + 2,30 m, E-O
Dans le mur ouest de la cour, près de la porte 106-109.

Un crâne isolé ; le corps devait être orienté est-ouest, mais la position ne peut être déterminée.
A. Parrot, 1958, p. 90, fig. 94.

Tombe 155 (**pl. 6, 7, 8**)
19-02-1936, double cloche, cour 106, + 1,20 m, E-O
Zone ouest de la cour.
Deux jarres couchées, séparées par un intervalle de 0,23 m :
- l'une avait le pied tourné,
- l'autre avait une base en bouton.
H = 0,88-0,55
Squelette couché sur le dos, tête à l'est, face vers le nord, bras droit le long du corps, main gauche sur le bassin, jambe gauche sur la droite.
Objets
M 1274 : deux bagues en coquille, D = 0,023-0,018 et 0,023-0,019, décorées (Paris, Musée du Louvre AO 19049).
D. Beyer, 1982, p. 174, n° 11.

Tombe 156 (**pl. 6, 7, 8**)
20-02-1936, double cloche, cour 106, + 1,40 m, E-O
Zone ouest, contre le mur de la cour.
Deux jarres séparées par un intervalle de 0,60 m :
- l'une avait un pied tourné,
- l'autre avait une base en bouton.
H = 0,60-0,80
Squelette couché sur le dos, il manquait la tête et le thorax. Tombe violée ?

Tombe 157 (**pl. 6, 7**)
26-02-1936, double cloche, espace 127, E-O
Deux jarres, H = 0,60-0,45
Squelette d'un enfant couché sur le côté droit.
Objets
Cinq anneaux en bronze à chaque cheville, des perles en fritte et en pâte bleue (non inventoriés).

Tombe 158 (**pl. 6, 7, 8**)
29-02-1936, double cloche, cour 106, + 1,25 m, E-O
Zone sud-ouest de la cour.
Deux jarres à base annulaire.
H totale = 1,75
Squelette disloqué qui devait être couché sur le dos, le crâne avait glissé.

Tombe 159 (**pl. 6, 7, 9, 33**)
29-02-1936, jarre, couloir 120, debout
Tombe-couvercle : jarre à fond annulaire, dont la panse était décorée de sept bourrelets plats séparés par du bitume, placée au-dessus des ossements qui étaient à même la terre, plus ou moins décomposés dans un amas de nattes.
H = 0,75, D = 0,75, D fond = 0,28

Tombe 160 (**pl. 6, 7, 9, 33**)
29-02-1936, jarre, couloir 120, debout
À côté de T 159.
Tombe-couvercle : jarre à fond annulaire, dont la panse était décorée de neuf bourrelets plats séparés par du bitume, placée au-dessus des ossements qui étaient à même la terre, plus ou moins décomposés dans un amas de nattes.
H = 0,72, D = 0,76, D fond = 0,28

Tombe 161 (**pl. 6, 7, 8, 32**)
1-03-1936, double cloche, cour 131, S-N
Zone sud-est de la cour.
Deux jarres dont la panse était décorée de bourrelets et rainures près du col, bases en bouton, couchées.
H = 0,75-0,90, D = 0,55-0,75
Squelette couché sur le dos, tête au sud, bras repliés, mains ramenées vers la tête, jambes fléchies.

Tombe 162 (**pl. 6, 7, 8**)
1-03-1936, double cloche, cour 131, E-O
Zone sud-est de la cour, contre le mur sud.
Deux jarres séparées par un intervalle de 0,25 m.
H = 0,60-0,60, D = 0,60-0,45,
Squelette d'un enfant couché sur le dos, tête à l'est.
Céramique
Une coupe (non inventoriée), sur le côté gauche.
Objets
Une bague en coquille et une tige recourbée en bronze (non inventoriées).

Tombe 163 (**pl. 6, 7, 8**)
6-03-1936, double cloche, cour 131, + 1,20 m, E-O
Zone sud-ouest de la cour.
Deux jarres.
Squelette désarticulé dont la tête, qui était à l'est, manquait. Tombe violée ?

Tombe 164 (**pl. 6, 7, 8**)
6-03-1936, double cloche, cour 131, + 0,90 m, E-O
Zone SO de la cour.
Deux jarres, H = 0,75-0,75
Squelette couché sur le côté droit, tête à l'est, mains posées sur le bassin, jambes repliées. Certains os étaient bouleversés car la jarre ouest était cassée.

Tombe 165 (**pl. 6, 7, 8**)
6-03-1936, double cloche, cour 131, dans le dallage, E-O
Zone sud-ouest de la cour, en contrebas de T 166.
Deux jarres avec des briques cuites (0,40 x 0,40 x 0,10) posées sur les bords des cols.
H intérieure = 1,70
Squelette d'un homme couché sur le dos, tête à l'est, face vers le nord, bras repliés, mains sur le thorax, jambes légèrement fléchies vers l'extérieur.
Céramique
Une coupe (non inventoriée).
Objet
Une pointe de flèche en bronze (non inventoriée).

Tombe 166 (**pl. 6, 7, 8**)
7-03-1936, double cloche, cour 131, + 0,60 m, E-O
Zone sud-ouest de la cour.
Deux jarres, H = 0,95-0,97
Squelette complètement disloqué : ossements des jambes près du crâne qui était retourné, les os du bassin étaient au niveau des pieds. Tombe violée ?
Objets
M 1908, M 1909, M 1910, M 1911, M 1912 : cinq plaques en bronze de forme incurvée portant un décor de boutons, s'agit-il de fragments d'un carquois ? Certaines ont été trouvées à l'extérieur et d'autres à l'intérieur de la tombe (Paris, Musée du Louvre ?).

Tombe 167 (**pl. 6, 7, 8**)
7-03-1936, double cloche, cour 131, + 0,70 m, E-O
Zone sud-ouest de la cour.
Deux jarres, H = 0,80-0,80
Squelette couché sur le dos, tête à l'est, os éparpillés. Tombe violée ?

Tombe 168 (**pl. 6, 7, 8**)
7-03-1936, double cloche, cour 131, + 0,70 m, E-O
Zone sud-ouest de la cour.
Deux jarres séparées par un intervalle de 0,05 m.
H = 0,67-0,63,
Squelette couché sur le dos, tête à l'est, jambes repliées ; il était enveloppé dans une peau.
Objets
M 1289 : perles en cornaline, ambre, pâte de verre (Paris, Musée du Louvre AO 19050) ; cachet gravé en cristal opaque (Paris, Musée du Louvre AO 19051).

Tombe 169 (**pl. 6, 7, 8**)
7-03-1936, double cloche, cour 131, E-O
Zone sud-ouest de la cour, située devant le bassin.
Deux jarres.
Ossements épars. Tombe violée ?
Céramique
Un vase (non inventorié), à l'extérieur à l'est de la tombe.

Tombe 170 (**pl. 6, 7, 8**)
7-03-1936, jarre, cour 131, + 0,60 m, O-E
Zone sud-ouest de la cour.
H = 0,40, D = 0,35
Squelette d'un enfant couché sur le dos, tête à l'est au fond de la jarre, les jambes étaient à l'extérieur. Tombe violée ?
Céramiques
Un vase à bouton, une coupe et un plat (non inventoriés).

Tombe 171 (**pl. 6, 7, 8**)
7-03-1936, pleine terre, cour 131, E-O
Zone sud-ouest de la cour.
Squelette couché sur le côté gauche, tête à l'est, bras allongés, jambes légèrement fléchies.

Tombe 172 (**pl. 6, 7, 8**)
7-03-1936, double cloche, cour 131, dans le dallage, E-O
Zone SO de la cour.
Deux jarres, H intérieure = 1,84
Squelette couché sur le dos, tête à l'est, face vers le nord, mains sur le bassin.
Céramique
Une coupe (non inventoriée).
Objets
M 1306 : pyxide en albâtre à fond pointu, avec un couvercle et un bouton de préhension percés en leur centre, la panse et le couvercle portent un décor (Paris, Musée du Louvre AO 18943) (**pl. 36**).
Une pointe de flèche en bronze (non inventoriée).

Tombe 173 (**pl. 6, 7, 8**)
7-03-1936, pleine terre, cour 131, E-O
Zone sud-ouest de la cour.
Ossements bouleversés.

Tombe 174 (**pl. 6, 7, 8**)
8-03-1936, jarre, cour 131, + 0,50 m, O-E
Zone sud-ouest de la cour.
H = 0,60
Squelette d'un enfant.

Tombe 175 (**pl. 6, 7, 8**)
8-03-1936, double cloche, cour 131, N-S
Dans le passage cour 131-salle 132.
Deux jarres.
Pas de renseignement sur le squelette.

Tombe 176 (**pl. 6, 7, 8, 37**)
9-03-1936, double cloche, cour 131, dans le dallage, E-O
Zone sud de la cour, au pied de l'escalier menant à la salle 132.
Deux jarres, H totale intérieure = 1,90
Squelette couché sur le dos, tête à l'est tournée vers le nord, bras croisés sur le thorax, jambes allongées, la droite légèrement fléchie vers l'extérieur.
Céramique
Une coupe (non inventoriée) sur le côté droit de la tête.
Objets (**pl. 37**)
M 1301 : pyxide en faïence, à deux anses plates percées, dont la panse porte un décor, couvercle plat à deux anses percées (Alep, Musée national) (**pl. 35 et 37**).
M 1302 : vingt-trois pointes de flèches à lame losangique, en bronze, avec restes de fibre sur la soie (Paris, Musée du Louvre AO 19023).
D. Beyer, 1979, p. 66, n° 235.
Une bague fermée, D = 0,021-0,016, en bronze (Paris, Musée du Louvre AO 19023).
Un anneau en fer (non inventorié), à la cheville droite.
Deux tiges en bronze (non inventoriées).

Tombe 177 (**pl. 6, 7, 8**)
9-03-1936, pleine terre, cour 131, E-O
Zone sud-est, contre la double cloche T 162.
Squelette couché sur le dos, tête à l'est, face vers le sud-ouest, les mains ramenées sur le bassin, jambes légèrement fléchies.

Tombe 178 (**pl. 6, 7, 8**)
03-1936, double cloche, cour 131, E-O
Zone sud-est de la cour.
Deux jarres couchées, scellées par un enduit de boue et de briques crues.
H = 0,75-0,75, D = 0,60- ?
Pas de renseignement sur le squelette.
Objets
M 1356 : sept bagues en coquille et en fritte ; cinq perles en cornaline dont une à godrons (Paris, Musée du Louvre ?).

Tombe 179 (**pl. 6, 7, 8**)
9-03-1936, double cloche, cour 131, E-O
Zone nord-ouest de la cour.
Deux jarres.
Squelette d'un enfant couché sur le dos, tête à l'est, face vers le sud, mains sur le bassin.
Céramique
Une coupe (non inventoriée), pleine d'ossements d'oviné, près de la tête.
Objets
Des bagues en fer (non inventoriées).

Tombe 180 (**pl. 6, 7, 8**)
17-03-1936, jarre, cour 131, dans le dallage, E-O
Zone sud-est de la cour.
H = 0,65, D = 0,41
Squelette d'un enfant âgé de quelques mois, tête à l'est.
Objets
M 1331 : deux bagues, une en coquille, une en bronze ; un anneau ouvert en argent, en forme de croissant ; deux bracelets, un en bronze et l'autre en fer fragmentaire ; soixante-dix perles en cornaline (Paris, Musée du Louvre ?).

Tombe 181 (**pl. 6, 7, 8**)
13-03-1936, double cloche, cour 131, dans le dallage, O-E
Zone sud-est de la cour.
Deux jarres, H totale intérieure = 1,00

Squelette d'un enfant couché sur le dos, tête à l'ouest tournée vers le nord, une main vers une coupe.
Céramique
Une coupe (non inventoriée), sur le bassin.
Objets
M 1358 : six petits anneaux ouverts, D = 0,011-0,009, en or ; deux anneaux en bronze à chaque cheville ; une bague en coquille ; des perles diverses (Paris, Musée du Louvre AO 30032 et 30033).

TOMBE 182 (**pl. 6, 7, 8**)
13-03-1936, jarre, cour 131, E-O
Zone sud-est de la cour.
Squelette d'un enfant âgé de quelques mois.
Objets
M 1352 : un anneau de cheville, D = 0,047-0,036, en bronze ; une chaînette en bronze ; des perles dont deux en fritte, une en pâte bleue ; une bague, D = 0,023, en coquille portant un décor ; un scarabée inscrit en faïence (Alep, Musée national).

TOMBE 183 (**pl. 6, 7, 8**)
13-03-1936, pleine terre, cour 131, E-O
Zone sud-est de la cour.
Squelette couché sur le dos, tête à l'est, mains sur le bassin, jambes allongées.
Céramique
Une coupe (non inventoriée), près de la tête.

TOMBE 184 (**pl. 6, 7, 8**)
10-03-1936, double cloche, cour 131, E-O
Zone sud-ouest de la cour.
Deux jarres, H = 0,70-0,80
Squelette dont la partie supérieure manquait. Tombe violée ?

TOMBE 185 (**pl. 6, 7, 8**)
7-03-1936, pleine terre, cour 131, E-O
Zone nord-ouest de la cour.
Squelette couché sur le dos, tête à l'est, bras et jambes allongés.
Objets
M 1297 : pyxide en faïence à deux anses plates percées dont la panse porte un décor, couvercle plat à deux anses percées (Alep, Musée national) (**pl. 35**).
M 1298 : perles en fritte, pierre, pâte bleue (Alep, Musée national).
M 1299 : trois anneaux de cheville en bronze (Paris, Musée du Louvre ?).

TOMBE 186 (**pl. 6, 7, 8**)
03-1936, double cloche, cour 131, E-O
Zone nord-ouest de la cour.
Deux jarres séparées par un grand intervalle.
H totale avec intervalle = 1,68
Squelette couché sur le dos, tête à l'est, face vers le nord, bras repliés, mains sur la tête.

TOMBE 187 (**pl. 6, 7, 8**)
10-03-1936, jarre, cour 131, O-E
Zone nord-ouest de la cour.
H = 0,80
Squelette d'un enfant, tête à l'est au fond de la jarre.
Objets
Une bague en coquille, un petit anneau en bronze (bague ?) et des perles (non inventoriés).

TOMBE 188 (**pl. 6, 7, 8**)
10-03-1936, double cloche, cour 131, E-O
Zone nord-ouest de la cour.
Deux jarres, celle de l'est était cassée.
H = 0,55-0,55
Pas de renseignement sur le squelette.
Céramique
Un vase à bouton (non inventorié).

TOMBE 189 (**pl. 6, 7, 8**)
03-1936, jarre, cour 131, O-E
Zone nord-ouest de la cour.
Squelette d'un enfant couché sur le côté gauche en position contractée, tête à l'est au fond de la jarre, face vers le sud.
Céramique
Une coupe (non inventoriée).

TOMBE 190 (**pl. 6, 7, 8**)
03-1936, double cloche, cour 131, S-N
Zone nord-ouest de la cour.
Deux jarres, H totale = 1,60
Squelette couché sur le dos, tête au sud, face vers l'est, jambes fléchies.
Objets
Des coquillages (non décrits).

TOMBE 191 (**pl. 6, 7, 8**)
03-1936, double cloche, cour 131, SO-NE
Zone nord-ouest de la cour.
Deux jarres, H totale = 1,65
Squelette couché sur le dos, tête au sud-ouest, bras repliés.
Céramiques
Deux coupes (non inventoriées).

TOMBE 192 (**pl. 6, 7, 8**)
03-1936, double cloche, cour 131, E-O
Zone nord-ouest de la cour.
Deux jarres, H intérieure totale = 1,95
Squelette couché sur le dos, tête à l'est, face vers le sud, bras repliés vers la tête, jambes allongées.
Objets
Une bague en bronze (non inventoriée), à la main gauche.

TOMBE 193 (**pl. 6, 7, 8**)
03-1936, jarre, cour 131, N-S
Zone nord-ouest de la cour, devant la porte cour 131-salle 189.
Pas de renseignement sur le squelette.

TOMBE 194 (**pl. 6, 7, 8**)
10-03-1936, double cloche, cour 131, E-O
Zone sud-ouest de la cour.
Deux jarres, celle de l'ouest était cassée.
Jarre est, H = 0,90
Squelette couché sur le dos, tête à l'est, mains sur le thorax, le bas du corps avait disparu. Tombe violée ?

TOMBE 195 (**pl. 6, 7, 8**)
03-1936, double cloche, cour 131, O-E
Zone sud-ouest de la cour.
Deux jarres, H = 0,80-0,80
Squelette couché sur le dos, tête à l'ouest, bras repliés, mains l'une sur l'autre sous le menton, jambes écartées.

TOMBE 196 (**pl. 6, 7, 8**)
10-03-1936, double cloche, cour 131, S-N
Zone sud-ouest de la cour.
Deux jarres, H totale = 1,70
Squelette couché sur le dos, tête au sud, jambes repliées.

TOMBE 197 (**pl. 6, 7**)
9-03-1936, jarre, cour 131, E-O
Zone sud-ouest de la cour ; non située sur le plan de la planche 8.
Jarre fermée par une jarre plus petite.
H = 0,75, couvercle H = 0,25
Squelette d'un enfant, tête à l'est.

TOMBE 198 (**pl. 6, 7, 8**)
10-03-1936, double cloche, cour 131, E-O
Zone ouest de la cour.
Deux jarres avec un raccord en briques.
H totale = 1,60
Squelette couché sur le dos, tête à l'est, mains sur le thorax, jambes repliées sur le côté droit.
Objets
M 1304 : coupe en faïence, avec un bec (cassé), des restes de glaçure bleu-vert à l'intérieur et à l'extérieur (Paris, Musée du Louvre AO 18933) (**pl. 34**).
M 1305 : épingle en os (Paris, Musée du Louvre AO 18943).
Deux bagues, dont une était cassée (non inventoriées).

TOMBE 199 (**pl. 6, 7, 8**)
10-03-1936, double cloche, cour 131, E-O
Zone sud-ouest de la cour.
Deux jarres, H = 0,85-0,90
Squelette couché sur le dos, tête à l'est.
Objets
M 1311 : anneau de nez en or, 0,011 x 0,011 (Alep, Musée national).
Deux bracelets, deux anneaux de cheville en fer et trois bagues en coquille (non inventoriés).

TOMBE 200 (**pl. 6, 7, 8**)
7-03-1936, pleine terre, cour 131, E-O
Zone sud-ouest de la cour.
Squelette couché sur le dos, tête à l'est, bras et jambes allongés.
Objets
M 1295 : cylindre en faïence, portant un décor ; des perles en fritte, cornaline, coquille, améthyste, cristal, stéatite (Paris, Musée du Louvre AO 19056).
M 1296 : deux bagues ouvertes, D = 0,021-0,014, en bronze (Paris, Musée du Louvre AO 19054) ; un anneau en or, D = 0,011 x 0,010, en forme de croissant, anneau de nez ? (Paris, Musée du Louvre AO 19053).

TOMBE 201 (**pl. 6, 7, 8**)
13-03-1936, jarre, cour 131, O-E
Zone sud-est de la cour.
Jarre à fond arrondi, couchée et fermée par de gros tessons superposés.
H = 0,40
Squelette d'un enfant.
Objets
Quelques perles (non inventoriées).

TOMBE 202 (**pl. 6, 7, 8**)
13-03-1936, pleine terre, cour 131, E-O
Zone sud-est de la cour.
Squelette d'un enfant couché sur le dos, tête à l'est, bras allongés, la partie inférieure du corps manquait.
Céramique
Une coupe (non inventoriée), près de la tête.
Objets
Des perles (non inventoriées).

TOMBE 203 (**pl. 6, 7, 8**)
03-1936, jarre, cour 131, O-E
Zone sud-est de la cour.
Jarre à fond arrondi, fermée par une brique crue.
H = 0,65
Squelette d'un enfant.
Objets
Quelques perles en fritte (non inventoriées).

TOMBE 204 (**pl. 6, 7, 8, 38**)
03-1936, double cloche, cour 131, E-O
Zone sud-est de la cour.
Deux jarres à base annulaire, avec un bourrelet en haut de la panse, couchées et encastrées l'une dans l'autre.
H totale = 1,90
Squelette couché sur le côté droit, tête à l'est, face vers le nord, jambes repliées ; il était enveloppé dans un linceul en tissu et portait sur la tête un suaire en laine côtelée ; quelques fruits (nèfles ?) près de la bouche.

TOMBE 205 (**pl. 6, 7, 8, 38**)
03-1936, double cloche, cour 131, E-O
Zone sud-est de la cour, sous T 204.
Deux jarres à base annulaire et des bourrelets en haut de la panse, couchées.
Pas de renseignement sur le squelette.

TOMBE 206 (**pl. 6, 7, 8**)
03-1936, double cloche, cour 131, E-O
Zone sud-est de la cour.
Deux jarres, H = 0,85- ?
Ossements épars.
Céramiques
Un vase à bouton à l'extérieur et une coupe à l'intérieur (non inventoriés).
Objets
Une chaînette en bronze à l'extérieur ; deux perles, une en cornaline et une en pierre noire, à l'intérieur (non inventoriées).

TOMBE 207 (**pl. 6, 7, 8**)
03-1936, double cloche, cour 131, E-O
Zone sud-est de la cour.
Deux jarres placées fond contre fond.
Ossements épars. Tombe violée ?

TOMBE 208 (**pl. 6, 7, 8**)
03-1936, pleine terre, cour 131, E-O
Zone sud-est de la cour, contre le mur sud.
Squelette couché sur le dos, tête à l'est, bras et jambes allongés.
Objets
M 1360 : quatre bracelets ouverts, D = 0,075-0,060, en bronze ; deux bagues ouvertes, en bronze (Paris, Musée du Louvre AO 30028) ; deux bagues en fer (Paris, Musée du Louvre AO 30027) ; seize bagues en coquille et os (Paris, Musée du Louvre AO 30010 à 30025) ; une bague en fritte vernissée (Paris, Musée du Louvre AO 30029) ; un disque fragmentaire, en pâte incrustée (Paris, Musée du Louvre AO 30026) ; huit amulettes en fritte (poissons, oiseaux, formes diverses) ; des perles (Paris, Musée du Louvre AO 30030).

TOMBE 209 (**pl. 6, 7, 8**)
18-03-1936, jarre, cour 131, O-E
Zone sud-est de la cour.
Jarre couchée.
Pas de renseignement sur le squelette.
Objets
M 1337 : deux bracelets ouverts, D = 0,065-0,051 et 0,069-0,055, en bronze (Alep, Musée national).

M 1338 : deux bracelets ouverts, D = 0,069-0,054 et 0,070-0,056, en bronze (Paris, Musée du Louvre AO 19012).
M 1339 : anneau en or, 0,011 x 0,010, en forme de croissant, anneau de nez ? (Paris, Musée du Louvre AO 19055).

TOMBE 210 (**pl. 6, 7, 8**)
03-1936, jarre, cour 131, O-E
Zone sud-est de la cour.
Jarre à fond arrondi, couchée.
H = 0,60, D = 0,40
Squelette d'un enfant affaissé.

TOMBE 211 (**pl. 6, 7, 8**)
03-1936, pleine terre, cour 131, E-O
Zone sud-est de la cour.
Squelette couché sur le côté gauche, tête à l'est, face vers le sud, bras allongés, jambes fléchies.

TOMBE 212 (**pl. 6, 7, 8**)
12-03-1936, double cloche, cour 131, E-O
Zone sud-est de la cour.
Deux jarres couchées.
Squelette couché sur le côté droit, mains sur le bassin, jambes repliées.
Céramique
Une coupe (non inventoriée), à l'extérieur de la tombe.
Objets
M 1357 : quatorze bagues, D = 0,018-0,016, en coquille portant un décor ; une bague, D = 0,020, en fer ; une bague en bronze (Alep, Musée national).

TOMBE 213 (**pl. 6, 7, 8**)
03-1936, double cloche, cour 131, dans le dallage, E-O
Zone sud-est de la cour.
Deux jarres couchées.
Squelette incomplet. Tombe violée ?
Céramiques
Un vase à bouton et une coupe (non inventoriés).
Objet (**pl. 34**)
M 1353 : petit vase cylindrique en faïence, à deux anses verticales (une est cassée), des restes de glaçure orangée à l'extérieur sur la paroi et le fond, et à l'intérieur (Paris, Musée du Louvre AO 19491).

TOMBE 214 (**pl. 6, 7, 8**)
03-1936, pleine terre, cour 131, E-O
Zone sud-est de la cour.
Squelette couché sur le côté gauche, tête à l'est, bras et jambes allongés.

TOMBE 215 (**pl. 6, 7, 8**)
03-1936, pleine terre, cour 131, E-O
Zone sud-est de la cour.
Squelette couché sur le côté gauche, tête à l'est, bras allongés, jambes fléchies.

TOMBE 216 (**pl. 6, 7, 8**)
03-1936, double cloche, cour 131, E-O
Zone sud-est de la cour.
Deux jarres cassées.
Squelette d'un enfant couché sur le dos, tête à l'est.
Objets
Quelques perles en fritte (non inventoriées).

TOMBE 217 (**pl. 6, 7, 8**)
03-1936, pleine terre, cour 131, E-O
Zone sud-est de la cour.
Squelette incomplet dont il ne restait que les jambes légèrement fléchies.

TOMBE 218 (**pl. 6, 7, 8, 38**)
03-1936, jarre, cour 131, E-O
Zone sud-est de la cour.
Jarre à fond arrondi.
H = 0,50
Squelette d'un enfant.
Objets
M 1354 : petit vase cylindrique en faïence, à deux anses verticales (une est cassée), à glaçure crème, qui contenait quatre coquillages percés (non décrits) (Paris, Musée du Louvre AO 19490) (**pl. 34**). D. Beyer, 1979, p. 65, n° 223.
M 1354 : une bague, D = 0,023-0,019, en coquille, portant un décor, et quelques perles en fritte (Paris, Musée du Louvre AO 19490).
Quelques perles en fritte (non inventoriées).

TOMBE 219 (**pl. 6, 7, 8**)
03-1936, double cloche, cour 131, E-O
Zone ouest de la cour.
Deux jarres.
Pas de renseignement sur le squelette.

TOMBE 220 (**pl. 6, 7, 8**)
13-03-1936, pleine terre, cour 131, + 0,30 m, E-O
Zone ouest de la cour.
Squelette couché sur le côté gauche, tête à l'est, face vers le sud, mains sur le bassin, jambes repliées.

TOMBE 221 (**pl. 6, 7, 8**)
03-1936, jarre, cour 131, E-O
Zone nord-ouest de la cour.
Pas de renseignement sur le squelette.

TOMBE 222 (**pl. 6, 7, 8**)
12-03-1936, pleine terre, cour 131, E-O
Zone nord-ouest de la cour.
Squelette couché sur le dos, tête à l'est, bras et jambes allongés.
Céramique
Une coupe (non inventoriée), près de la tête.
Objet (**pl. 34**)
M 1308 : petit vase cylindrique en faïence, à deux anses verticales cassées (Paris, Musée du Louvre AO 18934).

TOMBE 223 (**pl. 6, 7, 8**)
12-03-1936, pleine terre, cour 131, E-O
Zone nord-ouest de la cour.
Squelette couché sur le dos, tête à l'est, mains posées sur le thorax, jambes allongées.

TOMBE 224 (**pl. 6, 7**)
12-03-1936, pleine terre, cour 131, E-O
Non située sur le plan de la planche 8.
Squelette couché sur le dos, tête à l'est, bras le long du corps.
Céramique
Une coupe (non inventoriée) sur l'épaule droite.
Objets
M 1309 : deux bracelets en bronze ; trois bagues, une en bronze et deux en coquille ; trois perles en fritte ; un scarabée en faïence ; un petit animal en lapis-lazuli (amulette ?) ; une tête d'épingle en fritte (Alep, Musée national).

TOMBE 225 (**pl. 6, 7**)
17-03-1936, pleine terre, cour 131, E-O
Non située sur le plan de la planche 8.
Pas de renseignement sur le squelette.

Objets
M 1329 : deux scarabées en faïence (Alep, Musée national).
M 1330 : anneau en or, D = 0,0115, en forme de croissant, anneau de nez ? (Alep, Musée national).
M 1333 : petit disque en or portant un décor (Alep, Musée national).
Des perles en fritte (non inventoriées).

TOMBE 226 (**pl. 6, 7, 8**)
03-1936, double cloche, cour 131, E-O
Zone nord-est de la cour.
Deux jarres, H = 0,75- ?
Squelette couché sur le dos, les bras et les jambes manquaient. Tombe violée ?
Céramiques
Une coupe et un vase à bouton (non inventoriés).
Objet
Un anneau (de nez ?), en or (non inventorié).

TOMBE 227 (**pl. 6, 7, 8**)
03-1936, double cloche, cour 131, E-O
Zone nord de la cour.
Deux jarres, H = 0,80- ?
Squelette couché sur le dos, mains sur le thorax, jambes repliées sur le côté gauche.
Céramiques
Une coupe à l'extérieur et un vase à bouton à l'intérieur (non inventoriés).

TOMBE 228 (**pl. 6, 7, 8**)
03-1936, pleine terre, cour 131, E-O
Zone sud-est de la cour, sous le niveau du dallage.
Squelette d'un enfant couché sur le dos, tête à l'est, mains jointes sur le bassin, jambes allongées.

TOMBE 229 (**pl. 6, 7, 8**)
03-1936, double cloche, cour 131, + 0,50 m, SE-NO
Zone sud-est de la cour.
Deux jarres :
- celle du nord-ouest avait une base en bouton,
- celle du sud-est avait un pied.
H = 0,80-0,75
Ossements épars, tête à l'est. Tombe violée ?
Céramique
Un vase à bouton (non inventorié), à l'extérieur.

TOMBE 230 (**pl. 6, 7, 8**)
03-1936, jarre, cour 131, en surface, E-O
Zone est de la cour.
H = 0,80
Pas de renseignement sur le squelette.
Céramique
Un vase à bouton (non inventorié), à l'extérieur.

TOMBE 231 (**pl. 6, 7, 8**)
03-1936, jarre, cour 131, + 0,60 m, O-E
Zone nord-est de la cour.
H = 0,75, D = 0,40
Pas de renseignement sur le squelette.

TOMBE 232 (**pl. 6, 7, 8**)
03-1936, jarre, cour 131, + 0,25 m, O-E
Zone nord-est de la cour.
H = 0,75, D = 0,40
Pas de renseignement sur le squelette.

TOMBE 233 (**pl. 6, 7, 8**)
03-1936, double cloche, cour 131, dans le dallage, E-O
Zone nord-est de la cour.
Deux jarres séparées par un intervalle de 0,55 m.
H = 0,80-0,80,
Squelette couché sur le dos, tête à l'est, main droite sur le thorax, main gauche sur le bassin, jambes allongées ; L = 1,65 m.
Céramique
Une coupe (non inventoriée), à droite de la tête.

TOMBE 234 (**pl. 6, 7, 8**)
03-1936, double cloche, cour 131, E-O
Zone est de la cour.
Deux jarres, H = 0,80-0,70
Squelette couché sur le côté gauche, bras allongés, jambes repliées.
Objets
M 1355 : petit vase cylindrique en faïence, à deux anses verticales (une est cassée) qui contenait une phalange (humaine ? animale ?) (**pl. 34**) ; un scarabée en faïence, portant un décor ; six bagues en coquille et quelques perles en pierre veinée et cornaline (Alep, Musée national).

TOMBE 235 (**pl. 6, 7, 8**)
03-1936, jarre, cour 131, O-E
Zone nord de la cour.
H = 0,75
Squelette couché sur le dos, tête à l'est au fond de la jarre, mains ramenées sur le thorax, la partie inférieure du squelette manquait. Tombe violée ?
Objets
Un anneau en bronze, bague ? bracelet ? et des perles en fritte (non inventoriés).

TOMBE 236 (**pl. 6, 7, 8, 39**)
19-03-1936, double cloche, cour 131, E-O
Zone ouest de la cour.
Deux jarres couchées et séparées par un intervalle de 0,15 m.
H = 0,75-0,70,
Squelette d'une femme couché sur le dos, tête à l'est, face vers le sud-ouest, mains ramenées sur le thorax, jambes allongées.
A. Parrot, 1937, p. 83, fig. 16.
A. Parrot, 1945, fig. 37 et 38.
A. Parrot, 1954 c, fig. 9.
A. Caubet, 1983 a, p. 197.
Objets
M 1342 : masque en faïence avec des restes de glaçure polychrome sur le front, autour du menton et au niveau du cou, les yeux sont incrustés dans du bitume et les oreilles percées de trois trous (système d'attache ?) ; posé sur le thorax et au-dessus de la coupe en bronze (Paris, Musée du Louvre AO 19078) (**pl. 38, 39**).
A. Parrot, 1937, pl. XIV-4.
A. Parrot, 1969 b, p. 411, fig. 2.
M 1343 : cinq boucles d'oreilles en or, une unie et quatre portant des grains ; deux à l'oreille gauche et trois à la droite (Paris, Musée du Louvre AO 19079) (**pl. 38, 39**).
M 1344 : serre-tête fait de vingt-deux perles en pierres diverses, agate, turquoise, cornaline dont douze sont serties d'or ; trouvé sur le front (Paris, Musée du Louvre AO 19080) (**pl. 38, 39**).
M 1345 : miroir en bronze avec soie, posé sur l'épaule droite (Paris, Musée du Louvre AO 19081) (**pl. 39**).
M 1346 : coupe en bronze, placée sur le thorax (Paris, Musée du Louvre AO 19084) (**pl. 39**).
M1347 : vase en faïence, à fond plat, avec glaçure bleu-vert pâle et blanche à l'extérieur, des restes de glaçure bleu vif au fond et vert

pâle au niveau du col à l'intérieur ; situé au niveau de la main droite (Paris, Musée du Louvre AO 18930) (**pl. 36, 39**).
M 1348 : collier fait de vingt-deux éléments en forme de grenade stylisée, en cornaline (Paris, Musée du Louvre AO19082) (**pl. 39**).
Des aiguilles en os (non inventoriées), sous le miroir (**pl. 39**).
Deux bracelets en fer (non inventoriés), au poignet droit.
Trois œufs d'autruche percés, un au niveau du coude gauche et un sur chaque genou (**pl. 39**).
L'ensemble des objets : A. Parrot, 1937, pl. XV-3.
A. Caubet, 1983 a, p. 198-199, n° 232 à 238.

TOMBE 237 (**pl. 6, 7, 8**)
03-1936, jarre, cour 131, + 0,60 m, E-O
Zone nord-ouest de la cour.
Jarre dont l'ouverture cassée était fermée par un tesson.
H = 0,60, D = 0,45
Squelette d'un enfant.
Objets
Des perles en fritte et cornaline (non inventoriées).

TOMBE 238 (**pl. 6, 7, 8**)
03-1936, jarre, cour 131, sur le dallage, E-O
Zone sud-ouest de la cour.
H = 0,60, D = 0,45
Squelette d'un enfant.

TOMBE 239 (**pl. 6, 7, 8**)
03-1936, jarre, cour 131, E-O
Zone est de la cour.
Pas de renseignement sur le squelette.

TOMBE 240 (**pl. 2, 10**)
03-1936, pleine terre, A22, NO-sud-est
Secteur du temple d'Ishtar.
Squelette couché sur le dos, bras croisés sur le thorax.
A. Parrot, 1937, p. 64.
A. Parrot, 1956, p. 10.
Céramiques
Trois vases globulaires (non inventoriés), près de la tête et du thorax.

TOMBEAUX 241 et 242 (**pl. 2, 10, 40**)
03-1936, pierre, A22, O-E
Secteur du temple d'Ishtar.
Tombeaux jumelés voûtés en encorbellement.
L = 10,30 m, l = 8,00 à 6,00 m, H = 2,60 (T 241)
Pas d'ossement.
A. Parrot, 1937, p. 60, 61, 64 et pl. VII-2 ; 1938, p. 6 et 7.
A. Parrot, 1945, fig. 38 bis.
A. Parrot, 1956, p. 10-11.
M. Jean-Marie, 1990, p. 303-336.
Céramiques
Des céramiques ont été retrouvées mais n'ont pas été inventoriées.
Objets en bronze (**pl. 41**)
M 1317, M 1318 : pointes de flèches, à soie et lame losangique (Paris, Musée du Louvre AO 19007, 19008).
M 1319 : pointe de flèche ou de lance, à soie et lame losangique (Alep, Musée national).
M 1320 : pointe de flèche ou de lance, à soie et lame losangique (Paris, Musée du Louvre AO 18996).
M 1321 : poignard à deux rivets, sans soie (Paris, Musée du Louvre AO 18997).
M 1322, M 1324 : épingles recourbées à chas (Alep, Musée national).
M 1323 : épingle recourbée à chas (Paris, Musée du Louvre AO 18998).
M 1325 : épingle droite à chas (Paris, Musée du Louvre AO 19009).
Autres objets
M 1326 : animal en coquille (Alep, Musée national).
M 1327 : amulette ayant la forme d'un petit animal, en pierre (Paris, Musée du Louvre AO 18969).

TOMBE 243 (**pl. 2, 10**)
03-1936, pleine terre, A22, NO-SE
Secteur du temple d'Ishtar.
Squelette couché sur le dos, bras croisés sur le thorax.
Céramiques
Trois vases globulaires (non inventoriés).

TOMBE 244 (**pl. 2, 10**)
03-1936, pleine terre, A23, NO-SE
Secteur du temple d'Ishtar.
Pas de renseignement sur le squelette.
A. Parrot, 1937, p. 64.
A. Parrot, 1956, p. 10.
Céramiques
Quatre vases globulaires (non inventoriés).

TOMBE 245 (**pl. 2, 10**)
03-1936, pleine terre, A23, NO-SE
Secteur du temple d'Ishtar.
Pas de renseignement sur le squelette.
A. Parrot, 1937, p. 64.
A. Parrot, 1956, p. 10.
Céramiques
Cinq vases globulaires (non inventoriés).

TOMBE 246 (**pl. 2, 10**)
03-1936, pleine terre, A23, O-E
Secteur du temple d'Ishtar.
Pas de renseignement sur le squelette.
A. Parrot, 1937, p. 64.
A. Parrot, 1956, p. 10.
Céramiques
Huit vases globulaires (non inventoriés), le long du squelette.

TOMBE 247 (**pl. 6, 7**)
01-1937, pleine terre, salle 133, en surface
Non située sur le plan de la planche 9.
Pas de renseignement sur le squelette.
Objets
M 1350 : pyxide en faïence, à fond pointu, dont la panse porte un décor, l'intérieur est séparé en quatre compartiments, couvercle à bouton de préhension portant aussi un décor, des traces bleues à l'intérieur de la pyxide et du couvercle, des restes de glaçure bleue et orangée à l'extérieur (Paris, Musée du Louvre AO 19489) (**pl. 35**).
Un anneau en or (non inventorié).

TOMBE 248 (**pl. 6, 7, 9**)
4-01-1937, double cloche, salle 133, en surface, E-O
Deux jarres, H = 0,80-0,70, D = 0,70- ?
Squelette couché sur le côté droit, tête à l'est, face vers le nord, jambes repliées.

TOMBE 249 (**pl. 6, 7, 9**)
4-01-1937, double cloche, salle 134, - 0,40 m, E-O
Deux jarres situées contre le mur nord, sur la jarre ouest des traces de brûlé.
H = 0,90-0,90
Squelette couché sur le côté droit, jambes repliées.

Céramique
Une coupe (non inventoriée).
Objets
Cinq bagues, deux en bronze, trois en os ; des fragments de collier en os et deux pointes de flèches en bronze (non inventoriés).

TOMBE 250 (**pl. 6, 7, 9**)
4-01-1937, double cloche, salle 141, en surface, E-O
Deux jarres, H = 0,90-0,80, D = 0,70- ?
Squelette couché sur le dos.

TOMBE 251 (**pl. 6, 7, 9**)
4-01-1937, double cloche, salle 134, en surface, N-S
Deux jarres, l'une était cassée.
H = 0,90- ?
Squelette couché sur le côté gauche.

TOMBE 252 (**pl. 6, 7, 9**)
5-01-1937, double cloche, salle 136, - 0,30 m, SE-NO
Deux jarres, H totale = 1,60, D = 0,60
Squelette couché sur le côté droit, tête à l'est.

TOMBE 253 (**pl. 6, 7, 9**)
5-01-1937, double cloche, salle 135, - 0,45 m, E-O
Deux jarres, H = 0,80-0,80, D = 0,65-0,80
Squelette couché sur le côté droit.
Céramique
Une coupe (non inventoriée).
Objets
Une bague en coquille et trois perles (non inventoriées).

TOMBE 254 (**pl. 6, 7, 9**)
5-01-1937, double cloche, salle 135, - 0,60 m, E-O
Deux jarres, H = 0,80-0,80, D = 0,55-0,50
Squelette couché sur le côté gauche.
Objets
Quelques coquillages (non décrits).

TOMBE 255 (**pl. 6, 7, 9**)
5-01-1937, pleine terre, salle 134, - 0,60 m, E-O
Dans le mur séparant les salles 134 et 135.
Pas de renseignement sur le squelette.
Objets
M 1364 : masque en faïence, avec des restes de glaçure polychrome au niveau du front, du cou et autour du menton, les yeux sont incrustés dans du bitume, les oreilles percées de trois trous (système d'attache ?) (Paris, Musée du Louvre AO 19488) (**pl. 38**).
A. Parrot, 1938, p. 21.
A. Parrot, 1969 b, p. 412, fig. 3.
D. Beyer, 1979, p. 65, n° 225.
Des coquillages (non décrits).

TOMBE 256 (**pl. 6, 7, 9**)
5-01-1937, pleine terre, salle 136, - 0,40 m, E-O
Squelette couché sur le côté droit, tête à l'est, bras allongés, jambes fléchies vers la droite.

TOMBE 257 (**pl. 6, 7, 9**)
5-01-1937, jarre, espace 146, - 0,40 m, SE-NO
Squelette couché sur le côté droit, tête au SE.

TOMBE 258 (**pl. 6, 7, 9**)
9-01-1937, double cloche, couloir 200, en surface, E-O
Dans le mur ouest.
Deux jarres inclinées.
H = 0,75-0,75
Squelette couché sur le côté droit.
Objet
Un collier de coquillages (non décrit).

TOMBE 259 (**pl. 6, 7, 9**)
11-01-1937, double cloche, salle 145, E-O
Tombe non dégagée.
Deux jarres avec trois briques (0,35 x 0,35) posées sur le joint.
H = 0,70-0,70, D = 0,50-0,50
Pas de renseignement sur le squelette.

TOMBE 260 (**pl. 6, 7, 9**)
11-01-1937, double cloche, salle 145, E-O
Tombe non dégagée.
Deux jarres, H = 0,90-0,90, D = 0,65-0,65
Pas de renseignement sur le squelette.

TOMBE 261 (**pl. 6, 7, 9, 41**)
11-01-1937, double cloche, dépendances, - 0,40 m, O-E
À l'est de la salle S.
Deux jarres à base annulaire, portant un bourrelet sous le col, couchées et séparées par un intervalle de 0,16 m.
H = 0,47-0,42, D = 0,37-0,35
Squelette couché sur le côté gauche, tête à l'ouest.
A. Parrot, 1945, fig. 38 ter.

TOMBE 262 (**pl. 6, 7, 9**)
11-01-1937, double cloche, dépendances, - 0,30 m, S-N
Au sud-est de la salle S.
Deux jarres, celle située au sud était écrasée.
H = 0,45-0,45, D = 0,40-0,30
Squelette d'un enfant couché sur le côté droit, tête au sud.
Objets
Deux anneaux en bronze aux oreilles et sept perles en cornaline, agate, albâtre (non inventoriés).

TOMBE 263 (**pl. 6, 7, 9**)
11-01-1937, jarre, dépendances, - 0,30 m, S-N
À l'est de la salle S.
H = 0,40, D = 0,30
Squelette d'un enfant couché sur le côté droit, tête au sud.
Objets
Dix perles en cornaline (non inventoriées).

TOMBE 264 (**pl. 6, 7, 9**)
11-01-1937, jarre, dépendances, en surface, E-O
À l'est de l'espace 199.
Jarre, H = 0,60, D = 0,45
Pas de renseignement sur le squelette.

TOMBE 265 (**pl. 6, 7, 9**)
11-01-1937, double cloche, espace 199, - 0,40 m, E-O
Deux jarres, H = 0,65-0,68, D = 0,60-0,50
Squelette couché sur le dos, tête à l'est.

TOMBE 266 (**pl. 6, 7**)
8-01-1937, jarre, cour 148, en surface, O-E
Jarre cassée, H = 0,65, D = 0,35
Squelette d'un enfant couché sur le côté gauche.
Céramique
Une coupe (non inventoriée), contenant des graines dont un calice de grenade.

TOMBE 267 (**pl. 6, 7, 9, 41**)
11-01-1937, double cloche, espace 199, en surface, E-O

Dans le mur est.
Deux jarres à base annulaire couchées, la plus grande portait un bourrelet cordé.
H = 0,70-0,50, D = 0,50- ?
Squelette couché sur le côté gauche, tête à l'est.

TOMBE 268 (**pl. 6, 7, 9**)
11-01-1937, double cloche, salle S, - 0,40 m, O-E
Deux jarres situées dans le piédroit oriental de la porte sud.
H = 0,60-0,65
Squelette couché sur le côté droit, tête à l'ouest.
Objets
Des coquillages (non décrits).

TOMBE 269 (**pl. 6, 7, 9**)
11-01-1937, double cloche, salle S, - 0,35 m, E-O
Tombe non dégagée.
Deux jarres, H = 0,70-0,70
Pas de renseignement sur le squelette.
A. Parrot, 1958, p. 308, fig. 375.

TOMBE 270 (**pl. 6, 7, 9**)
11-01-1937, double cloche, salle S, - 0,45 m, N-S
Tombe non dégagée.
Deux jarres, H = 0,60- ?
Pas de renseignement sur le squelette.
A. Parrot, 1958, p. 308, fig. 375.

TOMBE 271 (**pl. 6, 7, 9**)
11-01-1937, double cloche, extérieur, - 0,40 m, S-N
Au sud de la salle S.
Deux jarres, H = 0,85-0,85, D = 0,70- ?
Squelette couché sur le dos, tête au sud.
Objets
Des anneaux en bronze (non inventoriés), bagues ou bracelets ?

TOMBE 272 (**pl. 6, 7, 9**)
13-01-1937, jarre, espace 199, - 0,60 m, O-E
Jarre fermée par une jarre plus petite.
Jarre, H = 0,80, D = 0,50
Couvercle, H = 0,30, D = 0,40
Squelette couché sur le côté droit, tête à l'est au fond de la jarre, face vers le nord.

TOMBE 273 (**pl. 6, 7, 9**)
13-01-1937, jarre, dépendances, - 0,30 m, S-N
Au nord-est de la salle S.
Jarre cassée, H = 1,00 m, D = 0,75
Ossements épars, pas de crâne. Tombe violée ?

TOMBE 274 (**pl. 6, 7, 9**)
15-01-1937, jarre, extérieur, - 0,45 m, NE-SO
Au sud de la salle S.
Jarre cassée, D = 0,65
Ossements épars. Tombe violée ?

TOMBE 275 (**pl. 6, 7, 9**)
15-01-1937, jarre, espace 199, - 0,25 m, NO-SE
Tombe non dégagée.
Dans l'angle d'un mur.
Jarre couchée, D = 0,65
Pas de renseignement sur le squelette.

TOMBE 276 (**pl. 6, 7, 9**)
15-01-1937, double cloche, salle 198, - 0,55 m, E-O
Tombe non dégagée.
Deux jarres, H = 0,90-0,85, D = 0,65-0,65
Pas de renseignement sur le squelette.

TOMBE 277 (**pl. 6, 7**)
15-01-1937, jarre, entrée des chars, - 1,00 m, N-S
Non située sur le plan de la planche 9.
À l'est de l'entrée, à proximité de T 321.
Jarre, H = 0,90, D = 0,70
Squelette, tête au sud au fond de la jarre.

TOMBE 278 (**pl. 6, 7, 9**)
15-01-1937, double cloche, couloir 201, E-O
Dans le mur est.
Deux jarres, H = 0,90-0,75, D = 0,70- ?
Squelette couché sur le côté gauche, tête à l'est, bras repliés vers la tête, jambes fléchies.
Céramique
Une coupe (non inventoriée), contre le thorax.
Objet
Une bague en bronze (non inventoriée).

TOMBE 279 (**pl. 6, 7, 9**)
15-01-1937, double cloche, couloir 201, E-O
Dans le mur ouest.
Deux jarres, H = 0,70-0,65
Squelette couché sur le côté gauche, tête à l'est, mains posées sur le bassin.

TOMBE 280 (**pl. 6, 7, 9**)
15-01-1937, double cloche, couloir 201, E-O
Dans le mur est.
Deux jarres, H = 0,85-0,85, D = 0,70-0,70
Squelette, tête à l'est.

TOMBE 281 (**pl. 6, 7, 9**)
15-01-1937, double cloche, couloir 201, en surface, N-S
Dans le mur est.
Deux jarres, H = 0,75-0,75, D = 0,60-0,60
Squelette couché sur le dos, tête au nord, membres disloqués ramenés au milieu du corps. Tombe violée ?

TOMBE 282 (**pl. 6, 7, 9**)
15-01-1937, double cloche, extérieur, S-N
Au sud de la salle S.
Deux jarres, H = 0,90-0,90, D = 0,70-0,70
Squelette couché sur le côté gauche, tête au sud, bras repliés vers la tête, jambes fléchies.

TOMBE 283 (**pl. 6, 7, 9**)
15-01-1937, jarre, salle S, - 0,15 m, E-O
Dans le mur nord de la salle.
H = 0,30, D = 0,25
Squelette d'un enfant.
Objets
Des coquillages (non décrits) et des perles en fritte (non inventoriées).

TOMBE 284 (**pl. 6, 7, 9**)
15-01-1937, double cloche, dépendances, - 0,50 m, E-O
Deux jarres, H = 0,42-0,78, D = 0,45-0,55
Pas de renseignement sur le squelette.

TOMBE 285 (**pl. 6, 7, 9**)
15-01-1937, double cloche, espace 146, - 0,75 m, NE-SO

Sur le dallage.
Deux jarres, H = 0,80-0,80, D = 0,65-0,60
Squelette couché sur le côté droit, jambes repliées ; des traces de bandelettes sur le crâne (turban ?).

TOMBE 286 (**pl. 6, 7, 9, 41**)
15-01-1937, double cloche, espace 146, - 0,75 m, NE-SO
Sur le dallage.
Tombe non dégagée.
Deux jarres dont la panse était ornée d'un bourrelet cordé, couchées :
- l'une avait une base annulaire,
- l'autre avait un fond arrondi.
H = 0,90-0,90, D = 0,65-0,65
Pas de renseignement sur le squelette.
A. Parrot, 1958, p. 248, fig. 293 et p. 253, fig. 303.

TOMBE 287 (**pl. 6, 7, 9**)
16-01-1937, double cloche, extérieur, - 0,25 m, E-O
Au sud de la salle S.
Deux jarres, H = 0,70-0,65, D = 0,55-0,55
Squelette disloqué, tête à l'est. Tombe violée ?
Objets (**pl. 42**)
M 1390 : trois scarabées inscrits en pâte de verre bleue (Alep, Musée national).
M 1391 : cylindre en pierre noire portant un décor (Paris, Musée du Louvre AO 19813).
M 1392 : cylindre en fritte portant un décor (Alep, Musée national).
M 1393 : cylindre en pierre noire portant un décor (Paris, Musée du Louvre AO 19816).
M 1394 : un anneau en or, D = 0,011, en forme de croissant, anneau de nez ? ; un anneau en argent ; trois boucles d'oreilles en argent ; deux anneaux en bronze, bagues ? ; trois pendentifs et deux disques en bronze ; une fibule en bronze ; une tête d'épingle (Alep, Musée national).
M 1395 : amulettes en fritte, trois lions stylisés couchés, un *uraeus* ; deux disques ; une perle ronde (Alep, Musée national).
M 1396 : perles en pierre, fritte, réunies en trois colliers (Alep, Musée national).
A. Parrot, 1938, p. 20, fig. 12.

TOMBE 288 (**pl. 6, 7, 9**)
16-01-1937, jarre, extérieur, - 1,00 m, SO-NE
Au sud de la salle S.
Jarre cassée.
Squelette disloqué, pas de crâne. Tombe violée ?

TOMBE 289 (**pl. 6, 7, 9**)
16-01-1937, jarre, dépendances, - 0,30 m, N-S
Jarre fermée par une jarre plus petite.
H = 0,42, H couvercle = 0,24
Squelette d'un enfant, tête au sud, le bas du corps avait disparu. Tombe violée ?

TOMBE 290 (**pl. 6, 7, 9**)
16-01-1937, jarre, extérieur, en surface, O-E
Au SE de la salle S.
Jarre, D = 0,68
Squelette couché sur le côté droit, tête à l'est au fond de la jarre.

TOMBE 291 (**pl. 6, 7, 9**)
16-01-1937, jarre, extérieur, en surface, S-N
Au sud de la salle S.
Jarre, H = 0,97, D = 0,67,
Quelques rares ossements. Tombe violée ?
Des os d'animal (boviné ?) à proximité.

TOMBE 292 (**pl. 6, 7, 9**)
16-01-1937, double cloche, extérieur, en surface, E-O
Au sud-est de la salle S.
Deux jarres, H = 0,41-0,80, D = 0,33-0,55
Squelette couché sur le dos, tête à l'est, jambes repliées.

TOMBE 293 (**pl. 6, 7, 9, 42**)
18-01-1937, sarcophage, extérieur, - 0,30 m, N-S
Cuve ovale, irrégulière, angles arrondis, fond plat, parois verticales, sans couvercle.
L = 1,55, D = 0,48-0,54
Squelette couché sur le côté droit, tête au nord, face vers l'est, jambes repliées, tibias sous les fémurs.
Objet
M 1386 : cylindre en fritte portant un décor (Alep, Musée national).

TOMBE 294 (**pl. 6, 7, 9**)
17-01-1937, jarre, extérieur, en surface, O-E
Au sud-est de la salle S.
Jarre cassée.
Pas de renseignement sur le squelette.

TOMBE 295 (**pl. 6, 7, 9**)
17-01-1937, double cloche, extérieur, - 0,40 m, E-O
Au sud-est de la salle S.
Deux jarres, H = 0,30-0,45, D = 0,22-0,45
Squelette d'un enfant couché sur le côté droit, ossements disloqués. Tombe violée ?

TOMBE 296 (**pl. 6, 7, 9**)
18-01-1937, jarre, extérieur, - 0,95 m, N-S
Au sud de la salle S.
Jarre cassée, D = 0,45
Squelette d'un enfant, tête au sud au fond de la jarre.

TOMBE 297 (**pl. 6, 7, 9**)
20-01-1937, double cloche, espace 159, en surface, N-S
Deux jarres cassées.
H = 0,90-0,80, D = 0,55-0,50
Ossements épars. Tombe violée ?

TOMBE 298 (**pl. 6, 7, 9**)
20-01-1937, double cloche, espace 159, en surface, S-N
Deux jarres séparées par un intervalle de 0,10 m.
H = 0,75-0,75
Squelette couché sur le dos, tête au sud.

TOMBE 299 (**pl. 6, 7, 42**)
3-02-1937, double cloche, salle 164, en surface, N-S
Deux jarres à base annulaire, dont la panse était ornée d'un bourrelet, couchées.
H = 0,88-0,88
Squelette disloqué qui devait être couché sur le dos, tête au nord ; des restes de linceul en tissu. Tombe violée ?
Céramiques (**pl. 42**)
M 1496 : coupe (Paris, Musée du Louvre AO 24304).
M 1497 : coupe tripode, trouvée près des cols des jarres (Alep, Musée national).
Objets
M 1498 : restes d'une pyxide en bois (Alep, Musée national).
Une boucle d'oreille en argent et de nombreuses perles en fritte et cornaline (non inventoriées).

TOMBEAU 300 (**pl. 2, 10, 40, 43**)
01-1937, pierre, Y"22, S-N
Secteur du temple d'Ishtar.

Tombeau voûté en encorbellement.
L = 6,80 à 6,90 m, l = 3,10 m, H = 1,85m
Un crâne humain écrasé près de l'entrée.
A. Parrot, 1937, p. 61-64 ; XIX, 1938, p. 4-7 et pl. I-1,4, pl. II, fig. 2 et 3.
A. Parrot, 1956, p. 10-11.
M. Jean-Marie, 1990, p. 303-336.
Mobilier abondant : quarante-quatre céramiques, douze objets de parure, quatorze objets en bronze, un objet en os.
Céramiques (**pl. 45-46-47-48**)
M 1436 et M 1437 : jarres *scarlet ware* (**pl. 48**).
M 1438, M 1439, M 1442 : coupes-supports à pied haut.
M 1440 : bol à goulot.
M 1441, M 1461, M 1462, M 1463, M 1464, M 1465, M 1466, M 1467, M 1468, M 1469, M 1470, M 1471, M 1472, M 1473 : bols.
M 1443, M 1444, n° 11, 12, 13, 14, 15 : jarres globulaires.
M 1445, M 1451, M 1452 : jarres-bouteilles.
M 1446 : jatte.
M 1447, M 1448, M 1449, M 1450 : coupes.
M 1453, M 1454, M 1455, M 1456, M 1458 : flacons globulaires.
M 1457, M 1459, M 1460 : flacons.
M 1474 : marmite à deux tenons.
M. Lebeau, 1990 a, p. 349-374.
Objets (**pl. 44-45**)
M 1425 et M 1426 : pièces vestimentaires en or.
M 1427 : bandeau fragmentaire en or.
M 1428 : cabochon en or.
M 1429 : cabochon en argent.
M 1430 : rosace fragmentaire en argent.
M 1431 : collier de perles en or et lapis-lazuli.
M 1432 : collier de perles en lapis-lazuli.
M 1433 : cylindre décoré, en pierre blanche.
M 1434 : pendentif en cristal de roche.
M 1435 : perle en pierre noire.
M 1475 : pièce vestimentaire fragmentaire en argent.
M 1476 : spatule en bronze.
M 1477 : hache en forme de croissant, sans rivet, en bronze.
M 1478 : deux tiges bifides, en bronze.
M 1479 : miroir circulaire, à soie courte à bords convergents (fragmentaire ?), en bronze.
M 1480 : aiguière en bronze.
M 1481 : plaque enroulée (fourreau ?), en bronze.
M 1482 : plat en bronze accompagnant l'aiguière.
M 1483 : gobelet à deux tenons de préhension, en bronze.
M 1484 et M 1486 : vases à paroi concave, en bronze.
M 1485 et M 1488 : bols en bronze.
M 1487 : bol en bronze, adhérant à l'aiguière.
M 1489 : objet ouvragé en os, en forme de peigne.
Tous les objets et les céramiques ont été déposés au Musée national d'Alep, sauf la jarre M 1436 qui est à Paris, au Musée du Louvre AO 19522.

Tombe 301 (**pl. 6, 7, 9**)
4-02-1937, double cloche, salle 162, - 0,45 m, E-O
Deux jarres séparées par un intervalle de 0,20 m.
H = 0,72-0,72, D = 0,55-0,55
Squelette couché sur le dos, bras repliés sur le thorax, jambes allongées.
Céramique
Une coupe (non inventoriée).

Tombe 302 (**pl. 6, 7, 9**)
4-02-1937, double cloche, salle 163, en surface, E-O
Deux jarres, H = 0,45-0,45, D = 0,35-0,35
Squelette d'un enfant.
Objets
Une coupe en faïence, un anneau en bronze (bague ou bracelet ?) et des perles diverses (non inventoriés).

Tombe 303 (**pl. 6, 7, 9**)
4-02-1937, double cloche, salle 163, - 0,20 m, E-O
Deux jarres, H = 0,80-0,95
Squelette couché sur le côté gauche, tête à l'est, jambes fléchies.
Objets
Des coquillages (non décrits) et une perle en fritte (non inventoriée).

Tombe 304 (**pl. 6, 7, 9**)
3-02-1937, double cloche, salle 161, - 0,60 m, E-O
Deux jarres, H = 0,70-0,43, D = 0,50-0,34
Squelette d'un enfant couché sur le côté droit, tête à l'est.
Objets (**pl. 48**)
M 1537 : quatre cachets percés en faïence, pierre, pâte bleue, portant un décor, placés dans les colliers M 1538 et M 1539.
M 1538 : perles diverses montées en deux colliers (Paris, Musée du Louvre AO 19493).
M 1539 : perles diverses et une amulette en pierre portant un décor, montées en un collier (Paris, Musée du Louvre AO 19493).
Des coquillages (non décrits) et des perles en fritte (non inventoriées), trouvés à l'extérieur de la tombe.

Tombe 305 (**pl. 6, 7, 9**)
5-02-1937, double cloche, salle 161, - 0,55 m, E-O
Deux jarres, H = 0,86-0,86, D = 0,65-0,65
Squelette couché sur le côté droit, tête à l'est.
Objets (**pl. 48**)
M 1517 et M 1518 : deux vases en faïence, situés à l'extérieur, un de chaque côté de la tombe (Alep, Musée national).
M 1519 : une petite coupe en bois ; des perles en fritte, cornaline, argent ; un pendentif et deux boucles d'oreilles en argent ; des amulettes (animaux stylisés) ; l'ensemble a été trouvé à l'intérieur de la tombe (Paris, Musée du Louvre ?).
Des coquillages (non décrits) et des perles en fritte (non inventoriées).

Tombe 306 (**pl. 6, 7, 9**)
5-02-1937, double cloche, cour 160, - 0,35 m, N-S
Deux jarres, H = 0,83- ?, D = 0,60- ?
Squelette couché sur le côté, tête au nord.
Objets
M 1520 : dix anneaux de cheville ouverts, D = 0,090-0,065, en bronze ; des perles en fritte et cornaline ; un fragment de poterie vernissée de couleur bleue (Alep, Musée national).
Des coquillages (non décrits) ; des perles, deux anneaux en bronze (bagues ou bracelets ?), des plaques en os travaillé, une fibule (non inventoriés), trouvés à l'extérieur de la tombe.

Tombe 307 (**pl. 6, 7, 9**)
5-02-1937, pleine terre, salle 162, E-O
Dans le mur ouest de la salle.
Pas de renseignement sur le squelette.
Objets (**pl. 49**)
M 1522 : vase en faïence, avec des restes de glaçure bleu-vert à l'intérieur et à l'extérieur (Paris, Musée du Louvre AO 19492) (**pl. 36,49**).
M 1523 : cylindre en stéatite avec un crochet de suspension en bronze (Alep, Musée national).
M 1524 : fragment d'épingle en os, dont l'extrémité est en forme de tête d'oiseau (Alep, Musée national).
M 1525 : bracelet, D = 0,065-0,048, en bronze ; cinq bagues,

D = 0,030-0,019 et 0,028-0,014, en bronze (Alep, Musée national).
M 1526 : fibule en bronze (Alep, Musée national).
M 1527 : perles réunies en deux colliers ; deux fusaïoles (Alep, Musée national).

TOMBE 308 (**pl. 6, 7, 9, 49**)
5-02-1937, double cloche, salle 161, E-O
Deux jarres couchées.
H = 0,95-0,90
Squelette couché sur le dos, tête à l'est, face vers le sud, bras repliés vers le bassin, main gauche sur une coupe en bronze, jambes fléchies vers la droite.
Objets (**pl. 48**)
M 1528 : coupe en bronze, posée sur la hanche gauche (Paris, Musée du Louvre ?).
M 1529 : gobelet en bronze portant un décor incisé, trouvé contre la tête (Paris, Musée du Louvre AO 19495) (**pl. 48, 49**).
M 1530 : disque décoré, en bronze, posé à côté du couvercle en os (Paris, Musée du Louvre AO 30007).
M 1531 : anneau ouvert, D = 0,019-0,012, en bronze, à un orteil (Paris, Musée du Louvre AO 30031).
M 1532 : neuf éléments en os décorés (coffret ?), situés sur le bassin et au niveau des jambes (Paris, Musée du Louvre AO 30006).
M 1533 : plaque en calcaire percée aux quatre angles, avec M 1532 (Paris, Musée du Louvre AO 24358).
M 1534 : couvercle (d'un coffret ?) en os, avec M 1532 et 1533 (Paris, Musée du Louvre ?).

TOMBE 309 (**pl. 6, 7, 9**)
02-1937, double cloche, cour 160, en surface, S-N
Deux jarres séparées par un intervalle de 0,07 m.
H = 0,80-0,80
Squelette couché sur le dos, tête au sud, mains ramenées vers la tête.
Objets
Un anneau en bronze (bague ou bracelet ?) et un collier de perles en fritte (non inventoriés).

TOMBE 310 (**pl. 6, 7, 9**)
02-1937, double cloche, cour 160, en surface, S-N
Deux jarres, H = 0,80-0,83
Squelette couché sur le dos, tête au sud, bras repliés sur le thorax.

TOMBE 311 (**pl. 6, 7, 9**)
02-1937, double cloche, salle 164, en surface, E-O
Deux jarres séparées par un intervalle de 0,13 m.
H = 0,76-0,70
Squelette, tête à l'est, dont la position n'a pas pu être déterminée, les deux jarres étant effondrées.

TOMBE 312 (**pl. 6, 7, 9**)
02-1937, double cloche, salle 164, - 0,50 m, E-O
Deux jarres, H = 0,80-0,70, D = 0,53- ?
Squelette couché sur le côté droit, tête à l'est, mains sur le bassin.
Céramiques
Un vase recouvert par une coupe (non inventoriés), à l'extérieur de la tombe.
Objet
Des traces d'une coupe en bois à l'intérieur.

TOMBE 313 (**pl. 6, 7, 9**)
02-1937, jarre, salle 164, - 0,30 m, SE-NO
Jarre, H = 0,98, D = 0,75
Vide. Tombe violée ?

TOMBE 314 (**pl. 6, 7**)
10-02-1937, double cloche, espace 113-F, - 0,50 m, N-S
Deux jarres, H = 0,90-0,90, D = 0,75-0,75
Squelette recroquevillé dans la jarre nord, tête fléchie, face vers le sud, jambes sur le thorax. Tombe violée ?

TOMBE 315 (**pl. 6, 7, 9**)
02-1937, double cloche, cour 160, en surface, S-N
Deux jarres cassées.
H = 0,65-0,65, D = 0,60-0,60
Squelette d'un enfant couché sur le dos, tête au sud.

TOMBE 316 (**pl. 6, 7, 9**)
02-1937, double cloche, salle 190, en surface, SE-NO
Deux jarres, H = 0,85-0,90
Squelette couché sur le dos, tête au SE.

TOMBE 317 (**pl. 6, 7, 9**)
02-1937, double cloche, salle 190, - 0,60 m, N-S
Deux jarres, H = 0,55-0,55, D = 0,58-0,58
Squelette d'un enfant, tête au nord.
Objets
Des coquillages (non décrits), sous la tête.

TOMBE 318 (**pl. 6, 7, 9**)
18-02-1937, double cloche, salle 190, - 0,50 m, N-S
Deux jarres, H = 0,70-0,75
Squelette d'un enfant couché sur le côté droit, tête au nord, jambes repliées.
Objets (**pl. 49**)
M 1540 et M 1541 : dix anneaux de cheville ouverts, D = 0,080, en bronze (Paris, Musée du Louvre ?).
M 1542 : épingle fragmentaire en os, dont l'extrémité est en forme de tête d'oiseau (Paris, Musée du Louvre ?).
M 1543 : deux bagues, une en bronze, une en argent ; deux amulettes en fritte ; des perles réunies en un collier (Paris, Musée du Louvre ?).

TOMBE 319 (**pl. 6, 7, 9**)
02-1937, double cloche, salle 158, en surface, S-N
Deux jarres cassées.
H = 0,79-0,95
Squelette couché sur le dos, tête au sud, un bras ramené vers la tête.

TOMBE 320 (**pl. 6, 7, 9**)
03-1937, pleine terre, entrée des chars, - 1,10 m, O-E
Squelette d'un enfant couché sur le côté droit, en position recroquevillée, tête à l'ouest, jambes fortement repliées, genoux près des coudes.

TOMBE 321 (**pl. 6, 7**)
03-1937, pleine terre, entrée des chars, - 1,30 m, E-O
Squelette couché sur le dos, tête à l'est, face vers le nord, bras droit replié sur le thorax, bras gauche le long du corps, jambes fléchies vers la droite.

TOMBE 322 (**pl. 6, 7, 9**)
03-1937, double cloche, couloir 201, - 1,10 m, O-E
Dans le mur est.
Deux jarres, une de 1,00 m de hauteur, dans laquelle était enfoncée la deuxième qui était cassée.
Squelette disloqué, tête à l'ouest. Tombe violée ?

TOMBE 323 (**pl. 6, 7**)
03-1937, double cloche, entrée des chars, - 0,30 m, N-S
Dans le mur salle 194-entrée des chars.
Deux jarres, H = 0,85-0,80
Squelette, tête au nord.

TOMBE 324 (**pl. 6, 7**)
03-1937, double cloche, entrée des chars, - 0,85 m, E-O
Dans le mur salle 194-entrée des chars, sous T 323.
Deux jarres cassées.
Squelette couché sur le dos, tête à l'est, mains sur le bassin, jambes repliées.

TOMBE 325 (**pl. 6, 7**)
22-03-1937, double cloche, salle 194, NE-SO
Deux jarres à base annulaire, avec un bourrelet à la partie supérieure de la panse, couchées et séparées par un intervalle de 0,14 m.
H = 0,71-0,67, D = 0,65- ?
Squelette couché sur un côté.

TOMBE 326 (**pl. 6, 7**)
22-03-1937, double cloche, salle 194, NE-SO
Deux jarres couchées :
- une à base annulaire,
- l'autre à fond arrondi.
H = 0,60-0,86
Squelette couché sur un côté.

TOMBE 327 (**pl. 6, 7**)
22-03-1937, double cloche, salle 194, E-O
Deux jarres couchées et qui ont été cassées par l'installation des tombes 325 et 326.
Squelette couché sur le dos, tête à l'est, face vers le nord.

TOMBE 328 (**pl. 6, 7, 9**)
04-1937, double cloche, salle 145, - 0,40 m, SO-NE
Dans le piédroit sud de la porte des salles 145-198.
Deux jarres dont le joint était couvert de tessons, couchées :
- une à base annulaire,
- l'autre à fond arrondi.
H = 0,50-0,40
Pas de renseignement sur le squelette.
A. Parrot, 1958, p. 249, fig. 295.

TOMBE 329 (**pl. 6, 11**)
2-11-1937, jarre, N haute terrasse
Tombe non dégagée.
Jarre couchée.
H = 0,75
Pas de renseignement sur le squelette.

TOMBE 330 (**pl. 6, 11**)
11-1937, double cloche, N haute terrasse, en surface, E-O
Deux jarres à base annulaire couchées.
H = 0,85- ?, D = 0,38- ?
Squelette d'un enfant.

TOMBE 331 (**pl. 6, 11**)
11-1937, double cloche, N haute terrasse, en surface, E-O
À proximité de T 330 et 332.
Deux jarres, H = 0,85- ?
Squelette d'un enfant, tête à l'est.
Objets
Trois boucles d'oreilles en bronze (non inventoriées).

TOMBE 332 (**pl. 6, 11**)
11-1937, double cloche, N haute terrasse, en surface, S-N
À proximité de T 330 et 331.
Deux jarres, H totale = 1,50
Squelette, tête au sud, face vers l'est ; des traces de tissu, linceul ?
Objet
Une boucle d'oreille en bronze (non inventoriée).

TOMBE 333 (**pl. 6, 11**)
11-1937, jarre, N haute terrasse, en surface, E-O
Jarre couchée.
H = 1,00
Pas de renseignement sur le squelette.

TOMBE 334 (**pl. 6, 11**)
11-1937, double cloche, N haute terrasse, E-O
Sous T 333.
Deux jarres à base annulaire, la plus grande portait un bourrelet en haut de la panse, couchées.
H = 0,45-0,70
Pas de renseignement sur le squelette.

TOMBE 335 (**pl. 6, 11**)
11-1937, double cloche, N haute terrasse, en surface, E-O
Deux jarres à base annulaire, dont les parties supérieures étaient écrasées, couchées et séparées par un intervalle de 0,32 m
H = 0,85-0,55, D = 0,62- ?
Pas de renseignement sur le squelette.

TOMBE 336 (**pl. 6, 11**)
11-1937, double cloche, N haute terrasse, en surface, E-O
Deux jarres couchées et séparées par un intervalle de 0,21 m.
H = 0,51-0,58, D = 0,55- ?
Squelette, tête à l'est.

TOMBE 337 (**pl. 6, 11**)
15-11-1937, double cloche, N haute terrasse, en surface, E-O
Deux jarres à base annulaire, avec un bourrelet et des nervures fines à la partie supérieure de la panse, couchées :
- celle de l'ouest avait une bande bitumée à mi-hauteur.
H totale = 1,80
Squelette couché sur le côté gauche, en position contractée ; des restes de ceinture faite de lanières tressées en cuir ; suaire de couleur pourpre ; des traces de bois, de tissu, de roseau.
Des ossements animaux, près de la tête.
Objets
Quatre bracelets en bronze (non inventoriés).

TOMBE 338 (**pl. 6**)
11-1937, sarcophage, SO haute terrasse, en surface, N-S
Cuve rectangulaire, angles arrondis, fond plat, parois verticales.
Vide. Tombe violée ?

TOMBE 339 (**pl. 6, 7, 9**)
11-1937, double cloche, extérieur, N-S
Au sud-est de la salle S.
Deux jarres, H = 0,90-0,90
Pas de renseignement sur le squelette.

TOMBE 340 (**pl. 6, 7, 9**)
11-1937, double cloche, dépendances, SE-NO
À l'est de la salle S.
Deux jarres, H = 0,85-0,85
Pas de renseignement sur le squelette.

TOMBE 341 (**pl. 6, 7, 9**)
11-1937, jarre, extérieur, S-N
Au sud de la salle S.
Jarre située dans le dallage.
Pas de renseignement sur le squelette.

TOMBE 342 (**pl. 6, 7, 50**)
8-12-1937, pleine terre, salle 252, N-S

Dans un mur.
Squelette d'une femme couché sur le dos, tête au nord, face vers l'est, bras droit allongé le long du corps, jambes repliées ; au niveau du bassin, des fragments de crâne d'un enfant et des petits ossements.
Céramiques (**pl. 50**)
Une bouteille debout près de la tête et un gobelet au niveau du coude droit (non inventoriés).

TOMBE 343 (**pl. 6, 7, 50**)
8-12-1937, pleine terre, salle 249, - 0,20 m, S-N
Située dans un mur.
Squelette couché sur le côté gauche, en position fléchie, tête au sud, face vers l'ouest, mains ramenées vers la tête, jambes repliées.
Céramiques (**pl. 50**)
Un petit vase à col étroit, debout, et une jarre fragmentaire couchée, de part et d'autre du crâne ; sur le bassin, une bouteille couchée, et près des jambes un grand plat (non inventoriés).

TOMBE 344 (**pl. 6, 11, 51**)
8-11-1938, pleine terre, E haute terrasse, - 0,85 m, N-S
Maison située à l'est de la haute terrasse, pièce 4.
Squelette d'un enfant couché sur le côté gauche, la tête qui était au nord manquait, bras ramenés vers une coupe en bronze, jambes fléchies.
Céramiques
Deux jarres, un vase globulaire à large ouverture et une coupe (non inventoriés), devant le squelette.
Objet
M 1913 : coupe en bronze.

TOMBE 345 (**pl. 6, 11, 51**)
9-11-1938, pleine terre, E haute terrasse, - 0,70 m, E-O
Maison située à l'est de la haute terrasse, pièce 4, en partie dans un mur.
Squelette couché sur le dos, tête à l'est, mains posées sur le bassin, jambes allongées.
Objets (**pl. 52**)
M 1754 : chaîne torsadée en bronze et six clochettes fixées sur la chaîne par des anneaux à bélière, trouvées au bas du thorax.
M 1755 : bague en bronze, de type chevalière.

TOMBE 346 (**pl. 6, 11, 51, 52**)
10-11-1938, pleine terre, E haute terrasse, - 1 53 m, N-S
Maison située à l'est de la haute terrasse, pièce 3.
Squelette d'un enfant couché sur le côté droit, dont la tête manquait, bras repliés à angle droit, jambes fléchies.
Céramiques
Deux coupes, dont une à pied, devant le squelette et une jarre fragmentaire à une certaine distance (non inventoriées).
Objets
Un bracelet en bronze à chaque bras (non inventoriés) ; un coquillage (non décrit).

TOMBE 347 (**pl. 6, 11, 51**)
10-12-1938, jarre, E haute terrasse, - 1,55 m, SO-NE,
Maison située à l'est de la haute terrasse, pièce 3.
Jarre cassée, H = 0,80
Squelette affaissé.
Céramique
Une bouteille (non inventoriée), à l'extérieur de la tombe.

TOMBE 348 (**pl. 6, 11, 51, 52**)
10-11-1938, pleine terre, E haute terrasse, - 1,68 m, E-O
Maison située à l'est de la haute terrasse, pièce 3.
Squelette d'un enfant couché sur le côté gauche, en position contractée, dont la tête manquait, bras repliés vers le bassin, jambes fortement fléchies.
Céramiques
Une jarre debout et une coupe (non inventoriées), à proximité des pieds.

TOMBE 349 (**pl. 6, 11, 51**)
10-11-1938, jarre, E haute terrasse, - 1,35 m, N-S
Maison située à l'est de la haute terrasse, pièce 5.
Jarre cassée.
H = 0,95, D = 0,86
Squelette disloqué, dont la tête manquait, bras repliés sur une coupe.
Tombe violée ?
Céramique
Une coupe (non inventoriée), sur le thorax.

TOMBE 350 (**pl. 6, 11, 51**)
11-1938, pleine terre, E haute terrasse, O-E
Maison située à l'est de la haute terrasse, pièce 5, le long d'un mur.
Squelette couché sur le côté droit, tête à l'ouest, bras gauche allongé le long du corps derrière le dos, jambes fortement fléchies.

TOMBE 350 bis (**pl. 6, 12, 52, 53**)
26-11-1951, sarcophage, S18, N-S
Cuve ovale à fond bombé, type coquille de noix, recouverte par une cuve identique.
Cuve, L = 1,15, l = 0,61, ép. = 0,055
Couvercle, L = 1,10, l = 0,63, H = 0,43, ép. = 0,055
Squelette couché sur le côté droit, tête au nord recouverte par un suaire en tissu laineux, bouche grande ouverte, denture bien conservée, jambes repliées et enveloppées de bandelettes de toile.
Céramique
Une jarre-torpille (non inventoriée), debout, à l'extérieur au nord-ouest de la tombe.

TOMBE 351 (**pl. 6, 12, 53**)
26-11-1951, sarcophage, S19, SO-NE
Cuve ovale, type coquille de noix, recouverte par une cuve identique.
Cuve, L = 1,13, l = 0,64, H = 0,30, ép. = 0,035-0,055
Couvercle, L = 1,10, l = 0,42
Squelette d'une femme couché sur le dos, tête au sud-ouest enveloppée dans un suaire en tissu très fin, bras repliés, mains au niveau de la mandibule, genoux ramenés sur le thorax ; il devait être enveloppé dans un linceul en tissu (restes sur les bras et autres os).
A. Parrot, 1952, p. 187, pl. XV-2,3.
Céramique (**pl. 56**)
M 1934 : cruche trouvée à l'extérieur, au sud-ouest de la tombe.

TOMBE 352 (**pl. 6, 12, 53**)
26-11-1951, sarcophage, S18, S-N
Cuve ovale, type coquille de noix, recouverte par une cuve identique.
Squelette d'une femme couché sur le côté gauche, tête au sud, bras et jambes repliés et enveloppés de bandelettes ; des restes de linceul en tissu.
Céramique
Une cruche (non inventoriée), posée sur le thorax.

TOMBE 353
11-1951, sarcophage, N haute terrasse, S-N
Non située sur le plan de la planche 12.
Cuve ovale à fond bombé, type coquille de noix, recouverte par une cuve identique.

Squelette d'un enfant couché sur le côté gauche, tête au sud, face vers le nord-ouest, jambes repliées.

TOMBE 354 (**pl. 6, 13, 14, 73**)
28-11-1951, jarre, R20, O-E
Avec les jarres 531, 398, 527 et la tombe en pleine terre 530.
Grande jarre à large ouverture, avec deux bourrelets à la partie supérieure de la panse, une anse attachée sous le col, fond plat (**pl. 54**), inclinée et effondrée.
H = 0,90, D = 0,75, ouv. = 0,42
Pas de renseignement sur le squelette.
Céramiques
Une jarre et un petit vase (non inventoriés), à l'extérieur de la tombe.
Objets (**pl. 54**)
M 1955 et M 1956 : aiguilles droites à chas, en bronze, trouvées à l'intérieur de la tombe.

TOMBE 355 (**pl. 6, 12, 54**)
28-11-1951, double cloche, R18, NO-SE
Deux jarres à base annulaire, portant un bourrelet sur le haut de la panse, couchées et raccordées par des briques crues (**pl. 55**).
H = 0,75-0,80, D = 0,54-0,67
Squelette d'adolescent couché sur le côté droit, tête au nord-ouest, face vers l'ouest, jambes fléchies ; le milieu du corps était enveloppé dans un linceul en tissu de couleur pourpre.
Céramiques (**pl. 55**)
M 1921 : coupe, posée contre le fond de la jarre nord.
M 1922 : coupe, trouvée près du raccord des deux jarres, à côté de la passoire ; des ossements d'oviné étaient à proximité.
M 1923 : jarre, contre le fond de la jarre funéraire sud.
Une autre jarre (non inventoriée), contre le fond de la jarre nord près de la coupe.
Objets (**pl. 54**)
M 1919 : passoire-entonnoir en bronze, à manche recourbé, située à l'extérieur près du col de la jarre sud (Damas, Musée national).
A. Parrot, 1952, p. 188, pl. XVII-1.
M 1920 : perles en cornaline, pâte de verre, réunies en trois colliers ; deux bagues, D = 0,021-0,012, en argent (l'une est cassée) ; un anneau de nez, en or, 0,011 x 0,011, en forme de croissant.

TOMBE 356 (**pl. 6, 12, 54**)
28-11-1951, jarre, R18, E-O
Jarre recouverte par un plat profond.
Pas de renseignement sur le squelette.
Céramiques (**pl. 54**)
M 1926 et M 1927 : bouteilles, trouvées à l'extérieur, à l'ouest de la tombe.

TOMBE 357 (**pl. 6, 12**)
28-11-1951, double cloche, S19, SO-NE
Deux jarres couchées et raccordées par des briques crues.
H = 0,82-0,91, D = 0,66-0,71
Squelette d'une femme couché sur le côté droit, tête au sud-ouest, face vers le sud, mains jointes sur le thorax, jambes fléchies ; il était enveloppé dans un linceul en tissu de couleur pourpre.
Objet (**pl. 55**)
M 1918 : pyxide en bois, de forme tronconique, à anses plates percées, avec des traces de décor gravé et couvercle plat à anses percées (Damas, Musée national).
A. Parrot, 1952, p. 189, pl. XVII-2.

TOMBE 358 (**pl. 6, 12, 55**)
28-11-1951, double cloche, R19, SO-NE
Deux jarres à base annulaire couchées.
H = 0,90-0,77, D = 0,70-0,65
Squelette d'une femme couché sur le côté droit, tête au sud-ouest, face vers l'est, jambes fléchies.
A. Parrot, 1952, p. 188.
Objets
M 1935, M 1936 et M 1937 : petits vases en faïence (M 1937 ne possède pas de col), trouvés à l'extérieur de la tombe (**pl. 55**).
M 1938 : cinq bracelets, D = 0,060-0,045, en bronze, à chaque poignet.
M 1939, M 1940 : deux plaques en os, perforées aux angles.
M 1941 : fragments d'une plaque en os, perforée aux angles.
De nombreux coquillages (non décrits), situés à l'extérieur avec les plaques et les vases en faïence (**pl. 55**).

TOMBE 359 (**pl. 6, 12**)
28-11-1951, double cloche, R19, SO-NE
Deux jarres couchées et raccordées par des briques cassées.
H = 0,93-0,85, D = 0,80-0,75
Squelette, tête au sud, mains sur le thorax ; il était enveloppé dans une peau.

TOMBE 360 (**pl. 6, 12, 56**)
28-11-1951, double cloche, R18, NO-SE
Deux jarres couchées et emboîtées l'une dans l'autre :
- celle du nord-ouest était une cuve profonde très évasée, à fond arrondi,
- celle du sud-est avait une base annulaire.
H = 0,52-0,845, D = 0,79-0,48
Squelette couché sur le côté gauche, tête au nord-ouest, face vers l'ouest, jambes fléchies.
Céramiques
M 1924 : cruche, située à l'intérieur.
Une jarre (non inventoriée), à l'extérieur de la tombe.
Objet
M 1925 : boucle d'oreille en bronze, avec une perle en cornaline.

N° 361
11-1951, jarre
Effondrée sous le poids des terres.
Pas d'ossements retrouvés.
Ce n'est pas une tombe.

TOMBE 362 (**pl. 6, 12**)
29-11-1951, double cloche, R18, NE-SO
Deux jarres couchées.
Squelette très abîmé par l'effondrement de la jarre nord-est, tête au nord-est, face vers le sud ; il était enveloppé dans un linceul en tissu.
Objets
M 1932, M 1933 : bracelets ouverts, D = 0,083-0,065 et 0,080-0,066, en bronze.

TOMBE 363 (**pl. 6, 12**)
29-11-1951, double cloche, R18, NE-SO
Deux jarres couchées.
Squelette de grande taille, couché sur le côté droit, tête au nord-est.
Objets
M 1930 : cylindre en cristal de roche, portant un décor.
M 1931 : coupe en bronze munie d'un anneau de préhension sur le bord, trouvée près de la bouche du défunt (**pl. 56**).

TOMBE 364 (**pl. 6, 12**)
29-11-1951, jarre, R19, NE-SO
Jarre couchée et fermée par une brique.
H = 0,55, D = 0,52
Pas de renseignement sur le squelette.

Céramiques
Deux coupes (non inventoriées).
Objets
Cinq perles (non inventoriées).

TOMBE 365 (**pl. 6, 12**)
29-11-1951, briques, S19, SO-NE
Tombe en briques crues (0,38 x 0,36 x 0,13) qui étaient posées à plat dans les parois et de chant dans la couverture.
L = 1,95, l = 1,25
Pas de squelette.

TOMBE 366 (**pl. 6, 12, 57**)
29-11-1951, jarre, R19, N-S
Située dans un dallage.
Grande jarre à fond arrondi, découpée pour introduire le corps (découpe en U dans le tiers supérieur), couchée (**pl. 56**).
L = 1,36, D = 0,72, ouv. = 0,30-0,36
Squelette couché sur le côté gauche, tête au nord, bras et jambes repliés.
A. Parrot, 1952, p. 187, pl. XVI,1-2.
A. Parrot, 1974, p. 155, fig. 94.
Céramiques
Deux coupes (non inventoriées), à l'extérieur de la tombe.
Objets (**pl. 57**)
Deux peignes avec deux rangées de dents (non inventoriés), posés sur le thorax (matériau ?).

TOMBE 367 (**pl. 6, 12, 57**)
29-11-1951, double cloche, R19, NO-SE
Située dans un mur.
Deux jarres avec un bourrelet et trois ou quatre nervures au niveau du col, couchées (**pl. 55**) :
- la plus petite avait un fond en bouton,
- l'autre avait une base annulaire.
H = 0,90-0,56, D = 0,70-0,56
Squelette très abîmé, tête au nord.
Objets
M 1952 : deux anneaux en argent, D = 0,012-0,010, en forme de croissant (anneaux de nez ?) ; deux perles en fritte, une en cornaline qui portait un décor gravé.

TOMBE 368 (**pl. 6**)
29-11-1951, double cloche, R19, NO-SE
Non située sur le plan de la planche 12.
Deux jarres couchées et remplies de terre d'infiltration.
H = 0,84-0,86, D = 0,70-0,70
Squelette très abîmé, en position fléchie, tête au nord-ouest.
Objets
M 1954 : huit pointes de flèches à lame losangique, sept en bronze et une en fer cassée.

TOMBE 369 (**pl. 6, 12, 58**)
29-11-1951, sarcophage, R19, NO-SE
Cuve ovale, type coquille de noix, recouverte par une cuve identique (**pl. 56**).
Cuve, L = 1,15, l = 0,65, H = 0,40, ép. = 0,05
Couvercle, H = 0,40
Squelette couché sur le côté droit, tête au nord-ouest, jambes repliées ; il était enveloppé dans un linceul en tissu.
A. Parrot, 1952, pl. XV,1.
Céramique
Une cruche debout (non inventoriée), trouvée à l'extérieur, au nord-ouest de la tombe.

TOMBE 370 (**pl. 6, 12, 58**)
29-11-1951, sarcophage, R19, N-S
Cuve ovale, type coquille de noix, recouverte par une cuve de forme identique qui avait une base annulaire ; le couvercle portait des empreintes de doigt (potier ?) (**pl. 56**).
Cuve, L = 1,14, l = 0,63, H = 0,37, ép. = 0,050
Couvercle, H = 0,40
Squelette couché sur le côté droit, tête au nord, jambes repliées ; il était enveloppé dans un linceul en tissu.
A. Parrot, 1952, pl. XV-1.

TOMBE 371 (**pl. 6, 12**)
29-11-1951, jarre, R19, NE-SO
Jarre fermée par une jarre plus petite dont le fond manquait (**pl. 55**).
Jarre, H = 0,52, D = 0,43
Couvercle, H = 0,38, D = 0,50
Squelette d'un enfant.

TOMBE 372 (**pl. 6, 12**)
29-11-1951, jarre, R18, N-S
Grande jarre à fond arrondi, ornée d'un bourrelet cordé en haut de la panse, couchée.
H = 0,73, D = 0,62
Pas de renseignement sur le squelette.
Céramiques
Deux bouteilles (non inventoriées) debout, à l'extérieur de part et d'autre de l'ouverture de la jarre.

TOMBE 373
29-11-1951, double cloche, N haute terrasse, NE-SO
Non située sur le plan de la planche 12.
Deux jarres dont les fonds étaient cassés, avec un raccord de fragments de briques.
H = 0,86- ?, D = 0,56-0,56
Pas de renseignement sur le squelette.
Céramique
Un petit vase (non inventorié), à l'extérieur contre le raccord.

TOMBE 374 (**pl. 6, 12**)
29-11-1951, double cloche, S19, NO-SE
Deux jarres remplies de terre d'infiltration, celle du sud était calée par des briques cuites (0,335 x 0,335).
H = 0,95-0,77
Squelette couché sur le côté droit, tête dans la jarre nord-ouest, le reste du corps était presque entièrement dans la jarre sud-est, jambes fléchies.

TOMBE 375 (**pl. 6, 12**)
29-11-1951, double cloche, S19, NO-SE
Deux jarres remplies de terre d'infiltration, celle du nord-ouest était cassée.
H = 0,75-0,81, D = 0,69- ?
Vide. Tombe violée ?

TOMBE 376
29-11-1951, double cloche, N haute terrasse, S-N
Non située sur le plan de la planche 12.
Deux jarres, H = 0,43-0,45, D = 0,45- ?
Squelette d'un enfant, tête au sud.
Objets
M 1949 et M 1950 : bracelets ouverts, D = 0,052-0,045 et 0,044-0,034, en bronze.
M 1951 : six perles en fritte.

TOMBE 377 (**pl. 6, 12**)
1-12-1951, double cloche, S19, - 0,80 m, SE-NO

À 0,20 m au-dessous d'une tombe d'époque séleucide (T 379).
Deux jarres, dont l'une avait un bourrelet en haut de la panse.
H = 0,63-0,49, D = 0,40-0,38
Squelette couché sur le côté droit, tête au SE, face vers l'est, jambes repliées ; il était enveloppé dans un linceul en tissu.

TOMBE 378 (**pl. 6, 12**)
1-12-1951, double cloche, R-S19, O-E
Deux jarres avec un bourrelet en haut de la panse, une jarre avait le fond qui manquait ; elles étaient remplies de terre d'infiltration.
H = 0,67-0,70, D = 0,46-0,52
Squelette couché sur le côté gauche, tête à l'ouest, jambes fléchies.

TOMBE 379 (**pl. 6, 12**)
3-12-1951, sarcophage, R-S19, E-O
Cuve ovale, type coquille de noix, recouverte d'une cuve identique percée d'un trou, calée à l'ouest par des briques cassées et remplie de terre d'infiltration.
L = 1,20, l = 0,60
Squelette couché sur un côté, tête à l'est, face vers le sud.
Céramiques
Une jarre-torpille (non inventoriée), à l'extérieur au sud.
M 1946 : coupe, posée sur la jarre-torpille (**pl. 56**).
Objet
M 1947 : bracelet ouvert, D = 0,062-0,055, en bronze, dont les extrémités se terminent par une tête de serpent.

TOMBE 380 (**pl. 6, 12**)
3-12-1951, double cloche, R18, SO-NE
Deux jarres remplies de terre d'infiltration (**pl. 55**).
H = 0,85-0,85, D = 0,70-0,72
Pas de renseignement sur le squelette.
Objets
M 1961 : trois perles en cornaline.

TOMBE 381 (**pl. 6, 12, 58**)
3-12-1951, sarcophage, R20, E-O
Tombe couvercle : élément, type coquille de noix, ovale, angles arrondis, fond légèrement bombé, parois incurvées vers l'intérieur, placé au-dessus des ossements qui étaient à même la terre (**pl. 56**).
L = 1,52, l = 0,64, H = 0,37
Squelette abîmé, couché sur le côté droit, tête à l'est, jambes fortement fléchies.

TOMBE 382 (**pl. 6, 12**)
3-12-1951, jarre, S20, O-E
Grande jarre à fond arrondi percé d'un trou, cassée à mi-hauteur pour introduire le corps, couchée et fermée par des briques cassées.
H = 1,29, D = 0,80, ouv. = 0,28-0,35
Squelette couché sur un côté, tête à l'est au fond de la jarre.

TOMBE 383 (**pl. 6, 12**)
3-12-1951, jarre, R19, E-O
Grande jarre à fond arrondi, couchée.
H = 1,31, D = 0,75, ouv. = 0,33-0,40
Squelette couché sur le dos, tête à l'est, jambes croisées en tailleur.

TOMBE 384 (**pl. 6, 12**)
3-12-1951, sarcophage, R19, E-O
Cuve ovale recouverte par une cuve identique ; cuve et couvercle avaient des parois incurvées vers l'intérieur et le fond plat (**pl. 56**).
Intérieur, L = 1,39, l = 0,42, H = 0,30, ép. = 0,08
Couvercle, H = 0,30
Squelette de très grande taille, couché sur le côté droit, jambes repliées.

Céramique (**pl. 56**)
M 1942 : cruche, trouvée à l'extérieur, à l'est de la tombe.

TOMBE 385 (**pl. 6, 12, 59**)
3-12-1951, double cloche, R19, NO-SE
Deux grandes jarres, la plus petite était enfoncée dans le col de l'autre, la plus grande portait deux bourrelets sous le col ; couchées et remplies de terre d'infiltration.
H = 0,80-0,40, D = 0,75- ?
Squelette d'une femme dont le crâne, à l'aplomb de l'ouverture, était environné d'ossements. Tombe violée ?
Céramiques
Une jarre-torpille, debout (non inventoriée).
M 1943 : coupe, posée sur le col de la jarre-torpille (**pl. 56**).
Objets
M 1944 : boucle d'oreille en argent.
M 1945 : boucle d'oreille en bronze, qui devait porter une perle (manquante).

TOMBE 386 (**pl. 6, 12**)
3-12-1951, sarcophage, R19, E-O
Cuve ovale, type coquille de noix, recouverte par une cuve identique dont le fond était effondré dans la cuve inférieure.
Cuve, L = 1,52, l = 0,61, ép. = 0,06
Couvercle, L = 1,47, H = 0,18
Squelette couché sur le côté droit, tête à l'est.
Céramique (**pl. 56**)
M 1948 : cruche, située près de la tête.

TOMBE 387 (**pl. 6**)
12-1951, jarre, S19
Non située sur le plan de la planche 12.
Grande jarre.
Pas de renseignement sur le squelette.
Céramique
M 1959 : vase globulaire à large ouverture.
Objets (**pl. 59**)
M 1957 et M 1958 : épingles droites en bronze, la première avait un anneau passé dans le chas.

TOMBE 388 (**pl. 6, 12**)
12-1951, double cloche, R18, NO-SE
Deux jarres à base annulaire, dont la panse était ornée d'un bourrelet (**pl. 55**).
H = 0,32-0,32, D = 0,21-0,21
Squelette d'un enfant.

TOMBE 389 (**pl. 6, 59**)
20-12-1951, jarre, S20,
Angle nord-est du Massif rouge, espace 4.
Grande jarre dont la panse était ornée d'un bourrelet cordé, couchée et fermée par une coupe renversée.
H = 0,80, D = 0,64
Squelette disloqué, crâne détaché de la colonne vertébrale (rupture des vertèbres cervicales).
Céramique (**pl. 59**)
M 2025 : bouteille qui portait en haut de la panse le dessin d'une silhouette humaine et un signe oméga tracés au bitume, trouvée à l'extérieur de la tombe.

TOMBE 390 (**pl. 6, 59**)
20-12-1951, sarcophage, S20
Angle nord-est du Massif rouge, espace 4, à côté de T 389.
Cuve rectangulaire, angles arrondis, fond plat, parois légèrement obliques, une rainure à la partie supérieure, recouverte par une grande jarre.

Pas de renseignement sur le squelette.
Céramiques (**pl. 59**)
M 2027 et M 2028 : bouteilles debout, à l'extérieur de la tombe.

TOMBE 391 (**pl. 6, 60**)
20-12-1951, jarre, S ou T20, debout
Angle nord-nord-est du Massif rouge.
Grande jarre à fond plat dont la panse était ornée de deux bourrelets cordés, recouverte par une grande jarre à fond plat, renversée, qui portait un bourrelet et une bande de bitume à la partie supérieure.
Jarre, H = 0,98, D = 0,80, ouv. = 0,52
Coupe, H = 0,40
Squelette affaissé au fond de la jarre.
Céramiques
Trois vases (non inventoriés).

TOMBE 392 (**pl. 6, 60**)
20-12-1951, sarcophage, S ou T20, E-O
Angle nord-est du Massif rouge, à côté de T 391.
Cuve cassée, rectangulaire, angles arrondis, fond plat, parois verticales, ornée de deux bourrelets cordés ; le haut était entouré par une natte bitumée.
L = 0,84, l = 0,57, H = 0,68
Vide. Tombe violée ?

TOMBE 393 (**pl. 6**)
27-12-1951, jarre, S20, SO-NE
Face nord-est du Massif rouge.
Grande jarre dont la panse était ornée de deux bourrelets cordés, légèrement inclinée et fermée par une grande coupe renversée.
Pas de renseignement sur le squelette.

TOMBE 394 (**pl. 6**)
27-12-1951, briques, SE-NO
Angle nord du Massif rouge.
Construite en briques crues (0,32 x 0,32 x 0,075).
L = 2,00, l = 0,75, H = 0,60
Squelette, tête au SE.

TOMBE 395 (**pl. 6**)
28-12-1951, jarre, S20, SO-NE
Face nord-est du Massif rouge.
Grande jarre inclinée et fermée par une coupe profonde.
H = 0,85, D = 0,70, ouv. = 0,50
Pas de renseignement sur le squelette.
Céramiques
M 2037 : bouteille avec des traces verticales de lustrage, à l'extérieur de la tombe (**pl. 59**).
M 2039 : vase, à l'intérieur de la tombe
Objet
M 2038 : figurine-plaquette féminine en terre cuite, trouvée à l'intérieur de la tombe.

TOMBE 396 (**pl. 6**)
3-12-1951, jarre, S20, debout
Angle nord du Massif rouge.
Jarre contenant des ossements qui étaient recouverts de fragments de pierres et de briques.
H = 0,90
Pas de renseignement sur le squelette.
Céramiques
Une jarre dans le col de laquelle était engagée une bouteille renversée (non inventoriées) ; deux jarres debout, renversées l'une sur l'autre, pleines de terre d'infiltration, à proximité de la tombe.

TOMBE 397 (**pl. 6**)
4-01-1952, jarre, S20
Nord-est du Massif rouge.
Grande jarre à fond arrondi percé d'un trou.
Squelette d'adolescent.

TOMBE 398 (**pl. 6, 13, 14, 73, 75**)
01-1952, jarre, R20, O-E
Avec les jarres 531, 354, 527 et la tombe en pleine terre 530.
Grande jarre à fond plat, ornée de deux bourrelets au niveau de la panse et un au niveau du col (**pl. 59**), inclinée et fermée par une brique cuite.
H = 0,87, D = 0,66, ouv. = 0,33
Pas de renseignement sur le squelette.

TOMBE 399 (**pl. 6, 60**)
7-01-1952, sarcophage, S20, E-O
Nord-est du Massif rouge, espace 4.
Cuve rectangulaire, angles arrondis, fond plat, parois verticales, recouverte par deux grands couvercles superposés, de forme arrondie, avec poignée, cassés.
L = 1,02, l = 0,63
Squelette couché sur le côté droit, en position contractée, tête à l'est, face vers le nord.
Objets (**pl. 60**)
M 2083 : petite spatule en bronze.
M 2084 : pointe de flèche à lame losangique et soie, en bronze.
M 2085 : bracelet ouvert, D = 0,064-0,050, en bronze.
Une bague en argent, cassée (non inventoriée).

TOMBE 400 (**pl. 6, 60**)
7-01-1952, sarcophage, S20, N-S
Nord-est du Massif rouge, espace 4, à côté de T 399.
Cuve rectangulaire fragmentaire, angles arrondis, fond plat, parois verticales.
L = 1,10, D = 0,71, H = 0,36, ép. = 0,035
Squelette incomplet, recouvert de terre et de tessons. Tombe violée ?
Céramiques
Une jarre debout et un vase dont le fond était cassé, renversé au-dessus de la jarre (non inventoriés), à l'extérieur au sud de la tombe.
Objet (**pl. 60**)
M 2079 : boucle d'oreille en or, en forme de croissant.
A. Parrot, 1952, p. 195, note 2.

TOMBE 401 (**pl. 6**)
10-01-1952, sarcophage, S ou T20, - 3,00 m, NO-SE
Angle nord-est du Massif rouge.
Cuve rectangulaire, angles arrondis, fond plat, parois verticales, qui devait être recouverte par une dalle en terre cuite retrouvée basculée sur le côté. Tombe violée ?
L = 1,09, l = 0,54
Squelette couché sur le côté gauche.
Céramiques (**pl. 61**)
certaines étaient à l'extérieur de la tombe :
M 2106 : jarre portant une croix (tracée au bitume ?) sur le haut de la panse.
M 2107 : jarre.
M 2109, M 2110, M 2111 : coupes.
M 2112, M 2114 : gobelets.
M 2113 : petit vase à panse carénée.
M 2115, M 2116 : vases globulaires à large ouverture.
M 2117 : vase-bouteille portant des traces de polissage.
M 2118 : vase à col verseur bilobé.
M 2119 : jarre avec des traces de polissage.

Une céramique trouvée à l'intérieur de la tombe :
M 2108 : coupe.
Objets en bronze (**pl. 60**)
M 2086 : pointe de lance, avec douille d'emmanchement.
M 2087 : pointe de flèche, à lame losangique et soie.
M 2088 : épingle droite à chas, fragmentaire.
M 2091 : bracelet ouvert, D = 0,066-0,048.

TOMBE 402 (**pl. 6, 60**)
9-01-1952, jarre, S20, debout
Nord-est du Massif rouge, espace 5.
Grande jarre dont le haut de la panse était orné de deux bourrelets, recouverte par une jarre à large ouverture, à fond plat, bord orné de rainures et bitumé, renversée.
Jarre, H = 0,84, D = 0,74
Couvercle, H = 0,40, D = 0,50
Squelette affaissé.
A. Parrot, 1952, p. 189 et p. 190, fig. 3.
Céramique
Un vase (non inventorié), à l'intérieur de la tombe.

TOMBE 403 (**pl. 6**)
27-10-1952, sarcophage, R25 ?
Secteur du temple d'Ishtarat.
Cuve rectangulaire avec couvercle fragmentaire à poignée.
L = 1,05, l = 0,61, H = 0,39
Squelette dont les os n'étaient plus en connexion. Tombe violée ?
Céramiques
Une coupe (non inventoriée), posée près des mains.
De nombreux fragments de jarres cassées, dont un col très fragmentaire avec des éléments de serpents entrelacés (non inventorié), à l'intérieur de la tombe.

TOMBE 404 (**pl. 6, 62**)
11-01-1952, jarre, R23-24
Temple d'Ishtarat, salle 6.
Grande jarre à fond arrondi, dont la panse était ornée de deux bourrelets cordés, légèrement inclinée.
H = 1,12, D = 0,80, ouv. = 0,58
Pas de renseignement sur le squelette.
A. Parrot, 1967 b, p. 13, fig. 6.

TOMBE 404 bis (**pl. 6**)
21-10-1952, pleine terre, R25
Secteur du temple d'Ishtarat, pièce 5.
Squelette couché sur le côté gauche, en position fléchie.
Céramiques (**pl. 61**)
M 2753 : bouteille.
M 2754 : gobelet.
M 2755 : coupe.

TOMBE 405 (**pl. 6, 62**)
12-1952, jarre, R25, S-N
Temple d'Ishtarat, salle 4.
Grande jarre à fond arrondi, couchée et fermée par une brique cuite (0,33 x 0,33 x 0,06).
H = 0,80, D = 0,70
Pas de renseignement sur le squelette.
A. Parrot, 1967 b, p. 19, fig. 10-11.
Céramiques
Une bouteille debout, une coupe posée de chant (non inventoriées), à l'ouest contre la jarre et près de la brique.

TOMBE 405 bis (**pl. 6**)
24-10-1953, jarre, R24
Temple d'Ishtarat, à l'est de la salle 8.
Grande jarre recouverte par une jarre plus petite.
Pas de renseignement sur le squelette.
Céramique
M 2773 : petite bouteille, à l'extérieur.

TOMBE 406 (**pl. 6**)
23-10-1953, jarre, R24, debout
Temple d'Ishtarat, à l'est de la salle 8.
Grande jarre à fond arrondi.
H = 0,80, D = 0,54, ouv. = 0,31
Pas de renseignement sur le squelette.

TOMBE 407 (**pl. 6**)
24-10-1953, jarre, R25
Temple d'Ishtarat, salle 5.
Grande jarre à fond arrondi percé d'un trou, recouverte par une jarre plus petite.
Pas de renseignement sur le squelette.
Céramiques
M 2771 : coupe.
M 2772 : vase globulaire à large ouverture.

TOMBE 408
21-11-1953, sarcophage, R25, E-O
Maison à l'est du temple d'Ishtarat.
Cuve rectangulaire très profonde, à fond plat, parois verticales décorées de trois bourrelets et dont le fond présentait huit compartiments en creux.
L = 1,00, l = 0,54, H = 0,80
Vide.
Céramique
M 2994 : jarre, posée sur le fond de la cuve.

TOMBE 409 (**pl. 6, 62, 63**)
2-12-1953, jarre, R28, NE-SO
Grande jarre découpée dans le tiers inférieur pour introduire le corps, couchée et fermée par des briques.
L = 1,07, D = 0,79, ouv. = 0,37
Squelette couché sur le côté gauche, tête au sud-ouest au fond de la jarre, bras et jambes repliés.
Céramiques (**pl. 63**)
M 2969, M 2970, M 2971, M 2972 et M 2992 : coupes, trouvées près du col de la jarre.
M 3043 : cruche.

TOMBE 410 (**pl. 6, 63**)
5-12-1953, jarre, R28, NO-SE
Grande jarre à fond plat, découpée à mi-hauteur pour introduire le corps, couchée et fermée par une brique ; des tessons sur la découpe.
H = 1,30, D = 0,80, ouv. = 0,29
Squelette couché sur le côté droit, tête au nord-ouest, bras et jambes repliés.
Céramique (**pl. 63**)
M 3040 : cruche.

TOMBE 411 (**pl. 6, 63**)
7-12-1953, sarcophage, R28, NO-SE
Tombe couvercle : cuve ovale à base annulaire et deux tenons de préhension sur un côté (NO), recouvrait les ossements qui étaient à même la terre.
L = 1,30, l = 0,68, H = 0,72
Squelette couché sur le côté droit, bras et jambes repliés, genoux au niveau du thorax.
Céramique (**pl. 63**)
M 3042 : cruche, située près de la tête.

TOMBE 412 (**pl. 6, 63**)
12-1953, sarcophage, R28, N-S
Tombe couvercle : cuve ovale à fond bombé, elle recouvrait les ossements qui étaient à même la terre.
L = 0,79, l = 0,54, H = 0,37
Squelette d'un enfant.

TOMBE 413 (**pl. 6, 63**)
7-12-1953, sarcophage, R28, NO-SE
Cuve ovale, type coquille de noix, à fond bombé, recouverte par une cuve ovale à fond plat.
Cuve, L = 1,10, l = 0,60, H = 0,26
Couvercle, L = 1,10, l = 0,60, H = 0,22
Squelette couché sur le dos, tête au nord-ouest, bras allongés, jambes repliées sur elles-mêmes, pieds vers le bassin.
Céramique (**pl. 63**)
M 3041 : petit vase.

TOMBE 414 (**pl. 6, 63**)
XII.1953, sarcophage, R28, N-S
Cuve ovale à fond plat, parois presque verticales, recouverte par une cuve à fond plat.
Cuve, L = 1,40, l = 0,67, H = 0,32, ép. = 0,10
Couvercle, L = 1,40, l = 0,67, H = 0,18
Squelette couché sur le côté droit, tête au nord, face vers l'ouest, bras repliés, mains au niveau des genoux, jambes fléchies.

TOMBE 415 (**pl. 6, 63**)
4-12-1953, double cloche, R28, NO-SE
Deux jarres couchées.
L = 1,45, D = 0,80
Squelette couché sur le côté gauche, tête au nord-ouest, bras et jambes repliés, pieds près du bassin.

TOMBE 416 (**pl. 6, 63**)
XII.1953, jarre, R28, E-O
Jarre à fond plat, large ouverture, dont le haut de la panse avait un décor incisé fait de demi-cercles et de points, couchée.
H = 0,55, D = 0,70
Pas de renseignement sur le squelette.

TOMBE 417 (**pl. 6, 63**)
8-12-1953, sarcophage, R28, O-E
Cuve ovale, type coquille de noix, à fond bombé, recouverte par une cuve identique.
Cuve, L = 1,20, l = 0,65, H = 0,38
Couvercle, L = 1,20, l = 0,65, H = 0,45
Squelette couché sur le côté droit, en position fléchie, genoux au niveau du thorax.
Céramique (**pl. 63**)
M 3045 : vase globulaire à large ouverture, trouvé à l'extérieur à l'ouest de la tombe.

Le n° 418 n'existe pas.

TOMBE 419 (**pl. 6, 62**)
17-10-1954, sarcophage, R28
Cuve rectangulaire, angles arrondis, fond légèrement bombé, parois incurvées vers l'intérieur, recouverte par une cuve identique.
Pas de renseignement sur le squelette.

TOMBE 420 (**pl. 6, 12, 64**)
21-10-1954, sarcophage, R28, S-N
Cuve ovale à fond bombé et pointu, type coquille de noix, avec deux tenons de préhension aux extrémités, recouverte par une cuve identique mais sans tenon.
Cuve, L = 1,13, l = 0,60, H = 0,40, ép. = 0,05
Couvercle, L = 1,15, l = 0,60, H = 0,42
Squelette couché sur le dos, tête au sud plus ou moins écrasée, bras repliés, mains tenant un panier, jambes fléchies vers la gauche ; était enveloppé dans un linceul en tissu brun ; sur la tête, des tiges végétales qui devaient fixer un suaire ; des restes de nœuds faits avec ces tiges étaient encore visibles ; il y avait peut-être un bouquet posé sur la tête (restes végétaux) (**pl. 64**).
A. Parrot, 1955, p. 190, pl. XIII-1.
A. Parrot, 1954-55, p. 31 et fig. 2.
A. Parrot, 1967 c, p. 160.
A. Parrot, 1974, p. 155, fig. 95.
Objets
M 3152 et M 3153 : boucles d'oreilles en bronze et argent, la deuxième avait une perle en cornaline (**pl. 64, 67**).
M 3187 : panier circulaire en fibres végétales, muni d'un couvercle et recouvert d'une mince feuille de cuir maintenue par des cordelettes (osier ?), posé sur le thorax (**pl. 64**).
M 3188 : coffret rectangulaire en bois, renversé à l'intérieur du panier (**pl. 64**).
A. Parrot, 1955, pl. XIII-2,3.
A. Parrot, 1974, p. 155, fig. 95.
J. Margueron, 1984 c, p. 271-275.

TOMBE 421 (**pl. 6**)
15-10-1954, jarre, R28, - 0,20 m, NO-SE
Non située sur le plan de la planche 12.
Jarre sans fond, fermée par une pierre plate.
H = 0,85, D = 0,70, ouv. = 0,31
Squelette, couché sur le côté droit, tête au nord-ouest.

TOMBE 422 (**pl. 6, 12, 66**)
15-10-1954, double cloche, R28, - 0,40 m, N-S
Deux jarres couchées :
- la jarre nord, à base annulaire, avait trois anses plates s'attachant au col et en haut de la panse, ce dernier était orné d'un décor incisé fait d'une bande de dents de scie séparées par des traits, des pastilles avec des nervures, des points et des séries de trois traits divergents, un trait horizontal au-dessous (**pl. 68**).
- la jarre sud portait un bourrelet sous le col.
H = 0,50-0,79, D = 0,54- ?, ouv. = 0,47- ?
Squelette couché sur le côté gauche, tête au nord, face vers l'est.
Céramiques
Une jarre et une cruche (non inventoriées), à l'extérieur de la tombe.

TOMBE 423 (**pl. 6**)
15-10-1954, double cloche, R28, en surface, S-N
Non située sur le plan de la planche 12.
Deux jarres cassées :
- la jarre sud, à base annulaire, avait deux anses plates s'attachant au col et en haut de la panse, ce dernier était orné de trois lignes ondulées et une ligne horizontale incisées (**pl. 68**).
H = 0,46-0,56, D = 0,55- ?, ouv. = 0,48- ?
Squelette bouleversé, tête au sud. Tombe violée ?
Objets (**pl. 67**)
M 3154 : perles en cornaline et fritte réunies en un collier.
M 3155 : bague, type chevalière, cassée, D = 0,020-0,015, en fer.
M 3156 : bague, type chevalière, cassée, en bronze.
M 3157 : boucle d'oreille en argent, cassée, dont la partie antérieure est décorée d'un corps de femme mains sur les hanches.

TOMBE 424 (**pl. 6**)
15-10-1954, jarre, R28, en surface, NO-SE
Non située sur le plan de la planche 12.
Grande jarre fermée par un tesson.
H = 1,20, D = 0,72

Squelette couché sur le côté droit, en position fléchie, tête au nord-ouest.

TOMBE 425 (**pl. 6, 12**)
21-10-1954, jarre, R28, - 0,30 m, N-S
Grande jarre, H = 1,20, D = 0,70
Squelette, tête au sud au fond de la jarre.
Céramiques
Deux jarres (non inventoriées), à l'extérieur de la tombe.
Objets
M 3159 : perles en cornaline, trouvées parmi des débris de bois.
M 3160 : anneau de cheville ouvert, D = 0,085-0,067, en bronze.

TOMBE 426 (**pl. 6, 12**)
19-10-1954, double cloche, R28, - 1,20 m, NO-SE
Deux jarres avec deux anses :
- l'une portait un décor incisé fait de deux lignes ondulées et une ligne de traits obliques,
- l'autre avait seulement deux lignes ondulées.
Squelette, tête au nord-ouest.
Céramique (**pl. 68**)
M 3136 : cruche.
Objets
M 3137 : six perles, cinq en fritte et une en cornaline.

TOMBE 427 (**pl. 6**)
17-10-1954, pleine terre, R 28, - 1,30 m, NE-SO
Non située sur le plan de la planche 12.
Squelette, tête au nord.
Céramiques
M 3380 : vase globulaire à large ouverture.
M 3381 : vase dont le col était percé de deux trous.
M 3382, M 3383, M 3384 et M 3385 : coupes.
Deux vases (non inventoriés).

TOMBE 428 (**pl. 6, 12, 65**)
20-10-1954, double cloche, R28, SE-NO
Située près de la tombe construite 443.
Deux jarres inclinées et calées par des briques :
- la jarre SE, sans anse, avait le haut de la panse décoré de deux lignes incisées horizontales,
- la jarre nord-ouest avait une anse plate attachée au col et en haut de la panse, ce dernier était orné de deux lignes d'ondulations incisées très serrées séparées par trois séries de deux lignes droites horizontales, le fond était cassé (**pl. 68**).
H = 0,65- ?, D = 0,78-0,75, ouv. = ?-0,30
Squelette, couché sur le côté droit, tête au SE ; il était enveloppé dans une peau.
Céramique
Une jarre-torpille (non inventoriée), à l'extérieur de la tombe.

TOMBE 429 (**pl. 6, 12**)
23-10-1954, sarcophage, R28, E-O
Cuve avec un couvercle plat.
L = 1,22, l = 0,65, H = 0,27
Squelette couché sur le côté gauche, tête à l'est.
Objets (**pl. 67**)
M 3169 : perles en cornaline, fritte, lapis-lazuli, réunies en un collier.
M 3170 : bague type chevalière, D = 0,027-0,020, en argent, avec une perle en cornaline sertie dans le chaton.
M 3171 : bague fermée, D = 0,020-0,016, en bronze.
M 3172 : tige en bronze et argent, avec une extrémité aplatie.
M 3173 : tige en bronze, dont une extrémité s'achève en quadruple enroulement.
M 3174 : cinq anneaux ouverts, D = 0,015-0,014, en bronze, boucles d'oreilles ? bagues ?
M 3175 : anneau ouvert, D = 0,016-0,010, en bronze, bague ?
M 3176 : scarabée en faïence.
M 3177 : perle en fritte, sertie entre deux perles en argent.

TOMBE 430 (**pl. 6, 12, 65**)
19-10-1954, double cloche, R28, S-N
Deux jarres couchées :
- la jarre sud, à base annulaire, avait trois anses cassées, le haut de la panse était décorée de deux lignes ondulées incisées limitées par trois lignes droites (**pl. 65**) ; elle était calée par des briques cuites et des tessons, une coupe renversée sur le col (**pl. 68**).
- la jarre nord avait les anses et le fond cassés, ce dernier étant recouvert par cinq coupes posées de chant.
H = 0,48- ?, D = 0,47- ?, ouv. = 0,44- ?
Squelette, tête au sud.
Céramiques
M 3125, M 3126, M 3127, M 3128, M 3129, M 3130 : coupes.
M 3131 : gobelet, situé à l'intérieur de la tombe.
M 3134 : cruche, trouvée à l'intérieur de la tombe (**pl. 68**).
Objets
M 3132, M 3133 : bracelets ouverts, D = 0,055-0,049 et 0,052-0,043, en argent, dont les extrémités sont ornées d'une tête de serpent (**pl. 67**).
M 3135 : une bague ouverte, D = 0,023-0,016, en argent (**pl. 67**) ; des perles en fritte.

TOMBE 431 (**pl. 6, 12**)
29-10-1954, jarre, R28, N-S
Jarre à fond plat, couchée.
Pas de renseignement sur le squelette.
Céramiques
Une jarre et un vase fragmentaire (non inventoriés).

TOMBE 432 (**pl. 6**)
21-10-1954, jarre, R28, - 0,70m
Non située sur le plan de la planche 12.
Grande jarre endommagée.
Vide. Tombe violée ?
Céramique
Un vase fragmentaire (non inventorié), à l'extérieur de la jarre.

TOMBE 433 (**pl. 6, 12**)
21-10-1954, jarre, R28, E-O
Jarre à fond arrondi percé d'un trou, découpée dans le tiers supérieur pour introduire le corps, couchée.
H = 1,20, D = 0,70, ouv. = 0,45
Squelette couché sur le côté droit, tête à l'est.

TOMBE 434 (**pl. 6, 12**)
26-10-1954, jarre, R28, NE-SO
Jarre à fond arrondi percé d'un trou, couchée.
H = 1,20, D = 0,70, ouv. = 0,40
Squelette couché sur le côté gauche, tête au nord-est.
Céramiques
M 3189, M 3190 : coupes.
M 3191 : jarre à deux anses s'attachant en haut de la panse (**pl. 68**).

TOMBE 435 (**pl. 6**)
10-1954, pleine terre, R28, - 0,80 m, N-S
Non située sur le plan de la planche 12.
Squelette d'un enfant, tête au nord, face vers l'ouest ; il était protégé par quelques tessons de jarre.

Tombe 436 (**pl. 6, 12, 66**)
10-1954, double cloche, R28, - 0,30 m, E-O
Deux jarres couchées, ayant chacune trois anses plates :
- la jarre 436 à base annulaire, avait le haut de la panse décoré de deux lignes ondulées incisées, le reste de la panse portait des lignes plus ou moins régulières de petits traits obliques en creux (**pl. 68**).
- la jarre 436 bis à base annulaire, avait le haut de la panse décoré de deux lignes ondulées et trois lignes horizontales, une anse était cassée, le reste de la panse portait des lignes plus ou moins régulières de petits traits obliques en creux (**pl. 68**).
H = 0,46-0,47, D = 0,48-0,49, ouv. = 0,42-0,40
Squelette couché sur le côté gauche, tête à l'est, face vers le sud, jambes fléchies.
A. Parrot, 1955, p. 189, fig. 2.

Tombe 437 (**pl. 6, 12**)
26-10-1954, jarre, R28, en surface, E-O
Jarre très endommagée.
H = 1,10, D = 0,70
Pas de renseignement sur le squelette.
Quelques graines de fleurs et des ossements animaux (rongeur).

Tombe 438 (**pl. 6, 12**)
10-1954, double cloche, R28, E-O
Deux jarres couchées, situées dans un mur.
Jarre ouest, H = 0,68, D = 0,82
Pas de renseignement sur le squelette.

Tombe 439 (**pl. 6, 12**)
21-10-1954, jarre, R28, N-S
Grande jarre à fond arrondi, à col et intérieur bitumés, deux bourrelets au milieu de la panse séparés par un espace bitumé, inclinée contre un mur.
H = 0,85, D = 0,80, ouv. = 0,45
Pas de renseignement sur le squelette.
Objets
M 3158 : quatre perles en ambre, lapis-lazuli, cornaline.

Tombe 440 (**pl. 6, 12**)
22-10-1954, jarre, R28, O-E
Grande jarre dont la panse était ornée de deux bourrelets, couchée contre un mur et fermée par une jarre plus petite renversée.
Jarre, H = 0,90, D = 0,65
Couvercle, H = 0,22, D = 0,45
Squelette couché sur le côté gauche, tête à l'ouest.

Tombe 441 (**pl. 6**)
10-12-1954, jarre, R28
Non située sur le plan de la planche 12.
Grande jarre cassée, dont la panse ornée de gros bourrelets était renforcée par du bitume, fermée par une jarre, joint recouvert de briques cuites.
H = 0,98, D = 0,83, ouv. = 0,74
Pas de renseignement sur le squelette.
Céramiques
M 3452, M 3453, M 3454 : bouteilles trouvées à l'extérieur, au sud de la tombe.

Tombe 442 (**pl. 6**)
26-10-1954, jarre, R28, NE-SO
Non située sur le plan de la planche 12.
Jarre couchée, découpée sur toute sa longueur.
H = 1,45, D = 0,70, ouv. = 0,42
Squelette couché sur le dos, tête au nord-est, jambes repliées.

Tombe 443 (**pl. 6, 12, 67**)
25-10-1954, briques, R28, NE-SO
Construite en briques cuites : couverture effondrée, le côté oriental présentait une légère incurvation, sol dallé de briques plates, aucune entrée n'était discernable.
L = 3,06, l = 2,50, H = 1,76
Vide. Tombe violée ?
À l'intérieur, jarre funéraire T 444.
A. Parrot, 1955, p. 190-191, fig. 3.
A. Parrot, 1954-1955, p. 31.

Tombe 444 (**pl. 6, 12, 67**)
23-10-1954, jarre, R28, O-E
Située dans le dallage du sol de la tombe en briques cuites T 443.
Grande jarre ornée de trois bourrelets, inclinée et fermée par une jarre plus petite renversée.
Jarre, H = 0,95, ouv. = 0,66
Couvercle, H = 0,42
Pas de renseignement sur le squelette.
Céramiques
M 3181 : vase à large ouverture, à l'extérieur.
M 3182 : vase globulaire à large ouverture, à l'extérieur.
Objet (**pl. 67**)
M 3180 : hache fenestrée en bronze, trouvée à l'intérieur.

Tombe 445 (**pl. 6**)
11-12-1954, double cloche, R28, S-N
Non située sur le plan de la planche 12.
Deux jarres, H = 0,60-0,50, D = 0,70
Squelette couché sur le côté gauche, tête au sud coiffée d'un turban épais ; il était enveloppé dans un linceul en tissu.

Tombe 446 (**pl. 6, 12**)
27-10-1954, sarcophage, R28, N-S
Cuve rectangulaire aux angles arrondis, sans couvercle.
L = 1,30, l = 0,78, H = 0,28
Vide. Tombe violée ?

Tombe 447 (**pl. 6**)
25-10-1954, jarre, R28,
Non située sur le plan de la planche 12.
Petite jarre à fond arrondi.
H = 0,40, D = 0,40, ouv. = 0,35
Squelette : quelques fragments d'ossements d'un enfant. Tombe violée ?

Tombe 448 (**pl. 6**)
25-10-1954, jarre, R28, N-S
Non située sur le plan de la planche 12.
Jarre ovoïde inclinée, D = 0,40
Squelette d'un enfant affaissé.
Céramiques
M 3183 et M 3184 : bouteilles.
Objet
Un bracelet en bronze (non inventorié).

Tombe 449 (**pl. 6**)
25-10-1954, jarre, R28, NE-SO
Non située sur le plan de la planche 12.
Jarre à fond arrondi percé d'un trou, découpée dans la partie supérieure pour introduire le corps.
H = 1,30, D = 0,70, ouv. = 0,35
Squelette couché sur le dos, jambes repliées ; des restes de linceul ou de suaire en tissu et des fleurs sur la tête.

TOMBE 450 (**pl. 6, 12**)
26-10-1954, double cloche, R28, N-S
Deux jarres couchées :
- celle du sud avait un pied tourné,
- celle du nord avait le fond arrondi.
H = 0,62-0,54
Squelette couché sur le côté droit, tête au nord.
Céramique
Une jarre-torpille debout (non inventoriée), à l'extérieur, au nord-est de la tombe.

TOMBE 451 (**pl. 6, 12**)
27-10-1954, sarcophage, R28, E-O
Cuve avec un couvercle.
L = 1,14, l = 0,45, H = 0,30
Squelette couché sur le côté gauche, tête à l'est coiffée d'un turban et recouverte de tiges végétales, reste de bouquet ?
Céramique
Une jarre-torpille debout (non inventoriée) à l'extérieur au nord-est de la tombe.

TOMBE 452 (**pl. 6, 12**)
10-1954, jarre, R28, NE-SO
Jarre découpée sur toute sa longueur.
H = 1,50, D = 0,80, ouv. = 0,39
Squelette couché sur le côté droit, tête au nord-est.
Céramique (**pl. 68**)
M 3232 : vase globulaire à large ouverture.
Objets (**pl. 67**)
M 3233 : épingle en os.
M 3234 : bracelet ouvert, D = 0,052-0,046, en bronze.
M 3235 : boucle d'oreille en argent, dont la partie antérieure est décorée d'une tête d'animal.
M 3236 : bague ouverte, D = 0,016, en bronze.
M 3237 : spatule en bronze, cassée.
M 3238 : boucle d'oreille fragmentaire en argent, qui devait être identique à M 3235.
M 3239 : perles en cornaline, fritte, os.
M 3240 : scarabée en faïence.

TOMBE 453 (**pl. 6**)
26-10-1954, jarre, P25, E-O
Secteur proche du temple de Shamash.
Grande jarre légèrement inclinée, calée par des briques cuites et dont la partie supérieure était effondrée ; à l'intérieur, une brique (couvercle ?).
H = 1,00, D = 0,80
Pas de renseignement sur le squelette.

TOMBE 454 (**pl. 6**)
10-1954, jarre, Q27, - 1,00 m, N-S
Jarre inclinée, fermée par une autre jarre renversée.
Jarre, H = ?, D = 0,52
Couvercle, H = 0,42, D = 0,48
Squelette affaissé.
Céramiques
Deux vases dont un avait le col cassé (non inventoriés), à l'extérieur de la tombe.

TOMBE 455 (**pl. 6, 12**)
27-10-1954, jarre, R28, O-E
Jarre inclinée, H = 1,20, D = 0,80
Squelette couché sur le côté gauche, tête à l'est coiffée d'un turban ; il était enveloppé dans un linceul en tissu ; des restes de tiges végétales.

TOMBE 456 (**pl. 6, 12**)
27-10-1954, jarre, R28, S-N
Grande jarre dont la panse était ornée d'un bourrelet, inclinée et cassée.
Pas de renseignement sur le squelette.
Céramiques
Deux bouteilles, une jarre et un petit vase (non inventoriés).

TOMBE 457 (**pl. 6, 12**)
27-10-1954, jarre, R28, N-S
Grande jarre inclinée et un fragment de couvercle.
H = 0,65, D = 0,70
Pas de renseignement sur le squelette.
Céramique
M 3231 : vase, à l'extérieur, à l'est de la tombe.
Objets
M 3241 et M 3242 : anneaux de cheville, D = 0,095-0,082 et 0,087-0,077, en bronze ; le deuxième est fragmentaire.

TOMBE 458 (**pl. 6, 12**)
27-10-1954, sarcophage, R28, E-O
Tombe couvercle : grande cuve calée par des briques, un gros tesson posé dessus, retournée sur les ossements qui étaient à même la terre.
Squelette couché sur le côté gauche.
Céramique
Une jarre-torpille (non inventoriée), à l'extérieur, à l'ouest de la tombe.

TOMBE 459 (**pl. 6, 12**)
10-1954, sarcophage, R28, S-N
Cuve à deux tenons de préhension dont un était cassé, recouverte par un couvercle.
Cuve, L = 1,18, l = 0,67, H = 0,35, ép. = 0,04
Couvercle, L = 1,06, l = 0,65, H = 0,36, ép. = 0,05
Squelette couché sur le côté gauche, tête au sud.
Céramique
Une jarre-torpille (non inventoriée), à l'extérieur, au sud-ouest de la tombe.
Objets (**pl. 67**)
M 3274 : bracelet ouvert, D = 0,055-0,047, en bronze, dont les extrémités se terminent par une tête de serpent, placé au bras gauche.
M 3276 : bague ouverte, D = 0,013-0,009, en bronze.

TOMBE 460 (**pl. 6, 12**)
28-10-1954, jarre, R28, E-O
Jarre à fond arrondi portant un décor incisé à la base du col : deux lignes de petits traits verticaux, au-dessous une rangée de deux demi-cercles concentriques contenant un point en leur centre, puis une rangée de groupes de trois traits divergents ; fermée par une jarre renversée (**pl. 68**).
H = 0,60, D = 0,50, ouv. = 0,24
Squelette couché sur le côté droit.
Céramique (**pl. 68**)
M 3256 : cruche, trouvée à l'extérieur de la tombe.

TOMBE 461 (**pl. 6, 12, 68**)
28-10-1954, jarre, R28, E-O
Jarre à deux anses, découpée sur toute sa longueur, couchée.
H = 1,20, D = 0,60, ouv. = 0,28
Squelette couché sur le côté droit, tête à l'ouest au fond de la jarre.
Céramique (**pl. 68**)
M 3257 : cruche, trouvée à l'extérieur à l'est de la tombe.

TOMBE 462 (**pl. 6, 12**)
28-10-1954, briques, R28, N-S

Construite en briques crues : couverture en bâtière faite de deux briques inclinées, une brique formait la clef de voûte.
L = 1,40, l = 0,80, H = 0,60
Squelette couché sur le côté gauche, tête au nord, face à l'est, jambes repliées.
Objets
Une perle et un fragment de bronze (non inventoriés).

TOMBE 463 (**pl. 6**)
28-10-1954, jarre, R28, SO-NE
Non située sur le plan de la planche 12.
Jarre à fond arrondi avec à la base du col, qui était cassé, un décor incisé fait de séries de feuilles à nervures séparées par des demi-cercles (**pl. 68**).
H = ?, D = 0,55
Squelette couché sur le côté droit, tête au nord-est au fond de la jarre, la partie inférieure du corps manquait. Tombe violée ?

TOMBE 464 (**pl. 6**)
1-11-1954, puits, R28, - 1,75m
Non située sur le plan de la planche 12.
Squelette incomplet au fond d'un puits : crâne et fragments d'os longs.
Céramiques
Huit vases globulaires (non inventoriés), sur les ossements.

TOMBE 465 (**pl. 6, 12**)
10-1954, jarre, R28, NE-SO
Jarre découpée pour introduire le corps, couchée.
H = 1,45, D = 0,80, ouv. = 0,40
Squelette allongé sur le dos, tête au nord-est écrasée, bras repliés, jambes allongées.
Céramiques (**pl. 68**)
M 3268 : cruche à deux anses proches l'une de l'autre.
M 3269 : coupe, posée sur la cruche.

TOMBE 466 (**pl. 6**)
2-11-1954, jarre, R28, NE-SO
Jarre fermée par des tessons et des pierres.
H = 1,25, D = 0,70, ouv. = 0,35
Squelette couché sur le côté gauche, en position fléchie, tête au nord-est.

TOMBE 467 (**pl. 6**)
4-11-1954, sarcophage, R28, E-O
Cuve ovale à fond bombé, type coquille de noix, recouverte par une cuve identique.
L = 1,20, l = 0,70
Pas de renseignement sur le squelette.
Céramique
Une jarre-torpille (non inventoriée), à l'extérieur de la tombe.

TOMBE 468 (**pl. 6**)
2-11-1954, sarcophage, R28, N-S
Cuve rectangulaire, angles arrondis, fond plat, parois verticales, recouverte par un couvercle à poignée.
L = 0,95, l = 0,63, H = 0,32
Squelette couché sur le côté droit, en position fléchie, tête au nord.
Céramiques
Trois jarres (non inventoriées), à l'extérieur au nord-ouest de la tombe.

TOMBE 469 (**pl. 6**)
5-11-1954, jarre, R28, NO-SE
Jarre découpée sur tout son diamètre à 0,50 m du fond.
H = 1,30, D = 0,70, ouv. = 0,39
Squelette couché sur le côté droit, en position fléchie, tête au nord-ouest.
Objets (**pl. 67**)
M 3286 : boucle d'oreille en argent, décorée d'une tête de capriné.
M 3287 : fusaïole en pierre noire.

TOMBE 470 (**pl. 6**)
5-11-1954, jarre, R28, debout
Grande jarre dont l'intérieur était bitumé.
H = 1,20, D = 0,65
Pas de renseignement sur le squelette.
Céramique
Un vase (non inventorié), à l'extérieur de la tombe.

TOMBE 471 (**pl. 6**)
6-11-1954, jarre, S29, SE-NO
Jarre, H = 0,80, D = 0,65
Pas de renseignement sur le squelette.
Céramiques
M 3323 et M 3324 : bouteilles fragmentaires, à l'extérieur de la tombe.

TOMBE 472 (**pl. 6**)
8-11-1954, jarre, S29, N-S
Jarre découpée sur toute sa longueur.
H = 1,32, D = 0,65
Squelette couché sur le côté droit, jambes repliées ; des traces de linceul en tissu.

TOMBE 473 (**pl. 6, 69**)
10-11-1954, pleine terre, S29, NO-SE
Squelette d'un homme de grande stature (1,95 m), couché sur le côté droit, tête au nord-ouest, jambes repliées.
Céramiques
M 3317 : vase de forme allongée, à col étroit avec des stries de lustrage horizontales, placé debout devant les genoux (**pl. 69**).
M 3318 et M 3319 : jarres debout, trouvées au delà des pieds (**pl. 69**).
M 3320 : petit vase globulaire à large ouverture, à côté de M 3317 (**pl. 69**).
M 3321 : petit vase globulaire, à côté de M 3320.
M 3322 : coupe, posée devant les pieds.
Objets (**pl. 67**)
M 3316 : deux perles fusiformes en cornaline.

TOMBE 474 (**pl. 6**)
10-11-1954, jarre, S29, N-S
Jarre dont le col était cassé, couchée dans un mur.
H = 0,70, D = 0,65
Squelette couché sur le côté gauche, en position fléchie.

TOMBE 475 (**pl. 6**)
10-11-1954, jarre, S29, NE-SO
Jarre recouverte de briques crues posées à plat.
H = 1,45, D = 0,80, ouv. = 0,40
Squelette dont les ossements étaient bouleversés. Tombe violée ?

TOMBE 476 (**pl. 6, 70**)
10-11-1954, briques, S29, SO-NE
Construite en briques crues (0,36 x 0,36 x 0,11), couverte par trois rangées de briques posées de chant.
L = 2,50, l = 1,20, H = 0,90
Squelette couché sur le côté droit, en position fléchie, tête au sud-ouest.

Céramiques (**pl. 68**)
M 3312 et M 3313 : jarres à deux anses plates.
M 3314 : coupe.

TOMBE 477
03-1960, briques
Construite en briques cuites.
Vide. Tombe violée ?
Céramiques
M 3455 et M 3456 : vases globulaires à large ouverture.
M 3457 : coupe.

TOMBE 478
16-03-1960, double cloche, N haute terrasse, S-N
Deux jarres portant deux bourrelets en haut de la panse, couchées :
- celle du nord était cassée, le fond avait disparu.
H = 0,86- ?, D = 0,68-0,55
Squelette, tête au sud, jambes repliées, était en grande partie dans la jarre sud.

TOMBE 479
16-03-1960, double cloche, N haute terrasse, E-O
Deux jarres couchées :
- la jarre est avait le fond arrondi et un bourrelet sous le col,
- la jarre ouest à base annulaire, avait un bourrelet en haut de la panse, la zone entre celui-ci et le bord supérieur était enduite de bitume.
H = 0,83-0,75, D = 0,63-0,63
Squelette couché sur le dos, tête à l'est, jambes allongées.

TOMBE 480 (**pl. 6, 69, 70**)
17-11-1954, sarcophage, T29, - 0,40 m, N-S
Cuve rectangulaire, angles arrondis, fond plat, parois verticales ; le couvercle effondré, qui devait être en deux morceaux, portait en son centre un cercle et un dessin piriforme incisés (**pl. 70**).
Cuve, L = 1,27, l = 0,69, ép. = 0,04
Couvercle, L = 1,20, l = 0,66
Squelette couché sur le côté gauche, tête au nord, face vers l'est, bras ramenés au niveau de la tête, jambes pliées à angle droit et tibias sous les fémurs.
A.Parrot, 1955, p. 191.
Céramiques (**pl. 69**)
Dix-sept vases trouvés à l'extérieur de la tombe :
M 3390-1 : jarre debout, contre le sarcophage.
M 3390-2 : jarre debout, près du sarcophage.
M 3390-3 : coupe, posée sur M 3390-2.
M 3390-4 : jarre debout.
M 3390-5 : coupe, posée sur M 3390-4.
M 3390-6 : coupe, près de M 3390-4.
M 3390-7 : jarre debout, située au sud.
M 3390-8 : jarre cassée, posée sur M 3390-7.
M 3390-9 : vase globulaire à large ouverture, couché contre M 3390-7.
M 3390-10 : coupe, placée de chant contre M 3390-9.
M 3390-11 : jarre debout.
M 3390-12 : vase.
M 3390-13 : coupe.
M 3390-14, 15, 16, 17 : jarres posées debout.
Objets
M 3391 : quatre anneaux fragmentaires, en forme de croissant, en argent : boucles d'oreilles ? bagues ?

TOMBE 480 bis
16-03-1960, double cloche, N haute terrasse, N-S
Deux jarres couchées :
- la jarre nord, dont le fond avait disparu, portait un bourrelet cordé,
- la jarre sud, à base annulaire, portait un bourrelet simple sous le col.
H = ?-0,92, D = 0,74-0,74
Squelette couché sur le côté gauche, tête au nord, jambes repliées.
Céramique
M 3472 : coupe, à l'extérieur près du fond et à l'est de la jarre sud.

TOMBE 481
17-03-1960, double cloche, N haute terrasse, E-O
Deux jarres couchées :
- la jarre est, à base annulaire, était sans décor,
- la jarre ouest, dont le fond avait disparu, portait un bourrelet simple sous le col.
H = 0,82- ?, D = 0,65- ?
Squelette couché sur le côté gauche, tête à l'est, bras repliés, mains sous le menton, jambes fléchies.

TOMBE 482
18-03-1960, double cloche, N haute terrasse, E-O
Deux jarres :
- celle de l'ouest, à large base annulaire, portait un bourrelet simple sous le col.
H = 0,93-0,90, D = 0,77-0,76
Squelette, tête et colonne vertébrale dans la jarre est, jambes allongées dans la jarre ouest.
Objet
M 3471 : anneau en bronze, à la cheville droite.

TOMBE 483
03-1960, double cloche, N haute terrasse, E-O
Deux jarres portant un bourrelet sous le col :
- celle de l'est dont le fond avait disparu,
- celle de l'ouest avait une base annulaire.
H = 0,47-0,48, D = 0,36-0,36
Squelette d'un enfant couché sur le côté droit, tête à l'est, jambes repliées.

TOMBE 484
03-1960, double cloche, N haute terrasse, E-O
Deux jarres :
- celle de l'est, très endommagée, était encastrée dans celle de l'ouest, le fond avait disparu, elle portait un bourrelet sous le col,
- celle de l'ouest, dont la base avait disparu, avait deux bourrelets sous le col.
H = ?-1,00, D = 0,55-0,72
Squelette : des fragments d'ossements dans la jarre ouest. Tombe violée ?

TOMBE 485
19-03-1960, double cloche, N haute terrasse, E-O
Deux jarres couchées.
H = 0,50-0,48, D = 0,31-0,35
Squelette incomplet d'un enfant, tête à l'est. Tombe violée ?
Objets
M 3477, M 3478, M 3479 et M 3480 : quatre anneaux de cheville, D = 0,060 à 0,051-0,048 à 0,038, en bronze ; trois étaient cassés.

TOMBE 486
22-03-1960, double cloche, N haute terrasse, E-O
Deux jarres :
- celle de l'est portait un bourrelet cordé,
- celle de l'ouest avait un bourrelet simple sous le col.
H = 0,69-0,88, D = 0,63-0,60
Squelette à peu près inexistant. Tombe violée ?

Objet
M 3484 : petit entonnoir en bronze, trouvé à l'extérieur près de la jarre ouest.

TOMBE 487
19-03-1960, double cloche, N haute terrasse, E-O
Deux jarres, H = 0,89-0,90, D = 0,79-0,69
Squelette couché sur le côté gauche, tête à l'est, face vers le sud, jambes repliées.
Objet
M 3481 : anneau ouvert, D = 0,026-0,019, en bronze : bague ?

TOMBE 488
21-03-1960, double cloche, N haute terrasse, E-O
Deux jarres portant un bourrelet sous le col.
H = 1,10-0,80, D = 0,70-0,70
Squelette sans doute féminin, couché sur le côté gauche, tête à l'est, face vers le sud-ouest, jambes repliées.
Objets
Des coquillages (non décrits).

TOMBE 489
21-03-1960, double cloche, N haute terrasse, E-O
Deux jarres portant un bourrelet sous le col.
H = 0,96-0,63, D = 0,65-0,60
Vide. Tombe violée ?

TOMBE 490
19-03-1960, jarre, N haute terrasse, E-O
Jarre décorée d'un bourrelet sous le col.
H = 0,43, D = 0,33
Squelette d'un enfant, tête à l'ouest au fond de la jarre.
Objets
M 3483 : trois bracelets, D = 0,053-0,052-0,050, en bronze, cassés.
M 3485 : petites perles en bronze.

TOMBE 491 (**pl. 71**)
03-1960, double cloche, N haute terrasse, E-O
Deux jarres couchées :
- la jarre est à base annulaire, portait un bourrelet simple,
- la jarre ouest à base annulaire, portait un bourrelet cordé.
H = 0,90-0,95, D = 0,70-0,81
Squelette très grand, couché sur le dos, bras repliés vers la tête, jambes fléchies vers la gauche, tibias sous les fémurs ; il était enveloppé dans un linceul en tissu ; le haut du corps était recouvert de fleurs.
Objet (**pl. 70**)
M 3490 : panier très endommagé, dont il ne restait que le fond et des fragments de parois, en fibres végétales, posé à gauche de la tête.

TOMBE 492 (**pl. 71**)
23-03-1960, double cloche, N haute terrasse, E-O
Deux jarres à base annulaire et un bourrelet sous le col, la base de celle de l'est a été réparée au bitume, couchées.
H = 0,93-0,91, D = 0,71-0,70
Squelette d'une femme couché sur le côté gauche, tête à l'est retournée, jambes ramenées sous le bassin.
Objet (**pl. 71**)
M 3489 : pyxide en bois, à anses plates percées, trouvée près de la tête, avec un couvercle à anses percées à côté (avait-il glissé ?) ; deux fragments de bois de section ronde, en partie creusés, situés sur le thorax ; d'autres fragments au niveau du bassin et des jambes qui semblaient avoir été assemblés avec des clous ; faisaient-ils partie d'un ensemble accompagnant la pyxide ?
A. Parrot, 1962, p. 174, note 2.

TOMBE 493
22-03-1960, jarre, Massif rouge
Squelette perturbé d'un enfant. Tombe violée ?
Céramiques
Des fragments de coupes (non inventoriés), parmi les ossements.

TOMBE 494
1-04-1960, pleine terre
Squelette disloqué sous une couche de galets.
Céramique
Un bol (non inventorié), parmi les ossements.

TOMBE 495
1-04-1960, double cloche, E-O
En dehors du secteur de fouilles de la haute terrasse.
Deux jarres à base annulaire, portant un bourrelet en haut de la panse, déformées par la cuisson, couchées.
H = 0,44-0,42, D = 0,35-0,35
Squelette incomplet, crâne affaissé dans la jarre est. Tombe violée ?
Céramiques
M 3498 : vase à goulot, posé sur l'épaule du défunt.
M 3499 : bouteille fragmentaire.
M 3500 : petit vase globulaire à large ouverture.

TOMBE 496
5-04-1960, pleine terre,
Squelette incomplet trouvé dans un mur, sur une couche de galets (calotte crânienne, fémur).
Mandibule d'un animal sous le fémur (capriné ?).

TOMBE 497
04-1960, double cloche, E-O
En dehors du secteur de fouilles de la haute terrasse.
Deux jarres à base annulaire :
- celle de l'ouest portait un bourrelet cordé sur la panse.
H = 0,78-0,76, D = 0,55-0,68
Pas de renseignement sur le squelette.
Objet
Des traces de bois, coffret ?

TOMBE 498
9-04-1960, double cloche, N haute terrasse, E-O
Deux jarres couchées :
- la jarre est, à base annulaire, portait un bourrelet cordé sur la panse,
- la jarre ouest, à fond arrondi, était cassée au niveau du col.
H = 0,74-0,61, D = 0,58-0,55
Squelette très endommagé, le crâne était retourné. Tombe violée ?

TOMBE 499
9-04-1960, double cloche, N haute terrasse, E-O
-la jarre est avait un bourrelet en haut de la panse,
-la jarre ouest avait un bourrelet et le col était enduit de bitume.
H = 0,69-0,67, D = 0,51-0,50
Squelette couché sur le dos, tête à l'est tournée vers le nord-ouest, main droite sur le bassin, bras gauche plié à angle droit, main gauche sur le thorax, jambes fléchies vers la gauche.

TOMBE 500
9-04-1960, double cloche, N haute terrasse, E-O
Deux jarres à base annulaire, couchées :
- la jarre est avait un bourrelet cordé,
- la jarre ouest avait un bourrelet simple à la base du col.
H = 0,70-0,69, D = 0,61-0,47
Squelette couché sur le côté droit, tête à l'est, face vers le nord, crâne retourné, jambes repliées.

TOMBE 501
5-04-1960, double cloche, N haute terrasse, en surface, E-O
Deux jarres très abîmées couchées, celle de l'est avait le fond arrondi.
Squelette complètement bouleversé. Tombe violée ?

TOMBE 502
04-1960, pleine terre, N haute terrasse, E-O
Sous des éboulis, au-dessus de la première couche de galets.
Squelette couché sur le dos, tête à l'est, écrasée, mains jointes sur le thorax, jambes allongées.

TOMBE 503
7-04-1960, double cloche, N haute terrasse, en surface, E-O
Deux jarres couchées.
Squelette couché sur le côté gauche, bras repliés, mains ramenées vers la tête, jambes fortement fléchies.

TOMBE 504
04-1960, double cloche, N haute terrasse, E-O
Deux jarres portant un bourrelet sous le col, couchées.
Squelette couché sur le côté droit, tête à l'est, face vers le nord, bras droit replié, la main à la hauteur de la tête, bras gauche replié à angle droit, main sur le thorax.

TOMBE 505 (**pl. 71**)
04-1960, double cloche, N haute terrasse, E-O
Deux jarres à base annulaire, avec un bourrelet sous le col, couchées.
H = 0,83-0,79, D = 0,54-0,54
Squelette couché sur le côté droit, en position fléchie, jambes repliées.

TOMBE 506
14-04-1960, double cloche, N haute terrasse, E-O
Deux jarres, H = 0,98-0,80, D = 0,70-0,68
Squelette complètement bouleversé.
Objets
M 3514 : dix-huit pointes de flèches en fer en mauvais état, à l'extérieur de la jarre est.

TOMBE 507
14-04-1960, jarre, N haute terrasse, O-E
Jarre décorée d'un bourrelet en haut de la panse, couchée.
H = 0,80
Squelette couché sur le dos, bras gauche replié, main sur le thorax, les jambes manquaient. Tombe violée ?
Objet
M 3515 : spatule en bronze.

TOMBE 508
19-04-1960, double cloche, N haute terrasse, E-O
Deux jarres très abîmées.
Des restes d'ossements. Tombe violée ?
Objet
M 3525 : bague, D = 0,021-0,016, en bronze.

TOMBE 509
04-1960, double cloche, N haute terrasse, O-E
Deux jarres, H = 0,73-0,70
Squelette couché sur le côté droit, en position contractée, tête à l'ouest, face vers le nord, bras et mains bouleversés. Tombe violée ?

TOMBE 510
28-04-1960, double cloche, N haute terrasse, E-O
Deux jarres couchées :
- la jarre est, à fond arrondi, était emboîtée dans celle de l'ouest,
- la jarre ouest, cassée, à base annulaire, portait deux bourrelets sur la panse.
Squelette disloqué d'un enfant, crâne en plusieurs fragments.

TOMBE 511
22-04-1960, double cloche, N haute terrasse, N-S
Deux jarres couchées, la partie supérieure de la jarre nord était placée contre le fond de la jarre sud dont l'ouverture, étroite, avait été cassée pour introduire le corps ; la jarre nord avait une base annulaire.
H = 0,70-0,68
Squelette couché sur le dos, tête au nord retournée (par rupture des vertèbres cervicales), bras croisés sur le thorax, jambes rapprochées dans la jarre sud, pieds l'un sur l'autre.

TOMBE 512
27-04-1960, double cloche, N haute terrasse, E-O
Deux jarres, H = 0,88-0,52, D = 0,78-0,63
Squelette couché sur le côté gauche, en position contractée, tête à l'est, face vers le sud, bras repliés, mains vers la tête.

TOMBE 513
26-04-1960, jarre, N haute terrasse, en surface, O-E
Jarre à base annulaire, dont le fond était déformé par la cuisson, elle portait en haut de la panse un bourrelet et plusieurs rainures en creux ; elle était couchée et fermée par une dalle de pierre.
H = 0,39, D = 0,34, ouv. = 0,29
Squelette d'un jeune enfant ; des traces de peau, peut-être était-il enveloppé dans un suaire.

TOMBE 514
26-04-1960, double cloche, N haute terrasse, E-O
Deux jarres, H = 0,67-0,80
Squelette disloqué, tête à l'est.

TOMBE 515
27-04-1960, jarre, N haute terrasse, N-S
Jarre cassée.
Squelette couché, jambes repliées sur le côté gauche, il manquait la partie supérieure du corps. Tombe violée ?

TOMBE 516
26-04-1960, double cloche, N haute terrasse, S-N
Deux jarres décorées d'un bourrelet cordé.
H = 0,92- ?
Squelette couché sur le côté droit, en position fléchie, tête au sud, face vers l'est, bras repliés, mains sur le thorax.
Objet (**pl. 71**)
M 3545 : pyxide en bois, à anses plates percées, sans couvercle, trouvée derrière la tête.

TOMBE 517
27-04-1960, double cloche, N haute terrasse, E-O
Deux jarres, H = 0,47-0,42, D = 0,35-0,32
Squelette d'un adolescent couché sur le côté droit, tête à l'est.
Céramique
M 3554 : coupe, à l'extérieur, près de la jarre ouest.
Objets
M 3546 : bracelet ouvert, D = 0,040-0,030, en bronze.
M 3547 : trois perles, deux en fritte et une en pâte de verre bleue.

TOMBE 518
29-04-1960, double cloche, N haute terrasse, N-S
Deux jarres effondrées.
Squelette d'un enfant couché sur le côté droit.

Objets
M 3548 et M 3549 : deux bracelets ouverts, D = 0,054-0,048 et 0,047-0,039, en bronze.
M 3550 : trois anneaux en bronze passés l'un dans l'autre, boucles d'oreilles ?

TOMBE 519
29-04-1960, jarre, N haute terrasse, S-N
Jarre à fond percé, couchée et découpée dans le tiers supérieur pour introduire le corps ; le fragment découpé (0,54 x 0,47) manquait.
H = 1,23, D = ?
Squelette couché sur le dos, tête au sud, bras repliés, mains sur le bassin, jambes écartées, pieds ramenés l'un vers l'autre.

TOMBE 520
30-04-1960, double cloche, N haute terrasse, E-O
Au delà du *temenos*.
Deux jarres écrasées par le poids des terres.
Pas de renseignement sur le squelette.

TOMBE 521 (**pl. 6, 13, 14**)
05-1960, double cloche, R20, en surface, E-O
Deux jarres dont la moitié supérieure était cassée.
H = 0,85-0,75, D = 0,54-0,51
Squelette couché sur le côté droit, en position contractée, tête à l'est, face vers le nord.
Objets
M 3555 : anneau, D = 0,011, en or, boucle d'oreille ? anneau de nez ?
M 3556 : perles diverses en pâte de verre, cornaline, fritte.

TOMBE 522 (**pl. 6**)
05-1960, double cloche, R20, - 1,17 m, E-O
Deux jarres couchées.
Squelette couché sur le côté gauche, tête à l'est, jambes fléchies.
Objets
Des coquillages (non décrits), un fragment en ivoire (non inventorié), des morceaux de tissu ou de peau.

TOMBE 523 (**pl. 6, 13, 14, 72**)
1-11-1961, double cloche, R20, N-S
Deux jarres à base annulaire, avec un bourrelet à la partie supérieure de la panse, emboîtées l'une dans l'autre, couchées.
H = 0,31-0,43, D = 0,25-0,35
Pas de renseignement sur le squelette.

TOMBE 524 (**pl. 6, 13, 14, 72**)
1-11-1961, double cloche, R20, S-N
Deux jarres à base annulaire, dont la panse était ornée d'un bourrelet, couchées.
H = 0,87-0,90, D = 0,76-0,72
Squelette couché sur le côté gauche, tête au sud.
Céramique
M 3618 : vase, posé devant la tête.
Objets
M 3619 : coquillages (non décrits) et perles en coquille, pierre, pâte de verre, situés autour de la tête.
Restes d'une petite pyxide en bois (non inventoriée), trouvés sur le thorax.

TOMBE 525 (**pl. 6, 13, 14, 72**)
2-11-1961, sarcophage, R20, E-O
Cuve ovale dont le bord était souligné d'un bourrelet biseauté, angles arrondis, fond presque plat, parois légèrement obliques décorées à l'extérieur de quatre bourrelets horizontaux, recouverte de tessons de grosses jarres (**pl. 72**).
L = 1,00, l = 0,61, H = 0,64, ép. = 0,035
Du squelette, il ne restait qu'un fragment de tibia, quelques vertèbres, un os du bassin, un os du crâne. Tombe violée ?
Céramiques
M 3607, M 3608, M 3609, M 3610, M 3611, M3612 : coupes (**pl. 72**).
M 3613 : jarre (**pl. 72**).
M 3614 : vase globulaire à large ouverture (**pl. 72**).
M 3615 : jarre.
Objets
M 3606 : quatre petits anneaux en bronze (bagues ?) et six perles en verre, cristal de roche, fritte, pierre.

TOMBE 526 (**pl. 6, 13, 14**)
31-10-1961, jarre, R20, E-O
Grande jarre à fond arrondi, découpée pour introduire le corps, puis scellée au plâtre, couchée, avec une brique sur le côté.
H = 1,21, D = 0,63
Squelette couché sur le dos, tête à l'est, mains ramenées vers la tête, jambes fléchies vers l'extérieur, genoux écartés, pieds rapprochés.

TOMBE 527 (**pl. 6, 13, 14, 73, 74, 75**)
4-11-1961, jarre, R20, NO-SE
Avec les tombes 398, 354, 531, 530.
M 3640 : grande jarre à fond arrondi, inclinée, col à large méplat orné d'une triple rainure (**pl. 73, 74, 75**).
Le haut de la panse porte un décor incisé et en relief disposé en quatre registres du col à la panse :
- un bandeau fait de hachures entrecroisées ;
- un bourrelet cordé ;
- une frise d'animaux où on distingue, au centre, deux serpents dont le corps en relief est garni de cercles incisés, qui viennent boire au bec cassé de la jarre ; de gauche à droite et au-dessous : un quadrupède passant à droite dont la tête est cassée ; un animal de profil à droite mangeant un rameau ; un arrière-train de quadrupède ; deux bouquetins mangeant de part et d'autre d'un arbre feuillu ; un quadrupède à bois passant à gauche ; deux scorpions face à face séparés par une fourche à trois branches située sous le bec de la jarre ; un animal à queue épaisse et pointue passant à gauche ; un animal couché, tête retournée vers la queue ; un quadrupède à bois passant à gauche ; un homme passant à droite, torse nu, vêtu d'une jupe (avec ceinture ou portant un baudrier ?), une coiffure circulaire à plis, tenant des feuillages dans chaque main ; après un vide, un animal passant à droite, dont la tête manque. Les corps des animaux sont soit hachurés, soit garnis de petits traits ou points incisés, soit sans décor ;
- un bourrelet simple ;
- une suite d'animaux à corps tacheté ou non, passant à gauche, très schématisés, séparés les uns des autres par des triangles opposés par le sommet et dont l'intérieur est couvert de petits traits incisés ; un rameau ;
- un bourrelet simple ;
- un bandeau couvert de hachures croisées irrégulières, plus espacées que celles du registre supérieur ;
- un bourrelet simple.
H = 0,67, D = 0,61, ouv. = 0,33
Pas de renseignement sur le squelette.
A. Parrot, 1962, p. 175-177, fig. 17-18.
A. Parrot, 1961-1962, p. 183-184 et fig. 4.
Céramiques (**pl. 73**)
M 3743 : jarre, à l'extérieur de la tombe.
M 3744 : vase, à l'extérieur de la tombe.

TOMBE 528 (**pl. 6**)
6-11-1961, double cloche, P20, E-O
Dans le mur du *temenos*.
Deux jarres couchées.
H = 0,47-0,40, D = 0,41-0,35
Squelette couché sur le côté gauche, tête à l'est, face vers le sud.
Objets
M 3660 : deux perles en fritte (non inventoriées) et deux coquillages (non décrits).

TOMBE 529 (**pl. 6, 13, 14, 73**)
4-11-1961, jarre, R20
Jarre cassée et incomplète.
H = ?, D = 0,41
Squelette d'un enfant. Tombe violée ?
Céramiques
M 3644 : bouteille, trouvée à l'intérieur de la tombe.
M 3645 : coupe, avec M 3644.
M 3646 : petit vase à fond piriforme, avec M 3644.
M 3647 : petit vase globulaire, avec M 3646.
Objet
M 3648 : base de figurine, humaine ou animale.

TOMBE 530 (**pl. 6, 13, 14, 73, 75**)
6-11-1961, pleine terre, R20, O-E
À proximité des jarres 398, 531, 527, 354.
Squelette couché sur le côté droit, en position très contractée, la tête, qui était à l'ouest, manquait, bras repliés vers le haut du corps ; il était recouvert par trois briques cuites posées à plat.

TOMBE 531 (**pl. 6, 13, 14, 73, 75**)
6-11-1961, jarre, R20, SO-NE
Avec les jarres 354, 398, 527 et la tombe en pleine terre 530.
Grande jarre à rebord mouluré et fond arrondi, ornée de deux bourrelets près du col, couchée ; une jarre à col étroit dont le fond manquait, et dont la panse était ornée de trois bourrelets enduits de bitume, emboîtée dans le col de la tombe ; un plat renversé fermait l'ensemble.
Squelette disloqué, affaissé dans la jarre.
Céramique (**pl. 73**)
M 3742 : plat renversé sur le col de la jarre-couvercle.
Objets en bronze
M 3659 : deux bagues, D = 0,021-0,020, et fragment d'une troisième ; deux tiges.

TOMBE 532 (**pl. 6**)
6-11-1961, pleine terre, R20, NO-SE
Squelette d'un enfant, tête au nord-ouest, une main posée sur une coupe.
Céramiques
M 3641, M 3642, M3643, M 3656 : petits vases globulaires à large ouverture.
M 3655 : coupe à deux anses plates, trouvée près de la main du défunt.
M 3657 : coupe.
M 3658 : vase.

TOMBE 533 (**pl. 6**)
13-11-1961, pleine terre, R20, O-E
Squelette couché sur le côté gauche, tête à l'ouest, jambes fléchies, recouvert par de grands tessons de grosses jarres et environné de céramiques (non inventoriées).

TOMBE 534 (**pl. 6**)
13-11-1961, pleine terre, P, Q19 ?, O-E
Squelette disloqué, situé sous une couche de galets.
Céramique
M 3675 : petit vase.

TOMBE 535 (**pl. 6, 13, 14, 76**)
13-11-1961, sarcophage, R20, O-E
Sous les jarres 531, 398, 354, 527 et la tombe en pleine terre 530.
Cuve rectangulaire, angles arrondis, fond plat, parois verticales cassées, couvercle plat effondré à l'intérieur de la cuve, qui était enserrée dans un massif de quatre assises de briques crues.
L = 1,09, l = 0,58, H = 0,30, ép. = 0,045
Squelette couché sur le côté gauche, tête à l'ouest inclinée vers le thorax, bras repliés vers la tête, jambes fléchies à angle droit.
A. Parrot, 1962, p. 175.
Objets
M 3679 : un bracelet en bronze, au bras gauche ; deux épingles en bronze, trouvées près de la tête ; une tige en bronze.
M 3680 : cylindre très élimé en pierre foncée, portant un décor, situé près des épingles.

TOMBE 536 (**pl. 14**)
13-04-1963, jarre, P19, N-S
Sondage nord *temenos* haute terrasse.
Jarre très galbée, avec col à gorge, couchée et fermée par un tesson de grande jarre.
H = 0,76, D = 0,60
Deux squelettes, un adulte et un enfant très jeune, les deux crânes étaient à côté l'un de l'autre.
Objets
M 3920 : anneau, D = 0,012, en or, en forme de croissant (anneau de nez ?) ; un coquillage (non décrit) ; une plaquette en ambre percée ; une amulette circulaire à décor incisé.
M 3921 : perles en fritte, pâte de verre, ambre, cristal.
M 3922 : petit vase en faïence.

TOMBE 537 (**pl. 14**)
14-04-1963, jarre, P19, debout
Sondage nord *temenos* haute terrasse, à proximité de T 536.
Jarre H = 0,75, D = 0,60
Pas de renseignement sur le squelette.

TOMBE 538 (**pl. 14**)
14-04-1963, double cloche, P19, E-O
Sondage nord *temenos* haute terrasse.
Deux jarres couchées :
- celle de l'est avait une base annulaire,
- celle de l'ouest avait un fond arrondi.
H = 0,45-0,32, D = 0,35-0,27
Pas de renseignement sur le squelette.

TOMBE 539 (**pl. 14**)
15-04-1963, jarre, P19, debout
Sondage nord *temenos* haute terrasse.
Jarre dont le col était cassé.
H = 0,45, D = 0,32
Débris de crâne d'un enfant. Tombe violée ?
Céramique
M 3933 : gobelet.

N° 540,
15-04-1963, jarre, O19, debout
Sondage nord *temenos* haute terrasse.
Jarre ovoïde très galbée, à col évasé.
H = 0,28, D = 0,26
Vide. Ce n'est pas une tombe.

N° 541,
15-04-1963, jarre, O19
Sondage nord *temenos* haute terrasse.
Jarre galbée, à col évasé sans gorge, en position inclinée.
H = 0,25, D = 0,20
Vide. Ce n'est pas une tombe.

N° 542,
15-04-1963, jarre, O19, debout
Sondage nord *temenos* haute terrasse.
Jarre galbée, à col évasé sans gorge.
H = 0,25, D = 0,21
Vide. Ce n'est pas une tombe.

N° 543,
15-04-1963, jarre, P19, debout
Sondage nord *temenos* haute terrasse.
Jarre cassée, sans col.
H = ?, D = 0,24
Vide. Ce n'est pas une tombe.

N° 544,
15-04-1963, jarre, P19, debout
Sondage nord *temenos* haute terrasse.
Jarre fragmentaire.
H = ?, D = 0,17
Vide. Ce n'est pas une tombe.

N° 545,
15-04-1963, jarre, O19, debout
Sondage nord *temenos* haute terrasse.
Jarre galbée, à col évasé sans gorge.
H = 0,26, D = 0,25
Vide. Ce n'est pas une tombe.

TOMBE 546 (**pl. 14, 76**)
25-04-1963, jarre, P19, - 0,80 m, S-N
Sondage nord *temenos* haute terrasse.
Tombe couvercle : jarre à large ouverture retournée sur les ossements qui étaient à même la terre ; était décorée de cinq bourrelets : entre le quatrième et le cinquième qui était plus épais que les autres, une ligne ondulée incisée.
H = 0,49, D = 0,45
Squelette en position contractée.
Céramiques
Deux bouteilles debout, fermées par des tessons, et un petit vase (non inventoriés), à l'extérieur au sud de la tombe.

TOMBE 547 (**pl. 14, 76**)
25-04-1963, jarre, P19, - 1,70 m , SO-NE
Sondage nord *temenos* haute terrasse.
Grande jarre à fond arrondi, dont la panse était ornée de deux bourrelets, légèrement inclinée et recouverte par un plat profond renversé, orné d'un large bourrelet à la base (**pl. 79**).
Jarre, H = 0,75, D = 0,65, ouv. = 0,606
Plat, H = 0,17, D = 0,62
Squelette affaissé.
Des ossements animaux (espèce non déterminée) au pied de la jarre funéraire.
Céramiques
Une jarre inclinée et un petit vase engagé dans son col (non inventoriés), contre la tombe.

N° 548,
25-04-1963, jarre, P19, - 0,50 m
Sondage nord *temenos* haute terrasse.
Deux petites jarres distantes de 0,40 m, une était cassée.
H = 0,16, D = 0,12
Vides. Ce ne sont pas des tombes.

N° 549,
25-04-1963, jarres, P19, - 0,50 m, debout
Sondage nord *temenos* haute terrasse.
Deux petites jarres.
Vides. Ce ne sont pas des tombes.

TOMBE 550 (**pl. 14**)
25-04-1963, jarre, P19, - 0,50 m, debout
Sondage nord *temenos* haute terrasse.
Jarre, H = 0,33, D = 0,23
Ossements d'un petit enfant placés dans une coupe.

TOMBE 551 (**pl. 14**)
25-04-1963, jarre, P19, - 0,50 m, debout
Sondage nord *temenos* haute terrasse, à proximité de la précédente.
Jarre cassée, H = 0,30, D = 0,24
Ossements d'un petit enfant placés dans une coupe.
Céramique
Un gobelet (non inventorié), à côté de la jarre.

TOMBE 552 (**pl. 14**)
25-04-1963, jarre, P19, - 0,50 m , E-O
Sondage nord *temenos* haute terrasse, à proximité de la précédente.
Jarre cassée, recouverte par un plat, et qui reposait sur un grand tesson, séparée de T 551 par une brique cuite (0,32 x 0,32 x 0,04) posée de chant.
H = 0,40, D = 0,25
D couvercle = 0,36
Ossements de petite taille.
Céramique
Un gobelet (non inventorié).

TOMBE 553 (**pl. 14**)
25-04-1963, jarre, P19, - 0,50 m , debout
Sondage nord *temenos* haute terrasse, à proximité des précédentes.
Jarre dont le col était cassé.
H = 0,32, D = 0,20
Ossements de petite taille.

TOMBES 554 a et b (**pl. 14**)
25-04-1963, jarre, P19, - 0,40 m
Sondage nord *temenos* haute terrasse, à proximité des précédentes.
Deux jarres à col cassé.
H = 0,29- ?, D = 0,27- ?
Ossements placés dans une coupe.

TOMBE 555 (**pl. 14**)
25-04-1963, jarre, Q18, - 1,00 m, N-S
Sondage nord *temenos* haute terrasse.
Jarre couchée, dont le col et le fond, cassés, étaient fermés par une brique crue (0,31 x 0,31 x 0,12) posée de chant.
Fragments d'ossements d'un enfant. Tombe violée ?

TOMBE 556 (**pl. 14**)
25-04-1963, jarre, Q18, - 0,65 m
Sondage nord *temenos* haute terrasse.
Jarre dont le col était cassé.
H = 0,23, D = 0,20
Petits ossements réunis dans deux coupes.

TOMBE 557 (**pl. 14**)
29-04-1963, jarre, P18, - 1,70 m, N-S

Sondage nord *temenos* haute terrasse.
H = 0,45, D = 0,35
Vide. Tombe violée ?
Céramiques
M 4001, M 4002, M 4003 : coupes, la dernière posée de chant contre la tombe.
M 4004 : petit vase globulaire à large ouverture.

TOMBE 558 (**pl. 14**)
29-04-1963, jarre, Q17, - 0,85 m, debout
Sondage nord *temenos* haute terrasse.
Jarre galbée.
H = 0,30, D = 0,25
Quelques débris d'ossements d'un enfant. Tombe violée ?
Céramique
Une coupe (non inventoriée), renversée à l'extérieur de la tombe.
Objets
Un fragment de bronze (non inventorié) et deux coquillages (non décrits) à l'intérieur de la tombe.
Un fragment de bronze (non inventorié) et un fragment de corne d'animal (capriné ?) posé sur un tesson, à l'extérieur de la tombe.

TOMBE 559 (**pl. 14**)
28-04-1963, jarre, Q17, - 0,50 m, E-O
Sondage nord *temenos* haute terrasse.
Fragments d'une jarre couchée, très abîmée.
Des débris d'ossements dont trois dents. Tombe violée ?

TOMBE 560 (**pl. 14**)
28-04-1963, jarre, Q17, debout
Sondage nord *temenos* haute terrasse, au nord de T 558.
Fragments de deux ou trois jarres, une, assez grande, était dressée.
Pas de renseignement sur le squelette.

TOMBE 561, (**pl. 14, 76**)
28-04-1963, jarre, Q17, - 1,00 m, E-O
Sondage nord *temenos* haute terrasse.
Jarre à large ouverture inclinée, dont le haut de la panse était orné de deux bourrelets et d'une large bande bitumée au-dessus du premier bourrelet, le fond arrondi et percé d'un trou était bitumé ; au sud, une dalle de pierre rectangulaire posée de chant.
Pas de renseignement sur le squelette.
Céramiques
Deux jarres dans le col desquelles étaient engagés deux gobelets (non inventoriés), situées entre la tombe et la dalle de pierre.

N° 562
04-1963, jarre, Q17, - 0,95 m
Sondage nord *temenos* haute terrasse.
Deux jarres debout, fragmentaires.
Vides. Ce ne sont pas des tombes.

TOMBE 563 (**pl. 14**)
28-04-1963, double cloche, Q17, - 0,40 m, E-O
Sondage nord *temenos* de la haute terrasse.
Deux jarres dont la partie supérieure était cassée, ornées d'un bourrelet à la partie supérieure de la panse, couchées :
- l'une avait un fond arrondi,
- l'autre avait une base annulaire.
H = 0,75-0,85, D = 0,69-0,78
Squelette d'une femme couché sur le dos, tête à l'est, jambes repliées.
Objets (**pl. 77**)
Certains ont été trouvés à l'extérieur de la tombe :
M 3952 : cylindre en pierre noire, très usé, dont le décor a disparu.
M 3956, M 3967 : deux vases en faïence, à col étroit.
M 3957 : plaque en pierre blanche, percée aux quatre angles.
M 3958, M 3959 : plaques fragmentaires, en os, percées aux angles.
d'autres objets ont été trouvés à l'intérieur de la tombe :
M 3953, M 3961, M 3962 : cachets en faïence, portant un décor.
M 3960 : anneau en or, D = 0,010, en forme de croissant, anneau de nez ?
M 3963, M 3969 : cylindres en fritte, portant un décor.
M 3964, M 3965, M 3966 : cylindres en pierre, portant un décor.
M 3968 : cylindre en cornaline, portant un décor.
M 3978, M 3979 : scarabées en faïence.
M 3988 : huit anneaux fragmentaires, en bronze et en argent, anneaux de nez ? bagues ?
M 3991, M 3992, M 3993, M 4010 à M 4016 : dix anneaux de cheville ouverts, D = 0,096 à 0,090-0,064 à 0,058, en bronze (cinq à chaque cheville).
M 3994 : bracelet, D = 0,068-0,048, en bronze.
M 4006, M 4008 : deux tiges recourbées en fer.
M 4007 : six éléments en fer, chaînette ?
M 4031 à M 4034 : quatre colliers de perles diverses en fritte, pâte de verre, ambre, cornaline, cristal.
A. Parrot, 1964 a, p. 18, pl. V-1 à 3.
A. Parrot, 1964 b, p. 21-22, pl. III.

TOMBE 564 (**pl. 14**)
28-04-1963, double cloche, Q17, - 0,40 m, E-O
Sondage nord *temenos* haute terrasse.
Deux jarres couchées, l'une était écrasée.
H = 0,78- ?, D = 0,62- ?
Quelques ossements. Tombe violée ?

Le n° 565 n'existe pas.

TOMBE 566 (**pl. 14**)
28-04-1963, jarre, Q17, - 0,90 m, O-E
Sondage nord *temenos* haute terrasse.
Grande jarre avec des bandes bitumées à la partie supérieure, fond bitumé, inclinée.
H = 0,78, D = 0,70
Ossements épars à l'extérieur de la jarre. Tombe violée ?
Céramiques
Une jarre, une coupe et un gobelet (non inventoriés), à l'extérieur de la tombe.

TOMBES 567-1 à 5 (**pl. 14**)
28-04-1963, jarres, P19, - 0,60 m, debout
Sondage nord *temenos* haute terrasse.
Groupe de cinq sépultures : jarres fermées par des tessons.
- Jarre, H = 0,33, D = 0,25
- Jarre, H = 0,26, D = 0,23
- Jarre cassée dans sa partie supérieure.
- Jarre très endommagée.
- M 4328 : jarre globulaire à large ouverture, rebord biseauté, fond arrondi, en terre cuite verdâtre.
H = 0,23, D = 0,24, ouv. = 0,18
Petits ossements d'enfants.

Les n°s 568 à 581 n'existent pas.

TOMBE 582 (**pl. 14, 76**)
4-05-1963, double cloche, Q14, - 1,45 m, E-O
Sondage nord *temenos* haute terrasse.
Deux jarres très galbées, cassées, couchées :
- le fond de la jarre est était contre la partie supérieure de celle de l'ouest ; cols, jonction et côtés des deux jarres fermés par des tessons

provenant du fond de l'une et de la partie supérieure de l'autre, qui ont été cassés pour introduire le corps.
- la jarre ouest était décorée à la base du col de deux lignes de cercles incisés.
Squelette couché sur le côté gauche, tête à l'est, face vers le sud, jambes repliées ; des traces de linceul en tissu.
Céramique
Une cruche cassée (non inventoriée), à l'extérieur contre la jarre est.

TOMBE 583 (**pl. 14, 77**)
3-05-1963, sarcophage, Q14, - 0,85 m, E-O
Sondage nord *temenos* haute terrasse.
Cuve rectangulaire, angles arrondis, fond plat, parois verticales, fermée par un grand nombre de tessons superposés et une grosse pierre sur le côté ouest.
L = 1,20, l = 0,65, H = 0,36
Squelette très abîmé, couché sur le côté gauche, tête à l'est, face vers le sud, jambes repliées.
Céramique
Un vase (non inventorié), à côté de la tête.

TOMBE 584 (**pl. 14**)
2-05-1963, jarre, Q14, debout
Sondage nord *temenos* haute terrasse.
Fond de jarre très abîmé.
Pas de renseignement sur le squelette.

TOMBE 585 (**pl. 14, 78**)
29-05-1963, double cloche, Q14, - 0,75 m, E-O
Sondage nord *temenos* haute terrasse.
Deux jarres à base annulaire et large ouverture (**pl. 79**), couchées et calées par des fragments de briques et des tessons.
H = 0,51-0,51, D = 0,57-0,57
Squelette couché sur le côté gauche, tête à l'est, jambes repliées ; des traces de linceul en tissu sur le thorax.
A. Parrot, 1964 b, pl. IV-2.

TOMBE 586 (**pl. 14**)
2-05-1963, jarre, Q14, - 0,30 m, E-O
Sondage nord *temenos* haute terrasse, à côté de T 585.
Grande jarre couchée, dont il ne restait que le fond.
H = 1,38, D = 0,50
Quelques débris d'ossements à l'extérieur. Tombe violée ?

TOMBE 587 (**pl. 14, 78**)
29-05-1963, sarcophage, Q14, - 0,65 m, S-N
Sondage nord *temenos* haute terrasse.
Cuve ovale à fond bombé, type coquille de noix, recouverte par une cuve ovale, à base ovale.
L = 1,12, l = 0,55, H = 0,37
Squelette couché sur le côté gauche, tête au sud écrasée, jambes repliées.
A. Parrot, 1964 a, p. 19, pl. VI-1,2.
A. Parrot, 1964 b, p. 22.
Objets
M 3989 : éléments de bois et cuir, trouvés au niveau du bassin, fouet ?
M 4027, M 4028 : fragments de tissu beige, coton ?
M 4029 : fragments de tissus en plusieurs épaisseurs, de couleur beige et lie de vin, coton ? Ces trois tissus formaient-ils un linceul, un suaire, et/ou des bandelettes entourant les membres ?

TOMBE 588 (**pl. 14**)
29-04-1963, jarre, Q14, en surface, NE-SO
Sondage nord *temenos* haute terrasse.
Grande jarre à fond arrondi.
H = 1,25, D = 0,75
Squelette : position indéterminée.

TOMBE 589 (**pl. 6, 77**)
11-02-1964, sarcophage, O25, NO-SE
Cuve rectangulaire à fond plat, fond percé de quatre rangées de quatre ou cinq trous, parois verticales.
L = 1,14, l = 0,67, H = 0,40
Débris d'ossements. Tombe violée ?
A. Parrot, 1965 a, p. 5.
Céramiques
Une coupe et une jarre cassée (non inventoriées), à l'extérieur contre la cuve ; quatre jarres cassées, qui devaient être debout (non inventoriées), plus éloignées du sarcophage.
Objet (**pl. 79**)
M 4036 : poignard avec soie à un rivet, bout arrondi, en bronze, trouvé à l'intérieur de la tombe.

TOMBE 590 (**pl. 6**)
14-03-1964, jarre, O25
À l'ouest du Massif à redans.
Grande jarre portant des traces de bitume sur le fond, à l'intérieur et à l'extérieur.
Vide. Tombe violée ?

TOMBE 591 (**pl. 6, 79**)
14-03-1964, jarre, O25, SE-NO
À l'ouest du Massif à redans.
Grande jarre renversée, cassée, col vers le bas.
Quelques ossements épars. Tombe violée ?
A. Parrot, 1965 a, p. 5.

TOMBE 592 (**pl. 6, 79**)
14-03-1964, jarre, O25, SO-NE
À l'ouest du Massif à redans, au SE de T 591.
Jarre couchée, cassée.
H = 0,715, D = 0,52
Squelette d'un enfant couché sur le dos, en position contractée, la tête détachée de la colonne vertébrale avait roulé sur le bassin, bras repliés, les jambes étaient relevées et fléchies vers la droite.
A. Parrot, 1965 a, p. 5-6, fig. 3-5.
A. Parrot, 1965 c, p. 27 et fig. 1-2.
Céramiques
Onze vases trouvés à l'extérieur, disposés plus ou moins en cercle, mais à un niveau inférieur de la jarre funéraire.
M 4052 : jarre à fond plat, portant un bourrelet simple et trois bourrelets cordés en haut de la panse ; un décor incisé sur le col (**pl. 80**) :
- un personnage debout, de face, les pieds posés sur le premier bourrelet cordé, bras repliés (orant ?), pouces très développés écartés, torse nu, vêtu d'une jupe avec ceinture et décorée d'incisions verticales (plis), un collier double autour du cou, de grands yeux, la bouche n'est pas dessinée, cheveux de part et d'autre d'une coiffure de type *calathos*.
- à la gauche du personnage, un aigle, corps pointillé de face, ailes éployées striées, tête de profil, bec crochu, pattes écartées posées sur le premier bourrelet.
M 4053 : vase globulaire (**pl. 80**).
M 4054, M 4058 : vases globulaires à large ouverture (**pl. 80**).
M 4055, M 4056, M 4057, M 4059, M 4060 : jarres (**pl. 80**).
M 4061, M 4062 : coupes (**pl. 80**).
Objet
M 4072 : bague, D = 0,017-0,013, en bronze.

TOMBE 593 (**pl. 6**)
18-03-1964, jarre, O25, debout
À l'ouest du Massif à redans.
Grande jarre, H = 0,52, D = 0,525-0,475
Squelette en position contractée, en mauvais état.

TOMBE 594 (**pl. 6**)
21-03-1964, briques, O25, NE-SO
Quartier à l'ouest du Massif à redans.
Tombe en briques crues (0,335 x 0,155 x 0,065), rectangulaire, couverte d'une grande dalle de gypse.
Squelette allongé sur le dos, tête au nord-est.
Céramiques
Deux jarres et trois coupes (non inventoriées), au-dessus du squelette.

TOMBE 595 (**pl. 6**)
22-03-1964, pleine terre, O25, O-E
Squelette couché sur le côté droit, en position très contractée, tête à l'ouest, face au sud, le bras droit reposait sur une coupe.
Céramiques
Deux jarres, deux coupes et un petit vase (non inventoriés).
Objets
M 4083 : couteau en bronze, trouvé près de la tête (**pl. 79**).
M 4084 : plaque rectangulaire fragmentaire en bronze, à côté de M 4083.
M 4085 : coupe fragmentaire en bronze, à côté de M 4083.

TOMBE 596 (**pl. 6, 7, 15, 82**)
25-03-1964, pleine terre, cour 131, E-O
Zone sud-est, au nord du bassin de Iahdun-Lim, juste au-dessous du dallage.
Squelette d'une femme couché sur le dos, tête à l'est, mains ramenées vers une pyxide, jambes allongées (**pl. 81**).
A. Parrot, 1965 a, p. 13.
Céramiques
Un vase fragmentaire et une coupe (non inventoriés), à droite appuyés contre la tête.
Objets
M 4093 : anneau en or, D = 0,012, en forme de croissant, anneau de nez ?
M 4094 : pyxide en faïence, dont la panse porte un décor, deux anses plates percées, couvercle à anses plates percées et bouton de préhension ; à gauche du bassin (**pl. 81**).

TOMBE 597 (**pl. 6, 7, 15**)
25-03-1964, pleine terre, cour 131, E-O
Zone est, juste au-dessous du dallage.
Squelette d'une adolescente couché sur le dos, tête à l'est, inclinée vers le sud, bras repliés, mains sous le menton, jambes légèrement fléchies.
A. Parrot, 1965 a, p. 13.
Objets
Amas de petits coquillages (non décrits) et de perles (non inventoriées), trouvés près de la tête et du bassin.

TOMBE 598 (**pl. 6, 7, 82**)
25-03-1964, double cloche, N19, E-O
Deux jarres à base annulaire portant un bourrelet à la partie supérieure de la panse, couchées.
H = 0,86-0,57
Squelette couché sur le côté gauche, tête à l'est, bras repliés vers la tête, jambes fléchies.
A. Parrot, 1965 a, p. 13.

TOMBE 599 (**pl. 6, 7, 15**)
25-03-1964, double cloche, cour 131, E-O
Zone sud-est de la cour, au-dessous du dallage.
Deux jarres couchées, jointes par des dalles, celle de l'est était cassée.
H = 0,72- ?
Squelette couché sur le côté gauche, tête à l'est, bras repliés vers la tête, jambes fléchies, pieds au niveau du bassin.
A. Parrot, 1965 a, p. 13.

TOMBE 600 (**pl. 6, 7, 15**)
25-03-1964, double cloche, cour 131, E-O
Zone sud-est de la cour, au-dessous du dallage.
Deux jarres couchées, cassées.
Débris d'osssements, crâne à l'est. Tombe violée ?
A. Parrot, 1965 a, p. 13.

TOMBE 601 (**pl. 6, 7**)
25-03-1964, double cloche, N19, E-O
Deux jarres, la plus petite avait une base en bouton.
H = 0,80-0,43, D = 0,55-0,44
Squelette, tête à l'est, ossements bouleversés. Tombe violée ?
A. Parrot, 1965 a, p. 13.

TOMBE 602
26-03-1964, double cloche, N haute terrasse, N-S
Deux jarres placées sur un mur.
H = 0,47- ?, D = 0,37- ?
Quelques traces d'ossements. Tombe violée ?
A. Parrot, 1965 a, p. 13.

TOMBE 603 (**pl. 6, 7, 15**)
28-03-1964, pleine terre, cour 131, E-O
Zone est de la cour, au-dessous du dallage.
Squelette dont il ne restait que la tête et le haut de la cage thoracique, probablement couché sur le dos (**pl. 81**).
A. Parrot, 1965 a, p. 13.
Céramiques (**pl. 81**)
M 4146 : coupe fragmentaire, au niveau de la tête.
M 4147 : vase à bouton fragmentaire, à côté de la coupe.
M 4148 : coupe-support fragmentaire, à côté du vase.

TOMBE 604 (**pl. 6, 7, 15**)
28-03-1964, pleine terre, cour 131, - 0,55 m, E-O
Zone sud-est de la cour, au-dessous du dallage.
Squelette couché sur le dos, tête à l'est, bras repliés, mains à la taille, fémurs allongés, recouvert de briques et une brique était posée de chant derrière la tête ; il manquait les jambes et les pieds.
A. Parrot, 1965 a, p. 13.
Céramique
Une coupe (non inventoriée), à droite de la tête.

TOMBE 605 (**pl. 6, 7, 15**)
28-03-1964, pleine terre, cour 131, - 0,30 m, E-O
Zone sud-est de la cour, au-dessous du dallage.
Squelette d'une adolescente couché sur le côté droit, tête à l'est, face vers le nord, bras le long du corps, jambes allongées ; des traces blanches et roses sous le squelette, plâtre ?
A. Parrot, 1965 a, p. 13.
Objets
M 4134 : anneau, D = 0,065-0,052, en bronze, à la cheville droite.
Quelques coquillages (non décrits), autour du cou.

TOMBE 606 (**pl. 6, 7, 15**)
28-03-1964, pleine terre, cour 131, - 0,65 m, E-O
Zone est de la cour, sous la partie libre de dalles.
Squelette couché sur le dos, tête à l'est, mains ramenées sur le bassin.
A. Parrot, 1965 a, p. 13.

TOMBE 607
30-03-1964, double cloche, N haute terrasse, N-S
Deux jarres.
Vide. Tombe violée ?
A. Parrot, 1965 a, p. 13.

TOMBE 608 (**pl. 6, 7**)
30-03-1964, double cloche, N18, N-S
Deux jarres cassées.
H = 0,92, D = 0,76
Vide. Tombe violée ?
A. Parrot, 1965 a, p. 13.

TOMBE 609 (**pl. 6, 7, 15**)
2-04-1964, jarre, cour 131, SE-NO
Zone sud-est de la cour, sous la partie libre de dalles.
Jarre cassée, dont l'ouverture était bloquée par une brique ; sur les côtés, une brique et deux pierres servant à la caler.
H = 0,665, D = 0,33
Quelques ossements d'un enfant. Tombe violée ?
A. Parrot, 1965 a, p. 13.
Objets
Deux coquillages (non décrits).

TOMBE 610 (**pl. 6, 7, 15**)
2-04-1964, double cloche, cour 131, E-O
Zone sud-est de la cour, au-dessous du dallage.
Deux jarres cassées, couchées et calées par plusieurs briques.
Débris d'ossements, crâne à l'est. Tombe violée?
A. Parrot, 1965 a, p. 13.
Objets
M 4150 : fragments de tissu.

TOMBE 611 (**pl. 6, 7, 15**)
2-04-1964, double cloche, cour 131, SE-NO
Zone sud-est de la cour, au-dessous du dallage.
Deux jarres cassées, couchées et séparées par un intervalle de 0,36 m ; jointes et calées par des briques :
- la jarre sud-est avait une base en bouton, un bourrelet et une bande bitumée au niveau du col,
- la jarre nord-ouest avait un pied.
H = 0,61-0,52, D = 0,55- ?
Squelette couché sur le côté droit, tête à l'est, bras repliés, jambes fléchies.
A. Parrot, 1965 a, p. 13.

TOMBE 612 (**pl. 6, 7, 15**)
3-04-1964, double cloche, cour 131, E-O
Zone sud-est de la cour, au-dessous du dallage.
Deux jarres couchées, cassées (**pl. 81**).
H = 0,73-0,72, D = 0,49-0,605
Vide. Tombe violée ?
A. Parrot, 1965 a, p. 13.
Céramiques (**pl. 81**)
M 4170, M 4171 : coupes situées à l'extérieur de la tombe, une posée de chant contre la jarre est.
M 4172 : coupe, trouvée à l'intérieur de la tombe.

TOMBE 613 (**pl. 6, 7, 15**)
4-04-1964, pleine terre, cour 131, SE-NO
Zone est de la cour, sous la partie libre de dalles.
Squelette tête au SE, bras gauche sur le bassin ; seuls subsistaient le bassin, les jambes allongées, l'avant-bras et la main gauche ; il devait être couché sur le dos.
A. Parrot, 1965 a, p. 13.
Objet
M 4129 : bague, D = 0,027-0,020, en bronze, à la main gauche.

TOMBE 614 (**pl. 6, 7, 15**)
4-04-1964, pleine terre, cour 131, O-E
Zone est de la cour, sous la partie libre de dalles.
Squelette incomplet, ossements bouleversés, crâne à l'ouest.
A. Parrot, 1965, p. 13.

TOMBE 615 (**pl. 6, 7, 15**)
4-04-1964, pleine terre, cour 131, SE-NO
Zone est de la cour, sous la partie libre de dalles.
Squelette couché sur le côté gauche, tête au SE, face vers le sud, bras droit replié, bras gauche le long du corps, jambes allongées légèrement fléchies.
A. Parrot, 1965, p. 13.
Céramique
Une coupe (non inventoriée), posée devant la tête.

TOMBE 616 (**pl. 6, 7, 15, 82**)
6-04-1964, double cloche, cour 131, E-O
Zone sud-est de la cour, au-dessous du dallage.
Deux jarres couchées et séparées par un intervalle de 0,10 à 0,12 m :
- la jarre est avait une bande enduite de bitume en haut de la panse et le fond cassé.
H = 0,76-0,86, D = 0,79-0,69
Squelette couché sur le dos, le crâne qui était dans la jarre est avait disparu, mains sur une coupe en bronze, jambes allongées. Tombe violée ?
A. Parrot, 1965 a, p. 13.
Céramiques
M 4240 : une coupe posée de chant.
Un vase à bouton (non inventorié), à l'extérieur de la jarre est.
Objets
M 4138 : pyxide en albâtre, à anses plates percées, dont la panse porte un décor, couvercle à anses plates percées, avec décor, posée de chant entre les jambes (**pl. 36**).
A. Parrot, 1965, p. 14, fig. 12.
A. Parrot, 1965, p. 30 et fig. 4 (citée par A. Parrot comme faisant partie de la tombe T 630).
A. Parrot, 1974, p. 150, fig. 93.
M 4139 : coupe en bronze, trouvée sur le bassin.
M 4140 : bague en coquille ; des fragments de bracelet en fer aux poignets.
Des coquillages (non décrits), au niveau du cou.

TOMBE 617 (**pl. 6, 7, 15, 82**)
4-04-1964, pleine terre, cour 131, E-O
Zone sud-est de la cour, au-dessous du dallage.
Squelette couché sur le dos, tête à l'est, mains posées vers une coupe en faïence, jambes allongées ; plusieurs briques dont une très grande (0,445 x 0,445 x 0,12) amoncelées sur le corps (**pl. 81**).
A. Parrot, 1965 a, p. 13.
Céramiques (**pl. 81**)
M 4131 : petit vase portant des lignes rouges peintes sur la panse, posé sur le côté droit de la tête.
M 4132 : coupe, sur le côté gauche de la tête.
Objets
M 4130 : coupe en faïence, qui contenait des restes de tissu, placée entre les fémurs (**pl. 81**).
M 4133 : deux bagues en coquille, portant un décor.

TOMBE 618 (**pl. 6, 7, 15**)
4-04-1964, pleine terre, cour 131, E-O
Zone sud-est de la cour, au-dessous du dallage.

Squelette d'une adolescente couché sur le côté gauche, la tête qui se trouvait à l'est avait disparu, les mains devaient être ramenées vers le cou, jambes fléchies.
A. Parrot, 1965 a, p. 13.
Céramique
Une coupe fragmentaire (non inventoriée), près de la jambe gauche.
Objets
M 4135 : deux bagues, D = 0,022-0,014, en bronze, l'une était cassée ; des coquillages (non décrits) et des perles en fritte (non inventoriées) trouvés sur l'épaule droite.

TOMBE 619 (**pl. 6, 7, 15**)
4-04-1964, pleine terre, cour 131, SE-NO
Zone est de la cour, sous la partie libre de dalles.
Squelette couché sur le dos, tête au SE, bras droit replié en travers du corps, bras gauche allongé, jambes légèrement écartées.
A. Parrot, 1965 a, p. 13.
Céramique
Une coupe fragmentaire (non inventoriée), à droite de la tête.

TOMBE 620 (**pl. 6, 7, 15**)
4-04-1964, pleine terre, cour 131, E-O
Zone sud-est de la cour, au-dessous du dallage.
Squelette couché sur le côté gauche, tête à l'est, bras droit plié à angle droit, jambes légèrement fléchies, os en mauvais état.
A. Parrot, 1965 a, p. 13.
Céramiques
Une coupe et un vase à bouton (non inventoriés), derrière la tête.

TOMBE 621 (**pl. 6, 7, 15**)
4-04-1964, pleine terre, cour 131, E-O
Zone est de la cour, sous la partie libre de dalles.
Squelette couché sur le côté gauche, tête à l'est, de face, bras droit replié sur le corps, bras gauche replié sous le corps, jambes allongées.
A. Parrot, 1965 a, p. 13.

TOMBE 622 (**pl. 6, 7, 15**)
4-04-1964, pleine terre, cour 131, E-O
Zone sud-est de la cour, au-dessous du dallage.
Quelques ossements : bassin, côtes, rotule, vertèbres.
A. Parrot, 1965 a, p. 13.
Céramique
M 4176 : coupe.
Objets
Quelques coquillages (non décrits).

TOMBE 623 (**pl. 6, 7, 15**)
6-04-1964, pleine terre, cour 131, SE-NO
Zone sud-est de la cour, sous la partie libre de dalles.
Squelette couché sur le dos, tête à l'est, face vers le nord, main droite posée sur le fémur droit, bras gauche replié sur le bassin, jambes allongées, la droite étant légèrement fléchie.
A. Parrot, 1965 a, p. 13.
Objets
M 4136 : bague, D = 0,025-0,020, en coquille, trouvée sur le côté gauche du squelette.
M 4137 : anneau en or, D = 0,016, en forme de croissant, anneau de nez ?, près de la main droite.

TOMBE 624 (**pl. 6, 7, 15**)
6-04-1964, pleine terre, cour 131, E-O
Zone est de la cour, sous la partie libre de dalles.
Squelette couché sur le dos, tête à l'est, main droite sur le bassin, bras gauche replié, jambes fléchies, pieds croisés.
A. Parrot, 1965 a, p. 13.

TOMBE 625 (**pl. 6, 7, 15**)
6-04-1964, pleine terre, cour 131, SE-NO
Zone est de la cour, sous la partie libre de dalles.
Squelette couché sur le dos, tête au SE, face vers le sud, bras droit plié, main sur le bassin, bras gauche le long du corps, jambes allongées, pieds l'un sur l'autre.
A. Parrot, 1965 a, p. 13.

TOMBE 626 (**pl. 6, 7, 15**)
9-04-1964, pleine terre, cour 131, E-O
Zone est de la cour, sous la partie libre de dalles.
Squelette couché sur le dos, tête à l'est, face vers le sud, bras droit replié, main gauche sur le bassin, jambes allongées, la gauche étant légèrement fléchie (**pl. 81**).
A. Parrot, 1965 a, p. 13.
Céramique (**pl. 81**)
M 4179 : coupe posée de chant, derrière la tête.
Objets
M 4141 : pyxide en faïence, à anses plates percées, sans couvercle, placée sur le bassin.
M 4156 : perles en pierres diverses, autour du cou et sur le haut du thorax.
M 4157 : deux anneaux, D = 0,057, en bronze, un à chaque cheville.
Des coquillages (non décrits), au niveau du coude et de l'avant-bras gauche.

TOMBE 627 (**pl. 6, 7, 15**)
8-04-1964, pleine terre, cour 131, SE-NO
Zone sud-est de la cour, sous la partie libre de dalles.
Squelette d'un enfant couché sur le dos, tête au SE affaissée et inclinée sur l'épaule droite, main droite sur le bassin, bras gauche le long du corps, jambes allongées.
A. Parrot, 1965 a, p. 13.
Céramique
Une coupe fragmentaire (non inventoriée), au niveau du bras gauche.

TOMBE 628 (**pl. 6, 7, 15**)
8-04-1964, double cloche, cour 131, E-O
Zone est de la cour, au-dessous du dallage.
Deux jarres couchées.
Vide. Tombe violée ?
A. Parrot, 1965 a, p. 13.
Céramique
Un vase à bouton fragmentaire (non inventorié), à l'extérieur de la tombe.
Objet
M 4142 : pointe de flèche à lame losangique, en bronze, trouvée à l'intérieur de la tombe.

TOMBE 629 (**pl. 6, 7, 15**)
8-04-1964, double cloche, cour 131, E-O
Zone nord-est de la cour, au-dessous du dallage.
Deux jarres couchées, la jarre ouest avait pratiquement disparu.
H totale = 1,40, D = 0,80- ?
Vide. Tombe violée ?
A. Parrot, 1965 a, p. 13.
Céramique
Un petit vase (non inventorié), ayant contenu des aliments (?), situé à proximité de la jarre ouest.
Objets
M 4159 : deux tiges coudées en plomb, trouvées près de la jarre est.

TOMBE 630 (**pl. 6, 7, 15**)
9-04-1964, pleine terre, cour 131, E-O
Zone est de la cour, sous la partie libre de dalles.

Squelette couché sur le dos, tête à l'est, tournée vers le sud, bras repliés, mains croisées sur le bassin, jambes allongées ; des traces blanches et violettes sur et autour du squelette, plâtre (**pl. 81**) ?
A. Parrot, 1965 a, p. 13.
Céramique (**pl. 81**)
M 4178 : coupe, posée près de la tête.
Objets (**pl. 83**)
M 4151 : une perle en or.
M 4152 : scarabée inscrit en faïence.
A. Parrot, 1965, p. 30.
M 4153 : nombreuses perles en fritte (plus de cent).
M 4154 : perles en cornaline, turquoise, agate, ambre, trouvées autour du cou, réunies en un collier.
M 4155 : quatorze bagues en coquille, unies ou décorées, situées sous les mains.
M 4160, M 4161 : cylindres en fritte verte, le premier portant un décor.
M 4175 : tige en pierre noire.

TOMBE 631 (**pl. 6, 7, 15**)
9-04-1964, pleine terre, cour 131, E-O
Zone est de la cour, au-dessous du dallage.
Squelette couché sur le côté gauche, tête à l'est, tournée vers le sud, bras droit replié sur le corps et main passée sous le bras gauche qui est allongé, jambes allongées ; des traces blanches et violacées en plusieurs endroits, plâtre (**pl. 81**) ?
A. Parrot, 1965 a, p. 13.
Céramiques (**pl. 81**)
Deux coupes, dont M 4177, posées sur le sommet du crâne.
Objets
M 4162, M 4163, M 4164, M 4165 : bagues, D = 0,025, en coquille, décorées, trouvées près des mains.
M 4166 : bague, D = 0,020, en bronze.
M 4251 : deux anneaux de cheville fragmentaires, D = 0,084, en fer.
M 4252 : trois bagues, D = 0,022-0,015, en bronze, deux à la main gauche, une à un orteil.

TOMBE 632 (**pl. 6, 7, 15**)
10-04-1964, pleine terre, cour 131, E-O
Zone nord-est de la cour, sous la partie libre de dalles.
Squelette couché sur le dos, tête à l'est tournée vers le sud, mandibule désarticulée, bras droit sur le bassin, bras gauche replié vers l'épaule, jambes allongées.
A. Parrot, 1965 a, p. 13.
Céramiques
M 4181 : vase à bouton fragmentaire, situé contre la tête.
Une coupe (non inventoriée), posée de chant contre la tête, sous une brique.

TOMBE 633 (**pl. 6, 7, 15, 83**)
10-04-1964, pleine terre, cour 131, E-O
Zone nord-est de la cour, sous la partie libre de dalles.
Squelette d'une femme couché sur le dos, tête à l'est, tournée vers le nord, mains sur le bassin, jambes allongées ; des traces blanches et violacées à gauche du squelette, plâtre ?
A. Parrot, 1965 a, p. 13.
Objets
M 4167 : perles en cornaline et fritte, autour du cou, réunies en un collier.
M 4168 : cylindre en fritte, orné d'incisions, trouvé parmi des coquillages.
Au-dessus du bassin, amas de petits coquillages (non décrits) et de perles (non inventoriées).

TOMBE 634 (**pl. 6, 7, 15**)
10-04-1964, jarre, cour 131, E-O
Zone sud-est de la cour, au-dessous du dallage.
Jarre cassée, H = 0,62, D = 0,45
Squelette d'un enfant.
A. Parrot, 1965 a, p. 13.
Céramiques
Deux coupes (non inventoriées), cassées, l'une contre la jarre, l'autre au-dessous.
Objets
M 4169 : des éléments en fritte.
Des fragments d'œufs d'autruche, un amas de coquillages (non décrits).

TOMBE 635 (**pl. 6, 7, 15**)
10-04-1964, pleine terre, cour 131, N-S
Zone est de la cour, au-dessous du dallage.
Squelette disloqué d'un enfant, en position contractée, qui devait être couché sur le côté droit, un bras allongé, l'autre replié vers la tête, restes de colonne vertébrale, côtes, jambes et partie du bras.
A. Parrot, 1965 a, p. 13.

TOMBE 636 (**pl. 6, 7, 15, 83**)
11-04-1964, double cloche, salle 135, E-O
Dans le mur nord de la salle.
Deux jarres à base annulaire couchées :
- la jarre est portait un bourrelet cordé ;
- la jarre ouest portait un bourrelet simple.
H = 0,44-0,40, D = 0,35-0,40
Squelette d'un enfant, tête à l'est, dont il ne restait que quelques menus ossements en mauvais état. Tombe violée ?
A. Parrot, 1965 a, p. 13.
Objet
M 4173 : boucle d'oreille en bronze.

TOMBE 637 (**pl. 6, 7, 15**)
13-04-1964, double cloche, cour 131, sous le dallage, E-O
Zone nord-est de la cour, au-dessous du dallage.
Deux jarres cassées, couchées et séparées par un intervalle de 0,40 m.
H = 0,72-0,70, D = 0,72-0,65
Squelette couché sur le dos, tête à l'est, face vers le sud, mandibule détachée du crâne, main droite sur le bassin, main gauche sur le thorax, jambes allongées.
A. Parrot, 1965 a, p. 13.
Céramique
Une coupe fragmentaire (non inventoriée), à gauche de la tête.

TOMBE 638 (**pl. 6, 7, 15**)
13-04-1964, jarre, salle 132, N-S
Dans le mur est.
Jarre portant des traces de bitume dans le fond.
H = 0,42, ouv. = 0,38
Vide. Tombe violée ?
A. Parrot, 1965 a, p. 13.

TOMBE 639 (**pl. 6, 7, 15**)
13-04-1964, jarre, cour 131, N-S
Dans le mur sud de la cour.
Jarre cassée, H = 0,65, D = 0,55
Pas de renseignement sur le squelette.
A. Parrot, 1965 a, p. 13.

TOMBE 640 (**pl. 6, 7, 15**)
13-04-1964, pleine terre, cour 131, E-O,
Zone nord-est de la cour, au-dessous du dallage.
Squelette couché sur le côté gauche, tête à l'est, bras droit replié, jambes allongées ; des traces blanches et violacées autour du squelette, plâtre ?
A. Parrot, 1965 a, p. 13.

Céramiques
M 4183 et M 4184 : coupes, la première, couchée à droite de la tête.
Objets
M 4190 : perles en cornaline, ambre, fritte, autour du cou, réunies en un collier.
Des coquillages (non décrits), trouvés sur le côté droit du corps.

TOMBE 641 (**pl. 6, 7, 15**)
14-04-1964, pleine terre, salle 133, E-O
Encastrée à la base du mur nord.
Squelette couché sur le dos, tête à l'est, inclinée vers le sud, main droite sur le bassin, bras gauche le long du corps, genou droit fléchi vers l'intérieur.
A. Parrot, 1965 a, p. 13.
Céramique
Une coupe (non inventoriée), au-dessus de la tête.
Objets
M 4187 : bague fragmentaire, D = 0,020, en bronze.
Des coquillages (non décrits), trouvés près des mains et du thorax.

TOMBE 642 (**pl. 6, 7, 15**)
14-04-1964, pleine terre, cour 131, E-O
Zone nord-est de la cour, au-dessous du dallage.
Squelette couché sur le dos, tête à l'est, mains jointes sur le bassin, jambes allongées.
A. Parrot, 1965 a, p. 13.
Objets
M 4186 : gobelet en faïence, posé sur le bassin.
M 4188 : deux bagues, D = 0,025-0,019, en coquille, trouvées dans le gobelet ; une est cassée.

TOMBE 643 (**pl. 6, 7, 15**)
14-04-1964, double cloche, salle 134, E-O
À la base du mur nord.
Deux jarres à base annulaire couchées :
- la jarre est portait un bourrelet cordé,
- la jarre ouest, cassée, était recouverte par une brique cuite et un fragment de jarre plus grande.
H = 0,90-0,62, D = 0,73-0,53
Deux squelettes, tête à l'est :
- un adolescent couché sur le côté gauche, en position contractée, mandibule désarticulée, bras repliés sur le thorax, jambes repliées sous le bassin,
- un adulte disloqué, dont les ossements ont été repoussés dans le fond de la jarre.
A. Parrot, 1965 a, p. 13.
Objet
M 4221 : fragments de tissu ou de cuir trouvés près du crâne ; des restes de linceul et/ou suaire ?

TOMBE 644 (**pl. 6, 7, 15**)
14-04-1964, pleine terre, cour 131, E-O
Zone sud-est de la cour, au-dessous du dallage.
Squelette d'un enfant couché sur le côté droit, en position fléchie, tête à l'est, bras droit vers le genou, mais la main manquait, main gauche sur le haut de la cuisse, jambes repliées à angle droit.
A. Parrot, 1965 a, p. 13.
Céramiques
M 4191 : coupe, posée sur le front.
M 4192 : coupe, placée devant la bouche.
Objets
M 4189 : perles en fritte autour du cou, réunies en un collier ; bracelet en bronze, cassé, au bras droit.
M 4199 : trois bagues, D = 0,023-0,015 à 0,019, en coquille, une est décorée.

TOMBE 645 (**pl. 6, 7, 15**)
15-04-1964, pleine terre, cour 131, E-O
Zone sud-est de la cour, au-dessous du dallage.
Squelette d'un homme couché sur le côté droit, tête à l'est rejetée en arrière, bras droit le long du corps, bras gauche replié, coude au corps, jambes allongées.
A. Parrot, 1965 a, p. 13.
Céramiques
M 4194 : vase à bouton, situé derrière la tête.
Une coupe (non inventoriée), à côté du vase.
Objet
M 4204 : anneau cassé, D = 0,095-0,078, en bronze, trouvé sur le tibia droit.

TOMBE 646 (**pl. 6, 7, 15**)
16-04-1964, pleine terre, cour 131, E-O
Zone sud-est de la cour, sous la partie libre de dalles.
Squelette couché sur le dos, tête à l'est, bras droit le long du corps, bras gauche ramené sur le bassin, jambe droite allongée, la gauche est légèrement fléchie vers l'extérieur.
A. Parrot, 1965 a, p. 13.
Céramique
Une coupe (non inventoriée), à droite de la tête.
Objets
M 4202, M 4203 : deux bagues, D = 0,020-0,025, en coquille, décorées, une à chaque main.

N° 647
17-04-1964, pleine terre, SE-NO
Dans l'angle sud-est de l'espace V du palais du IIIe millénaire, sur le sol.
Squelette couché sur le dos, bras repliés vers l'extérieur, jambes écartées, qui était en partie sous des débris de poutres calcinées.
A. Parrot, 1965, p. 22, pl. II-2.
A. Parrot, 1965, p. 33 et fig. 5.
Ce n'est pas une inhumation, mais le corps d'un individu mort, sans doute accidentellement, lors de l'effondrement des superstructures.

TOMBE 648 (**pl. 6, 7, 15**)
16-04-1964, pleine terre, salle 135, SE-NO
Dans le mur nord de la salle.
Squelette d'un enfant couché sur le dos, tête au SE désarticulée, mandibule sur le thorax, mains sur le bassin, en mauvais état.
A. Parrot, 1965 a, p. 13.
Céramique
M 4225 : coupe posée à plat, entre les jambes, au niveau des genoux.
Objets
Un anneau en bronze (non inventorié), à la cheville droite.
Des coquillages (non décrits), trouvés sur le thorax.

TOMBE 649 (**pl. 6, 7, 15**)
17-04-1964, pleine terre, salle 135, SE-NO
Dans le mur nord de la salle.
Squelette couché sur le dos, tête au SE, bras repliés vers le bassin, jambe gauche vers l'intérieur.
A. Parrot, 1965 a, p. 13.
Objet
M 4219 : cylindre en fritte portant un décor, situé à gauche de la tête.

TOMBE 650 (**pl. 6, 7, 15, 83**)
24-04-1964, pleine terre, cour 131, E-O
Zone sud de la cour, sous la partie libre de dalles.
Squelette couché sur le dos, tête à l'est, bras gauche cassé au-dessus

du coude, mains croisées sur le bassin, jambes allongées, la gauche étant légèrement fléchie.
A. Parrot, 1965 a, p. 13.
Céramiques
M 4259 : vase à bouton fragmentaire, debout à droite de la tête.
M 4263 : vase à bouton, près de la tête.
M 4265 : coupe, placée de chant à gauche de la tête.
Objets
M 4257, M 4258 : deux bagues, D = 0,022-0,018 et 0,025-0,018, en coquille, à la main droite, la première est unie, l'autre est décorée.

TOMBE 651 (**pl. 6, 7, 15**)
24-04-1964, double cloche, cour 131, E-O
Zone sud de la cour, sous la partie libre de dalles.
Deux jarres cassées, couchées et séparées par un intervalle de 0,38 m.
H = 0,84-0,80, D = 0,79-0,72
Squelette couché sur le dos, tête à l'est, mains ramenées sur le bassin, jambes allongées, il était écrasé par l'effondrement des jarres.
A. Parrot, 1965 a, p. 13.
Céramique
M 4266 : coupe, située près de la tête.

TOMBE 652 (**pl. 6, 7, 84**)
7-11-1968, jarre, salle 229, SE-NO
Jarre à large ouverture trouvée sous le sol de la salle, le haut de la panse portait quatre bourrelets (**pl. 84**).
H = 0,38, D = 0,51
Squelette d'un enfant couché sur le côté, en position contractée.
Céramiques (**pl. 84**)
M 4729 et M 4730 : bouteilles, trouvées à l'intérieur de la tombe.
M 4731 : coupe avec les bouteilles.
Objet
M 4732 : pierre rectangulaire de couleur brun rouge.

TOMBE 653 (**pl. 6, 7, 84**)
15-11-1969, pleine terre, couloir 200, - 0,95 m, S-N
Squelette couché sur le dos, tête au sud, mandibule désarticulée, bras repliés vers le bassin, jambes allongées.
Céramiques (**pl. 84**)
M 4864 : bouteille, couchée dans le creux du bras gauche.
M 4865, M 4866 : bouteilles, couchées au niveau des genoux.
M 4867 : vase à col étroit, incliné sur l'épaule droite.
M 4868 : petit vase globulaire à col étroit, incliné vers M 4867.
M 4869 : gobelet, placé dans le col de M 4864.

TOMBE 654
17-11-1969, couloir LXII
Palais du IIIe millénaire, dans le mur ouest, sous une assise de briques.
Ossements rassemblés en un tas (bras et jambes), pas de crâne.

TOMBE 655
26-10-1974, puits, espace III, O-E
Palais du IIIe millénaire.
Puits circulaire profond de 0,85 à 0,90 m et de 0,82 m de diamètre, rempli de terre meuble, contenant un squelette couché sur le côté droit, en position très contractée.
A. Parrot, 1975, p. 11, fig. 6 (en fait, A. Parrot indique qu'il s'agit de la tombe 661).
Objets
M 5203 : fusaïole en diorite.
Un fragment de coquillage (non décrit), trouvé sur le bassin.

TOMBE 656 (**pl. 6, 7**)
28-10-1974, pleine terre, cour 131, - 0,60 m, E-O
Zone sud-est, sous la partie libre de dalles de la cour.
Squelette d'un enfant couché sur le côté gauche, tête à l'est, face vers le sud-ouest, denture lactéale complète, bras repliés, jambes l'une sur l'autre ; il était déposé sur une couche de plâtre gypseux blanc et violet et recouvert, sauf le crâne et les mains, de plâtre qui moulait les os (**pl. 85**).
Espace plâtré : 1,20 x 0,45 m.
Des ossements animaux (dents) près du crâne (espèce non déterminée).
A. Parrot, 1975, p. 7.
J. Mallet, 1975, p. 26-27.
Céramique
M 5249 : coupe, placée près de la tête.
Objets (**pl. 85**)
M 5257 : plaquette en faïence, en forme de cartouche dont les deux faces sont incisées de hiéroglyphes au nom d'Aménophis III (1391-1353) ; d'un côté, on lit le nom personnel du roi « Neb-Maât-Rê », de l'autre, son nom de couronnement « Aménophis, régent de Thèbes ».
J. Leclant, 1975, p. 19-21.
M 5258 : trente-six perles en pierres semi-précieuses, réunies dans un collier.
M 5259 : trente-quatre perles en pierres semi-précieuses, réunies dans un collier.
M 5262 : trente-sept perles en pierres semi-précieuses, réunies dans un collier.
M 5260, M 5261 : deux bracelets de onze perles en pierre chacun, un à chaque poignet.
M 5263 : collier de trois rangs de perles en fritte très friables (dix-neuf seulement ont été conservées).
M 5264 : deux bagues, D = 0,020, en coquille, sur le bassin ; huit coquillages assemblés, bague ?
M 5265 : bague fragmentaire, D = 0,026, en fer, à la main droite.
M 5266 : serre-tête fait de petites perles plates en fritte, trouvé sur le front (quelques-unes seulement ont été conservées).
M 5267 : petites perles en fritte, plastron ? collier ? (quelques-unes seulement ont été conservées).

TOMBE 657 (**pl. 6, 7, 86**)
29-10-1974, double cloche, cour 131, E-O
Zone sud-est, sous la partie libre de dalles de la cour, affleurant à son niveau.
Deux jarres à base annulaire, dont l'extérieur était bitumé, couchées et séparées par un intervalle de 0,30 m ; une brique cuite (0,40 x 0,40 x 0,07) posée de chant, d'un côté, entre les deux jarres ; les moitiés supérieures des jarres étaient cassées irrégulièrement.
Jarre ouest, H = 0,67, D = 0,47
Squelette d'un homme couché sur le dos, tête à l'est, face vers le nord, mandibule sur l'épaule droite, bras croisés sur le thorax, la main droite sur la gauche, jambes allongées, la droite étant légèrement fléchie, pieds l'un sur l'autre ; des restes de plâtre blanc dans la jarre ouest, sous l'articulation de la jambe gauche.
A. Parrot, 1975, p. 8, fig. 4.
J. Mallet, 1975, p. 23-36.
Objet (**pl. 86**)
M 5300 : pointe de flèche à lame losangique, en bronze, avec reste de hampe en bois ; elle barrait l'œil droit, elle avait dû traverser le nez obliquement de bas en haut et de gauche à droite et causer, sans doute, la mort de l'individu.
A. Parrot, 1975, p. 8, fig. 5.

TOMBE 658 (**pl. 6, 7**)
3-11-1974, peine terre, cour 131, - 0,40 m, E-O
Zone sud-est, sous la partie libre de dalles de la cour.
Seuls les membres inférieurs qui étaient recouverts de plâtre blanc et violet ont été épargnés par la fouille ; le corps devait être couché sur le côté gauche, tête à l'est, jambes légèrement fléchies.
J. Mallet, 1975, p. 27.

Objets
M 5273 à M 5280 : huit bagues, D = 0,024-0,018, en os.
M 5281 : deux bagues, D = 0,017, une en fer et une en bronze.
M 5282 : collier fait de quarante-neuf coquillages (non décrits).

TOMBE 659 (**pl. 6, 7, 83**)
3-11-1974, pleine terre, cour 131, - 0,80 m, E-O
Zone sud-est, sous la partie libre de dalles.
Squelette d'une femme couché sur le dos, tête à l'est, bras le long du corps, jambes allongées, dont le crâne manquait ; il était recouvert de plâtre blanc et violet.
Espace plâtré : 1,50 x 0,50 m.
J. Mallet, 1975, p. 28.
Objets
M 5364 : collier de perles et de coquillages (non décrits).

TOMBE 660 (**pl. 6, 7**)
3-11-1974, pleine terre, cour 131, - 0,50 m, E-O
Zone sud-est, sous la partie libre de dalles de la cour.
Squelette très abîmé, qui semblait allongé sur le dos, tête à l'est, face vers le sud.
J. Mallet, 1975, p. 23-36.

TOMBE 661 (**pl. 2**)
10-11-1974, puits, cour IV, - 0,70 m
Palais du IIIe millénaire, à 2,50 m du mur est de la salle LXIV et à 0,70 m d'un four.
Puits rempli de terre meuble, dépôt funéraire sur trois niveaux, du haut vers le bas :
- à 0,20 m sous le sol, un crâne (M 5384) sur le côté droit, face vers le sud, mandibule désarticulée et retournée, à 0,30 m ; tout autour et surtout au sud-est, des ossements animaux avec peut-être des ossements humains, dispersés parmi des fragments de briques.
- des tessons d'une grande jarre en terre cuite jaune portant un décor sur l'épaule : trois bourrelets, deux cordés couverts de bitume de part et d'autre d'un troisième lisse, deux bandes ondulées incisées, en opposition ; quatre bandes incisées parallèles.
- sous les tessons, les deux fémurs et un tibia brisés, une côte, les deux rotules, un fragment de bassin d'un adulte.
À cette profondeur, la moitié est du puits portait une plinthe bitumée haute de 0,20 m, avec au sud-est, un replat bitumé ; sur le fond du puits (à 0,15 m des os longs), une grosse pierre noire, des morceaux de briques et quelques tessons.
D = 0,90
A. Parrot, 1975, p. 11.
J. Mallet, 1975, p. 23-36.

TOMBE 662 (**pl. 6, 7**)
11-11-1974, double cloche, cour 131, E-O
Palais du IIIe millénaire, zone sud-est, sous la partie libre de dalles, sur le mur ouest de la salle LXIV.
Deux jarres couchées et séparées par un intervalle de 0,20 m, la jarre est était bitumée à l'extérieur et à l'intérieur, les moitiés supérieures étaient cassées, des tessons de jarre et des fragments de briques étaient placés contre les bases des jarres.
H totale = 1,80
Squelette dont il ne restait que les membres inférieurs, une vertèbre, des côtes ; devait être couché sur le dos, tête à l'est. Tombe violée ?
J. Mallet, 1975, p. 23-36.

TOMBE 663 (**pl. 6, 7**)
14-11-1974, jarre, cour 131, NE-SO
Palais du IIIe millénaire, zone sud-est, sous la partie libre de dalles, juste sous le niveau du dallage et sur le mur ouest de la salle LXV.
Grand tesson de jarre de 0,50 x 0,50 m, posé à plat.
Squelette d'un très jeune enfant couché sur le dos, tête au nord-est, la boîte crânienne avait disparu, mais la mandibule était conservée, bras droit replié sur le thorax, bras gauche allongé, jambe droite à plat, la gauche étant repliée et levée ; du plâtre sous la jambe gauche.
J. Mallet, 1975, p. 23-36.
Objets
M 5343 : un bracelet fragmentaire en fer, au poignet droit et un anneau fragmentaire en bronze, à la cheville gauche.
M 5344 : collier de sept perles en fritte, trouvé autour du cou.

TOMBE 664 (**pl. 6, 7**)
13-11-1974, pleine terre, cour 131, E-O
Zone sud-est, sous la partie libre de dalles de la cour.
Squelette d'un enfant couché sur le dos, tête à l'est, bras le long du corps, jambes allongées, le crâne et le thorax avaient disparu.
J. Mallet, 1975, p. 23-36.
Céramique
M 5340 : coupe, située près de la tête.
Objets
M 5341 : deux anneaux de cheville, D = 0,050- 0,040, en bronze, un à chaque cheville.

TOMBE 665 (**pl. 6, 7, 86**)
14-11-1974, pleine terre, cour 131, E-O
Palais du IIIe millénaire, zone sud-est, sous la partie libre de dalles, sur l'angle sud-ouest du mur de la salle LXV.
Squelette d'une femme couché sur le côté droit, tête à l'est, face vers le nord, bras le long du corps, mains posées sur le bassin sur un petit vase cylindrique en faïence, jambes allongées l'une sur l'autre ; du plâtre sur les os, sauf le crâne ; des empreintes de tissu ?
J. Mallet, 1975, p. 28-29.
Céramique
M 5342 : coupe, contre la tête.
Objets
M 5346 : petit vase cylindrique en faïence, à deux anses (une est cassée), posé sur le bassin.
M 5348 : anneau de nez, en or, en forme de croissant, trouvé en place (**pl. 86**).
M 5349 : bague, D = 0,025, en coquille, portant un décor, contre l'avant-bras droit (**pl. 86**).
M 5350 : trois bagues, D = 0,023- 0,022, une en fer, deux en coquille, situées au niveau du cou (**pl. 86**).
M 5351 : bague, D = 0,025, en fer, à la main droite (**pl. 86**).
M 5352 : épingle en argent, posée sur la tempe droite (**pl. 86**).
M 5353 : perle en fritte blanche, trouvée entre les genoux (**pl. 86**).
M 5354 : collier de vingt et une perles en fritte et pierres, avec une amulette en fritte blanche (**pl. 86**).
M 5355, M 5356 : deux anneaux ouverts, D = 0,080-0,076, en bronze (**pl. 86**) et deux anneaux fragmentaires en fer, aux chevilles ; un en fer et un en bronze à chaque cheville.
M 5357 : plastron de petits coquillages bivalves et de perles en fritte.
M 5359 : bouteille en fritte, très friable, hermétiquement fermée par un bouchon en fritte, trouvée dans le creux du bras gauche.
Un serre-tête de perles en fritte très friables (non conservées), autour du crâne.

N° 666
16-11-1974, puits, salle LXIIb
Palais du IIIe millénaire.
Squelette de chien.

TOMBE 667 (**pl. 6, 7, 87**)
16-11-1974, pleine terre, cour 131, - 0,30 m, E-O
Zone sud-est, sous la partie libre de dalles.

Squelette d'une femme couché sur le dos, tête à l'est, face vers le sud, bouche grande ouverte, mains posées sur un récipient qui était placé sur le bassin, jambes allongées, pieds croisés.
À la taille, empreinte de ceinture et traces de fibres.
M 5386 : crâne (**pl. 87**).
J. Mallet, 1975, p. 23-36.
Céramiques
Deux coupes, posées de chant sur l'épaule droite, l'une servant de couvercle à l'autre (une seule est inventoriée : M 5347).
Objets
M 5330 : récipient ovale, en bois, posé sur le bassin.
M 5331 : collier fait de douze perles diverses en ambre, cornaline, turquoise (**pl. 87**).
M 5332 : quatre bagues, deux en bronze, deux en fer (**pl. 87**).
M 5333 : quatre bagues, deux en bronze et deux en fer, fragmentaires ; une en bronze et une en fer à chaque main (**pl. 87**).
M 5334 : cinq amulettes (matériau ?) (**pl. 87**).
M 5335 : perles en fritte (**pl. 87**).
M 5336 : bague en coquille, décorée, avec chaton, placée à l'annulaire droit.
M 5337 : bague en coquille, décorée, à la main gauche.
M 5338 : cent vingt-six coquillages percés, situés sur le thorax, au niveau des épaules et sous la nuque, réunis en un collier ; un coquillage de type *Conus* sur l'épaule droite (**pl. 87**).
M 5339 : soixante-douze coquillages non percés, situés au niveau des épaules, sous la nuque et sur le thorax, réunis en un collier.
Sous les mains, une autre bague en coquille, décorée (non inventoriée).

Tombe 668 (**pl. 6, 7**)
17-11-1974, jarre, cour 131, E-O
Palais du IIIe millénaire, zone sud-est, sous la partie libre de dalles, au-dessus de la salle LXV.
M 5380 : jarre à fond arrondi, bord mouluré, couchée à plat et posée sur une couche de plâtre blanc, du plâtre également sur le col et l'épaule.
H = 0,50, D = 0,28, ouv. = 0,12
Vide. Tombe violée ?
Sur la panse de la jarre, une demi-mandibule de petit animal (espèce non déterminée).
J. Mallet, 1975, p. 29-30.
Céramiques
M 5378 : vase à bouton fragmentaire, trouvé à proximité de la jarre, reposant sur une épaisse couche de plâtre blanc et violacé.
M 5379 : coupe fragmentaire, posée de chant contre la jarre.

Tombe 669 (**pl. 6, 7**)
17-11-1974, pleine terre, cour 131, E-O
Palais du IIIe millénaire, zone sud-est, sous la partie libre de dalles, sur le mur est de la salle LXIII.
Squelette très abîmé qui devait être couché sur le dos, tête à l'est, bras droit sur le bassin, le crâne et les jambes avaient disparu.
J. Mallet, 1975, p. 23-36.
Objets
M 5366 : petit vase cylindrique fragmentaire en faïence, à deux anses (une est cassée), posé sur le bassin.
M 5367 : bague faite de petits coquillages (non décrits), à la main droite.
Une bague en os, dans le vase en faïence, et une bague en os, fragmentaire, à la main gauche (non inventoriées).

Tombe 670 (**pl. 6, 7**)
19-11-1974, pleine terre, cour 131, E-O
Palais du IIIe millénaire, zone sud-est, sous la partie libre de dalles, sur le mur est de la salle LXVI.
Squelette couché sur le dos, tête à l'est, face vers l'ouest, bras droit replié vers le bassin, bras gauche le long du corps, les jambes devaient être allongées, mais le bas avait disparu ; était recouvert de plâtre blanc.
J. Mallet, 1975, p. 30.
Céramiques
M 5375 : coupe, posée à droite de la tête.
M 5376 : coupe fragmentaire, située contre le coude gauche.
Objets
M 5368 : amas de coquillages (non décrits), trouvés sous la coupe M 5376.
M 5369 à M 5373 : cinq bagues, D = 0,026-0,020, en coquille.

N° 671
20-09-1974, cour 131
Centre de la cour.
Pour A. Parrot, tombe en briques cuites jointoyées au bitume, partiellement fouillée en 1974.
A. Parrot, 1975, p. 7-9, fig. 3.
En 1984, nous avons repris la fouille qui a révélé qu'il s'agissait d'une citerne.
J. Margueron, 1987 a, p. 33-36, fig. 25-26-27.

Tombe 672 (IX P50 NOT1) (**pl. 90, 91**)
16-09-1979, pleine terre, A, NO-SE
Des fragments de crâne parmi des céramiques ; il semble qu'il y ait eu deux corps inhumés, 1 et 1b.
D. Beyer, 1983, p. 37-60, n° 34-35.
Céramique
IX P50 NO1 : bouteille (**pl. 117-1**).

Tombe 673 (III Z16 NOT1)
16-09-1979, jarre, B, 182,60 m, S-N
III Z16 NO4 : jarre cassée.
Quelques os dont le crâne d'un enfant.
Objets
III Z16 NO1 (TH79.91) : coupe fragmentaire en bronze, avec un décor à godrons, située à côté de la tombe (**pl. 120-3**).
III Z16 NO3 : fourreau fragmentaire en bronze, muni d'une chaînette, trouvé sur le bord extérieur de la jarre.
III Z16 NO5 (TH79.26) : amulette en lapis-lazuli, en forme de hérisson.

Tombe 674 (III Z17 SOT1)
16-09-1979, jarre, B, 182,65 m, NO-SE
III Z17 SO6 : jarre fragmentaire, couchée, remplie de terre d'infiltration.
Un fragment d'os. Tombe violée ?

Tombe 675 (IX P50 NOT2) (**pl. 90, 91**)
17-09-1979, pleine terre, A, NO-SE
Squelette couché sur le côté gauche, en position contractée, tête au nord-ouest, bras et jambes repliés.
D. Beyer, 1983, p. 37-60, n° 36.

Tombe 676 (IX P49 NET1)
17-09-1979, pleine terre, A, 183,64 m, NO-SE
Squelette en partie coincé dans des briques crues.
Céramique
IX P49 NE1 : jarre fragmentaire, à proximité.

Tombe 677 (IX Q50 NOT1) (**pl. 90, 91, 113**)
18-09-1979, double cloche, A, 183,75 m, SE-NO
Deux grandes jarres inclinées vers le nord-ouest, le long du mur 5 :
- IX Q50 NO7 : jarre sud-est dont l'anneau de base était perdu, qui portait un bourrelet cordé et une rangée d'incisions en haut de la panse (**pl. 113**).

- IX Q50 NO6 : jarre nord-ouest, à base annulaire, calée par un fragment de brique cuite (**pl. 113**).
H = 0,50-0,47, D = 0,74-62
Squelette en position contractée, crâne retourné, bras repliés, entouré d'un linceul en tissu (**pl. 113**).
D. Beyer, 1983, p. 37-60, n° 1, fig. 3.
Céramique
IX Q50 NO3 : gobelet, à proximité de la tombe (**pl. 117-2**).
M. Lebeau, 1983, p. 189, fig. 7- n° 1.
Objets
IX Q50 NO4 : reste de linceul en tissu dont la texture rappelle la gaze, sur les jambes (**pl. 113**).
Dans la fosse de la tombe, ont été trouvées une lamelle en obsidienne IX Q50 NO1 et une tablette cunéiforme IX Q50 NO5 (TH79.5) qui n'étaient sûrement pas en place.

Tombe 678 (IX Q50 SET1) (**pl. 90, 91, 114**)
18-09-1979, sarcophage, A, 183,86 m, NO-SE
Cuve à base ovale plate, type coquille de noix, fermée par une cuve identique.
L = 1,04, l = 0,50, H = 0,35
Squelette couché sur le dos, tête au nord-ouest face vers le sud-ouest avec des restes de cheveux visibles, jambes repliées ; restes d'un linceul fait d'un tissu grossier, au niveau des jambes et d'un tissu plus fin au niveau du bassin ; le crâne était recouvert d'un suaire fait de deux tissus superposés, celui de l'extérieur était semblable à celui qui était sur les jambes (**pl. 114**) ; des fragments noirs sur certains os, s'agit-il de cuir ? (**pl. 115**).
Des fragments de bois recueillis dans la tombe.
D. Beyer, 1983, p. 37-60, n° 3.
Céramiques
IX Q50 SE1 : cruche, à l'extérieur, au nord-ouest de la tombe (**pl. 115-1**).
M. Lebeau, 1983, p. 187, fig. 6.
Un col de jarre de chant au SE (non inventorié).

Tombe 679 (III Z17 SOT2)
18-09-1979, jarre, B, 182,45 m, debout
III Z17 SO7 : jarre.
Quelques ossements d'un enfant.

Tombe 680 (III Z17 SET1)
18-09-1979, jarre, B, 182,22 m, debout
III Z17 SE2 : jarre.
Ossements affaissés.

Tombe 681 (IX P50 NET1) (**pl. 90, 91**)
19-09-1979, pleine terre, A, NE-SO
Calotte crânienne fragmentaire.
D. Beyer, 1983, p. 37-60, n° 38.
Céramiques
IX P50 NE4 : petit vase globulaire à col étroit (**pl. 117-3**).
IX P50 NE6, IX P50 NE7, IX P50 NE8 : gobelets (**pl. 117-4, 6, 5**).
Objet
IX P50 NE5 (TH79.30) : perle en cornaline.

Tombe 682 (III Z16 NET1)
19-09-1979, pleine terre, B, 181,29 m, O-E
Squelette couché sur le dos, tête à l'ouest, face vers le sud, jambes allongées, couvert par des dalles placées de chant, une brique cuite sur l'épaule et le bras gauche.

Tombe 683 (III Z17 NOT1)
19-09-1979, jarre, B, 182,10 m, NO-SE
III Z17 NO2 : jarre couchée.
Ossements affaissés.

Tombe 684 (III Z17 SOT4)
19-09-1979, pleine terre, B, 182,13 m, NE-SO
Squelette très abîmé, dans une fosse.
Céramiques
III Z17 SO8, III Z17 SO10 : vases.
III Z17 SO11 : coupe qui recouvrait SO10.

Tombe 685 (III Z17 SOT5)
19-09-1979, jarre, B, 182,27 m, debout
III Z17 SO4 : jarre.
Un os et une dent. Tombe violée ?
Céramique
III Z17 SO5 : coupe.

Tombe 686 (IX Q50 NOT2) (**pl. 90, 91, 116**)
20-09-1979, sarcophage, A, NO-SE
Tombe-couvercle IX Q50 NO8 : jarre à fond plat ovale, qui recouvrait les ossements posés à même la terre.
Squelette d'un enfant âgé de 8 à 9 ans, couché sur le côté droit, en position contractée, tête au nord-ouest face vers le sud-ouest, denture lactéale, bras repliés vers la tête, jambes fortement fléchies, genoux près des coudes.
D. Beyer, 1983, p. 37-60, n° 2.
Objet
IX Q50 NO13 (TH79.37) : fragment de char en terre cuite, dans la fosse de la tombe, faisait-il partie de celle-ci ?

Tombe 687 (III Z16 SOT1)
20-09-1979, sarcophage, B, 181,68 m, E-O
III Z16 SO1 : cuve rectangulaire, angles arrondis, fond plat, parois verticales, avec quelques dalles de la couverture qui était effondrée.
L = 1,18, l = 0,65, H = 0,46
Quelques ossements épars perturbés. Tombe violée ?
Objet
III Z16 SO2 : fragment de bronze trouvé dans le contexte de la tombe.

Tombe 688 (III Z16 SOT2)
20-09-1979, pleine terre, B, 181,40 m, O-E
Squelette couché sur le côté droit, tête à l'ouest face vers le sud, jambes allongées.
Céramiques
III Z16 SO5 : vase fragmentaire, au niveau du crâne (**pl. 118-1**).
III Z16 SO6 : coupe avec un trou à la partie supérieure (bec verseur), à côté de SO5 (**pl. 118-4**).
III Z16 SO7, III Z16 SO8, III Z16 SO9 (**pl. 118-5**) : coupes.
III Z16 SO10, III Z16 SO11 : vases globulaires à large ouverture (**pl. 118-2, 3**).
Objets
III Z16 SO12 (TH79.84) : poignard fragmentaire en bronze, avec soie sans rivet (**pl. 118-6**).
III Z16 SO13 (TH79.50) : bijou en bronze et or, en forme de croissant, pendentif ? (**pl. 118-8**).
F. Joannès, 1984, dossier n° 80, p. 54.
III Z16 SO14 (TH79.51) : perle en or.
III Z16 SO15 (TH79.75) : hache plate, fragmentaire, en bronze (**pl. 118-7**).
III Z16 SO16 (TH79.27) : deux perles en lapis-lazuli.
III Z16 SO17 : fragment de bronze recourbé, très abîmé.
III Z16 SO18 (TH79.60) : bijou en bronze en forme d'oméga, trouvé à proximité de la tête, élément de chevelure ? agrafe ? (**pl. 118-9**).
III Z16 SO19 (TH79.58) : bague fermée, D = 0,020-0,010, en bronze (**pl. 118-10**).
III Z16 SO20 : bracelet en bronze.
III Z16 SO21 (TH79.28) : quatre perles en cornaline.

III Z16 SO22 : aiguille en bronze.
III Z16 SO23 : plaque fragmentaire en bronze, avec une perforation à une extrémité.
III Z16 SO24, III Z16 SO26 : fragments de bronze.
III Z16 SO25 (TH79.54) : deux bagues ouvertes, D = 0,021-0,016 et 0,022-0,018, en bronze (**pl. 118-11**).

Tombe 689 (III Z17 SOT3) (**pl. 116**)
20-09-1979, pleine terre, B, 182,39 m, O-E
Pas de renseignement sur le squelette.
Ossements de capriné à proximité (**pl. 116**).
Céramiques
III Z17 SO14, III Z17 SO15, IIIZ17 SO16 : coupes.
III Z17 SO17 : jarre recouverte par SO16.
III Z17 SO19 : jarre.
Objets
III Z17 SO18 : figurine humaine fragmentaire en terre cuite.
III Z17 SO19 : figurine fragmentaire en terre cuite.

Tombe 690 (IX Q50 NOT3) (**pl. 91**)
22-09-1979, pleine terre, A
Seul le crâne a été retrouvé.

Tombe 691 (IX Q50 NOT4) (**pl. 91**)
22-09-1979, pleine terre, A, 183,76 m, NO-SE
Squelette couché sur le dos, crâne fracassé par la fouille, bras droit le long du corps, main droite sur le bassin, bras gauche replié vers la tête, jambes allongées.

Tombe 692 (III Z17 SET2)
22-09-1979, sarcophage, B, 181,90 m, NO-SE
III Z17 SE3 : cuve rectangulaire, angles arrondis, fond plat, parois verticales, dans une fosse consolidée au nord par un petit mur, dalles de la couverture effondrées.
Ossements dispersés, crâne au nord-ouest. Tombe violée ?
Céramiques
III Z17 SE5 : jarre, au sud du sarcophage.
III Z17 SE6 : vase à col étroit (**pl. 117-7**).
III Z17 SE7, III Z17 SE8 : jarres couchées à l'est de la tombe, avec SE6.
III Z17 SE11 : vase globulaire à large ouverture (**pl. 117-8**).

Tombe 693 (III Z17 SET3)
23-09-1979, jarre, B, debout
III Z17 SE13 : jarre qui avait percé un mur.
Ossements affaissés.

Tombe 694 (IX Q50 NOT5) (**pl. 91, 146**)
23-09-1979, pleine terre, A, 183,90 m, NO-SE
Squelette d'un enfant couché sur le côté droit, tête au nord-ouest, face vers le sud, jambe droite fléchie, jambe gauche allongée, placé parallèlement au mur 4 de la salle I.
D. Beyer, 1983, p. 37-60, n° 6.

Tombe 695 (III Z17 SOT6)
23-09-1979, jarre, B, debout
III Z17 SO21 : jarre.
Quelques ossements.

Tombe 696 (IX Q49 NOT1) (**pl. 91**)
24-09-1979, jarre, A, 183,04 m, SE-NO
IX Q49 NO3 : jarre couchée, fermée par un couvercle.
Un os d'un enfant parmi de la terre, du bois brûlé et non brûlé. Tombe violée ?
D. Beyer, 1983, p. 37-60, n° 12.

Tombe 697 (III Z17 NOT2)
24-09-1979, jarre, B, 181,79 m, NO-SE
III Z17 NO6 : jarre couchée qui contenait de la terre cendreuse, et tout autour des traces de brûlé.
Ossements affaissés.

Tombe 698 (IX Q49 NET1) (**pl. 91**)
25-09-1979, jarre, A, 183,42 m, debout
Jarre , H = 0,55, D = 0,35
Restes d'un crâne d'un enfant parmi des tessons. Tombe violée ?
D. Beyer, 1983, p. 37-60, n° 13.
Céramiques
IX Q49 NE6, IX Q49 NE7 : gobelets (**pl. 119-2, 3**).
IX Q49 NE16 : vase trouvé dans la fosse de la tombe (**pl. 119-1**).

Tombe 699 (III Z17 NOT3)
25-09-1979, jarre, B, 181,62 m, debout
III Z17 NO14 : jarre.
Ossements d'un enfant.

Tombe 700 (III Z17 SOT7)
25-09-1979, jarre, B, 181,91 m, NE-SO
III Z17 SO22 : jarre fragmentaire couchée.
Pas de renseignement sur le squelette.

Tombe 701 (IX P49 SOT1)
26-09-1979, jarre, A, 183,26 m, N-S
IX P49 SO3 : jarre cassée.
Ossements épars. Tombe violée ?
Céramique
IX P49 SO4 : coupe de chant, dans la jarre.

Tombe 702 (IX P50 SET1)
26-09-1979, pleine terre, A, 181,85 m, NO-SE
Quelques os parmi des briques cuites.

Tombe 703 (IX Q49 NET2) (**pl. 91, 116**)
29-09-1979, briques, A, 183,37 m, N-S
Tombe couverte de briques cuites, de grands fragments de jarres et de pierres.
Squelette couché sur le dos, tête au nord tournée vers l'ouest, bras droit replié vers la tête, bras gauche vers l'épaule.
D. Beyer, 1983, p. 37-60, n° 14.
Objet
IX Q49 NE8 (TH79.56) : bague ouverte, D = 0,024-0,019, en bronze, à la main gauche.

Tombe 704 (III Z17 SET4)
29-09-1979, pleine terre, B, 181,43 m, NO-SE
Quelques os, dont ceux du crâne, disséminés.
Céramiques
III Z17 SE17 : jarre portant un décor incisé ondulé en haut de la panse, qui contenait des petits os (humains, animaux ?) (**pl. 119-4**).
III Z16 SE18, III Z17 SE19 : jarres couchées.
III Z17 SE20 : vase à décor incisé ondulé.
III Z17 SE21 : jarre (**pl. 119-5**).
III Z17 SE22 : vase globulaire à large ouverture, portant des traces de brûlé, posé debout (**pl. 119-6**).
III Z17 SE23, III Z17 SE27 : jarres debout, SE23 accolée à SE17 et SE20, SE27 accolée à SE18.
III Z17 SE24 : vase fragmentaire, au sud-ouest de SE23.
Objets
III Z17 SO32 (TH79.83) : poignard en bronze, avec soie sans rivet, fragmentaire.
III Z17 SO33 (TH79.79) : pointe de lance à douille en bronze, avec des fragments de manche en bois (**pl. 119-7**).

TOMBE 705 (IX P50 NOT3) (**pl. 90**)
30-09-1979, pleine terre, A, 181,13 m, NE-SO
Seul le crâne a été retrouvé parmi des fragments de briques crues, de charbon de bois, des gros cailloux.
D. Beyer, 1983, p. 37-60, n° 36.

TOMBE 706 (IX Q50 NET1) (**pl. 90, 91**)
30-09-1979, sarcophage, A, 183,70 m, N-S
Cuve sans couvercle, type coquille de noix, déjà fouillée par A. Parrot ?
L = 1,00, l = 0,52
Rares ossements parmi des racines, des tessons et de la terre.
D. Beyer, 1983, p. 37-60, n° 4.

TOMBE 707 (IX Q50 SOT1) (**pl. 91**)
1-10-1979, pleine terre, A
Calotte crânienne et quelques os.
D. Beyer, 1983, p. 37-60, n° 31.

TOMBE 708 (III Z17 SOT8) (**pl. 120**)
1-10-1979, pleine terre, B, 181,38 m, NO-SE
Quelques ossements.
Céramique
III Z17 SO41 : coupe en terre cuite noire, placée sous le bras (**pl. 120-1**).
Objets
III Z17 SO38 (TH79.86) : plaque recourbée fragmentaire, en bronze, avec une perforation à une extrémité.
III Z17 SO39 (TH79.80) : poignard en bronze, avec soie à deux rivets, et quelques fragments de fibres végétales encore conservés, bout arrondi, en bronze, posé à droite du bras (**pl. 120-5**).
III Z17 SO40 (TH79.76) : hache à languette repliée, en bronze, près du bras, à côté de SO39 (**pl. 120-2**).

TOMBE 709 (III Z16 SOT3)
2-10-1979, sarcophage, B, 180,66 m, E-O
III Z16 SO30 : cuve très abîmée.
Des fragments d'os épars. Tombe violée ?

TOMBE 710 (III Z16 SOT4)
3-10-1979, pleine terre, B, 181,11 m, NO-SE
Quelques ossements, dont ceux de la calotte crânienne.
Céramiques
III Z16 SO32 : vase renversé, dont le col est cassé (**pl. 120-4**).
Objets
III Z16 SO33 : ciseau fragmentaire en bronze.
III Z16 SO34, III Z16 SO35 : coquillages (non décrits).

TOMBE 711 (III Z16 NOT2)
4-10-1979, pleine terre, B, 181,75 m
Deux nouveaux-nés dont il ne restait que quelques os du crâne.
Céramique
III Z16 NO22 : vase globulaire à large ouverture, avec des traces de brûlé (**pl. 122-1**).

TOMBE 712 (III Z17 SET5)
4-10-1979, pleine terre, B, 181,28 m, N-S
Ossements très abîmés.
Objets
III Z17 SE35 : coquillage, type *Conus*.
III Z17 SE39 (TH79.70) : épingle fragmentaire droite, en bronze (**pl. 138-1**).

TOMBE 713 (IX Q50 SOT2) (**pl. 91**)
6-10-1979, pleine terre, A, 183,66 m, N-S
Quelques os en mauvais état.
D. Beyer, 1983, p. 37-60, n° 32.
Objet
IX Q50 SO9 : rondelle percée en gypse, peson ?

TOMBE 714 (IX Q50 SOT3) (**pl. 91**)
7-10-1979, pleine terre, A, 182,36 m, NO-SE
Des fragments d'ossements dans une fosse circulaire.
D. Beyer, 1983, p. 37-60, n° 33.

TOMBE 715 (III Z16 NOT3)
7-10-1979, jarre, B, 181,32 m
III Z16 NO27 : jarre renversée, avec des traces de brûlé (**pl. 122-2**).
H = 0,355, D = 0,32, ouv. = 0,14
Quelques ossements d'un enfant.

TOMBE 716 (III Z17 SOT9)
7-10-1979, pleine terre, B, 180,93 m, NO-SE
Squelette mal conservé, jambes repliées.
Céramiques
III Z17 SO29, III Z17 SO42, III Z17 SO45, III Z17 NO24, (**pl. 123-1, 4, 3, 2**), III Z17 SO47, III Z17 SO71 (**pl. 124-2**) : jarres.
III Z17 SO43 : coupe renversée sur SO42 (**pl. 123-5**).
III Z17 SO46 : coupe fragmentaire sur SO45.
III Z17 SO72, III Z17 SO73 : coupes (**pl. 124-3, 4**).
III Z17 SO74 : vase globulaire à large ouverture avec un trou en haut de la panse (reste de goulot) (**pl. 124-1**).
Objets
III Z17 SO48 (TH79.35) : coupelle en albâtre, posée sur SO47.
III Z17 SO68 (TH79.10) : cylindre en pierre rouge, très érodé, dont l'image était peu lisible, trouvé à l'est des jambes.
III Z17 SO69 (TH79.66), III Z17 SO70 (TH79.65) : épingles fragmentaires en bronze, droites, à chas, accolées l'une à l'autre sur le thorax (**pl. 124-5, 6**).

TOMBE 717 (IX Q50 SOT4)
8-10-1979, pleine terre, A, O-E
Des fragments d'ossements dans une grande fosse, mélangés à des briques cuites, des briques crues, des cendres et de la terre très meuble.

TOMBE 718 (III Z16 NOT4)
8-10-1979, pleine terre, B, 181,67 m, SO-NE
Tombe d'un enfant mal conservée, placée contre un mur qu'elle a endommagé.

TOMBE 719 (III Z17 NOT5)
8-10-1979, jarre, B, 180,95 m, NO-SE
III Z17 NO30 : jarre couchée, cassée par une fosse, qui contenait des fragments de briques cuites et de bitume.
Un os. Tombe violée ?

TOMBE 720 (IX Q50 NET2) (**pl. 91**)
9-10-1979, pleine terre, A, E-O
Squelette de petite taille, mal conservé.
D. Beyer, 1983, p. 37-60, n° 15.

TOMBE 721 (IX Q50 NET3) (**pl. 91**)
9-10-1979, pleine terre, A, O-E
Squelette assez bien conservé.
D. Beyer, 1983, p. 37-60, n° 17.

TOMBE 722 (III Z17 NOT4) (**pl. 121**)
9-10-1979, pleine terre, B, 180,75 m, O-E
Squelette d'un enfant couché sur le côté gauche, tête à l'ouest face vers le nord, bras repliés vers la tête, jambes fléchies, pieds sous le bassin, placé le long d'un mur.

Céramiques
III Z17 NO48 : vase globulaire à large ouverture, au niveau des pieds à l'est (**pl. 121-4**).
III Z17 NO49 : coupe renversée sur NO48.
III Z17 NO50 : jarre accolée à NO48.
III Z17 NO51 : coupe renversée sur NO50.
III Z17 NO57 : cruche miniature, au nord de la tête (**pl. 121-3**).
Objets
III Z17 NO52 : bague ouverte, D = 0,014-0,012, en argent, au niveau du cou (les mains étaient près de la tête).
III Z17 NO53 : fragment de bronze, au nord-est des jambes.
III Z17 NO54 (TH79.61) : bracelet ouvert en bronze, à l'est du crâne (**pl. 121-1**).
III Z17 NO55 : figurine animale fragmentaire en terre cuite, au nord de la tête.
III Z17 NO56 (TH79.53) : bague ouverte, D = 0,014-0,012, en argent, identique à NO52 (**pl. 121-2**).

TOMBE 723 (IX Q50 SET2) (**pl. 91**)
10-10-1979, pleine terre, A, 182,93 m, NO-SE
Située au-dessus du tombeau 763.
Squelette bien conservé.
D. Beyer, 1983, p. 37-60, n° 20.

TOMBE 724 (III Z17 SET6)
10-10-1979, pleine terre, B, 180,63 m
Seul le crâne a été dégagé.
Céramiques
III Z17 SE48 : jarre debout.
III Z17 SE49 : support à décor cordé.
III Z17 SE53 : vase à col trilobé (**pl. 122-3**).
III Z17 SE54 : coupe posée sur SE53.
III Z17 SE55 : cruche au NO de SE48.
III Z17 SE57, III Z17 SE58 : coupes, au nord de SE48 (**pl. 122-4, 5**).

TOMBE 725 (IX Q50 NOT6) (**pl. 91, 92**)
14-10-1979, jarre, A, 183,21 m, SE-NO
IX Q50 NO23 : jarre à fond arrondi, col étroit, portant un décor incisé à la partie supérieure de la panse (**pl. 122-6**), située contre le mur 4 de la salle I.
H = 0,51, D = 0,31, ouv. = 0,162
Squelette d'un enfant, affaissé par l'effondrement du col et de l'épaule de la jarre.
D. Beyer, 1983, p. 37-60, n° 7, pl. II-fig. 4.

TOMBE 726 (IX Q50 NOT7) (**pl. 91, 92, 126, 132**)
14-10-1979, pleine terre, A, 183,06 m, SO-NE
Située contre le mur 5 de la salle I, à proximité de T 728 et 729.
Squelette couché sur le côté gauche, tête au sud-ouest face vers le nord-ouest, bras allongés, le gauche était sous une brique cuite, jambes repliées.
D. Beyer, 1983, p. 37-60, n° 8, pl. II, fig. 4.
Céramiques
IX Q50 NO18, IX Q50 NO19 : vases à col très étroit, derrière le crâne.
IX Q50 NO25 : bouteille (**pl. 126-1**).
IX Q50 NO26 : gobelet (**pl. 126-2**).
M. Lebeau, 1983, p. 191, fig. 8-n° 3 et 4.

TOMBE 727 (III Z17 SOT10) (**pl. 127**)
14-10-1979, pleine terre, B, 180,43 m, NO-SE
Squelette couché sur le côté droit, tête au nord-ouest, bras repliés vers la tête, jambes fléchies, pieds sous le bassin.
J. Margueron, 1982 a, p. 24, pl. VI-4.
Céramiques
III Z17 SO77 (**pl. 125-1**), III Z17 SO8O, III Z17 SO82, III Z17 SO88 (**pl. 125-2**), III Z17 SO92 : jarres.
III Z17 SO81, III Z17 SO86, III Z17 SO94, III Z17 SO96, III Z17 SO105, III Z17 SO112, III Z17 SO113, III Z17 SO114 : coupes, SO81, SO86 et SO112 sont fragmentaires (**pl. 125-3, 4, 5, 6, 7, 8, 9, 10**).
III Z17 SO83 : vase globulaire à large ouverture ayant un trou en haut de la panse, reste de goulot ? (**pl. 125-11**).
III Z17 SO85 : vase à col étroit (**pl. 125-13**).
III Z17 SO87, III Z17 SO93, III Z17 SO97, III Z17 SO98, III Z17 SO99, III Z17 SO106 : vases globulaires à large ouverture (**pl. 124-7, 8, 12, 11, 13, 9**).
III Z17 SO100 : jarre fragmentaire dont le fond manquait (**pl. 124-10**).
III Z17 SO108 : jarre brûlée.
III Z17 SO110 : petit vase à fond percé (**pl. 125-12**).
III Z17 SO111 : coupe profonde.
- SO77, 80, 82, 83 et 106 étaient placés aux pieds du squelette.
- SO85, 87, 88, 92, 93, 97, 108 étaient devant le squelette.
- SO94 était sur SO92, SO108 était accolée à SO87.
- SO111 était sous SO80 et SO98 était isolé au sud-ouest.
Objets en bronze
III Z17 SO89 (TH79.57) : bague ouverte, D = 0,027-0,021, fragmentaire, trouvée au sud de l'omoplate.
III Z17 SO90 (TH79.55) : deux bagues ouvertes, D = 0,020-0,014, accolées sous la nuque (les mains étaient vers la tête) (**pl. 127-1**).
III Z17 SO91 (TH79.81) : plaque perforée en son centre et près d'un bord, située sous la tête (**pl. 127-2**).
III Z17 SO102 : épingle fragmentaire, trouvée sur le crâne.
III Z17 SO103 (TH79.77) : hache à languette repliée, placée sous la jambe (**pl. 127-4**).
III Z17 SO104 (TH79.72) : épingle droite, à enroulement, fragmentaire, sous la tête avec SO109 (**pl. 127-6**).
III Z17 SO107 (TH79.82) : pointe de flèche à lame losangique, fragmentaire (la soie manque), située au niveau des jambes (**pl. 127-5**).
III Z17 SO109 (TH79.87) : plaque rectangulaire perforée aux quatre angles, située sous la tête (**pl. 127-3**).
III Z17 SO115 (TH79.85) : pointe de flèche à lame losangique et soie, près de SO107.

TOMBE 728 (IX Q50 NOT8) (**pl. 91, 92, 128, 132**)
15-10-1979, pleine terre, A, 182,86 m, SE-NO
Située dans l'angle des murs 4 et 5 de la salle I, à proximité de T 726 et 729.
Squelette couché sur le dos, tête au SE face vers le sud, bras repliés vers le haut du corps, jambes repliées.
D. Beyer, 1983, p. 37-60, n° 9, pl. II- fig. 4.
Céramiques
IX Q50 NO27 : bouteille inclinée derrière le crâne (**pl. 128-1**).
IX Q50 NO28 : gobelet incliné au niveau de la main gauche (**pl. 128-2**).
M. Lebeau, 1983, p. 191, fig. 8-n° 1 et 2.

TOMBE 729 (IX Q50 NOT9) (**pl. 91, 92, 132**)
15-10-1979, pleine terre, A, 182,89 m, NO-SE
Située contre le mur 4 de la salle I, à proximité de T 726 et 728.
Squelette d'un très jeune enfant couché sur le côté droit, tête au nord-ouest, bras et jambes repliés, un fragment de gypse devant la tête.
D. Beyer, p. 37-60, n° 10.

TOMBE 730 (IX Q50 NOT10) (**pl. 91, 92**)
18-10-1979, pleine terre, A, 182,54 m, NO-SE
Située le long du mur 5 de la salle I.
Seul le crâne a été dégagé.
D. Beyer, 1983, p. 37-60, n° 11.
Céramique
IX Q50 NO29 : bouteille, à côté de la tête (**pl. 132-3**).

TOMBE 731 (IX Q50 NET4) (**pl. 91, 92, 129**)
18-10-1979, pleine terre, A, 182,64 m, NO-SE
Inhumation double :
- un adulte dont le squelette a été partiellement dégagé, crâne couché sur le côté gauche, face vers le nord.
- un enfant couché sur le côté gauche, tête au nord-ouest, bras droit replié, jambes fléchies, à proximité, trois plaques de gypse provenant d'une couverture en demi-bâtière.
D. Beyer, 1983, p. 37-60, n° 18, pl. II-fig. 3
Céramiques
IX Q50 NE2, IX Q50 NE3, IX Q50 NE4, IX Q50 NE5 : bouteilles, à côté des deux crânes, sous les dalles (**pl. 129-1, 3, 2, 4**).
IX Q50 NE6 : coupe, près des bouteilles (**pl. 129-5**).
IX Q50 NE7 : gobelet, près des bouteilles (**pl. 129-7**).
IX Q50 NE8 : vase à col très étroit, fragmentaire, devant le crâne adulte (**pl. 129-6**).
M. Lebeau, 1983, p. 189, fig. 7, n° 2-3-4.
Objet
IX Q50 NE9 bis (TH79.59) : bracelet ouvert, D = 0,043-0,034, en bronze, au bras droit de l'enfant (**pl. 129-8**).

TOMBE 732 (III Z18 SOT1)
18-10-1979, pleine terre, B, 180,26 m
Quelques ossements.
Céramiques
III Z18 SO7, III Z18 SO10 : vases.
III Z18 SO11 : coupe servant de couvercle à SO10.

TOMBE 733 (III Z16 SOT5)
20-10-1979, pleine terre, B, 180,85 m, E-O
Ossements épars contre un mur, parmi des tessons de jarres et des briques cuites.
Céramiques
III Z16 SO27, III Z16 SO49 : jarres (**pl. 130-2, 3**).
III Z16 SO37 : vase globulaire à large ouverture avec un trou en haut de la panse (reste de goulot ?) (**pl. 130-1**).
III Z16 SO38 : vase globulaire à large ouverture (**pl. 130-8**).
III Z16 SO45 : vase fragmentaire.
III Z16 SO46 : jarre.
III Z16 SO47 : coupe.
III Z16 SO48, III Z16 SO50 : fonds de jarres.
III Z16 SO51 (TH79.93) : vase à panse carénée décorée de deux bourrelets, avec un personnage féminin en relief assis sur la partie supérieure de la panse, adossé au col, bras croisés sous les seins, coiffé d'une sorte de *polos* (**pl. 130-9**).
J. Margueron, 1982 a, p. 28, fig. 7, pl. III-3 et 4.
III Z16 SO53, III Z16 SO55, III Z16 SO58, III Z16 SO59 : coupes, SO55 contenait des petits ossements (animaux ? humains ?) (**pl. 130-5, 7, 4, 6**).
Objets
III Z16 SO54 (TH80.234) : gobelet fragmentaire en bronze (**pl. 138-2**).
III Z16 SO57 : coquillages (non décrits).

TOMBE 734 (IX Q50 SET3) (**pl. 91**)
21-10-1979, pleine terre, A, 182,68 m, SO-NE
Squelette recouvert de tessons de céramique, parmi des restes de fibres végétales.
D. Beyer, 1983, p. 37-60, n° 21.
Céramiques
IX Q50 SE7 : bouteille, posée à côté du crâne (**pl. 147-2**).
IX Q50 SE8 : gobelet, près du crâne.
IX Q50 SE9 : fond de petit vase.

TOMBE 735 (IX Q50 NET5) (**pl. 91, 131**)
22-10-1979, pleine terre, A, 182,46 m, NO-SE
En partie prise dans le mur 4 de la salle I et qui a utilisé des éléments de la plinthe comme couverture.
Squelette couché sur le dos, parallèlement au mur, jambes repliées, recouvert par les dalles de gypse de la plinthe.
D. Beyer, 1983, p. 37-60, n° 16, pl. II-fig. 2.
Céramiques
IX Q50 NE9 : bouteille, debout à proximité (**pl. 131-1**).
IX Q50 NE10 : vase debout (**pl. 131-2**).
IX Q50 NO31 : vase.

TOMBE 736 (IX Q50 NET6) (**pl. 91, 92, 132**)
22-10-1979, jarre, A, 182,74 m, S-N
IX Q50 NE11 : jarre à fond arrondi, avec un décor bitumé : le fond, le col et la partie supérieure de la panse étaient recouverts de bitume, une bande bitumée reliait le fond et le col (**pl. 132-1**), inclinée et fermée par un grand plat IX Q50 NE12 (**pl. 132-2**) retourné sur la jarre.
Jarre, H = 0,52, D = 0,297, ouv. = 0,257
Plat, H = 0,063, D = 0,373
Squelette d'un enfant.
D. Beyer, 1983, p. 37-60, n° 19.
M. Lebeau, 1983, p. 193, fig. 9-n° 1 et 2.
Céramique
IX Q50 NE13 : vase, à l'extérieur de la tombe.

TOMBE 737 (IX Q50 SET4) (**pl. 91, 92**)
22-10-1979, jarre, A, 182,37 m, N-S
Jarre de grande taille, inclinée et éclatée.
Quelques ossements. Tombe violée ?
D. Beyer, 1983, p. 37-60, n° 22.
Objet
IX Q50 SE11 : figurine animale fragmentaire, en terre cuite, trouvée dans la tombe.

TOMBE 738 (IX Q50 SET5) (**pl. 91**)
22-10-1979, jarre, A, debout
IX Q50 SE10 : jarre à fond arrondi, large ouverture, située entre T 734 et 737 (**pl. 147-1**).
H = 0,63, D = 0,495, ouv. = 0,32
Quelques fragments osseux. Tombe violée ?
D. Beyer, 1983, p. 37-60, n° 23.

TOMBE 739 (IV Q1 NET1) (**pl. 92, 133**)
13-09-1980, sarcophage, A, 183,90 m, O-E
Tombe-couvercle IV Q1 NE2 : fond plat ovale, qui recouvrait le corps posé à même la terre, dans une fosse rectangulaire.
Ossements d'un très jeune enfant dont le crâne était écrasé, et qui devait être couché sur le côté droit, tête à l'ouest, jambes repliées.
Tombe violée ?

TOMBE 740 (IV Q1 SET1) (**pl. 92**)
13-09-1980, pleine terre, A, 184,88 m, O-E
Quelques ossements dans une fosse, mélangés à des pierres et des tessons de grosse jarre écrasés.

TOMBE 741 (IV Q1 NET2) (**pl. 92**)
14-09-1980, pleine terre, A, 184,45 m, SO-NE
Restes osseux dans une fosse ovale : le corps devait être couché sur le dos, tête au sud-ouest, face vers le nord, bras croisés, jambes repliées.

TOMBE 742 (IV Q1 NET3) (**pl. 92**)
14-09-1980, pleine terre, A, 184,13 m
Une mandibule dans une fosse circulaire.

TOMBE 743 (IV Q1 SET2) (**pl. 92**)
14-09-1980, sarcophage, A, 183,62 m, N-S

Cuve ovale, type coquille de noix, recouverte par une cuve identique, et dont le couvercle, cassé, portait un anneau ovale.
L = ?, l = 0,50, H = 0,66
Ossements bouleversés. Tombe violée ?
Objets
Six perles, cinq en cornaline et une perle plate en pierre (non inventoriées).

Tombe 744 (IV Q1 SET3) (**pl. 92**)
14-09-1980, pleine terre, A, 184,50 m, NO-SE
Ossements d'un enfant.

Tombe 745 (IV Q1 SET4) (**pl. 92**)
14-09-1980, pleine terre, A, 184,49 m
Ossements bouleversés.

Tombe 746 (III Z16 NOT5)
14-09-1980, pleine terre, B
Seul le crâne a été dégagé.

Tombe 747 (III Z16 NOT6)
14-09-1980, jarre, B
Deux jarres cassées, imbriquées l'une dans l'autre, avec des fragments de plâtre.
Quelques ossements.
Objets
III Z16 NO35 (TH80.212) : outil en bronze (**pl. 138-3**).
III Z16 NO40 : polissoir fragmentaire (galet).

Tombe 748 (III Z16 NOT7)
14-09-1980, jarre, B
III Z16 NO41 : jarre cylindrique, fragmentaire, à fond plat, portant des traces de réfection en plâtre ; une coupe qui contenait des petits os (animaux ? humains ?) était posée dessus.
Pas de renseignement sur le squelette.

Tombe 749 (IV P1 SET1) (**pl. 122, 133**)
15-09-1980, sarcophage, A, 183,65 m, NE-SO
Cuve ovale, type coquille de noix, recouverte par une cuve identique.
Quelques os recouverts de terre mélangée à de nombreux galets. Tombe violée ?
Objets
IV P1 SE3 +7 (TH80.236) : pointe de lance en fer, en deux fragments (**pl. 133-1**).
IV P1 SE4 (TH80.237), IV P1 SE5 (TH80.237), IV P1 SE6 (TH80.241) : pointes de flèches fragmentaires, en fer, en mauvais état (**pl. 133-4, 2, 3**).

Tombe 750 (III Z16 NOT8)
15-09-1980, pleine terre, B
Seul le crâne a été dégagé.

Tombe 751 (III Z16 NET2)
15-09-1980, pleine terre, B
Pas de renseignement sur le squelette.
Plusieurs céramiques écrasées et des coquillages (non inventoriés).

Tombe 752 (III Z16 NOT9)
16-09-1980, pleine terre, B
Ossements parmi deux jarres, des tessons, des charbons de bois, des cendres.

Tombe 753 (III Z16 NET3)
16-09-1980, pleine terre, B
Des ossements parmi des briques crues, de la terre meuble et cendreuse.

Tombe 754 (III Z16 NOT10)
18-09-1980, pleine terre, B, N-S
Des pierres, du bois brûlé, des céramiques, de la terre très meuble.
Pas de renseignement sur le squelette.

Tombe 755 (III Z17 SET7) (**pl. 93, 94, 134, 135**)
23-09-1980, briques, B, 179,79 m
Construite en briques cuites, parois légèrement en encorbellement, quinze assises de briques au sud, la pose était irrégulière à l'ouest, le sommet devait être fermé par des dalles de gypse, il en restait deux grandes (1,00 x 0,85 et 1,50 x 0,70) et une plus petite, les autres ont dû être enlevées lors de pillages, sol fait de dalles de gypse, dans une fosse.
L = 3,00-3,10, l = 2,00
Intérieur au sol, L = 2,35, l = 1,30-1,50
L'ensemble de la tombe était recouvert par une natte bitumée (**pl. 133**) très bien conservée par endroits (elle devait recouvrir les dalles de la couverture et les briques supérieures).
Pas d'ossements à l'intérieur. Tombe violée ?
J. Margueron, 1983 a, p. 16 et pl. V-b.

Tombe 756 (IV Q1 SET5) (**pl. 136**)
25-09-1980, sarcophage, A, 183,88 m, S-N
Cuve ovale, type coquille de noix, recouverte par une cuve identique, fonds presque plats, les bords des deux cuves étaient plâtrés l'un contre l'autre.
L = 1,09, l = 0,60, H = 0,40 et 0,32
Squelette d'un individu jeune, couché sur le côté gauche, en position contractée, tête au sud tournée vers l'ouest.
Des restes de linceul en tissu sur les os (**pl. 136**).

Tombe 757 (IV A17 SOT1)
27-09-1980, pleine terre, B
Quelques ossements.
Céramiques
IV A17 SO1 : bouteille fragmentaire (**pl. 136-2**).
IV A17 SO2 : petit vase à large ouverture, à panse carénée (**pl. 136-1**).
IV A17 SO6 : jarre, inclinée au-dessous de SO1 et SO2.

Tombe 758 (IV A17 SOT2)
27-09-1980, jarre, B
IV A17 SO3 : jarre fragmentaire.
Pas de renseignement sur le squelette.

Tombe 759 (IX P50 NOT4) (**pl. 91**)
30-09-1980, pleine terre, A, 183,10 m, E-O
Amas d'os longs.
D. Beyer, 1983, p. 37-60, n° 37.

Tombe 760 (IV A17 SOT3) (**pl. 93, 137**)
30-09-1980, jarre, B, O-E
IV A17 SO34 : jarre portant à mi-hauteur de la panse, une large bande bitumée entre deux bourrelets ; des traces de cordes étaient visibles (pour le transport ?), intérieur bitumé ; couchée et fermée par une grande dalle de gypse.
H = 1,20, ouv. = 0,39-0,44
Squelette d'un enfant couché sur le côté gauche, en position contractée, tête à l'ouest, os en mauvais état.
J. Margueron, 1983 a, p. 16 et pl. V-a.
Céramiques
IV A17 SO21 : jarre (**pl. 137-1**).

IV A17 SO22 : bouteille à décor incisé en haut de la panse (**pl. 137-2**).
IV A17 SO23 : bouteille.
IV A17 SO24, IV A17 SO37 : coupes.
Objets
IV A17 SO25 (TH80.198), IV A17 SO26 (TH80.199) : épingles en argent, un anneau en or passé dans le chas (**pl. 138-5**).
J. Margueron, 1983 a, p. 16 et pl. V-c.
IV A17 SO27 (TH80.201) : huit bagues ouvertes, D = 0,025 à 0,022-0,019 à 0,015, en argent, trouvées près de la tête (**pl. 138-9**).
IV A17 SO28 : plaque fragmentaire en bronze, perforée à une extrémité.
IV A17 SO29 (TH80.226) : bracelet ouvert, D = 0,065-0,055, en bronze (**pl. 138-6**).
IV A17 SO30 (TH80.233) : coupe en bronze (**pl. 138-4**).
IV A17 SO31 (TH80.197) : bague ouverte, D = 0,021-0,015, en or.
IV A17 SO32 (TH80.152) : sept perles en cornaline (**pl. 137-3**).
IV A17 SO33 (TH80.145) : sceau-cylindre en hématite, percé, portant un décor et une inscription (cartouche de cinq lignes).
D. Beyer, 1985, p. 183, fig. B.
IV A17 SO38 (TH80.235) : bol en bronze, orné d'un décor au repoussé sur la panse, trouvé dans SO30 (**pl. 138-7**).
J. Margueron, 1983 a, p. 16 et pl. V-d.

Tombe 761 (III Z18 NET1)
5-10-1980, jarre, B
III Z18 NE34 : jarre.
Squelette d'un nouveau-né couché sur le côté droit, en position contractée, bras repliés vers la tête.

Tombe 762 (IV P1 SET2)
6-10-1980, jarre, A, 183,90 m, SO-NE
Ossements d'un enfant.
Objets
IV P1 SE1 (TH80.224) : bracelet ouvert, D = 0,040-0,033/0,032-0,026, en bronze (**pl. 138-8**).
IV P1 SE2 (TH80.153) : huit perles, six en coquillage, une en cornaline, une en pierre translucide.

Tombe 763 (IX Q50 SET6)
1980-1982, briques et gypse, A, 179,05 m, SE-NO
Sous la salle I :
-chambre funéraire de plan presque carré, construite en briques cuites, voûtée en encorbellement.
L = 2,60-2,70, l = 2,45-2,50, H = 2,40
- *dromos* de plan rectangulaire, construit et couvert avec des dalles de gypse, séparé de la chambre funéraire par une ouverture triangulaire.
L = 1,45-1,50, l = 1,95-2,00, H = 1,80
À l'intérieur de la chambre, une fosse de 1,10 x 0,45 x 0,40 m.
Quelques ossements (trois phalanges, des fragments de côte, d'omoplate, de tibia, d'ulna, des dents, deux incisives, une prémolaire) trouvés dans la chambre funéraire.
Pas d'ossements dans le *dromos*.
J. Margueron, 1983 a, p. 13, pl. II et fig. 2-3.
J. Margueron, 1984 b, p. 197-215.
Céramiques
IX Q50 SE31 : gobelet, sur le sol, contre le mur nord de la chambre funéraire (**pl. 139-8**).
IX Q50 SE37, IX Q50 SE38, IX Q50 SE41, IX Q50 SE42, IX Q50 SE43 : coupes, sur le sol du *dromos* (**pl. 139-2, 3, 1, 5, 4**).
IX Q50 SE39, IX Q50 SE40 : tessons de jarre, renversés contre les parois du *dromos* (**pl. 139-7, 6**).
M. Lebeau, 1984, p. 217-221.
Objets
IX Q50 SE32 : coquillages (types *Conus*, *Unio*) dans le gobelet SE31.
IX Q50 SE33 : tige fragmentaire en bronze dans le gobelet SE31.
Des ossements d'animaux : une corne fragmentaire et quelques os de capriné, deux vertèbres de poisson, trouvés dans la chambre funéraire.

Tombe 764 (IX Q50 SET7) (**pl. 91**)
7-10-1980, pleine terre, A, 182,78 m, O-E
Plusieurs inhumations : trois crânes et des os longs, dans une fosse cendreuse qui a entamé le mur 12, parmi des tessons, des strates de cendres, des fragments de briques cuites ; les squelettes ont dû être recouverts par des tessons de jarre.
D. Beyer, 1983, p. 37-60, n° 24.

Tombe 765 (III Z19 NOT1)
7-10-1980, pleine terre, B, NO-SE
Squelette mal conservé, très abîmé, enveloppé dans une natte.
Céramiques,
III Z19 NO10 : petit vase globulaire (**pl. 140-4**).
III Z19 NO12, III Z19 NO13, III Z19 NO14, III Z19 NO15 : vases à col étroit (**pl. 140-1, 2, 3, 5**).
III Z19 NO16 : jarre à rayures peintes, type métallique (**pl. 140-6**).
M.Lebeau, 1985, p. 111, pl. XVI-1 (NO16).
Objet
III Z19 NO17 (TH80.230) : épingle droite, fragmentaire, en bronze, portant trois anneaux (**pl. 140-7**).

Tombe 766 (III Z19 NOT2) (**pl. 141**)
7-10-1980, pleine terre, B, N-S
Au nord de T 765.
Squelette couché sur le côté droit, bras repliés vers la tête, jambes fléchies.
Céramiques
III Z19 NO9, III Z20 SO4, III Z20 SO6 : coupes (**pl. 142-4, 5, 7**).
III Z19 NO19 : vase miniature, au niveau des pieds (**pl. 142-6**).
III Z20 SO3 ; vase, type métallique (**pl. 142-1**).
III Z20 SO5 : jarre (**pl. 142-2**).
III Z20 SO7 : coupe-support, incomplète, dont la lèvre était ornée de deux bourrelets cordés (**pl. 142-3**).
M.Lebeau, 1985, p. 111, pl. XVI-2,3,4,5, (SO3,5,7, NO19).
Objets
III Z19 NO1 (TH80.228) : poignard en bronze, avec soie à trois rivets, bout pointu, nervure centrale, en bronze, posé sur le bassin (**pl. 141-1**).
III Z19 NO2 (TH80.232) : fourreau fragmentaire en bronze, contenant un objet qui adhérait (oxydation) non identifiable, trouvé sous NO1 (**pl. 141-2**).
III Z19 NO3 : objet en bitume de forme tronconique.
III Z19 NO4 (TH80.161) : aiguisoir en pierre, situé sous NO1.
III Z19 NO18 (TH80.204) : bague ouverte, D = 0,027-0,020, en bronze.
III Z20 SO1 (TH80.229) : poignard en bronze, fragmentaire, dont la soie a disparu, bout pointu, placé au nord du crâne (**pl. 141-3**).
III Z20 SO2 (TH80.204) : épingle droite, en bronze, à tête élargie et enroulée, située sur le crâne (**pl. 141-4**).

Tombe 767 (III Z19 NOT3)
7-10-1980, pleine terre, B, O-E
Ossements très abîmés.

Tombe 768 (IX Q50 SET8) (**pl. 91**)
9-10-1980, pleine terre, A, 183,78 m, O-E
Ossements d'un enfant situés dans le mur 12.
D. Beyer, 1983, p. 37-60, n° 25.

Céramiques
IX Q50 SE17 : petit vase globulaire fragmentaire.
IX Q50 SE18 : fragment de grande jarre, portant un décor de bandes horizontales en fort relief, qui recouvrait les os.

Tombe 769 (III Z16 SET1)
9-10-1980, pleine terre, B, N-S
Vases écrasés (non inventoriés) autour des ossements qui étaient très abîmés.

Tombe 770 (III Z16 SET2)
9-10-1980, pleine terre, B, N-S
Squelette très abîmé.
Objet
III Z16 SE18 (TH80.211) : ciseau en bronze (**pl. 143-1**).

Tombe 771 (IX P50 NET2)
11-10-1980, pleine terre, A, 179,04 m, O-E
Quelques ossements.
Céramiques
IX P50 NE37 : coupe (**pl. 143-6**).
IX P50 NE38, IX P50 NE43 : bols (**pl. 143-7, 5**).
IX P50 NE39 : vase à goulot sur l'épaule (**pl. 143-8**).
IX P50 NE40 : vase globulaire à large ouverture (**pl. 143-4**).
IX P50 NE41 et IX P50 NE42 : vases à col étroit (**pl. 143-2, 3**).
Objets
IX P50 NE35 (TH80.205), IX P50 NE36 (TH80.206) : épingles en bronze, droites, à chas (**pl. 143-9, 10**).

Tombe 772 (III Z16 SET3)
11-10-1980, pleine terre, B, N-S
Ossements épars.
Céramiques
III Z16 SE19 : vase à deux petites anses verticales.
III Z16 SE20 : coupe.
III Z16 SE21 : vase à deux tenons.

Tombe 773 (III Z19 NOT4)
11-10-1980, pleine terre, B
Seul le crâne a été retrouvé.
Céramiques
III Z19 NO20 : jarre.
III Z19 NO21 : col de vase globulaire, à l'est de NO20.
III Z19 NO22 : petit vase à goulot en haut de la panse, contre NO20.
III Z19 NO23 : vase globulaire, contre NO20.
Objets
III Z19 NO24 : corne de capriné.
III Z19 NO25 : coquillages (non décrits).

Tombe 774 (IX Q50 SET9) (**pl. 91**)
12-10-1980, pleine terre, A, 182,61 m, O-E
Ossements bouleversés situés dans un mur, parmi des tessons.
D. Beyer, 1983, p. 37-60, n° 26.
Céramique
IX Q50 SE19 : bouteille, contre le mur (**pl. 136-3**).

Tombe 775 (IX Q50 SET10) (**pl. 91**)
12-10-1980, jarre, A, 182,18 m, O-E
IX Q50 SE20 : jarre fragmentaire, couchée, portant un décor bitumé à l'extérieur, intérieur bitumé.
Ossements épars d'un enfant.
D. Beyer, 1983, p. 37-60, n° 27.
Céramique
IX Q50 SE12 : bouteille (**pl. 136-4**).

Tombe 776 (IX Q50 SET11) (**pl. 91**)
13-10-1980, pleine terre, A, O-E
Ossements bousculés.
D. Beyer, p. 37-60, n° 28.

Tombe 777 (III Z16 SOT6)
13-10-1980, jarre, B
III Z16 SO62 : jarre.
Quelques ossements.
Céramiques
III Z16 SO63 : jarre renversée.
III Z16 SO64, III Z16 SO65 : coupes, SO64 était renversée (**pl. 143-11, 12**).

Tombe 778 (IX Q50 SET12) (**pl. 91**)
14-10-1980, pleine terre, A, 183,07 m, N-S
Ossements mal conservés.
D. Beyer, 1983, p. 37-60, n° 29.
Céramiques
IX Q50 SE21 : bouteille (**pl. 143-15**).
IX Q50 SE22 : gobelet (**pl. 143-14**).
IX Q50 SE23 : gobelet (**pl. 143-13**).

Tombe 779 (IX Q50 SET13) (**pl. 91**)
14-10-1980, pleine terre, A
Ossements d'un enfant, perturbés par une fosse.
D. Beyer, 1983, p. 37-60, n° 30.
Objet
IX Q50 SE24 (TH80.227) : bracelet fragmentaire, D = 0,070-0,063, en bronze.

Tombe 780 (III Z16 NOT11)
14-10-1980, jarre, B
III Z16 NO70 : jarre cassée, dans une fosse.
Quelques ossements épars.

Tombe 781 (III Z18 SET1)
14-10-1980, pleine terre, B
Tombe qui avait cassé un mur (était-il associé à elle ?).
Quelques ossements épars.
Céramiques
III Z18 SE3 : jarre fragmentaire.
III Z18 SE5 : vase globulaire à large ouverture, renversé (**pl. 143-18**).
III Z17 NE70, III Z18 SE8 : vases globulaires à large ouverture, ayant deux tenons percés de deux trous chacun (**pl. 143-16, 17**).
Objet
III Z18 SE9 : fragment de plaque en bronze, trouvé au nord-est de SE5.

Tombe 782 (III Z16 NOT12) (**pl. 94, 144**)
15-10-1980, jarre, B, O-E
III Z16 NO65 : jarre portant deux bourrelets sur la panse, inclinée dans une fosse.
Un crâne seulement. Tombe violée ?
Céramiques
III Z16 NO66 : bouteille, à l'extérieur de la tombe (**pl. 144-3**).
III Z16 NO67 : coupe, renversée sur NO66 (**pl. 144-5**).
III Z16 NO68 : bouteille, identique à NO66, à l'extérieur (**pl. 144-2**).
III Z16 NO69 : coupe, renversée sur NO68 (**pl. 144-4**).
III Z16 NO71 : vase globulaire à large ouverture, accolé à NO69 (**pl. 144-6**).
Une coupe fragmentaire renversée (non inventoriée).
Objet
III Z16 NO72 (TH80.168) : petit récipient modelé, en terre crue, portant des empreintes de doigt, trouvé dans la paroi sud de la fosse (**pl. 144-1**).

TOMBE 783 (IX Q50 NOT11) (**pl. 90, 92, 144**)
22-10-1980, double cloche, A, 184,45 m, N-S
Deux jarres couchées, munies de deux anses chacune :
- IX Q50 NO34 : jarre nord, dont la base manquait, avait un décor de trois rangées de pastilles imprimées et d'une rangée de cercles,
- IX Q50 NO32 : jarre sud, à base annulaire, portait un décor fait de deux lignes ondulées incisées au-dessus d'un bourrelet cordé.
Squelette d'une femme couché sur le côté gauche, tête au nord, jambes repliées.
D. Beyer, 1983, p. 37-60, n° 5.
Céramique
IX Q50 NO35 : cruche, trouvée contre les ouvertures des deux jarres.

TOMBE 784 (XII T37 NET1)
1980, jarre, C, 173,76 m
Ossements d'un enfant.
Céramique
XII T37 NE2 : vase fragmentaire.

TOMBE 785 (XII T37 NET2)
1980, pleine terre, C
Restes d'un squelette couché le long d'un mur.
Céramique
XII T37 NE4 : vase.

TOMBE 786 (XII T37 NET3)
1980, pleine terre, C
Restes d'un squelette couché le long d'un mur.

TOMBE 787 (IX Q50 SET101)
20-03-1982, pleine terre, A, 180,74 m
Une calotte crânienne et d'autres ossements d'un enfant.

TOMBE 788 (IV A17 NOT1)
20-03-1982, sarcophage, B, 181,30 m
IV A17 NO3 : cuve.
Vide. Tombe violée ?

TOMBE 789 (IX O50 NET1)
22-03-1982, pleine terre, A, 183,06 m, O-E
Quelques ossements : vertèbres, os longs, fragments crâniens.

TOMBE 790 (IV A17 NOT2)
22-03-1982, pleine terre, B, 180,59 m, N-S
Quelques ossements d'un enfant : des fragments de crâne et des dents.
Céramiques,
IV A17 NO7, IV A17 NO10 : coupes, NO7 renversée sur NO9 (**pl. 144-8, 10**).
IV A17 NO9 : vase globulaire à large ouverture (**pl. 144-7**).
IV A17 NO11 : vase miniature à fond pointu, panse carénée (**pl. 144-9**).
Objet
IV A17 NO8 : coquillages (non décrits), près du crâne.

TOMBE 791 (IX O50 NET2)
23-03-1982, pleine terre, A, 182,78 m
Seul le crâne a été dégagé.
Céramique
IX O50 NE1 : gobelet, trouvé à proximité (**pl. 145-1**).

TOMBE 792 (IV Q2 NET1) (**pl. 95, 145**)
24-03-1982, briques, A, 182,22 m, NE-SO
Deux murets en briques crues rectangulaires, assez irrégulières (0,35 x 0,24 x 0,12), de part et d'autre du squelette, l'ensemble était fermé par des briques placées de chant, légèrement inclinées.
Squelette d'un homme couché sur le dos, bras allongés, la main gauche près du bassin, jambes allongées, le crâne et le bassin étaient écrasés, les membres supérieurs étaient en très mauvais état.
J. Margueron, 1984 a, p. 12.
Céramiques
IV Q2 NE11 : jarre-torpille, légèrement inclinée et calée par des briques posées de chant, près de la tête (**pl. 145-3**).
IV Q2 NE12 : vase.

TOMBE 793 (III Z17 SET8)
29-03-1982, pleine terre, B, 179,42 m
Seul le crâne a été dégagé.

TOMBE 794 (IX P50 NET101)
3-04-1982, jarre, A, 183,69 m, S-N
IX P50 NE101 : jarre couchée, remplie de terre d'infiltration.
Fragments d'ossements d'un jeune enfant : calotte crânienne, côtes, vertèbres, dents, mélangés à la terre. Tombe violée ?

TOMBE 795 (IX P50 NET102)
3-04-1982, pleine terre, A, 183,15 m
Crâne d'un très jeune enfant avec la denture lactéale.
Céramiques
IX P50 NE103, IX P50 NE104 : gobelets (**pl. 145-5, 4**).

TOMBE 796 (IV A18 SOT1)
4-04-1982, pleine terre, B, 179,49 m
Ossements écrasés sous une plate-forme.
Céramique
III Z18 SE32 : coupe fragmentaire (**pl. 145-2**).

TOMBE 797 (III Z20 NOT1) (**pl. 98**)
6-04-1982, pleine terre, B, 175,45 m, NO-SE
Squelette d'un très jeune enfant dont les os étaient éparpillés et très friables : des côtes, des vertèbres, des os du bassin, pas de crâne ni de membres, mandibule avec denture lactéale.
Céramiques
III Z20 NO7 : vase à goulot sur l'épaule, trouvé près de la tête (**pl. 146-1**).
III Z20 NO8, III Z20 NO9 : gobelets, près de NO7 (**pl. 146-2, 3**).
M. Lebeau, 1985, p. 119, pl. XXIV-25,26,27 (NO7, 8, 9).
Objet
III Z20 NO10 : coquillage percé (non décrit).

TOMBE 798 (III P6 SOT1)
10-04-1982, cour 106, 180,09 m
Sous le sol, contre la face ouest du mur séparant la cour 106 des salles 115-116.
Ossements dispersés dans une fosse : des côtes, des phalanges, des os longs.
Céramique
III P6 SO3 : trois fragments de céramique vernissée.

TOMBE 799 (IV A17 SOT101) (**pl. 99**)
12-04-1982, jarre, B, 178,54 m, S-N
IV A17 SO120 : jarre couchée.
Squelette d'un enfant couché sur le côté gauche, en position contractée, crâne écrasé, denture lactéale, os plus ou moins en connexion.

TOMBE 800 (IV A17 SOT102) (**pl. 99, 146**)
12-04-1982, pleine terre, B, 178,68 m, S-N
Squelette couché sur le côté droit, crâne écrasé, des côtes, des os du bassin, des vertèbres, des phalanges.
Céramiques
IV A17 SO121 : coupe, près du thorax (**pl. 146-5**).

IV A17 SO122 : coupe, près du bassin (**pl. 146-4**).
IV A17 SO123 : coupe, près du crâne (**pl. 146-6**).

Tombe 801 (III Z21 SOT1) (**pl. 98**)
13-04-1982, jarre, B, 174,54 m, N-S
Jarre cassée.
Squelette d'un enfant couché sur le côté droit, abîmé.
Céramique
III Z21 SO3 : coupe située près de la jarre (**pl. 147-3**).

Tombe 802 (IX M43 NOT1)
13-04-1982, pleine terre, D, 181,55 m, O-E
Tombe non dégagée.

Tombe 803 (IV O2 NET1)
14-04-1982, pleine terre, A, 182,61 m, O-E
Quelques fragments d'os : crâne, phalanges, os longs.

Tombe 804 (IV O2 NET2)
14-04-1982, pleine terre, A, 182,01 m, O-E
Des os épars : fémur, côtes, vertèbres, bassin.

Tombe 805 (IX M43 NOT2)
14-04-1982, pleine terre, D, 181,55 m, O-E
Squelette dont les ossements n'étaient plus en connexion, les jambes devaient être repliées.

Tombe 806 (IX M43 NET1)
15-04-1982, pleine terre, D, 181,66 m
Quelques fragments osseux.
Céramique
IX M43 NE6 : vase à proximité des os.

Tombe 807 (IX M43 NET2) (**pl. 100, 148**)
17-04-1982, pleine terre, D, 181,54 m, SE-NO
Squelette d'un homme couché sur le dos, bras repliés à angle droit vers le côté droit, mains jointes aux phalanges repliées sur elles-mêmes, jambes allongées, pieds inclinés vers la droite.
Céramique
IX M43 NE7 : bouteille à côté du crâne (**pl. 148-1**).

Tombe 808 (IX M43 SOT1) (**pl. 100**)
18-04-1982, jarre, D, 180,39 m, debout
IX M43 SO5 : jarre.
Squelette affaissé.
Céramiques
IX M43 SO6, IX M43 NO6 : jarres à l'extérieur de la tombe (**pl. 147-7, 4**).
IX M43 SO7, IX M43 NO7 : coupes de forme carénée, NO7 renversée sur NO6 (**pl. 147-6, 5**).
Objet
IX M43 SO8 (TH82.287), IX M43 SO9 (TH82.288) : épingles en bronze, droites, fragmentaires, à chas (**pl. 147-8, 9**).

Tombe 809 (III Y18 NET1) (**pl. 96, 149**)
19-04-1982, jarre, B, 180,34 m, O-E
III Y18 NE3 : jarre avec deux bourrelets sur la panse, inclinée et recouverte par une jarre renversée.
Ossements affaissés.
J. Margueron, 1984 a, p. 25.
Céramique
III Y18 NE4 : jarre renversée sur la tombe (**pl. 149-1**).
Objets
III Y18 NE5 : fragments de bronze.
III Y18 NE6 (TH82.308) : deux perles à godrons en or, une est fragmentaire (**pl. 149-7**).
III Y18 NE7 (TH82.263) : perles en cornaline, éléments en lapis-lazuli et en fritte (**pl. 149-9**).
III Y18 NE8 (TH82.309) : boucle d'oreille en or, avec trois croissants soudés, le croissant médian porte d'un côté une petite boucle et de l'autre côté l'anneau de suspension qui doit venir se placer dans la boucle ; deuxième anneau ouvert passé dans celui de suspension (**pl. 149-6**)
III Y18 NE16 (TH82.279), III Y18 NE17 (TH82.280), III Y18 NE38 (TH82.281), III Y18 NE39 (TH82.282) : quatre anneaux, D = 0,065 à 0,060-0,051 à 0,045, en bronze, deux à chaque cheville (**pl. 149-2, 3, 4, 5**).
III Y18 NE18 (TH82.307) : élément de collier fragmentaire, en or, fermoir ? (**pl. 149-8**).

Tombe 810 (III Y18 SOT1),
19-04-1982, pleine terre, B, 181,60 m, N-S
Squelette d'une jeune femme, allongé sur le dos, tête au nord, seuls le crâne et six vertèbres cervicales ont été dégagés.

Tombe 811 (III Y18 NET2) (**pl. 97, 150**)
20-04-1982, jarre, B, 180,54 m, O-E
III Y18 NE23 : jarre portant deux bourrelets cordés en haut de la panse, inclinée et fermée par un plat, située au-dessous de T 809.
Ossements affaissés.
Céramique
III Y18 NE24 : plat, fermant la jarre (**pl. 150-1**).
Objet
III Y18 NE27 (TH82.305) : poignard en bronze, avec soie à trois rivets, muni de deux anneaux, bout arrondi (**pl. 150-2**).

Tombe 812 (III Y18 SOT2)
20-04-1982, pleine terre, B, 180,69 m
Tombe très mal conservée : quelques ossements parmi des briques cuites, pas de crâne.

Tombe 813 (IX M43 SET1)
20-04-1982, pleine terre, D, 180,53 m
Os du crâne seulement.
Céramique
IX M43 SE1 : gobelet à proximité (**pl. 148-2**).

Tombe 814 (IX M43 SET2)
20-04-1982, pleine terre, D, 180,67 m, N-S
Ossements non en connexion, crâne retourné.

Tombe 815 (XII T37 SET1) (**pl. 150**)
21-04-1982, pleine terre, C, 172,39 m, S-N
Squelette d'un homme couché sur le côté droit, en position recroquevillée, bras droit replié vers le bassin qui était écrasé, jambes fléchies vers le thorax, pieds sous le bassin.
Céramique
XII T37 SE1 : bouteille, près du crâne (**pl. 150-3**).

Tombe 816 (XII T37 SET2)
21-04-1982, pleine terre, C, 172,73 m
Squelette d'un enfant : des restes de crâne, des vertèbres, des côtes.

Tombe 817 (IX M42 NET1)
22-04-1982, jarre, D, 181,70 m, S-N
IX M42 NE3 : jarre inclinée, col vers le bas.
Pas d'ossements. Tombe violée ?

Tombe 818 (IX M43 NOT3) (**pl. 100**)
24-04-1982, pleine terre, D, 180,48 m
Quelques ossements.
Céramiques
IX M43 NO3, IX M43 NO9 : jarres (**pl. 151-1, 5**).
IX M43 NO4, IX M43 NO5 : vases globulaires à large ouverture (**pl. 151-3, 4**).
IX M43 NO8, IX M43 NO10 : coupes, renversées sur NO3 et NO9 (**pl. 151-2, 6**).

Tombe 819 (III Y18 SET1) (**pl. 96, 152**)
25-04-1982, pleine terre, B, 179,57 m, SO-NE
Squelette couché sur le côté droit, en position contractée, bras gauche posé sur une jarre, jambes repliées, genoux près des coudes, pieds sous le bassin, en partie sous un mur (la colonne vertébrale).
J. Margueron, 1984 a, p. 25.
Céramiques
III Y18 SE11, III Y18 SE16, III Y18 SE17, III Y18 SE19, III Y18 SE21, III Y18 SE22 : coupes, SE16 était dans SE13 et SE17 dans SE12 (**pl. 152-7, 5, 6, 4, 2, 3**).
III Y18 SE12 : jarre à proximité du crâne.
III Y18 SE13 : jarre sur laquelle est posé le bras.
III Y18 SE14, III Y18 SE15 : jarres écrasées à l'est près des pieds.
Objet
III Y18 SE20 (TH82.304) : poignard en bronze, avec soie à trois rivets et des restes de fibres de bois, bout arrondi, trouvé enfoncé dans la quatrième vertèbre lombaire, ventralement (**pl. 152-1**).

Tombe 820 (XII T36 NOT1)
25-04-1982, pleine terre, C
Ossements en très mauvais état (zone très humide).
Céramique
XII T36 NO3 : vase fragmentaire à col très étroit dont le fond manquait (**pl. 148-3**).

Tombe 821 (IX M42 SET1)
25-04-1982, pleine terre, D
Tombe non dégagée.

Tombe 822 (III Y18 SOT3)
26-04-1982, pleine terre, B, 179,65 m
Quelques ossements, crâne écrasé.
Céramique
Un fond de coupe (non inventorié) à proximité.

Tombe 823 (III Z21 SET1) (**pl. 98, 153**)
26-04-1982, pleine terre, B, 173,73 m, O-E
Au sud, à l'ouest et au nord, de petits murs en briques crues limitaient la tombe ; il devait y en avoir un à l'est (non dégagé car la tombe se trouvait en limite de fouille).
Squelette couché sur le côté droit, tête à l'ouest, bouche grand'ouverte, bec du vase SE6 enfoncé dans le crâne entre les orbites, bras repliés vers la tête, jambes fléchies, pieds sous le bassin.
J. Margueron, 1984 a, p. 22.
Céramiques
III Z21 SE7, III Z21 SE8 : vases globulaires à goulot sur l'épaule (**pl. 154-5, 6**).
III Z21 SE9, III Z21 SE10 : bols, SE9 posé sur SE8 près du crâne, SE10 près du bassin (**pl. 154-1, 3**).
III Z21 SE11 : vase globulaire, près du crâne (**pl. 154-4**).
M. Lebeau, 1985, p. 124, pl. XXIX-2 à 6.
Objets
III Z21 SE6 (TH82.266) : vase en albâtre, de forme ovale, à bec verseur (**pl. 154-2**).
M. Lebeau, 1985, p. 124, pl. XXIX-1.
III Z21 SE12 (TH82.298) : hache plate en bronze, à talon arrondi, trouvée derrière le dos (**pl. 153-2**).
III Z21 SE13 (TH82.303) : talon de poignard en bronze, à trois rivets disposés en triangle (**pl. 153-3**).
III Z21 SE14 (TH82.289 A et B) : épingles courbes en bronze, à chas, une entière, l'autre fragmentaire, trouvées sous l'humérus droit (**pl. 153-4**).
III Z21 SE15 (TH82.262) : cinquante et une perles en cornaline, soixante et onze perles en gypse, disséminées dans la terre (**pl. 153-6**).
III Z21 SE16 (TH82.302) : poignard en bronze, avec talon à trois rivets disposés en triangle, bout pointu, avec des restes de fibres de bois du manche ; trouvé derrière le squelette (**pl. 153-1**).
III Z21 SE17 (TH82.292) : ciseau en bronze, placé derrière le squelette (**pl. 153-5**).

Tombe 824 (IX M43 NOT4) (**pl. 100**)
26-04-1982, sarcophage, D, 180,31 m, O-E
IX M43 NO14 : cuve rectangulaire, angles arrondis, fond plat, parois verticales ; des fragments de la couverture, effondrée, avaient écrasé les os (**pl. 151**).
Squelette couché sur le côté droit, jambes repliées.
Objet
IX M43 NO17 : plaque rectangulaire en bronze avec deux perforations aux angles, qui devait être posée sur la main droite (les phalanges étaient colorées en vert).

Tombe 825 (III Y19 SET1)
27-04-1982, pleine terre, B, hors chantier
Quelques os crâniens.
Céramique
III Y19 SE3 : gobelet (**pl. 155-1**).
Objets
III Y19 SE2 (TH82.283) et III Y19 SE4 (TH82.284) : épingles en bronze, droites, à chas (**pl. 155-2, 3**)

Tombe 826 (III Y19 SET2)
28-04-1982, pleine terre, B, hors chantier
Quelques os crâniens et os longs.
Céramiques
III Y19 SE1 : vase à col étroit (**pl. 151-7**).
III Y19 SE5, III Y19 SE6, III Y19 SE7 : bouteilles.

Tombe 827 (IX M43 NOT5) (**pl. 100**)
29-04-1982, pleine terre, D, 180,85 m, O-E
Quelques ossements.
Objets
IX M43 NO11 (TH82.270), IX M43 NO12 (TH.82.269) : vases en faïence (**pl. 155-4, 5**).
IX M43 NO13 : plaque fragmentaire en bronze, qui devait être circulaire.

Tombe 828 (IV R2 SOT1) (**pl. 101, 156**)
11-09-1984, jarre, A, 183,78 m, NO-SE
IV R2 SO2 : jarre couchée, fermée par des briques crues, dont le col était en partie cassé.
H = 1,00, D = 0,50
Squelette d'un homme jeune couché sur le côté gauche, crâne retourné (par rupture des vertèbres cervicales), bras droit replié, main posée sur le bassin, bras gauche allongé le long du corps, main dirigée vers le bassin, jambes fortement fléchies.
Objet
IV R2 SO3 : fragments noirs de cuir, au niveau du bassin (restes de ceinture).

Tombe 829 (IV R2 SET1) (**pl. 101, 156**)
11-09-1984, jarre, A, 183,05 m, E-O
IV R2 SE2 : jarre couchée, fermée par une brique crue posée de chant et découpée (découpe en U), dans sa partie supérieure pour introduire le corps (**pl. 157-1**).
H = 1,40, D = 0,66

Squelette d'une jeune femme, couché sur le côté gauche, tête à l'est face vers le sud, bras repliés vers la tête, jambes fléchies, entouré dans un linceul en tissu :
IV R2 SE3 : armure toile à aspect reps (les fils ou coups de trame recouvrent les fils de chaîne car ils sont beaucoup plus nombreux, ce qui donne un aspect côtelé dit aspect reps) ; origine végétale, probablement du lin (**pl. 158**).
- chaîne : 3,5 fils au cm
- trame : 12/14 coups au cm

Objet
IV R2 SE4 : fragments noirs de cuir (restes de ceinture).

TOMBE 830 (IV R2 SET2) (**pl. 101, 159**)
12-09-1984, briques, A, 183,86 m, E-O
Construite en briques crues posées à plat tout autour, et de chant en bâtière pour la couverture.
Squelette d'un homme, couché à même la terre, sur le côté gauche, tête à l'est tournée vers le sud, bras croisés sur le thorax, jambes écartées ; il semble que le corps a été placé avec les jambes relevées, les os se seraient écartés après l'inhumation.
Céramique
IV R2 SE5 : vase globulaire incliné sur le bras gauche (**pl. 159-1**).

TOMBE 831 (IV R2 SET3) (**pl. 101, 164**)
12-09-1984, briques, A, 183,86 m, NE-SO
Des briques crues entouraient le squelette et formaient une couverture en bâtière.
Squelette couché sur le dos, bras droit replié vers la tête.
Céramique
IV R2 SE7 : petit vase globulaire posé sur le bassin (**pl. 164-6**).

TOMBE 832 (IV R2 NET1) (**pl. 101**)
13-09-1984, jarre, A, 183,29 m, NE-SO
IV R2 NE1 : jarre couchée, dont il ne restait que la moitié longitudinale, entourée de briques crues, pleine de terre d'infiltration (**pl. 161-1**).
H = 1,32, D = 0,62, ouv. = 0,32
Squelette couché sur le côté droit, tête au nord-est, face vers l'ouest, le crâne était en dehors de la jarre (ou bien le corps n'a pas été totalement introduit lors de l'inhumation, ou bien on a essayé de l'enlever plus tard ?), jambes repliées. Tombe violée ?
Céramique
IV R2 NE2 : petit vase globulaire, renversé au niveau des bras (**pl. 161-4**).

TOMBE 833 (IV R2 NET2) (**pl. 101**)
13-09-1984, briques, A, 183,73 m, E-O
Squelette d'un homme de grande taille, couché à même la terre, sur le côté droit, bras repliés, jambes allongées, recouvert par des briques crues.
J. Margueron, 1987 a, p. 9.
Objets
IV R2 NE3 (TH84.136) : serre-tête dont il restait douze feuilles d'or, de forme triangulaire avec des traits de pliure et des trous de fixation, trouvées sous le crâne, alignées au niveau du front ; on peut penser que d'autres éléments étaient sur le côté gauche de la tête ; des fragments plus ou moins carrés, qui formaient peut-être le système d'attache ? Poids de chacune des feuilles : 50 à 100 mg (**pl. 156-1**).

TOMBE 834 (IX M43 SET3) (**pl. 160**)
15-09-1984, jarre, D, 180,56 m, SE-NO
IX M43 SE11 : jarre inclinée, dont le fond manquait, portant trois bourrelets en haut de la panse ; entre le premier et le deuxième, un décor incisé fait de trois branches divergentes ; au-dessus du premier bourrelet et au-dessus du décor incisé, une sorte de tenon en forme de nez renversé sur la lèvre plate de la jarre (**pl. 160-1**).
Squelette affaissé.
Céramiques
IX M43 SE12, IX M43 SE13 : bouteilles, l'une contre l'autre, debout, contre le col de SE11 (**pl. 161-2, 3**).
IX M43 SE14 : fragment de bouteille, incliné sur le col de SE11.

TOMBE 835 (IV R1 NET1) (**pl. 100**)
18-09-1984, jarre, A, 184,63 m, O-E
IV R1 NE3 : jarre-torpille dont l'intérieur était bitumé, couchée, calée et fermée par des briques crues (**pl. 155**).
Squelette d'un très jeune enfant couché sur le côté gauche, tête à l'est au fond de la jarre, denture lactéale.
Objet
IV R1 NE1 (TH84.98) : bague ouverte, D = 0,015-0,013, en bronze.

TOMBE 836 (IV R1 NET2) (**pl. 100**)
18-09-1984, jarre, A, 184,35 m, NE-SO
IV R1 NE4 : jarre portant un décor en pointillé à la base du col, couchée et reposant sur l'épaule d'une deuxième jarre IV R1 NE5 (**pl. 162**).
H = 0,65, D = 0,55
Squelette d'un très jeune enfant couché sur le côté droit, replié sur lui-même, tête et jambes au sud-ouest.

TOMBE 837 (IV R2 NET3)
18-09-1984, pleine terre, A
Des fragments d'os longs, vertèbres, côtes.

TOMBE 838 (IV R1 NOT1) (**pl. 100**)
19-09-1984, pleine terre, A
Deux os longs.

TOMBE 839 (IV R1 NOT2) (**pl. 100**)
19-09-1984, pleine terre, A
Quelques ossements.

TOMBE 840 (IV R1 NET3) (**pl. 100, 163**)
19-09-1984, jarre, A, 184,26 m, NO-SE
IV R1 NE6 : jarre à fond arrondi, couchée et fermée par une brique crue, dont le fond cassé (pour introduire le corps ?) était bloqué par des briques et enduit de plâtre ; la jarre coupée sur tout son diamètre moyen était enduite de plâtre au niveau de la coupure (**pl. 161-5** et **163**).
H = 1,30, D = 0,70
Squelette d'une femme couché sur le dos, tête au SE (corps introduit la tête la première ou par le fond cassé de la jarre ?), les vertèbres cervicales étaient désarticulées et le crâne avait basculé et était appuyé sur le côté gauche, mains posées sur le bassin, jambes allongées, les vertèbres sacrées n'étaient pas soudées, les pieds devaient être en dehors de la jarre.
Objets
IV R1 NE7 (TH84.115) : miroir en bronze, près du genou droit (**pl. 164-1**).
IV R1 NE9 (TH84.116) : quarante-six coquillages percés, disséminés dans la terre, devaient constituer un collier.
IV R1 NE10 (TH84.117) : trois boucles d'oreilles en argent, sous le crâne (**pl. 164-4**).
IV R1 NE12 : bijou fragmentaire en argent, identique à IV R1 NE15.
IV R1 NE13 (TH84.118) : bijou en argent fait d'un fil assez épais enroulé, trouvé près du crâne (élément de chevelure ?) (**pl. 164-3**).
IV R1 NE14 (TH84.119) : trente-neuf perles en cornaline, lapis-lazuli, fritte (**pl. 164-5**).
IV R1 NE15 (TH84.120) : bijou en argent dont la partie supérieure représente un visage féminin avec une coiffure de boucles, un anneau à la partie postérieure de la tête (système d'attache) et une

tige effilée enroulée en spirale ; trouvé près du thorax, pendentif ? boucle d'oreille ? (**pl. 164-2**)

TOMBE 841 (IV R2 NET4) (**pl. 101, 166**)
19-09-1984, briques, A, 182,98 m, SE-NO
Recouverte par des briques crues posées à plat et dont le fond était fait de dalles de gypse.
Squelette couché sur le côté gauche, tête au SE écrasée, bras repliés vers la tête, jambes fortement fléchies, les genoux au niveau du thorax.

TOMBE 842 (IX M42 SET2) (**pl. 165**)
19-09-1984, pleine terre, D, 180,27 m, O-E
Squelette couché sur le côté gauche, tête à l'ouest face vers le nord, bras droit replié vers le bassin, jambes allongées.
Céramiques
IX M42 SE1 : petit vase dont le col était cassé, situé au niveau du crâne (**pl. 165-1**).
IX M42 SE2, IX M42 SE4 : vases globulaires à large ouverture (**pl. 165-2, 3**).
IX M42 SE3 : col de petit vase dont l'intérieur était bitumé, trouvé près de la clavicule droite (**pl. 165-4**).

TOMBE 843 (IX M43 SET4) (**pl. 166**)
19-09-1984, pleine terre, D, 181,04 m, NO-SE
Quelques ossements.
Céramique
IX M43 SE15 : jarre globulaire à large ouverture, qui contenait quelques ossements d'un très jeune enfant, trouvée à proximité de la tombe (**pl. 166-1**).
S'agit-il d'une double inhumation, adulte en pleine terre, enfant dans une jarre ?

TOMBE 844 (IV R1 SET1) (**pl. 100, 167**)
20-09-1984, sarcophage, A, 183,76 m, N-S
IV R1 SE3 : cuve ovale, type coquille de noix, recouverte par une cuve identique, chacune ayant deux tenons de préhension placés du même côté, le couvercle qui avait un fond ovale (0,41 x 0,23) avait dû glisser vers le sud-ouest, les bords des deux cuves étaient plâtrés sur les côtés nord, est et sud ; présence de terre d'infiltration.
L = 1,05, l = 0,58
Squelette d'une femme âgée de vingt ans, couché sur le côté droit, tête au nord face vers l'ouest, bras repliés vers la tête, jambes fléchies, pieds sous le bassin.
Céramiques
IV R1 SE4 : cruche, trouvée à l'extérieur, à l'est de la tombe (**pl. 168-13**).
IV R1 SE5 : coupe portant des traces de peinture, renversée sur IV R1 SE4 (**pl. 168-14**).
IV R1 SE23 : col de petit vase posé sur le sternum, près de la clavicule gauche (**pl. 168-12**).
Objets
IV R1 SE6, IV R1 SE7, IV R1 SE8 : trois petits vases en albâtre gypseux, à côté de la cruche, à l'extérieur (**pl. 167-2, 1, 3**).
IV R1 SE9 (TH84.100), IV R1 SE10 (TH84.101) : bracelets ouverts, D = 0,066-0,055, en bronze, dont les extrémités portent une tête de capriné, un à chaque bras (**pl. 168-1**).
IV R1 SE11 (TH84.102) : cinquante-trois perles en cornaline, fritte, argent, agate, pierre dure, verre, formant un collier (**pl. 167-4**).
IV R1 SE12 (TH84.103) : bague type chevalière dont le chaton était vide, en argent, sous le crâne mais qui devait être à la main droite (**pl. 168-2**).
IV R1 SE13 (TH84.104) : bague ouverte, D = 0,020-0,018, en argent, près du bassin, devait être à la main gauche (**pl. 168-3**).
IV R1 SE14 (TH84.105) : deux anneaux torsadés en argent, D = 0,030-0,024, éléments de parure (**pl. 168-5**) ?
IV R1 SE15 (TH84.106) : pendentif en argent (**pl. 168-4**).
IV R1 SE16 (TH84.107) : deux anneaux ouverts en bronze, en forme d'oméga (**pl. 168-9**).
IV R1 SE17 (TH84.108) : deux anneaux ouverts en bronze, D = 0,016-0,012 (**pl. 168-8**).
IV R1 SE18 (TH84.109) : anneau plat en bronze, fermé, en forme d'oméga (**pl. 168-10**).
IV R1 SE19 (TH84.110) : anneau en bronze, fermé, D = 0,016-0,010 (**pl. 168-7**).
IV R1 SE20 (TH84.111) : anneau en bronze, D = 0,013-0,008, avec une perle en cornaline (**pl. 168-6**).
IV R1 SE21 (TH84.112) : bijou plat, en bronze, en forme de faucille (**pl. 168-11**).
IV R1 SE22 (TH84.113) : deux tiges en bronze.

TOMBE 845 (IV R1 SOT1) (**pl. 100, 169**)
22-09-1984, sarcophage, A, 184,00 m, O-E
IV R1 SO1 : cuve ovale, type coquille de noix, recouverte par une cuve identique avec un fond ovale presque plat, deux tenons de préhension sur le côté ouest du couvercle et deux tenons sur le côté est de la cuve, le couvercle avait glissé vers le sud-ouest et n'était pas exactement superposé à la cuve.
L = 1,10, D = 0,60
Squelette d'une femme âgée de vingt à vingt-cinq ans, couché sur le dos, le crâne était retourné après rupture des vertèbres cervicales, restes de cheveux (**pl. 169**), bras et jambes repliés, mains sur le bassin, pieds chaussés de sandales en cuir (**pl. 170**).
J. Margueron, 1987 a, p. 9.
Plusieurs tissus entouraient le squelette (**pl. 170-171-172**) :
IV R1 SO6 : tissu de couleur beige entourant le squelette et les os sous forme de bandelettes (**pl. 170, 172**).
En fait ce linceul était fait de deux tissus d'aspect différent, d'origine végétale : lin sûrement pour IV R1 SO6-B, probablement pour SO6 A.
A : armure toile (les fils de chaîne impairs et pairs alternent à chaque coup au-dessus et au-dessous des fils ou coups de trame).
- chaîne : 15 fils au cm.
- trame : 36 coups au cm.

B : armure toile à aspect reps (les fils ou coups de trame recouvrent les fils de chaîne car ils sont beaucoup plus nombreux, ce qui donne un aspect côtelé dit aspect reps).
- chaîne : 13 fils au cm
- trame : 32 coups au cm

IV R1 SO7 : suaire de couleur brun rouge, posé sur la moitié supérieure du corps et sur la tête (**pl. 172**).
En fait, il y avait deux tissus d'origine végétale, probablement du lin, et de technique totalement différente :
A : tissu brun rouge, armure toile à aspect reps.
- chaîne : 16 fils au cm
- trame : 40 coups au cm

B : tissu bleuté, armure à trames cordées (sur une chaîne comportant peu de fils au cm – faible réduction chaîne – les trames sont groupées par deux en torsades ; ce système dérive certainement des techniques de vannerie.
- chaîne : 20 fils au cm
- trame : 52,5 torsades au cm ou 105 coups au cm ; la torsade ne se fait pas systématiquement entre chaque fil de chaîne, il n'a pas été possible d'établir la fréquence des torsades, les fils étant très friables.

Des branchages noués, IV R1 SO9, fixaient les tissus sur les os (**pl. 170**).
Objets
IV R1 SO2 (TH84.133) : panier rond en fibres végétales, muni d'un couvercle et entouré de cuir, renversé sur le bras droit (**pl. 171-1**).

IV R1 SO3 (TH84.134) : objet en bronze, près de la tête, élément de chevelure (**pl. 171-3**) ?
IV R1 SO4 (TH84.135) : anneau ouvert, D = 0,080-0,066, en bronze, portant un décor, à la cheville gauche (**pl. 171-2**).
IV R1 SO5 : sandale en cuir (**pl. 170**).
IV R1 SO8 : branchages, formant un bouquet, posés sur le linceul (espèce : rosacée).
IV R1 SO9 : branchages (différents de SO8), posés sur le linceul et servant à fixer les bandelettes de tissu sur les os (**pl. 170**).

TOMBE 846 (IV R1 NET4) (**pl. 100, 173**)
23-09-1984, double cloche, A, 183,86 m, S-N
Deux jarres à large ouverture :
-celle du sud, IV R1 NE16, à base annulaire, était calée par des briques cuites (**pl. 173-1**),
-celle du nord, IV R1 NE17, à fond arrondi, portait des graffiti sur la panse (**pl. 173-2**).
H = 0,55- ?, D = 0,70- ?
Squelette couché sur le côté gauche, mal conservé, crâne écrasé au sud, bras droit replié vers la tête, jambes repliées. Tombe violée ?

TOMBE 847 (IV R1 NET5) (**pl. 100, 173**)
23-09-1984, jarre, A, 183,86 m, NO-SE
IV R1 NE18 : jarre à fond arrondi (**pl. 173-3**), légèrement inclinée vers le nord-ouest, coupée au tiers inférieur et calée par des tessons sur l'ouverture et des briques cuites sur le fond.
H = 1,18, D = 0,72
Squelette d'un homme de grande taille, couché sur le dos, tête au SE au fond de la jarre, crâne retourné plus ou moins écrasé, bras droit replié, bras gauche le long du corps, jambes allongées, les pieds étaient en dehors de la jarre, posés sur un tesson (**pl. 173**), ossements en très mauvais état. Tombe violée ?
Céramiques
IV R1 NE8 : jarre-torpille, dont l'intérieur est bitumé, au SE de la tombe (**pl. 173-4**).
IV R1 NE19 : col de jarre, à l'ouest, près de l'ouverture de IV R1 NE18.

TOMBE 848 (IV R1 NET6) (**pl. 100, 174**)
23-09-1984, jarre, A, 183,83 m, S-N
IV R1 NE20 : jarre à fond arrondi (**pl. 174-1**), dont l'ouverture était bloquée par un fond de jarre, une crapaudine et un fragment de gypse, avec deux cassures qui ont été enduites de bitume.
H = 0,60, D = 0,48
Squelette d'un petit enfant couché sur le côté droit, tête au sud plus ou moins écrasée tournée vers l'ouest, denture lactéale, jambes repliées, recouvert par un linceul en tissu et des branchages noirs qui devaient être posés sur la tête.
IV R1 NE23 : linceul, armure toile à aspect reps (les fils ou coups de trame recouvrent les fils de chaîne car ils sont beaucoup plus nombreux, ce qui donne un aspect côtelé dit aspect reps) ; origine végétale, probablement du lin (**pl. 174**).
- chaîne : 16 fils au cm
- trame : impossible de compter car le fragment étudié était détérioré.

TOMBE 849 (IV R1 NOT3) (**pl. 100**)
24-09-1984, jarre, A, 184,53 m, E-O
IV R1 NO1 : jarre à fond plat, dont la base du col portait un décor de pastilles imprimées (**pl. 161-6**), couchée et calée par des fragments de gypse.
Squelette affaissé.

TOMBE 850 (IV R2 NET5) (**pl. 175**)
25-09-1984, pleine terre, A, 182,64 m, NE-SO
Squelette couché sur le dos, tête au nord-est, bouche grand'ouverte, bras droit replié vers la tête, bras gauche replié à angle droit, jambes fléchies vers la droite.
Objets
IV R2 NE6 (TH84.127) : boucle d'oreille en argent, avec une tête d'animal dans la partie antérieure (**pl. 175-2**).
IV R2 NE7 (TH84.128) : bague fermée, D = 0,022-0,015, en bronze, à la main droite (**pl. 175-1**).

TOMBE 851 (IV R1 NET7),
27-09-1984, pleine terre, A, 184,14 m
Seul le crâne a été dégagé.

TOMBE 852 (III C20 NOT1) (**pl. 101**)
29-09-1984, pleine terre, E, 181;88 m, O-E
Squelette d'une femme couché sur le ventre, tête à l'ouest, bras sous le bassin, jambes allongées, recouvert de briques cuites et de pierres.

TOMBE 853 (III C20 NET1) (**pl. 101**)
29-09-1984, pleine terre, E, 182,50 m, S-N
Squelette couché sur le dos, tête au sud, face vers l'ouest, bras droit le long du corps, bras gauche vers le bassin, jambe droite allongée, la gauche repliée ; recouvert par des briques crues.
Céramique
III C20 NE1 : coupe à proximité du crâne (**pl. 175-3**).

TOMBE 854 (III C20 SOT1) (**pl. 101, 178**)
29-09-1984, pleine terre, E, 182,68 m, O-E
Squelette d'un homme couché sur le côté droit, bras croisés, jambes allongées ; des briques cuites placées au nord le long des ossements.

TOMBE 855 (III C20 SOT2) (**pl. 101**)
29-09-1984, pleine terre, E, 182,93 m, O-E
Squelette couché sur le côté droit, crâne écrasé, bras et jambes allongés.

TOMBE 856 (III C20 SOT3) (**pl. 101**)
29-09-1984, pleine terre, E, 183,00 m, O-E
Tombe partiellement fouillée : squelette couché sur le dos recouvert de briques cuites.

TOMBE 857 (IV R2 SET4) (**pl. 175, 176**)
30-09-1984, double cloche, A, 182,77 m, SO-NE
Deux jarres inclinées vers le nord-est :
- IV R2 SE16 : jarre sud à fond arrondi, calée par des briques cuites (**pl. 175-4**),
- IV R2 SE17 : jarre nord à fond annulaire, avec un décor ondulé entre deux bourrelets, à la partie supérieure de la panse (**pl. 176**).
L = 0,62-0,64, D = 0,67- ?
Squelette couché sur le côté gauche, tête au sud-ouest, bras et jambes repliés, entouré dans un linceul en tissu :
IV R2 SE25 : armure toile à aspect reps (les fils ou coups de trame recouvrent les fils de chaîne car ils sont beaucoup plus nombreux, ce qui donne un aspect côtelé dit aspect reps) ; origine végétale, probablement du lin (**pl. 176**).
- chaîne : 8 fils au cm environ
- trame : 40 coups au cm environ
Céramique
IV R2 SE29 : jarre-torpille fragmentaire, à l'extérieur à l'est de SE16.
Objet
IV R2 SE26 : restes de cuir au niveau du bassin (ceinture) et près du crâne (bonnet).

TOMBE 858 (IV R2 SET5) (**pl. 177**)
30-09-1984, jarre, A, 182,83 m, SO-NE

IV R2 SE18 : jarre couchée, coupée sur toute sa longueur et sur sa moitié supérieure à mi-hauteur (pour introduire le corps), le fond et le dessus étaient calés par des briques cuites, pleine de terre d'infiltration (**pl. 177-1**).
H = 1,33, D = 0,70
Squelette en mauvais état, couché sur le côté gauche, tête au sud-ouest tournée vers l'ouest, bras repliés, jambes fléchies.
Des plaques blanches, plâtre ? dans la terre d'infiltration ; la tombe était-elle plâtrée au niveau des cassures ?
Objet
IV R2 SE19 (TH84.129) : feuille d'or, située près du crâne, et qui porte des traits de pliure, poids = 100 mg (**pl. 177-2**).

Tombe 859 (III C20 SOT4) (**pl. 101, 178**)
30-09-1984, pleine terre, E, 182,80 m, O-E
Squelette couché sur le côté droit, bras repliés vers le bassin, jambe droite allongée, la gauche était fléchie.

Tombe 860 (III C20 SOT5) (**pl. 101, 178**)
30-09-1984, pleine terre, E, 182,96 m, O-E
Squelette d'un très jeune enfant, couché sur le côté droit, denture lactéale, bras allongés, jambes repliées ; au nord de T 854.

Tombe 861 (III C20 SET1) (**pl. 101**)
30-09-1984, pleine terre, E
Des fragments de briques cuites, pas d'ossements retrouvés. Tombe ?

Tombe 862 (III C20 SET2) (**pl. 101**)
30-09-1984, pleine terre, E, 182,25 m, O-E
Squelette d'une femme couché sur le côté droit, bras repliés, jambes allongées, recouvert de briques cuites et de dalles de pierre.

Tombe 863 (III C20 SET3) (**pl. 101, 179**)
30-09-1984, double cloche, E, 182,05 m, E-O
Deux jarres à large ouverture, couchées, séparées par un espace de 0,65 m recouvert par deux grands tessons de jarre superposés :
- III C20 SE5 : jarre est avec un décor cordé (**pl. 179-1**),
- III C20 SE6 : jarre ouest (**pl. 179-2**).
H = 0,68-0,62, D = 0,62-0,65, ouV = 0,58-0,66
III C20 SE7 : tessons qui recouvraient l'espace.
Squelette couché sur le dos, tête à l'est, face vers le sud, bras droit replié à angle droit, bras gauche allongé vers le bassin, jambes allongées, posé entre deux couches de plâtre blanc.
Céramiques,
III C20 SE3 : vase fragmentaire (**pl. 179-3**).
III C20 SE4 : tesson à décor incisé représentant une tête de bouquetin, trouvé dans la fosse de la tombe.
III C20 SE8 : coupe renversée à proximité du genou (**pl. 179-4**).
Objets
III C20 SE1 : fond de coupe en faïence, à l'extérieur de la tombe, sur SE5.
III C20 SE2 : objet conique en bitume, à l'extérieur de la tombe.

Tombe 864 (III C20 SOT6) (**pl. 101**)
1-10-1984, pleine terre, E, 182,96 m, O-E
Tombe recouverte de briques cuites, non dégagée.

Tombe 865 (III C20 SOT7) (**pl. 101**)
1-10-1984, pleine terre, E, 182,32 m, O-E
Squelette d'un homme couché sur le côté droit, bras vers le bassin, jambes légèrement fléchies.

Tombe 866 (IV R1 NET8) (**pl. 100, 180**)
3-10-1984, pleine terre, A, 183,96 m, N-S
Squelette couché sur le côté gauche, tête au nord tournée vers l'est, bras gauche replié, jambes fléchies, os en très mauvais état.
Céramiques
IV R1 NE26 : amphore miniature, derrière le bassin (**pl. 180-1**).
IV R1 NE27 : cruche à glaçure de couleur turquoise, couchée sur le bassin (**pl. 180-2**).

Tombe 867 (III A20 NET1)
3-10-1984, pleine terre, E, 183,34 m, O-E
Tombe couverte de briques cuites, non dégagée.

Tombe 868 (III A20 NET2)
3-10-1984, pleine terre, E, 182,76 m, O-E
Squelette couché sur le côté gauche, bras et jambes repliés, recouvert de briques crues.

Tombe 869 (III A20 NET3)
3-10-1984, pleine terre, E, 182,51 m, O-E
Squelette d'un enfant, couché sur le côté droit, recouvert de briques et de fragments de dalles de gypse.

Tombe 870 (III B20 NET1)
4-10-1984, pleine terre, E, 183,45 m, O-E
Squelette d'un enfant couché sur le côté droit, bras allongés, jambes fléchies

Tombe 871 (III B20 NET2)
4-10-1984, pleine terre, E, 183,61 m, O-E
Squelette d'un très jeune enfant, couché sur le côté droit, la moitié inférieure du squelette manquait.

Tombe 872 (III B20 NOT1)
5-10-1984, pleine terre, E, 183,50 m, O-E
Quelques ossements recouverts par des dalles de gypse et des briques cuites.

Tombe 873 (III B20 NOT2) (**pl. 178**)
5-10-1984, pleine terre, E, 183,29 m, O-E
Squelette d'un homme couché sur le dos, bras et jambes allongés, mains repliées vers le bassin, recouvert de briques cuites et de dalles de gypse.

Tombe 874 (III B20 NOT3) (**pl. 178**)
5-10-1984, pleine terre, E, 183,19 m, O-E
Squelette couché sur le côté droit, bras et jambes allongés, recouvert de briques cuites et de dalles de gypse.

Tombe 875 (III B20 NOT4)
5-10-1984, pleine terre, E, 183,31 m, O-E
Seul le crâne a été dégagé, le corps devait être couché sur le côté droit.

Tombe 876 (III B20 NOT5) (**pl. 178**)
5-10-1984, pleine terre, E, 183,54 m, O-E
Squelette d'un très jeune enfant, dont la moitié inférieure avait disparu, placé au niveau des dalles qui recouvraient le corps de T 873, peut-être une double inhumation ?

Tombe 877 (III B20 NET3)
6-10-1984, pleine terre, E, 183,50 m, O-E
Squelette replié, os entassés recouverts de dalles de gypse et de briques cuites.

Tombe 878 (III B20 NET4)
6-10-1984, pleine terre, E, 183,24 m, O-E
Quelques os d'un petit enfant (des côtes, les os du bassin, les tibias) recouverts de dalles de gypse et de briques cuites.

Tombe 879 (III B20 NET5)
6-10-1984, pleine terre, E, 182,97 m, O-E

Crâne et quelques vertèbres de femme recouverts de dalles de gypse et de briques cuites.

Tombe 880 (III B20 NET6)
6-10-1984, pleine terre, E, 183,41 m
Ossements perturbés recouverts de briques cuites.

Tombe 881 (III B20 NET7)
6-10-1984, pleine terre, E, 183,44 m, O-E
Squelette d'un homme recouvert de dalles de gypse et de briques cuites.

Tombe 882 (III B20 NET8)
6-10-1984, pleine terre, E, 183,91 m
Ossements éparpillés recouverts de dalles de gypse et de briques cuites.

N° 883 (IV R2 SET6)
7-10-1984, pleine terre, A
Quelques os trouvés dans une canalisation : fragments crâniens, os longs.
Ce n'est pas une inhumation.

Tombe 884 (III A21 SET1)
7-10-1984, pleine terre, E, 182,84 m, O-E
Squelette d'un jeune enfant couché sur le côté droit, denture lactéale, bras allongés, jambes repliées, recouvert de briques cuites et de dalles de gypse ; des restes de tamaris sur le thorax.

Tombe 885 (III A21 SET2)
7-10-1984, pleine terre, E, O-E
Squelette couché sur le dos, bras et jambes allongés, recouvert de briques cuites et de dalles de gypse.
Objet
III A21 SE1 : perle en fritte trouvée près du crâne.

Tombe 886 (III A21 SET3)
7-10-1984, pleine terre, E, 182,71 m, O-E
Tombe non dégagée, squelette couché sur le côté droit.

Tombe 887 (III A21 SET4)
7-10-1984, pleine terre, E, 182,33 m, O-E
Squelette couché sur le côté droit, des restes de cheveux et de tissu sur le crâne (suaire) étaient encore visibles ; recouvert de dalles de gypse.

Tombe 888 (III B20 NET9)
10-10-1984, pleine terre, E, O-E
Squelette couché sur le côté droit, bras et jambes allongés, recouvert de briques cuites posées en bâtière.

Tombe 889 (III B20 NET10) (**pl. 178**)
10-10-1984, pleine terre, E, 182,22 m, O-E
Squelette couché sur le côté droit, bras allongés, jambes légèrement fléchies, pas de crâne, recouvert de dalles de gypse et de briques cuites.
Objets
III B20 NE2 (TH84.130) : bracelet en verre avec un fil d'argent enroulé en spirale tout autour, au bras gauche.
III B20 NE3 (TH84.131) : bracelet ouvert, en fer, au bras droit.

Tombe 890 (III B20 SOT1)
10-10-1984, pleine terre, E, 181,08 m, S-N
Squelette d'un très jeune enfant, couché sur le côté droit, crâne écrasé, posé sur des briques cuites.

Tombe 891 (III B20 SOT2)
13-10-1984, pleine terre, E, 182,48 m, O-E
Squelette couché sur le côté droit, jambes allongées, recouvert de dalles de gypse.

Tombe 892 (III B20 SET1)
13-10-1984, pleine terre, E, 182,47 m, O-E
Squelette d'un homme couché sur le côté droit, bras droit replié, les jambes manquaient ; recouvert de dalles de gypse et de briques cuites.

Tombe 893 (IV S1 NOT1)
14-10-1984, pleine terre, A, 184,31 m
Quelques fragments de crâne et une phalange d'un jeune enfant.

Tombe 894 (IV S1 NOT2) (**pl. 181**)
14-10-1984, jarre, A, 184,48 m, O-E
IV S1 NO1 : jarre-torpille couchée et entourée de briques cuites et de fragments divers.
Squelette d'un très jeune enfant, tête à l'est au fond de la jarre.

Tombe 895 (IV S1 NOT3) (**pl. 181**)
14-10-1984, sarcophage, A, 183,99 m, SO-NE
IV S1 NO2 : cuve, type coquille de noix, recouverte par une cuve identique qui était cassée, des tessons posés au-dessus.
Quelques ossements d'un individu jeune, qui devait être couché sur le côté droit, tête au sud-ouest, face vers l'ouest. Tombe violée ?
Objet
IV S1 NO9 (TH84.99) : objet circulaire, fragmentaire, en argent, portant un décor rayonnant, pendentif ?

Tombe 896 (IV S1 NOT4) (**pl. 181**)
14-10-1984, jarre, A, 183,83 m, SE-NO
IV S1 NO3 : jarre dont l'ouverture était calée par deux tessons et une dalle de gypse, le fond avait été enlevé, intérieur bitumé.
Squelette couché sur le dos, tête à l'est, face vers le nord, bras repliés vers la tête.
Objets
IV S1 NO10 (TH84.121) : boucle d'oreille en argent, dont la face antérieure porte un personnage féminin, mains sur les hanches (**pl. 181-1**).
IV S1 NO11 (TH84.122) : boucle d'oreille en argent très abîmée, identique à NO10.
IV S1 NO12 (TH84.123) : bague ouverte, D = 0,0178-0,0119, en bronze.
IV S1 NO13 : perle en fritte avec une tige en bronze qui passe au travers.
IV S1 NO14 (TH84.125) : trois perles, dont deux en verre.
IV S1 NO15 (TH 84.126) : quatre objets non identifiés en bronze.

Tombe 897 (IV S1 NOT5) (**pl. 181**)
14-10-1984, sarcophage, A, E-O
IV S1 NO4 : fond de cuve renversé, situé près de la jarre de T 894.
Squelette d'un individu jeune, couché sur le côté droit, tête à l'est, face vers le nord, en mauvais état.

Tombe 898 (IV S1 NOT6)
14-10-1984, pleine terre, A
Quelques os crâniens et os longs d'un très jeune enfant.

Tombe 899 (IV S2 SOT1)
14-10-1984, A, 183,50 m
IV S2 SO1 : gros fragments de jarre ou de sarcophage, dans une fosse, recouverts par un fragment de canalisation.
Quelques restes osseux éparpillés.

Tombe 900 (III B20 NOT6) (**pl. 178**)
15-10-1984, pleine terre, E, 183,19 m, O-E
Squelette couché sur le côté droit, bras repliés vers le bassin, jambes allongées.

Tombe 901 (III B20 NOT7)
15-10-1984, pleine terre, E, 183,19 m, O-E
Seul le crâne a été retrouvé.

Tombe 902 (III B20 SET2) (**pl. 178**)
15-10-1984, pleine terre, E, 182,45 m, O-E
Squelette couché sur le côté droit, bras repliés vers le bassin, jambes légèrement fléchies, recouvert de dalles de gypse et de briques cuites.

Tombe 903 (IV S2 SOT2)
17-10-1984, jarre, A, 182,81 m, NE-SO
Jarre dont le dessus était cassé, placée dans un aménagement de briques crues, deux jarres fragmentaires placées au dessus bouchaient la partie cassée.
H = 1,27, D = 0,70
Squelette couché sur le côté gauche, la tête au nord-est, bras et jambes repliés.
Céramiques
IV S2 SO4 : jarre-torpille dont l'intérieur est bitumé et le fond cassé (**pl. 182-1**).
IV S2 SO5 : jarre avec un décor incisé au niveau du col, deux lignes parallèles entourant une ligne ondulée, et sur le haut de la panse, deux rangées d'incisions en forme de virgules ; placée sur le fond de SO4 (**pl. 182-2**).
Objet
Restes de fragments noirs de cuir au niveau du bassin (ceinture).

Tombe 904 (III B20 SET3)
20-10-1984, pleine terre, E, 182,94 m, O-E
Tombe située contre un mur, recouverte de dalles de gypse, non dégagée.

Tombe 905 (III B20 SET4)
20-10-1984, pleine terre, E, 183,06 m, O-E
Tombe recouverte de fragments de gypse, non dégagée.

Tombe 906 (III B20 SET5)
20-10-1984, pleine terre, E, 183,17 m, O-E
Tombe recouverte par quelques pierres, non dégagée.

Tombe 907 (III B20 SET6)
20-10-1984, pleine terre, E, 183,19 m, O-E
Tombe non dégagée.

Tombe 908 (III B20 SET7)
20-10-1984, pleine terre, E, 182,86 m, O-E
Tombe située contre un mur, non dégagée.

Tombe 909 (IV S1 NOT7)
22-10-1984, pleine terre, A, 183,74 m
Squelette disloqué parmi des tessons de jarres.

Tombe 910 (III Z21 SET2)
24-10-1984, pleine terre, B, 172,72 m, NO-SE
Squelette couché sur le côté gauche, tête au nord-ouest face vers le nord, bras repliés vers la tête, jambes fléchies à angle droit.
Céramiques
III Z21 SE44, III Z21 SE45 : vases globulaires à large ouverture (**pl. 183-1, 2**).
III Z21 SE46 : bol posé sur SE45 (**pl. 183-3**).
M. Lebeau, 1987, p. 428, pl. I-1, 2, 3.
Objets
III Z21 SE42 (TH84.96) : épingle en bronze, droite, à chas (**pl. 183-4**).
III Z21 SE43 : vingt-six perles en cornaline.

Tombe 911 (IV R1 SOT2)
11-09-1985, double cloche, A, 184,31 m, E-O
Deux jarres dont les bords étaient plâtrés, celle de l'ouest avait le bord gauchi.
L = ?, D = 0,67
Vide. Tombe violée ?

Tombe 912 (IV SI SOT1)
11-09-1985, A, 184,39 m, E-O
Trois fragments de dalles et de jarres alignés.
Quelques os : côtes, phalanges, situés au sud de cet alignement.

Tombe 913 (IV S1 SOT2) (**pl. 183**)
11-09-1985, jarre, A, 184,61 m, E-O
IV S1 SO2 : jarre-torpille dont le col était cassé, inclinée et reposant sur la pointe (**pl. 182-4**).
H conservée = 0,66, D = 0,324
Squelette d'un enfant, couché sur le côté droit, en position contractée, tête à l'est tournée vers le nord, denture lactéale.
Objets
IV S1 SO3 : coquille (porcelaine) percée.
IV S1 SO4 : pendentif en fritte, percé de deux trous.
IV S1 SO5 : une bague fragmentaire et une perle à godrons, en bronze.

N° 914 (IV S1 SOT3)
11-09-1985, jarre, A, 184,54 m
Des fragments épars de jarre écrasée.
Ce n'est pas une tombe.

Tombe 915 (IV R1 SET2) (**pl. 184**)
12-09-1985, sarcophage, A, 183,97 m, SO-NE
IV R1 SE27 : cuve à base annulaire qui portait, à l'extérieur, des incisions rayonnantes (**pl. 184-1, 2**), pleine de terre d'infiltration, recouverte par des fragments de jarre.
L = 1,22, D = 0,65, H = 0,49
Squelette d'un très jeune enfant couché sur le côté droit, en position contractée, tête au sud-ouest face vers l'est, denture lactéale, jambes fléchies, os en très mauvais état.

Tombe 916 (IV SI SOT4)
12-09-1985, pleine terre, A, 183,92 m, N-S
Squelette d'un individu âgé, couché sur le côté droit, dents très usées, dont l'ivoire était visible, os en mauvais état.
Céramique
IV S1 SO7 : jarre-torpille dont l'intérieur et le col étaient bitumés, posée près de la tête et dont la pointe était entourée par le bras droit du défunt (**pl. 182-3**).

Tombe 917 (IV P3 NOT1)
14-09-1985, jarre, A, 182,32 m, E-O
IV P3 NO1 : jarre à fond arrondi percé (**pl. 186-1**), inclinée et recouverte par trois assiettes renversées les unes sur les autres.
H = 0,45, D = 0,34, ouv. = 0,106
Squelette affaissé d'un jeune enfant, qui devait être en position contractée, la tête à l'est ; dans la mandibule, la canine et la première molaire gauches sont encore dans les alvéoles.

Céramiques
IV P3 NO2, IV P3 NO3, IV P3 NO4 : assiettes (**pl. 186-4, 2, 3**).
IV P3 NO5 : gobelet debout, à l'extérieur près du col de la jarre (**pl. 186-5**).
Objet
IV P3 NO6 : bague, D = 0,020,015, en coquille, trouvée dans la fosse de la tombe.

Tombe 918 (IV S1 NET1)
14-09-1985, pleine terre, A, 183,62 m, N-S
Ossements en très mauvais état et bouleversés d'un homme âgé (dents très usées, sur certaines l'ivoire était apparent).
Céramique
IV S1 NE1 : petit vase au niveau des genoux.

Tombe 919 (IV S1 SOT5)
14-09-1985, jarre, A, 184,55 m, E-O
Des fragments de jarre plus ou moins dispersés et un fragment de gypse.
Quelques ossements (calotte crânienne) parmi ces fragments. Tombe violée ?

Tombe 920 (IV S1 SET1) (**pl. 185**)
14-09-1985, briques, A, 183,00 m, SE-NO
Douze rangées de trois ou quatre briques crues, posées de chant, formaient la couverture ; de nombreux tessons dans l'angle nord-ouest.
Couverture, L = 1,50, l = 1,10 à 1,30, H = 1,54
Squelette couché sur le dos, tête au SE, jambes allongées, os en très mauvais état.
Céramiques
IV S1 SE5 : petit vase, dans la terre de comblement, dans l'angle nord-ouest de la tombe (**pl. 185-1**).
IV S1 SE7 : petit vase, dans la fosse de la tombe (**pl. 185-2**).
Objet
IV S1 SE8 : roue de char fragmentaire, dans la fosse de la tombe.

Tombe 921 (IV S1 NET2)
15-09-1985, pleine terre, A, 183,69 m, E-O
Seul le crâne a été dégagé, os en très mauvais état.

Tombe 922 (IV S1 NET3) (**pl. 185**)
16-09-1985, briques, A, 183,01 m, SO-NE
Couverte par des briques crues.
L = 2,70, l = 1,00 à 0,70
Pas de renseignement sur le squelette.
Céramique
IV S1 NE14 : jarre-torpille dont l'intérieur est bitumé, écrasée à proximité.

Tombe 923 (IV S1 SET2)
19-09-1985, pleine terre, A, 182,95 m, N-S
Squelette couché sur le côté droit, tête au nord face vers l'ouest, un bras replié vers la tête, jambes allongées, os en très mauvais état.

Tombe 924 (III R7 NET1)
22-09-1985, pleine terre, cour 131, 179,40 m, E-O
Sous le dallage, dans l'angle nord-est.
Squelette couché sur le côté droit, jambes allongées.
Céramique
III R7 NE1 : coupe fragmentaire, renversée.

Tombe 925 (IV S1 NET4)
22-09-1985, jarre, A, 182,34 m, SE-NO
Jarre écrasée.
Squelette d'un nouveau-né affaissé.

Tombe 926 (IV S1 SET3)
24-09-1985, jarre, A, 182,18 m, SO-NE
IV S1 SE12 : jarre ornée de quatre bourrelets cordés en haut de la panse, dont le fond manquait (**pl. 182-5**), calée par un fragment de brique cuite placé de chant et recouverte par un fond de jarre renversé.
H = 0,55, D = 0,37, ouv. = 0,244
Squelette d'un enfant couché sur le côté gauche en position contractée, dont le crâne détaché de la colonne vertébrale était au fond de la jarre, jambes repliées, os très friables.
Céramiques
IV S1 SE13 : fond de jarre qui recouvrait la tombe.
IV S1 SE14 : vase debout, au nord-ouest de la jarre (**pl. 182-6**).

Tombe 927 (IV R1 SET3)
26-09-1985, jarre, A, 181,75 m, debout
IV R1 SE31 : jarre en partie écrasée et dont le col était cassé (**pl. 186-7**).
H = ?, D = 0,51
Quelques os. Tombe violée ?
Céramiques
IV R1 SE34 : coupe fragmentaire à l'intérieur (**pl. 186-6**).
IV R1 SE35 : gobelet à l'intérieur (**pl. 186-8**).

Tombe 928 (IV R2 SET7)
1985, briques, A, NO-SE
Construite en briques cuites, située sous la salle XVI du palais oriental.
Voûtée en encorbellement, cinq espaces de taille variable, un *dromos* couvert par une grande dalle de gypse.
Extérieur, L = 8,16, l = 5,14
Intérieur, L = 6,80, l = 3,78, H = 2,48
Restes d'ossements humains disloqués trouvés pendant la fouille dans la terre de comblement, qui appartenaient sûrement à un ou des individus clandestins qui auraient tenté de visiter la tombe dans l'Antiquité ?
J. Margueron, 1990 b, p. 401-422.
Céramiques (**pl. 188, 189, 190**)
Au total, quarante céramiques :
IV R2 SE 71 à 77, IV R2 SE86, IV R2 SE94 : coupes (**pl. 188-8, 9, 4, 5, 6, 1, 7, 2, 3**).
Une coupe non inventoriée.
IV R2 SE96, IV R2 SE97, IV R2 SE100, IV R2 SE101 : jarres (**pl. 189-3, 1, 4, 2**).
Dix-huit jarres non inventoriées.
IV R2 SE99 : bouteille (**pl. 189-5**).
Sept bouteilles non inventoriées.
M. Lebeau, 1990 b, p. 375-383.
Objets
De nombreux objets ont été découverts, mais on ne peut affirmer qu'ils faisaient partie du mobilier funéraire :
- objets en bronze :
IV R2 SE52 : tige bifide (**pl. 187-7**).
IV R2 SE53, IV R2 SE68 : fragments.
IV R2 SE54 (TH85.138), IV R2 SE93 (TH85.151) : clous (**pl. 187-8, 14**).
IV R2 SE55 (TH85.139) : trois fragments formant une plaque.
IV R2 SE57 (TH85.141), IV R2 SE58 (TH85.142), IV R2 SE69 (TH85.147) : tiges (**pl. 187-9, 14, 15**).
IV R2 SE60, IV R2 SE87 (TH 85.144) : trois yeux en bronze (cavité orbitale), fritte (iris) et coquillage (cornée) (**pl. 187-20, 21**).
IV R2 SE63 : élément de cloisonnement (**pl. 187-13**).

IV R2 SE66 : tige fragmentaire.
IV R2 SE70 (TH85.148) : épingle à enroulement (**pl. 187-16**).
- éléments d'incrustation
IV R2 SE61, IV R2 SE78, IV R2 SE84, IV R2 SE88 (TH85.145) : en lapis-lazuli, cornaline et pierre rouge (**pl. 187-5, 19**).
IV R2 SE62, IV R2 SE79, IV R2 SE83, IV R2 SE91 (TH85.146) : en fritte et nacre (**pl. 187-10, 11, 18**).
IV R2 SE64 : en fritte, argent, ocre.
IV R2 SE67, IV R2 SE81, IV R2 SE85 : en ocre (**pl. 187-12**).
IV R2 SE90, IV R2 SE91 (TH85.150) : un en pierre rouge, l'autre en fritte (**pl. 187-4**).
- autres objets
IV R2 SE51 (TH85.137) : bague, D = 0,023, en argent (**pl. 187-1**).
IV R2 SE56 (TH85.140) : plaque fragmentaire en gypse (**pl. 187-2**).
IV R2 SE59 (TH85.143) : élément de garniture à trois rivets, en argent (**pl. 187-3**).
IV R2 SE82 (TH85.149) : deux perles en or (**pl. 187-6**).

Tombe 929 (IX R50 NOT1)
30-09-1985, briques, A, 184,41 m, N-S
Construite en briques crues (très érodées).
Pas de renseignement sur le squelette.
Céramique
IX R50 NO2 : jarre-torpille dont l'intérieur est bitumé, légèrement inclinée vers le nord (**pl. 185-3**).

Tombe 930 (IX R50 SOT1)
30-09-1985, jarre, A, 184,64 m, N-S
Jarre écrasée.
Quelques ossements épars : os longs, os du bassin, des phalanges.

Tombe 931 (IX R50 SET1) (**pl. 191**)
30-09-1985, double cloche, A, 184,18 m, N-S
Deux jarres identiques, fonds arrondis, cols cassés :
-IX R50 SE8, jarre nord.
-IX R50 SE1, jarre sud.
H = ?, D = 0,57-0,52
Squelette d'une femme âgée de dix-huit à vingt ans, couché sur le côté droit, bras repliés vers la tête, jambes fléchies, entouré dans un linceul en tissu :
IX R50 SE6 : armure gros de Tours (armure à côtes parallèles à la trame, formées par des flottés de chaîne dus à l'insertion de deux coups de trame consécutifs dans le même pas), d'origine animale, type camélidé (**pl. 192**).
- réduction chaîne : 10/13 fils au cm
- réduction trame : 22 coups au cm.
IX R50 SE7 : restes de cuir au niveau du bassin (ceinture).
Céramiques
IX R50 SE2 : coupe, sur la partie cassée à l'extérieur (**pl. 191-1**).
IX R50 SE3 : coupe, de chant à l'est de la tombe (**pl. 191-2**).
IX R50 SE4 : coupe, sous SE3 (**pl. 191-3**).
IX R50 SE5 : coupe, à l'ouest de la tombe (**pl. 191-4**).
Parmi les céramiques, de nombreux fragments de briques cuites.

Tombe 932 (IX R50 NET1)
1-10-1985, double cloche, A, 184,64 m, SE-NO
Deux jarres cassées, placées perpendiculairement à T 933 (**pl. 192**).
L totale = 1,20, D = 0,70
Squelette couché sur le côté droit, jambes repliées.
Objets
IX R50 NE7 (TH85.125) : pointe de flèche en bronze.
IX R50 NE8 (TH85.126), IX R50 NE9 (TH85.127), IX R50 NE10 (TH85.128), IX R50 NE11 (TH85.129), IX R50 NE12 (TH85.130), IX R50 NE13 (TH85.131), IX R50 NE14 (TH85.132) : pointes de flèches en fer, à proximité de la tombe, avec NE7 (**pl. 192-7 à 14**) ; toutes ont une lame losangique et un raccord pointe-soie.

Tombe 933 (IX R50 NET2)
1-10-1985, double cloche, A, 184,50 m, S-N
Placée perpendiculairement à T 932 (**pl. 192**).
Deux jarres recouvertes par des tessons, des fragments de gypse, des briques cuites :
-IX R50 NE2, jarre sud, entière, à fond plat (**pl. 192-4**),
-IX R50 NE1, jarre nord, dont le col était bloqué par un fond de jarre, qui portait un décor imprimé et n'avait pas de fond (**pl. 192-3**).
H = 0,58- ?, D = 0,53-0,58, ouv. = 0,21-0,25
Squelette couché sur le côté droit, tête au sud, bras repliés vers la tête, jambes fléchies.
Céramique
IX R50 NE3 : coupe, au sud-ouest de la jarre sud (**pl. 192-2**).
Objets
IX R50 NE4 (TH85.134) : deux bagues, D = 0,016-0,015, en bronze, à la base du crâne, près des mains (**pl. 192-1**).

Tombe 934 (IX R50 NET3) (**pl. 193**)
5-10-1985, double cloche, A, 184,45 m, N-S
Deux jarres pleines de terre d'infiltration :
- IX R50 NE17, jarre nord, portait deux bourrelets cordés, un sous le col, un au niveau de la base annulaire.
- celle du sud avait le fond cassé.
H = ?, D = 0,65- ?
Squelette couché sur le dos, bras repliés vers la tête, jambes fléchies.
Céramique
IX R50 NE18 : vase à deux anses, contre la tombe, à l'ouest, au niveau des cols des jarres (**pl. 193-1**).

Tombe 935 (IX R50 NET4) (**pl. 193**)
5-10-1985, double cloche, A, 184,30 m, N-S
Deux jarres calées par des tessons et des fragments de briques cuites :
- IX R50 NE19, jarre nord, avec un décor bitumé, du col vers la panse : un anneau bitumé, trois traits fins de bitume, un bourrelet cordé, un anneau de bitume et en bas de la panse, deux bandeaux bitumés.
- IX R50 NE20, jarre sud, à fond arrondi, avec un trou au tiers inférieur de la panse (**pl. 193-2**).
H = 0,68- ?, D = 0,30- ?
Squelette d'une jeune femme couché sur le côté gauche, tête au nord, avec des restes de cheveux, entouré dans un linceul en tissu :
IX R50 NE21 : armure gros de Tours (armure à côtes parallèles à la trame, formées par des flottés de chaîne dus à l'insertion de deux coups de trame consécutifs dans le même pas) ; d'origine animale, type camélidé (**pl. 194**).
- réduction chaîne : 9/10 fils au cm (nombre de fils au cm)
- réduction trame : 28 coups au cm (nombre de fils ou coups au cm)
IX R50 NE22 : restes de cuir au niveau du bassin.

Tombe 936 (IX R50 SOT2) (**pl. 194**)
7-10-1985, couvercle, A, 184,10 m, SO-NE
Tombe couvercle : cuve ovale, type coquille de noix, qui recouvrait une partie du corps posé à même la terre.
L = 1,06, l = 0,57, H = 0,32
Squelette d'un homme couché sur le dos, tête au sud-ouest face vers l'est, bras repliés vers la tête, jambes allongées ; les jambes et les pieds n'étaient pas recouverts par le couvercle, ils étaient en dehors, au-dessous de deux briques crues posées en bâtière et surmontées par un grand tesson de jarre et une troisième brique crue.
Céramique
IX R50 SO7 : cruche, debout au SE de la tombe (**pl. 194-1**).

Tombe 937 (IX S50 NOT1)
30-09-1987, pleine terre, A, 183,53 m, E-O
Couloir XXXIV.

Squelette d'un enfant âgé de six mois, couché sur le dos, bras repliés vers une jarre-torpille, jambes allongées.
Céramique
IX S50 NO8 : jarre-torpille dont l'intérieur était bitumé, posée sur le col, inclinée vers le nord-est (**pl. 186-9**).
Objets
IX S50 NO6 : deux perles en bronze et un élément de parure en marcassite et bronze (**pl. 195-1**).
IX S50 NO7 : bague fragmentaire, type chevalière, à chaton, en fer.
IX S50 NO9 (TH87.2) : bijou en argent dont la partie antérieure présente deux visages féminins à chevelure bouclée, à côté l'un de l'autre ; à l'arrière, une tige effilée part de la partie inférieure vers un anneau placé au sommet des deux têtes (système d'accrochage) ; une tresse, qui devait être souple, est fixée à l'arrière ; poids = 27,75g ; trouvé à côté du crâne, (boucle d'oreille ? élément de chevelure ?) impossible à porter pour un enfant de six mois (**pl. 195-3**).
IX S50 NO10 (TH87.3) : bijou identique au précédent, trouvé aussi près du crâne (**pl. 195-2**).

Tombe 938 (III C1 NOT1) (**pl. 103, 196**)
1-10-1987, pleine terre, F, 179,24 m, O-E
Squelette d'un enfant âgé de six à sept ans, couché sur le côté gauche, denture lactéale (deuxième molaire dans l'alvéole), sutures crâniennes très apparentes, bras repliés vers la tête, le vase NO10 dans le creux du bras gauche, jambes relevées appuyées sur la jarre NO7.
Céramiques
III C1 NO7 : jarre inclinée vers l'est, recouverte par la coupe NO8 (**pl. 196-6**).
III C1 NO8 : coupe, renversée sur NO7 (**pl. 196-2**).
III C1 NO9 : vase globulaire à large ouverture, au delà des genoux (**pl. 196-3**).
III C1 NO10 : petit vase globulaire, dans le creux du coude gauche (**pl. 196-1**).
III C1 NO12 : coupe, légèrement inclinée (**pl. 196-5**).
III C1 NO13 : coupe, renversée sur NO12 (**pl. 196-4**).
Objets
III C1 NO11 (TH87.12) : trois bagues fermées, D = 0,017-0,011 et 0,018-0,013, en argent, très abîmées, trouvées à la base du crâne.

Tombe 939 (III C1 NOT2) (**pl. 103**)
1-10-1987, sarcophage, F, 179,88 m, NO-SE
Cuve rectangulaire cassée, fond plat, restes des parois verticales.
L = 0,62, l = 0,50
Vide. Tombe violée ?
Céramique
III C1 NO3 : vase cassé debout à proximité du sarcophage.

Tombe 940 (III C1 NET1) (**pl. 103, 197**)
1-10-1987, sarcophage, F, 179,65 m, O-E
Cuve rectangulaire, angles arrondis, fond plat, parois verticales, couvercle, qui devait être plat, cassé et effondré sur le squelette.
L = 1,30, l = 0,82, H = 0,43
Squelette couché sur le côté droit, tête à l'ouest face vers le sud ; la position des bras était indéterminable car ils étaient écrasés par le couvercle, jambes repliées.
À l'extérieur, contre la paroi sud du sarcophage, sous les céramiques, squelette fragmentaire de jeune capriné (des vertèbres, des os longs, bassin), en position recroquevillée, une patte posée sur la coupe NE26.
J. Margueron, 1993, p. 34.
Céramiques,
III C1 NE4 : jarre fragmentaire.
III C1 NE5 : vase globulaire à large ouverture (**pl. 198-1**).
III C1 NE6 : vase globulaire à large ouverture, avec un trou près du bord (reste de goulot ?) (**pl. 198-2**).
III C1 NE7 : bouteille (**pl. 198-7**).
III C1 NE8 : vase globulaire à large ouverture (**pl. 198-5**).
III C1 NE9 : jarre fragmentaire (**pl. 198-8**).
III C1 NE10 : jarre fragmentaire (**pl. 199-2**).
III C1 NE11 : coupe posée de chant (**pl. 198-3**).
III C1 NE12 : coupe renversée sur NE14 (**pl. 198-4**).
III C1 NE14 : vase globulaire à large ouverture (**pl. 199-1**).
III C1 NE15 : coupe posée de chant (**pl. 198-6**).
III C1 NE16 : vase globulaire à large ouverture (**pl. 199-3**).
III C1 NE17 : coupe renversée sur NE18 (**pl. 199-4**).
III C1 NE18 : jarre fragmentaire (**pl. 199-7**).
III C1 NE19 : coupe (**pl. 199-5**).
III C1 NE20 : bouteille (**pl. 198-9**).
III C1 NE24 : couvercle fragmentaire qui devait être circulaire, à poignée centrale, avec un décor rayonnant et circulaire en creux, posé de chant sur NE4 (**pl. 199-8**).
III C1 NE26 : coupe inclinée vers le sarcophage, contenait la patte de capriné (**pl. 199-6**).
Toutes les céramiques étaient à l'extérieur le long de la paroi sud du sarcophage, les jarres étaient debout, certaines coupes posées de chant ou renversées.
Objets
III C1 NE1 : plaque fragmentaire perforée en bronze, qui devait être circulaire, (pendentif ?) trouvée dans le contexte de la tombe (**pl. 197-1**).
III C1 NE21 (TH87.4) : bague ouverte, D = 0,019-0,013, en bronze, située à la base du crâne (**pl. 197-2**).
III C1 NE22 (TH87.5) : perle en cornaline, près de NE21 (**pl. 197-3**).

Tombe 941 (III C1 NET2) (**pl. 103**)
1-10-1987, pleine terre, F, 179,87 m, O-E
Quelques ossements épars d'un enfant : des côtes, le crâne écrasé.

Tombe 942 (III C1 SOT1) (**pl. 103, 195**)
3-10-1987, pleine terre, F, 179,46 m, O-E
Squelette couché sur le côté gauche, tête à l'ouest posée sur la main gauche, face vers le nord, bras repliés, mains au niveau de la tête, jambes fortement fléchies, genoux près des coudes.
Céramiques
III C1 SO1, III C1 SO2 : vases globulaires à large ouverture, au nord, SO1 était près des mains, SO2 près des genoux (**pl. 195-4, 5**).

Tombe 943 (IX R50 SOT3)
5-10-1987, jarre, A, 182,17 m, NO-SE
IX R50 SO12 : jarre à fond plat, portant trois nervures en haut de la panse, des traces d'un tenon de préhension (arraché), un trou au niveau de la lèvre dans la zone d'arrachage (**pl. 200-1**), fermée par des fragments de dalles de gypse gris.
H = 0,56, D = 0,36, ouv. = 0,21
Squelette d'un enfant âgé de quatre à cinq ans, couché sur le côté droit, denture lactéale, bras repliés vers la tête, jambes fléchies.
Objets
IX R50 SO13 (TH87.7), IX R50 SO14 (TH87.8) : bracelets ouverts, D = 0,044-0,034, en bronze, dont les extrémités portent un décor incisé, un à chaque bras (**pl. 200-2, 3**).

Tombe 944 (IX R49 SET1)
6-10-1987, pleine terre, A, 183,56 m
Quelques ossements qui entaillaient un mur.
Céramiques
IX R49 SE2 : bouteille, légèrement inclinée à proximité (**pl. 200-8**).
IX R49 SE3 : gobelet, incliné (**pl. 200-4**).

TOMBE 945 (III C1 SET1) (**pl. 103**)
6-10-1987, sarcophage, F, 179,28 m, NE-SO
Cuve fragmentaire, angles arrondis, fond plat, parois verticales, recouverte par de nombreux fragments et fonds de jarres de différents modèles.
Squelette incomplet : crâne, quelques vertèbres. Tombe violée ?
Entre le sarcophage et les vases, des ossements de capriné : un métatarse, des phalanges, des fragments d'os longs.
J. Margueron, 1993, p. 34.
Céramiques
Certaines trouvées à l'intérieur du sarcophage :
III C1 SE2 : gobelet portant des bandes verticales de polissage (**pl. 200-5**).
III C1 SE3 : vase miniature près de SE2 (**pl. 200-6**).
III C1 SE4 : coupe, près de SE3 (**pl. 200-7**).
III C1 SE8, III C1 SE10 : bouteilles fragmentaires sans fond (**pl. 200-12, 13**).
D'autres trouvées à l'extérieur :
III C1 SE5 : vase, au nord du sarcophage (**pl. 200-10**).
III C1 SE6 : vase globulaire à large ouverture, incliné près de SE5 (**pl. 200-11**).
III C1 SE7 : bouteille, inclinée près de SE6 (**pl. 200-9**).

TOMBE 946 (IX S50 SOT1)
8-10-1987, jarre, A, 183,26 m, debout
Couloir XXXIV.
IX S50 SO1 : jarre fragmentaire à fond plat (**pl. 201-1**), située contre un mur.
H = ?, D = 0,257
Squelette écrasé d'un nouveau-né.
Céramique
IX S50 SO2 : coupe, dans la jarre, posée sur les ossements (**pl. 201-2**).

TOMBE 947 (III C1 SOT2)
8-10-1987, sarcophage, F, 179,25 m, SO-NE
Cuve rectangulaire, angles arrondis, fond plat, parois verticales.
L = 1,22, l = 0,75, H conservée = 0,08-0,24
Vide. Tombe violée ?
Au nord de la tombe, ossements de capriné : quelques phalanges et des os longs.
Objet
III C1 SO5 : anneau fragmentaire en bronze, trouvé à l'extérieur au nord de la tombe.

TOMBE 948 (IX S50 NOT2)
10-10-1987, jarre, A, 183,18 m, debout
Couloir XXXIV.
IX S50 NO12 : jarre à fond plat, large ouverture, un bourrelet à la base du col et deux rainures en haut de la panse (**pl. 201-3**).
H = 0,21, D = 0,254, ouv. = 0,268
Ossements d'un enfant âgé de six mois.

TOMBE 949 (IX S50 NOT3) (**pl. 102**)
11-10-1987, pleine terre, A, 182,69 m, SO-NE
Couloir XXXIV, à l'ouest d'une fosse, elle a traversé un sol.
Squelette perturbé d'un homme : crâne sur le côté droit, mandibule désarticulée.

TOMBE 950 (IX R49 NOT1) (**pl. 102**)
11-10-1987, pleine terre, A, 183,32 m, S-N
Elle entamait un mur de la pièce XXXVI.
Seul un crâne d'un homme a été retrouvé, le corps devait être couché sur le dos.

TOMBE 951 (IX R49 NOT2) (**pl. 102**)
11-10-1987, pleine terre, A, 182,71 m, N-S
Située le long d'un mur du locus XLV.
Squelette d'un enfant âgé de dix-huit mois à deux ans, couché sur le dos, bras le long du corps, sutures crâniennes ouvertes, trou à la jonction de l'os frontal et des pariétaux, deuxième molaire dans l'alvéole, première molaire à l'état d'ébauche, jambes écartées ; lors de l'inhumation, les jambes ont dû être placées relevées et elles se sont affaissées et écartées ensuite.
Céramiques
IX R49 NO11, IX R49 NO12 : gobelets couchés (**pl. 201-4, 5**).
IX R49 NO13 : coupe renversée (**pl. 201-8**).
IX R49 NO16 : vase à panse carénée, col très étroit (il n'est pas sûr qu'il appartienne à la tombe) (**pl. 201-6**).
IX R49 NO18 : gobelet (**pl. 201-7**).

TOMBE 952 (IX R49 NET1) (**pl. 102, 202**)
14-10-1987, jarre, A, 182,19 m, SO-NE
IX R49 NE11 : jarre ornée de trois bourrelets cordés, un à la base du col, deux sur le haut de la panse (**pl. 203-1**), calée par des fragments de briques cuites ; au-dessus, des fragments de fonds de jarres formaient un couvercle.
Squelette de femme en position repliée, couché sur le côté droit, le crâne était au fond de la jarre (a dû glisser après rupture des vertèbres cervicales).
Céramiques
IX R49 NE7, IX R49 NE8 : bouteilles debout à l'extérieur, accolées au nord-est de la jarre (**pl. 203-3, 4**).
IX R49 NE9 : grande coupe posée de chant à côté des bouteilles (**pl. 203-5**).
IX R49 NE10 : petit gobelet, dans NE7 (**pl. 203-2**).

TOMBE 953 (IX R49 SET2)
14-10-1987, jarre, A, 182,49 m, debout
IX R49 SE15 : jarre (**pl. 204-1**) située sous le sol de la pièce XL, fermée par une coupe IX R49 SE13 renversée (**pl. 204-5**).
H = 0,265, D = 0,324, ouv. = 0,264
Squelette d'un nouveau-né : quelques fragments de crâne, des côtes, des phalanges.
Céramiques
IX R49 SE10, IX R49 SE11 : bouteilles au nord de la jarre, inclinées vers l'est (**pl. 204-2, 3**).
IX R49 SE12 : coupe fragmentaire, à l'est de la jarre (**pl. 204-4**).

TOMBE 954 (IX S50 NOT4) (**pl. 102, 202**)
15-10-1987, pleine terre, A, 182,32 m, SO-NE
Couloir XXXIV.
Double inhumation : squelettes couchés sur le côté droit, en position repliée, tête vers l'est.
- squelette d'un homme, à l'ouest, bras repliés, mains sur la face, les jambes fléchies et le genou gauche posé sur le bassin de l'autre squelette.
- squelette d'une femme, à l'est, qui avait la même position, bras gauche replié à angle droit, main droite sur la face, jambes fléchies.

N° 955 (IX S50 NET1)
15-10-1987, jarre, A, 181,96 m, debout
Couloir XXXIX.
IX S50 NE9 : jarre située dans une fosse.
H = 0,75, D = 0,55, ouv. = 0,42
Vide. Ce n'est pas une tombe.

TOMBE 956 (III C2 NOT1)
31-10-1987, sarcophage, F, 178,65 m, SO-NE

Cuve fragmentaire, fond plat, parois verticales.
H conservée = 0,44
Vide. Tombe violée ?

TOMBE 957 (IX R49 NET2)
2-11-1987, pleine terre, A, 182,15 m
Ossements d'un enfant âgé de quatre à cinq ans, retrouvés dans un petit trou, sous le sol du couloir XXXIV.

TOMBE 958 (IX S50 NET2) (**pl. 102**)
2-11-1987, sarcophage, A, 183,05 m, SO-NE
Cuve rectangulaire fragmentaire, angles arrondis, fond plat, parois verticales, la base extérieure des parois était enduite de bitume, le bord supérieur était cassé et manquait.
L = 0,70, l = 0,40, H conservée = 0,30-0,35
Vide. Tombe violée ?

TOMBE 959 (III C2 NOT2) (**pl. 202**)
3-11-1987, jarre, F, 178,30 m
III C2 NO15 : jarre.
Ossements affaissés d'un nouveau-né.
J. Margueron, 1993, p. 34.

TOMBE 960 (IX S49 NOT1)
5-11-1987, jarre, A, 182,02 m, N-S
IX S49 NO17 : jarre à fond percé, large ouverture, rebord aplati, un bourrelet à la base du col (**pl. 203-6**), fermée par des fragments de jarre IX S49 NO18 (**pl. 203-7**), inclinée et calée par un fragment de brique cuite.
H = 0,29, D = 0,336, ouv. = 0,26
Squelette d'un nouveau-né, affaissé dans le fond de la jarre.
Céramiques
IX S49 NO19, IX S49 NO20 : bouteilles à l'extérieur, accolées à NO17 (**pl. 203-8, 9**).

TOMBE 961 (III B21 NOT1)
10-1987, pleine terre, E, 182,52 m, O-E
Deux pierres de gypse subsistaient de la couverture, tombe non dégagée.

TOMBE 962 (III B21 NOT2)
10-1987, pleine terrre, E, 182,23 m, O-E
Non dégagée.

TOMBE 963 (III B1 NOT3)
10-1987, pleine terre, E, 182,21 m, NE-SO
Située dans un mur, non dégagée.

TOMBE 964 (III B21 NET1) (**pl. 103**)
10-1987, pleine terre, E, 182,06 m, O-E
Couverte de dalles de gypse, non dégagée.

TOMBE 965 (III B21 NET2) (**pl. 103**)
10-1987 pleine terre, E, 182,65 m, O-E
Couverte de pierres et de fragments de briques cuites posées en demi-bâtière, non dégagée.

TOMBE 966 (III B21 NET3) (**pl. 103**)
10-1987, pleine terre, E, 182,53 m, O-E
Pas de renseignement sur le squelette.
Objets
III B21 NE1 : collier en bronze fait de fils très fins tressés, trouvé au niveau du cou.
III B21 NE2 (TH87.20) : perle en agate.

TOMBE 967 (III B21 NET4) (**pl. 103**)
10-1987, pleine terre, E, 182,21 m, O-E
Non dégagée.

TOMBE 968 (III B21 NET5) (**pl. 103**)
10-1987 pleine terre, E, 182,58 m, O-E
Couverte de briques cuites, non dégagée.

TOMBE 969 (III B21 SOT1) (**pl. 103**)
10-1987, pleine terre, E, 183,23 m, O-E
Squelette d'un enfant couché sur le côté droit, bras allongés, jambes légèrement fléchies.

TOMBE 970 (III B1 SOT2) (**pl. 103**)
10-1987, pleine terre, E, 183,69 m, O-E
Couverte de dalles de gypse, non dégagée.

TOMBE 971 (III B21 SOT3) (**pl. 103**)
10-1987, pleine terre, E, 182,77 m, O-E
Couverte de briques cuites et d'une dalle de gypse posées en demi-bâtière, non dégagée.

TOMBE 972 (III B21 SOT4) (**pl. 103**)
10-1987, pleine terre, E, 183,41 m, O-E
Couverte de dalles de gypse et de briques cuites, non dégagée.

TOMBE 973 (III B21 SOT5) (**pl. 103**)
10-1987, pleine terre, E, 183,13 m, O-E
Non dégagée.

TOMBE 974 (III B21 SOT6) (**pl. 103**)
10-1987, pleine terre, E, 183,67 m, O-E
Squelette d'un adolescent recouvert par trois dalles de gypse.

TOMBE 975 (III B21 SOT7) (**pl. 103**)
10-1987, pleine terre, E, 182,71 m, O-E
Couverte de briques cuites et de dalles de gypse posées en demi-bâtière, non dégagée.

TOMBE 976 (III B21 SOT8)
10-1987, pleine terre, E, 182,19 m, O-E
Couverte de grandes briques cuites posées en demi-bâtière, non dégagée.

TOMBE 977 (III B21 SOT9)
10-1987, pleine terre, E, O-E
Non dégagée.

TOMBE 978 (III B21 SOT10)
10-1987, pleine terre, E, 182,75 m, O-E
Couverte de dalles de gypse, non dégagée.

TOMBE 979 (III B21 SET1) (**pl. 103**)
10-1987, pleine terre, E, 183,71 m, O-E
Squelette d'un enfant recouvert de briques cuites, de gros tessons de jarres et de dalles de gypse.

TOMBE 980 (III B21 SET2) (**pl. 103**)
10-1987, pleine terre, E, 183,66 m, O-E
Squelette d'un enfant recouvert de briques cuites, de fragments de jarres et de dalles de gypse.

TOMBE 981 (III B21 SET3) (**pl. 103**)
10-1987, pleine terre, E, 183,61 m, O-E
Couverte de pierres et de dalles de gypse, non dégagée.

Tombe 982 (III B21 SET4) (**pl. 103**)
10-1987, pleine terre, E, 183,49 m, O-E
Couverte de dalles de gypse et de fragments de grosses jarres, non dégagée.

Tombe 983 (III B21 SET5) (**pl. 103**)
10-1987, pleine terre, E, O-E
Squelette d'un enfant recouvert de fragments de briques cuites.

Tombe 984 (III B21 SET6) (**pl. 103**)
10-1987, pleine terre, E, 183,33 m, O-E
Couverte de dalles de gypse posées en demi-bâtière, non dégagée.

Tombe 985 (III B21 SET7) (**pl. 103**)
10-1987, pleine terre, E, 182,37 m, O-E
Non dégagée.

Tombe 986 (III B21 SET8) (**pl. 103**)
10-1987, pleine terre, E, 183,30 m, O-E
Couverte de grandes briques cuites (0,40x0,40x0,07 m) posées en demi-bâtière, non dégagée.

Tombe 987 (III B21 SET9) (**pl. 103**)
10-1987, pleine terre, E, 182,47 m, O-E
Couverte de dalles de gypse et de briques cuites, non dégagée.

Tombe 988 (III B21 SET10) (**pl. 103**)
10-1987, pleine terre, E, 183,36 m, O-E
Couverte de dalles de gypse posées en demi-bâtière, non dégagée.

Tombe 989 (III B21 SET11)
10-1987, pleine terre, E, 183,03 m, O-E
Squelette d'un adolescent.

Tombe 990 (III B21 SET12) (**pl. 103**)
10-1987, pleine terre, E, 182,94 m, NO-SE
Couverte de pierres, non dégagée.

Tombe 991 (III B21 SET13) (**pl. 103**)
10-1987, pleine terre, E, 183,14 m, O-E
Couverte de dalles de gypse, non dégagée.

Tombe 992 (III B21 SET14) (**pl. 103**)
10-1987, pleine terre, E, 182,75 m, O-E
Seul le crâne a été retrouvé.

Tombe 993 (III B21 SET15)
10-1987, pleine terre, E, O-E
Squelette d'un enfant non dégagé.

Tombe 994 (III B21 SET16)
10-1987, pleine terre, E, 182,78 m, O-E
Couverte de dalles de gypse, non dégagée.

Tombe 995 (III B21 SET17)
10-1987, pleine terre, E, 182,93 m, O-E
Couverte de dalles de gypse, non dégagée.

Tombe 996 (III B22 NOT1)
10-1987, pleine terre, E, O-E
Couverte de dalles de gypse, non dégagée.

Tombe 997 (III B22 NOT2)
10-1987, pleine terre, E, 181,87 m, O-E
Non dégagée.

Tombe 998 (III B22 NET1)
10-1987, pleine terre, E, O-E
Couverte de grandes dalles de gypse posées en demi-bâtière, non dégagée.

Tombe 999 (III B22 NET2)
10-1987, pleine terre, E, 181,57 m, O-E
Couverte de fragments de jarres et de dalles de gypse, non dégagée.

Tombe 1000 (III B22 SOT1)
10-1987, pleine terre, E, O-E
Non dégagée.

Tombe 1001 (III B22 SET1)
10-1987, pleine terre, E, O-E
Couverte de dalles de gypse, non dégagée.

Tombe 1002 (III B22 SET2)
10-1987, pleine terre, E, O-E
Couverte de dalles de gypse, non dégagée.

Tombe 1003 (III B22 SET3)
10-1987, pleine terre, E, O-E
Couverte de dalles de gypse, non dégagée.

Tombe 1004 (III B22 SET4)
10-1987, pleine terre, E, O-E
Non dégagée.

Tombe 1005 (III B22 SET5)
10-1987, pleine terre, E, O-E
Non dégagée.

Tombe 1006 (III B22 SET6)
10-1987, pleine terre, E, O-E
Couverte de dalles de gypse et de briques cuites posées en demi-bâtière, non dégagée.

Tombe 1007 (III B22 SET7)
10-1987, pleine terre, E, 181,97 m, O-E
Non dégagée.

Tombe 1008 (III B22 SET8)
10-1987, pleine terre, E, 181,81 m, O-E
Non dégagée.

Tombe 1009 (III B22 SET9)
10-1987, pleine terre, E, 181,64 m, O-E
Non dégagée.

Tombe 1010 (III C21 NOT1)
23-03-1990, pleine terre, E, 182,81 m, O-E
Couverte de dalles de gypse éparses, pas d'ossements. Tombe ?

Tombe 1011 (III C21 SOT1)
29-03-1990, pleine terre, E, 183,13 m, O-E
Couverte de quatre dalles de gypse et d'un tesson de jarre, non dégagée.

Tombe 1012 (IX R48 NOT1)
31-03-1990, pleine terre, A, 183,29 m, SE-NO
Ossements épars, parmi des tessons de céramiques.

Tombe 1013 (IX R48 NOT2)
31-03-1990, pleine terre, A, 183,29 m
Ossements épars, parmi des tessons de céramiques.

Tombe 1014 (III C21 SOT2)
31-03-1990, pleine terre, E, 182,52 m, O-E
Couverte de dalles de gypse, non dégagée.

Tombe 1015 (III C21 SOT3)
31-03-1990, pleine terre, E, 182,79 m, O-E
Couverte par deux briques cuites, des dalles de gypse et des tessons, non dégagée.

Tombe 1016 (IX S48 SET1)
11-04-1990, jarre, A, NE-SO
IX S48 SE33 : jarre couchée, qui devait être fermée par un couvercle à gros trou qui se trouvait à côté de la jarre, des tessons à proximité. Ossements abîmés d'un nouveau-né, tête au sud-ouest au fond de la jarre.

Tombe 1017 (III D1 SOT1)
12-04-1990, pleine terre, F, 179,00 m
Quelques ossements : crâne, des os longs, recouverts par un grand tesson de jarre.

Tombe 1018 (III D1 SOT2) (**pl. 205**)
12-04-1990, sarcophage, F, 179,35 m, O-E
III D1 SO5 : cuve rectangulaire, angles arrondis, fond plat, parois verticales, des plaques de couverture cassées (**pl. 205-1**).
L = 1,17, l = 0,67, H = 0,34
Squelette d'un homme couché sur le côté droit, tête à l'ouest, face vers le sud, bras repliés vers la tête, jambes fortement fléchies, pieds sous le bassin.
Objets
III D1 SO3 (TH90.99) : épingle en bronze, à enroulement, située au niveau du dos (**pl. 205-2**).
III D1 SO4 (TH90.105) : pointe de flèche en bronze, à lame losangique et soie (**pl. 205-3**).
III D1 SO4 bis (TH90.96) : deux fragments d'une plaque perforée, en bronze (trous de fixation) (**pl. 205-4**).
III D1 SO6 : bague, D= 0,013, en bronze (**pl. 205-5**).
III D1 SO7 : plaque rectangulaire fragmentaire, en bronze, située au niveau du dos.

Tombe 1019 (III E2 SET1) (**pl. 104, 206**)
14-04-1990, pleine terre, F, 180,05 m, O-E
Squelette d'un homme couché sur le côté gauche, tête à l'ouest avec à l'arrière deux pierres de gypse placées à angle droit, bras droit replié vers la tête, jambes fortement fléchies, pieds sous le bassin, recouvert par un bassin à fond plat III E2 SE4, posé incliné sur des fragments de jarre III E2 SE5 portant quatre bourrelets cordés.
Céramiques
III E2 SE6 : vase globulaire écrasé par les fragments de SE5 (**pl. 206-1**).
III E2 SE7 : coupe renversée sur SE6.
III E2 SE8 : petit vase, derrière le squelette (**pl. 206-2**).
III E2 SO36 : petit vase globulaire (**pl. 206-4**).
III E2 SO37 : vase.
III E2 SO38 : coupe (**pl. 206-3**).

Tombe 1020 (IX S48 NOT1)
15-04-1990, jarre, A
IX S48 NO11 : jarre avec deux bourrelets sur la panse (**pl. 204-7**), qui a percé un dallage ; tout autour, des fragments de briques cuites qui proviennent sûrement du dallage, à l'intérieur, de nombreux tessons.
H = 1,06, D = 0,83, ouv. = 0,60
Ossements en très mauvais état.
Céramique
IX S48 NO10 : gobelet à l'extérieur de la jarre (**pl. 204-8**).

Tombe 1021 (IX R48 SOT1)
18-04-1990, jarre, A, 182,60 m, debout
IX R48 SO2 : jarre à fond presque plat (**pl. 204-6**).
H = 0,376, D = 0,245, ouv. = 0,165
Squelette d'un nouveau-né, affaissé.
Céramique
IX R48 SO3 : coupe, trouvée dans la jarre.

Tombe 1022 (III E2 SOT1) (**pl. 104, 208**)
22-04-1990, sarcophage, F, 179,01 m, O-E
III E2 SO18 : cuve rectangulaire, angles arrondis, fond plat, parois verticales (**pl. 208-3**), recouverte par de gros tessons de jarre et des dalles de gypse.
L = 1,27, l = 0,80, H = 0,36
Squelette d'un homme couché sur le côté droit, tête à l'ouest tournée vers le nord ; pas de bras ; la jambe gauche, la mandibule et l'omoplate étaient déplacées en avant du crâne ; os très friables. Tombe violée ? Les ossements semblaient repoussés vers le bord du sarcophage (pour une double inhumation ?).
Céramiques
III E2 SO7 : coupe (**pl. 207-3**).
III E2 SO8 : vase miniature (**pl. 207-4**).
III E2 SO11 : vase à panse carénée et col étroit, renversé au-dessus des pieds (**pl. 207-1**).
III E2 SO12 : vase globulaire, au sud de la tombe (**pl. 207-2**).
III E2 SO13, III E2 SO14 : jarres, à l'extérieur du sarcophage, calées à leur base par des tessons, des gravillons et de l'argile compacte, près de SO12 (**pl. 207-5, 6**).
III E2 SO15 : vase.
Objets
III E2 SO9 : balle de fronde en terre cuite, dans la terre de remplissage de la tombe.
III E2 SO10 (TH90.124) : pointe de flèche en bronze, à lame losangique et soie cassée, trouvée à l'est du crâne (**pl. 208-1**).
III E2 SO35 (TH90.104) : poignard en bronze, fragmentaire, avec soie à un rivet et des restes de fibres de bois, bout arrondi, situé contre le sarcophage (**pl. 208-2**).

Tombe 1023 (III D1 SET1) (**pl. 104**)
24-04-1990, sarcophage, F, 178,67 m, O-E
III D1 SE7 : cuve cassée, angles arrondis, fond plat, parois verticales, longs côtés cassés et basculés vers l'intérieur (**pl. 209-12**).
L = 1,24, l = 0,64-0,78, H = 0,40-0,50
Squelette d'un homme couché sur le côté droit, tête à l'ouest, bras et jambes repliés, l'extrémité proximale du fémur gauche était hypertrophiée.
Céramiques
III D1 SE20 : jarre à col étroit, à l'extérieur, au sud du sarcophage (**pl. 207-7**).
III D1 SE21 : coupe, près de SE20 (**pl. 207-8**).
III D1 SE22 bis, III D1 SE23 bis : jarres, près de SE21.
Objets
III D1 SE8 (TH 90.95) : poignard en bronze, avec soie à trois rivets, bout pointu, situé sous les côtes (**pl. 209-2**).
III D1 SE9 (TH90.103) : pointe de javeline en bronze, à lame losangique, soie, trouvée sur l'épaule (**pl. 209-1**).
III D1 SE10 (TH90.121) : plaque fragmentaire en bronze, rectangulaire, avec deux perforations, placée sur le bassin (**pl. 209-3**).
III D1 SE11 (TH90.97) : plaque en bronze, plus ou moins carrée, perforée aux quatre angles, posée sur la tête (**pl. 209-6**).

III D1 SE12, III D1 SE14 : épingles en bronze, fragmentaires, SE14 était près des mains (**pl. 209-4, 5**).
III D1 SE13 : boucle d'oreille en argent.
III D1 SE15 : épingle fragmentaire en bronze, sur les mains (**pl. 209-10**).
III D1 SE16 (TH90.133) : perle en pierre, au niveau des mains (**pl. 209-8**).
III D1 SE17 (TH90.133) : perle en cornaline, sur les avant-bras (**pl. 209-7**).
III D1 SE22 : plaque fragmentaire rectangulaire en bronze, au niveau des jambes.
III D1 SE23 : plaque fragmentaire rectangulaire en bronze (**pl. 209-11**).
III D1 SE56 : deux boucles d'oreilles en argent, au niveau du crâne (**pl. 209-9**).

Tombe 1024 (IX R49 SET3)
30-04-1990, pleine terre, A, 181,93 m
Ossements épars d'un enfant.

Tombe 1025 (III E2 NOT1)
30-04-1990, pleine terre, F, 179,06 m, O-E
Squelette couché sur le côté gauche, tête à l'ouest face vers le nord, bras repliés, les jambes manquaient.
Céramiques
III E2 NO9 : petit vase posé au bout des mains (**pl. 210-3**).
III E2 NO10 : vase (**pl. 210-1**).
III E2 NO11 : coupe renversée sur NO10.
III E2 NO12 : vase (**pl. 210-2**).
III E2 NO13 : petit vase à anses percées de deux trous, contre NO12 (**pl. 210-4**).
III E2 NO14 : coupe posée contre NO15 (**pl. 210-5**).
III E2 NO15 : vase.
III E2 NO16 : coupe renversée sur NO12 (**pl. 210-6**).
III E2 NO17 : coupe placée entre NO12 et NO13.

Tombe 1026 (III E2 SOT2) (**pl. 104, 211**)
3-05-1990, sarcophage, F, 179,25 m, O-E
III E2 SO19 : cuve rectangulaire, angles arrondis, fond plat, parois verticales, couvercle cassé effondré dans la tombe et qui a abîmé le crâne (**pl. 211-1**).
L = 1,21, l = 0,65, H = 0,43
Squelette d'un homme jeune, couché sur le côté droit, tête à l'ouest écrasée, bras croisés sur le thorax, jambes repliées, le fémur gauche était plus long que le droit (de 1,5 cm), les pieds manquaient. Tombe violée ?
Une omoplate était recouverte partiellement d'une matière organique fibreuse qui pouvait être du bois.
Céramiques,
III E2 SO20 : vase.
III E2 SO30 : vase globulaire (**pl. 210-8**).
III E2 SO31, III E2 SO33 : coupes, SO31 était posée sur SO30, et SO33 renversée sur SO32 (**pl. 210-7, 9**).
III E2 SO32 : vase (**pl. 210-10**).
Objets
III E2 SO22 (TH90.93) : plaque en bronze, perforée à chaque extrémité, incurvée, trouvée au niveau des côtes (**pl. 211-2**).
III E2 SO23 (TH90.108) : hache à languette repliée, en bronze, posée sur l'épaule gauche (**pl. 211-3**).
II E2 SO24 : plaque fragmentaire en bronze, qui devait être circulaire, située entre les bras et les côtes (**pl. 211-4**).
III E2 SO25 : épingle en bronze, à enroulement, fragmentaire, au-dessus de SO24 (**pl. 211-5**).
III E2 SO27 (TH90.106) : plaque en bronze rectangulaire, incurvée, avec deux perforations, située au sud du bassin (**pl. 211-7**).
III E2 SO28 (TH90.94) : poignard en bronze, avec soie à deux rivets et des traces de bois, bout arrondi, placé au sud de la jambe gauche, la pointe vers le bas (**pl. 211-6**).

Tombe 1027 (IX O49 NET1)
6-05-1990, jarre, A, 183,01 m
IX O49 NE2 : jarre à fond plat, large ouverture, avec un bourrelet cordé en haut de la panse, inclinée et fermée par une jarre dont des fragments étaient encastrés dans la tombe elle-même.
H = 0,62, D = 0,592, ouv. = 0,58
Squelette d'un homme qui devait être couché sur le dos, quelques ossements : des côtes, des os longs, des vertèbres, le crâne écrasé et déformé. Tombe violée ?

Tombe 1028 (IX R48 SOT2)
6-05-1990, pleine terre, A, 181,98 m
Crâne et quelques ossements d'un enfant, dans une surface dure de briques crues.

Tombe 1029 (IX O49 NOT1)
7-05-1990, pleine terre, A, 182,25 m, NO-SE
Inhumation double : deux crânes, des os longs, des côtes, un des squelettes devait être couché sur le côté droit, jambes fléchies.

Tombe 1030 (IX R48 NET1)
7-05-1990, pleine terre, A, 180,81 m
Ossements d'un nouveau-né, légèrement en retrait sous un mur.

Tombe 1031 (III D1 SET3) (**pl. 212**)
8-05-1990, pleine terre, F, 177,80 m, O-E
Squelette d'un homme couché sur le côté droit, tête à l'ouest posée sur une brique cuite, face vers le sud, bras repliés, jambes fléchies avec les pieds sous le bassin, genoux près des avant-bras.
Céramiques
III D1 SE35, III D1 SE38, III D1 SE39 : jarres situées au delà des pieds.
III D1 SE36, III D1 SE37 : coupes derrière la tête.
Une jarre (non inventoriée) au delà des pieds.
Objets
III D1 SE33 : plaque fragmentaire en bronze, avec deux perforations, qui devait être circulaire, située sur le crâne.
III D1 SE34 : tige fragmentaire en bronze, trouvée au niveau des jambes (**pl. 212-5**).
III D1 SE41 : épingle en bronze, droite, trouvée à proximité des jambes (**pl. 212-6**).
III D1 SE42 : épingle en bronze, à enroulement, posée sur les mains (**pl. 212-7**).
III D1 SE43 (TH90.119) : hache plate en bronze, à talon droit, placée sur la jambe gauche (**pl. 212-8**).
III D1 SE44 (TH90.133) : perle en cornaline, sur les avant-bras.
III D1 SE45 (TH90.114) : deux anneaux fragmentaires en argent, bagues ?

Tombe 1032 (IX O49 NOT2)
10-05-1990, sarcophage, A, 181,87 m
IX O49 NO8 : cuve fragmentaire, angles arrondis, fond plat, parois verticales, encastrée dans un mur.
Quelques ossements d'un enfant. Tombe violée ?
Céramiques
IX O49 NO4 : vase globulaire à large ouverture, à l'est du sarcophage, à l'extérieur (**pl. 212-1**).
IX O49 NO5, IX O49 NO6 : jarres à proximité de NO4 (**pl. 212-2, 3**).
IX O49 NO7 : vase globulaire près de NO4 (**pl. 212-4**).

Tombe 1033 (III D1 SOT3)
25-09-1991, pleine terre, F, 178,31 m, O-E
Squelette couché sur le côté droit, bras repliés vers le bassin.

Objet
III D1 SO40 (TH91.41) : poignard en bronze, avec soie à trois rivets, bout arrondi, posé sur la jambe droite (**pl. 208-4**).

Tombe 1034 (III D1 NET1) (**pl. 104, 105, 213**)
30-09-1991, sarcophage, F, 178,04-178,43 m, O-E
Situé à l'intérieur d'un espace de 2,27 x 1,45 m, délimité par quatre murs construits en briques crues de 0,40 x 0,18-0,20 x 0,20 et 0,18 x 0,10 à 0,12 m.
-mur nord : H = 1,17, l = 0,40
-mur ouest très abîmé.
-mur sud non parallèle au mur nord.
Dès le niveau supérieur des briques, des traces de branchages (D = 0,10 à 0,12), orientés NO-SE, qui devaient constituer la couverture de la tombe.
Sarcophage à angles arrondis, fond plat, parois verticales
L = 1,24, l = 0,73, H int. = 0,44-0,47
Couverture effondrée, surtout dans la partie est.
Squelette d'un individu jeune couché sur le côté droit, tête à l'ouest retournée, bras repliés vers la tête, jambes fléchies, pieds sous le bassin.
III D1 NE36 : ossements d'oviné, un radius et un fragment de métatarse, sous la coupe NE12.
III D1 NE37 : deux métacarpiens et un métatarsien d'oviné, dans la jarre NE17.
Céramiques (**pl. 214**)
trouvées à l'extérieur, au sud du sarcophage :
III D1 NE12 : coupe renversée sur les ossements NE36 (**pl. 214-1**).
III D1 NE13 : coupe (**pl. 214-2**).
III D1 NE14 : coupe dans le vase NE22 (**pl. 214-3**).
III D1 NE15 : coupe renversée sur NE31 (**pl. 214-4**).
III D1 NE16 : coupe renversée (**pl. 214-5**).
III D1 NE17 : jarre écrasée qui contenait les ossements NE37 (**pl. 215-1**).
III D1 NE18, III D1 NE19 : coupes renversées près de NE17 (**pl. 214-6, 7**).
III D1 NE20 : coupe posée sur NE33 (**pl. 214-8**).
III D1 NE21 : deux tessons de jarre posés à plat près de NE26 et NE27.
III D1 NE22 : vase globulaire à large ouverture, incliné (**pl. 215-3**).
III D1 NE24 : coupe renversée près de NE13 (**pl. 214-9**).
III D1 NE25 : petit vase globulaire à large ouverture, renversé et incliné dans le mur sud de la tombe (**pl. 214-14**).
III D1 NE26 : jarre debout entre NE21 et NE27 (**pl. 215-4**).
III D1 NE27 : jarre écrasée près de NE21 et NE26.
III D1 NE28 : vase globulaire à large ouverture, près de NE26 et NE31 (**pl. 215-5**).
III D1 NE29 : jarre debout (**pl. 215-6**).
III D1 NE30 : jarre inclinée, écrasée.
III D1 NE31 : jarre debout (**pl. 215-7**).
III D1 NE32 : jarre écrasée près de NE27.
III D1 NE33 : jarre en terre cuite noire, écrasée (**pl. 215-2**).
III D1 NE34 : coupe (**pl. 214-10**).
III D1 NE38 : coupe inclinée (**pl. 214-11**).
III D1 NE39 : coupe placée sous NE34 (**pl. 214-12**).
III D1 NE58 : coupe trouvée dans NE17.
III D1 NE60 : coupe trouvée dans NE29 (**pl. 214-13**).
Objets
III D1 NE40 (TH91.14) : base de figurine humaine en terre cuite, trouvée lors du démontage de la tombe (**pl. 212-9**).
III D1 NE41 (TH91.55) : hache à languette repliée, en bronze, trouvée lors du démontage de la tombe (**pl. 212-10**).

Tombe 1035 (III Y17 SOT1)
3-10-1991, jarre, B, 181,86 m, NO-SE
Jarre fragmentaire dont seul le fond a été retrouvé.
Quelques ossements mélangés à de la terre.

Tombe 1036 (IX N50 SET1)
5-10-1991, pleine terre, A, 181,57 m, N-S
Située à l'est d'une fosse.
Squelette en très mauvais état, couché sur le côté droit en position contractée, bras et jambes repliés.
Céramiques
IX N50 SE4 : vase à large ouverture, écrasé près des genoux (**pl. 215-11**).
IX N50 SE5 : vase miniature en terre cuite noire, près du bassin parmi des fragments du chalumeau SE3 (**pl. 215-12**).
Objets
IX N50 SE2 (TH91.1) : vase en albâtre gypseux, portant un décor incisé et bitumé : trois épis liés, un animal passant à gauche broutant l'épi de droite, un arbre feuillu à triple base et trois branches, un animal à ramure passant à gauche et broutant à l'arbre feuillu, un croissant horizontal entouré de points, un soleil ; ces motifs sont dans des panneaux séparés les uns des autres par une rangée de cercles concentriques pointés ; une ligne de cercles à la partie inférieure ; en haut, décor en creux bitumé ; sur le bord supérieur, une rangée de cercles pointés et deux tenons diamétralement opposés percés d'un trou vertical (système de suspension) ; posé sur les jambes (**pl. 215-8**).
IX N50 SE3 (TH91.42) : chalumeau en plusieurs fragments, fait d'une feuille de bronze enroulée sur elle-même, L = 0,48, D = 0,0075 ; situé près du bassin (**pl. 215-10**).
IX N50 SE6 (TH91.2) : vase en albâtre gypseux, fragmentaire, portant un décor incisé et bitumé fait de cercles pointés alignés en trois registres de trois, une et deux rangées, séparés par des séries de lignes horizontales continues ; sur le bord supérieur, un tenon percé verticalement d'un trou (système de suspension) ; il devait y en avoir un autre diamétralement opposé mais il manque ; quatre pieds (certains sont cassés), qui se terminent en sabot de boviné ; trouvé sous SE2 (**pl. 215-9**).
IX N50 SE7 : nombreux fragments d'œufs d'autruche disséminés dans la terre.

Tombe 1037 (IX N50 NET1)
6-10-1991, pleine terre, A, 182,26 m, S-N
Quelques fragments d'ossements parmi des céramiques.
Céramiques
IX N50 NE3 : coupe (**pl. 216-1**).
IX N50 NE4 : petit vase à anses à deux trous, en terre cuite noire, posé sur NE3.
IX N50 NE5 : vase globulaire à large ouverture (**pl. 216-3**).
IX N50 NE6, IX N50 NE7 : coupes, l'une sur l'autre, au nord de NE3 et 4 (**pl. 216-4, 2**).
IX N50 NE9 : coupe qui devait fermer le vase NE10, et qui a glissé vers le sud (**pl. 216-5**).
IX N50 NE10 : vase à bec verseur (**pl. 216-7**).
IX N50 NE11 : coupe renversée sur NE5 (**pl. 216-6**).
IX N50 NE12 : vase à décor incisé à chevrons en haut de la panse, debout en contrebas de NE5 (**pl. 216-9**).
IX N50 NE13 : vase globulaire à large ouverture, incliné derrière NE5 (**pl. 216-8**).
Objets
IX N50 NE8 (TH91.62), IX N50 NE14 (TH91.63) : épingles en bronze, droites, à chas, au-dessous de NE7 (NE14 est fragmentaire) (**pl. 216-10, 11**).

Tombe 1038 (IX N50 SET2)
6-10-1991, pleine terre, A, S-N
Sur le bord d'une fosse.
Squelette d'un individu jeune, couché sur le côté droit, bras allongés, jambes fortement repliées, ossements en très mauvais état.

Tombe 1039 (III E1 SOT1)
7-10-1991, pleine terre, F, 180,66 m, O-E

Squelette couché sur le côté gauche, tête à l'ouest, bras repliés, mains au niveau du crâne, jambes fortement fléchies, genoux près des coudes.

TOMBE 1040 (III Y17 NOT1)
9-10-1991, pleine terre, B, 181,43 m, O-E
Squelette d'un très jeune enfant couché sur le côté droit, la tête sous un tesson de jarre, bras et jambes pliés à angle droit, qui avait abîmé un mur.

TOMBE 1041 (III Y17 SOT2)
10-10-1991, pleine terre, B, 180,70 m
Fosse aux angles arrondis, coupée par une autre fosse.
L = 2,40, l = 1,50
Des ossements mélangés à des tessons.
Objets
III Y17 SO4 : fragments de bronze.

TOMBE 1042 (III C1 NET3)
10-10-1991, pleine terre, F, 178,77 m, O-E
Squelette couché sur le côté gauche, bras repliés à angle droit, placé le long d'un mur.
Céramiques
III C1 NE50 : coupe posée sur la jarre NE51 (**pl. 217-1**).
III C1 NE51 : jarre debout au nord du squelette (**pl. 217-6**).
III C1 NE52 : jarre debout au-dessous de NE51 (**pl. 217-7**).
III C1 NE53 : coupe posée sur NE54 (**pl. 217-3**)
III C 1 NE54 : jarre inclinée, à l'ouest de NE52, au nord du squelette (**pl. 217-8**).
III C1 NE55 : vase globulaire à large ouverture, à deux tenons de préhension percés de deux trous chacun, en terre cuite noire, placé de chant sur NE56 (**pl. 217-2**).
III C1 NE56 : vase en terre cuite noire, incliné au delà du crâne (**pl. 217-5**).
III C1 NE57 : coupe posée sur NE58 (**pl. 217-4**).
III C1 NE58 : jarre debout devant les genoux (**pl. 217-9**).
Objets
III C1 NE59 (TH91.66), III C1 NE60 (TH91.67) : épingles en bronze, droites, à chas, situées le long du bras droit (**pl. 216-13**).
III C1 NE61 (TH91.8) : quatre boucles d'oreilles en argent, trouvées derrière le crâne, dans la terre (**pl. 216-12**).

TOMBE 1043 (IV N1 SET1) (**pl. 218**)
12-10-1991, pleine terre, A, 182,46 m, E-O
Squelette d'un jeune adolescent couché sur le côté droit, tête à l'est face vers le nord, bras pliés à angle droit, jambes fléchies, pieds sous le bassin.
Céramiques
IV N1 SE2 : gobelet posé sur le vase SE4 (**pl. 218-1**).
IV N1 SE3 : nombreux tessons d'une grosse jarre au sud et sur le squelette.
IV N1 SE4 : bouteille inclinée vers le nord, au niveau des pieds.
IV N1 SE5 : bouteille au nord de SE4.

TOMBE 1044 (IV N1 NET1) (**pl. 218**)
16-10-1991, pleine terre, A, 181,67 m, NO-SE
Squelette couché sur le côté gauche, bras repliés perpendiculaires au corps, mains à hauteur du crâne, jambes fortement fléchies, genoux près des coudes.
Céramique
IV N1 NE6 (TH91.32) : vase portant un décor bitumé fait de deux bandes, une au niveau du col et une au bas, séparées par des traits croisés et verticaux, posé à plat près du bassin (**pl. 218-2**).

TOMBE 1045 (IV N1 SET2) (**pl. 218**)
16-10-1991, pleine terre, A, 182,03 m, S-N
Squelette d'un homme jeune couché sur le côté droit, bras droit replié, main au niveau de la mandibule, bras gauche plié à angle droit, jambes fléchies, la gauche sur la droite, pieds sous le bassin. Sur la face interne de certains os du crâne (frontal, pariétaux et occipital), des taches rouges alignées en deux bandes (empreintes de sang des méninges ?).

TOMBE 1046 (IV N1 SET3) (**pl. 219**)
17-10-1991, jarre, A, 181,65 m, E-O
IV N1 SE9 : jarre cassée posée sur des galets, pleine de terre d'infiltration.
IV N1 SE14 : jarre dont le fond manquait, posée sur SE9.
Squelette d'un jeune enfant couché sur le côté gauche, tête à l'ouest au fond de la jarre, bras repliés à angle droit, jambes allongées.
Céramiques
IV N1 SE10 : gobelet, posé sur le col de SE11 (**pl. 219-1**).
IV N1 SE11 : bouteille, debout devant les bras (**pl. 219-6**).
Objets
IV N1 SE12 (TH91.43), IV N1 SE13 (TH91.44) : bracelets ouverts, D = 0,040-0,045, en bronze, au bras droit (**pl. 219-2, 3**).
IV N1 SE15 (TH91.109) : bague fermée, D = 0,027-0,019, en coquille, dans la terre (**pl. 219-5**).
IV N1 SE16 (TH91.113) : douze perles en cornaline, pierre grise, cristal de roche, fritte et deux coquillages percés, dans la terre.
IV N1 SE17 (TH91.110) : deux bagues ouvertes, D = 0,014-0,011, en argent, dans la terre.
IV N1 SE18 (TH91.45) : bracelet ouvert, D = 0,040-0,045, en bronze, au bras gauche (**pl. 219-4**).

TOMBE 1047 (III E1 NET1) (**pl. 105, 218**)
17-10-1991, pleine terre, F, 180,29 m, N-S
Squelette couché sur le côté droit, bras repliés, main gauche devant la tête, main droite sous la tête, jambes fléchies, genoux près des coudes. Des briques crues alignées de façon irrégulière, situées à l'ouest près des jambes.
Céramiques
III E1 NE11 : vase, devant les genoux (**pl. 219-7**).
III E1 NE12 : coupe, sur NE11 (**pl. 219-8**).
III E1 NE13 : vase, devant NE11 (**pl. 219-10**).
III E1 NE14 : coupe, de chant devant NE13 (**pl. 219-9**).
III E1 NE15 : vase globulaire à large ouverture, au niveau du crâne (**pl. 219-11**).

TOMBE 1048 (III E1 SOT2)
17-10-1991, jarre, F, 180,10 m
Quelques ossements.
Objets
III D1 SE46 (TH91.7) : boucle d'oreille en or, faite de deux croissants soudés, un anneau de suspension, à l'avant une cavité permettant d'enchâsser une perle entourée d'un grènetis en or (**pl. 218-7**).
III D1 SE47 : deux coquillages.
III E1 SO8 (THH91.68), III E1 SO10 (TH91.69) : épingles en bronze, à enroulement (**pl. 218-3, 4**).
III E1 SO9 : six fragments percés d'une plaque en bronze.
III E1 SO11 (TH91.56) : hache à languette repliée, en bronze (**pl. 218-5**).
III E1 SO12 (TH91.54) : pointe de flèche en bronze, à lame losangique, dont la soie a disparu (**pl. 218-6**).

TOMBE 1049 (IV P4 NET1)
21-10-1991, pleine terre, A, 181,99 m
Squelette en très mauvais état, dont la position n'était pas déterminable.
Céramique
IV P4 NE1 : vase légèrement incliné contre un mur, situé à proximité, et qui pouvait faire partie de la tombe.

TOMBE 1050 (III E1 NOT2)
23-10-1991, jarre, F, 179,79 m, debout
III E1 NO11 : vase globulaire à large ouverture, fond arrondi, deux bourrelets à la base du col (**pl. 219-12**), posé sur un sol.
H = 0,192, D = 0,27, ouv. = 0,20
Squelette d'un nouveau-né ou d'un fœtus, affaissé, avec de la terre d'infiltration.

TOMBE 1051 (III E1 NET2)
29-10-1991, pleine terre, F, 179,62 m, N-S
Squelette d'un enfant âgé de six à huit mois, couché sur le côté droit, bras et jambes repliés, sous des briques crues, ayant percé un sol.

TOMBE 1052 (III E1 SOT3) (**pl. 106, 220**)
29-10-1991, sarcophage, F, 178,78 m, E-O
Cuve rectangulaire, angles arrondis, fond plat, parois verticales, fond enduit de plâtre blanc, placé sous un sol.
L = 1,16, l = 0,65
Couverture, qui devait être arrondie, effondrée sur le squelette.
Squelette d'un homme couché sur le côté droit, bras pliés, jambes fléchies, pieds sous le bassin, le thorax était écrasé par la couverture effondrée, genoux posés sur la jarre SO54.
Des restes de tissu sur le thorax.
Près du sarcophage une demi-mandibule de capriné.
Dans la coupe SO85, une corne et deux os longs de jeune capriné.
Céramiques
Certaines trouvées à l'extérieur du sarcophage :
III E1 SO40, III E1 SO42 : jarres alignées à l'ouest de la cuve (**pl. 221-1, 4**).
III E1 SO41, III E1 SO43 : vases globulaires à large ouverture, avec SO40, SO42 (**pl. 221-2, 3**).
III E1 SO44, III E1 SO49 : jarres alignées à l'est de la cuve
III E1 SO50 : jarre à l'est de la cuve avec SO44 et SO49 (**pl. 222-1**).
III E1 SO45 : coupe (**pl. 221-5**).
III E1 SO46 : coupe renversée sur SO44.
III E1 SO47 : coupe renversée sur SO49 (**pl. 221-6**).
III E1 SO48 : coupe renversée sur SO50 (**pl. 221-8**).
III E1 SO51 : vase globulaire à large ouverture, près de SO44, SO49, SO50 (**pl. 221-7**).
III E1 SO84, III E1 SO85 : coupes, de chant à l'ouest de la cuve (**pl. 222-4, 5**).
D'autres trouvées à l'intérieur du sarcophage :
III E1 SO52 : jarre debout, à côté de SO54 (**pl. 222-2**).
III E1 SO53 : coupe renversée sur SO52.
III E1 SO54 : vase en terre cuite noire, sous les genoux (**pl. 222-3**).
Objets
Certains à l'intérieur du sarcophage :
III E1 SO55 (TH91.139), III E1 SO56 (TH91.140), III E1 SO57 (TH91.141) : épingles en bronze, à enroulement, SO55 et SO56 étaient placées devant le crâne, SO57 était près du vase SO54 (**pl. 222-6, 7, 8**).
III E1 SO61 (TH91.142) : plaque circulaire en bronze, incurvée, percée, trouvée près du crâne avec SO55 et SO56 (**pl. 222-11**).
III E1 SO62 (TH91.143) : couteau en bronze, près de SO55 et SO56 (**pl. 222-9**).
III E1 SO63 (TH91.144) : plaque rectangulaire percée, en bronze, à plat sur le thorax.
III E1 SO64 (TH91.127) : perle en cornaline, avec SO57 (**pl. 222-10**).
III E1 SO65 : coquillage percé, avec SO57 et SO64.
Un objet trouvé à l'extérieur du sarcophage :
III E1 SO66 (TH91.145) : hache à languette repliée, en bronze, située contre la paroi sud (**pl. 269-12**).

TOMBE 1053 (III E1 SET1) (**pl. 106**)
30-10-1991, pleine terre, F, O-E
Squelette en mauvais état, couché sur le côté droit, bras et jambes repliés, sous un sol.
Céramiques
III E1 SE25 (TH91.181) : coupe-support avec un décor incisé, portant trois ouvertures triangulaires à mi-hauteur, inclinée devant le crâne (**pl. 223-1**).
III E1 SE26 : jarre debout au delà du crâne (**pl. 223-3**).
III E1 SE27 : vase globulaire écrasé.
III E1 SE28 (TH91.182) : vase avec sur le col une figurine féminine nue en position d'atlante, trouvé incliné près du crâne (**pl. 223-2**).
III E1 SE29 : vase à panse carénée, en terre cuite noire, incliné, au delà du crâne avec SE25 et SE28 (**pl. 223-4**).
III E1 SE30, III E1 SE31, III E1 SE32, III E1 SE33 : coupes alignées au sud du squelette (**pl. 223-5, 7, 6, 8**).
III E1 SE34 : vase globulaire à large ouverture, incliné au niveau des genoux (**pl. 224-1**).
III E1 SE35 : jarre en terre cuite gris foncé, près de SE34 (**pl. 224-2**).
III E1 SE36 : vase globulaire à large ouverture, près des pieds (**pl. 223-12**).
III E1 SE37, III E1 SE38, III E1 SE41 : coupes, près des pieds (**pl. 223-10, 11, 9**).
Objets
III E1 SE17 (TH91.130) : couteau en bronze, posé devant le crâne, entre SE27 et SE28 (**pl. 224-3**).
III E1 SE18 (TH91.131) : hache à languette repliée, en bronze, avec des restes de bois à l'intérieur du repli, située sous SE17 (**pl. 224-4**).
III E1 SE19 (TH91.132) : couteau en bronze, avec SE20, sous SE17 et SE18 (**pl. 224-5**).
III E1 SE20 (TH91.133) : épingle en bronze, droite, à enroulement, placée perpendiculairement à SE19, sous SE17 et SE18 (**pl. 224-6**).
III E1 SE21 (TH91.134) : plaque circulaire incurvée, en bronze, trouvée sur le crâne, plus ou moins encastrée dans le maxillaire (**pl. 224-8**).
III E1 SE22 (TH91.135) : plaque rectangulaire incurvée, en bronze, posée à plat sur l'omoplate (**pl. 224-9**).
III E1 SE23 (TH91.136), III E1 SE42 (TH91.137) : épingles en bronze, droites, à enroulement, au niveau des pieds près de SE36, SE37 et SE42 (**pl. 224-7, 10**).
III E1 SE24 (TH91.138) : perle en cornaline, dans la terre près de SE23 (**pl. 224-11**).

TOMBE 1054 (III E1 NOT3) (**pl. 106**)
2-11-1991, briques, F, 178,84 m
Construite en briques crues (0,45 x 0,25 x 0,08/0,27 x 0,18 x 0,08/ 0,45 x 0,12 x 0,08), rectangulaire.
L = 1,14, l = 0,94, H = 0,19
Quelques ossements épars.
Céramique
III E1 NO20 : coupe dans l'angle nord-est de la tombe (**pl. 224-12**).
Objet
III E1 NO21 : bracelet en bronze, contre la paroi sud.

TOMBE 1055 (III E1 NET3)
2-11-1991, pleine terre, F, 179,45 m, O-E
Squelette d'un très jeune enfant, couché sur le côté gauche, bras et jambes repliés, situé contre un mur.

TOMBE 1056 (III E1 NET4)
4-11-1991, sarcophage, F
Non dégagée.
Des jarres cassées : III E1 NE42 à III E1 NE47, des vases et coupes III E1 NE36 à III E1 NE41, situés au sud du sarcophage.

TOMBE 1057 (III E1 NOT1)
23-09-1993, pleine terre, F, 180,31 m, O-E
Squelette d'un homme couché sur le dos, bras allongés, jambes repliées vers le nord, dans une fosse de 1,0 x 0,48 m.
Des tessons tout autour dans une terre rouge brûlée.

TOMBE 1058 (III G1 SET1)
23-09-1993, pleine terre, F, S-N
Squelette d'une femme couché sur le côté gauche, tête au sud tournée vers l'ouest, appuyée contre un mur, bras repliés vers la tête, jambes fléchies.
Céramiques
III G1 SE5 : bouteille posée, inclinée, sur le bras droit (**pl. 226-1**).
III G1 SE6 : assiette en terre cuite rouge, de chant devant les jambes (**pl. 226-2**).

TOMBE 1059 (III G1 SET2) (**pl. 225**)
23-09-1993, jarre, F, debout
III G1 SE7 : jarre globulaire à large ouverture, fond plat, avec deux bourrelets à la base du col (**pl. 225-1**), placée contre un mur, remplie de terre d'infiltration.
H = 0,26, D = 0,32, ouv. = 0,23
III G1 SE11 : vase globulaire à fond plat, un bourrelet sur la panse, posé sur SE7.
Squelette d'un enfant âgé de six mois, dans le fond de la jarre, couché sur le côté gauche, en position très contractée, denture lactéale dans les alvéoles.

TOMBE 1060 (III G1 NOT1) (**pl. 107, 225, 227**)
25-09-1993, sarcophage, F, 179,81-180,07 m, O-E
III G1 NO7 : cuve rectangulaire, angles arrondis, fond plat, parois verticales, pleine de terre d'infiltration, paroi nord légèrement incurvée, dans une fosse.
L = 1,0, l = 0,50-0,60, H int. = 0,24-0,26, bord = 0,04
Couvercle plat dont il restait des fragments.
Squelette d'un homme couché sur le côté gauche, replié sur lui-même, mains au niveau de la tête, jambes fortement fléchies, genoux près des mains (la cuve mesurant 1,0 m de long, le corps a été replié sur lui-même).
III G1 NO12 : une demi-mandibule de capriné posée sur le vase NO4.
Céramiques
Certaines trouvées dans le sarcophage :
III G1 NO2 : jarre couchée, ouverture vers le sud (**pl. 226-9**).
III G1 NO3 : jarre couchée au SE (**pl. 226-10**).
III G1 NO4 : vase globulaire à large ouverture, au nord de NO3, recouvert par un tesson (**pl. 226-8**).
III G1 NO5 : jarre couchée, ouverture vers l'est, près de l'angle nord-ouest de la cuve (**pl. 226-11**).
III G1 NO8, III G1 NO9, III G1 NO10, III G1 NO11 : coupes empilées les unes sur les autres, dans l'angle sud-ouest de la cuve (**pl. 226-3, 6, 4, 7**).
III G1 NO13 : coupelle en terre cuite rouge, trouvée dans la cuve, dans la terre d'infiltration (**pl. 226-5**).
Une trouvée à l'extérieur :
III G1 NO6 : vase couché contre la paroi est.

TOMBE 1061 (III G1 SOT1) (**pl. 107, 227**)
25-09-1993, jarre, F, 180,47 m, SO-NE
III G1 SO9 : jarre cassée, dont il restait seulement la partie inférieure, un bourrelet sur la panse, fond plat ; à l'intérieur, de nombreux tessons de différentes jarres, un fragment de couvercle plat, qui devait être circulaire et portait deux rainures concentriques, un fond de jarre à base annulaire dont l'intérieur était enduit de bitume, qui était de chant et qui avait pu servir de couvercle à la tombe.
Squelette d'une femme effondré, ossements en mauvais état, dont la position n'était pas déterminable.
Céramiques
III G1 SO7, III G1 SO10 : bouteilles placées, debout, au sud-ouest de la jarre SO9 (**pl. 227-1, 2**).
III G1 SO11 : fond de vase en terre très peu cuite noire, près du crâne.

TOMBE 1062 (III F1 SET1)
26-09-1993, jarre, F, 180,27-180,64 m, SO-NE
III F1 SE7 : jarre à fond arrondi, deux bourrelets à la base du col (**pl. 228-1**), inclinée.
III F1 SE2 : jarre ouverte à fond plat, portant trois rainures sous le col, posée renversée sur SE7 (**pl. 228-2**).
H = 0,35, D = 0,42, ouv. = 0,175
Squelette d'une jeune femme couché sur le côté gauche, position des bras indéterminable car les os étaient en mauvais état, jambes repliées.
III F1 SE8 : linceul en tissu de couleur brune, trouvé au niveau des jambes.
III F1 SE9 : deux fragments de bois, au niveau de l'emplacement des bras.
Céramiques
III F1 SE6 : petit vase trouvé près du fond de SE7 (**pl. 228-3**).
III F1 SE10 : vase avec un décor au bitume sur le haut de la panse : un oméga entouré de deux traits courbes ; situé à l'extérieur, au sud de SE7 (**pl. 228-4**).
III F1 SE11 : vase placé à côté de SE10 (**pl. 228-5**).

TOMBE 1063 (III F1 NOT1) (**pl. 229**)
30-09-1993, pleine terre, F, 180,74 m, E-O
Quelques ossements d'un enfant.
Céramiques
III F1 NO3 : jarre debout (**pl. 228-9**).
III F1 NO4 : jarre inclinée vers le nord-est (**pl. 228-10**).
III F1 NO5 : coupe couchée à l'est de NO3, 4, 6 (**pl. 228-6**).
III F1 NO6 : vase globulaire à large ouverture, en terre cuite rouge, incliné vers le nord-est (**pl. 228-11**).
III F1 NO7 : coupe en terre cuite rouge, renversée sur NO6 (**pl. 228-7**).
III F1 NO8 : coupe renversée sur NO3 (**pl. 228-8**).
Objets en bronze
III F1 NO9 +10 (TH93.63) : plaque fragmentaire plate (**pl. 229-1**).
III F1 NO11 (TH93.64) : plaque fragmentaire incurvée (**pl. 229-2**).
III F1 NO12 (TH93.65) : cylindre creux fragmentaire (**pl. 229-3**).
III F1 NO13 (TH93.66) : élément de parure fait de deux anneaux ouverts trouvés accolés (**pl. 229-5**).
III F1 NO14 (TH93.67) : plaque circulaire incurvée (**pl. 229-4**).
III F1 NO15 (TH93.68) : pointe de flèche à lame losangique, soie cassée (**pl. 229-6**).
III F1 NO16 (TH93.69) : pointe de flèche à lame losangique, soie cassée (**pl. 229-7**).
Tous les objets ont été trouvés à l'est des vases.

TOMBE 1064 (III G2 SET1)
30-09-1993, jarre, F, 180,69 m, O-E
III G2SE10 : jarre à panse globulaire portant trois bourrelets assez fins, bord plat avec des rainures (**pl. 229-8**), inclinée et en partie écrasée, située dans une fosse de 1,30 m de diamètre qui a percé un mur ; des fragments de la jarre se sont effondrés et ont écrasé le squelette.
Squelette d'un homme jeune, couché sur le côté gauche, recroquevillé, genoux devant la tête.
Céramiques
III G2 SE6 : coupe près de SE9 (**pl. 229-9**).
III G2 SE7 : jarre debout, contre la paroi de la fosse (**pl. 229-11**).
III G2 SE8 : tesson décoré d'une pastille en relief, et dont le bord est enduit de bitume, posé à l'envers sur SE9 (**pl. 229-12**).
III G2 SE9 b : vase debout contre la paroi de la fosse (**pl. 229-10**).

TOMBE 1065 (III E1 SET2) (**pl. 107, 230**)
3-10-1993, pleine terre, F, 179,42 m, O-E
Située dans un mur de fondation : une fosse de 0,70 x 0,35m a été creusée dans une brique de la deuxième assise de ce mur, la brique posée sur le corps a écrasé le vase SE47 qui était posé sur les jambes ; la fosse dépassait légèrement du mur.

Squelette d'un enfant âgé de deux ans, couché sur le côté droit, en position recroquevillée, mains au niveau de la tête, jambes repliées.
Céramiques
III E1 SE46 : petit vase globulaire, de chant devant la tête (**pl. 230-1**).
III E1 SE47 : vase globulaire en terre cuite rose.
Objet
Une coquille d'*Unio* (non inventoriée) posée contre SE47.

TOMBE 1066 (III F1 NOT2)
3-10-1993, jarre, F, 181,01 m, SO-NE
III F1 NO17 : jarre à fond plat et panse globulaire, deux bourrelets à la base du col (**pl. 229-18**), inclinée.
H = 0,71, D = 0,504, ouv. = 0,26
III F1 NO18 : jarre ouverte renversée sur NO17.
Squelette écrasé dans le fond de la jarre qui était pleine de terre d'infiltration.
Céramiques
III F1 NO26 : petit vase à panse globulaire, fond arrondi, col étroit, renversé près du crâne (**pl. 229-19**).
III F1 NO27 : petit vase à panse globulaire, fond arrondi, col large, renversé près du crâne (**pl. 229-20**).
III F1 NO28 : petit vase à panse globulaire, fond plat, col étroit, renversé près du crâne (**pl. 229-21**).
Objets
III F1 NO19 (TH93.81) : boucle d'oreille en or, faite de deux croissants soudés et remplis de plâtre, un anneau de suspension fixé sur un croissant à l'avant, une tige percée à l'arrière sur l'autre croissant permet de passer l'anneau de suspension et de fermer la boucle ; à l'avant une cavité formée par deux petits bourrelets lisses concentriques, en or, permettant d'enchâsser une perle (**pl. 229-13**).
III F1 NO20 (TH93.82) : boucle d'oreille en or, identique à la précédente.
III F1 NO21 (TH93.83) : deux perles en or (**pl. 229-15**).
III F1 NO22 (TH93.83) : perle en lapis-lazuli (**pl. 229-16**).
III F1 NO23 (TH93.83) : cinq perles en cornaline (**pl. 229-17**).
III F1 NO24 (TH93.71) : quatorze anneaux fermés, en coquille ; deux portaient à l'intérieur des rangées de très petites perles plates alignées (en fritte ?); ces anneaux qui étaient sûrement des bagues ont été trouvés près du crâne et ont pu être utilisés comme éléments de coiffure, fixés sur un support (**pl. 229-19**).
III F1 NO25 (TH93.72) : deux anneaux ouverts en argent, très abîmés, boucles d'oreilles ?

TOMBE 1067 (III G2 NOT1) (**pl. 108, 231**)
3-10-1993, sarcophage, F, 179,97-180,23 m, O-E
Cuve rectangulaire, angles arrondis, fond plat, parois verticales, qui a dû être cassée lors de l'introduction dans la fosse car la paroi sud était incurvée, pleine de terre d'infiltration.
L = 1,03, l = 0,54, H int. = 0,24, bord = 0,04
Couvercle plat, à angles arrondis, cassé, de dimensions un peu plus grandes que celles de la cuve, et dont des fragments étaient dans cette dernière.
Squelette d'une femme couché sur le côté gauche, bras repliés vers la bouche qui était grand'ouverte, jambes fléchies.
Céramiques
III G2 NO6 : coupe couchée derrière la tête, dans la cuve (**pl. 232-4**).
Six céramiques trouvées à l'extérieur du sarcophage, le long de la paroi sud :
III G2 SO8 b : jarre debout (**pl. 232-1**).
III G2 SO9 : vase globulaire à large ouverture, au sud de SO8 (**pl. 232-6**).
III G2 SO10 : jarre debout (**pl. 232-2**).
III G2 SO11 : vase debout, près de SO10 (**pl. 232-3**).
III G2 SO12 : coupe posée sur SO8.
III G2 SO13 : coupe posée sur SO10 (**pl. 232-5**).
Objets
III G2 NO3 (TH93.95) : cylindre gravé en albâtre gypseux.
III G2 NO4 (TH93.43) : épingle en bronze, droite, sans chas, trouvée dans le creux du bras gauche, avec le cylindre (**pl. 231-1**).
III G2 NO5 (TH93.44) : épingle en bronze, droite, avec chas, près de NO4 (**pl. 231-2**).

TOMBE 1068 (III G1 NOT2) (**pl. 107**)
4-10-1993, jarre, F, 181,01-181,22 m, NO-SE
Jarre couchée, en partie cassée, portant un gros bourrelet en haut de la panse.
Squelette couché sur le côté gauche, bras et jambes repliés, tibias sous les fémurs.
Céramiques
III G1 NO15 : coupe posée de chant devant la tête (**pl. 232-7**).
III G1 NO16, III G1 NO17 : vases situés derrière la tête, à l'ouest (**pl. 232-10, 11**).
III G1 NO19 : coupelle en terre cuite rouge, près des bras (**pl. 232-8**).
III G1 NO20 : petit vase à côté de NO19 (**pl. 232-12**).
Objet
III G1 NO18 : tige en bronze posée sur l'omoplate droite (**pl. 232-9**).

TOMBE 1069 (III G2 NOT2) (**pl. 108**)
5-10-1993, sarcophage, F, 179,59-180,25 m, O-E
III G2 NO22 a : cuve rectangulaire, angles arrondis, fond plat, parois légèrement obliques, cinq bourrelets à l'extérieur, du bitume sur la base et le fond (**pl. 233-1**), remplie de terre d'infiltration, située dans une fosse ; pas de couvercle retrouvé.
L = 1,11, l = 0,62, H = 0,64, bord = 0,06
Squelette couché sur le côté gauche, bras et jambes repliés, la tête reposant sur le bras gauche.
Céramiques
III G2 NO12 : tesson portant un décor incisé et des restes de peinture rouge, trouvé dans la cuve (**pl. 233-2**).
III G2 NO16 : jarre, à l'extérieur, contre la paroi nord de la cuve (**pl. 233-7**).
III G2 NO17, III G2 NO19, III G2 NO20 : vases globulaires à col étroit, près de NO16 (**pl. 233-5, 6, 8**).
Objets
III G2 NO10 (TH93.45) : épingle en bronze, droite, avec chas, située près du bras droit (**pl. 233-3**).
III G2 NO11 (TH93.46) : épingle en bronze, droite, près de NO10 (**pl. 233-4**).

TOMBE 1070 (III D1 NET2)
6-10-1993, pleine terre, F, 179,22 m, O-E
Deux squelettes dans une fosse de 1,50 x 0,80 m, couchés sur le côté gauche, en position fortement repliée : à l'ouest un jeune individu, à l'est un adulte.

TOMBE 1071 (III G2 NOT3) (**pl. 108**)
6-10-1993, pleine terre, F, 181.34 m, N-S
Squelette d'un enfant âgé de trois à quatre ans, couché sur le côté droit, dans une fosse circulaire de 1,30 x 0,97 m de diamètre, bras repliés vers la tête, jambes fortement fléchies, tibias sous les fémurs.
Céramiques
III G2 NO13 : vase incliné vers le nord, situé près des jambes (**pl. 233-11**).
III G2 NO14 : petit vase globulaire à large ouverture, posé de chant, ouverture vers le sud, devant la tête (**pl. 233-10**).
Objets
III G2 NO15 a et b (TH93.70) : boucles d'oreilles en bronze situées l'une à droite et l'autre à gauche de la tête (**pl. 233-9**).

TOMBE 1072 (III F2 NET1)
9-10-1993, jarre, F, 180,25 m, SE-NO
III F2 NE5 : jarre globulaire à large ouverture, trois rainures en haut de la panse et deux bourrelets sous le col, bord plat (**pl. 236-1**), renversée et pleine de terre d'infiltration.
H = 0,197, D = 0,287, ouv. = 0,274
Ossements mélangés d'un nouveau-né.

TOMBE 1073 (III F2 SET1) (**pl. 234**)
9-10-1993, pleine terre, F, 179,96 m, N-S
Squelette d'un homme couché sur le dos, bras croisés sur le thorax, main gauche posée un peu plus haut que la droite sur la clavicule, dos sur un grand tesson, crâne incliné vers l'est, menton sur le haut du thorax ; dents très usées avec des trous, certaines manquaient ; l'individu n'était pourtant pas très âgé (sutures de l'exocrâne encore visibles) mais il avait dû souffrir des dents. Jambes repliées à 90° vers l'est.
Céramiques
III F2 SE4 : coupe située au-dessus des ossements (**pl. 234-1**).
III F2 SE5 : vase trouvé sous les ossements (**pl. 234-2**).

TOMBE 1074 (III H1 NET1) (**pl. 234, 235**)
9-10-1993, jarre, F, 181,76 m, debout
III H1 NE10 : jarre à panse globulaire, fond légèrement arrondi, large ouverture (**pl. 234-3**), pleine de terre d'infiltration, dans une fosse avec T 1075.
H = 0,33, D = 0,24, ouv. = 0,15
III H1 NE11 : coupe renversée sur NE10 (**pl. 234-5**).
Squelette d'un enfant âgé de six mois, couché sur le côté gauche dans le fond de la jarre.
Céramique
III H1 NE7 : vase trouvé à l'extérieur de NE10 (**pl. 234-4**).

TOMBE 1075 (III H1 NET2) (**pl. 235**)
9-10-1993, jarre, F, 181,70 m, debout
III H1 NE12 : jarre à panse globulaire, fond presque plat, large ouverture (**pl. 235-1**), pleine de terre d'infiltration, dans une fosse avec T 1074.
H = 0,31, D = 0,26, ouv. = 0,16
III H1 NE13 : coupe renversée sur NE12 (**pl. 235-3**).
Squelette d'un enfant âgé de six mois, couché sur le côté gauche dans le fond de la jarre.
Céramique
III H1 NE8 : vase trouvé à l'extérieur de NE12 (**pl. 235-2**).

TOMBE 1076 (III H1 SET1)
9-10-1993, sarcophage, F, 180,33 m, O-E
Tombe-couvercle : grosse jarre en terre cuite très épaisse et grossière portant un bourrelet sur la panse, fond plat, retournée sur le corps qui reposait sur des briques cuites et des tessons.
Squelette couché sur le côté gauche, ossements en très mauvais état.
Céramique
III H1 SE10 : coupe renversée au-dessus des ossements (**pl. 236-2**).

TOMBE 1077 (III D1 SET4) (**pl. 109, 235**)
TOMBE 1078 (III D1 SET5)
11-10-1993, jarres, F, 177,37-178,13 m, O-E
Deux jarres couchées à côté l'une de l'autre, dans une fosse de 1,50 m de diamètre.

T 1077, tombe nord :
III D1 SE57 : jarre à fond arrondi, portant deux bourrelets en haut de la panse, à bord plat (**pl. 235-4**).
H = 0,82, D = 0,65, ouv. = 0,42
III D1 SE65 : couvercle plat de SE57, muni d'un bouton de préhension circulaire (**pl. 235-6**).
H = 0,028, D = 0,45
Squelette couché sur le côté gauche, dont les os, très mal conservés, étaient pulvérulents, bras et jambes fortement repliés, genoux près du thorax.
III D1 SE72 : linceul en tissu qui recouvrait le corps.

T 1078, tombe sud :
III D1 SE66 : jarre à fond arrondi, portant deux fins bourrelets en haut de la panse, à bord plat, munie de quatre anses arrondies diamétralement opposées (**pl. 235-5**).
H = 0,82, D = 0,68, ouv. = 0,46
III D1 SE67 : jarre-couvercle fragmentaire, dont l'intérieur et le fond extérieur étaient enduits de bitume, le fond arrondi était percé d'un trou, elle était retournée sur SE66 ; un fragment de brique cuite calait cette jarre.
Squelette en très mauvais état, dont les os pulvérulents effondrés dans le fond de la jarre rendaient la position indéterminable.
III D1 SE73 : fragments de bois trouvés dans la jarre.
Des ossements de boviné : deux fragments d'omoplate, de métatarse et de bassin, un calcanéum, trouvés dans la fosse des tombes.
Céramiques
Elles ont été trouvées dans la fosse, à l'extérieur des deux jarres, et ont été affectées aux deux tombes globalement, leur proximité des jarres ne permettait pas de les attribuer à l'une ou l'autre séparément :
III D1 SE58 : coupe renversée sur SE60 (**pl. 236-3**).
III D1 SE59 : coupe renversée sur SE61 (**pl. 236-4**).
III D1 SE60 : vase-bouteille à l'est de SE61 (**pl. 236-6**).
III D1 SE61 : vase-bouteille légèrement incliné, près du col de SE66 (**pl. 236-7**).
III D1 SE62 : vase-bouteille couché à l'ouest des deux jarres, prés de la paroi de la fosse (**pl. 236-10**).
III D1 SE64 : vase, près de la jarre-couvercle SE67 (**pl. 236-11**).
III D1 SE70 : tesson avec un décor incisé, trouvé dans la fosse des tombes (**pl. 236-8**).
III D1 SE71 : coupe en terre cuite noire, de chant près du fond de la jarre SE57 (**pl. 236-5**).
III D1 SE74 : coupe en terre cuite noire, identique à SE71, placée sous SE57 (**pl. 236-12**).
Objets
III D1 SE63 : bouchon en terre crue, de forme arrondie, qui s'enfonçait dans le col du vase SE62 (**pl. 236-9**).
III D1 SE68 : tige en bronze, dans la fosse au-dessus de SE66.
III D1 SE69 : perle en lapis-lazuli, dans la fosse des tombes.

TOMBE 1079 (III E1 SOT4) (**pl. 107, 237**)
11-10-1993, jarre, F, 178,54-179,34 m, debout
III E1 SO97 : jarre fragmentaire dont la partie supérieure manquait, pleine de terre très compacte et de tessons, dans une fosse ; deux bourrelets sur la panse ; elle a abîmé un mur.
Squelette effondré au fond de la jarre, écrasé par la terre, dont il a été impossible de déterminer la position.
Céramiques
III E1 SO59 : jatte, posée sur SO98 (**pl. 237-3**).
III E1 SO98 : vase-bouteille, légèrement incliné au nord contre SO97 (**pl. 237-1**).
III E1 SO99 : vase, incliné au nord contre SO97, à l'ouest de SO98 (**pl. 237-2**).
III E1 SO100 : coupe, renversée sur SO99.

TOMBE 1080 (III G2 NOT4)
11-10-1993, pleine terre, F, O-E
Située à l'est et en partie sous le sarcophage de T 1067.
Squelette d'un adolescent replié sur lui-même.

Céramiques
III G2 NO23 : petit vase globulaire à large ouverture, placé de chant à l'ouest du squelette (**pl. 238-1**).
III G2 NO24 : coupe posée sur NO23 (**pl. 238-3**).
III G2 NO25 : vase globulaire à large ouverture, près de NO23 (**pl. 238-4**).
III G2 NO27 : coupe renversée parmi les ossements (**pl. 238-2**).
Objet
III G2 NO28 : coquille d'*Unio* contenant une substance noire, khol ? parmi les osssements.

Tombe 1081 (III G2 NET1) (**pl. 108, 237**)
13-10-1993, jarre, F, 179,32-179,61 m, SO-NE
III G2 NE12 : jarre à fond plat enduit de bitume, panse globulaire, deux bourrelets fins en haut de la panse, bord plat, base du col enduite de bitume (**pl. 237-4**), couchée dans une fosse circulaire.
H = 0,90, D = 0,732, ouv. = 0,212
III G2 NE15 : couvercle plat de NE12, circulaire, muni d'une poignée, portant un décor de rainures sur la périphérie et disposées en croix sur la surface ; des restes de peinture rouge sur la face supérieure entre les rainures (**pl. 237-5**).
D = 0,55, ép. = 0,03
poignée, L = 0,11, l = 0,06, H = 0,04, ép. = 0,015
Squelette d'un homme couché sur le côté gauche, dont le crâne a basculé par rupture des vertèbres cervicales, bras repliés, mains vers la tête, jambes fortement fléchies, genoux sous le menton. Des restes de linceul en tissu de couleur beige clair et des fragments de bois dans la jarre.
Deux fragments des extrémités d'une ceinture trouvés au niveau des vertèbres lombaires : l'un est constitué de lamelles de cuir accolées les unes aux autres, chacune d'elles étant faite d'une fine plaque de cuir repliée sur elle-même et perforée de part en part ; l'autre fragment est fait de la même façon mais les lamelles ne sont pas perforées ; l'extrémité des deux fragments est arrondie, les lamelles se replient sur elles-mêmes.
H = 0,03, l = 0,37
Céramiques
trouvées à l'extérieur de NE12 :
III G2 NE9 : vase-bouteille incliné (**pl. 238-5**).
III G2 NE10 : vase muni d'une sorte de bec percé sur le bord du col, incliné vers le sud-ouest (**pl. 238-6**).
III G2 NE11 : coupe renversée, près de NE10 (**pl. 238-7**).
III G2 NE13 : petit vase globulaire à large ouverture, renversé sur NE9 (**pl. 238-8**).
III G2 NE14 : coupe renversée sur NE10 (**pl. 238-9**).
III G2 NE67 : coupe (**pl. 238-10**).

Tombe 1082 (III G2 NET2) (**pl. 108, 239**)
13-10-1993, pleine terre, F, O-E
Squelette d'une femme âgée de dix-huit à vingt ans, couché sur le dos, tête inclinée vers le nord, bras croisés, jambes repliées à 90° vers le nord.
Céramiques
III G2 NE16 : coupe posée de chant à l'ouest de la tête (**pl. 240-1**).
III G2 NE23 : vase à fond pointu, trouvé debout à l'est de la tombe (**pl. 240-2**).
III G2 NE24 : vase identique à NE23, situé contre lui (**pl. 240-3**).
III G2 NE26 : vase en terre cuite noire, incliné près de NE23 (**pl. 240-5**).
III G2 NE27 : petit vase globulaire à col très étroit, renversé sous NE26 (**pl. 240-4**).
IIIG2 NE31, NE33 : coupes (**pl. 240-6, 7**).
III G2 NE64 : vase globulaire en terre cuite noire, muni de deux séries de deux tenons de suspension percés chacun d'un trou, diamétralement opposés sur le bord du vase, trouvé à l'ouest de la tête, au-dessous de NE16 (**pl. 240-9**).
III G2 NE65 : vase globulaire à large ouverture, posé de chant, ouverture vers l'est, au nord des bras (**pl. 240-10**).
III G2 NE69 b : jarre (**pl. 241-1**).
III G2 NE70 b : jarre portant un décor en haut de la panse fait de deux séries de lignes horizontales d'incisions séparées par une série de lignes ondulées ; posée près de NE73 (**pl. 241-2**).
III G2 NE71 : coupe placée sous le vase en bronze NE68 (**pl. 240-11**).
III G2 NE72 : vase en terre cuite noire, muni de deux tenons de suspension diamétralement opposés et percés chacun de deux trous, avec NE69 b.
III G2 NE73, III G2 NE74, III G2 NE76 : jarres situées au nord du squelette (**pl. 241-3, 4, 5**).
III G2 NE75 : jarre, près de NE74.
III G2 NE77 a, III G2 NE77 b : coupes (**pl. 240-8, 12**).
III G2 NE78 : petit vase (**pl. 240-13**).
Objets
III G2 NE25 (TH93.114) : vase en bronze à col droit, panse globulaire, fragmentaire, posé de chant sur l'ouverture de NE26 (**pl. 241-6**).
III G2 NE32 : trente-huit coquillages spiralés, sciés longitudinalement, trouvés dans le contexte de la tombe.
III G2 NE35 (TH93.1) : bandeau en or, fait d'une feuille plate, qui devait être autour du front (était détaché d'un côté) (**pl. 242-1**).
III G2 NE36 (TH93.2) : sept fragments perforés en os, près du vase NE65, éléments de parure, d'incrustation ? (**pl. 242-2**).
III G2 NE37 (TH93.3) : objet fait de deux enroulements plats en argent reliés et décorés de trois demi-boules en électrum ; situé sur le côté gauche du crâne, élément de chevelure ou de coiffure (**pl. 242-3**).
III G2 NE38 (TH93.4) : perle plate ovale en or, près des autres perles NE48, 62 (**pl. 242-4**).
III G2 NE39 (TH93.5), III G2 NE41 (TH93.7) : anneaux en or faits d'une feuille pliée sur elle-même ; situés à la base du crâne, du côté gauche (**pl. 242-5, 7**).
III G2 NE40 (TH93.6) : boucle d'oreille en or, faite de deux croissants soudés, pleins d'une âme en plâtre, anneau de suspension ouvert fixé sur un croissant ; trouvée avec NE39 et NE41 (**pl. 242-6**).
III G2 NE42 (TH93.8) : pièce vestimentaire en bronze et argent, en forme de disque à bord perforé, placée sur le côté gauche du thorax (**pl. 242-8**).
III G2 NE43 (TH93.9), III G2 NE44 (TH93.10)) : bracelets ouverts en argent, D = 0,049-0,060 et 0,048-0,058, placés l'un au bras droit et l'autre au bras gauche (**pl. 242-9, 10**).
III G2 NE45 (TH93.11), III G2 NE46 (TH93.12) : épingles droites à chas, en bronze, accolées derrière le bassin de la défunte (**pl. 242-11, 12**).
III G2 NE47 (TH93.13) : perle cylindrique en argent, avec NE45 et 46 (**pl. 242-13**).
III G2 NE48 (TH93.14) : perle en lapis-lazuli dont les deux extrémités sont recouvertes d'une feuille d'or ; posée sur le thorax avec les perles NE38 et 62 (**pl. 242-14**).
III G2 NE49 (TH93.15) : perle en cornaline veinée, sertie dans des capsules en or ; sur le thorax avec les autres perles (**pl. 242-15**).
III G2 NE50 (TH93.16), III G2 NE51 (TH93.17), III G2 NE52 (TH93.18), III G2 NE53 (TH93.19), III G2 NE55 (TH93.21) : anneaux en or faits d'une feuille pliée sur elle-même ; situés à la base du crâne, du côté droit (**pl. 242-16, 17, 18, 19, 21**).
III G2 NE54 (TH93.20) : boucle d'oreille en or, faite de trois croissants soudés, remplis d'une âme, anneau de suspension fixé sur le croissant médian, trouvée avec NE50, NE51, NE52, NE53 (**pl. 242-20**).
III G2 NE56 (TH93.22) : cylindre gravé en lapis-lazuli, serti dans des capsules en or, près du bras gauche (**pl. 242-22**).
III G2 NE57 (TH93.23) : cylindre gravé en cornaline, serti dans des capsules en or, avec NE56 (**pl. 242-23**).
III G2 NE58 (TH93.24), III G2 NE59 (TH93.25) : épingles droites en argent, NE58 a un anneau en or passé dans le chas ; situées à côté du bras gauche (**pl. 242-24, 25**).

III G2 NE60 (TH93.26) : bague ouverte, D = 0,021, en argent, à un doigt de la main gauche (**pl. 242-26**).
III G2 NE61 (TH93.27) : coquille bivalve contenant une substance noire, (khol ?) près du vase NE65.
III G2 NE62 (TH93.28) : cent quarante et une perles ; quatre-vingts en or, cinquante-huit en cornaline et trois en lapis-lazuli, trouvées avec NE38, 48, 49, et qui devaient constituer un collier (**pl. 242-27**).
III G2 NE63 (TH93.29) : élément en double spirale plate, en argent, situé près du thorax (**pl. 242-28**).
III G2 NE68 (TH94-11) : vase en bronze à fond arrondi, panse globulaire, un bourrelet en haut de la panse, col droit, deux tenons de suspension diamétralement opposés faits de deux plaques de bronze fixées l'une à l'autre de part et d'autre de la paroi par deux rivets, l'une se poursuit par un anneau qui va se fixer sur l'autre ; trouvé avec des céramiques (NE69 b à 78), au nord du squelette (**pl. 241-7**).

TOMBE 1083 (III E1 SET3)
14-10-1993, pleine terre, F, 179,21 m, O-E
Squelette d'un homme jeune couché sur le côté droit, bras et jambes repliés, crâne retourné ; ossements en mauvais état.
Céramiques
III E1 SE49 : coupe, à plat près du bassin (**pl. 243-1**).
III E1 SE50 : petite coupe avec du bitume à l'intérieur le long d'une cassure, trouvée près de SE49 (**pl. 243-2**).
III E1 SE51 : jarre couchée devant le bassin, à côté de SE49 (**pl. 243-3**).
III E1 SE54 : vase globulaire, debout, à l'est des ossements (**pl. 243-4**).

TOMBE 1084 (III H2 NOT1) (**pl. 110**)
14-10-1993, jarre, F, 179,97-180,55 m, O-E
III H2 NO24 : jarre cassée longitudinalement, fond plat, deux bourrelets en haut de la panse, bord plat, couchée (**pl. 243-5**).
H = 0,90, D = 0,72, ouv. = 0,44
III H2 NO25 : jarre ouverte renversée sur NO24, fond plat, panse carénée (**pl. 243-6**).
H = 0,145, D = 0,45
Squelette écrasé par une partie de la jarre qui était effondrée, ossements bouleversés.
Céramiques
III H2 NO11 : coupe trouvée au sud-ouest de NO24 (**pl. 243-7**).
III H2 NO12 : petit vase globulaire à large ouverture, à côté de NO11 (**pl. 243-8**).
III H2 NO13, III H2 NO14 : vases situés sur la jarre NO24 (**pl. 243-9, 10**).
III H2 NO18 : coupe en terre cuite rouge qui était dans NO24 (**pl. 243-11**).
III H2 NO29 : vase en terre cuite très fine (**pl. 243-15**), faisait-il partie de la tombe ?
III H2 NO33, III H2 NO35 : vases placés derrière la paroi de NO24 (**pl. 243-12, 14**).
III H2 NO34 : coupe posée sur NO33 (**pl. 243-13**).
III H2 NO36 : coupe posée sur NO35.

TOMBE 1085 (III H2 NOT2) (**pl. 110, 244**)
14-10-1993, jarre, F, 180,56 m, NO-SE
III H2 NO26 : jarre à fond plat, panse globulaire, deux bourrelets sous le col, bord plat (**pl. 244-1**), couchée.
H = 0,76, D = 0,62, ouv. = 0,45
III H2 NO27 : jarre ouverte renversée sur NO26, fond plat, trois rainures en haut de la panse, trois rangs de ficelle faite de brins torsadés, tout autour du col dont la base et le bord étaient enduits de bitume (**pl. 244-3**).
Squelette d'un enfant âgé de quatre à cinq ans, couché sur le côté gauche, crâne retourné par rupture des vertèbres cervicales, denture lactéale.
Des restes de linceul en tissu et des fragments de bois dans la jarre.
Céramiques
III H2 NO22 : petit vase à panse globulaire, trouvé dans NO26 (**pl. 244-4**).
III H2 NO28 : coupe située contre NO26, au sud-ouest (**pl. 244-2**).

TOMBE 1086 (III H2 NOT3) (**pl. 110**)
16-10-1993, jarre, F, 180,39-180,53 m, NO-SE
III H2 NO32 : jarre couchée, trois bourrelets en haut de la panse, entre le premier et le bord, décor en relief et incisé :
goulot évasé avec de part et d'autre deux serpents qui viennent boire au bord, les têtes des animaux étant posées sur le bord du goulot, leur bouche est faite d'une incision, leur corps ondulé est décoré de petites cupules plus ou moins alignées ; l'extérieur de la panse jusqu'au troisième bourrelet, le bord, le goulot, les serpents et la partie supérieure intérieure sont enduits de bitume (**pl. 244-5**).
Pas de renseignement sur le squelette.
Céramiques
III H2 NO30, NO31 : vases situés à l'extérieur, contre la paroi nord-est de NO32 (**pl. 244-6, 7**).

TOMBE 1087 (III H2 SOT1) (**pl. 110**)
17-10-1993, sarcophage, F, 180,57 m, O-E
III H2 SO7 : cuve rectangulaire, angles arrondis, fond plat percé d'un trou, parois obliques qui portaient trois bourrelets à l'extérieur (celle du sud était cassée) (**pl. 245-1**).
L = 0,90, H int. = 0,58, bord = 0,04
Quatre briques cuites, trois de chant, une renversée au nord-est, posées sur le bord de la cuve ; beaucoup de briques crues dans la terre de comblement (recouvraient peut-être le sarcophage).
Squelette d'une jeune femme couché sur le dos, le crâne a roulé vers le thorax, bras croisés, jambe gauche repliée, jambe droite relevée.
Céramiques
III H2 SO8 : vase globulaire à l'extérieur du sarcophage (**pl. 245-2**).
III H2 SO9 : petit vase globulaire à côté de SO8 (**pl. 245-3**).
III H2 SO10 : jarre avec SO8 et 9 (**pl. 245-4**).

TOMBE 1088 (III G2 SOT1)
21-10-1993, pleine terre, F, N-S
Seul le crâne d'un petit enfant âgé de douze à dix-huit mois a été retrouvé, il devait être couché sur le dos.

TOMBE 1089 (III G2 SOT2) (**pl. 245**)
21-10-1993, pleine terre, F, 179,34 m, SO-NE
Squelette d'un enfant âgé de six mois, couché sur le côté gauche, un gros tesson de jarre posé sur le crâne, bras droit le long du corps, bras gauche replié à 90°, jambes fléchies.
Objet
Une coquille d'*Unio* (non inventoriée) posée devant le bassin.

TOMBE 1090 (III J3 SOT1) (**pl. 110, 111, 251**)
24-10-1993, jarre, F, 180,01-180,75 m, NO-SE
III J3 SO10 : jarre à fond plat, panse globulaire avec trois fins bourrelets, enduite de bitume dans sa partie supérieure, large ouverture, pleine de terre d'infiltration ; située dans une zone cendreuse.
III J3 SO9 : jarre ouverte à fond plat, base annulaire, panse globulaire portant des incisions dans sa partie supérieure, renversée sur SO10 (**pl. 246-1**).

L'ensemble était recouvert par un gros tesson de jarre bitumé.
Squelette d'un enfant âgé de dix à onze ans, couché sur le côté gauche, bras et jambes repliés.
III J3 SO11 : deux cornes, deux mandibules, un ulna, un fragment d'omoplate et des dents de capriné, un métatarse, un métacarpe, un humérus et des vertèbres d'oviné, deux métacarpes, un fragment d'omoplate, une phalange et deux molaires de boviné ; trouvés près de SO10.
Céramiques
III J3 SO4 : vase couché au-dessus du couvercle SO9 (**pl. 246-2**).
III J3 SO5 : vase situé au sud de SO10 (**pl. 246-4**).
III J3 SO13, SO14 : vases trouvés à la base de SO10 (**pl. 246-3, 5**).

Tombe 1091 (III G2 NOT5) (**pl. 245**)
25-10-1993, pleine terre, F, 178,75 m, E-O
Squelette d'un homme âgé de vingt ans, couché sur le côté gauche, bras allongés, jambes repliées, dans une fosse de 1,70 x 1,00 m contenant de nombreux tessons.
Céramique
III G2 NO29 : petit vase à col très étroit, trouvé dans la fosse (**pl. 245-5**).

Tombe 1092 (III G2 NOT6) (**pl. 108, 246**)
27-10-1993, pleine terre, F, O-E
Quelques ossements (des dents) retrouvés parmi un grand nombre de céramiques.
Une corne de capriné trouvée près de NO37.
Céramiques
III G2 NO32, III G2 NO33, III G2 NO34, III G2 NO43, III G2 NO47 : coupes posées à plat (**pl. 247-1, 2, 3, 6, 10**).
III G2 NO35, III G2 NO36, III G2 NO37, III G2 NO38 : jarres, debout (**pl. 247-4, 5, 8, 9**).
III G2 NO40 : vase globulaire à large ouverture, incliné vers l'ouest (**pl. 247-12**).
III G2 NO41, III G2 NO46 : vases globulaires à large ouverture, inclinés vers le nord-est (**pl. 247-13, 18**).
III G2 NO42 : petit vase globulaire à large ouverture, posé de chant (**pl. 247-16**).
III G2 NO44 : coupe posée de chant (**pl. 247-7**).
III G2 NO45 : petit vase globulaire à large ouverture et à fond plat percé d'un trou, incliné vers l'est (**pl. 247-17**).
III G2 NO51 : coupe posée sur NO35 (**pl. 247-11**).
III G2 NO52 : coupe posée sur NO36 (**pl. 247-14**).
III G2 NO53 : coupe posée sur NO37 (**pl. 247-15**).
Objets
III G2 NO31 (TH93.47) : hache à talon droit, en bronze, située parmi les céramiques (**pl. 246-6**).
III G2 NO39 (TH93.48) : bracelet ouvert en argent (**pl. 246-7**).

Tombe 1093 (III H2 SOT2) (**pl. 109, 248**)
27-10-1993, sarcophage, F, 180,23 m, N-S
III H2 SO14 : cuve rectangulaire, angles arrondis, fond plat portant neuf rangées de quatre (cinq fois), cinq (trois fois) et six (une fois) trous de 2 cm de diamètre, parois verticales (**pl. 249-1**) ; du plâtre sur une partie du fond qui est cassé.
L int. = 1,20, l = 0,59, H int. = 0,36, bord = 0,045
La cuve était entre deux murs construits en briques crues de 0,40 x 0,40 x 0,10 m, posées à plat et en encorbellement sur sept assises.
III H2 SO15 a et b : couvercle plat en terre cuite grossière, fait de deux parties identiques.
Squelette d'un homme jeune couché sur le côté droit, bras repliés, mains au niveau de la tête, jambes fléchies.
De nombreux fragments de bois brûlé dans le sarcophage et au-dessus du couvercle.
Céramiques
Douze vases trouvés à l'extérieur, au nord de la cuve :
III H2 SO16 : coupe renversée sur SO17 (**pl. 249-2**).
III H2 SO17 : petit vase globulaire à large ouverture, incliné et posé dans SO18 (**pl. 249-3**).
III H2 SO18 : vase globulaire posé sur SO19 (**pl. 249-4**).
III H2 SO19 : jarre inclinée vers le nord-ouest (**pl. 249-5**).
III H2 SO20 : coupe posée sur SO21 (**pl. 249-6**).
III H2 SO21 : vase incliné, accolé à SO19 (**pl. 249-9**).
III H2 SO22 : coupe posée sur SO23 (**pl. 249-7**).
III H2 SO23 : vase incliné vers l'est (**pl. 249-10**).
III H2 SO24 : coupe posée sur SO25 (**pl. 249-8**).
III H2 SO25 : coupe posée sur SO26 (**pl. 249-11**).
III H2 SO26 : jarre inclinée vers l'est (**pl. 249-13**).
III H2 SO27 : vase debout, contre la cuve (**pl. 249-14**).
Un vase trouvé à l'intérieur :
III H2 SO28 : coupe posée de chant près de la tête (**pl. 249-12**).
Objets en bronze
III H2 SO29 (TH93.51) : élément de parure en forme d'oméga, situé près de la tête (**pl. 250-1**).
III H2 SO32 (TH93.54), III H2 SO33 (TH93.55) : bracelets ouverts, D = 0,069-0,051 et 0,066-0,051, l'un au bras gauche et l'autre au bras droit (**pl. 250-4, 5**).
III H2 SO34 (TH93.56) : épingle à enroulement, trouvée sous le crâne (**pl. 250-6**).
III H2 SO35 (TH93.57) : pointe de flèche à lame losangique, soie de section quadrangulaire, située devant le crâne (**pl. 250-7**).
III H2 SO36 (TH93.58) : hache à languette repliée avec reste de bois du manche, placée derrière la tête (**pl. 250-8**).
III H2 SO37 (TH93.59) : poignard à bout arrondi, soie à un rivet, reste de bois d'emmanchement, situé le long du bras gauche (**pl. 250-9**).
III H2 SO38 (TH93.60) : bol posé de chant devant la tête (**pl. 250-12**).
III H2 SO39 (TH93.61) : plaque rectangulaire fragmentaire, avec une perforation, trouvée sous le crâne (**pl. 250-10**).
III H2 SO40 (TH93.62) : plaque circulaire incurvée, accolée à SO39 (**pl. 250-11**).
Autres objets
III H2 SO30 (TH93.52), III H2 SO31 (TH93.53) : anneaux ouverts en argent trouvés à la base du crâne (**pl. 250-2, 3**).

Tombe 1094 (III J2 NOT1)
27-10-1993, jarre, F, 181,20 m, debout
III J2 NO9 : jarre à fond plat, panse globulaire, large ouverture, une rainure à la base du col (**pl. 251-1**).
III J2 NO10 : jarre-couvercle fragmentaire, à bord plat, un bourrelet en haut de la panse.
Squelette d'un enfant âgé de moins de six mois, couché sur le côté gauche, recroquevillé au fond de la jarre.

Tombe 1095 (III J2 NOT2) (**pl. 111, 251**)
27-10-1993, jarre, F, 179,67-180.64 m, O-E
III J2 NO18 : jarre à fond plat, panse globulaire, fond incurvé, avec deux bourrelets, bord plat, large ouverture (**pl. 251-2**), couchée.
H = 0,98, D = 0,67, ouv. = 0,49
III J2 NO17 : jarre ouverte dont le fond pointu présente un bourrelet circulaire percé, à partir du bord de la panse quatre bourrelets plats puis un décor ondulé incisé et un bourrelet plat ; renversée sur NO18 (**pl. 251-3**).
Squelette d'une femme couché sur le côté droit, crâne retourné par rupture des vertèbres cervicales, bras et jambes repliés.
Des restes de linceul en tissu de couleur beige.
Des restes de cuir.
Céramiques
III J2 NO19, III J2 NO20 : coupes placées au sud de NO17 (**pl. 251-4, 5**).
Objets en bronze
III J2 NO26 (TH93.37), III J2 NO27 (TH93.38) : anneaux de cheville ouverts, D = 0,09-0,08 et 0,086-0,073 (**pl. 251-6, 7**).

III J2 NO28 (TH93.39), III J2 NO29 (TH93.40) : bracelets ouverts, D = 0,06-0,05 et 0,06-0,05, au bras gauche (**pl. 251-8, 9**).
III J2 NO30 (TH93.41) : plaque avec une perforation à chaque extrémité (**pl. 251-10**).
Autre objet
III J2 NO31 (TH93.42) : bague ouverte en argent (**pl. 251-11**).

Tombe 1096 (III H2 NET1) (**pl. 110, 252**)
28-10-1993, jarre, F, 179,19-179,73 m, NO-SE
III H2 NE10 : jarre à panse très globulaire, bord plat, fond presque plat, inclinée.
III H2 NE23 : jarre ouverte renversée sur NE10, panse évasée, fond plat, bord avec deux bourrelets (**pl. 252-1**).
Squelette d'une femme âgée de dix-huit à vingt ans, couché sur le côté droit, crâne retourné par rupture des vertèbres cervicales, jambes repliées, tibias sous les fémurs.
Des restes de linceul en tissu sur les jambes.
Céramiques
III H2 NE8 b, III H2 NE9 : vases verticaux trouvés à l'extérieur, contre NE10 (**pl. 252-2, 3**).

Tombe 1097 (III H2 NET2) (**pl. 110, 252**)
28-10-1993, jarre, F, 179,61 m, SO-NE
III H2 NE14 : jarre avec deux bourrelets sur la panse, fond presque plat, cassée, inclinée au sud de T 1096.
H = 0,91, D = 0,67, ouv. = 0,47
III H2 NE15 : jarre ouverte, fond arrondi percé d'un trou, un bourrelet à la base du col, bord plat, des restes de ficelle sur le bord intérieur faits de plusieurs liens enroulés en torsades (**pl. 253-1**) ; renversée sur NE14.
Squelette d'un homme couché sur le côté gauche, colonne vertébrale en arc de cercle.
Des restes de linceul en tissu et des restes noirs : cuir ?
Céramiques
III H2 NE11, III H2 NE12 : vases inclinés, accolés à NE14 (**pl. 253-2, 3**).

Tombe 1098 (III H2 NET3) (**pl. 110, 252**)
31-10-1993, jarre, F, 180,19 m, O-E
III H2 NE16 : jarre fragmentaire, à panse globulaire, dont l'intérieur ainsi que le col et le haut de la panse extérieurs étaient enduits de bitume, couchée.
Squelette bouleversé d'une jeune femme.
Céramique
III H2 NE13 : jarre inclinée, située à l'ouest de la tombe (**pl. 253-5**).

Tombe 1099 (III H2 NET4) (**pl. 110, 252**)
31-10-1993, jarre, F, 179,84 m, SO-NE
III H2 NE19 : jarre avec deux bourrelets plats en haut de la panse, trois petits bourrelets à la base du col, fond plat (**pl. 253-4**).
H = 0,84, D = 0,70, ouv. = 0,38
III H2 NE20 : fond de jarre percé d'un trou, qui devait être renversé sur NE19, mais qui s'était effondré.
Squelette d'une femme couché sur le côté droit, dont la partie supérieure était écrasée par la jarre-couvercle, jambes repliées.
Céramiques
III H2 NE17, III H2 NE18 : vases inclinés, accolés à la jarre NE19 (**pl. 253-6, 7**).
III H2 NE26 : coupe renversée sur NE17 (**pl. 253-8**).

Tombe 1100 (III H3 SET1) (**pl. 254**)
31-10-1993, jarre, F, 180,50 m, debout
III H3 SE1 : jarre à fond plat, panse portant deux rainures (**pl. 252-1**), placée contre un mur dans une zone cendreuse et parmi des gros blocs de briques crues informes plaqués contre le mur.
H = 0,27, D = 0,25, ouv. = 0,18
III H3 SE2 : couvercle-passoire à fond arrondi percé de trous, panse évasée, des trous près du bord, renversé sur SE1 (**pl. 252-2**).
Squelette d'un nouveau-né ou d'un fœtus, couché sur le côté gauche.

Tombe 1101 (III F2 SOT1)
1-11-1993, pleine terre, F, 178,56 m, O-E
Squelette d'une jeune femme couché sur le côté droit, tête tournée vers le sud ; une dalle de gypse posée sur le crâne, bras et jambes repliés.
Sous les ossements, des empreintes de tissu blanc, linceul ?
Céramique
III F2 SO21 : jarre fragmentaire, inclinée vers le nord, posée contre les jambes.

Tombe 1102 (III J2 NOT3) (**pl. 111, 255**)
2-11-1993, jarre, F, 179,40 m, O-E
III J2 NO33 : jarre couchée, portant deux bourrelets sous le col ; du plâtre à l'intérieur pour faire une réparation.
III J2 NO32 : couvercle de NO33 (**pl. 253-9**).
Squelette d'une femme âgée de vingt à vingt-cinq ans, couché sur le dos, jambes fortement fléchies, genoux près du menton.
Des restes de linceul fait de deux tissus, l'un de couleur beige, l'autre de couleur brune.
III J2 NO37 : deux humérus, un métatarse, deux métacarpes, des dents, un fragment d'omoplate de capriné.
Céramiques
III J2 NO34 : vase trouvé à l'ouest et au-dessus de NO32.
III J2 NO42 : vase situé à l'extérieur, contre NO33 (**pl. 253-10**).
III J2 NO43 : coupe renversée sur NO42 (**pl. 253-11**).

Tombe 1103 (III J3 SOT2) (**pl. 111, 256**)
2-11-1993, sarcophage, F, 179,30-179,63 m, O-E
III J3 SO16 a : cuve rectangulaire, angles arrondis, fond plat percé de six trous de 2 cm de diamètre, alignés dans la partie médiane, parois verticales (**pl. 256-4**), entouré d'un mur de briques crues à l'ouest et au sud.
L = 1,17, l = 0,63, H = 0,40, bord = 0,045
Couvercle plat à poignée ronde et une incision en S de part et d'autre de cette poignée, cassé et dont des fragments étaient tombés dans la cuve.
Squelette d'une femme âgée de vingt ans, couché sur le côté gauche, tête appuyée contre la paroi de la cuve, bras et jambes repliés, mains vers SO23, près des épingles SO24 et 25.
III J3 SO17a : ossements de jeune oviné, omoplate, fémur, ulna, côte, trouvés à l'extérieur près de l'angle nord-ouest de la cuve.
III J3 SO26 : une demi-mandibule de capriné, deux métapodes d'oviné.
Céramiques
À l'extérieur :
III J3 SO16, III J3 SO17 : jarres debout, situées contre la paroi nord (**pl. 256-5, 6**).
III J3 SO18 : vase globulaire, à côté de SO16 et 17 (**pl. 256-8**).
III J3 SO19 : jarre trouvée au nord de SO18 (**pl. 256-7**).
À l'intérieur :
III J3 SO21 : vase placé devant la tête.
III J3 SO22 : coupe renversée sur SO21 (**pl. 256-9**).
III J3 SO23 : coupe en terre cuite gris foncé, posée de chant devant le menton (**pl. 256-10**).
Objets
III J3 SO24 (TH93.49), III J3 SO25 (TH93.50) : épingles à enroulement en bronze, placées devant les bras (**pl. 256-1, 2**).
III J3 SO27 (TH93.75) : trois perles en or, devant la tête (**pl. 256-3**).

Tombe 1104 (III F2 NOT1) (**pl. 112, 257**)
3-11-1993, pleine terre, F, 178,23-177,64 m, E-O

Ossements dans une fosse de 2,20 x 1,40 à 1,00 m accompagnés de nombreuses céramiques.
Squelette d'une femme couché sur le dos, mandibule détachée de la boîte crânienne, le bras droit posé sur un fond de jarre (NO57) qui contenait une coupe (NO58), jambes allongées.
Des ossements d'oviné : un fragment de tibia, un métapode, un fragment d'omoplate, trouvés dans la fosse.
Céramiques
III F2 NO31 : coupe renversée sur NO32.
III F2 NO32 : jarre debout, contenant des fibres végétales (**pl. 259-1**).
III F2 NO33, III F2 NO40 : jarres inclinées vers l'ouest (**pl. 259-2, 6**).
III F2 NO34 : jarre inclinée vers l'est (**pl. 259-3**).
III F2 NO36, III F2 NO41 : jarres debout.
III F2 NO37, III F2 NO38 : jarres debout (**pl. 259-4, 5**).
III F2 NO39, III F2 NO47, III F2 NO50, III F2 NO51, III F2 NO60, III F2 NO62, III F2 NO63 : coupes posées à plat (**pl. 258-1, 3, 5, 6, 9, 11, 12**).
III F2 NO43 : coupe posée sur NO44 (**pl. 258-2**).
III F2 NO44 : jarre inclinée vers le sud.
III F2 NO45 : vase globulaire (**pl. 258-13**).
III F2 NO46 : jarre inclinée vers l'ouest.
III F2 NO48 : petit vase posé à plat.
III F2 NO49 : coupe fragmentaire, dans NO41 (**pl. 258-4**).
III F2 NO52 : petit vase posé à plat (**pl. 259-7**).
III F2 NO53 : vase globulaire (**pl. 258-14**).
III F2 NO54 : coupe renversée (**pl. 258-7**).
III F2 NO55 : vase globulaire.
III F2 NO56 : vase globulaire incliné vers l'ouest (**pl. 258-15**).
III F2 NO57 : fond de jarre sur lequel reposait le bras droit de la défunte.
III F2 NO58 : coupe posée dans NO57 (**pl. 258-8**).
III F2 NO59 : vase globulaire en terre cuite noire, avec deux tenons diamétralement opposés et percés de deux trous chacun, posé debout (**pl. 258-16**).
III F2 NO61 : coupe inclinée vers le nord (**pl. 258-10**).
Objets
III F2 NO35 : traces de fibres de bois au sud de la fosse.
III F2 NO42 : traces de fibres de roseau posées à plat, restes de natte?
III F2 NO64 (TH93.130) : deux anneaux ouverts en argent trouvés au niveau des mains (**pl. 257-1**).

TOMBE 1105 (III H2 NOT4) (**pl. 110**)
3-11-1993, jarre, F, 179,63-180,10 m, O-E
III H2 NO46 : jarre à fond bombé, panse globulaire, deux bourrelets en haut de la panse, cassée, inclinée.
H= 0,85, d= 0,70, ouv.= 0,51
III H2 NO47 : jarre ouverte renversée sur NO46.
Squelette d'une femme couché sur le côté gauche, bras et jambes repliés; ossements en mauvais état.
Céramiques
III H2 NO48 : vase globulaire à large ouverture, incliné à l'extérieur de NO46 (**pl. 259-8**).
III H2 NO49, III H2 NO50 : vases accolés contre la paroi de NO46 (**pl. 259-9, 10**).

TOMBE 1106 (III H2 NET5)
3-11-1993, sarcophage, F, 179,53 m, N-S
III H2 NE34 : cuve rectangulaire, au sud des tombes 1096 à 1099. Non dégagée.
Céramiques
IIIH2 NE30, III H2 NE31, III H2 NE32, III H2 NE33, III H2 NE36 : jarres debout, au sud de la cuve.
III H2 NE31 a, III H2 NE32 a, III H2 NE33 a, III H2 NE36 a : coupes posées sur NE31, NE32, NE33, NE36.

TOMBE 1107 (III H2 NET6) (**pl. 110**)
3-11-1993, sarcophage, F, 180,38 m, O-E
Au-dessus de T 1106.
Non dégagée.
Céramiques
III H2 NE21, III H2 NE22, III H2 NE27 : vases verticaux situés à l'ouest de la cuve.
III H2 NE38 : vase globulaire à large ouverture, avec un décor cordé, renversé au-dessus de la cuve.

TOMBE 1108 (III J2 NOT4) (**pl. 255**)
6-11-1993, jarre, F, 179,01 m, O-E
III J2 NO40 : jarre portant deux bourrelets sur la panse.
III J2 NO41 : fond de jarre enduit de bitume renversé sur NO40.
Squelette d'un homme couché sur le côté droit, bras et jambes repliés.
Des fragments de matière très friable, de couleur beige et marron (?).
Céramiques
III J2 NO36 : vase.
III J2 NO37 : coupe renversée sur NO36.
IIIJ2 NO38 : vase situé près du col de NO40 (**pl. 259-11**).
III J2 NO39 : coupe renversée sur NO38 (**pl. 259-12**).

BIBLIOGRAPHIE

AGOSTINO B. D', SCHNAPP A.
1982
« Les morts entre l'objet et l'image », G. Gnoli et J.-P. Vernant (dir.) *La mort, les morts dans les sociétés anciennes*, Colloque sur l'Idéologie funéraire, p. 17-25, Cambridge University Press, Cambridge.

AKKERMANS P. M. M. G., LIMPENS J., SPOOR R. H
1993
« On the frontier of Assyria : excavations at Tell Sabi Abyad, 1991 », *Akkadica* 84-85, p. 1-52.

ALBRIGHT W. F.
1938
« The excavations of Tell Beit Mirsim », *AASOR* 17, p. 61-79.

ALGAZE G.
1983
« Private houses and graves at Ingharra, a reconsideration », *Mesopotamia* 18-19, p. 135-194.

ALLOTTE DE LA FUYE, BELAIEW N. T., MECQUENEM R. (DE), UNVALA J. M.
1934
Archéologie, métrologie et numismatique susiennes, Mémoires de la Mission archéologique de Perse, tome 25, E. Leroux, Paris.

AMIET P.
1985
« La glyptique de Mari : état de la question », *M.A.R.I* 4, p. 475-485.
1986
L'âge des échanges inter-iraniens, 3500-1700 avant J.-C., Notes et documents des Musées de France 11, Réunion des Musées nationaux, Paris.
1990
« Quelques épaves de la vaisselle royale perse de Suse », *Contribution à l'histoire de l'Iran*, Mélanges offerts à J. Perrot, p. 213-224, Recherche sur les civilisations, Paris.

BALUT P. Y.
1992
« Le funéraire et l'histoire », *Topoi* 2, p. 131-140.

BARRELET M.-T.
1968
Figurines et reliefs en terre cuite de la Mésopotamie antique, Bibliothèque archéologique et historique tome 85, Institut français d'archéologie du Proche-Orient, P. Geuthner, Paris.
1980
« Les pratiques funéraires de l'Iraq ancien et l'archéologie : état de la question et essai de prospective », *Akkadica* 16, p. 1-27.

BENAZETH D.
1979
De Sumer à Babylone, Collections du Musée du Louvre, Paris.

BEYER D.
1979
De Sumer à Babylone, Collections du Musée du Louvre, Paris.
1982
« Du Moyen Euphrate au Luristan : bagues-cachets de la fin du deuxième millénaire ». *M.A.R.I.* 1, p. 169-189.
1983
« Stratigraphie de Mari : remarques préliminaires sur les premières couches du sondage stratigraphique (chantier A) », *M.A.R.I.* 2, p. 37-60.
1985
« Nouveaux documents iconographiques de l'époque des Shakkanakku de Mari », *M.A.R.I.* 4, p. 173-189.

BINDFORD L. R.
1972
« Mortuary practices : their study and their potential », *An archaeological perspective*, p. 208-243. New-York, Londres, Seminar Press.

BIROT M.
1978
« Données nouvelles sur la chronologie du règne de Zimri-Lim », *Syria* 55, p. 333-343.

BITTEL K.
1937
Bogazköy, die Kleinfunde der Grabungen : 1906-1912, Archäologischen Institutes des Deutschen Reiches, Deutschen Orient Gesellschaft, Leipzig.

BLEGEN C. W.
1935
« Excavations at Troy-1934 », *AJA* 39, p. 6-34.

BOCQUET J.-P., MASSET C.
1977
« Estimateurs en paléodémographie », *L'Homme*, Revue française d'Anthropologie 17, p. 65-90.

BOEHMER R. M.
1972
Die Kleinfunde von Bogazköy, Gebr. Mann, Berlin.
1987
Uruk : Kampagne 38, 1985, P. von Zabern, Mayence.

BOEHMER R. M, DÄMMER H. W.
1985
Tell Imlihiye, Tell Zubeidi, Tell Abbas, Baghdader Forschungen Band 7, P. von Zabern, Mayence.

BOTTERO J.
1957
Textes économiques et administratifs, *ARM* 7, Imprimerie nationale, Paris.

1982
« Les inscriptions cunéiformes funéraires », G. Gnoli et J.-P. Vernant (dir.) *La mort, les morts dans les sociétés anciennes*, Colloque sur l'Idéologie funéraire, p. 373-406, Cambridge University Press, Cambridge.

BRENIQUET C.
1984
« Le cimetière « A » de Kish, essai d'interprétation », *Iraq* 46, p. 19-28.

BUCCELLATI G, BUCCELLATI-KELLY M.
1977
« The Terqa archaeological project : first preliminary report », *AAAS* 27-28, p. 71-96.

CAUBET A.
1982a
« La céramique », D. Beyer (éd.) *Meskéné-Emar, dix ans de travaux, 1972-1982*, p. 71-86, Recherche sur les civilisations, Paris.
1982b
« Faïence et verre », D. Beyer (éd.) *Meskéné-Emar, dix ans de travaux, 1972-1982*, p. 111-114, Recherche sur les civilisations, Paris.
1983a
Au pays de Baal et d'Astarté, 10000 ans d'art en Syrie, Association française d'Action artistique, Paris.
1983b
« Les œufs d'autruche au Proche-Orient ancien », *RDAC*, p. 193-198.
1984
« Ougarit, Mari et l'Euphrate. II-Les liens entre Ougarit, Mari et l'Euphrate (XIIIe s.) : un exemple, les faïences », *AAAS* 34, p. 33-41.

CHRISTOPHE J., DESHAYES J.
1964
Index de l'outillage, outils en métal de l'âge du Bronze, des Balkans à l'Indus, CNRS, Paris.

CLAYDEN T.
1992
« Kish in the kassite period (1650-1150 B. C.) », *Iraq* 54, p. 141-155.

COLLON D., OTTE C. et M., ZAQZOUQ A.
1975
Sondages au flanc sud du tell de Qal'at El-Mudiq (néolithique, chalcolithique, bronze ancien) 1970,1972,1973, Centre belge de recherches archéologiques à Apamée de Syrie, Bruxelles.

CONTENSON H. de
1970
« Sondage ouvert en 1962 sur l'acropole de Ras Shamra. Rapport préliminaire sur les résultats obtenus de 1962 à 1968 », *Syria* 47, p. 1-23.

COURBIN P.
1993
Fouilles de Bassit. Tombes du Fer, Recherche sur les civilisations, Paris.

CROS G.
1910
Nouvelles fouilles de Tello, Mission française de Chaldée, E. Leroux, Paris.

CUMONT F.
1926
Fouilles de Doura Europos 1922-1923, Bibliothèque archéologique et historique tome 9, P. Geuthner, Paris.

CURTIS J. E.
1982
Fifty years of Mesopotamian discovery, the work of the British School of Archaeology in Iraq, 1932-1982, The British School of Archaeology in Iraq, Londres.

CURTIS J. E., MAXWELL-HYSLOP K. R.
1971
« The gold jewellery from Nimrud ». *Iraq* 33, p. 101-112.

DAVIS S. J. M., VALLA F. R.
1978
« Evidence for domestication of the dog 12000 years ago in the Natufian of Israel », *Nature* 276, p. 608-610.

DELOUGAZ P.
1952
Pottery from the Diyala region, O. I. P. LXIII, University of Chicago Press, Chicago.

DELOUGAZ P., HILL H. D., LLOYD S.
1967
Private houses and graves in the Diyala region, O. I. P. LXXXVIII, University of Chicago Press, Chicago.

DORNEMANN R. H.
1977
« Tell Hadidi : an important center of the Mitannian period and earlier », J. Margueron (éd.), *Le Moyen-Euphrate, zone de contacts et d'échanges*, p. 217-234, E. J. Brill, Leyde.

DOSSIN G.
1939
« Les archives économiques du palais de Mari », *Syria* 20, p. 97-113.

DU MESNIL du BUISSON Comte
1935
Le site archéologique de Mishrifé-Qatna, De Boccard, Paris.
1948
Baghouz, l'ancienne Corsôte : le tell archaïque et la nécropole de l'âge du Bronze, Documenta et Monumenta orianti antiqui 13, E. J. Brill, Leyde.

DUNAND M.
1973
Fouilles de Byblos, tome V : l'architecture, les tombes, le matériel domestique, des origines néolithiques à l'avènement urbain, EDA VI. Maisonneuve, Paris.

DURAND J.-M.
1983
Textes administratifs des salles 134 et 160 du palais de Mari, ARM 21, P. Geuthner, Paris.
1985
« La situation historique des Shakkanakku : nouvelle approche », *M.A.R.I.* 4, p. 147-172.

DYSON S. L.
1968
The excavations at Dura Europos. Final report IV, part I, fascicle 3 : the commonware pottery, the brittle ware, B. Welles, New Haven.

Forest J.-D.
1983
Les pratiques funéraires en Mésopotamie du Ve millénaire au début du IIIe, étude de cas, Recherche sur les civilisations, mémoire 19, Paris.

Fortin M.
1988
« Rapport préliminaire sur la première campagne de fouilles (printemps 1986) à Tell'Atij, sur le moyen Khabour », *Syria* 65, p. 139-171.
1990a
« Rapport préliminaire sur la seconde campagne de fouilles à Tell'Atij et la première à Tell Gudeda (automne 1987), sur le moyen Khabour », *Syria* 67, p. 219-256.
1990b
« Rapport préliminaire sur la troisième campagne de fouilles à Tell'Atij et la deuxième à Tell Gudeda, sur le moyen Khabour (automne 1988) », *Syria* 67, p. 535-577.

Garstang J.
1932
« Jericho : city and necropolis-II, Early Bronze age III, Middle Bronze age I-IV, Middle Bronze age II », *Annals of Archaeology and Anthropology* 19, n°3-4, p. 35-54.

Gasche H.
1978
« Le sondage A : l'ensemble I », de Meyer L., (éd.) *Tell ed Der II, progress reports (first series)*, p. 57-131, Peeters, Louvain.
1984
« Le sondage A : les ensembles II à IV », de Meyer L. (éd.), *Tell ed Der IV, progress reports*, p. 1-61, Peeters, Louvain.

Gasche H., Pons N.
1991
« Abu Qubur 1990, II, Chantier F », *Northern Akkad Project reports*, vol.7, p. 11-33, Université de Gand.

Genouillac H. de
1934
Fouilles de Telloh, I et II, P. Geuthner, Paris.

Ghirshman R.
1935
« Sondage du Tepe-Djamshidi, sondage du Tepe-Bad-Hora, 1933 », Contenau G. et Ghirshman R. (éd.), *Fouilles du Tepe-Giyan, près de Nehavend*, tome III, p. 91-108, P. Geuthner, Paris.
1939
Fouilles de Sialk, près de Kashan, 1933-1934-1937, Musée du Louvre, série archéologique, tome IV-vol. I et tome V-vol. II, P. Geuthner, Paris.
1966
Tchoga Zanbil (Dur Untash), la ziggurat, Mémoires de la délégation archéologique en Iran, mission de Susiane, tome XXXIX-vol. I, P. Geuthner, Paris.
1968
Tchoga Zanbil (Dur-Untash), temenos, temples, palais, tombes, Mémoires de la délégation archéologique en Iran, mission de Susiane tome XL-vol. II, P. Geuthner, Paris.
1976
Terrasses sacrées de Bard-è Néchandeh et Masjid-i Solaiman. L'Iran du sud-ouest du VIIIe s. av. notre ère au Ve s. de notre ère, Mémoires de la délégation archéologique en Iran, mission de Susiane tome XLV-vol. II, P. Geuthner, Paris.

Gibson Mc G.
1972
The city and area of Kish, Field Research Projects, H. Field & E. M. Laird, Miami.
1981
Uch Tepe I : Tell Razuk, Tell Ahmed al Mughir, Tell Ajamat, Mc Guire Gibson, Chicago.

Gibson Mc G. , Franke J. A., Civil M., Bates M. L., Boessneck J., Butzer K. W.
1978
Excavations at Nippur, twelfth season, O. I. C. 23. Chicago.

Guigues P. E.
1938
« Lébéa, Kafer-Garra, Qrayé, nécropoles de la région sidonienne », *Bulletin du Musée de Beyrouth*, tome II, p. 27-72. Maisonneuve, Paris.
1939
« Lébéa, Kafer-Garra, Qrayé, nécropoles de la région sidonienne », *Bulletin du Musée de Beyrouth*, tome III, p. 53-63. Maisonneuve, Paris.

Guy P. L. O.
1938
Megiddo Tombs, O. I. P. XXXIII, University of Chicago Press, Chicago.

Hall H. R., Woolley C. L.
1927
Ur excavations, vol.I : *Al'Ubaid*, Publications of the Joint expedition of the British Museum and of the Museum of the University of Pennsylvania to Mesopotamia, Oxford University Press, Oxford.

Haller A. von
1954
Die Gräber und Grüfte von Assur, W.V.D.O.G. 65. Gebr. Mann, Berlin.

Hannestad L.
1983
« The Hellenistic Pottery from Failaka, with a survey of hellenistic pottery in the Near East », *Jutland Archaeological Society Publications* XVI-2, p. 21-47.
1984
« The Pottery from the Hellenistic Settlements of Failaka », *Arabie orientale, Mésopotamie et Iran méridional, de l'âge du Fer au début de la période islamique*, p. 67-83, Recherche sur les civilisations, mémoire 37, Paris.

Haerinck E.
1980
« Les tombes et les objets du sondage sur l'enceinte de Abu Habbah », de Meyer L. (éd.), *Tell ed Der III : Sounding at Abu Habbah (Sippar)*, p. 53-79, Peeters, Louvain.

Heinrich E., Andrae W.
1931
Fara Ergebnisse der Ausgrabungen der Deutschen Orient-Gesellschaft im Fara und Abu Hatab, 1902-1903, Preussische Staatsbibliothek, Berlin.

Hrouda B.
1977
Isin-Isanbahriyat. I : die Ergebnisse der Ausgrabungen 1973-1974, Bayerischen Akademie der Wissenschaften, p. 17-38, Munich.

1981
Isin-Isanbahriyat. II : die Ergebnisse der Ausgrabungen 1975-1978, Bayerischen Akademie der Wissenschaften, p. 40-48, Munich.
1987
Isin-Isanbahtiyat. III : die Ergebnisse der Ausgrabungen 1983-1984, Bayerischen Akademie der Wissenschaften, p. 9-40, Munich.

Huot J.-L., Bachelot L., Braun J.-P., Calvet Y., Cleuziou S., Forest J.-D., Seigne J.
1978
« Larsa. Rapport préliminaire sur la septième campagne à Larsa et la première campagne à Tell el'Oueili (1976) », *Syria* 55, p. 183-223.

Huot J.-L., Pardo V., Rougeulle A.
1980
« A propos de la perle L76.5 de Larsa : les perles à quatre spirales », *Iraq* 42, p. 121-129.

Ingholt H.
1940
« Rapport préliminaire sur sept campagnes de fouilles à Hama en Syrie (1932-1938) », *Archaeologisk-Kunsthistoriske Meddelelser III-1*, p. 69-118, E. Munksgaard, Copenhague.

Invernizzi A.
1980
« Excavations in the Yelkhi area (Hamrin project, Iraq) », *Mesopotamia* 15, p. 19-49.

Jean-Marie M.
1990
« Les tombeaux en pierre de Mari », *M.A.R.I.* 6, p. 303-336.
1997
« À propos de certaines offrandes funéraires à Mari », *M.A.R.I.* 8, p. 693-705.

Joannes F.
1984
« Le travail des artisans », *Archéologie*, dossier 80, p. 54-57.

Kampschulte I., Orthmann W.
1984
Gräber des 3. Jahrtausends im Syrischen Euphrattal. I. Ausgrabungen bei Tawi.1975 und 1978, Saarbrücker Beiträge zur Altertumskunde 38, R. Habelt, Bonn.

Kepinski-Lecomte C.
1992
Haradum I : une ville nouvelle sur le Moyen-Euphrate (XVIIIe-XVIIe siècles av. J.-C.), Recherche sur les civilisations, Paris.

Kuhne H.
1976
Die Keramik vom Tell Chuera und ihre Beziehungen zu Funden aus Syrien-Palastina, der Turkei und dem Iraq, Gebr. Mann, Berlin.

Kupper J.-R.
1950
Correspondance de Kibri-Dagan, gouverneur de Terqa. ARM 3, Imprimerie nationale, Paris.
1954
Correspondance de Bahdi-Lim, préfet de Mari, ARM 6, Imprimerie nationale, Paris.

Lamon R. S., Shipton G. M.
1939
Megiddo I, seasons of 1925-34. Strata I-V. O. I. P. XLII. University of Chicago Press, Chicago.

Langdon S.
1924
Excavations at Kish, vol. I : 1923-1924, P. Geuthner, Paris.

Lebeau M.
1983
« Mari 1979, rapport préliminaire sur la céramique du chantier A », *M.A.R.I.* 2, p. 165-193.
1984
« La céramique du tombeau IX Q50 SET6 de Mari », *M.A.R.I.* 3, p. 217-221.
1985
« Rapport préliminaire sur la séquence céramique du chantier B de Mari (IIIe millénaire) », *M.A.R.I.* 4, p. 93-126.
1987
« Rapport préliminaire sur la céramique des premiers niveaux de Mari (chantier B-1984) », *M.A.R.I.* 5, p. 415-442.
1990a
« La céramique du tombeau 300 de Mari (temple d'Ishtar) », *M.A.R.I.* 6, p. 349-374.
1990b
« La céramique du tombeau IV R2 SET7 de Mari (chantier A, Palais oriental) » *M.A.R.I.* 6, p. 375-383.
1993
Tell Melebiya : cinq campagnes de recherches sur le Moyen-Khabour (1984-1988), Akkadica suppl. IX, Louvain.

Lecomte O.
1983
« La céramique du niveau séleuco-parthe de Larsa (1981) », J.-L. Huot, *Larsa et Oueili, travaux de 1978-1981*, Recherche sur les civilisations, mémoire 26, Paris.

Leclant J.
1975
« Note sur la plaquette d'Aménophis III », *Syria* 52, p. 19-21.

Limet H.
1986
Textes administratifs relatifs aux métaux, ARM 25, Recherche sur les civilisations, Paris.

Lines J.
1954
« Late assyrian pottery from Nimrud », *Iraq* 16, p. 164-167.

Limper K.
1988
Uruk : Perlen, Ketten, Anhänger, P. von Zabern, Mayence.

Lindemeyer E., Martin L.
1993
Uruk : Kleinfunde III, Deutsches Archäologisches Institut Abteilung Baghdad, P. von Zabern, Mayence.

LOUD G.
1948
Megiddo II, seasons of 1935-39 by the Megiddo expedition, O. I. P. LXII, University of Chicago, Chicago.

LYONNET B.
1992
« Reconnaissance dans le Haut Habur : étude de la céramique », *Mémoires de Nabu* 2, p. 103-132. SEPOA, Paris.

MACKAY E.
1925
Report on the excavation of the « A » cemetery at Kish, Mesopotamia, Part I, Field Museum-Oxford University Joint Expedition, B. Laufer, Chicago.
1929
A Sumerian palace and the « A » cemetery at Kish, Mesopotamia, Part II, Field Museum of Natural History, Anthropology memoirs I-2, Chicago.

Mc COWN D. E.
1967
« The burials », Mac Cown D. E., Haines R. C. (éd.), *Nippur I, temple of Enlil, scribal quarter and soundings*, Excavations of the Joint Expedition to Nippur of the University Museum of Philadelphia and the Oriental Institute of the University of Chicago, O. I. P. LXXVIII, p. 117-144.
1978
« The burials », Mac Cown D. E., Haines R. C., Biggs R. D. (éd.), *Nippur II, the north temple and sounding E*, O. I. P. XCVII, p. 53-68.

Mc EWAN C. W., BRAIDWOOD L. S., FRANKFORT H., GUTERBOCK H. G., HAINES R. C., KANTOR H. J., KRAELING C. H.
1958
Soundings at Tell Fakhariyah, O. I. P. LXXIX, University of Chicago Press, Chicago.

MALLET J.
1975
« Mari : une nouvelle coutume funéraire assyrienne », *Syria* 52, p. 23-36.

MALLOWAN M.
1936
« The excavations at Tall Chagar Bazar, and an archaeological survey of the Habur region, 1934-35 », *Iraq* 3, p. 1-86.
1937a
« The excavations at Tall Chagar Bazar and an archaeological survey of the Habur region, second campaign 1936 », *Iraq* 4, p. 91-177.
1937b
« The Syrian city of Til-Barsib. », *Antiquity* vol. XI-43, p. 328-339.
1947
« Excavations at Brak and Chagar Bazar », *Iraq* 9, p. 1-259.
1966
Nimrud and its remains, Vol. I, Collins, Londres.

MARGUERON J.
1982a
« Mari : rapport préliminaire sur la campagne de 1979 », *M.A.R.I.* 1, p. 9-30.
1982b
Recherches sur les palais mésopotamiens de l'âge du Bronze, Bibliothèque archéologique et historique tome 107, Institut français d'archéologie du Proche-Orient, P. Geuthner, Paris.
1983a
« Mari : rapport préliminaire sur la campagne de 1980 », *M.A.R.I.* 2, p. 9-35.
1983b
« Quelques réflexions sur certaines pratiques funéraires d'Ugarit » *Akkadica* 32, p. 5-31.
1984a
« Mari : rapport préliminaire sur la campagne de 1982 », *M.A.R.I.* 3, p. 7-39.
1984b
« Une tombe monumentale à Mari », *M.A.R.I.* 3, p. 197-215.
1984c
« Un panier et un coffret en bois dans une tombe de Mari », *M.A.R.I.* 3, p. 271-275.
1987a
« Mari : rapport préliminaire sur la campagne de 1984 », *M.A.R.I.* 5, p. 5-36.
1987b
« Etat présent des recherches sur l'urbanisme de Mari », *M.A.R.I.* 5, p. 483-498.
1990a
« Mari : rapport préliminaire sur la campagne de 1985 », *M.A.R.I.* 6, p. 5-18.
1990b
« Une tombe royale sous la salle du trône du palais des Shakkanakku », *M.A.R.I.* 6, p. 402-422.
1990c
« La ruine du palais de Mari », *M.A.R.I.* 6, p. 423-431.
1991
Les Mésopotamiens, A. Colin, Paris.
1993
« Mari : rapport préliminaire sur la campagne de 1987 », *M.A.R.I.* 7, p. 5-38.
1997
« Mari : rapport préliminaire sur les campagnes 1990 et 1991 », *M.A.R.I.* 8, p. 9-70.

MARQUET-KRAUSE J.
1949
Les fouilles de Ay (Et-Tell), 1933-1935, la résurrection d'une grande cité biblique, volume 1, Bibliothèque archéologique et historique tome 45, Institut français d'Archéologie du Proche-Orient, P. Geuthner, Paris.

MARTIN H. P.
1982
« The Early Dynastic cemetery at Al'Ubaid : a re-evaluation », *Iraq* 44, p. 145-185.
1988
Fara : a reconstruction of the Ancient Mesopotamian City of Shuruppak, C. Martin et coll., Birmingham.

MARTIN H. P., MOON J., POSTGATE J. N.
1985
Abu Salabikh excavations, vol.2 : graves 1 to 99, British School of Archaeology in Iraq, Hertford.

MASSET C.
1973
« La démographie des populations inhumées. Essai de paléodémographie », *L'Homme*, Revue française d'Anthropologie 13, p. 95-131.

MATOIAN-VERNEY V.
1993
« D'Ougarit au Moyen-Euphrate, la production des matières vitreuses au IIe millénaire av. J.-C. », Mémoire de D. E. A., Paris I.

MATTHIAE P.
1977
Ebla un impero ritrovato, G. Einaudi, Turin.
1985
I tesori di Ebla, Laterza, Rome-Bari.

MAXWELL-HYSLOP K. R.
1946
« Daggers and swords in Western Asia », *Iraq* 8, p. 1-65.
1960
« The Ur jewellery, a re-assessment in the light of some recent discoveries », *Iraq* 22, p. 105-115.
1971
Western Asiatic Jewellery, Methuen & Co., Londres.

MECQUENEM R. de
1934
Archéologie, métrologie et numismatique susiennes, Mémoires de la Mission archéologique de Perse, tome 25, p. 177-237. E. Leroux, Paris.

MEIJER D. J. W.
1977
« The excavations at Tell Selenkahiye », J. Margueron (éd.) *Le Moyen-Euphrate, zone de contacts et d'échanges*, p. 117-126, E. J. Brill, Leyde.

MEYER J.-W.
1991
Gräber des 3. Jahrtausends v. Chr. im Syrischen Euphrattal. 3-Ausgrabungen in Samseddin und Djerniye, SDV, Sarrebruck.

MOON J.
1982
« The distribution of upright-handled jars and stemned dishes in the Early Dynastic period », *Iraq* 44, p. 39-69.

MOOREY P. R. S.
1978
Kish excavations 1923-1933, Clarendon Press, Oxford.
1985
« Faience (glazed sintered quartz) » Materials and manufacture in ancient Mesopotamia : the evidence of Archaeology and art, BAR international series 237, Oxford.

MORRIS I.
1987
Burial and Ancient Society, the Rise of the Greek City-State, Cambridge University Press, New York.
1992
Death-ritual and social structure in Classical Antiquity, Key themes in Ancient History, Cambridge University Press, New York.

MURRAY A. S., SMITH A. H., WALTERS H. B.
1900
Excavations in Cyprus (Bequest of Miss E. T. Turner to the British Museum), Londres.

MUSCHE B.
1992
Vorderasiatischer Schmuck von den Anfängen bis zur Zeit der Achaemeniden (ca 10000-330 v. Chr.), Handbuch der Orientalistik 1/7, E. J. Brill, Leyde.

OATES D.
1966
« The excavations at Tell Al Rimah 1965 », *Iraq* 28, p. 122-139.

OATES J.
1982
« Some Late Early Dynastic III pottery from Tell Brak », *Iraq* 44, p. 205-219.

ORTHMANN W.
1977
« Burial customs of the 3rd millennium BC in the Euphrates valley », J. Margueron (éd.), *Le Moyen-Euphrate, zone de contacts et d'échanges*, p. 97-105, E. J. Brill, Leyde.
1981
Halawa 1977-1979, Saarbrücker Beiträge zur Altretumskunde Band 31., R. H. Habelt, Bonn.

ORTHMANN W., ROVA E.
1991
Gräber des 3.Jahrtausends v. Chr. im Syrischen Euphrattal. 2-Ausgrabungen in Wreide, SDV, Sarrebruck.

PARAYRE D.
1982
« Les sépultures de Mari : typologie provisoire », *Akkadica* 29, p. 1-29.

PARROT A.
1933
« Les fouilles de Tello et de Senkéréh-Larsa, campagnes 1932-1933 », *Revue d'Assyriologie* 30, p. 175-182.
1935
« Mari : première campagne (Hiver 1933-34) », *Syria* 16, p. 1-28.
1936
« Mari : deuxième campagne (Hiver 1934-35) », *Syria* 17, p. 1-31.
1937
« Mari : troisième campagne (Hiver 1935-36) », *Syria* 18, p. 54-84.
1938
« Mari : quatrième campagne (Hiver 1936-37) », *Syria* 19, p. 1-29.
1939
« Mari : cinquième campagne (Automne 1937) », *Syria* 20, p. 1-22.
1940
« Mari : sixième campagne (Automne 1938) », *Syria* 21, p. 1-28.
1945
Mari, une ville perdue, Je sers, Paris.
1948
Tello, vingt campagnes de fouilles, 1877-1933, Albin Michel, Paris.
1952
« Mari : septième campagne (Hiver 1951-52) », *Syria* 29, p. 183-203.
1953
Mari, Ides et Calendes, Neuchâtel et Paris.
1954a
« Mari : huitième campagne (Automne 1952) », *Syria* 30, p. 196-221.
1954b
« Mari : neuvième campagne (Automne 1953) », *Syria* 31, p. 151-171.
1954c
Découverte des mondes ensevelis, Delachaux et Niestlé, Neuchâtel.
1954-55
« La dixième campagne de fouilles à Mari », *AAAS* 4-5, p. 29-38.
1955
« Mari : dixième campagne (Automne 1954) », *Syria* 32, p. 185-211.
1956
Mission archéologique de Mari, tome I : Le temple d'Ishtar, Bibliothèque archéologique et historique tome 65, Institut français d'archéologie du Proche-Orient, P. Geuthner, Paris.
1958
Mission archéologique de Mari, tome II-1 : Le palais, architecture, Bibliothèque archéologique et historique tome 68, Institut français d'archéologie du Proche-Orient, P. Geuthner, Paris.

1959
Mission archéologique de Mari, tome II-3 : Le palais, documents et monuments, Bibliothèque archéologique et historique tome 70, Institut français d'archéologie du Proche-Orient, P. Geuthner, Paris.
1961-62
« La douzième campagne de fouilles à Mari », *AAAS* 11-12, p. 173-184.
1962
« Mari : douzième campagne (Automne 1961) », *Syria* 39, p. 151-179.
1964a
« Mari : treizième campagne (Printemps 1963) », *Syria* 41, p. 3-20.
1964b
« La treizième campagne de fouilles à Mari », *AAAS* 14, p. 15-22.
1965a
« Mari : quatorzième campagne (Printemps 1964) », *Syria* 42, p. 1-24.
1965b
« Mari : quinzième campagne (Printemps 1965) », *Syria* 42, p. 197-225.
1965c
« La quatorzième campagne de fouilles à Mari », *AAAS* 15, p. 25-34.
1967a
« Mari : seizième campagne (Printemps 1966) », *Syria* 44, p. 1-26.
1967b
Mission archéologique de Mari, tome III : Les temples d'Ishtarat et de Ninni-Zaza, Bibliothèque archéologique et historique tome 86, Institut français d'archéologie du Proche-Orient, P. Geuthner, Paris.
1967c
Clés pour l'Archéologie, Seghers, Paris.
1968a
Mission archéologique de Mari, tome IV : Le « trésor d'Ur », Bibliothèque archéologique et historique tome 87, Institut français d'archéologie du Proche-Orient, P. Geuthner, Paris.
1968b
« Les fouilles de Larsa, deuxième et troisième campagnes, 1967 », *Syria* 45, p. 205-239.
1969a
« Mari : dix-septième campagne (Automne 1968) », *Syria* 46, p. 192-208.
1969b
« De la Méditerranée à l'Iran, masques énigmatiques ». *Ugaritica* 6, tome 31, p. 409-418, P. Geuthner, Paris.
1970
« Mari : dix-huitième campagne (Automne 1969) », *Syria* 47, p. 225-243.
1971
« Mari : dix-neuvième campagne (Printemps 1971) », *Syria* 48, p. 253-270.
1972
« Mari : vingtième campagne (Printemps 1972) », *Syria* 49, p. 281-302.
1974
Mari capitale fabuleuse, Payot, Paris.
1975
« Mari : vingt-et-unième campagne (Automne 1974) », *Syria* 52, p. 1-17.

Peltenburg E.
1977
« A faience from Hala Sultan Tekke and second millennium BC Western Asiatic pendants depicting females », *HST* 3, p. 177-200, Goteborg.

Philip G.
1989
Metal weapons of the Early and Middle Bronze Ages in Syria-Palestine, BAR International series 526, Oxford.

Pic M.
1983
Au pays de Baal et d'Astarté, 10000 ans d'art en Syrie, Association française d'Action artistique, Paris.

Pollock S.
1985
« Chronology of the Royal Cemetery of Ur », *Iraq* 47, p. 129-158.

Porada E.
1965
« The relative chronology of Mesopotamia. Part I. Seals and trade (6000-1600 BC) », R. W. Ehrich, *Chronologies in old world archaeology*, p. 133-200, Chicago University Press, Chicago.

Postgate J. N.
1990
« Excavations at Abu Salabikh 1988-89 », *Iraq* 52, p. 95-106.

Postgate J. N., Moon J.
1982
« Excavations at Abu Salabikh 1981 », *Iraq* 44, p. 103-136.

Postgate J. N., Moorey P. R. S.
1976
« Excavations at Abu Salabikh, 1975 », *Iraq* 38, p. 133-170.

Reuther O.
1926
Die Innenstadt von Babylon (Merkes), WVDOG 47, Leipzig.

Roaf M.
1984
« Excavations at Tell Mohammad Arab in the Eski Mosul Dam Salvage Project ». *Iraq* 46, p. 141-156.
1990
Atlas de la Mésopotamie, Brepols.

Rouault O., Masetti-Rouault M. G.
1993
L'Eufrate e il tempo : le civiltà del medio Eufrate e della Gezira siriana, Electa, Milan.

Saxe A.
1970
« Social dimensions of mortuary practices », Ph. D. Dissertation, p. 1-240. Dept of Anthropology, Univ. of Michigan. Univ. Microfilms Ann Arbor, Michigan.

Schaeffer Cl. F. A.
1932
« Les fouilles de Minet-el-Beida et de Ras Shamra, troisième campagne (printemps 1931) », *Syria* 13, p. 1-27.
1933
« Les fouilles de Minet-el-Beida et de Ras Shamra, quatrième campagne (printemps 1932) », *Syria* 14 p. 93-127.
1935
« Les fouilles de Ras Shamra-Ugarit, sixième campagne 1934 », *Syria* 16, p. 141-176.

1948
Stratigraphie comparée et chronologie de l'Asie occidentale (IIIe et IIe millénaire), G. Cumberlege, Oxford University Press, Londres.

Strommenger E.
1954
Grabformen und Bestattungssitten im Zweistromland und im Syrien, thèse, Berlin.
1957
« Grab », *Reallexikon der Assyriologie III*, p. 581-593, W. de Gruyter, Berlin.

Stronach D.
1959
« The development of the fibula in the Near East », *Iraq*, 21, p. 181-206.
1969
« Excavations at Tepe Nush-I-Jan, 1967 », *Iran* 7, p. 1-20.

Tallon F.
1987
Métallurgie susienne I, de la fondation de Suse au XVIIIe s. avant J.-C., Notes et documents des Musées de France, Réunion des Musées nationaux, Paris.

Talon P.
1978
« Les offrandes funéraires à Mari ». *Annuaire de l'Institut de Philologie et d'Histoire orientales et slaves*, tome 22, p. 53-75, Bruxelles.

Terrace E. L. B.
1962
« Some recent finds from Northwest Persia », *Syria* 39, p. 212-224.

Thureau-Dangin F., Dhorme P.
1924
« Cinq jours de fouilles à Asharah (7-11 sept.1923) », *Syria* 5, p. 265-293.

Thureau-Dangin F., Dunand M.
1936
Til-Barsib, P. Geuthner, Paris.

Toll N. P.
1943
The excavations at Dura Europos. Final report IV, part I, fascicle 1 : the green glazed pottery, M. I. Rostovtzeff, Yale University Press, New Haven.
1946
The excavations at Dura Europos, preliminary report of the ninth season of work 1935-1936. Part II : the necropolis, M. I. Rostovtzeff, Yale University Press, New Haven.

Tubb J. N.
1982
« A crescentic axehead from Amarna (Syria) and an examination of similar axeheads from the Near East », *Iraq* 44, p. 1-12.

Tunca Ö.
1984
L'architecture religieuse protodynastique en Mésopotamie, *Akkadica* suppl. II, Peeters, Louvain.

1987
Tell Sabra, *Akkadica* suppl. V. Peeters, Louvain.

Ucko P. J.
1969
« Ethnography and archaeological interpretation of funerary remains », *World Archaeology* I, p. 262-277.

Valtz E.
1984
« Pottery from Seleucia on the Tigris », *Arabie orientale, Mésopotamie et Iran méridional de l'âge du Fer au début de la période islamique,* p. 41-48, Recherche sur les Civilisations, mémoire 37, Paris.

Vanden Berghe L.
1967
« La nécropole de War Kabud ou le déclin d'une civilisation du Bronze », *Archeologia* 18, p. 49-61.
1968
« La nécropole de Bani Surmah, aurore d'une civilisation du Bronze », *Archeologia* 24, p. 53-63.
1970a
« La nécropole de Kalleh Nisar », *Archeologia* 32, p. 64-73.
1970b
« Prospections archéologiques dans la région de Badr, Luristan », *Archeologia* 36, p. 10-21.
1973a
« La nécropole de Hakalan », *Archeologia* 57, p. 49-58.
1973b
« Recherches archéologiques dans le Luristan. Sixième campagne : 1970. Fouilles à Bard-i Bal et à Pa-yi Kal. Prospections dans le district d'Aivän (rapport préliminaire) », *Iranica Antiqua* 10, p. 51-60.
1973c
« Le Luristan à l'âge du Fer. La nécropole de Kutal-i Gulgul », *Archeologia* 65, p. 21-30.
1975
« La nécropole de Dum Gar-Parchinah », *Archeologia* 79, p. 46-61.
1977
« La nécropole de Chamzhi-Mumah », *Archeologia* 108, p. 52-63.
1979a
« La nécropole de Mirkhair au Pusht-I Küh, Luristan », *Iranica Antiqua* 14, p. 1-37.
1979b
« La construction des tombes au Pusht-I Küh, Luristan au IIIe millénaire avant J.-C. », *Iranica Antiqua* 14, p. 39-50.

Vandermeerch B.
1982
« Les premières sépultures », *Archéologie*, dossier 66, p. 10-24.

van Ess M., Pedde F.
1992
Uruk : Kleinfunde II, Deutsches Archäologisches Institut Abteilung Baghdad, P. von Zabern, Mayence.

van Loon M.
1968
« First results of the 1967 excavations at Tell Selenkahiye », *AAAS* 18, p. 21-32.

Vernant J. P.
1989
L'Individu, la mort, l'amour, soi-même et l'autre en Grèce ancienne, NRF, Gallimard, Paris.

WATELIN L. C., LANGDON S.
1934
Excavations at Kish, Vol. IV, P. Geuthner, Paris.

WOOLLEY L.
1914
« Hittite burial customs », *Annals of Archaeology and Anthropology* VI, p. 87-98.
1934
Ur excavations : the Royal Cemetery, vol. II, Publications of the Joint expedition of the British Museum and of the Museum of the University of Pennsylvania to Mesopotamia, Londres.
1952
Carchemish : report on the excavations at Jerablus on behalf of the British Museum, part III, p. 214-226, Woolley C. L. et Laurence T. E. (ed.), Oxford University Press, Oxford.
1955
Alalakh an account of the excavations at Tell Atchana in the Hatay, 1937-1949, Report of the Research Committees of the Society of Antiquaries of London XVIII, Oxford University Press, Oxford.
1956
Ur excavations : the Early periods, vol. IV, Publications of the Joint expedition of the British Museum and of the Museum of the University of Pennsylvania to Mesopotamia, Philadelphie.
1962
Ur excavations : the Neo-babylonian and Persian periods, vol. IX, Publications of the Joint expedition of the British Museum and of the Museum of the University of Pennsylvania to Mesopotamia, Londres.
1965
Ur excavations : the Kassite period and the period of the Assyrian Kings, vol.VIII, Publications of the Joint expedition of the British Museum and of the Museum of the University of Pennsylvania to Mesopotamia, Londres.

WOOLLEY L., MALLOWAN M.
1976
Ur excavations : the Old Babylonian period, vol. VII, Publications of the Joint expedition of the British Museum and of the Museum of the University of Pennsylvania to Mesopotamia, The Trustees of the two Museums, British Museum Publications Limited, Londres.

LISTE DES FIGURES

LISTE DES PLANCHES

Pl. 132 - Tombe 736 et son mobilier.
Tombes 726, 728, 729, céramique de la tombe 730.
Pl. 133 - Tombe 739, tombe 749, ses objets et son mobilier, natte de la tombe 755.
Pl. 134 - Tombe 755.
Pl. 135 - Tombe 755.
Pl. 136 - Tombe 756, restes de linceul de la tombe 756, céramiques des tombes 757 (1, 2), 774 (3), 775 (4).
Pl. 137 - Tombe 760 et son mobilier.
Pl. 138 - Objets des tombes 712 (1), 733 (2), 747 (3), 760 (4, 5, 6, 7, 9) et 762 (8).
Pl. 139 - Céramiques du tombeau 763.
Pl. 140 - Céramiques et objet de la tombe 765.
Pl. 141 - Tombe 766 et son mobilier.
Pl. 142 - Céramiques de la tombe 766.
Pl. 143 - Objets des tombes 770 (1), 771 (9, 10), céramiques des tombes 771 (2 à 8), 777 (11, 12), 778 (13, 14, 15), 781 (16, 17, 18).
Pl. 144 - Tombe 782 et 783, céramiques de la tombe 790 (7 à 10), mobilier de la tombe 782 (1 à 6).
Pl. 145 - Tombe 792, céramiques des tombes 791 (1), 792 (3), 795 (4, 5), 796 (2).
Pl. 146 - Céramiques de la tombe 797 (1, 2, 3), tombe 800 et ses céramiques (4, 5, 6).
Pl. 147 - Céramiques des tombes 734 (2), 738 (1), 801 (3), mobilier de la tombe 808 (4 à 9).
Pl. 148 - Tombe 807, céramiques des tombes 807 (1), 813 (2), 820 (3).
Pl. 149 - Tombe 809 et son mobilier.
Pl. 150 - Tombe 811 et son mobilier (1, 2).
Tombe 815 et sa céramique (3).
Pl. 151 - Céramiques des tombes 818 (1 à 6) et 826 (7), tombe 824.
Pl. 152 - Tombe 819 et son mobilier.
Pl. 153 - Tombe 823 et son mobilier.
Pl. 154 - Mobilier de la tombe 823.
Pl. 155 - Mobilier de la tombe 825 (1, 2, 3), vases en faïence de la tombe 827 (4, 5), tombe 835.
Pl. 156 - Tombe 828, objets de la tombe 833.
Pl. 157 - Tombe 829 et sa céramique.
Pl. 158 - Tombe 829, linceul et crâne.
Pl. 159 - Tombe 830 et sa céramique.
Pl. 160 - Tombe 834 et sa céramique.
Pl. 161 - Céramiques des tombes 832 (1, 4), 834 (2, 3), 840 (5), 849 (6).
Pl. 162 - Tombe 836 et sa céramique.
Pl. 163 - Tombe 840.
Pl. 164 - Tombe 831 et sa céramique (6), mobilier de la tombe 840 (1, 2, 3, 4, 5).
Pl. 165 - Tombe 842 et son mobilier.
Pl. 166 - Tombes 841 et 843, céramique de la tombe 843.
Pl. 167 - Tombe 844 et son mobilier.
Pl. 168 - Mobilier de la tombe 844.
Pl. 169 - Tombe 845.
Pl. 170 - Tombe 845, linceul, sandale en cuir.
Pl. 171 - Mobilier de la tombe 845, crâne avec restes de linceul.
Pl. 172 - Linceuls de la tombe 845.
Pl. 173 - Tombe 846 et 847 et leurs céramiques.
Pl. 174 - Tombe 848, céramique et linceul.
Pl. 175 - Tombes 850, 857, objets de la tombe 850 (1, 2), céramiques des tombes 853 (3), 857 (4).
Pl. 176 - Tombe 857 et linceul.
Pl. 177 - Tombe 858, céramique et objet (1, 2).
Pl. 178 - Tombes 854, 859, 860, 873, 876.
Tombes 874, 889, 900, 902.
Pl. 179 - Tombe 863 et son mobilier.
Pl. 180 - Tombe 866 et son mobilier.
Pl. 181 - Tombes 894, 895, 896, 897, objet de la tombe 896.
Pl. 182 - Céramiques des tombes 903 (1, 2), 913 (4), 916 (3), 926 (5, 6).
Pl. 183 - Mobilier de la tombe 910, tombe 913.
Pl. 184 - Tombe 915 et sa céramique (1, 2).
Pl. 185 - Tombe 920 et ses céramiques (1, 2), tombe 922, céramique de la tombe 929 (3).
Pl. 186 - Céramiques des tombes 917 (1 à 5), 927 (6, 7, 8), 937 (9).
Pl. 187 - Objets du tombeau 928.
Pl. 188 - Céramiques du tombeau 928.
Pl. 189 - Céramiques du tombeau 928.
Pl. 190 - Céramiques du tombeau 928.
Pl. 191 - Tombe 931 et ses céramiques.
Pl. 192 - Linceul de la tombe 931, objets de la tombe 932 (7 à 14).
Tombes 932, 933, mobilier de la tombe 933 (1 à 4).
Pl. 193 - Tombe 934 et sa céramique (1), tombe 935 et sa céramique (2).
Pl. 194 - Linceul de la tombe 935, tombe 936 et sa céramique (1).
Pl. 195 - Objets de la tombe 937 (1, 2, 3), tombe 942 et ses céramiques (4, 5).
Pl. 196 - Tombe 938 et ses céramiques.
Pl. 197 - Tombe 940 et ses objets.
Pl. 198 - Céramiques de la tombe 940.
Pl. 199 - Céramiques de la tombe 940.
Pl. 200 - Mobilier de la tombe 943 (1, 2, 3), céramiques des tombes 944 (4, 8) et 945 (5, 6, 7, 9 à 13).
Pl. 201 - Céramiques des tombes 946 (1, 2), 948 (3), 951 (4 à 8).
Pl. 202 - Tombes 952, 954 et 959.
Pl. 203 - Céramiques des tombes 952 (1 à 5) et 960 (6 à 9).
Pl. 204 - Céramiques des tombes 953 (1 à 5), 1020 (7, 8), 1021 (6).
Pl. 205 - Tombe 1018 et son mobilier.
Pl. 206 - Tombe 1019 et son mobilier.
Pl. 207 - Céramiques des tombes 1022 (1 à 6), 1023 (7, 8).
Pl. 208 - Tombe 1022 et son mobilier (1 à 3), poignard de la tombe 1033 (4).
Pl. 209 - Mobilier de la tombe 1023.
Pl. 210 - Céramiques des tombes 1025 (1 à 6) et 1026 (7 à 10).
Pl. 211 - Tombe 1026 et son mobilier.
Pl. 212 - Céramiques de la tombe 1032 (1 à 4).
Tombe 1031 et son mobilier (5 à 8), objets de la tombe 1034 (9, 10).
Pl. 213 - Tombe 1034.
Pl. 214 - Tombe 1034, céramiques en place.
Céramiques de la tombe 1034.
Pl. 215 - Céramiques de la tombe 1034 (1 à 7).
Mobilier de la tombe 1036 (8 à 12).
Pl. 216 - Mobilier de la tombe 1037 (1 à 11), objets de la tombe 1042 (12, 13).
Pl. 217 - Céramiques de la tombe 1042.

PLANCHES

Planche 1

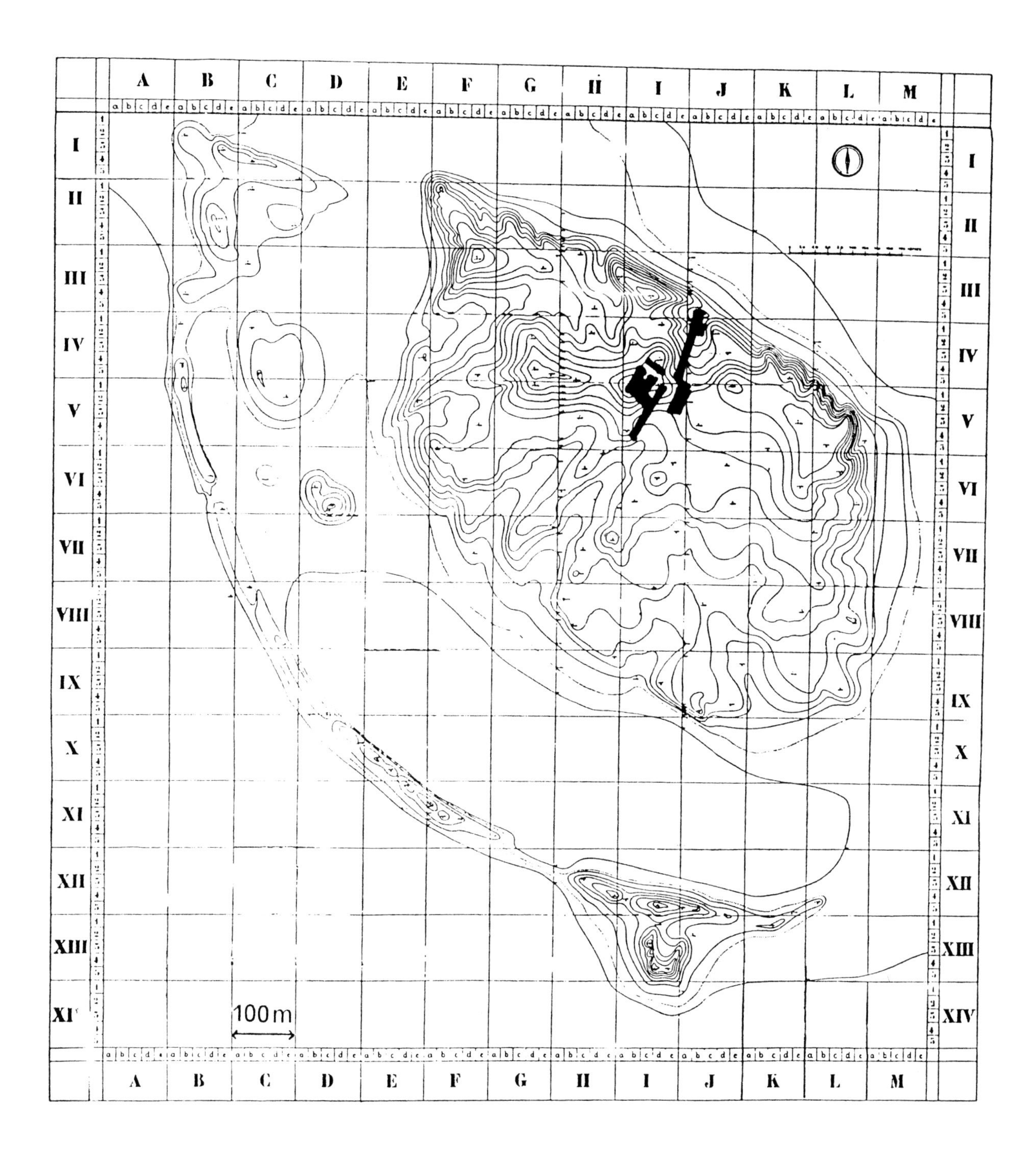

Plan de l'emplacement des tombes 1 à 38 mises au jour lors de la première campagne de fouilles (1933-34).

Plan de Mari au troisième millénaire.

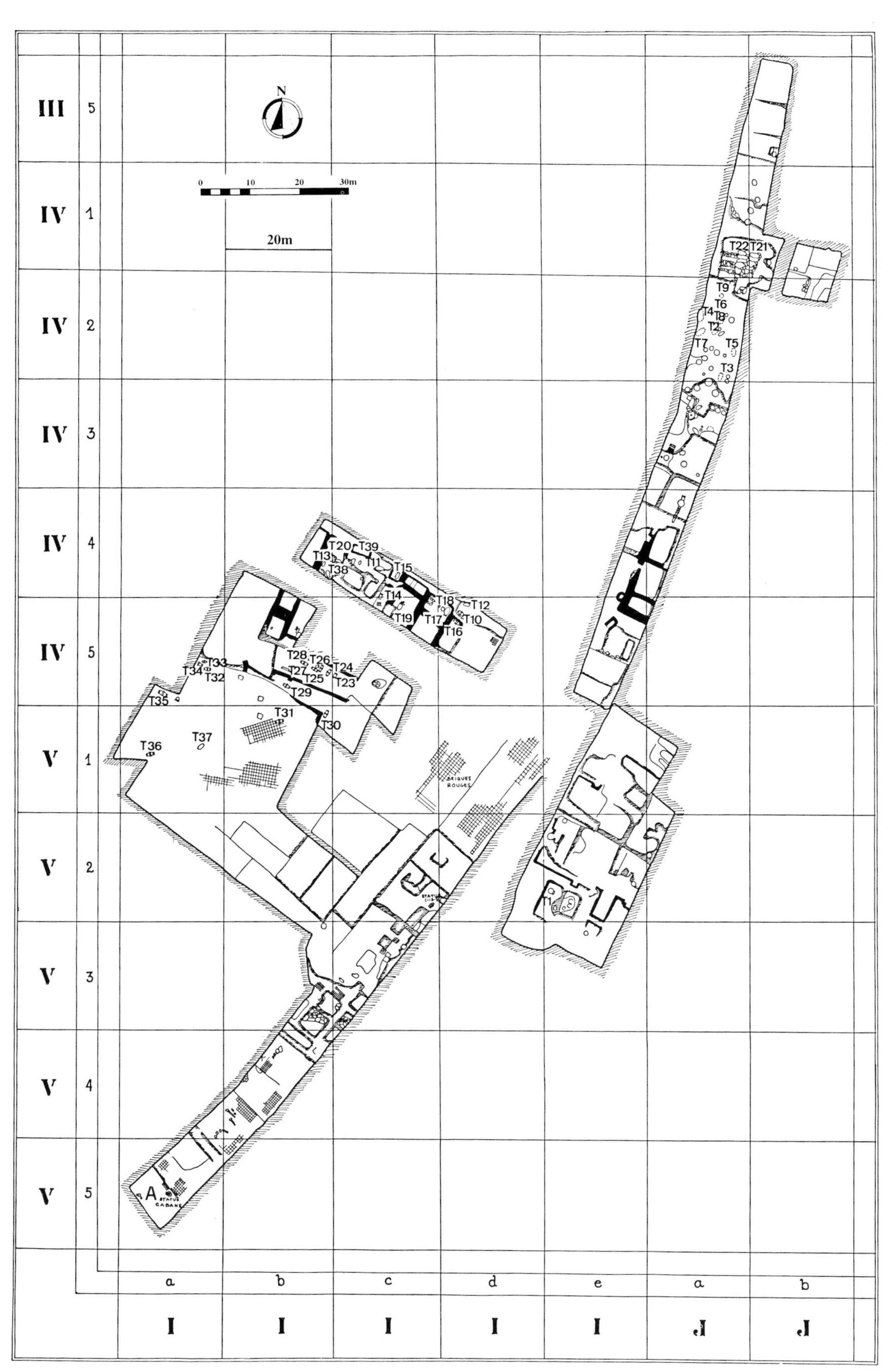

Plan de l'emplacement de la première campagne de fouilles, tombes 1 à 38, (A : statue Cabane).

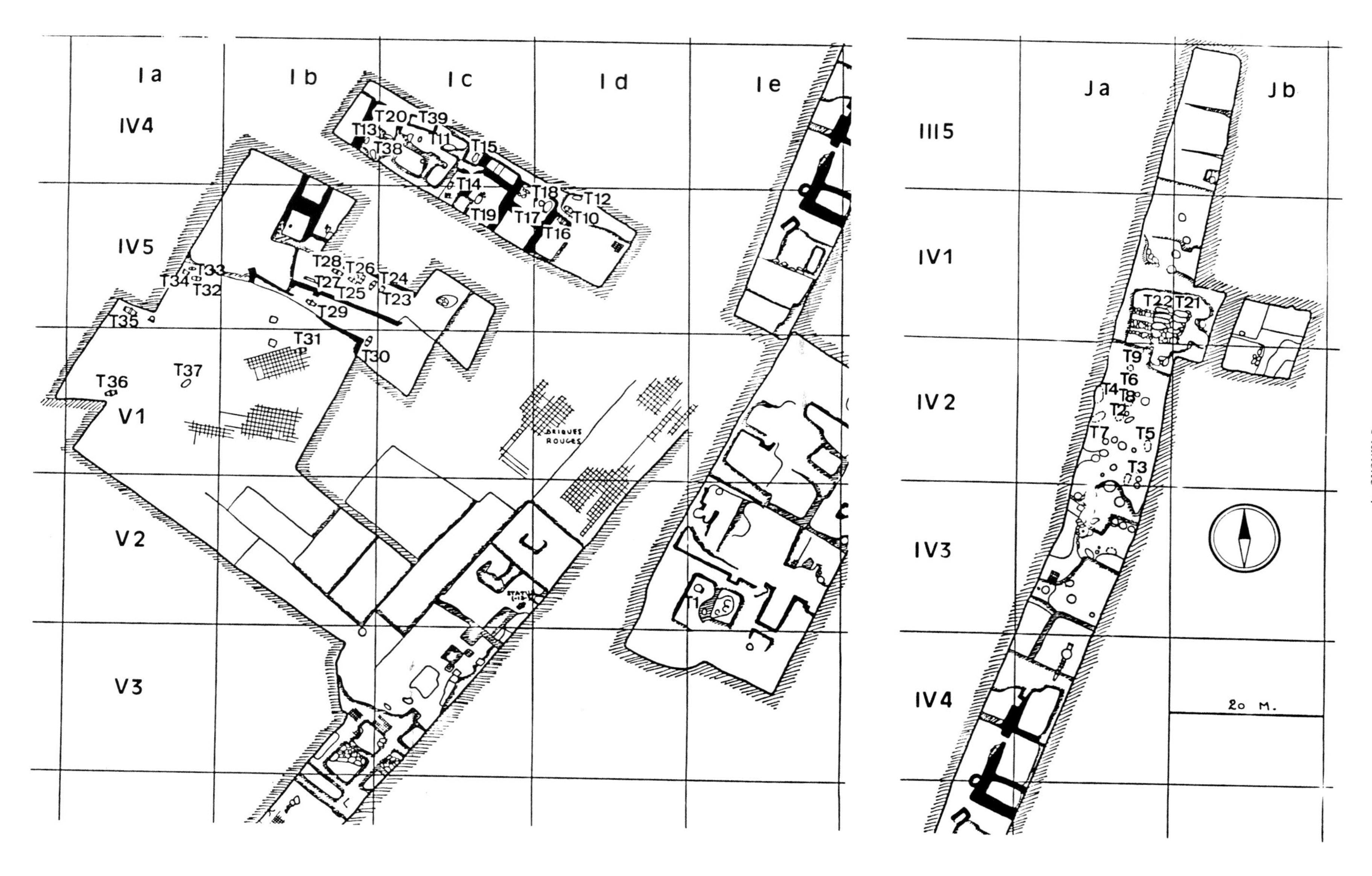

Plan de l'emplacement de la première campagne de fouilles, tombes 1 à 38, détails.

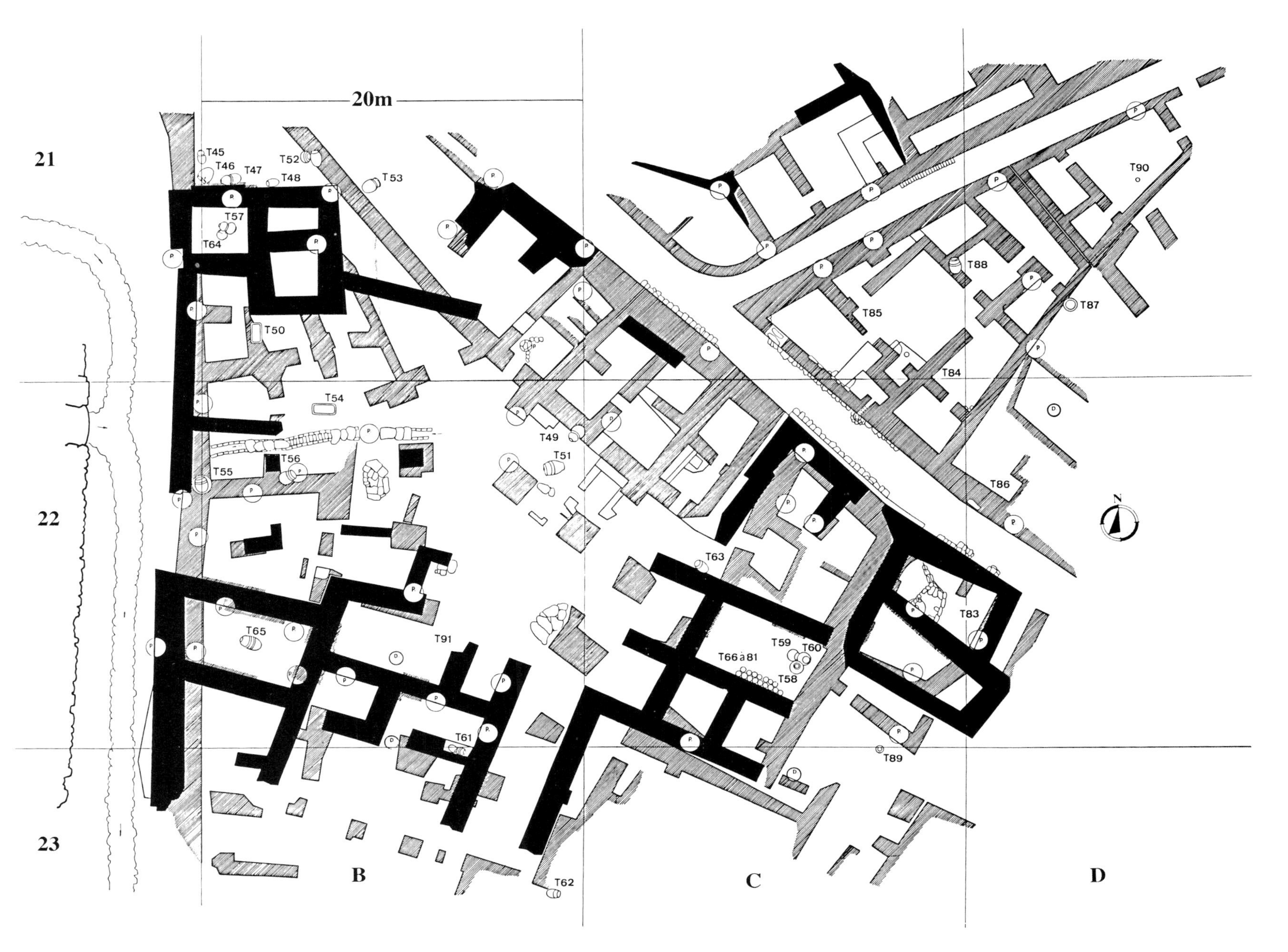

Plan du quartier d'habitation situé à l'est du temple d'Ishtar, tombes 45 à 91.

Plan de Mari au deuxième millénaire.

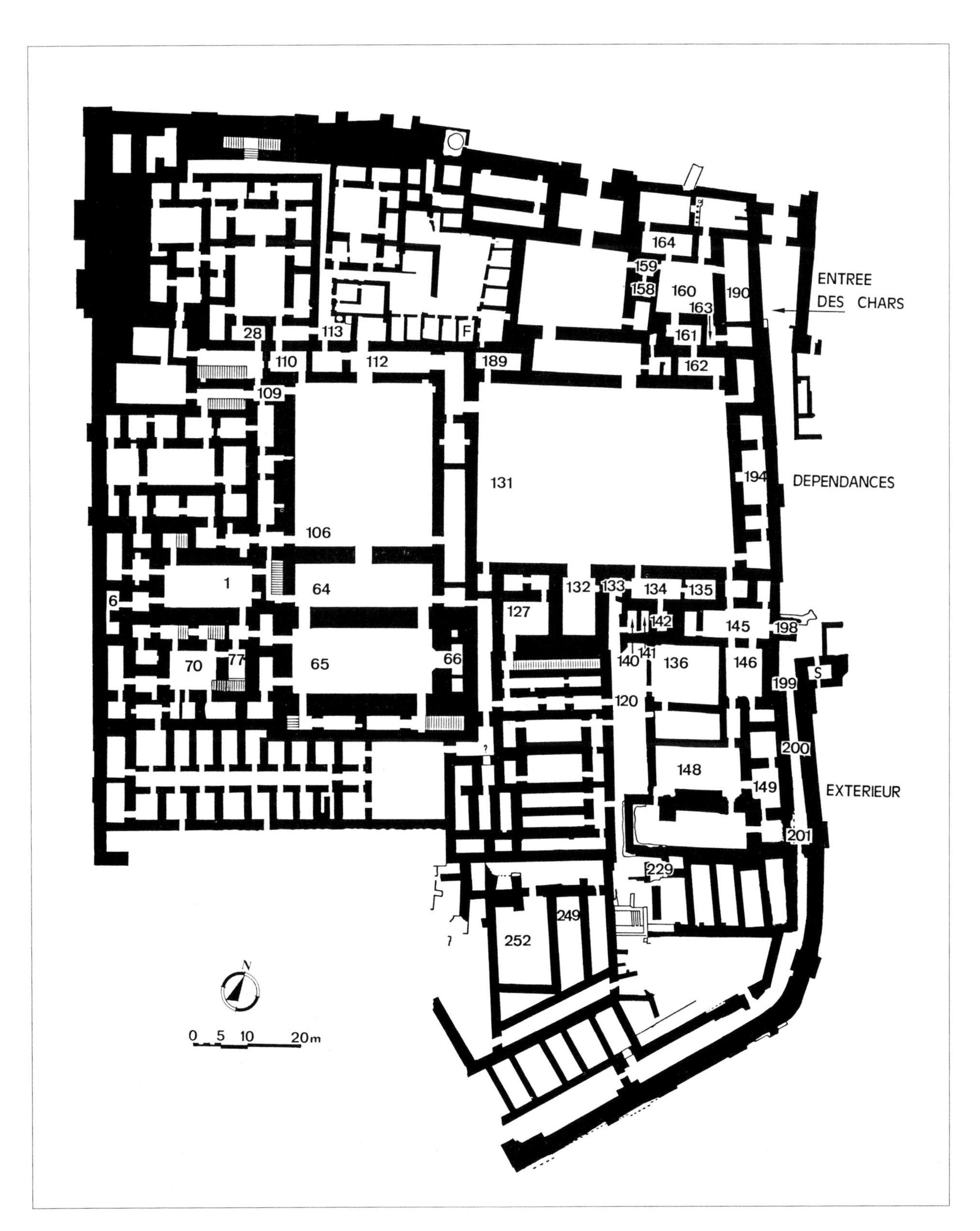

Plan du palais du deuxième millénaire, espaces où ont été trouvées des tombes.

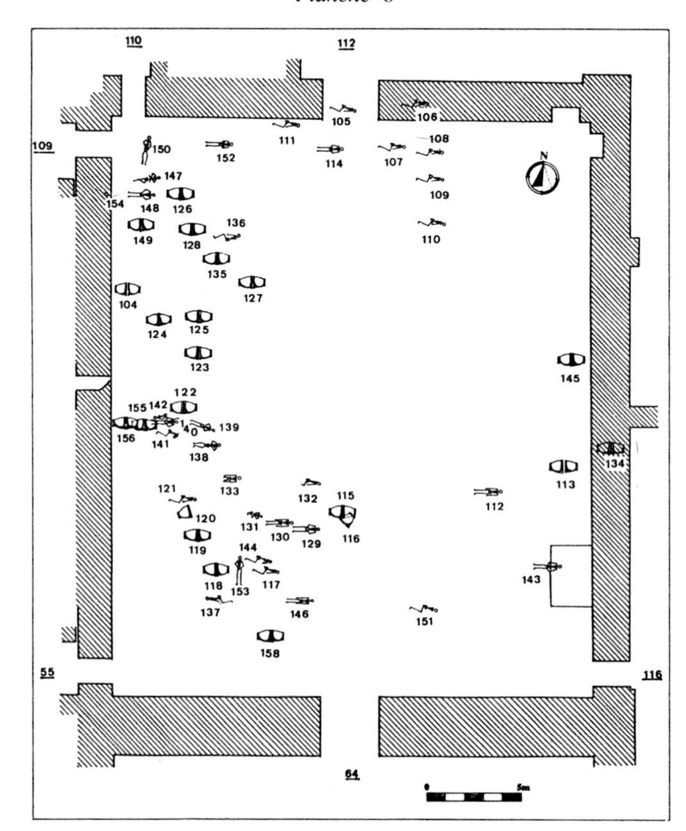

Plan de la cour 106 du palais du deuxième millénaire, cimetière médio-assyrien c1, tombes 104 à 158.

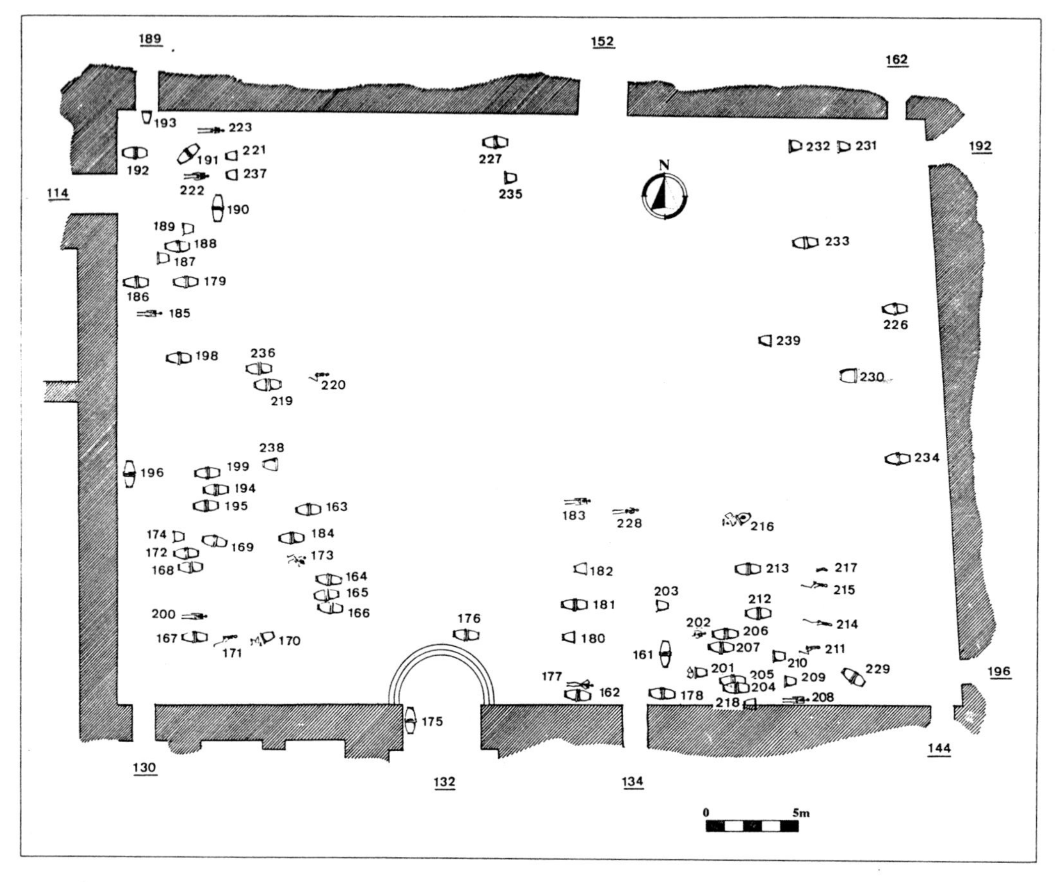

Plan de la cour 131 du palais du deuxième millénaire, cimetière médio-assyrien c2, tombes 161 à 239.

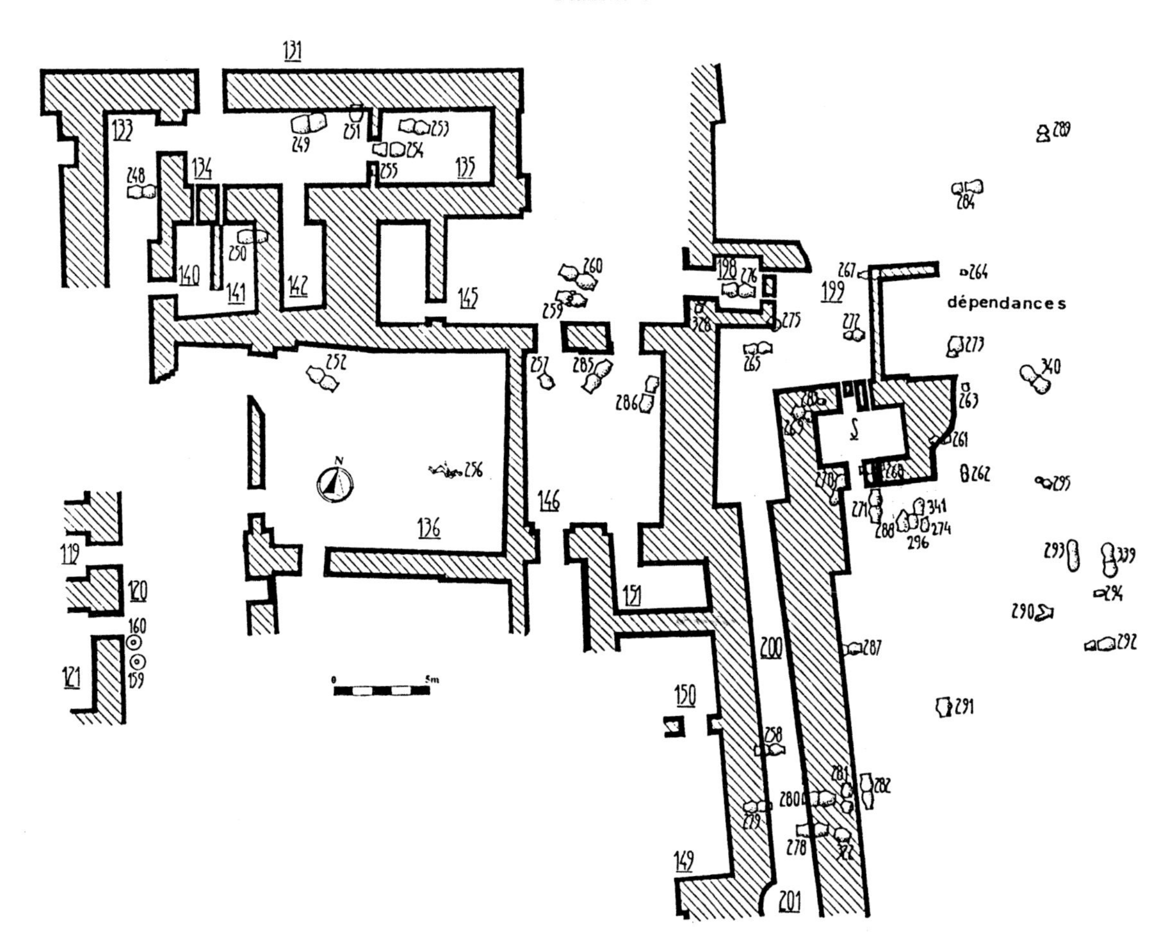

Tombes médio-assyriennes situées au sud de la cour 131 du palais du deuxième millénaire (c2).

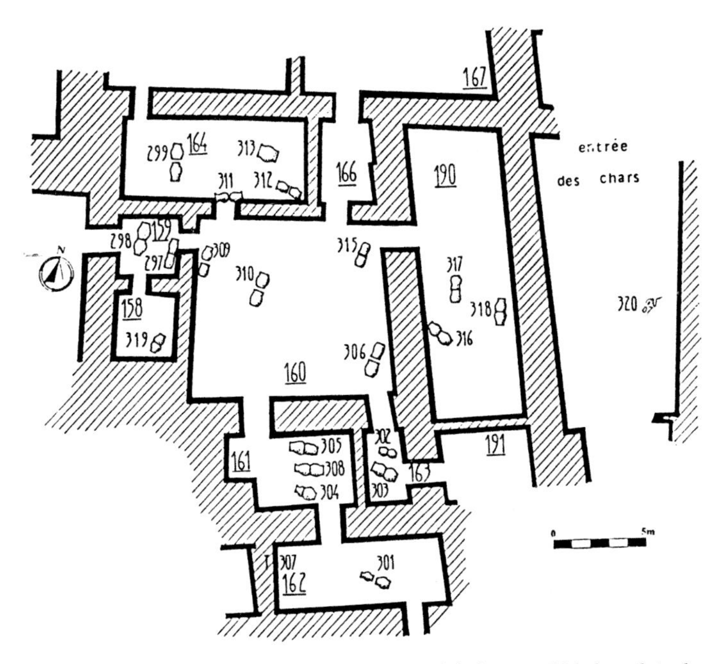

Tombes médio-assyriennes situées au nord de la cour 131 du palais du deuxième millénaire (c2).

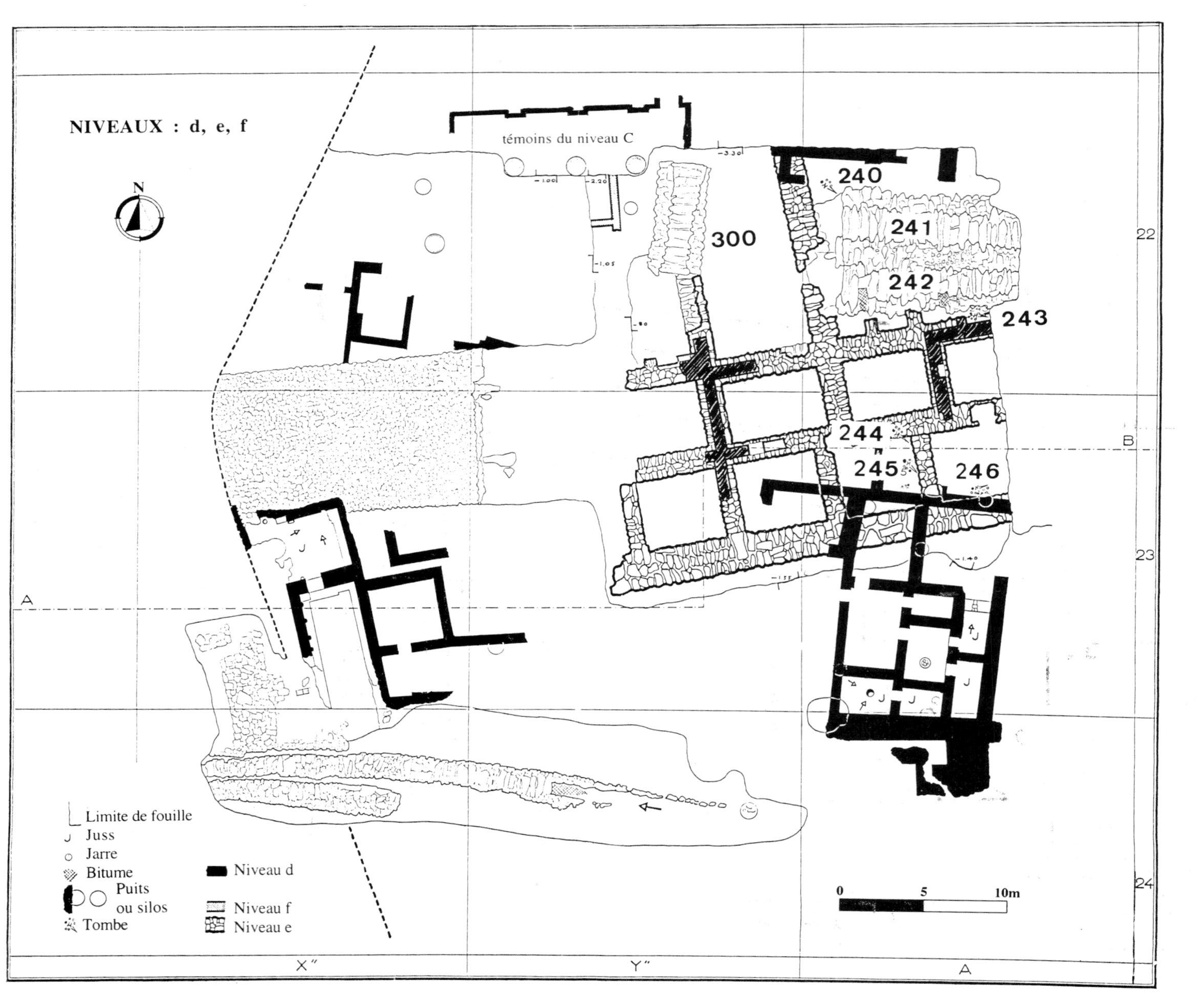

Plan du secteur du temple d'Ishtar, tombes 240, 243 à 246, tombeaux 241, 242, 300.

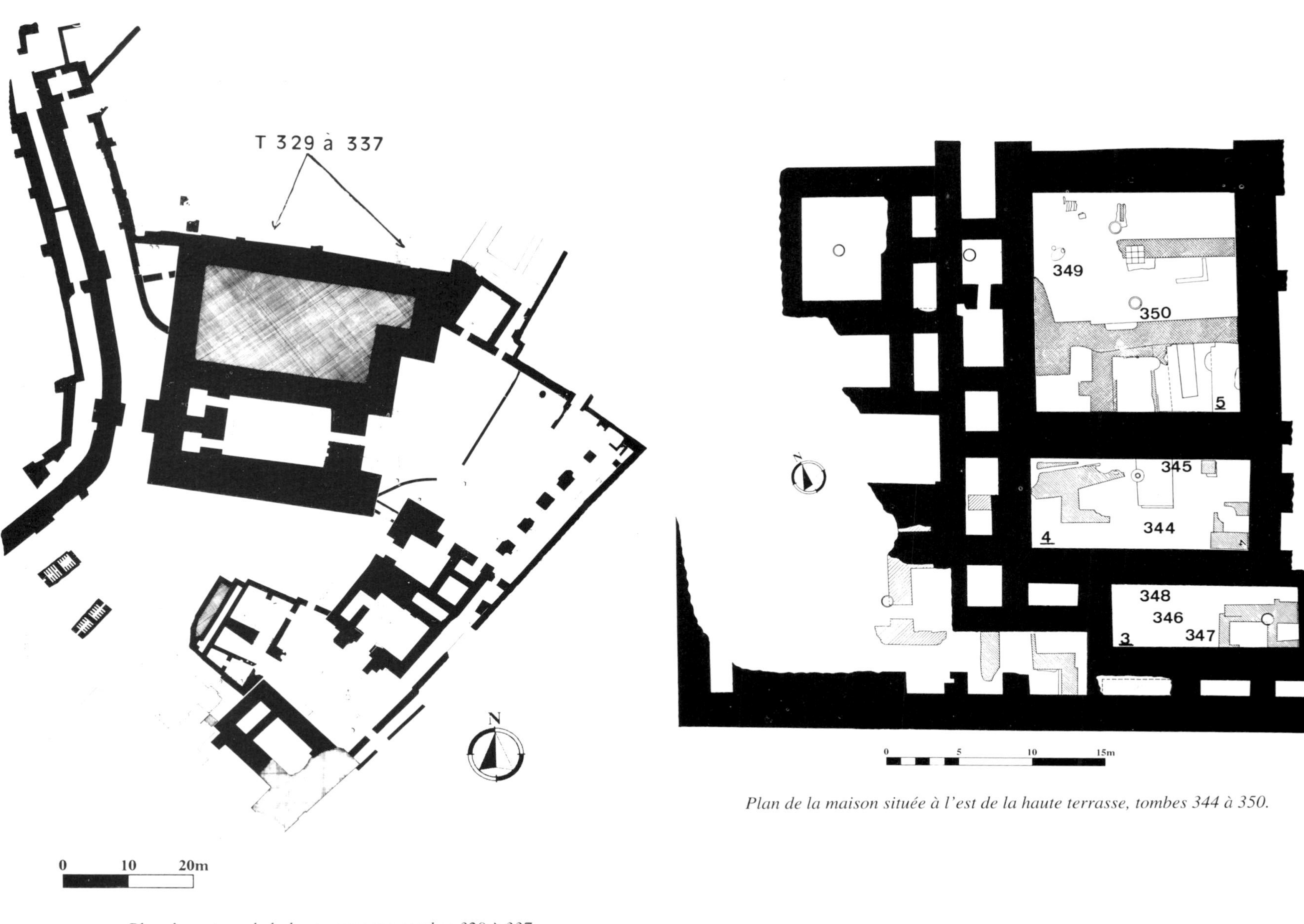

Plan du secteur de la haute terrasse, tombes 329 à 337.

Plan de la maison située à l'est de la haute terrasse, tombes 344 à 350.

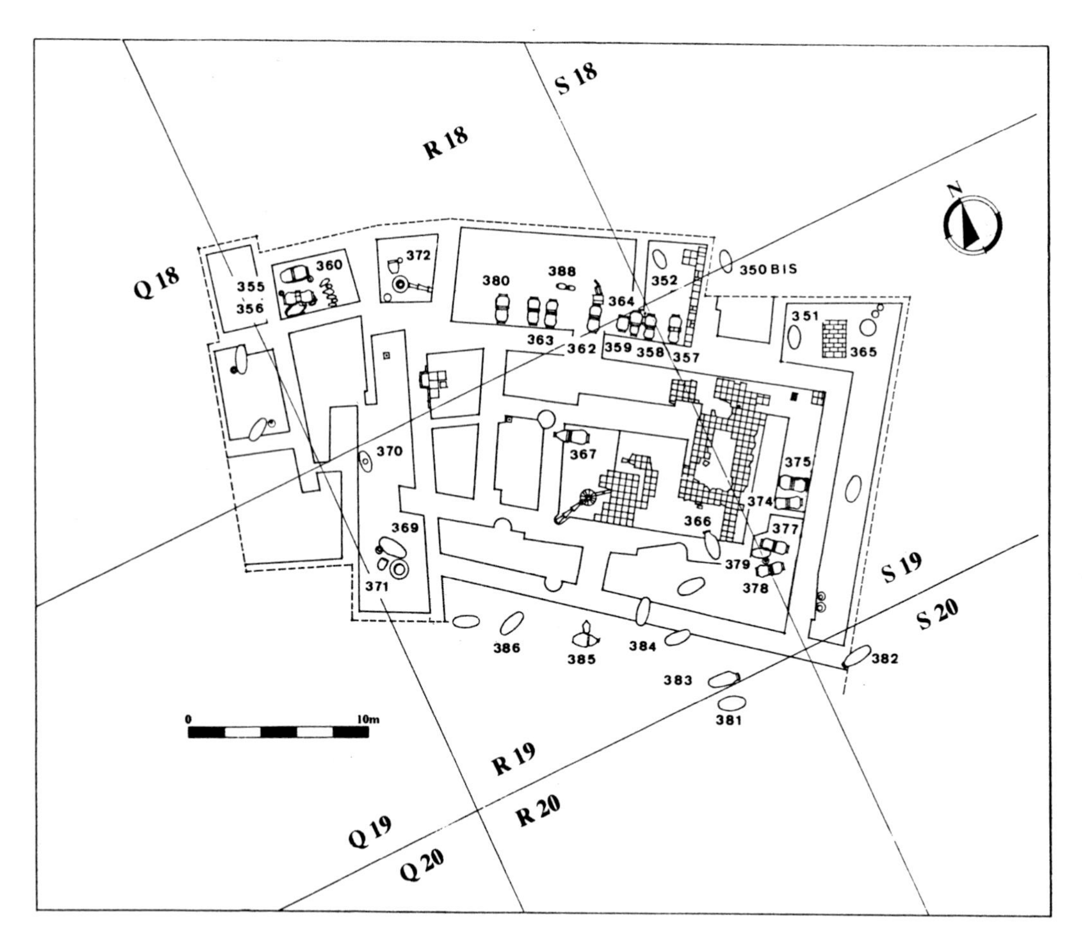

Plan du cimetière médio-assyrien c3 et de la nécropole séleucide, dans un habitat situé au nord de la haute terrasse.

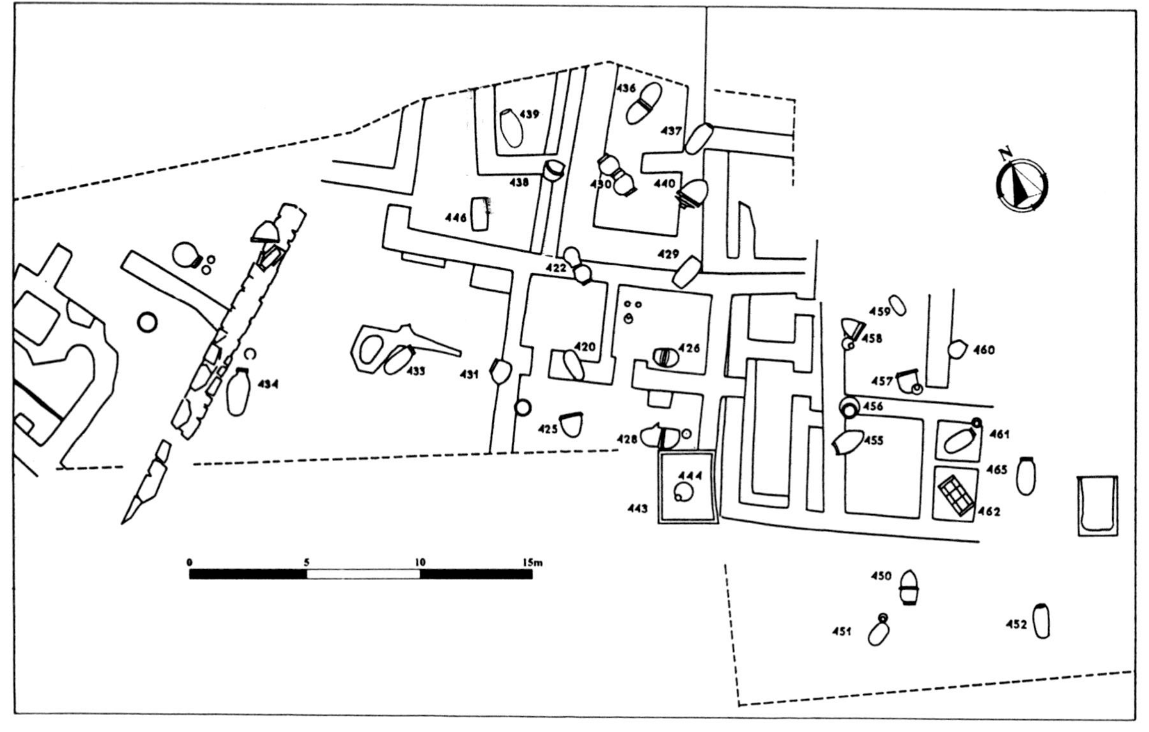

Plan des tombes 420 à 465 situées au sud du secteur des temples.

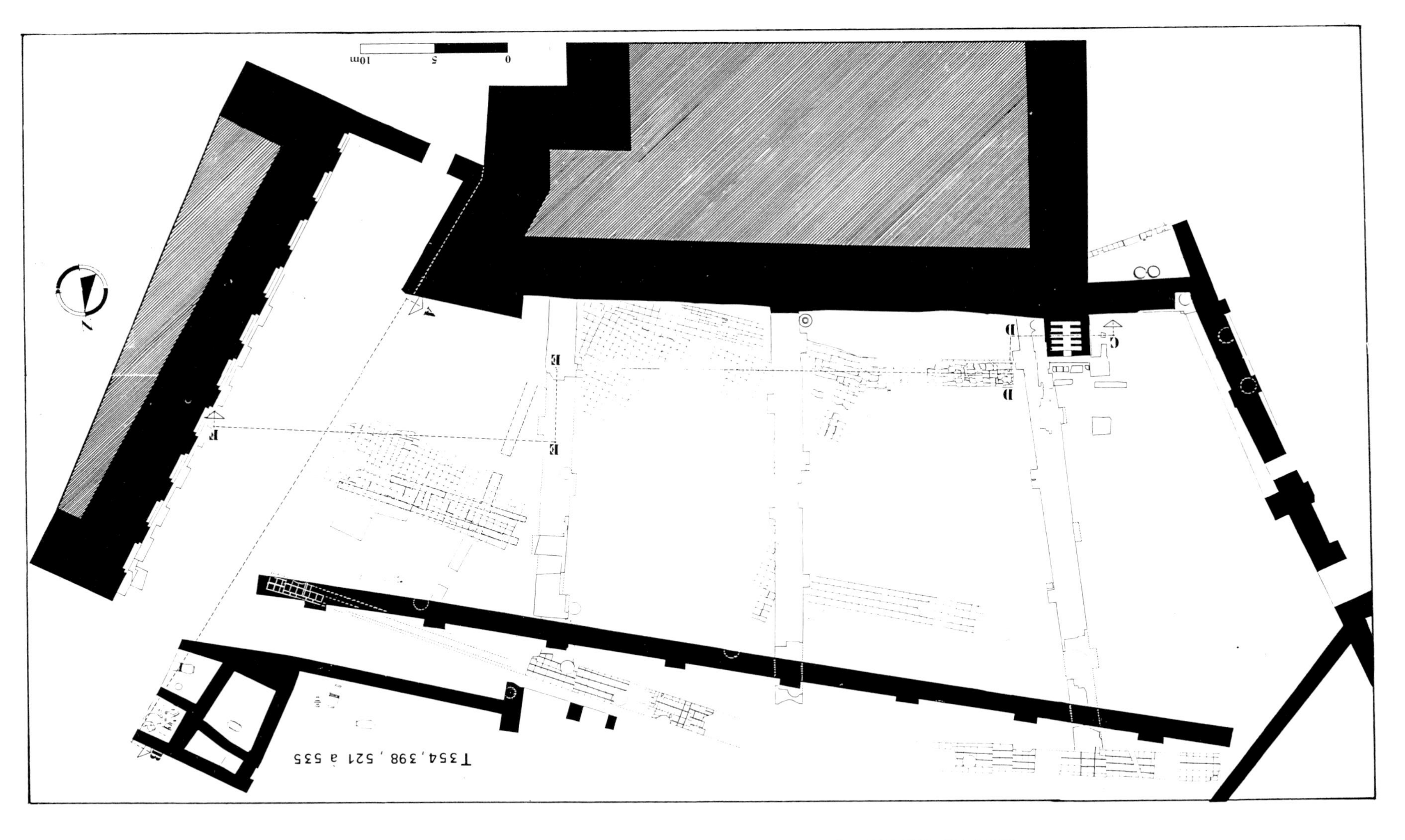

Plan de l'esplanade située au nord de la haute terrasse, tombes 354, 398, 521 à 535.

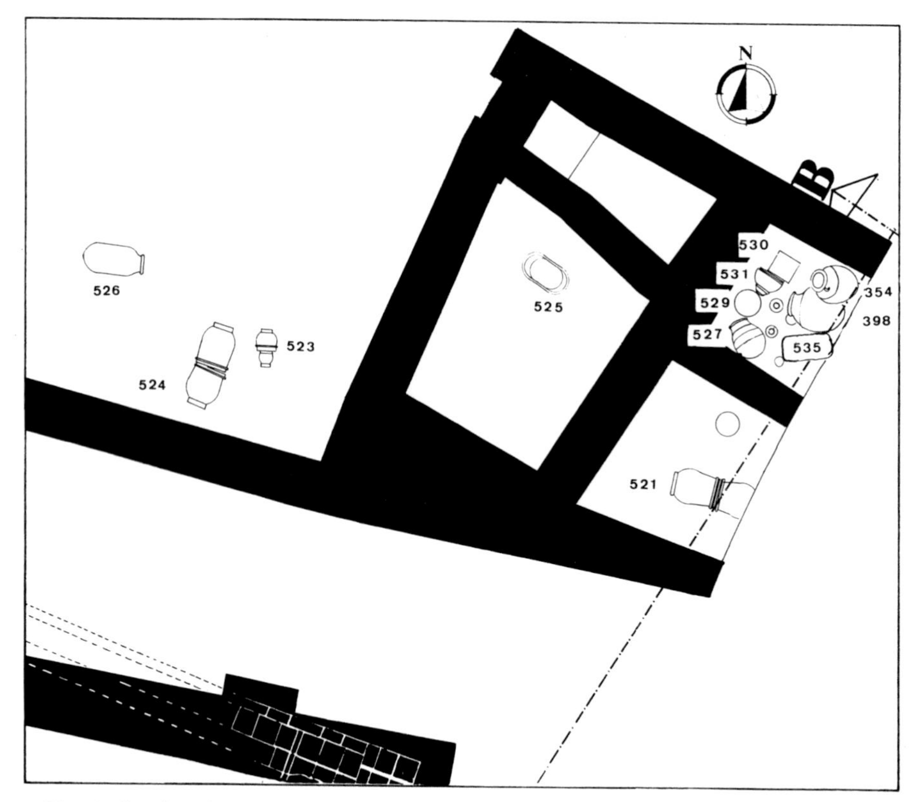

Plan de l'esplanade située au nord de la haute terrasse, détails, tombes 354, 398, 521 à 535.

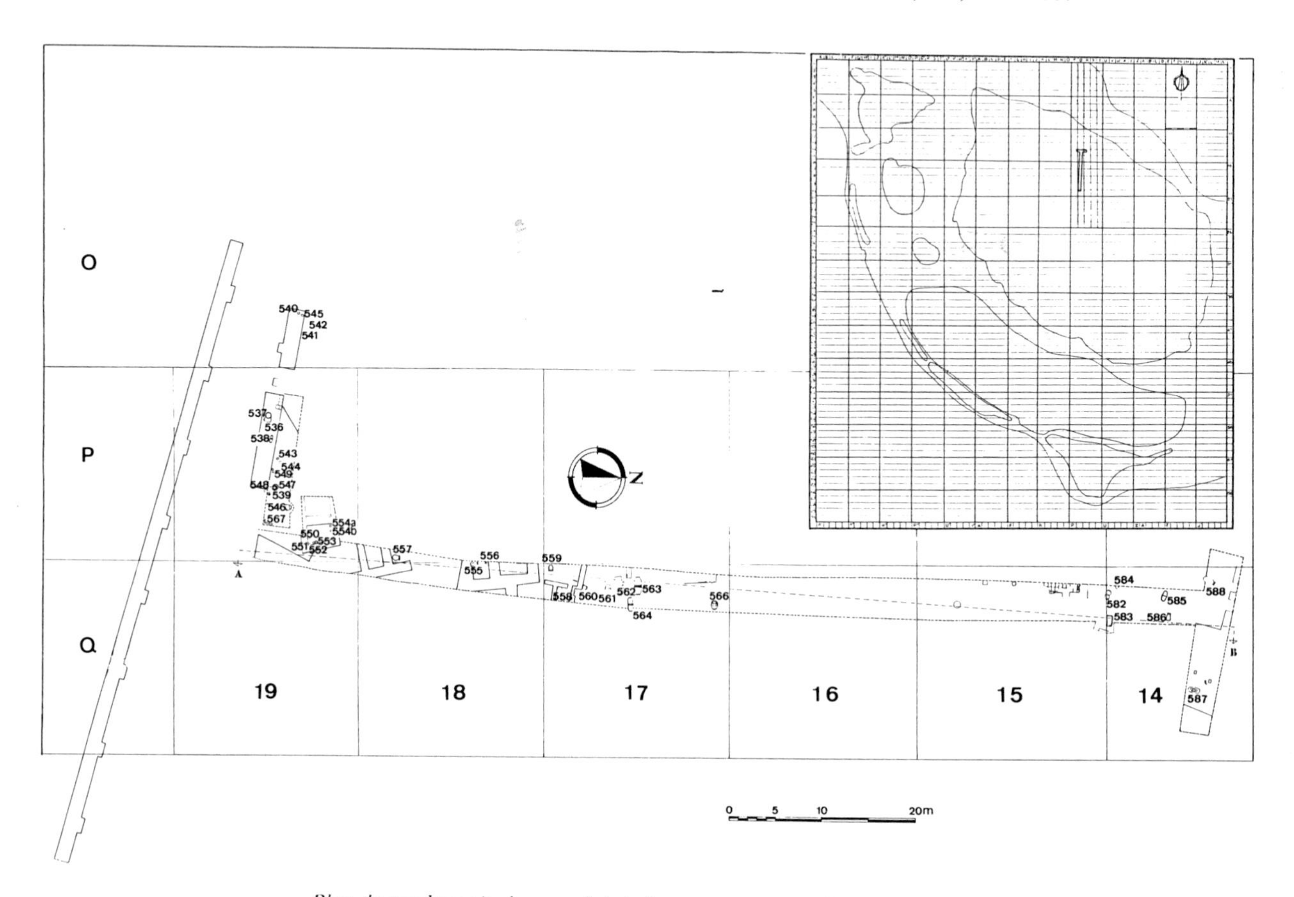

Plan du sondage situé au nord de la haute terrasse, tombes 536 à 588.

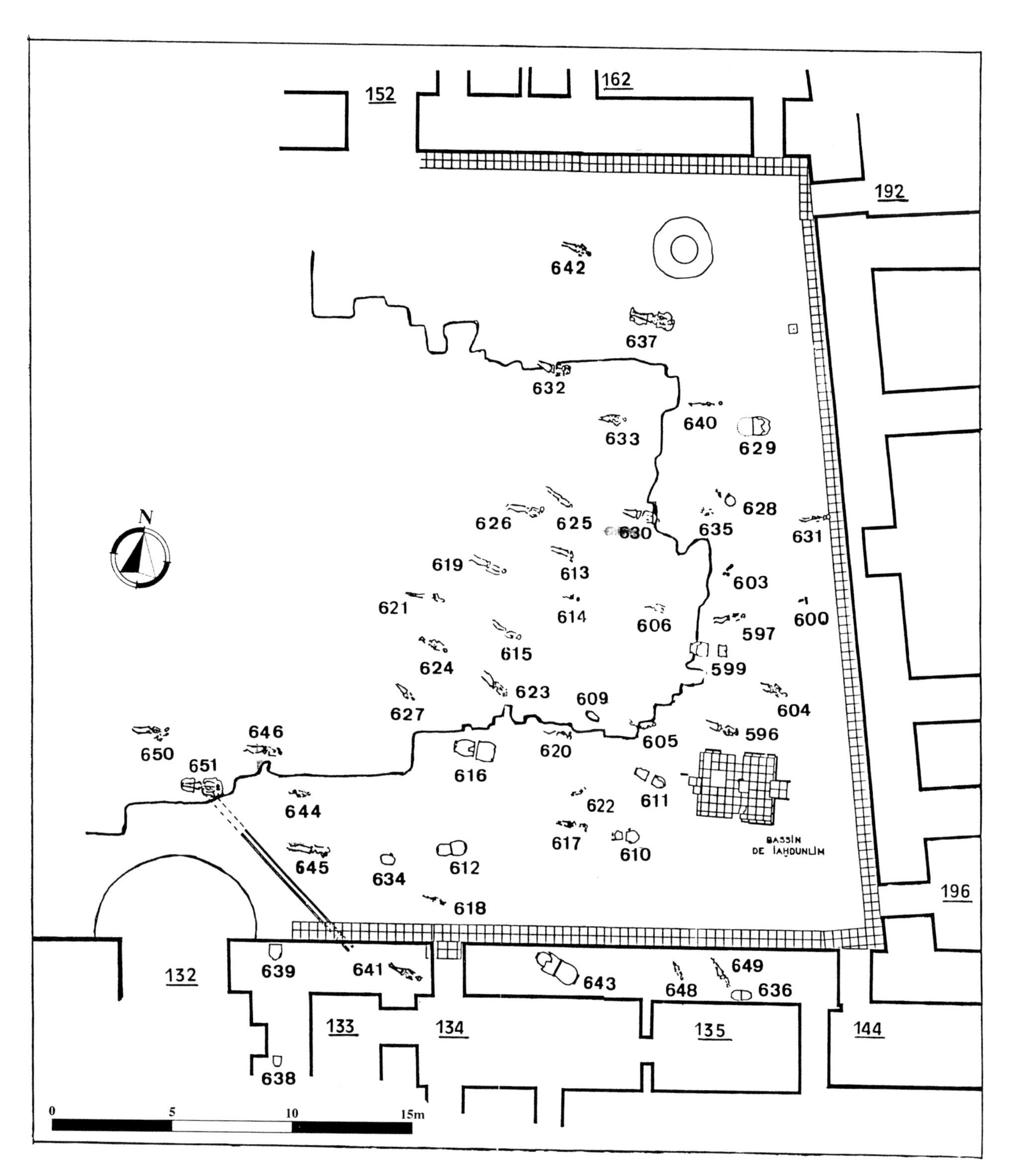

Plan du sondage situé au sud-est de la cour 131, tombes médio-assyriennes 596 à 651.

Planche 16

Tombe 1.

Détail du relief situé en haut de la panse (dessin musee du Louvre).

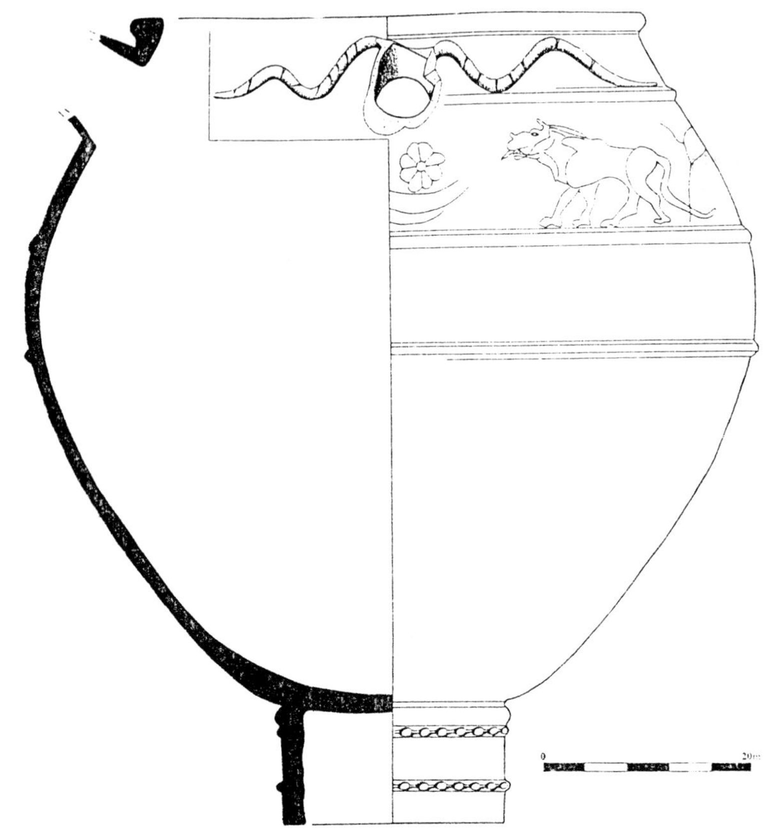

Jarre funéraire M 31.

Tombe 2.

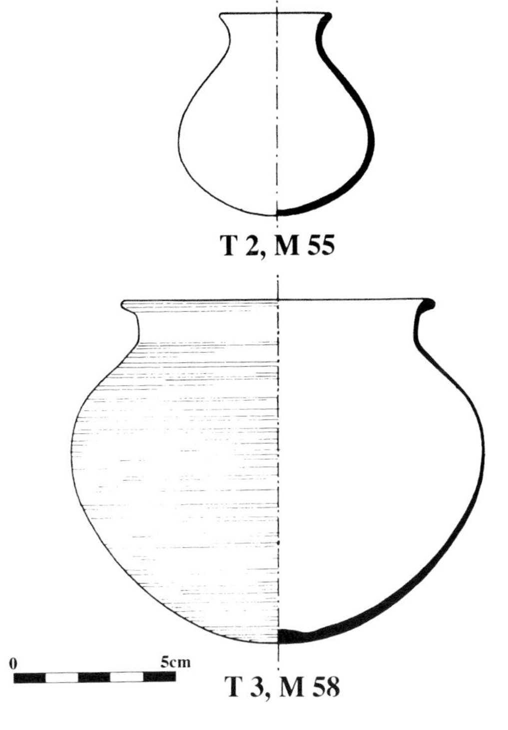

Céramiques des tombes 2-3.

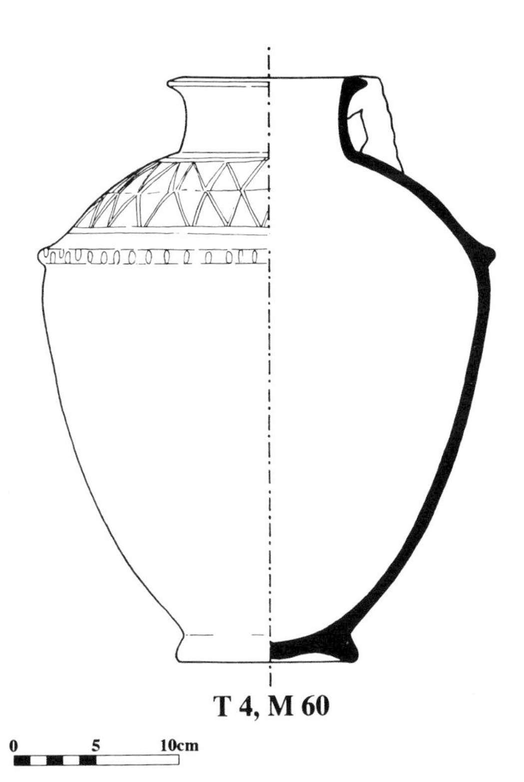

Céramique de la tombe 4.

Tombe 4.

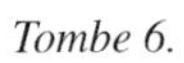

Tombe 6.

Tombe 7.

Tombe 9.

M 85 (T 11), photos musée du Louvre.

Tombe 13.

Tombe 15.

Tombe 20.

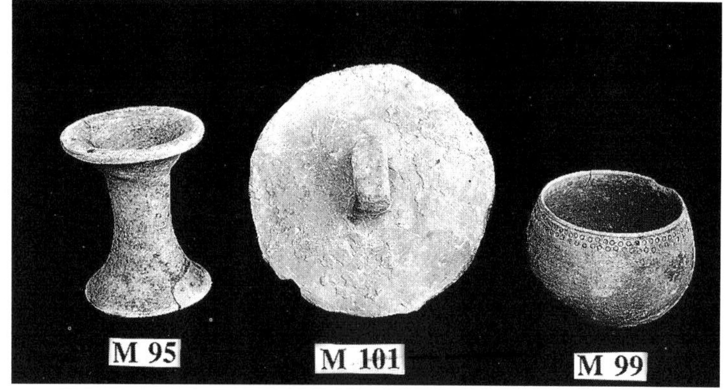

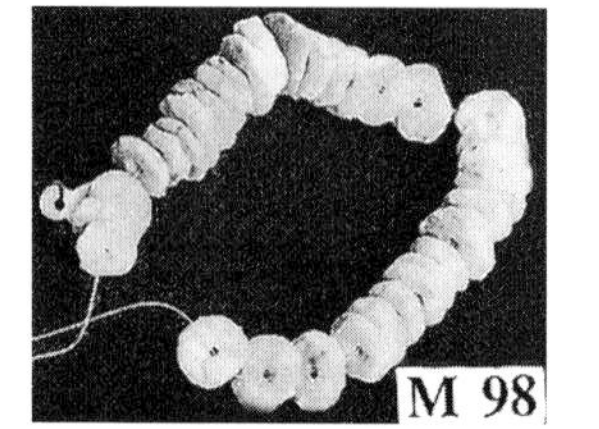

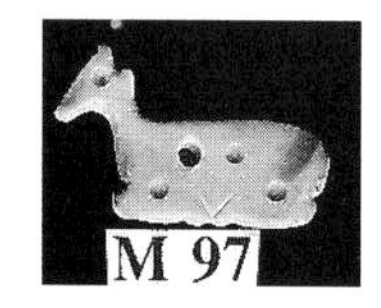

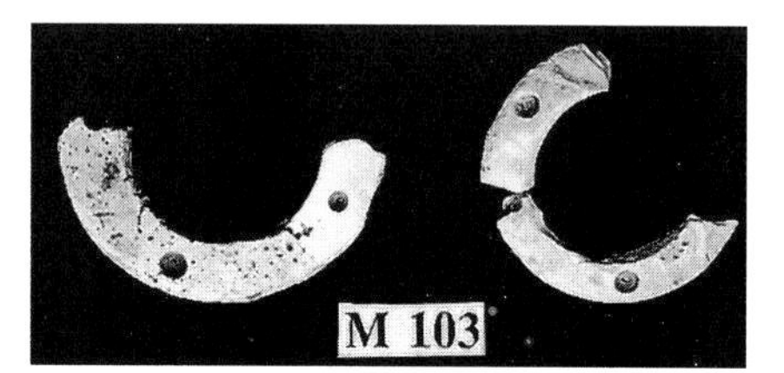

Objets des tombeaux 21-22.

Entrée des tombeaux 21-22.

Tombeaux 21-22 et alignements de pierres vus de dessus.

Tombe 40.

Mobilier de la tombe 40.

Tombe 41.

Tombe 44.

Mobilier de la tombe 44.

Tombe 42.

Tombe 45, 46, 47.

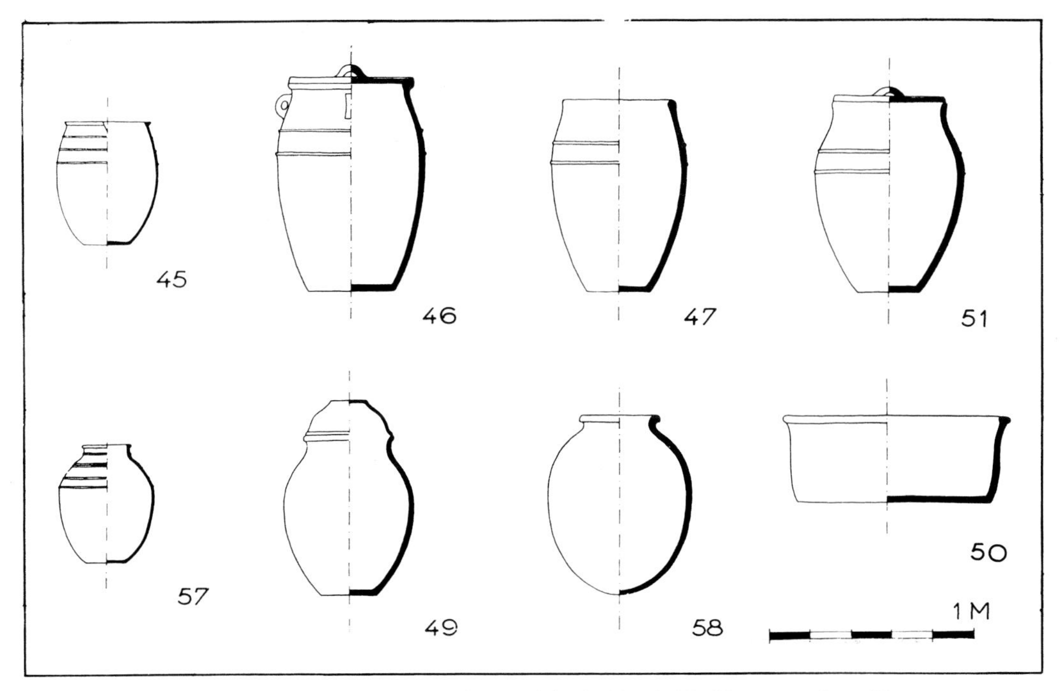

1 - Jarres funéraires des tombes 45, 46, 47, 49, 51, 57, 58 et sarcophage 50.

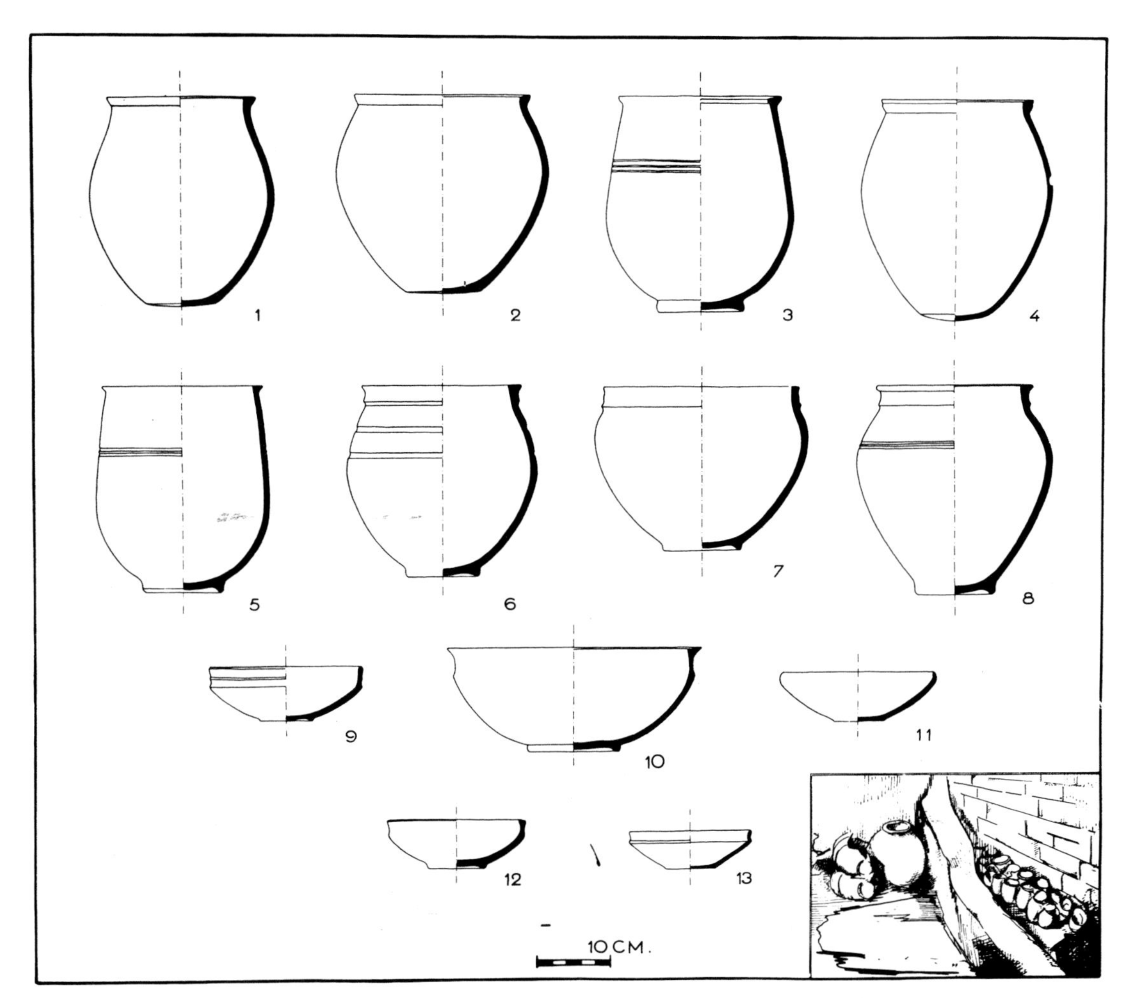

2 - Jarres funéraires des tombes 66 à 81.

Tombes 58, 59, 60 et 66 à 81.

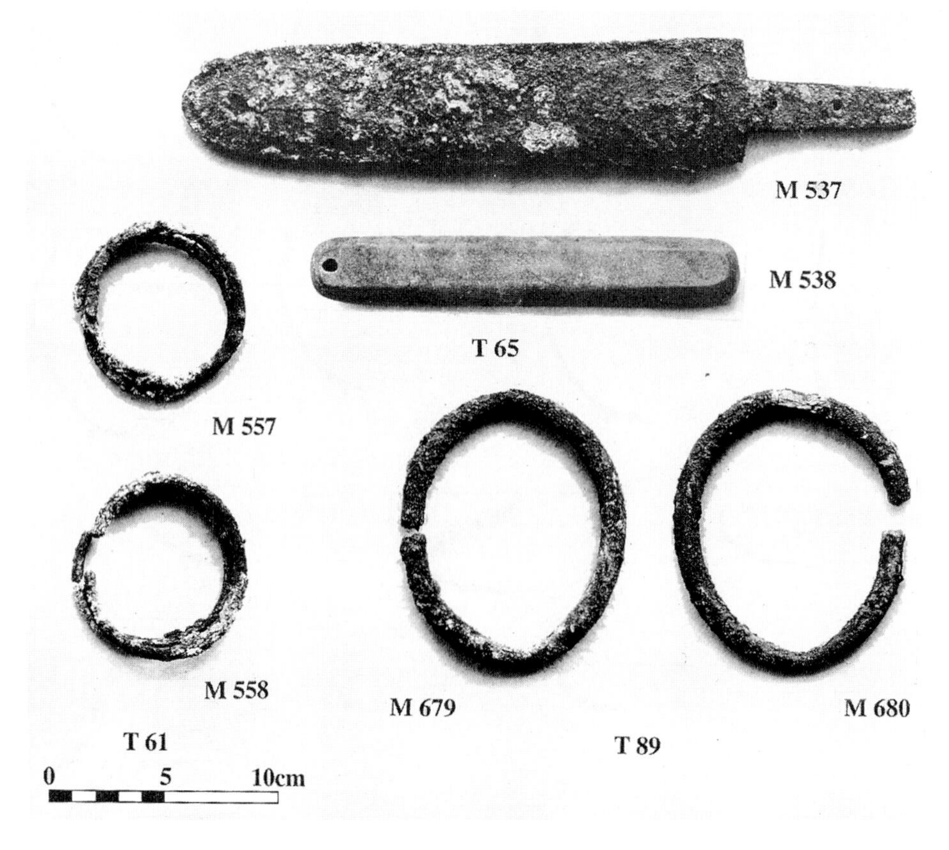

Objets des tombes 61, 65, 89.

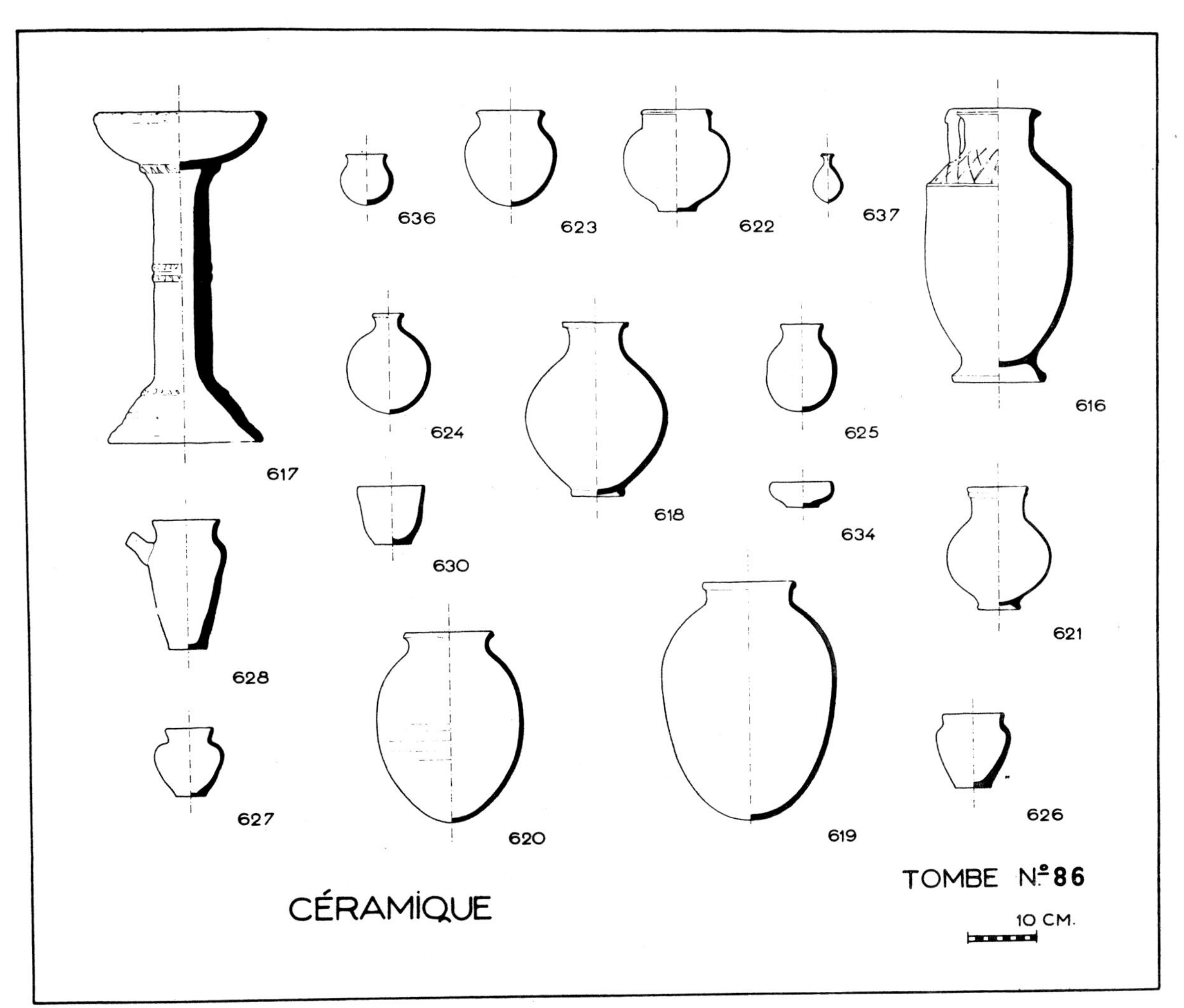

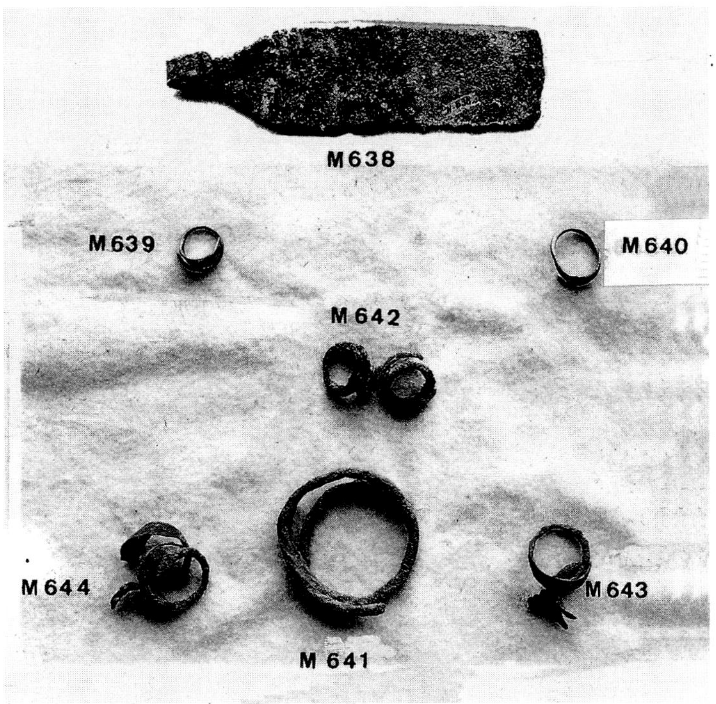

Céramiques et objets de la tombe 86.

Jarre M 616 et coupe-support M 617 de la tombe 86.

Tombe 82.

Tombe 88.

Tombe 95.

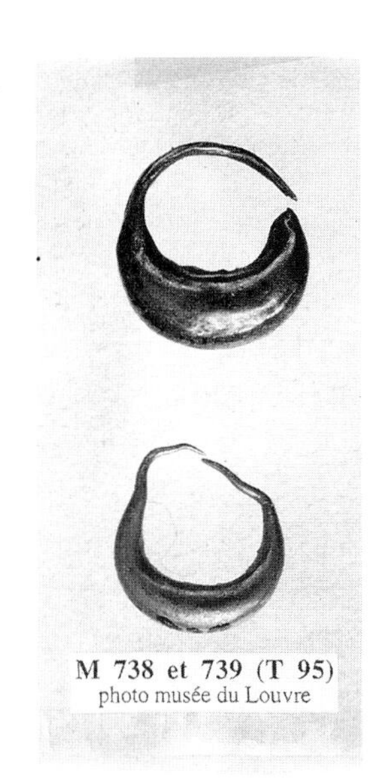

Tombe 96.

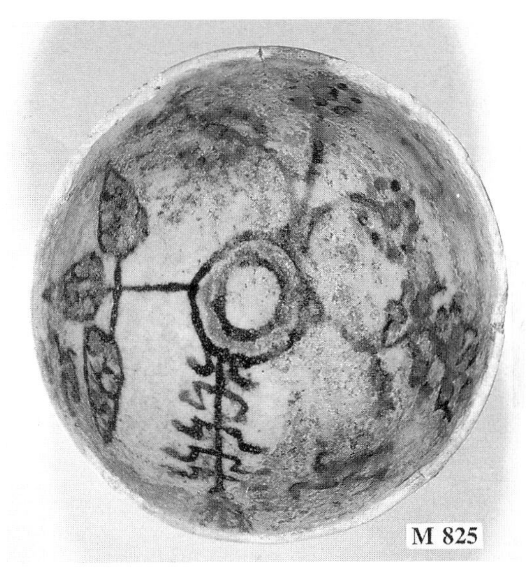

Mobilier de la tombe 96.

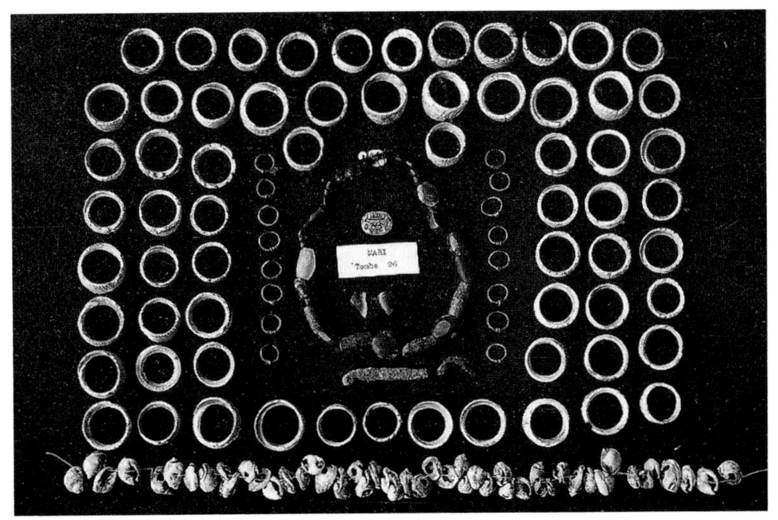

Objets de la tombe 96.

Tombe 122.

Tombe 123.

Tombe 112.

Tombe 114.

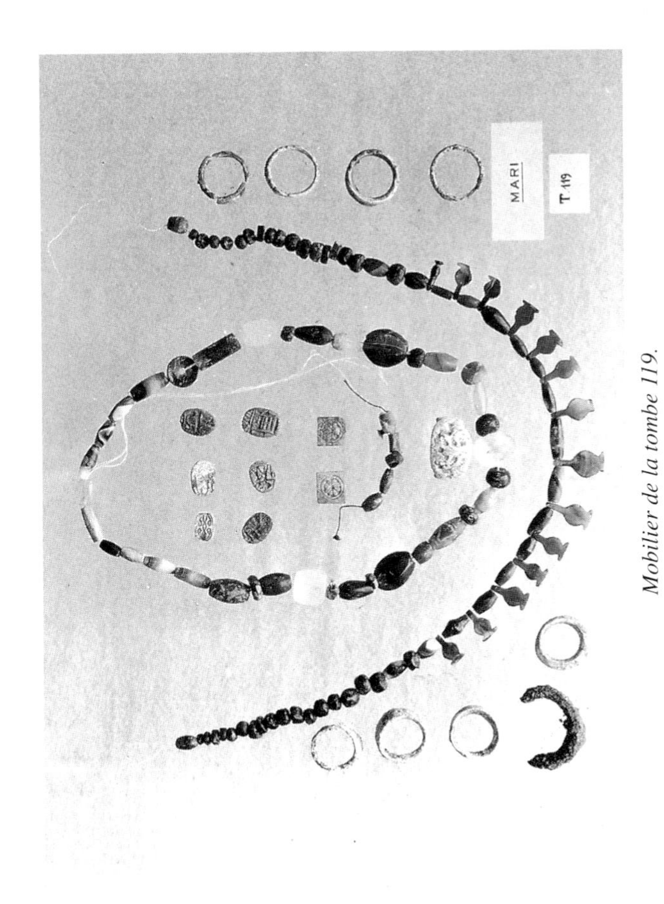

Mobilier de la tombe 119.

Mobilier de la tombe 125.

Mobilier des tombes 117 et 138.

Peignes M 1218 et M 1221 des tombes 125 et 127.

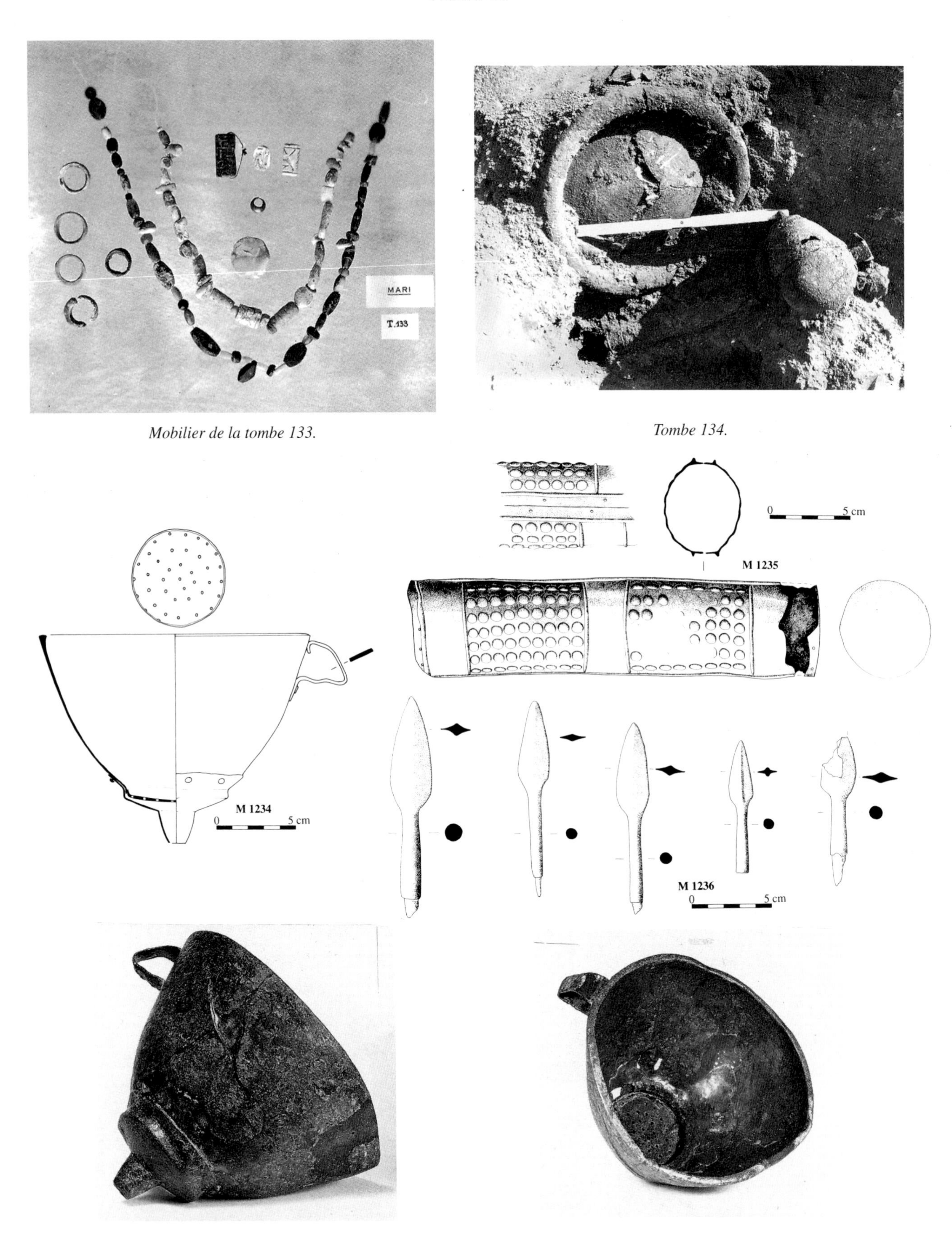

Mobilier de la tombe 133.

Tombe 134.

Mobilier de la tombe 134 (dessins et photos musée du Louvre).

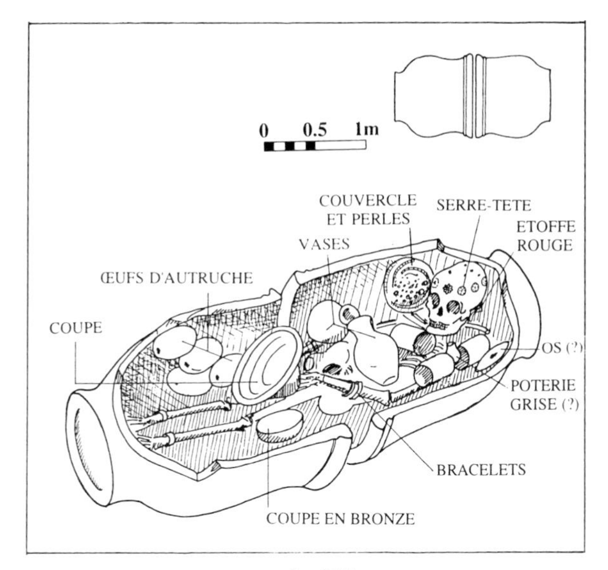

Tombe 135.

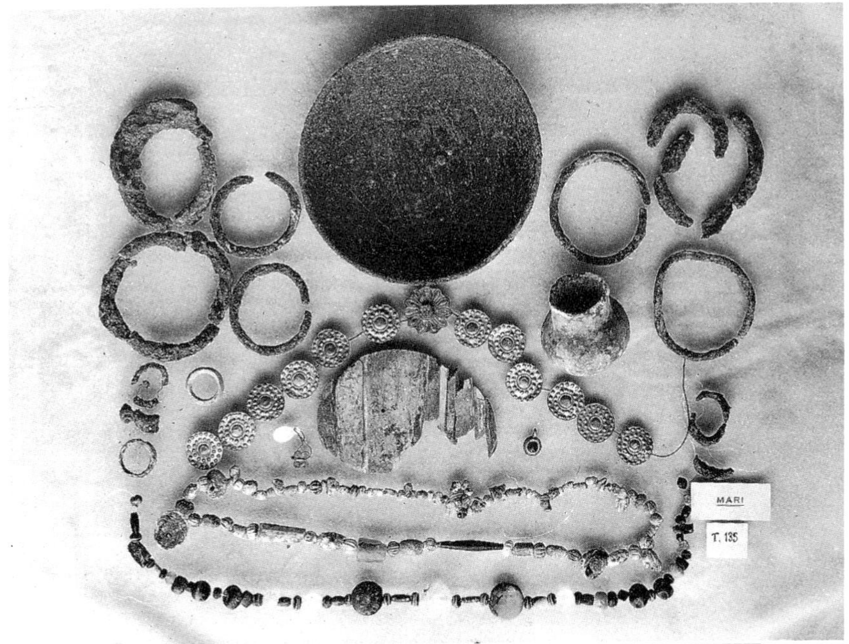

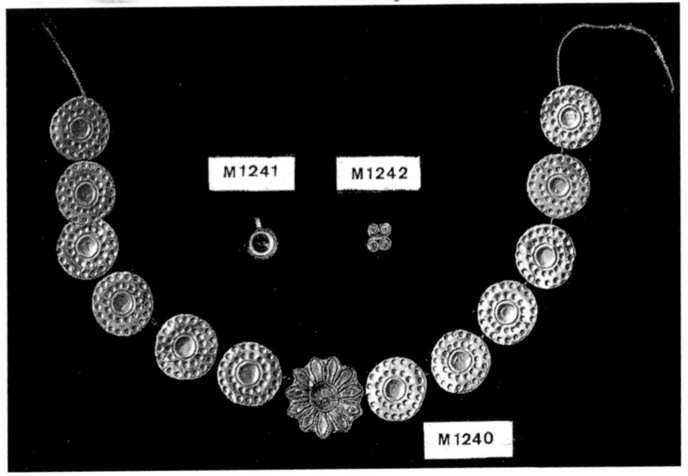

Mobilier de la tombe 135.

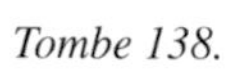
Tombe 138.

Tombe 139.

Tombe 140.

Tombe 161.

Tombes 147, 148, 149.

Tombes 159, 160.

Tombe 149.

Objets de la tombe 149 (M 1266, photo musée du Louvre).

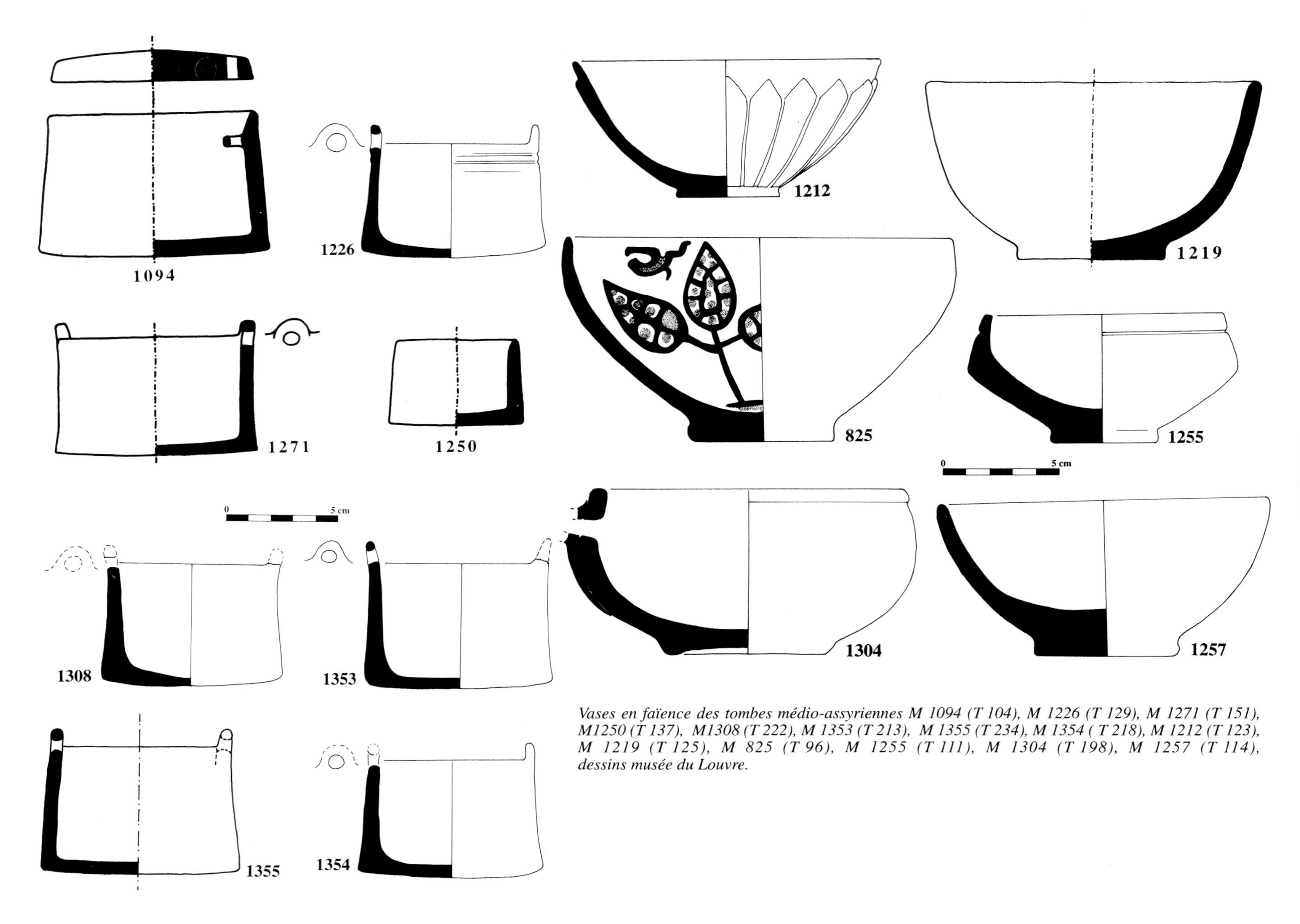

Vases en faïence des tombes médio-assyriennes M 1094 (T 104), M 1226 (T 129), M 1271 (T 151), M1250 (T 137), M1308 (T 222), M 1353 (T 213), M 1355 (T 234), M 1354 (T 218), M 1212 (T 123), M 1219 (T 125), M 825 (T 96), M 1255 (T 111), M 1304 (T 198), M 1257 (T 114), dessins musée du Louvre.

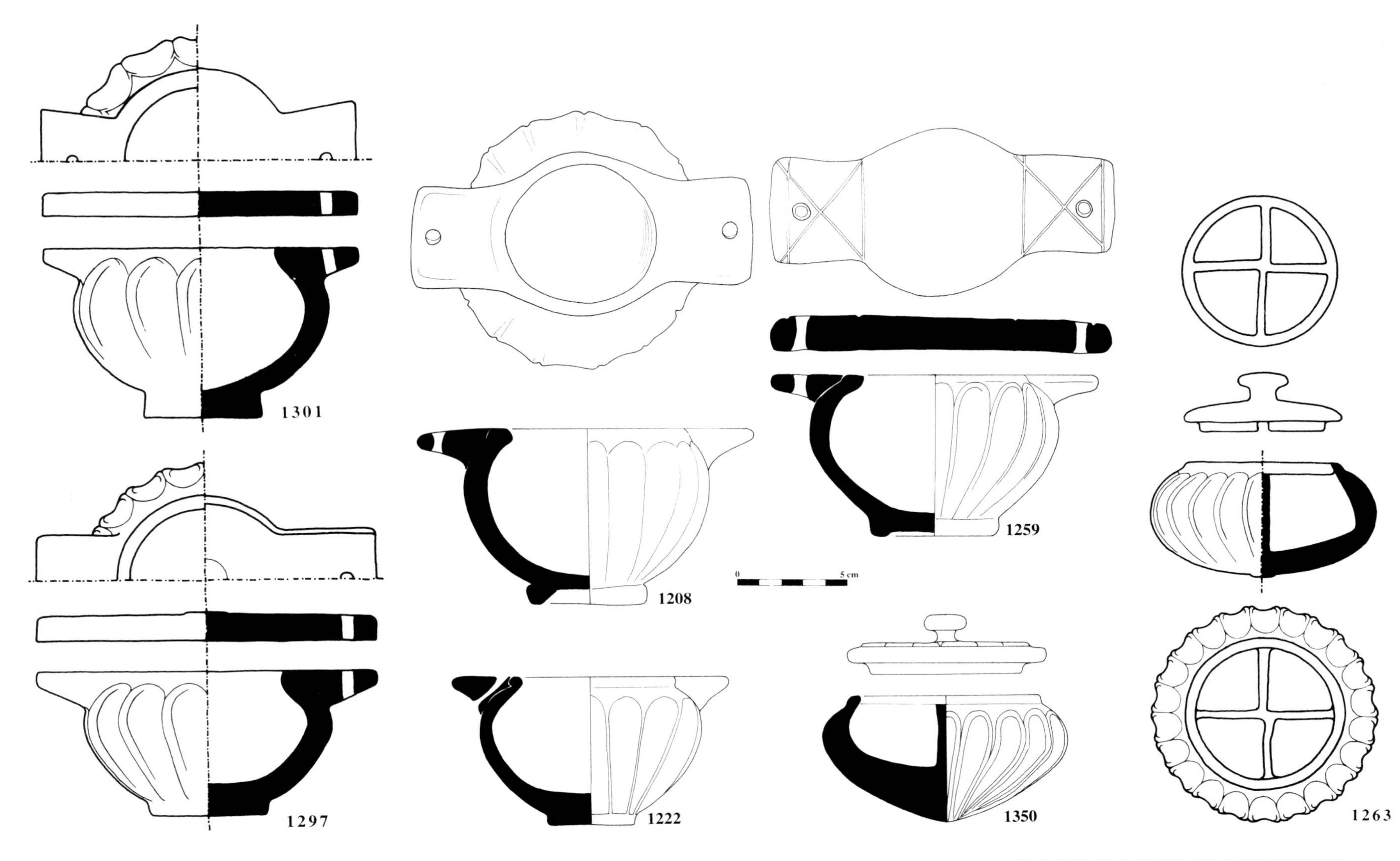

Pyxides en faïence des tombes médio-assyriennes M 1301 (T 176), M 1208 (T 122), M 1297 (T 185), M 1222 (T 128), M 1259 (T 140), M 1350 (T 247), M 1263 (T 149)

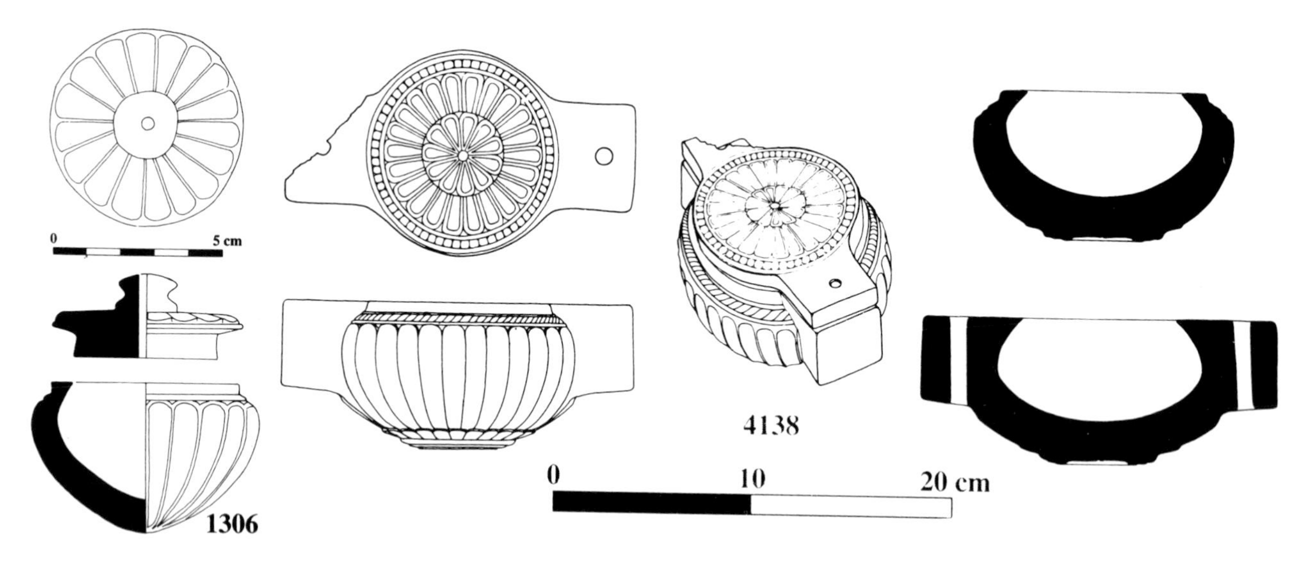

Pyxides en albâtre des tombes médio-assyriennes M 1306 (T 172), M 4138 (T 616).

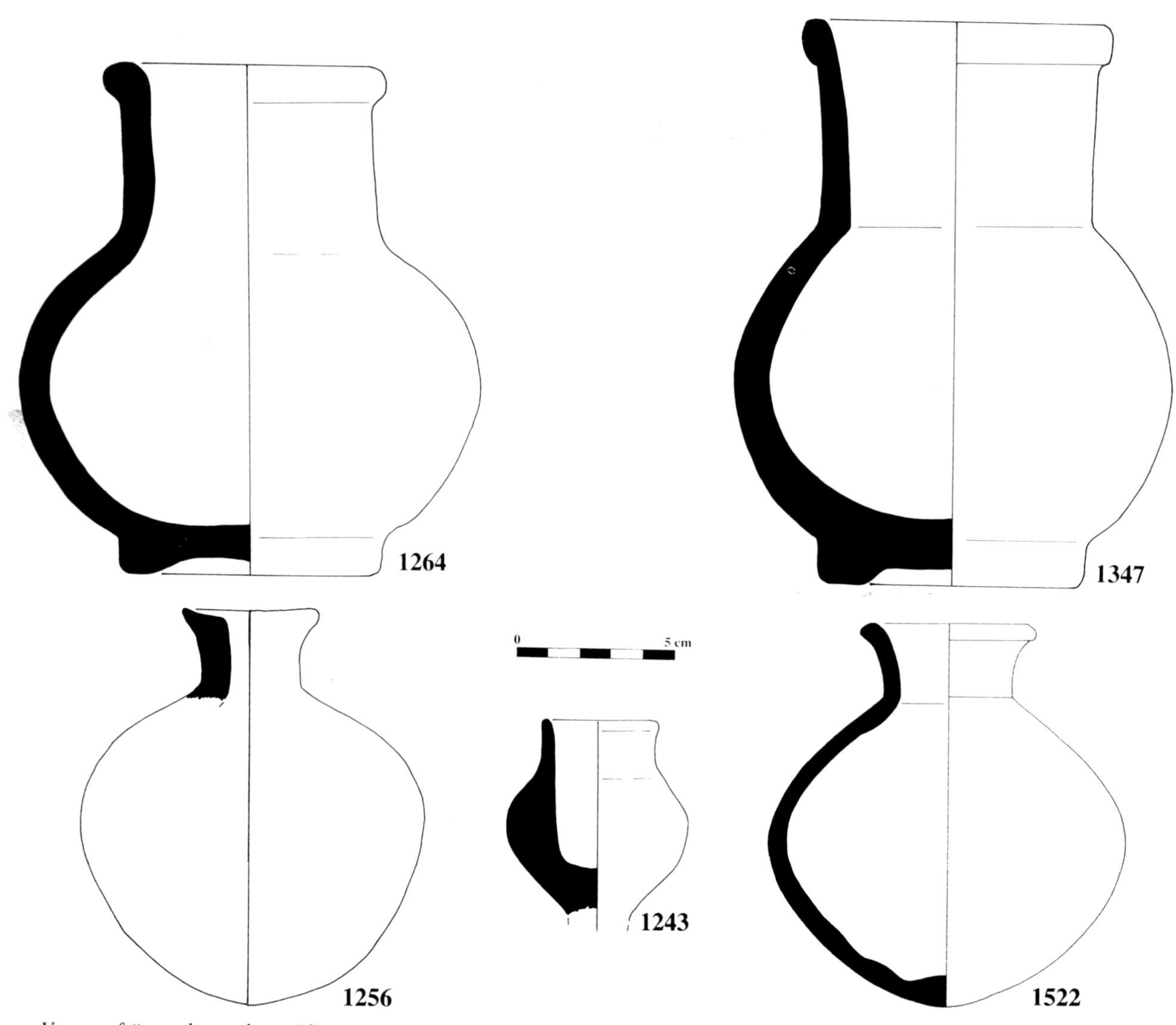

Vases en faïence des tombes médio-assyriennes M 1264 (T 149), M 1347 (T 236), M 1256 (T 121), M 1243 (T 135), M 1522 (T 307) dessins musée du Louvre.

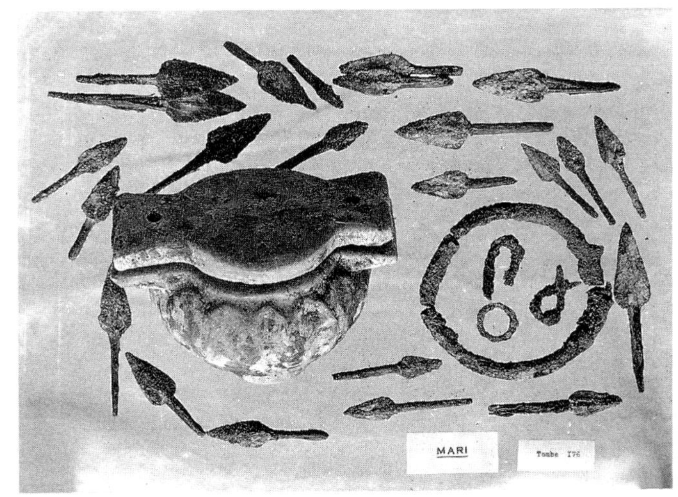

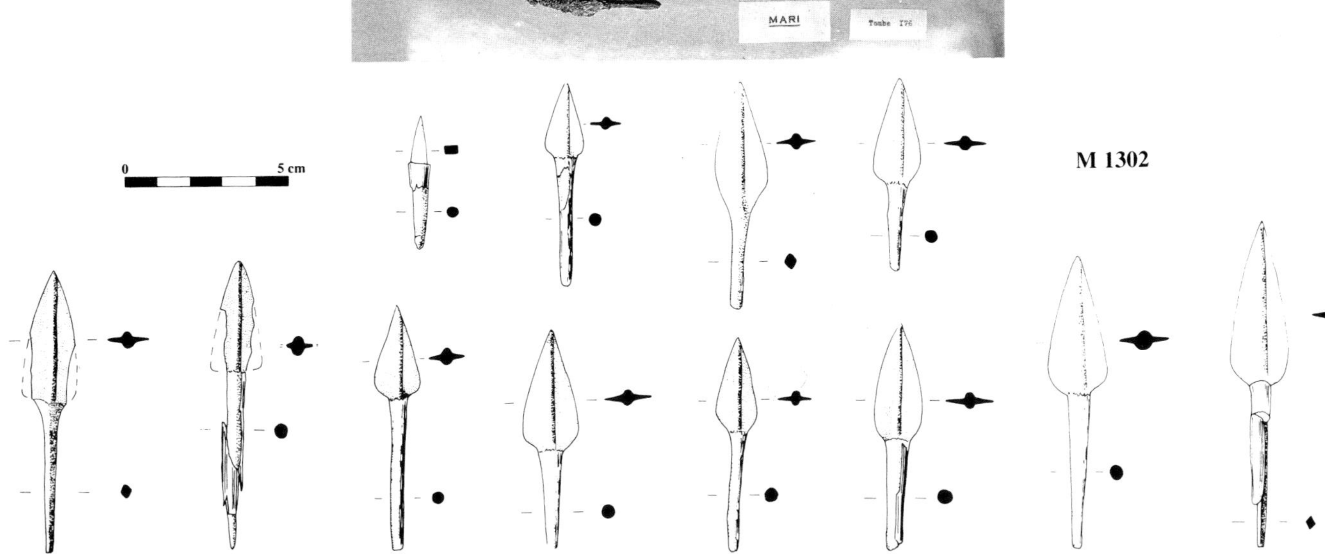

Tombe 176 et son mobilier (dessin musée du Louvre).

Tombes 204, 205, 218.

Masques M 1342 (T 236), M 1193 (T 137).

Tombe 236

Bijoux de la tombe 236 en place.

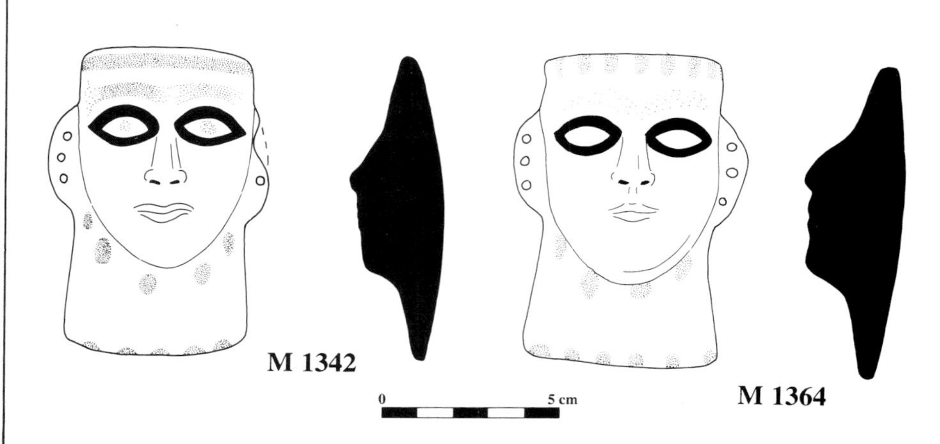

Masques M 1342 (T 236), M 1364 (T 255) (dessins musée du Louvre).

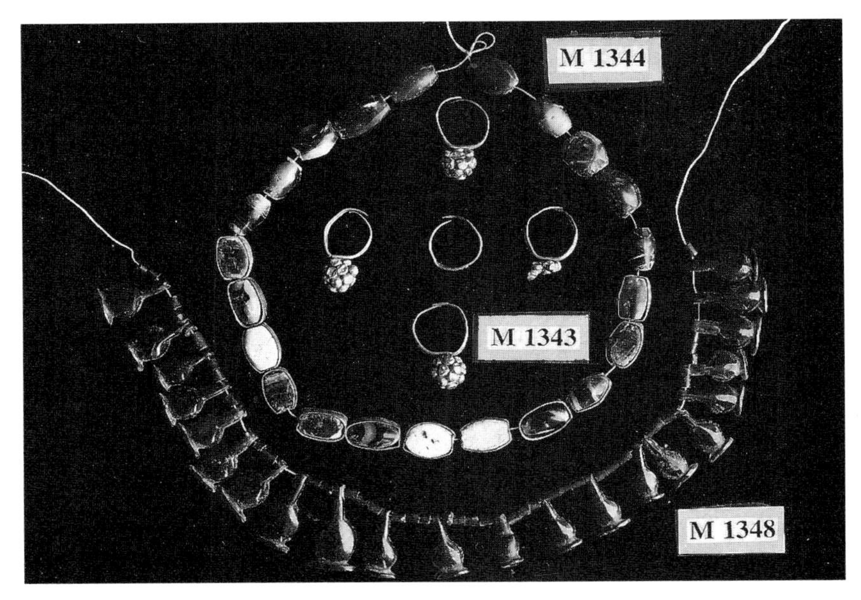

Tombe 236 et son mobilier.

Entrée du tombeau 241.

Entrée du tombeau 242.

Tombeaux 241-242, 300.

Entrée des tombeaux 241 et 242.

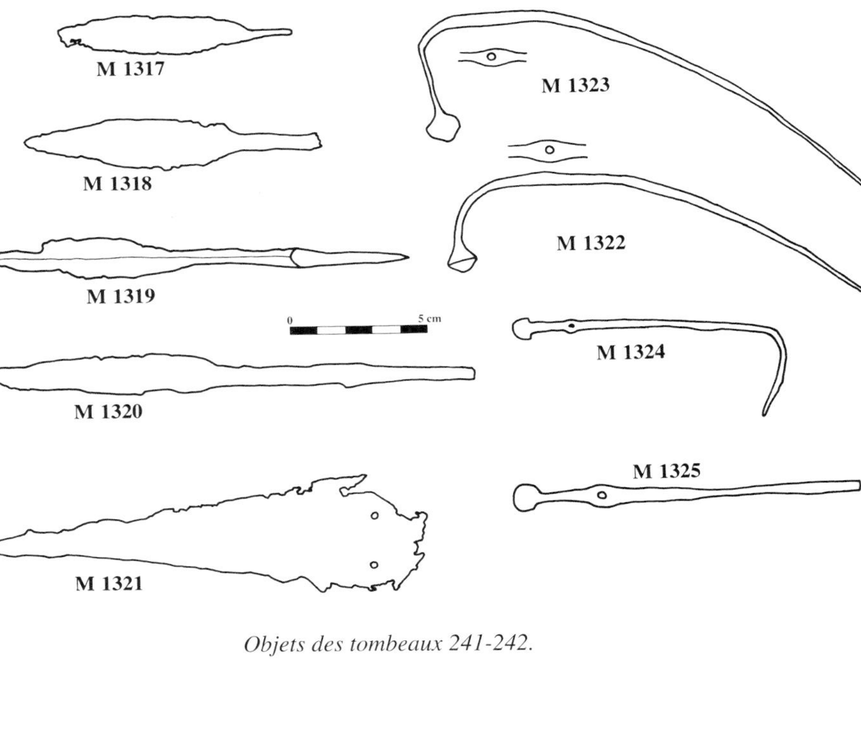

Objets des tombeaux 241-242.

Tombe 286.

Tombe 261.

Tombe 267.

Mobilier de la tombe 287.

Tombe 293.

Tombe 299.

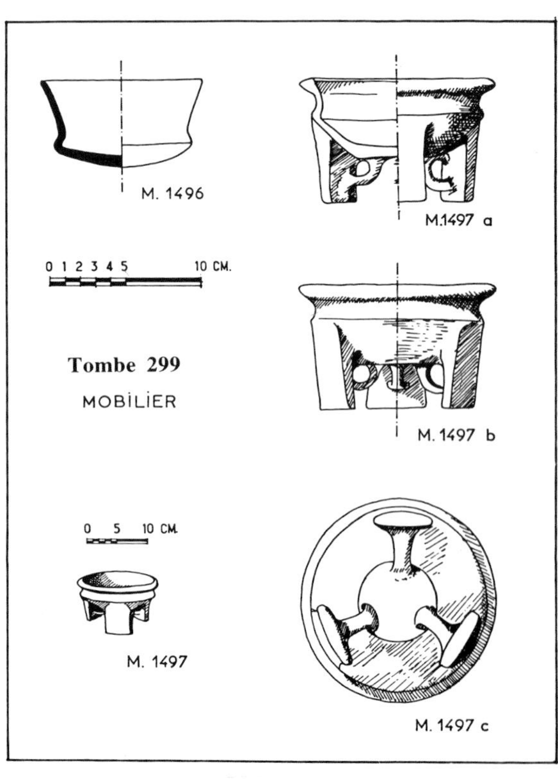

Mobilier de la tombe 299.

Entrée.

Céramiques.

Seuil.

Crâne.

Tombeau 300.

Amas 3.

Amas 4, aiguière.

Amas 5, bronzes.

Ensemble des bronzes.

Mobilier du tombeau 300.

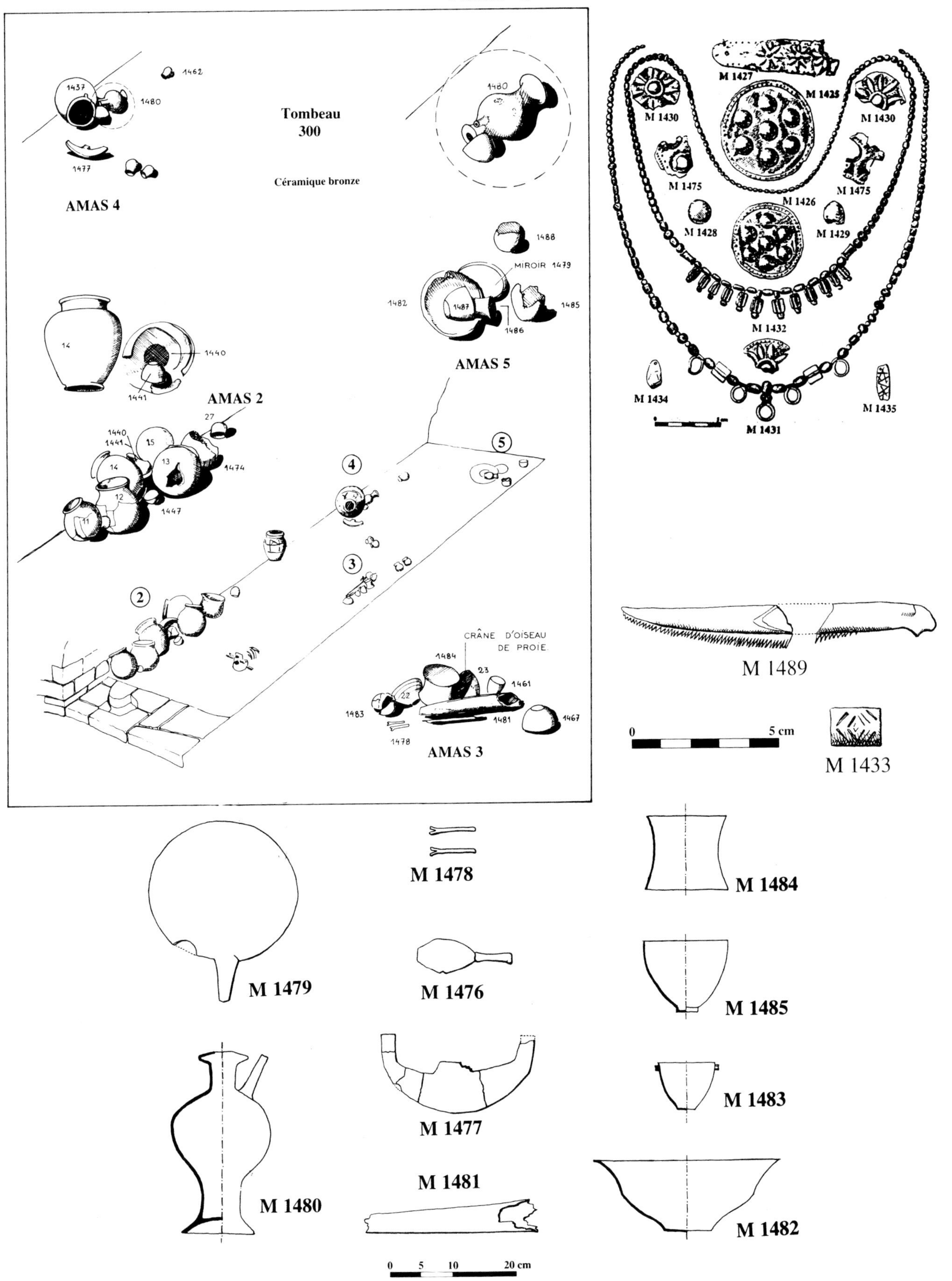

Céramiques et objets du tombeau 300.

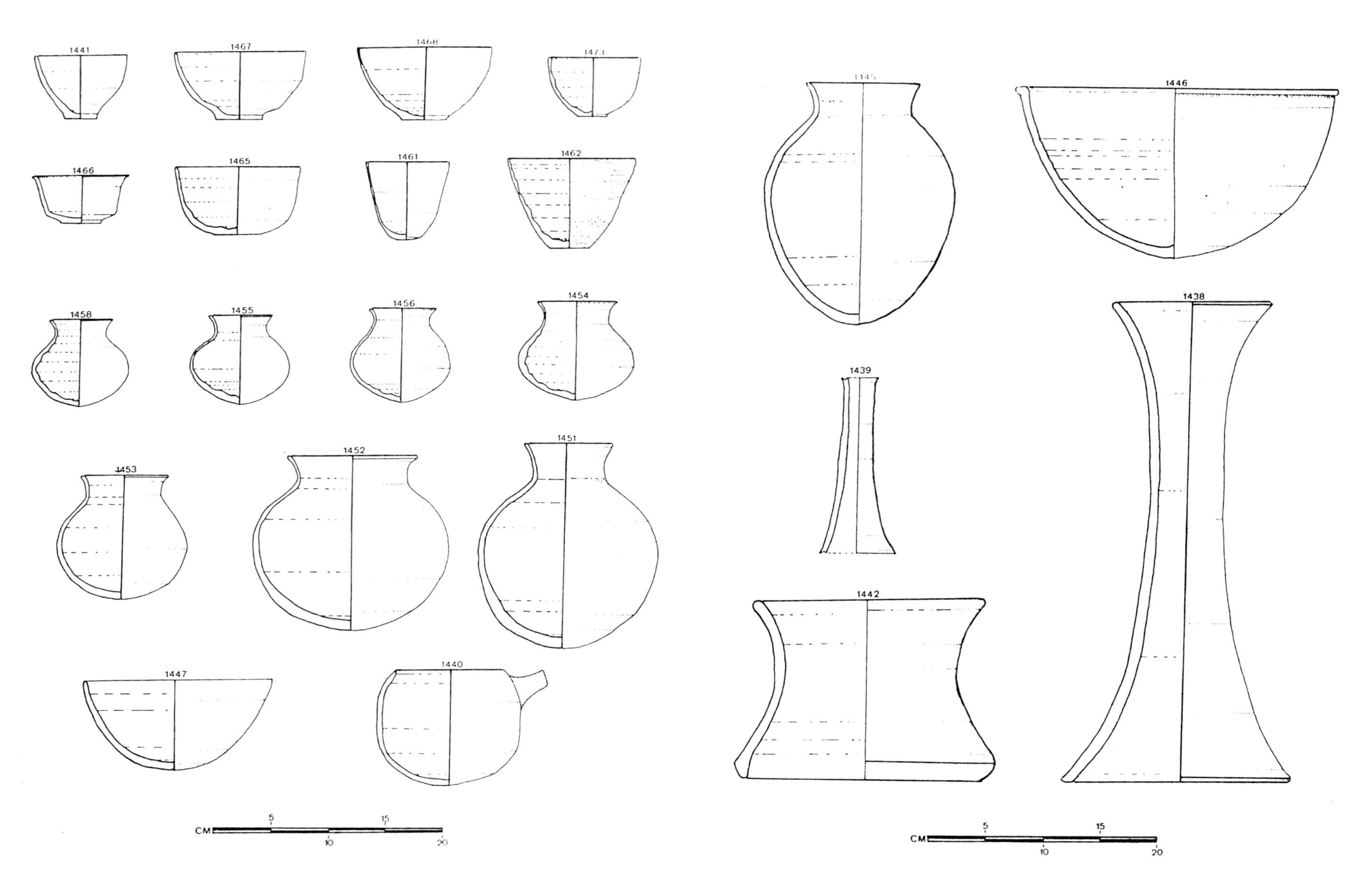

Céramiques du tombeau 300 (dans M. Lebeau, M.A.R.I. 6, 1990 a, p. 361 et 363).

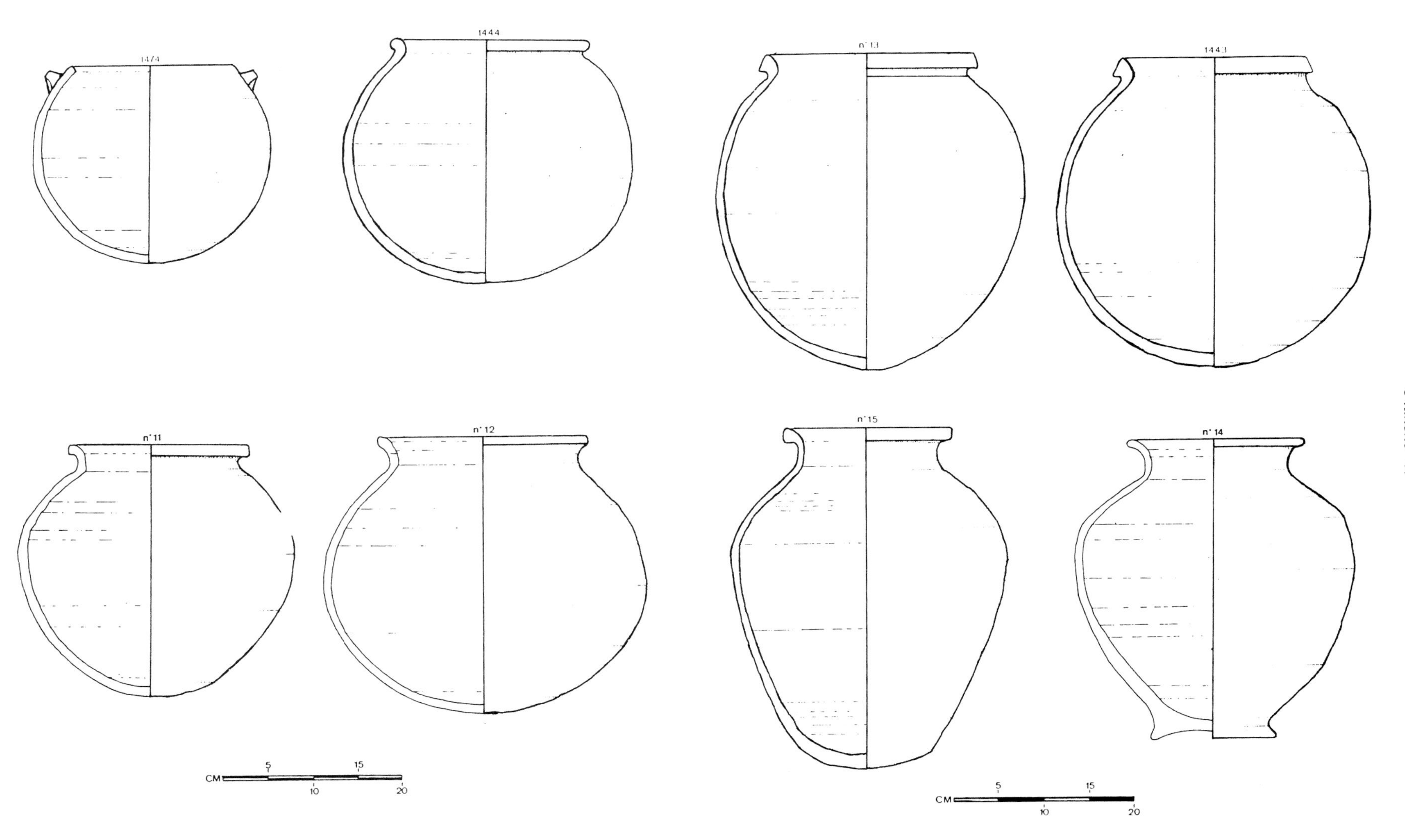

Céramiques du tombeau 300 (dans M. Lebeau, M.A.R.I. 6, 1990 a, p. 367 et 369).

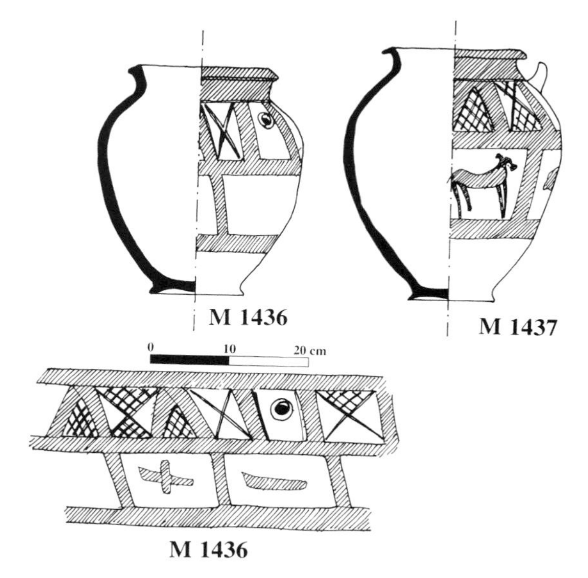

Jarres M 1436-1437 du tombeau 300
(dans M. Lebeau, M.A.R.I. 6, 1990 a, p. 365)

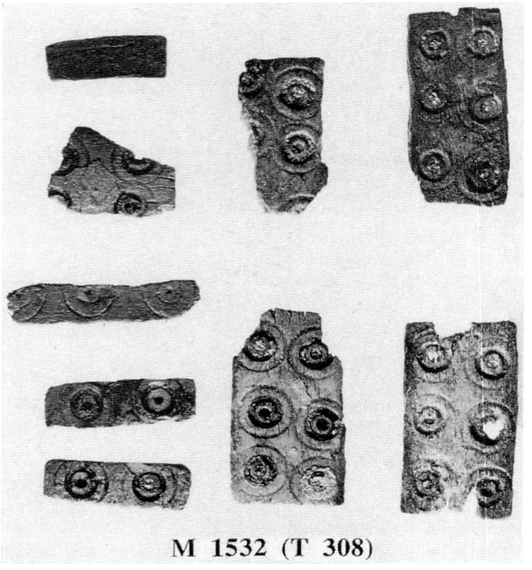

M 1532 (T 308)

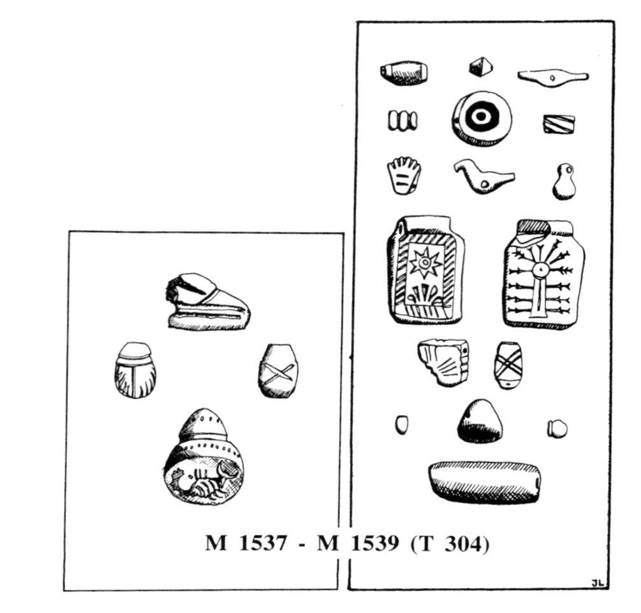

M 1537 - M 1539 (T 304)

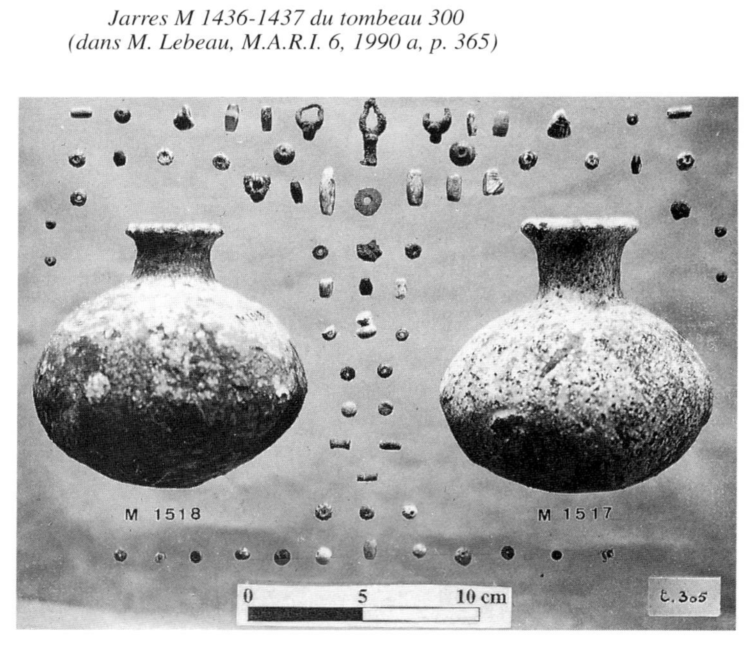

Mobilier de la tombe 305.

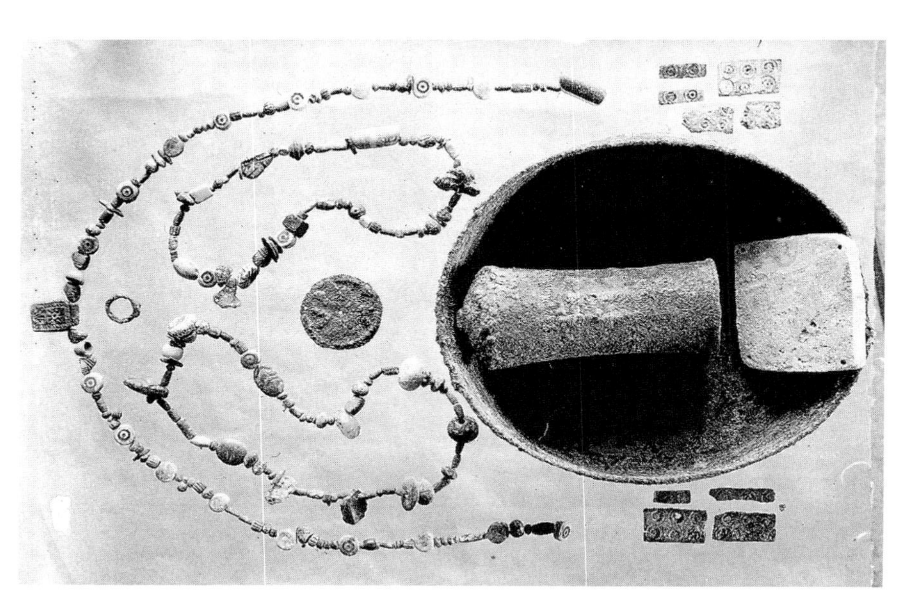

Mobilier des tombes 304 et 308.

Mobilier de la tombe 307.

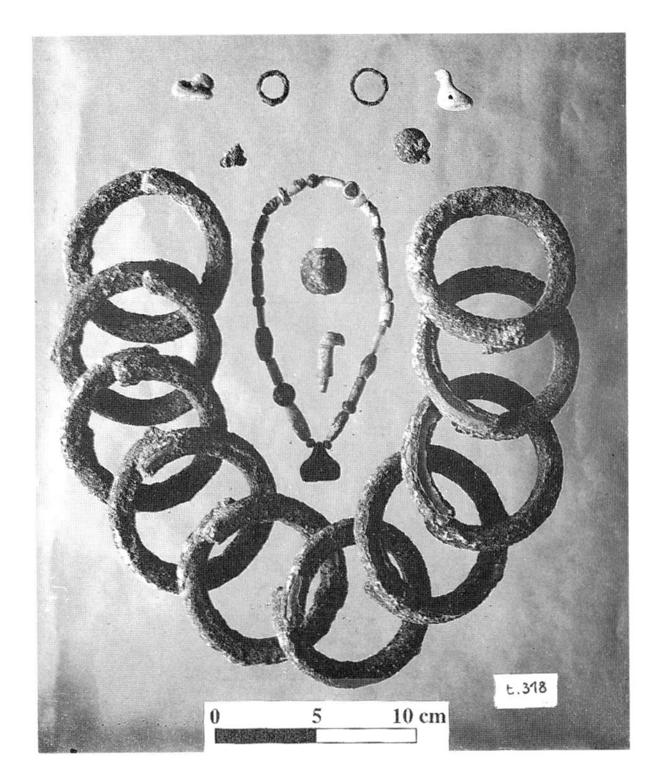

Mobilier de la tombe 318.

Tombe 308.

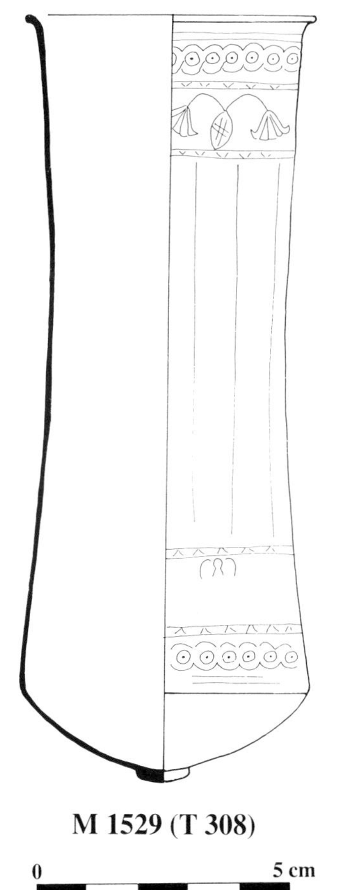

Mobilier de la tombe 308 (dessin musée du Louvre).

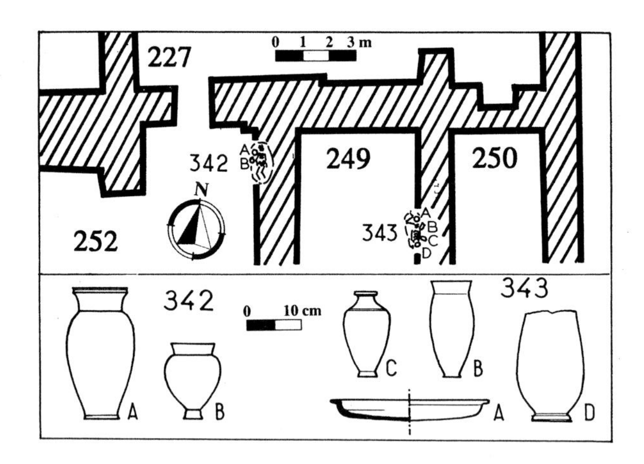

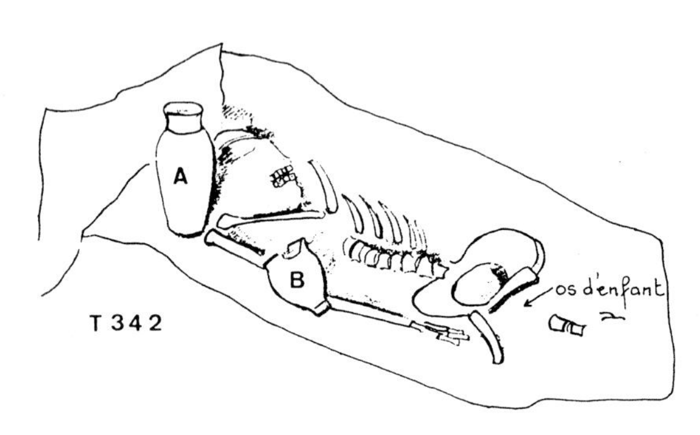

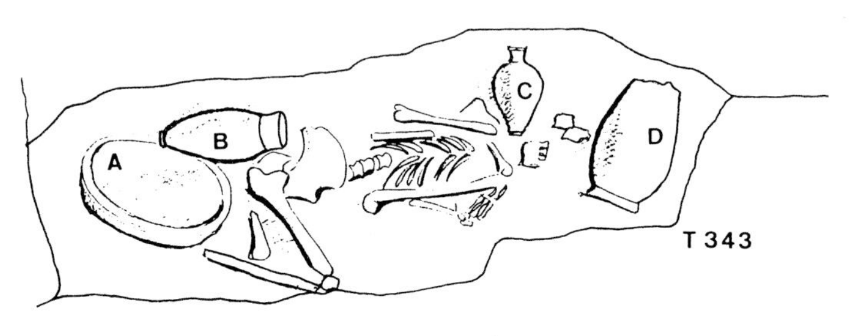

Tombes 342 et 343.

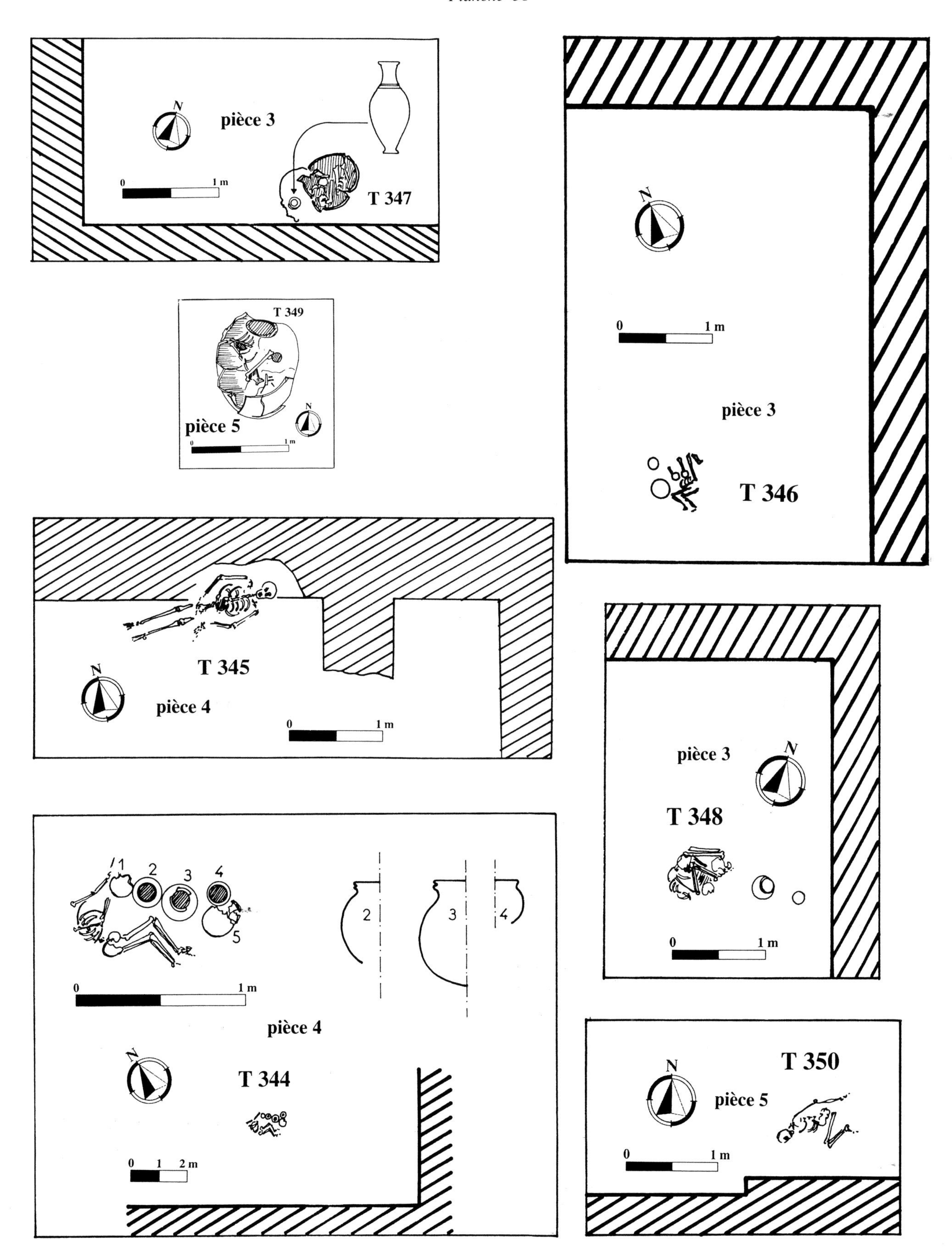

Tombes 344 à 350, maisons à l'est de la haute terrasse, pièces 3, 4, 5.

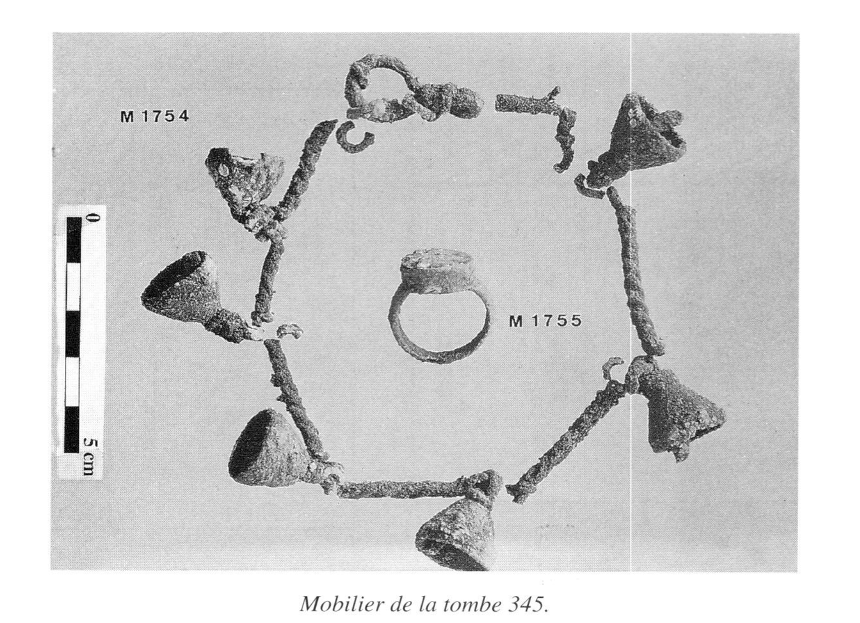

Mobilier de la tombe 345.

Tombe 348.

Tombe 346.

Tombe 350 bis.

Tombe 350 bis.

Tombe 352.

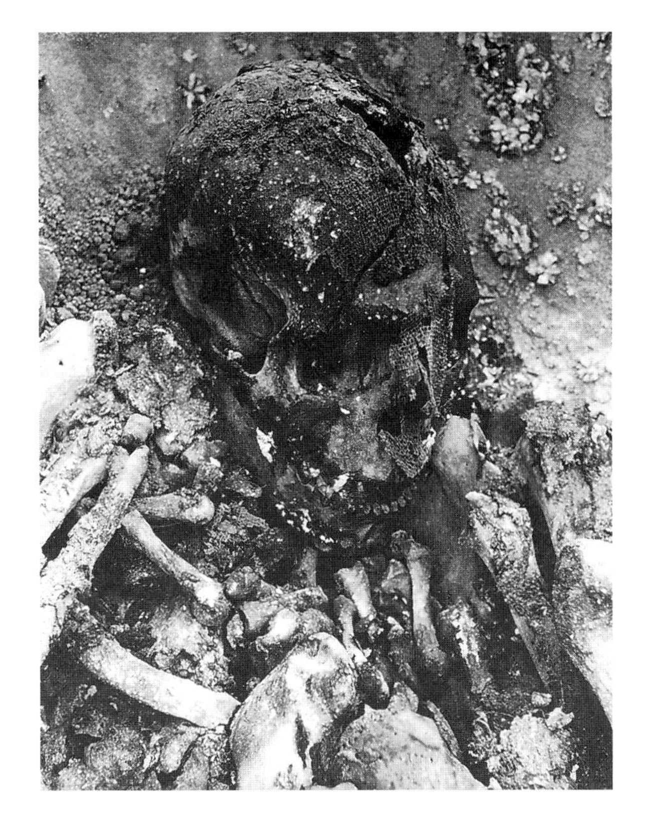

Tombe 351.

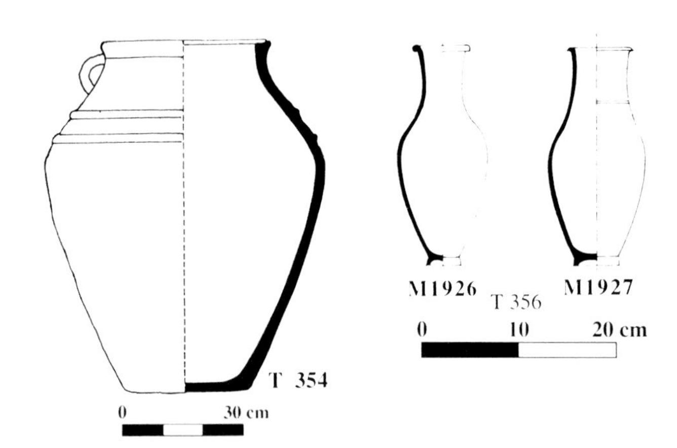

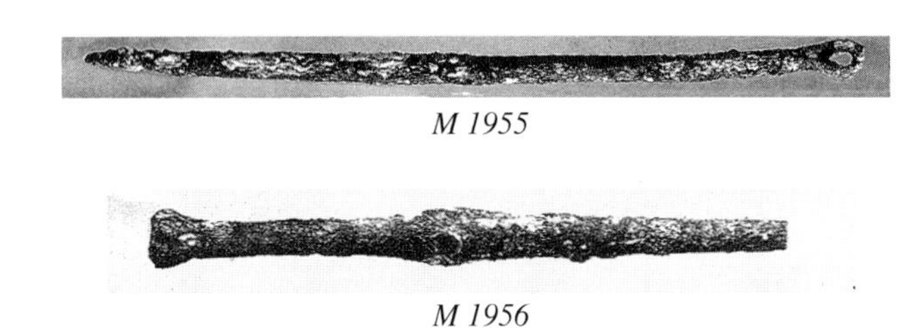

M 1955

M 1956

Objets de la tombe 354.

Tombes 355 et 356.

M 1919 (T 355).

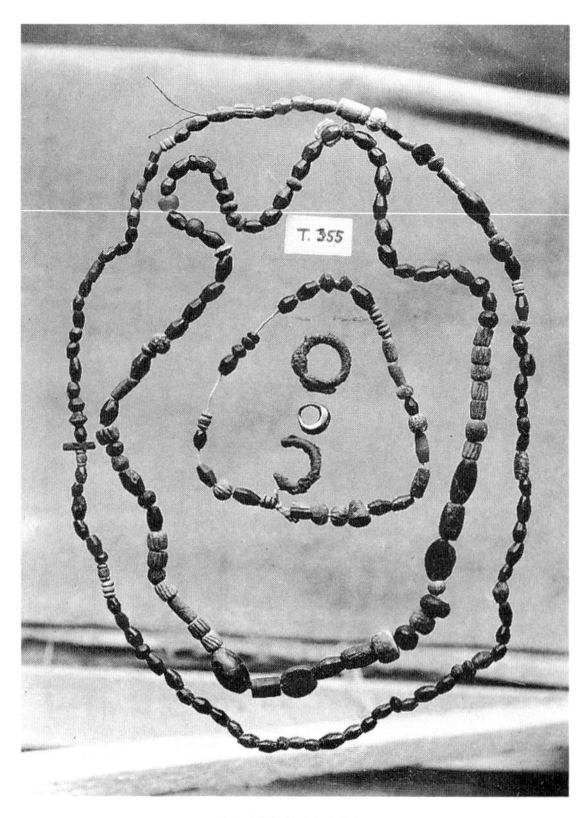

M 1920 (T 355).

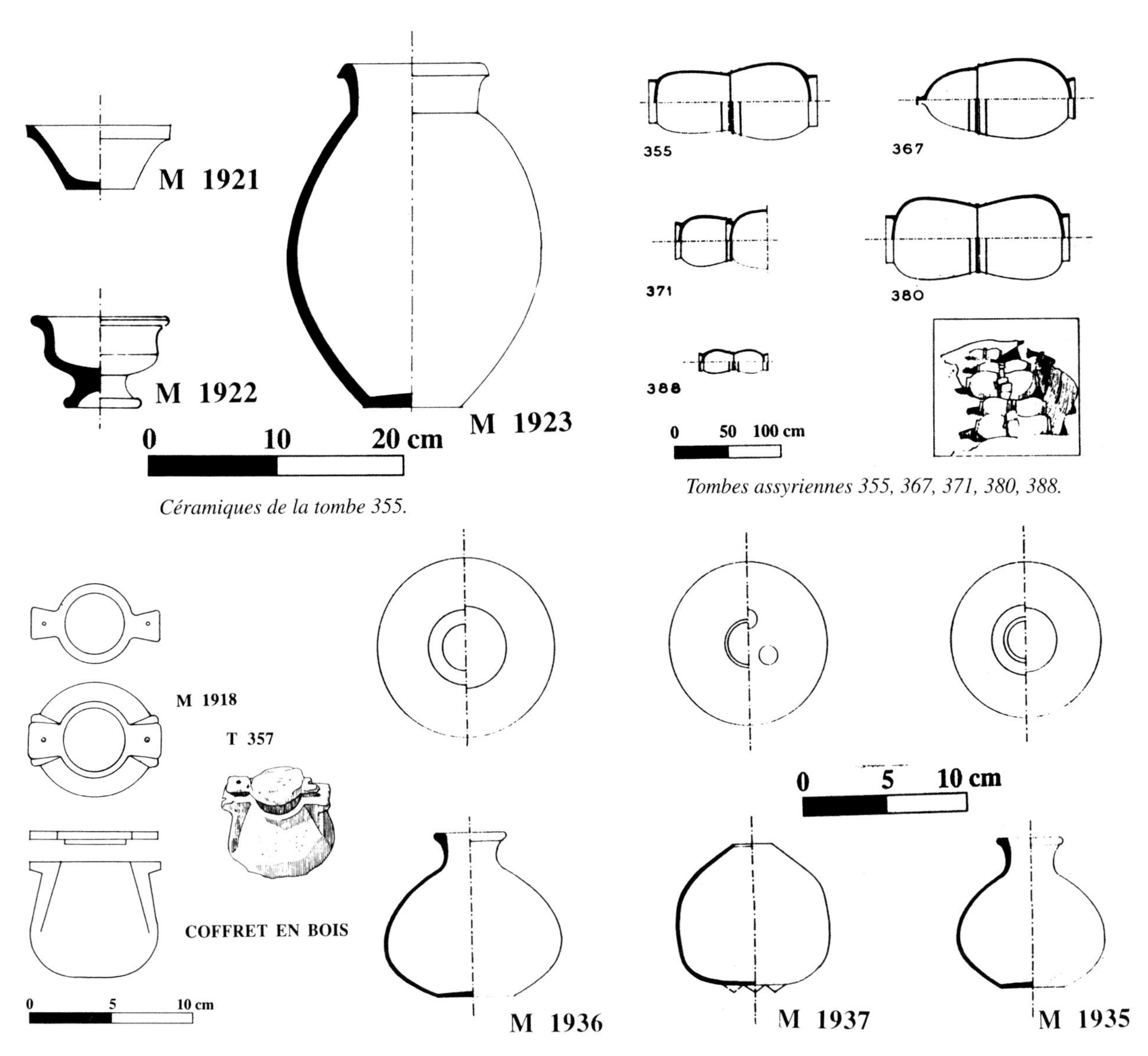

Céramiques de la tombe 355.

Tombes assyriennes 355, 367, 371, 380, 388.

Vases en faïence de la tombe 358.

Tombe 358.

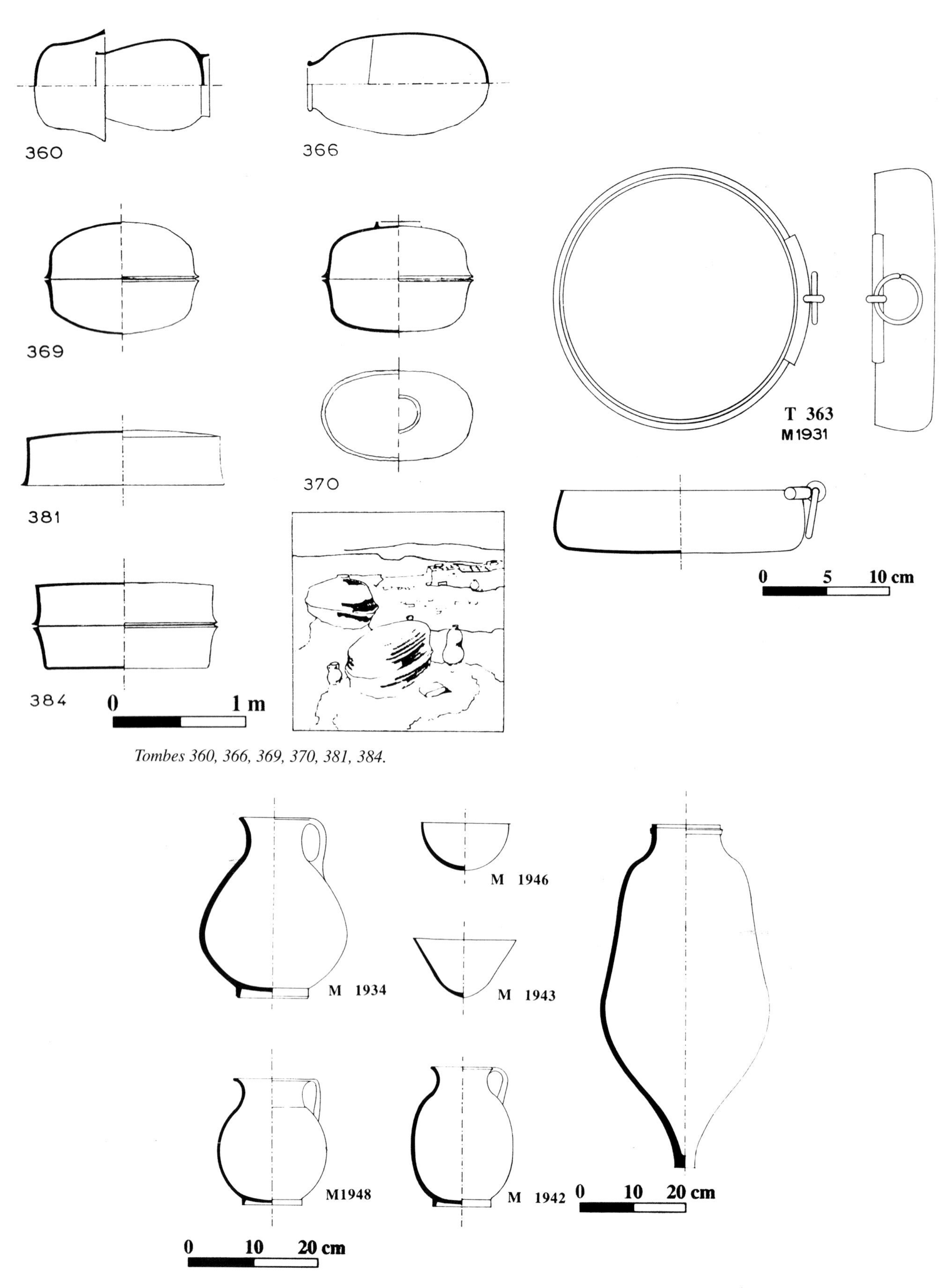

Tombes 360, 366, 369, 370, 381, 384.

Céramiques : M 1934 (T 351), M 1946 (T 379), M 1943 (T 385), M 1942 (T 384), M 1948 (T 386).

Tombe 366.

Peignes de la tombe 366 en place.

Tombe 366 après ouverture.

Tombe 367.

Tombes 369 et 370.

Tombe 370.

Tombe 369.

Tombe 381.

Tombe 385.

Tombes 389 et 390.

M 2025 (T 389).

M1957

M1958

Mobilier de la tombe 387.

0 30 cm

M 2037

0 5 10 cm

T 398. *T 395.*

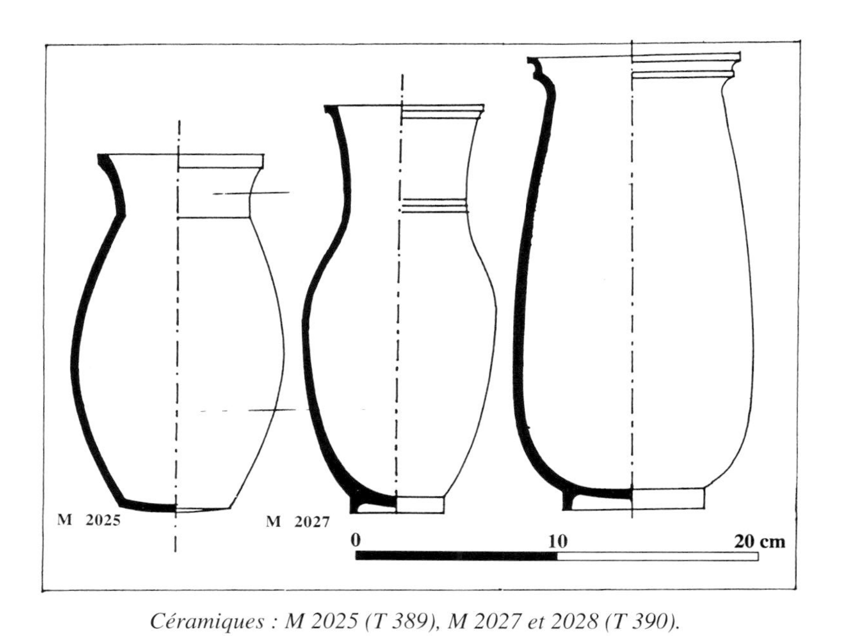

Céramiques : M 2025 (T 389), M 2027 et 2028 (T 390).

Tombes 399 et 400.

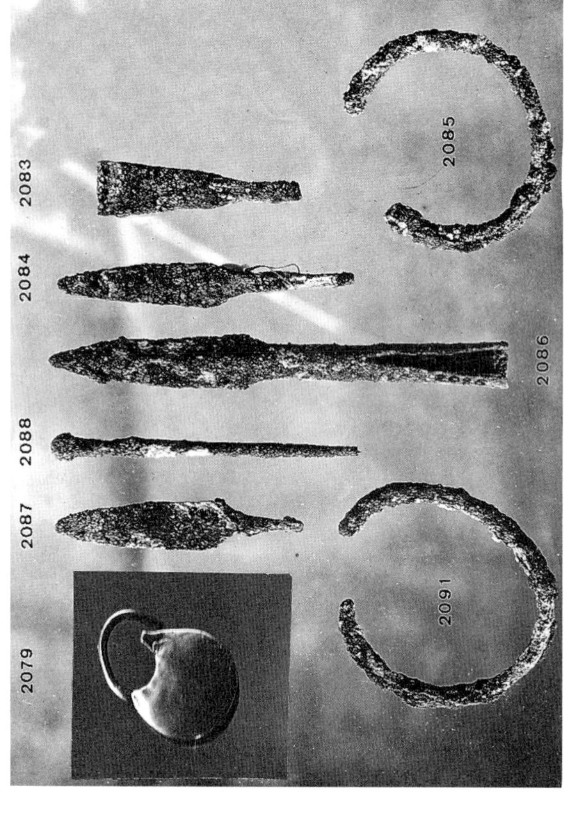

Objets : M 2083, 2084, 2085 (T 399), M 2079 (T 400), M 2086, 2087, 2088, 2091 (T 401).

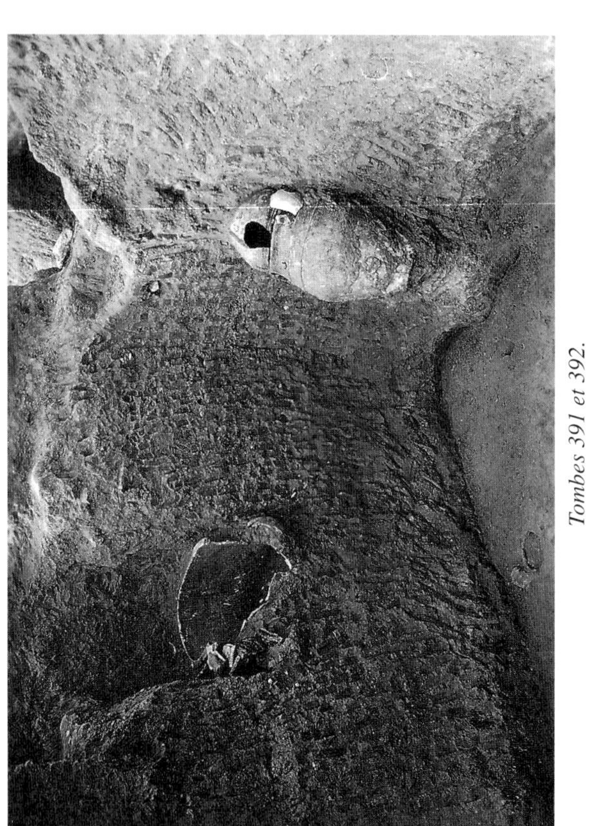

Tombes 391 et 392.

Tombe 402.

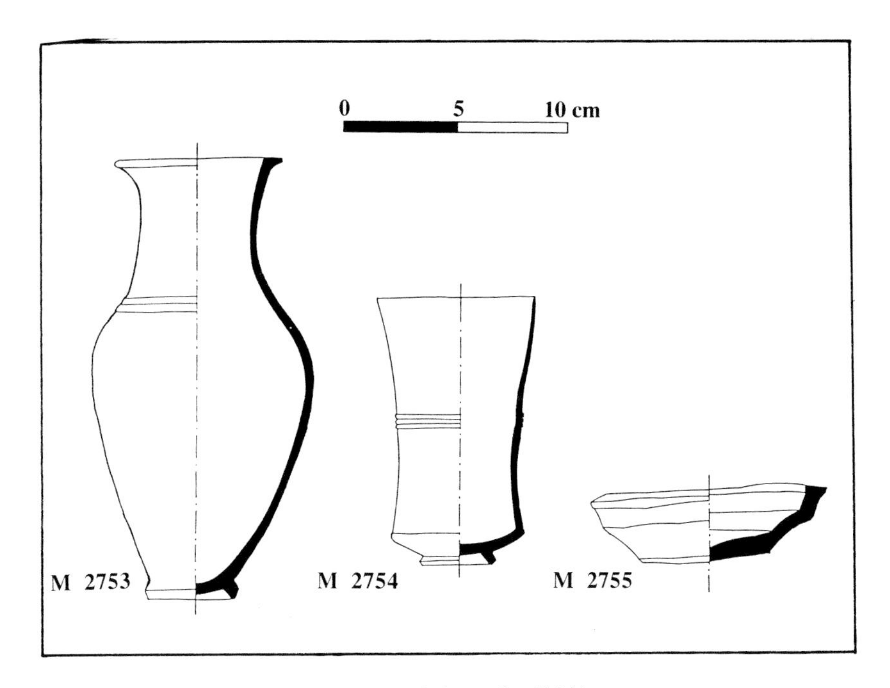

Céramiques de la tombe 404 bis.

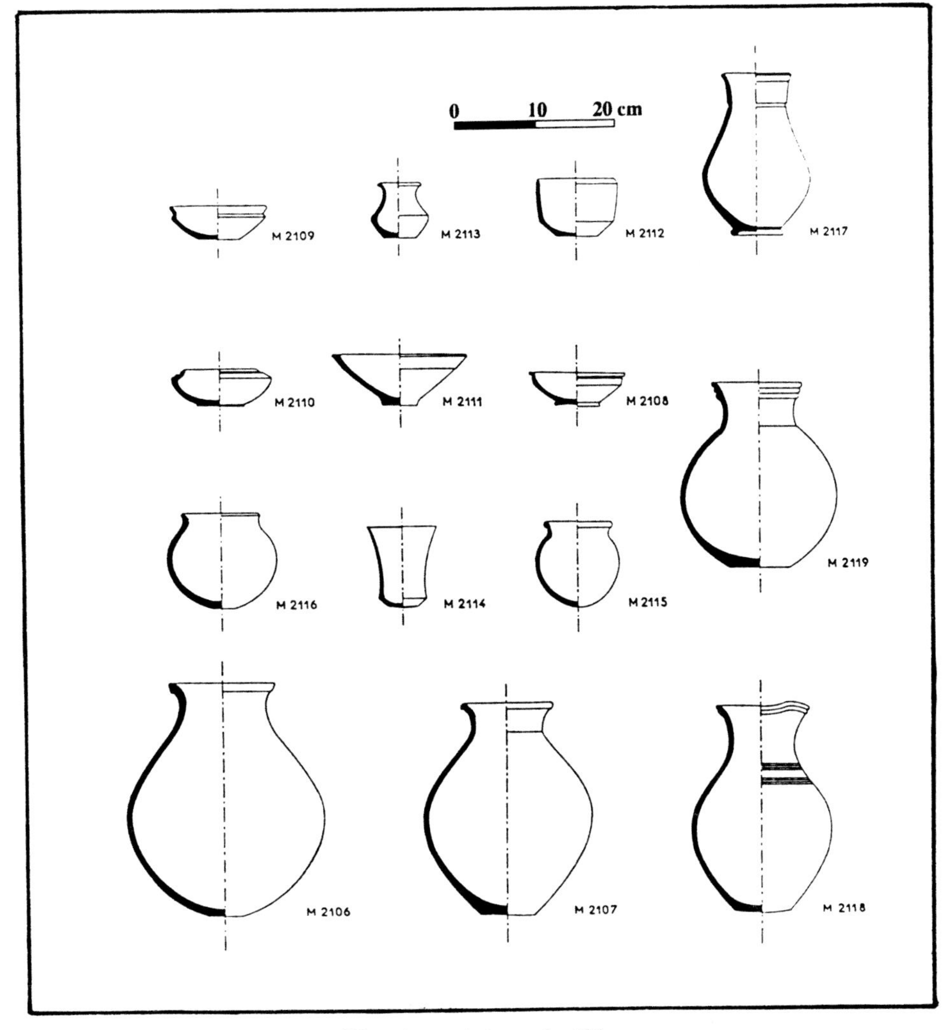

Céramiques de la tombe 401.

Tombe 404.

Tombe 405.

Tombe 409.

Tombe 419.

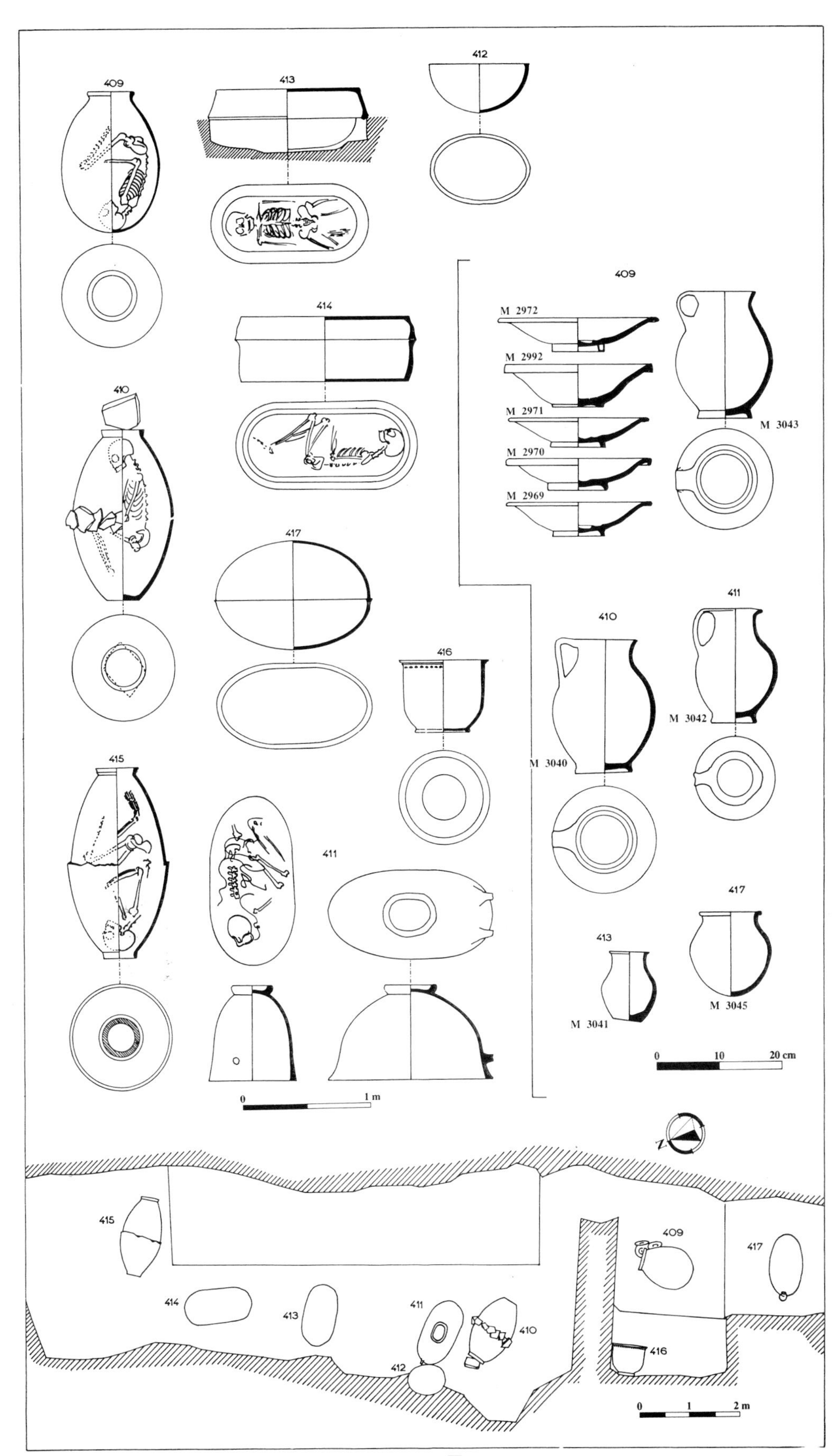

Tombes 409 à 417.

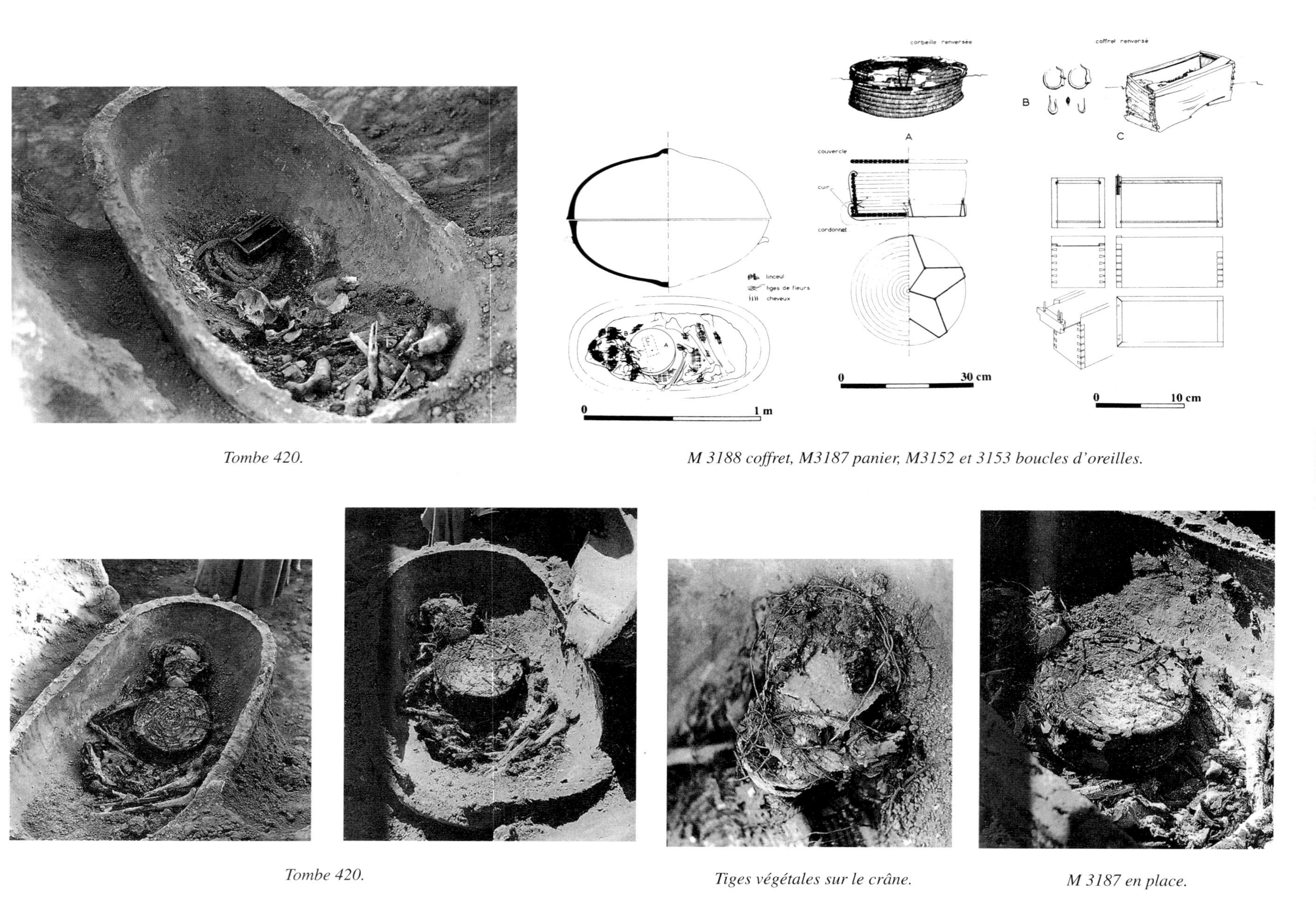

Tombe 420.

M 3188 coffret, M3187 panier, M3152 et 3153 boucles d'oreilles.

Tombe 420.

Tiges végétales sur le crâne.

M 3187 en place.

Planche 65

Tombe 428.

Jarre sud 430.

Tombe 430.

Jarre 422.

Tombe 436.

Jarre 436.

Jarre 436 bis.

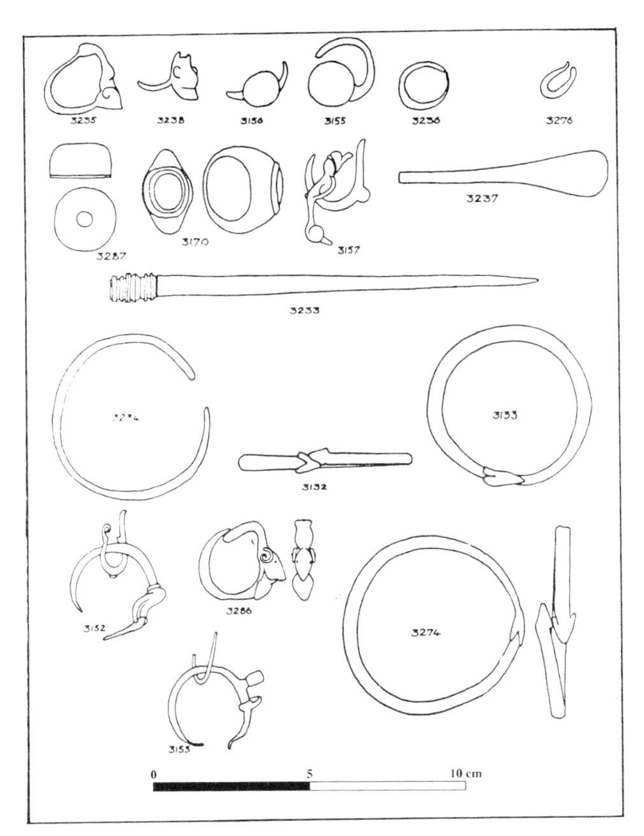

Objets et bijoux séleucides.

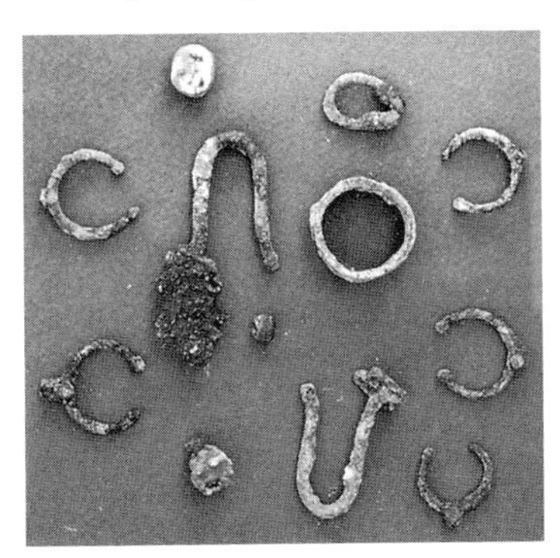

Mobilier de la tombe 429.

Collier et bague de la tombe 429, perle de la tombe 473.

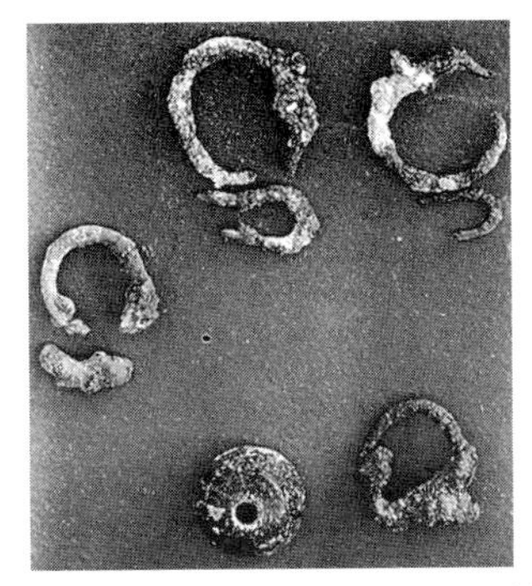

Bijoux des tombes 420, 430 et 469.

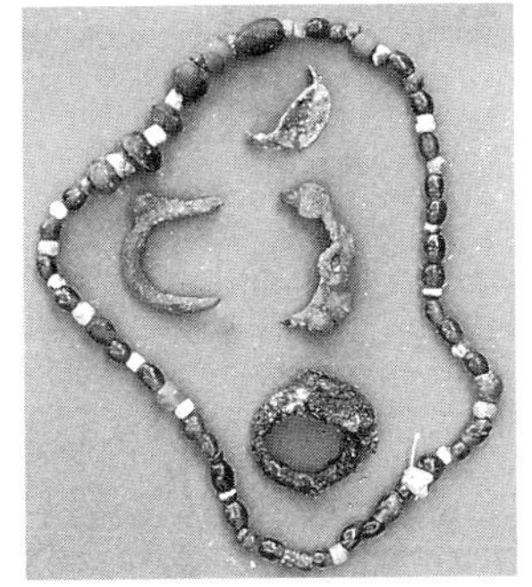

Bijoux de la tombe 423.

M 3180 (T 444).

Objets de la tombe 452.

Tombe 443 et 444.

Céramiques : M 3268, 3269 (T 465), M 3191 (T 434), M 3256 (T 460), M 3257 (T 461), M 3136 (T 426), M 3232 (T 452), M 3312, 3313, 3314 (T 476), M 3134 (T 430).

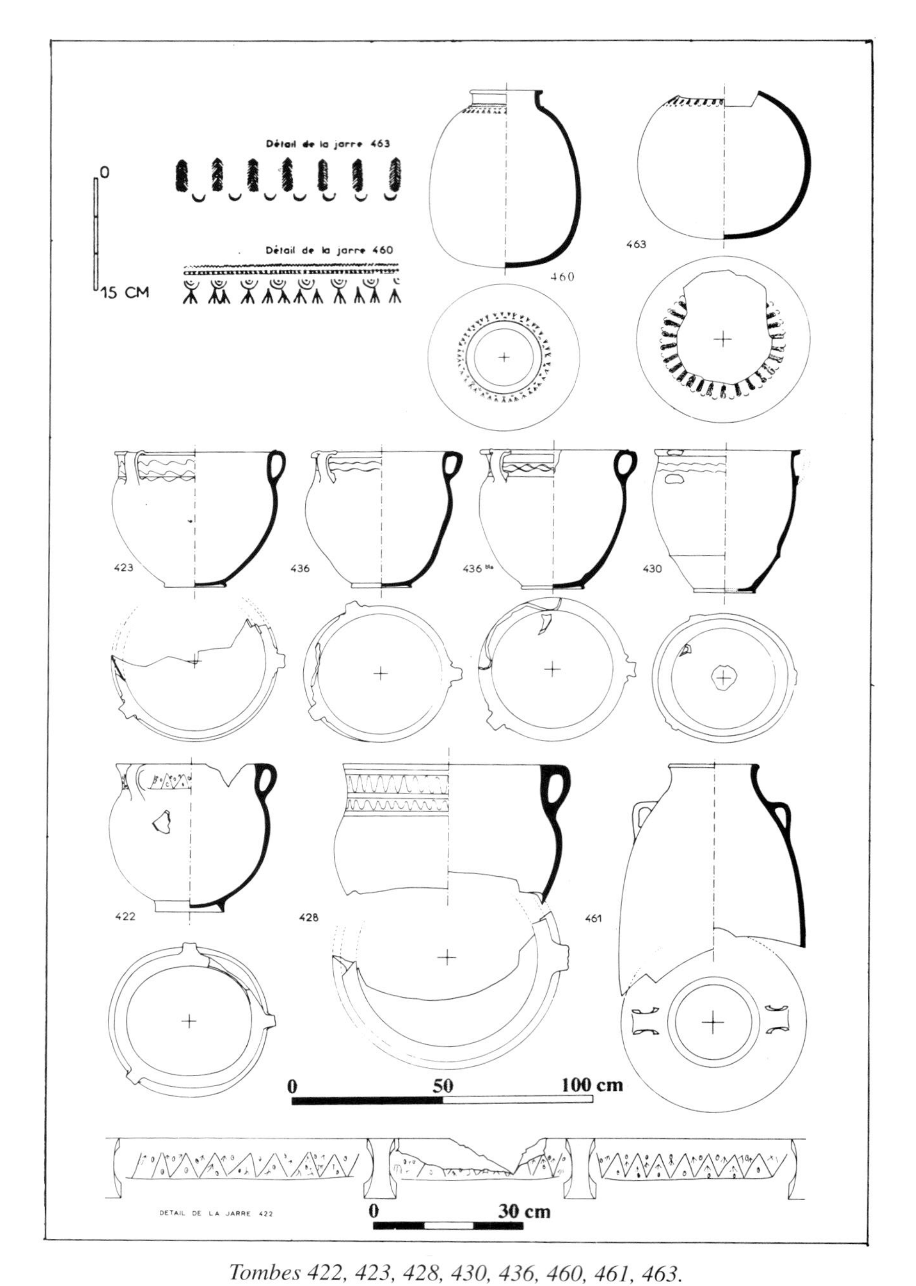

Tombes 422, 423, 428, 430, 436, 460, 461, 463.

M 3319.

M 3320. *M 3318.* *M 3317.*

Tombe 473 et son mobilier.

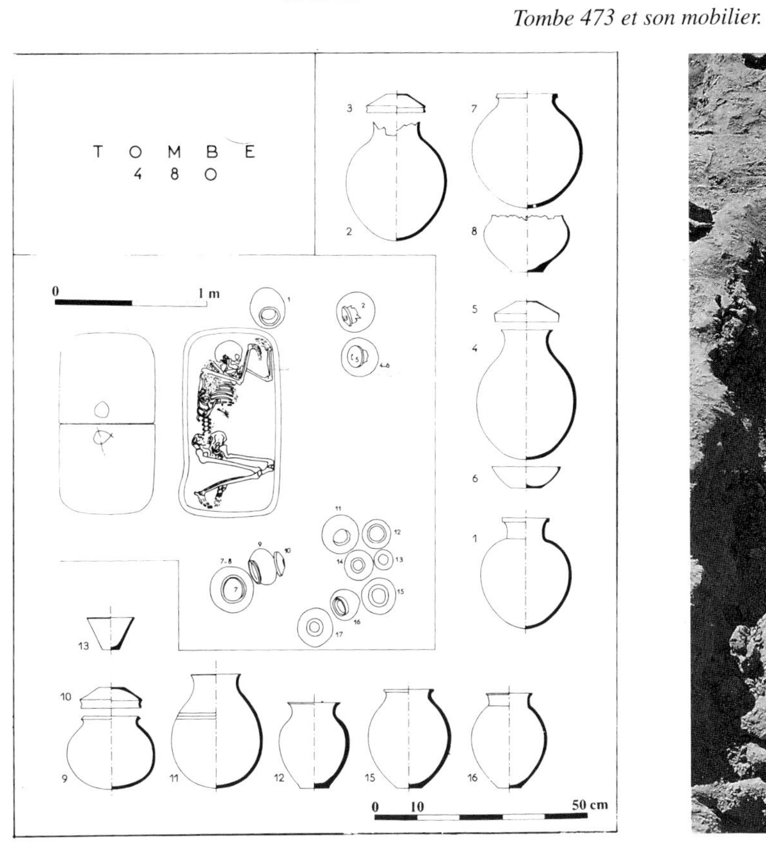

Tombe 480 et son mobilier.

Couvercle de la tombe 480.

Panier M 3490 de la tombe 491.

Tombe 476.

Tombe 491.

M 3489 (T 492).

Tombe 492.

Tombe 505.

M 3545 (T 516).

Tombes 523 et 524.

Tombe 525.

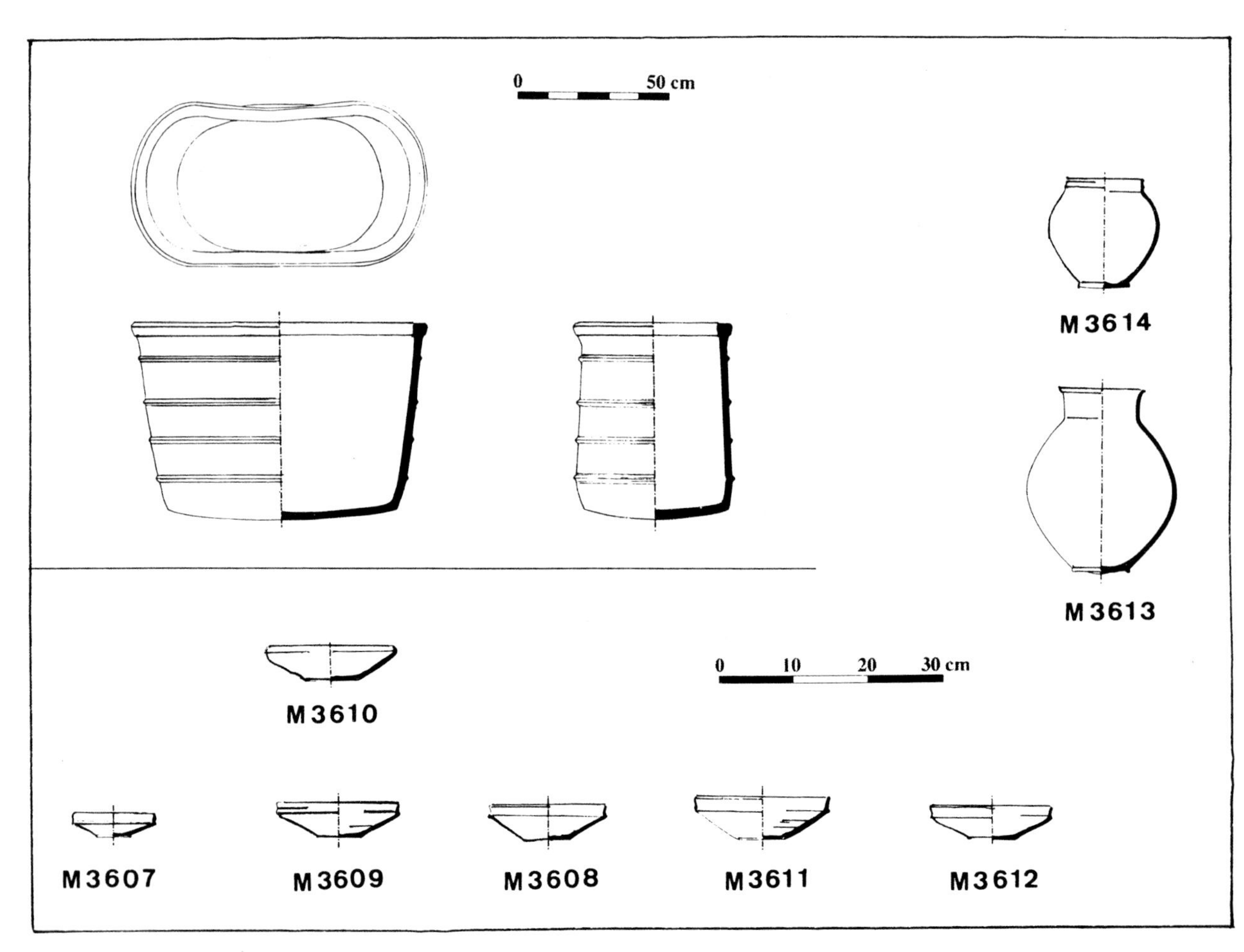

Céramiques de la tombe 525.

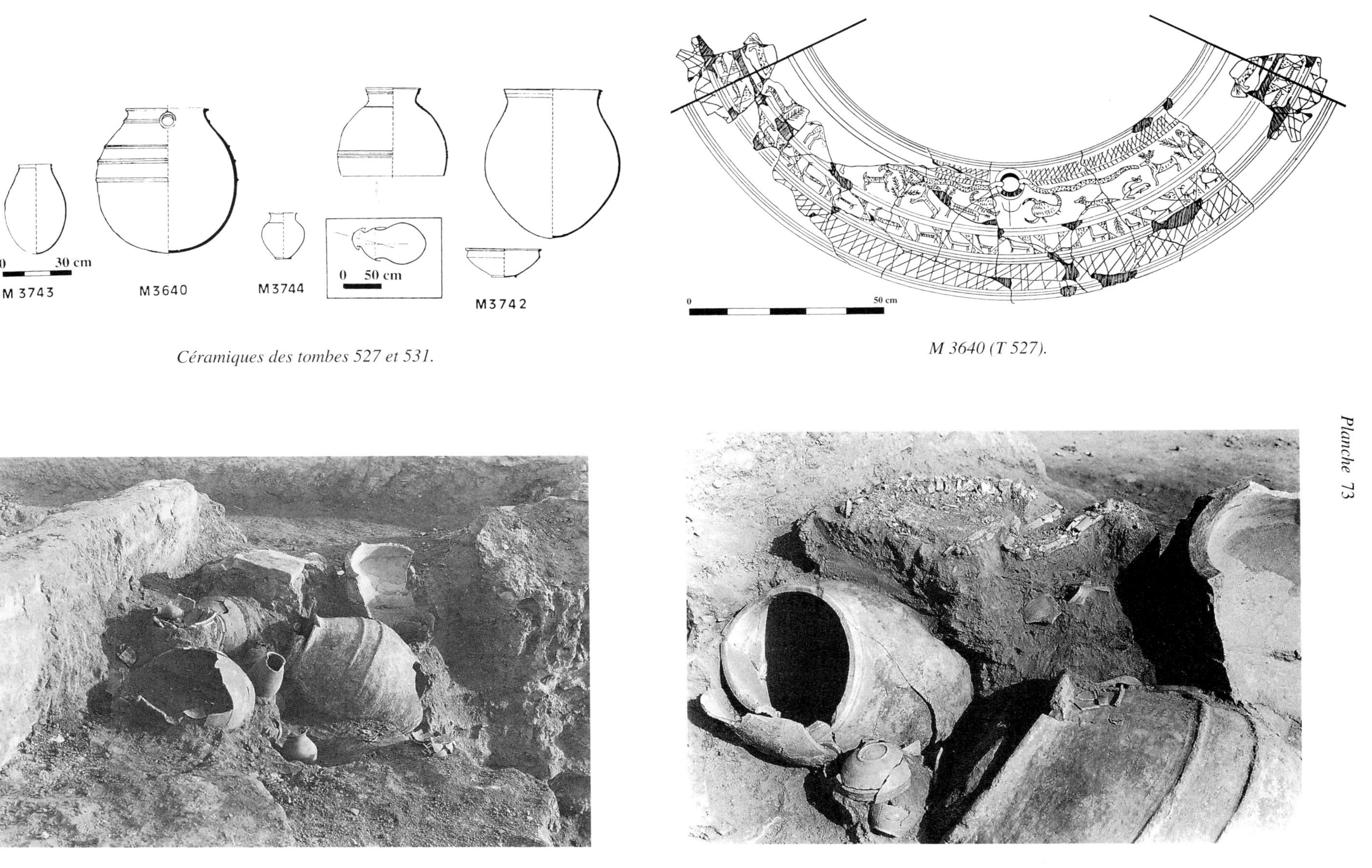

Céramiques des tombes 527 et 531.

M 3640 (T 527).

Tombes 354, 398, 527, 529, 530, 531.

Jarre funéraire M 3640 de la tombe 527.

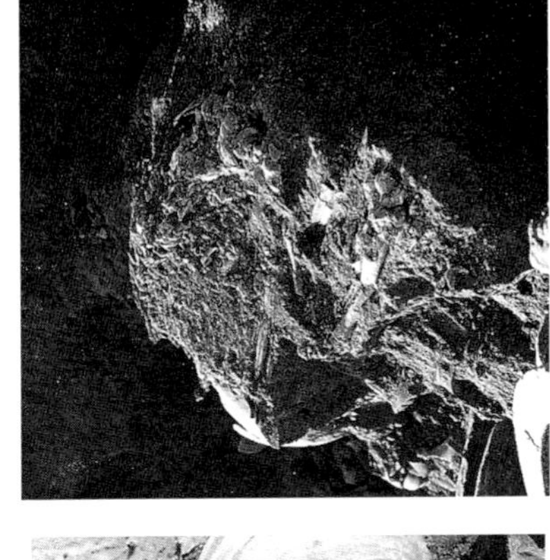

Tombes 398, 530 et 531.

Jarre funéraire M 3640 de la tombe 527.

Jarre funéraire M 3640 de la tombe 527.

Tombe 535.

Tombe 547.

Tombe 561.

Tombe 546.

Tombe 582.

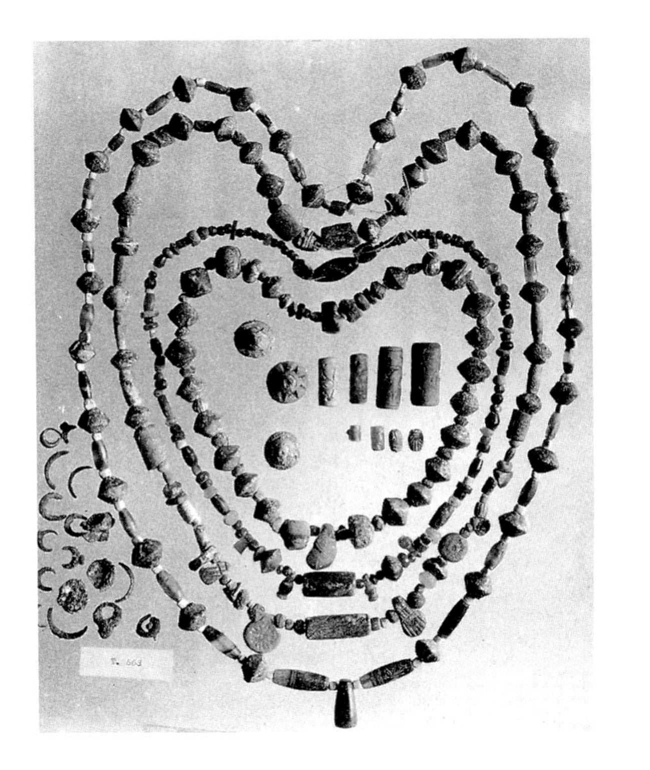

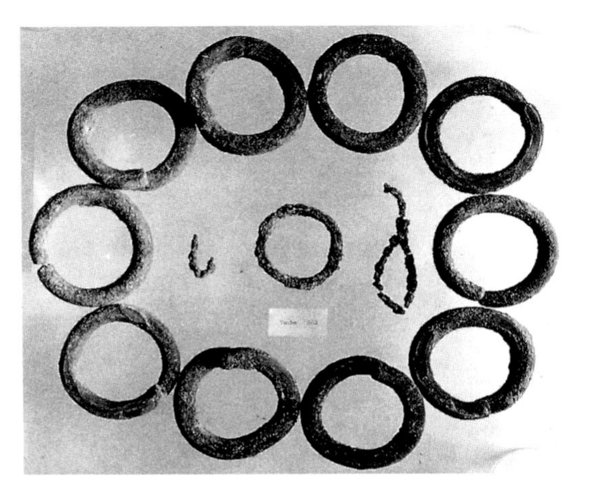

Mobilier de la tombe 563.

Tombe 583.

Tombe 589.

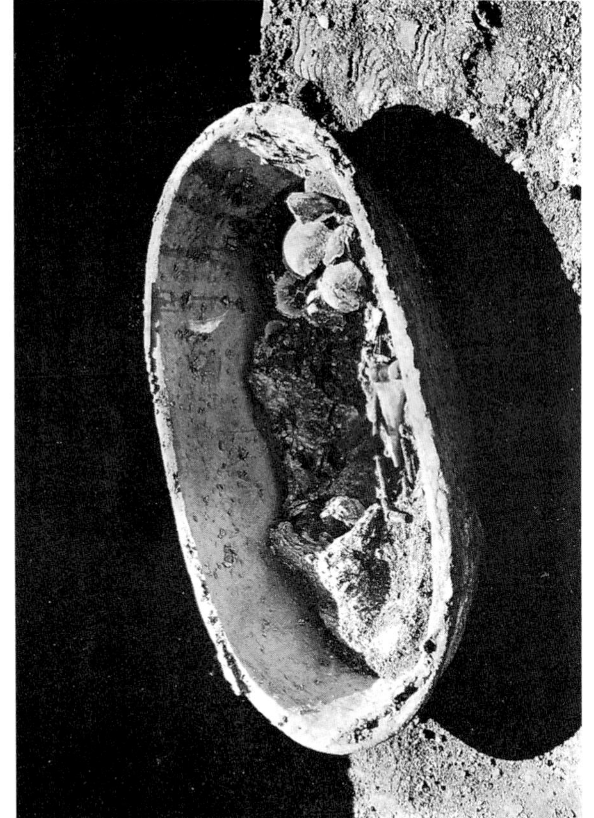

Tombe 587.

Tombe 585.

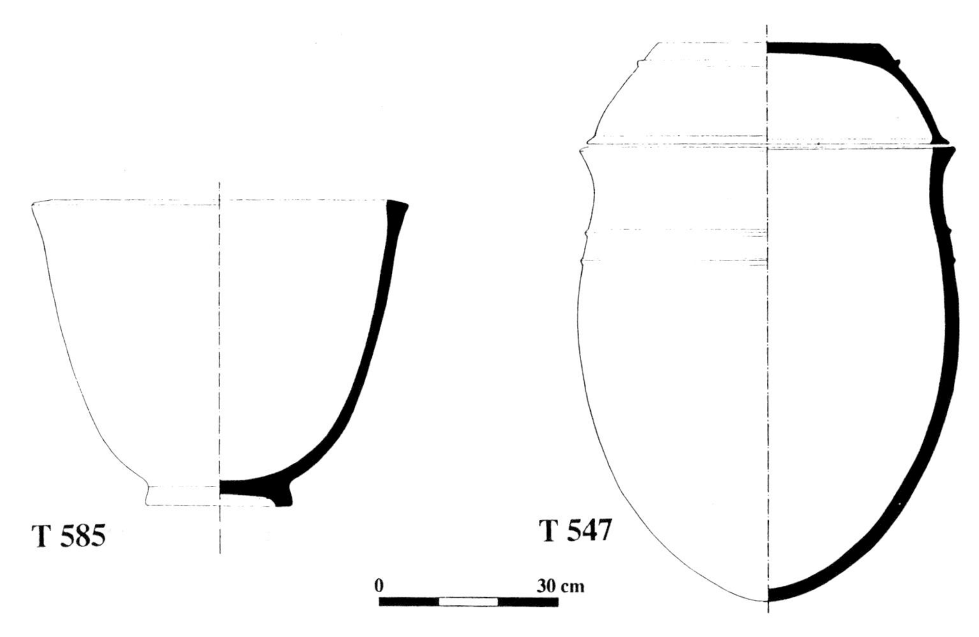

Jarres des tombes 547 et 585.

T 595 M 4083

T 589 M 4036

Tombes 591 et 592

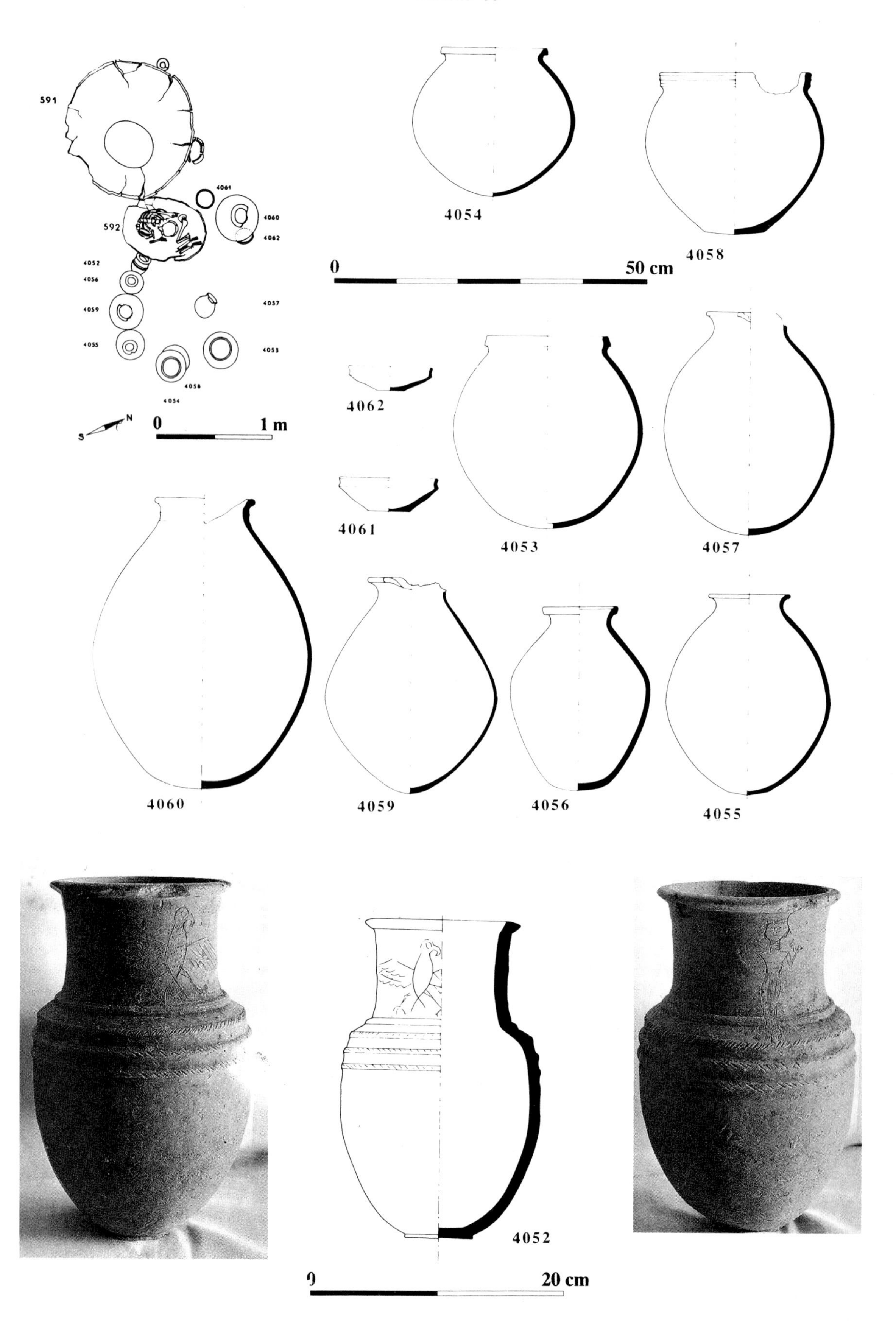

Tombes 591 et 592 et leurs céramiques.

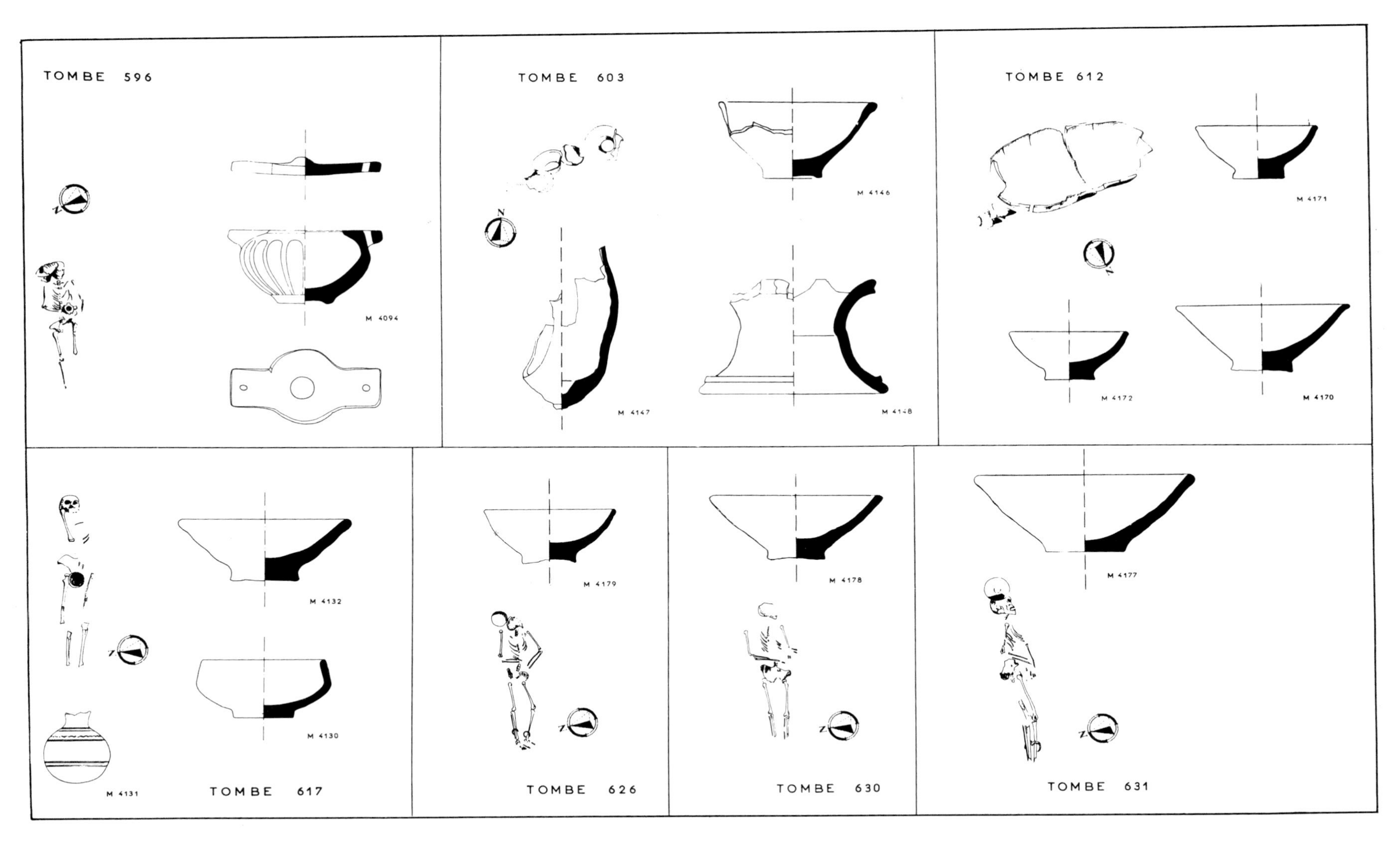

Tombes 596, 603, 612, 617, 626, 630 et 631 et leurs objets.

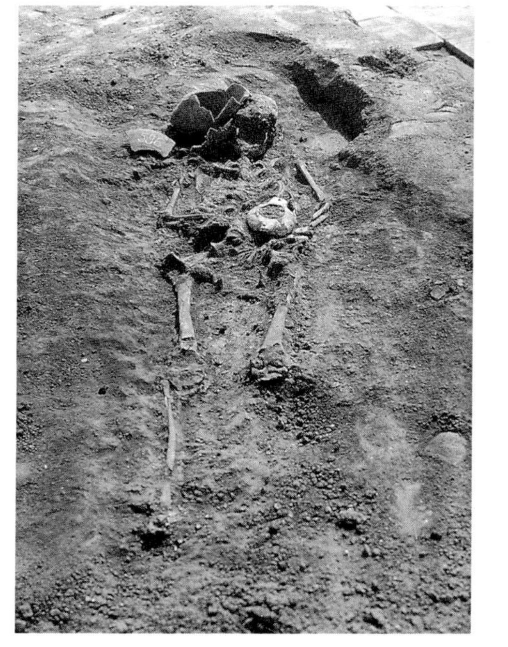

Tombe 596.

Tombe 616.

Tombe 598.

Tombe 617.

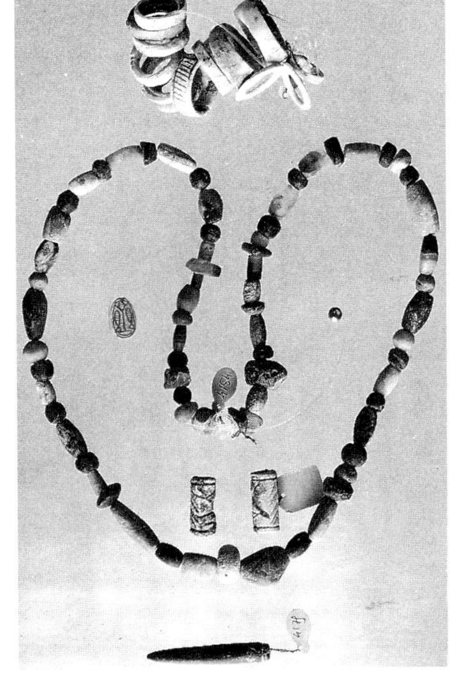

Tombe 633.

Mobilier de la tombe 630.

Tombe 636.

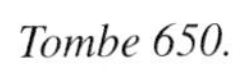

Tombe 650.

Tombe 659.

228 229 230

0 1 m

0 30 cm

0 10 cm

M. 4729

M. 4730

M. 4731

0 10 cm

Céramiques de la tombe 652.

Tombe 652.

Tombe 653.

M. 4866

M. 4865

M. 4864

M 4867

0 10 cm

Mobilier de la tombe 653.

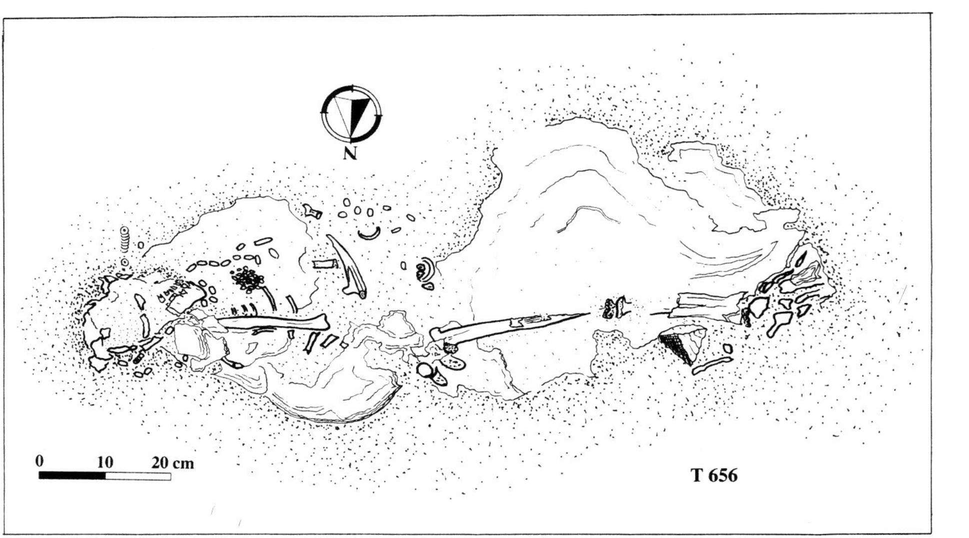

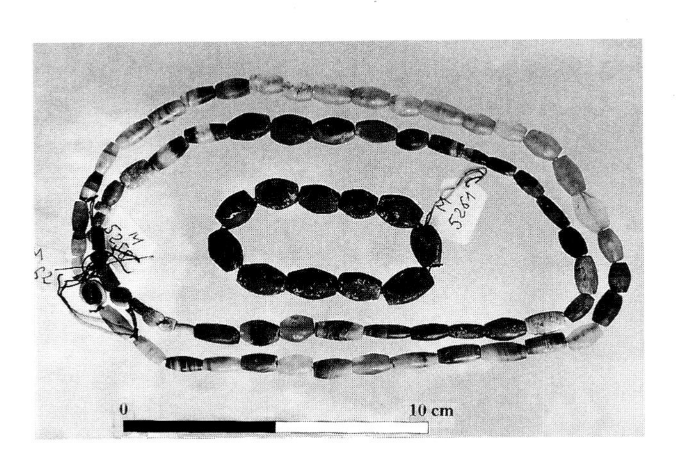

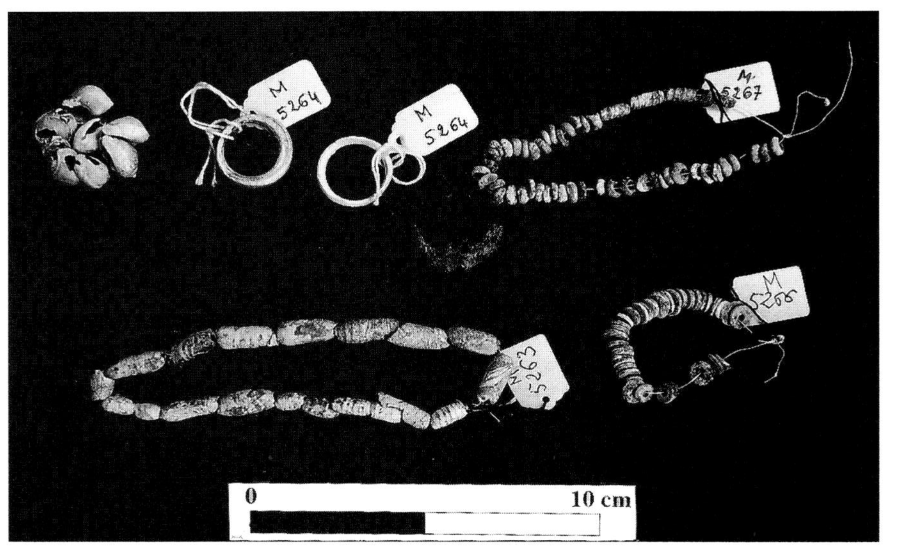

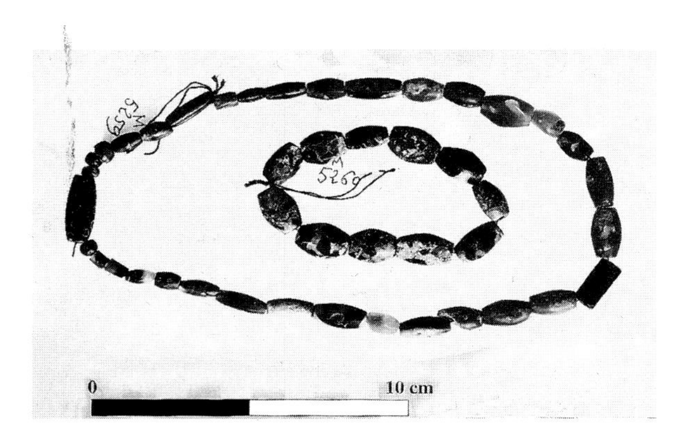

Tombe 656 et son mobilier.

Tombe 657.

Pointe de flèche M 5300 en place.

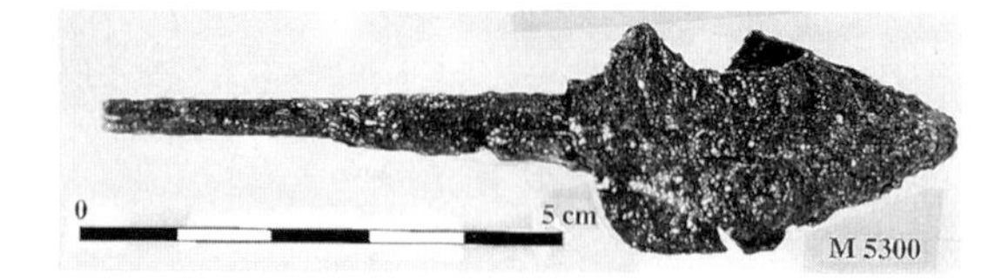

Tombe 665.

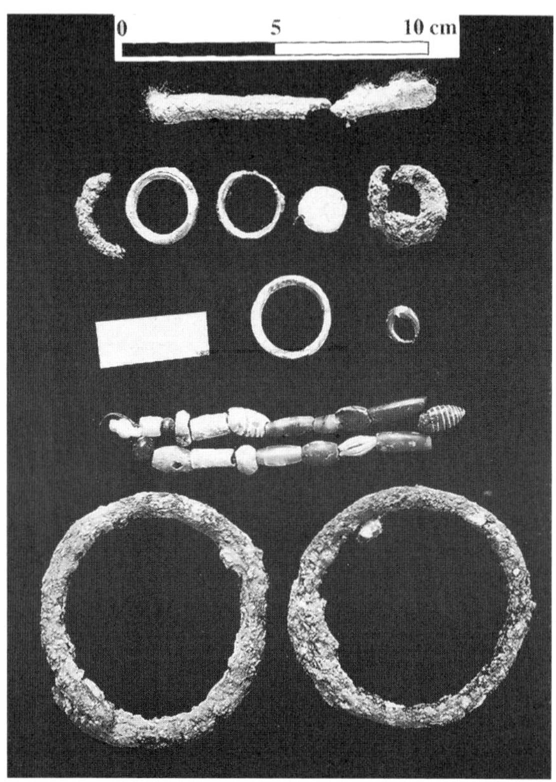

Bijoux de la tombe 665.

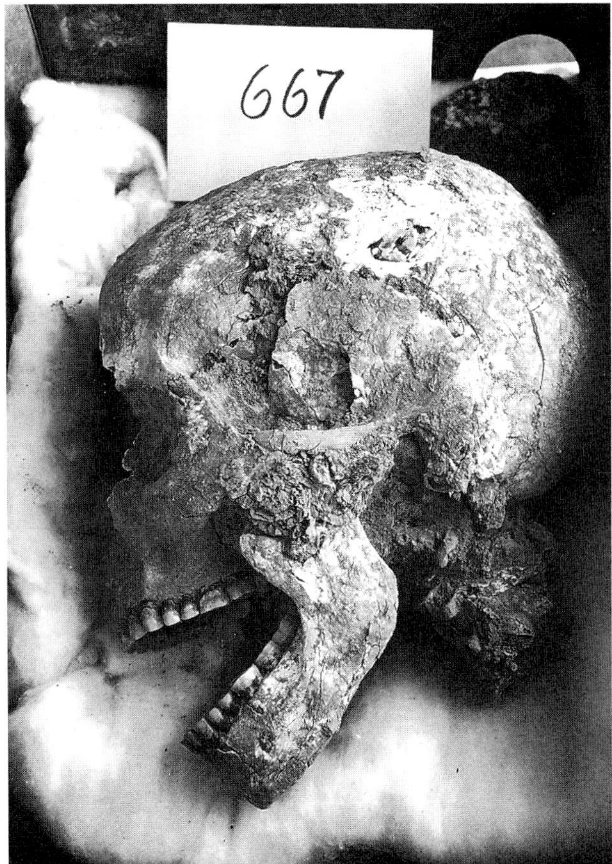

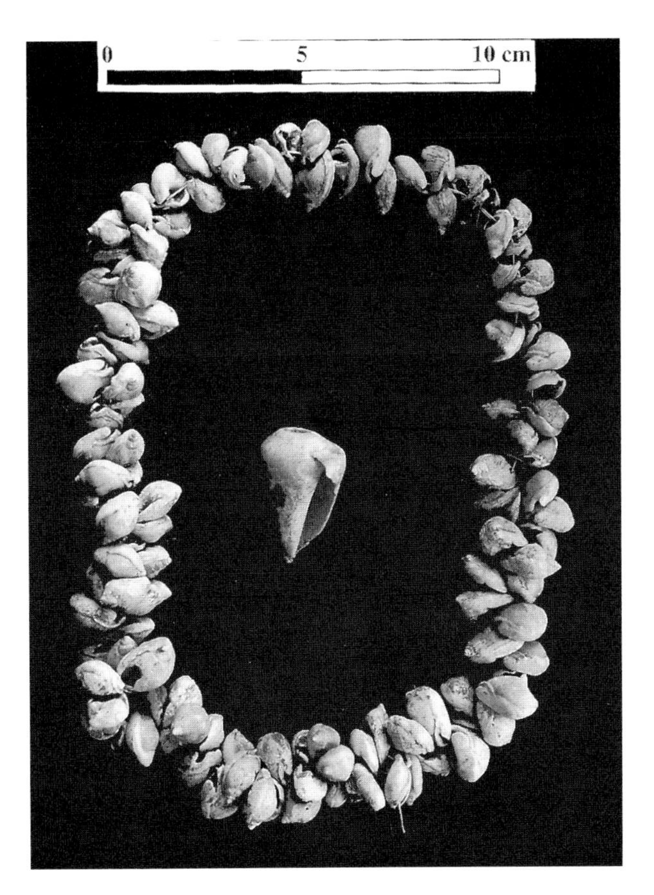

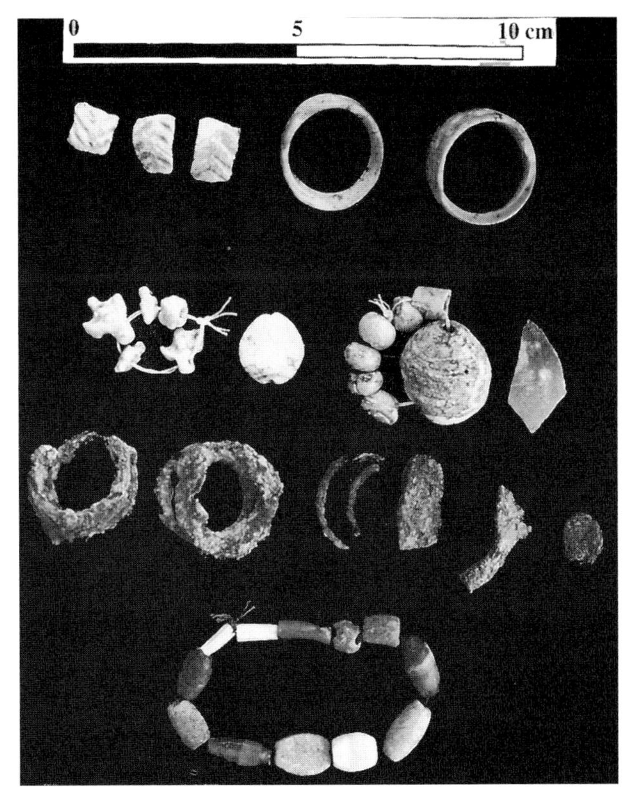

Tombe 667 et son mobilier.

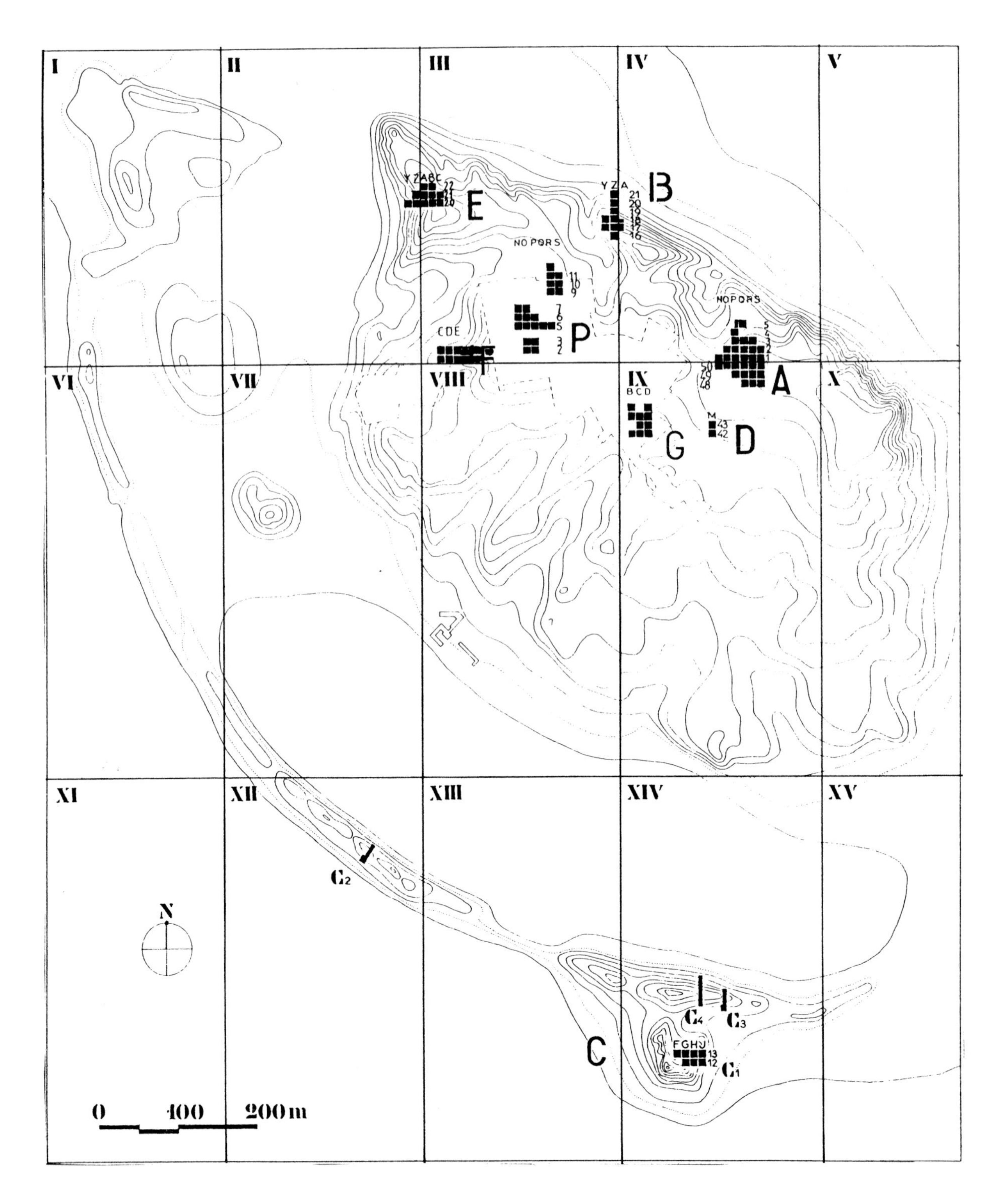

Plan de l'emplacement des chantiers de fouilles A-B-C-D-E-F ouverts depuis 1979.

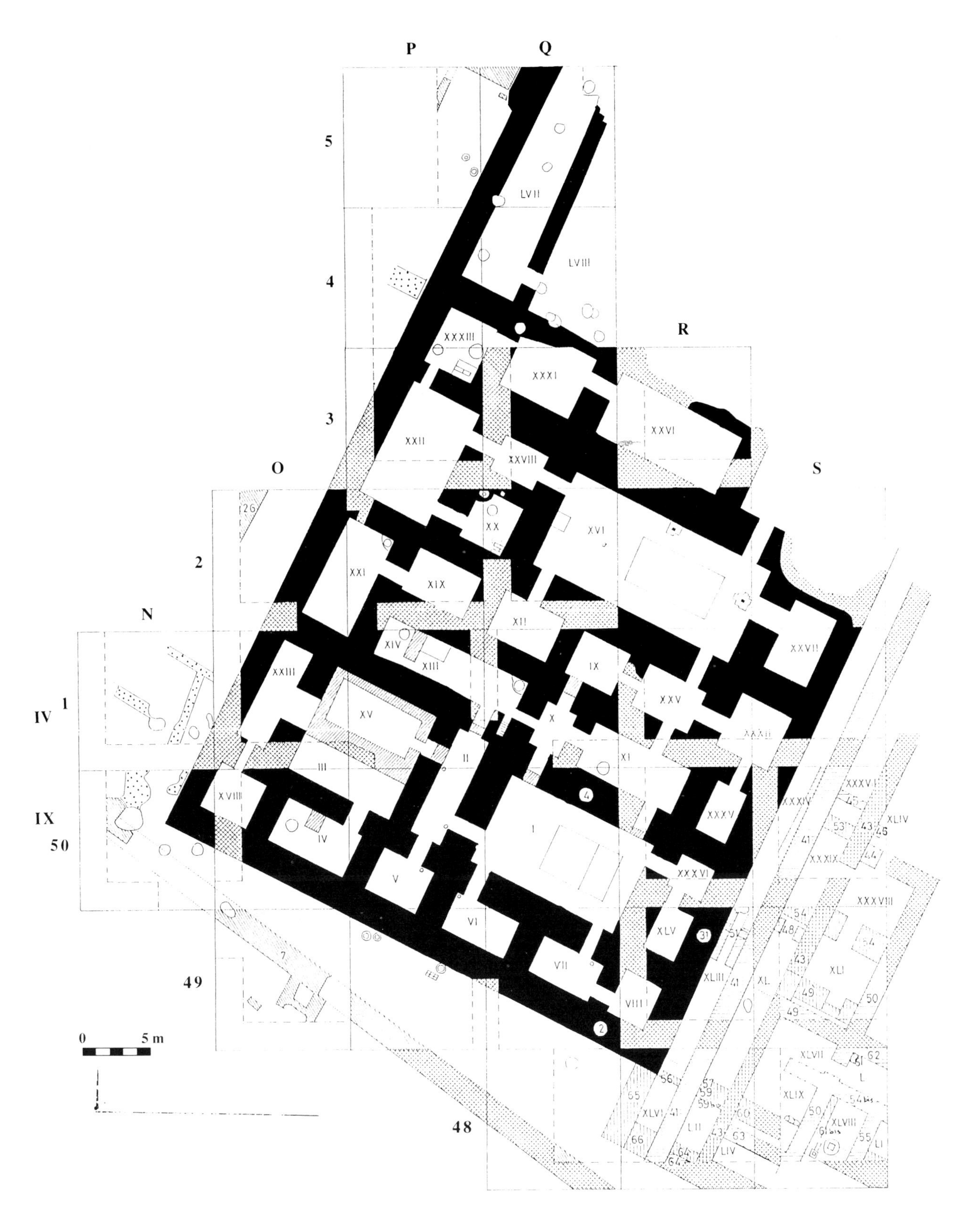

Plan général du chantier A, palais oriental.

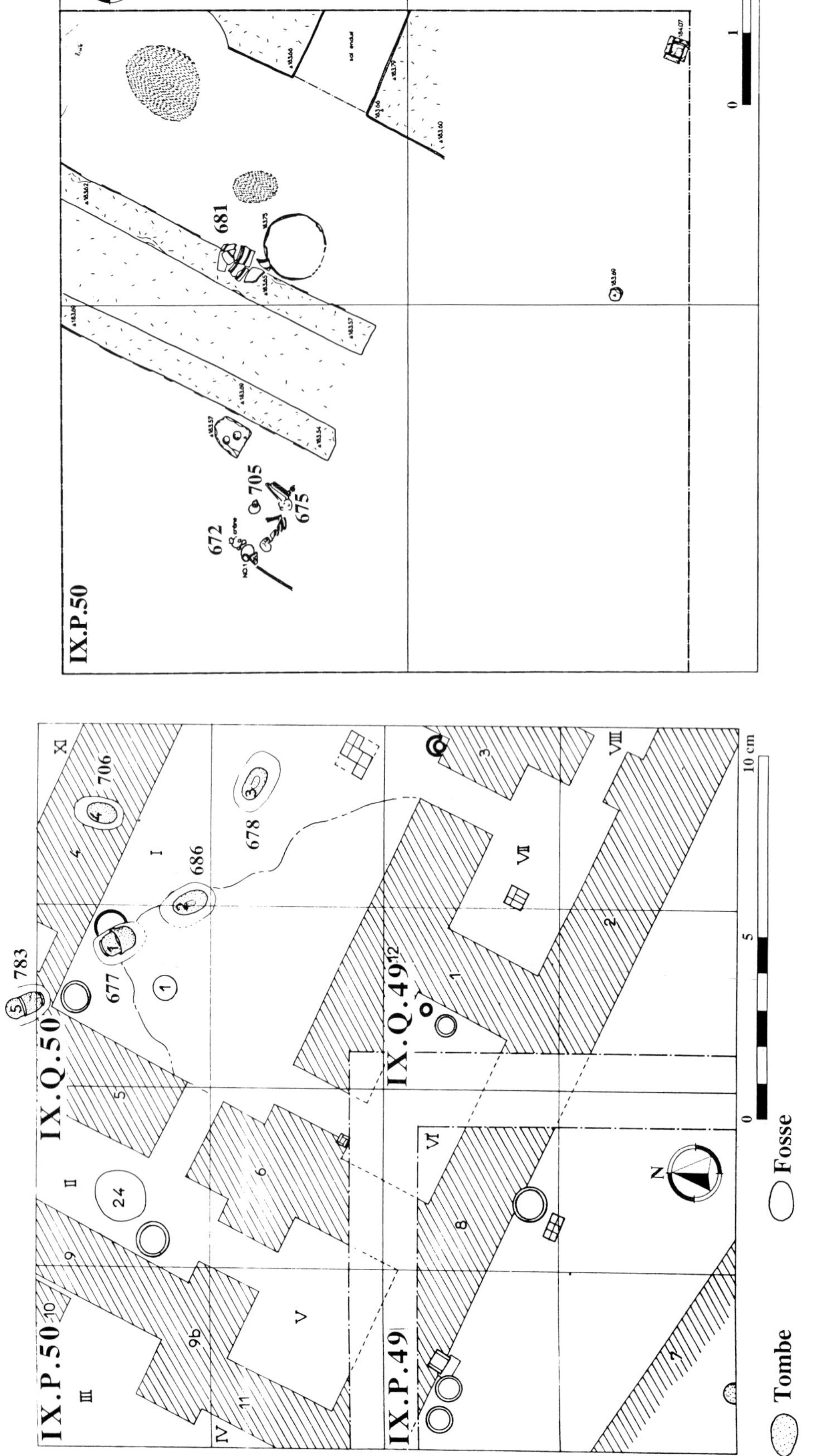

Plan du chantier A, tombes 677, 678, 686, 706 et 783.

Plan du chantier A, tombes 672, 675, 681 et 705.

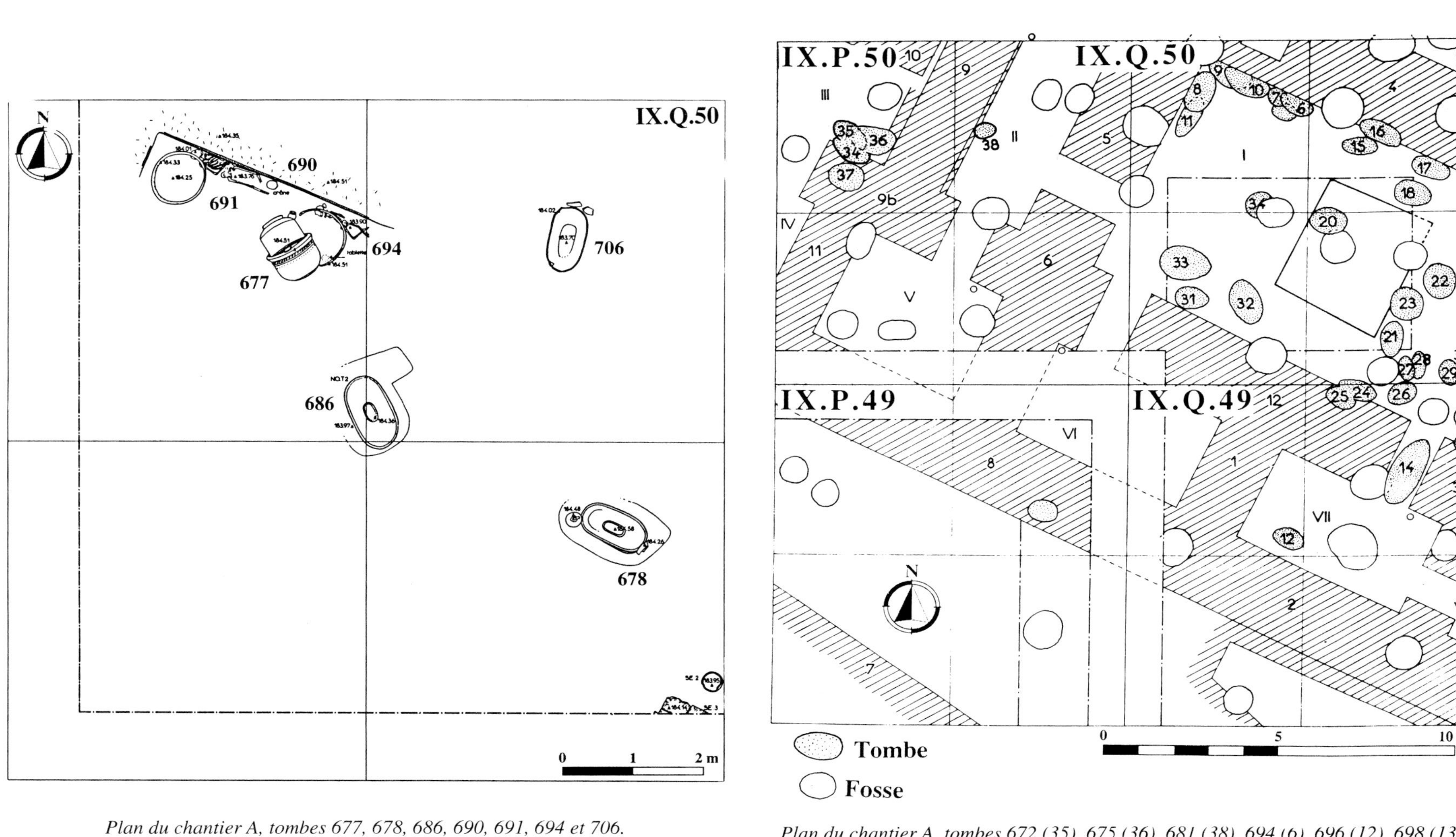

Plan du chantier A, tombes 677, 678, 686, 690, 691, 694 et 706.

Plan du chantier A, tombes 672 (35), 675 (36), 681 (38), 694 (6), 696 (12), 698 (13), 703 (14), 707 (31), 713 (32), 714 (33), 720 (15), 721 (17), 723 (20), 725 (7), 726 (8), 728 (9), 729 (10), 730 (11), 731 (18), 734 (21), 735 (16), 736 (19), 737 (22), 738 (23), 759 (37), 764 (24), 768 (25), 774 (26), 775 (27), 776 (28), 778 (29) et 779 (30), Les numéros indiqués sur le plan et notés entre parenthèses sont dans D. Beyer, MARI 2, 1983, p. 37-60.

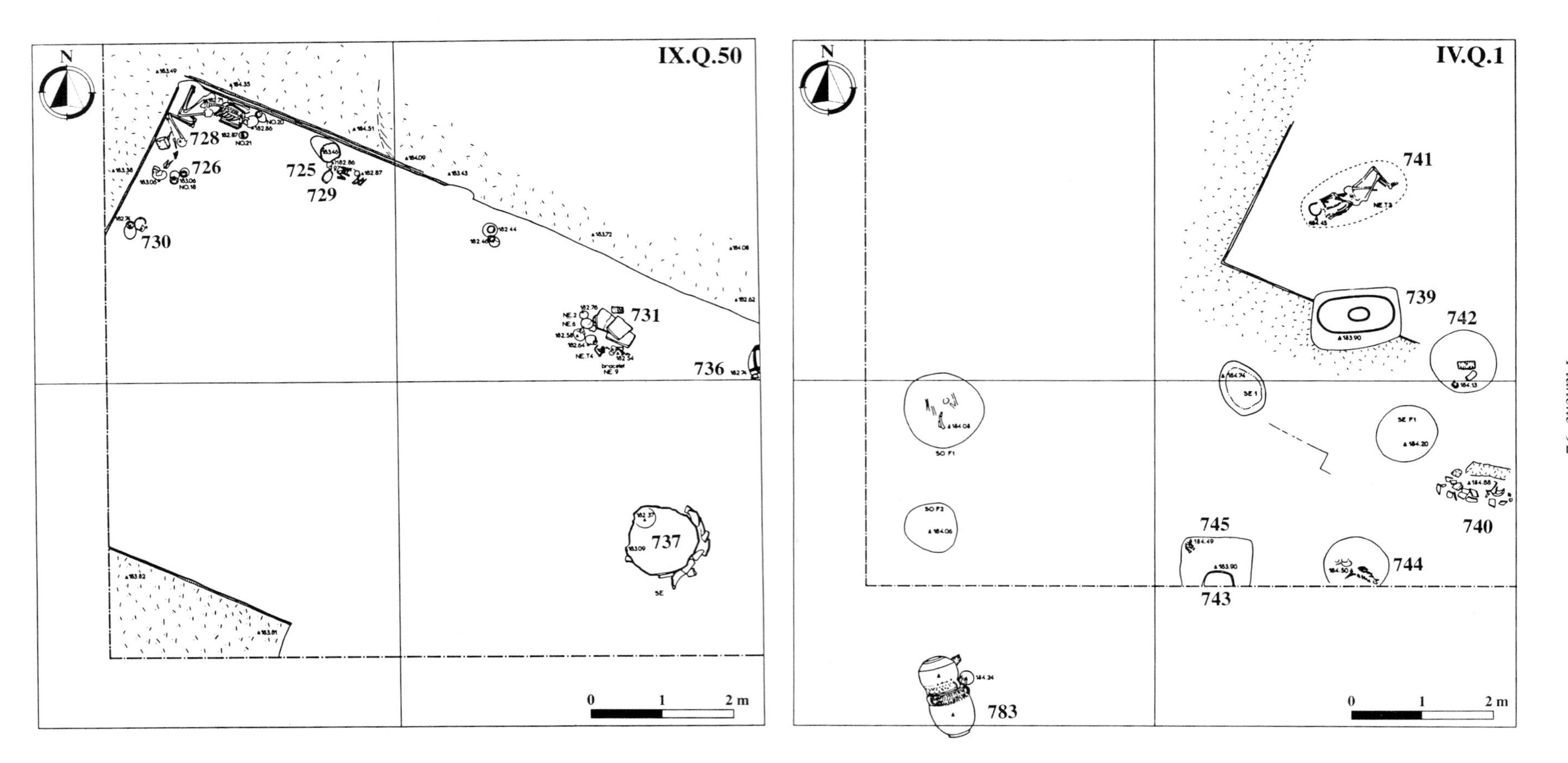

Plan du chantier A, tombes 725, 726, 728 à 731, 736 et 737.

Plan du chantier A, tombes 739 à 745 et 783.

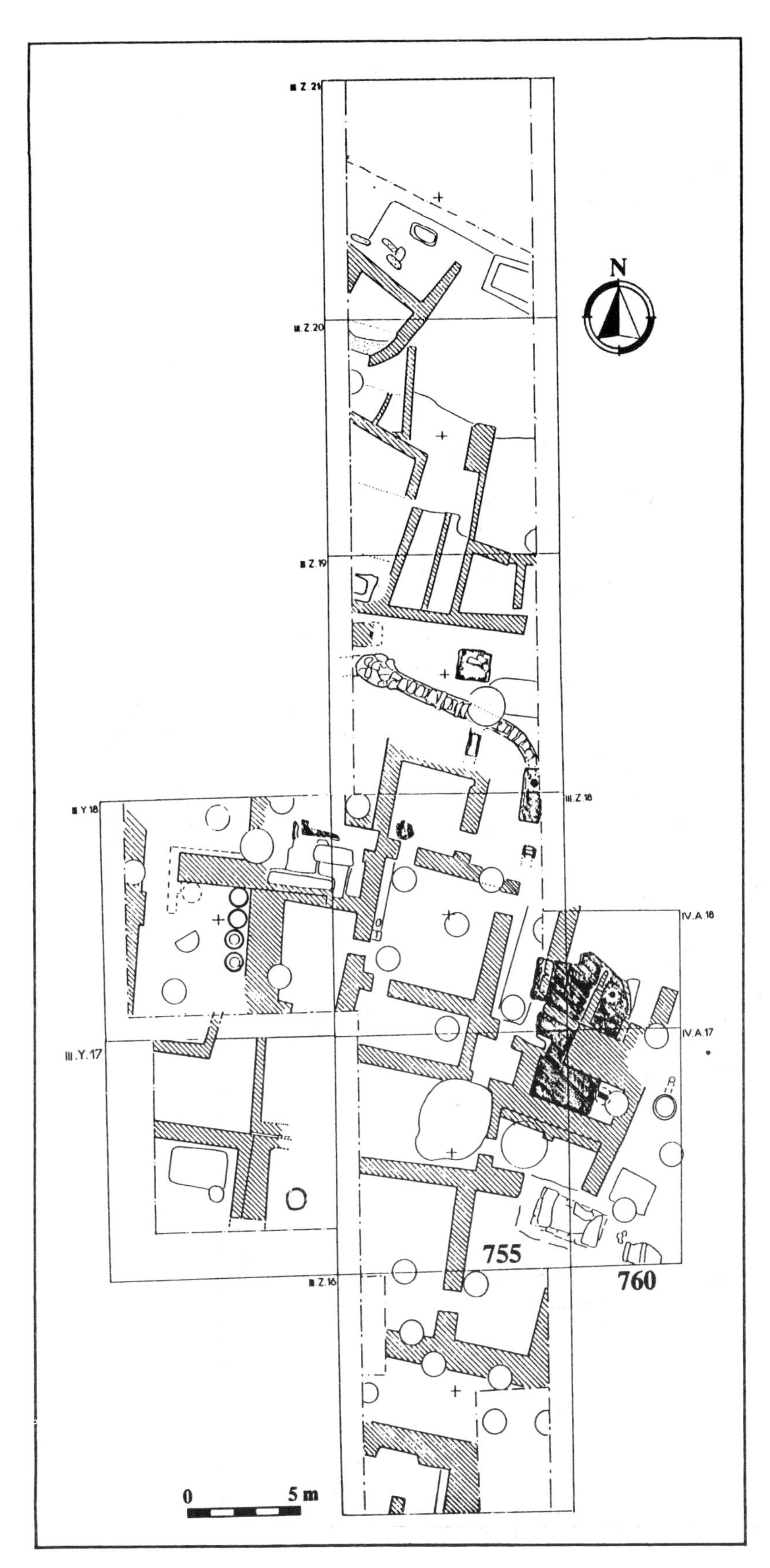

Plan du chantier B, tombes 755 et 760.

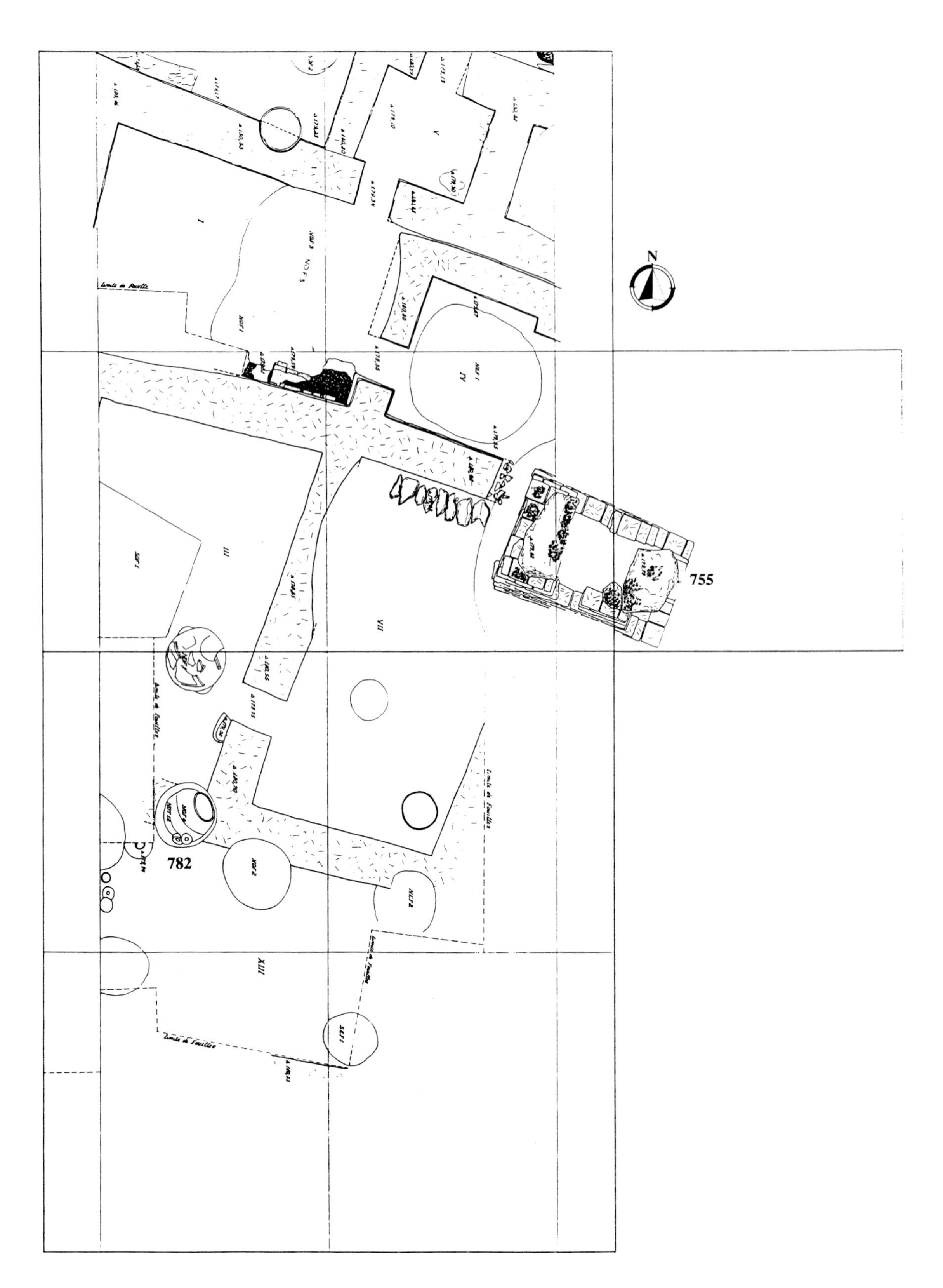

Plan du chantier B, tombes 755 et 782.

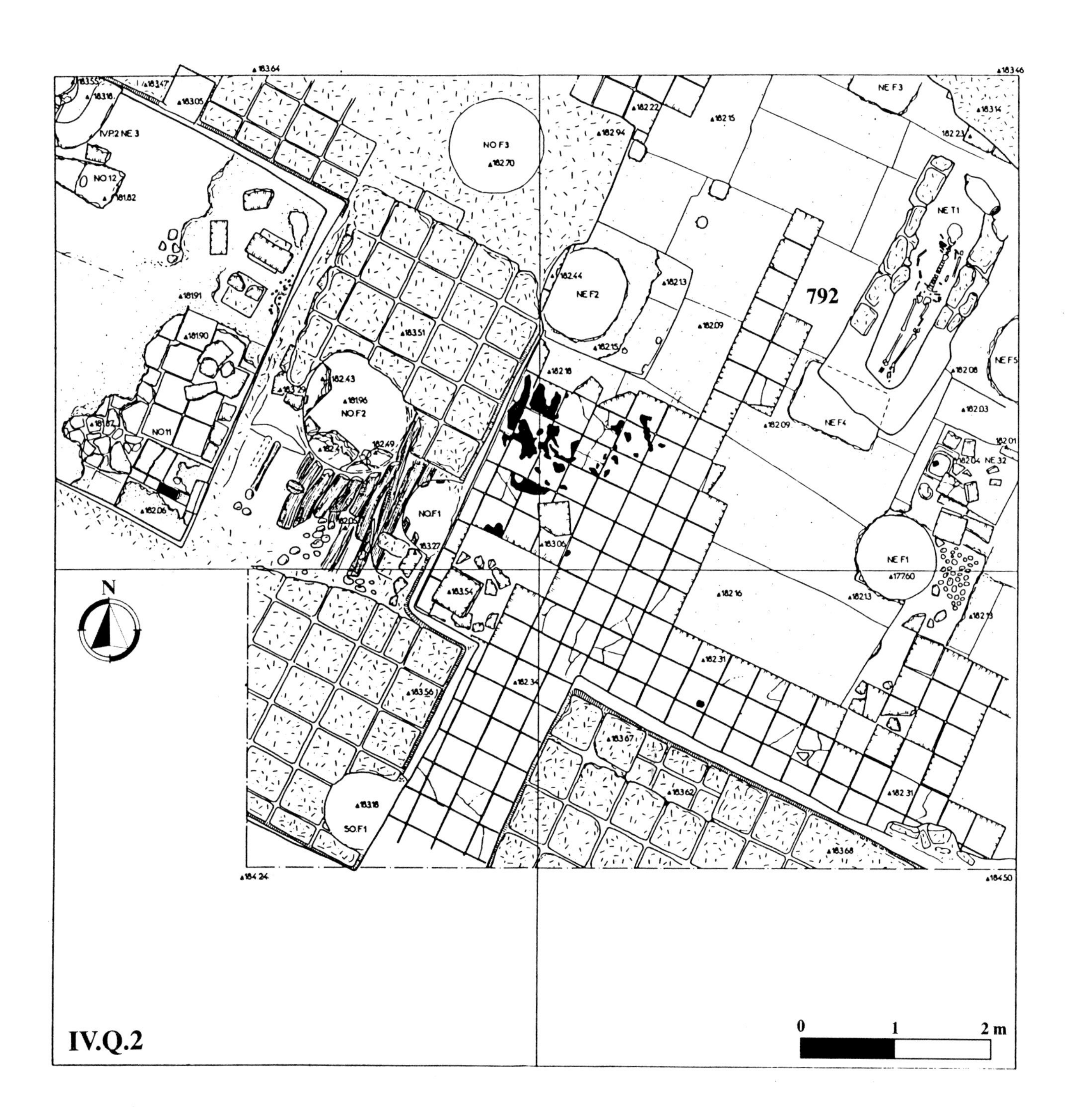

Plan du chantier A, tombe 792.

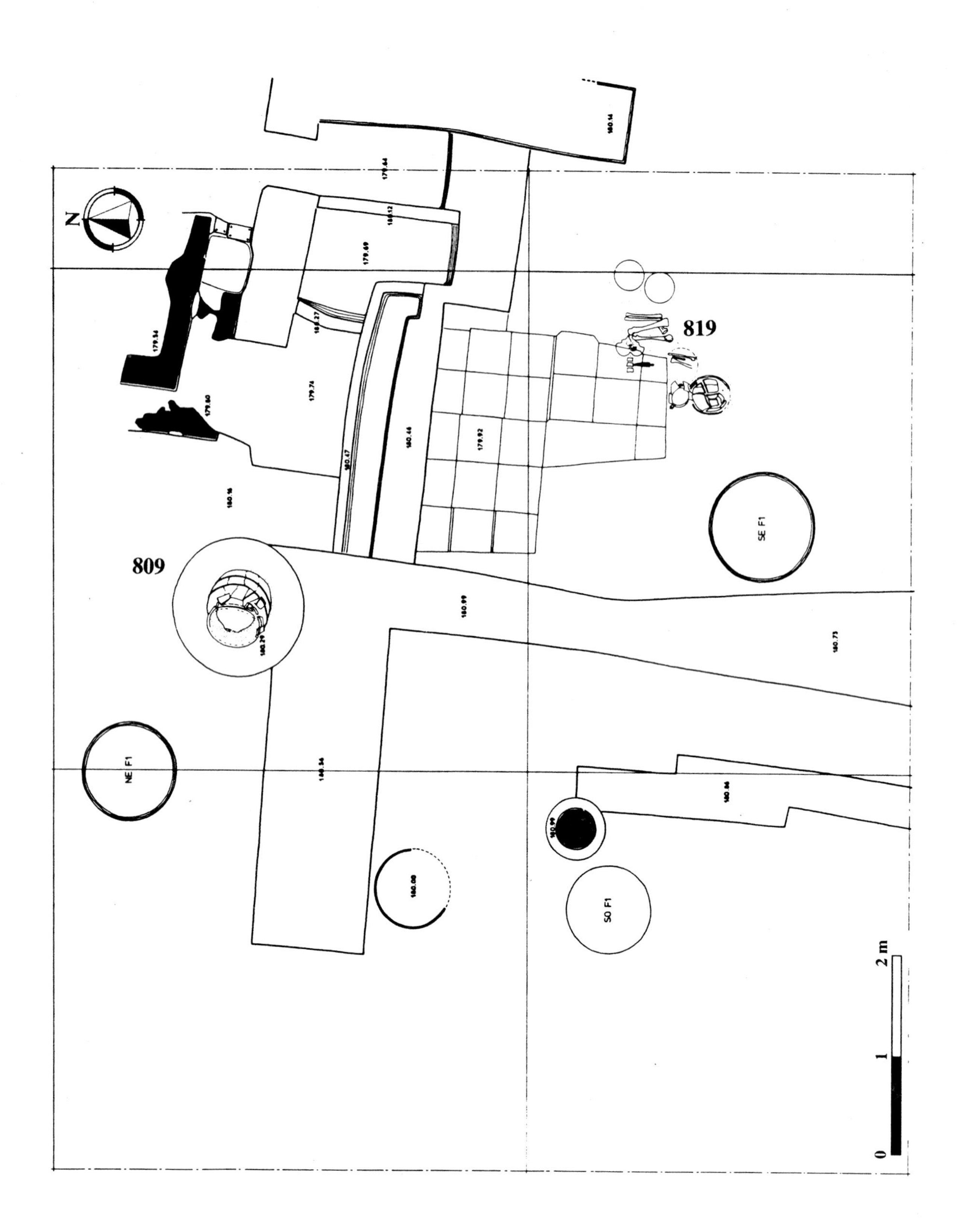

Plan du chantier B, tombes 809 et 819.

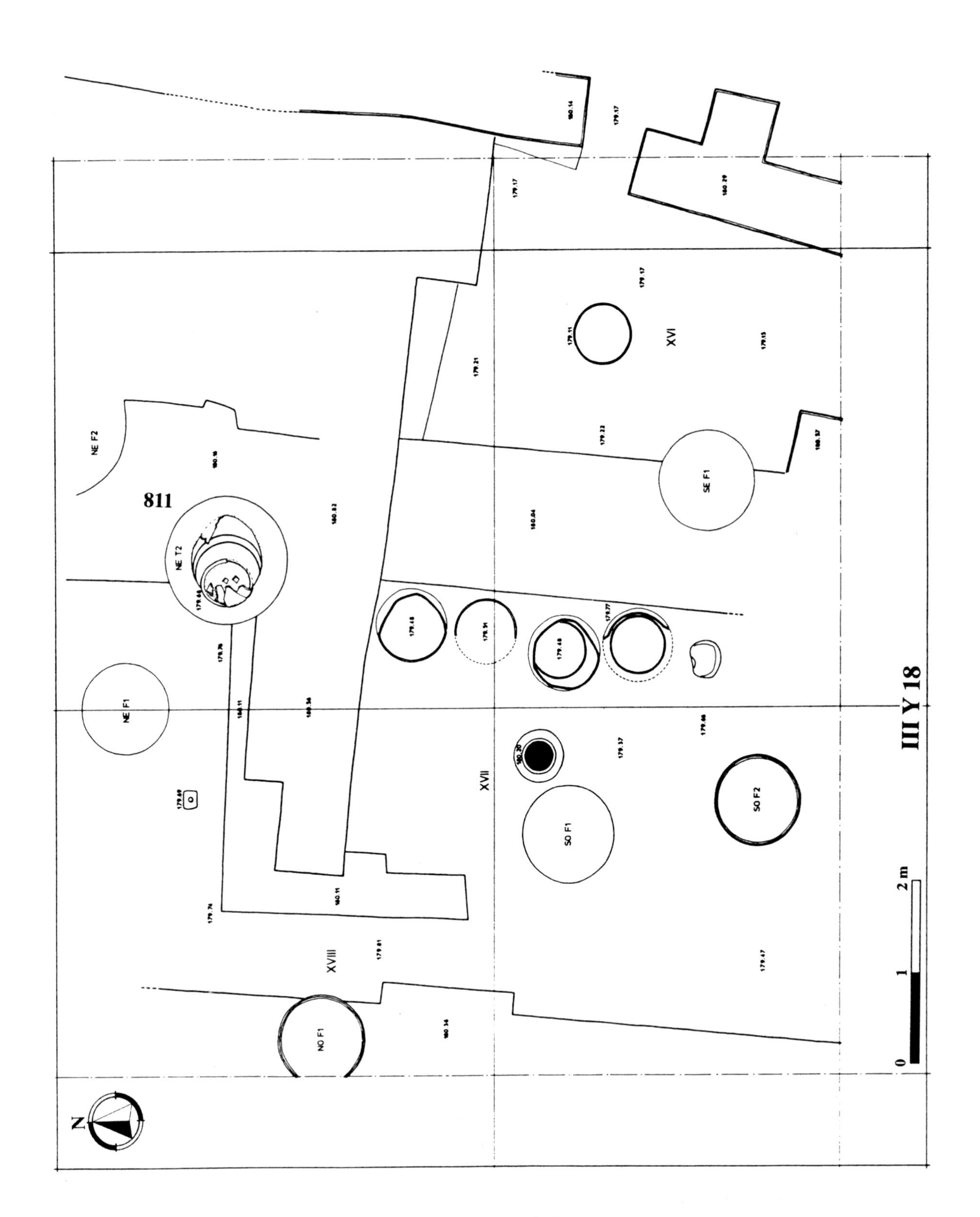

Plan du chantier B, tombe 811.

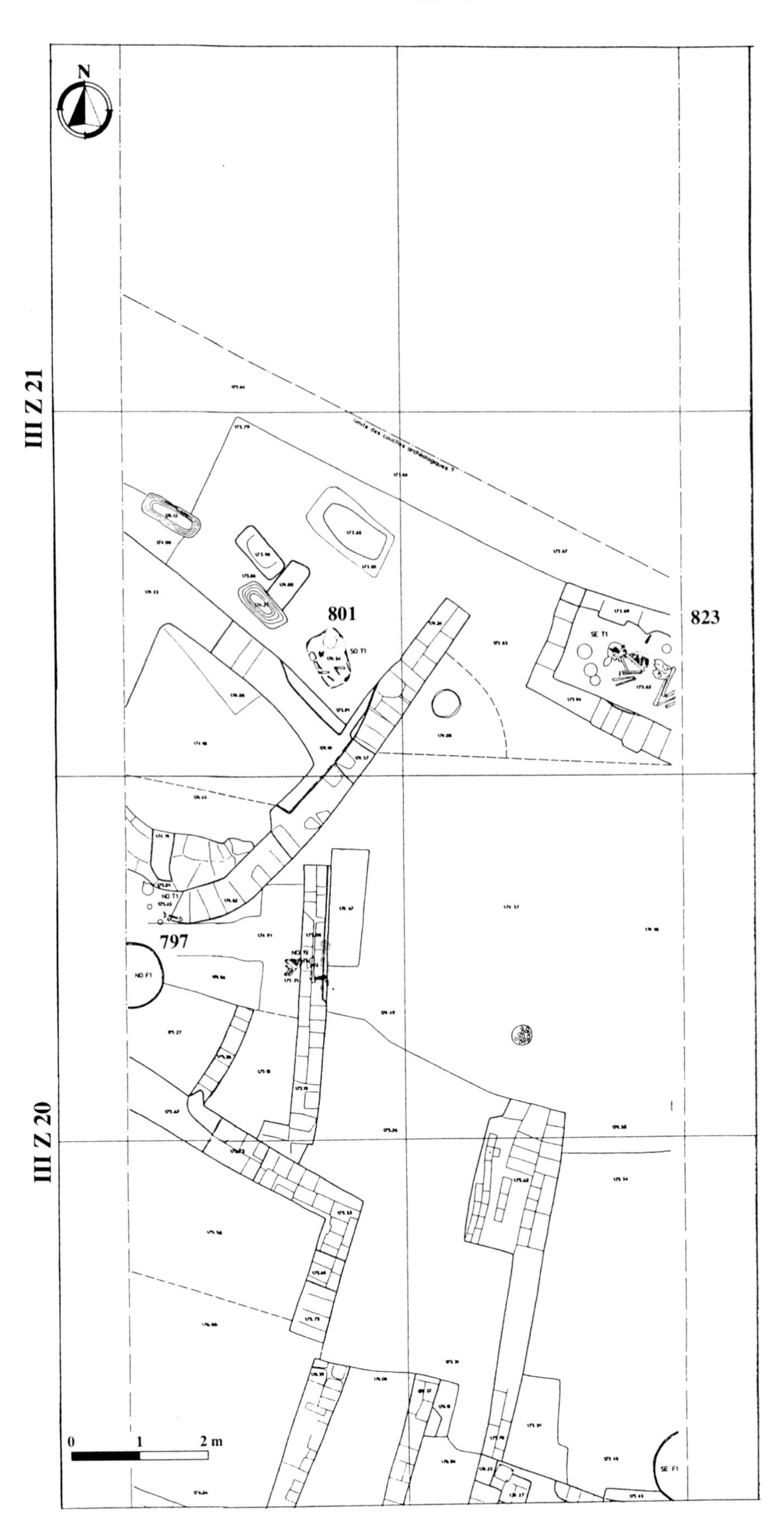

Plan du chantier B, tombes 797, 801 et 823.

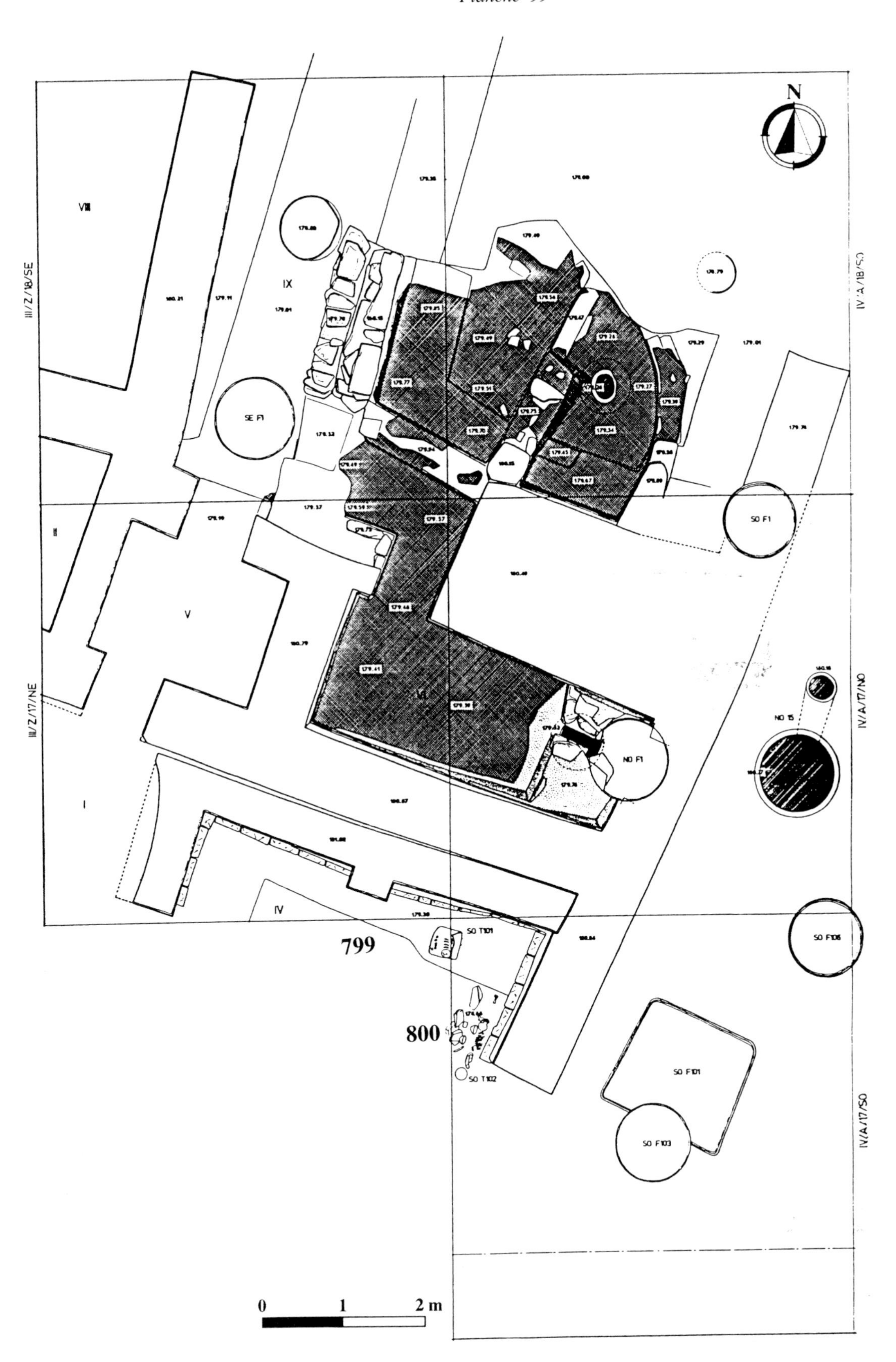

Plan du chantier B, tombes 799 et 800.

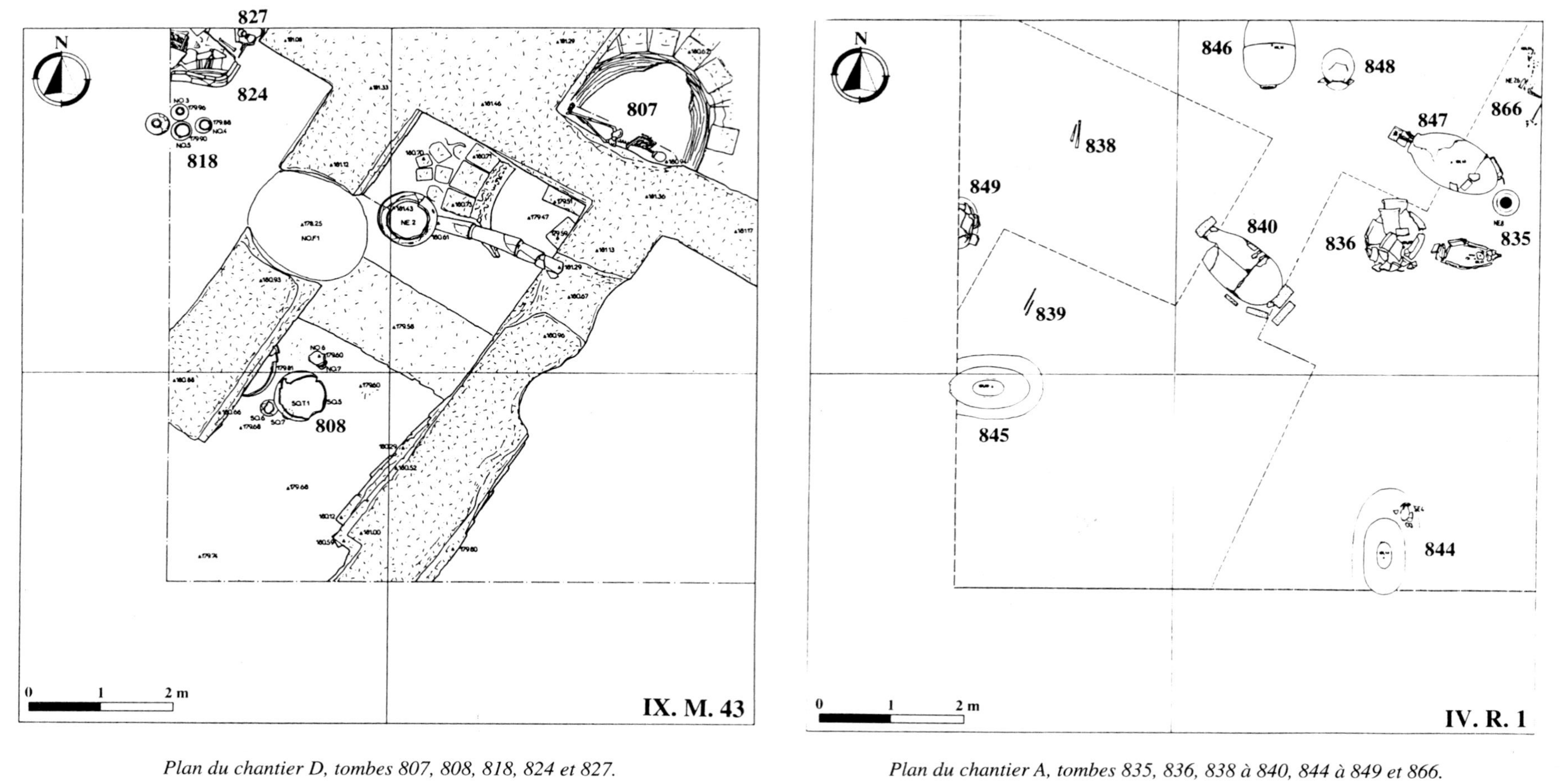

Plan du chantier D, tombes 807, 808, 818, 824 et 827.

Plan du chantier A, tombes 835, 836, 838 à 840, 844 à 849 et 866.

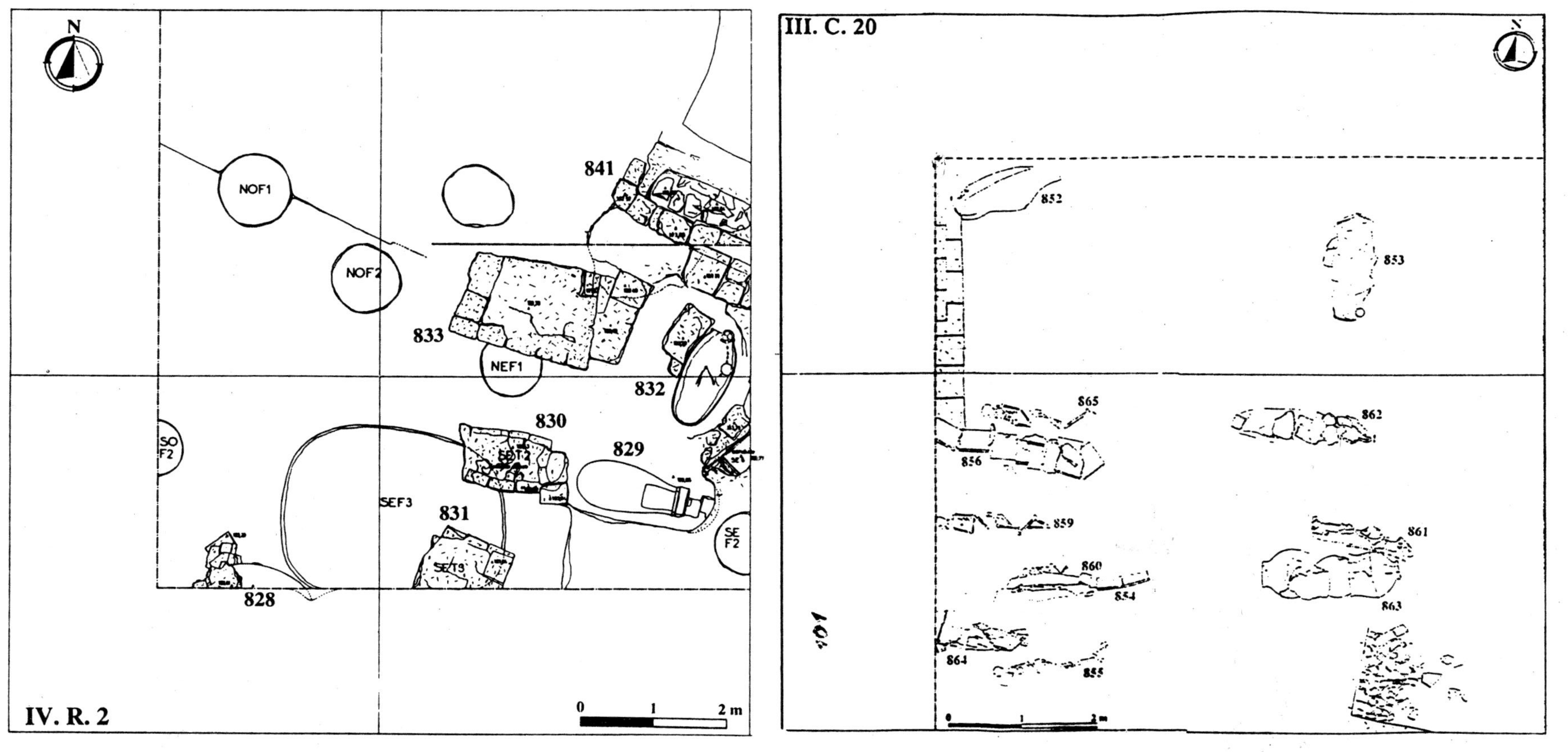

Plan du chantier A, tombes 828 à 833 et 841.

Plan du chantier E, tombes 852 à 856 et 859 à 865.

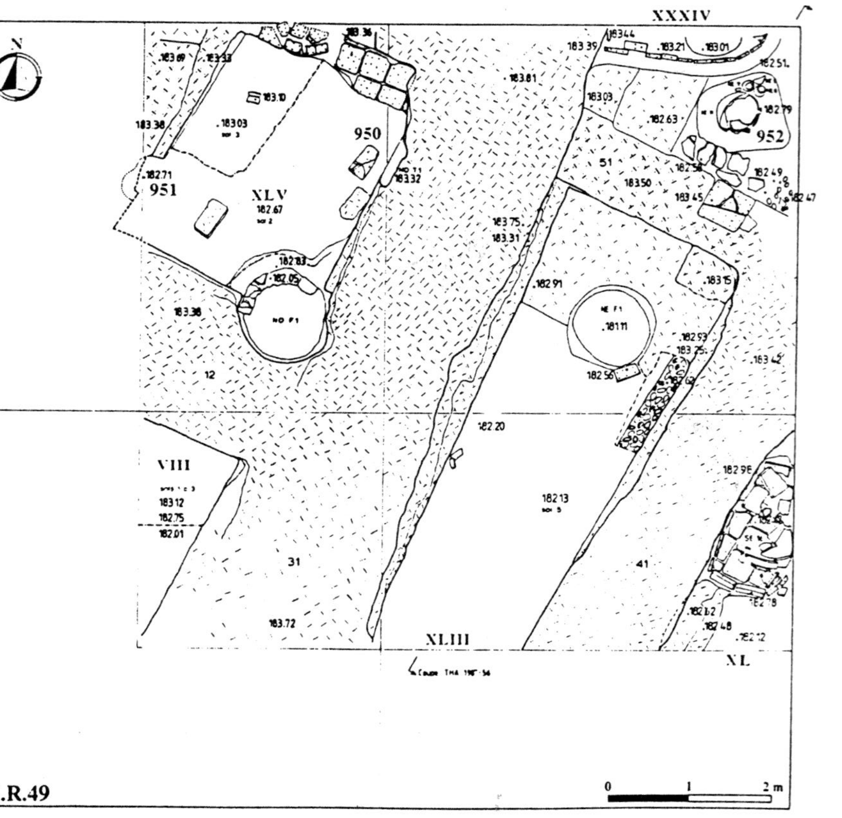

Plan du chantier A, tombes 950 à 952.

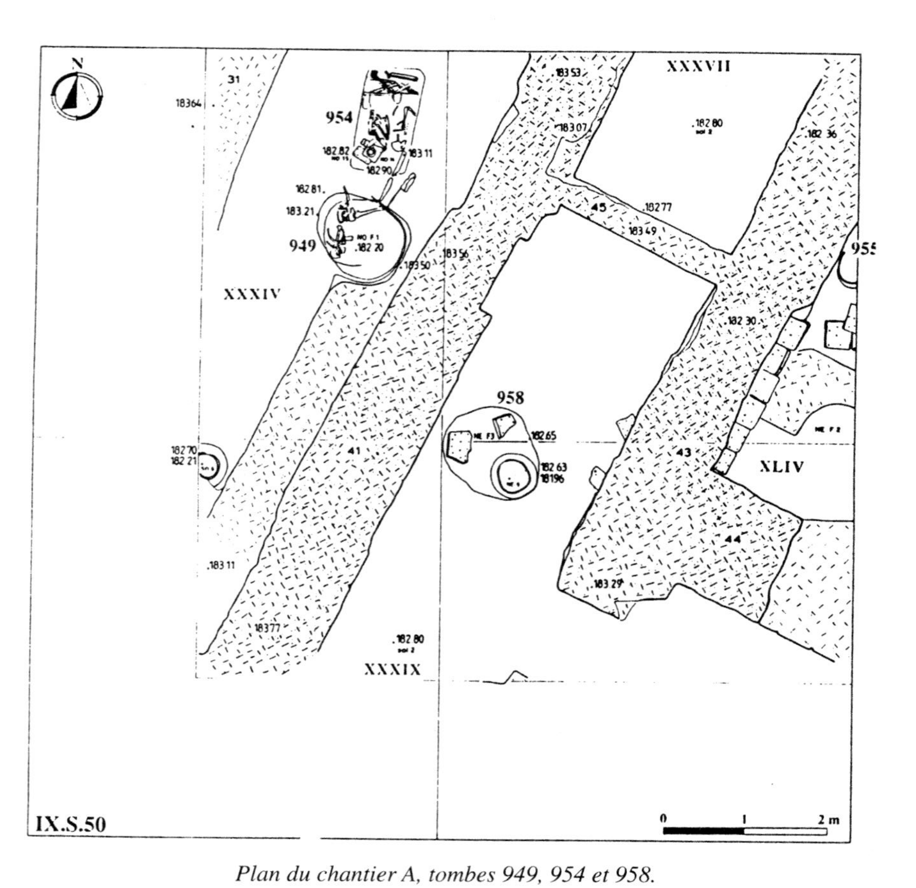

Plan du chantier A, tombes 949, 954 et 958.

Plan du chantier E, tombes 964 à 975, 979 à 988 et 990 à 992.

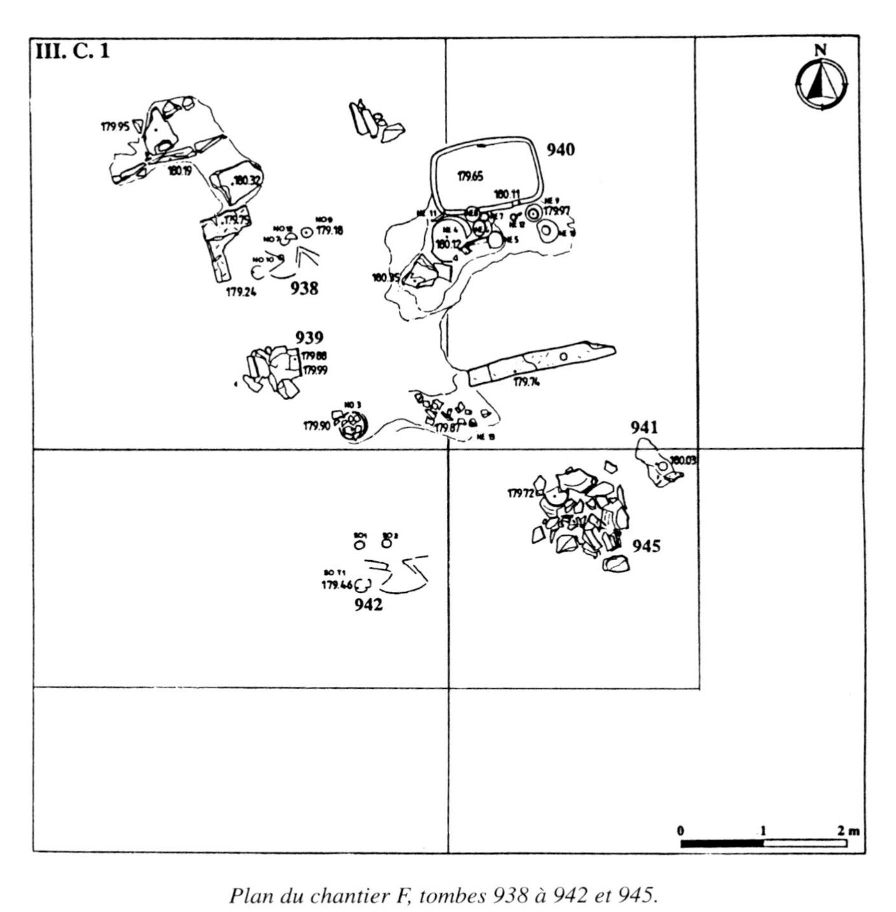

Plan du chantier F, tombes 938 à 942 et 945.

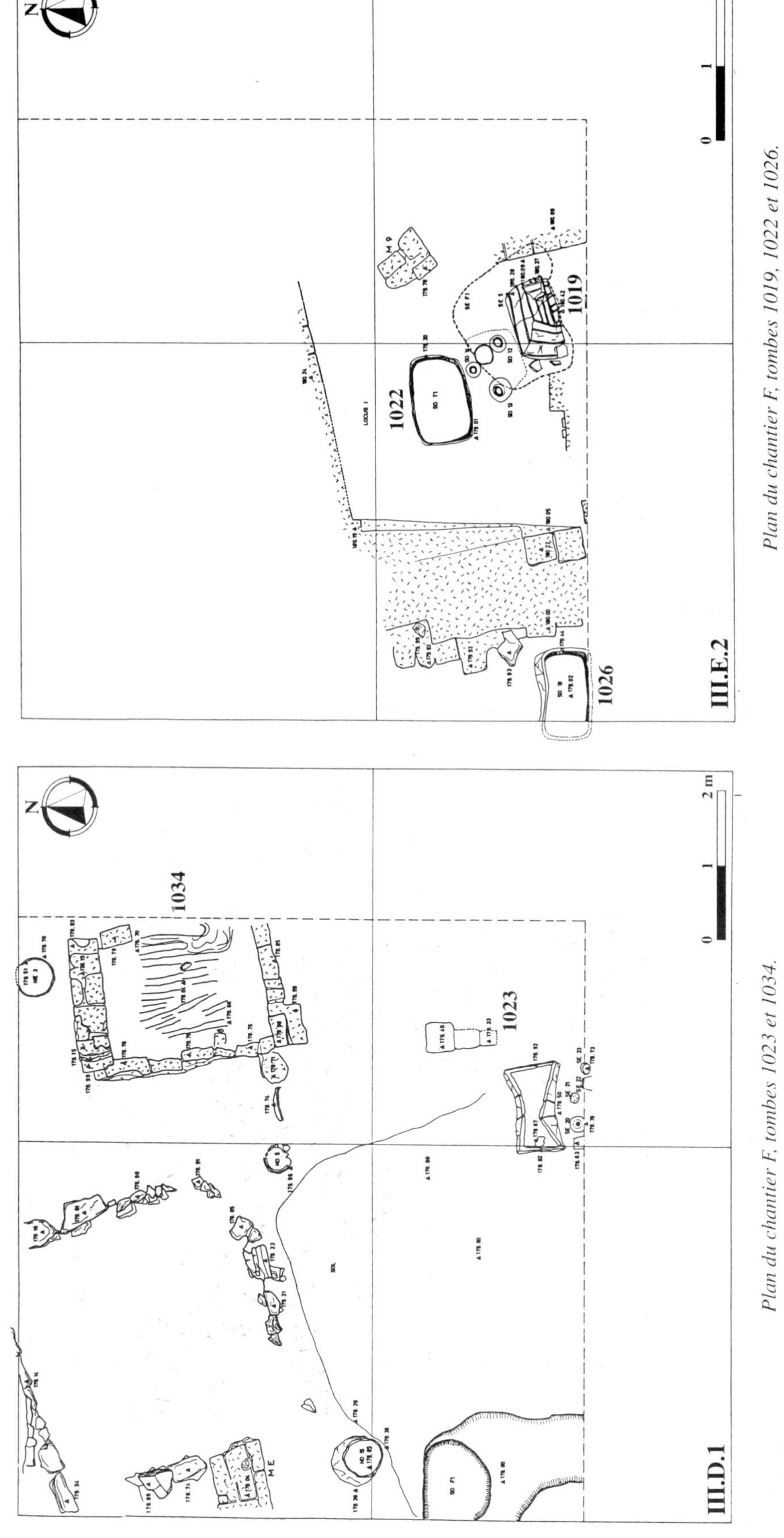

Plan du chantier F, tombes 1019, 1022 et 1026.

Plan du chantier F, tombes 1023 et 1034.

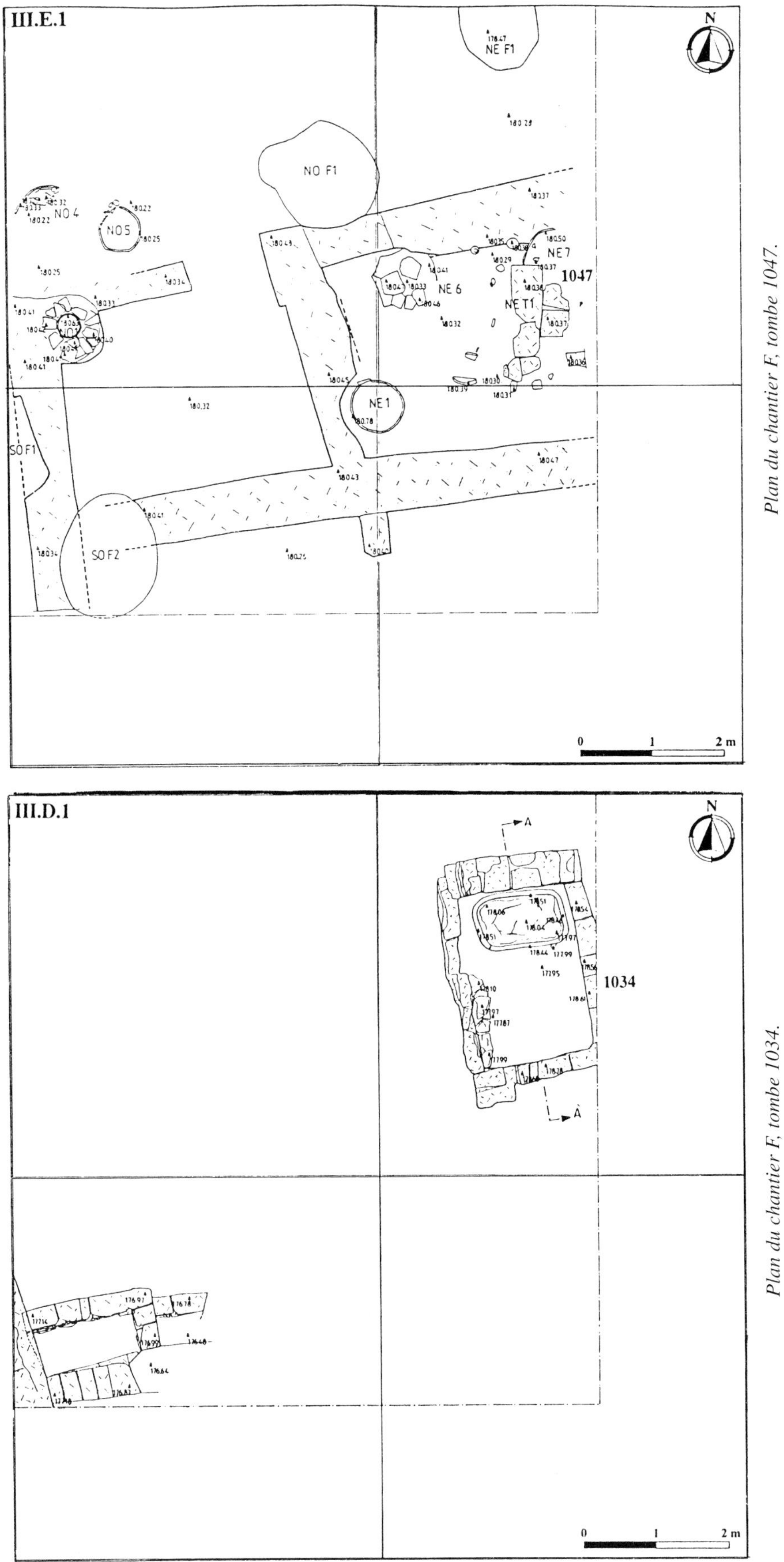

Plan du chantier F, tombe 1047.

Plan du chantier F, tombe 1034.

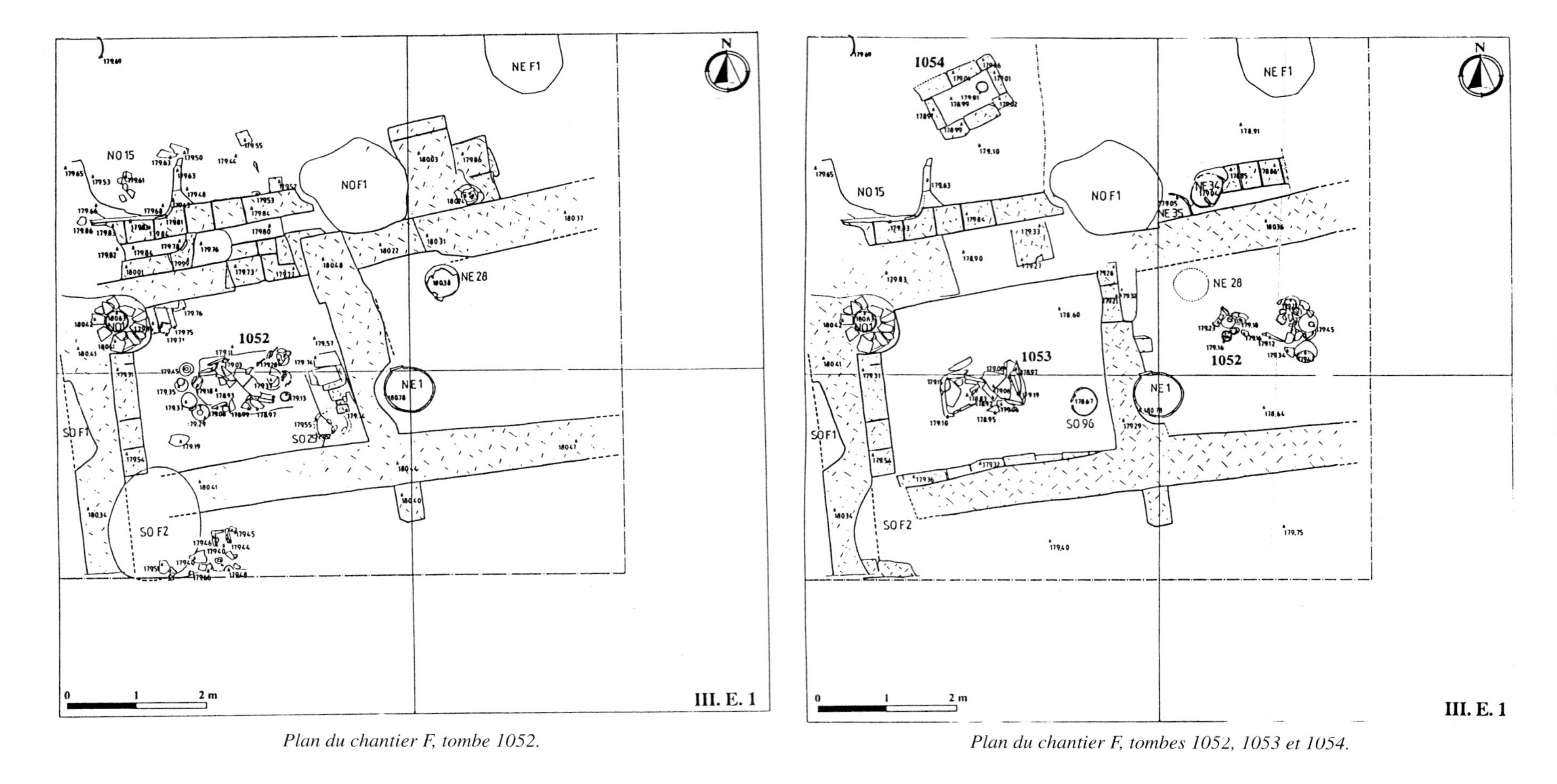

Plan du chantier F, tombe 1052.

Plan du chantier F, tombes 1052, 1053 et 1054.

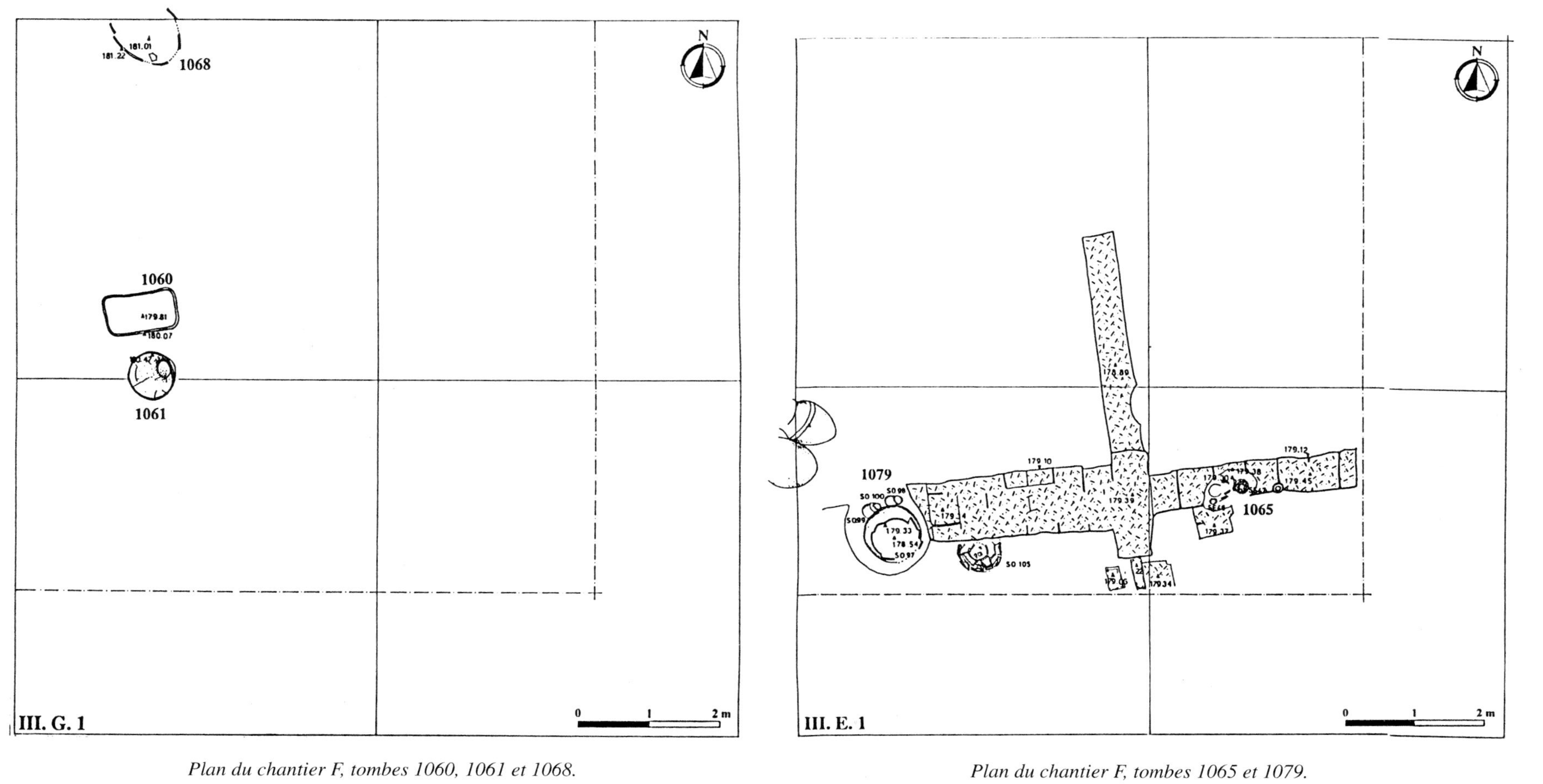

Plan du chantier F, tombes 1060, 1061 et 1068.

Plan du chantier F, tombes 1065 et 1079.

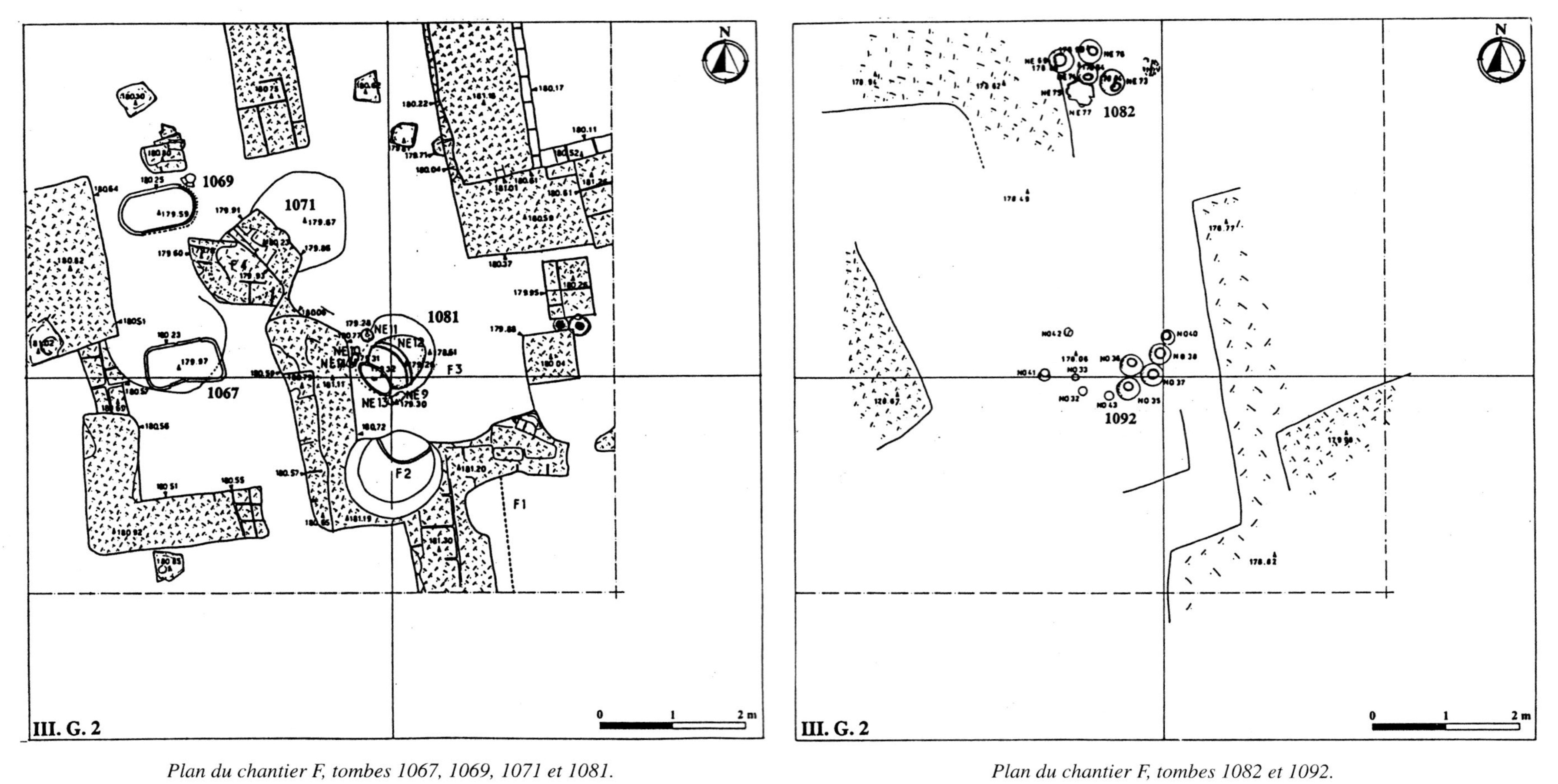

Plan du chantier F, tombes 1067, 1069, 1071 et 1081.

Plan du chantier F, tombes 1082 et 1092.

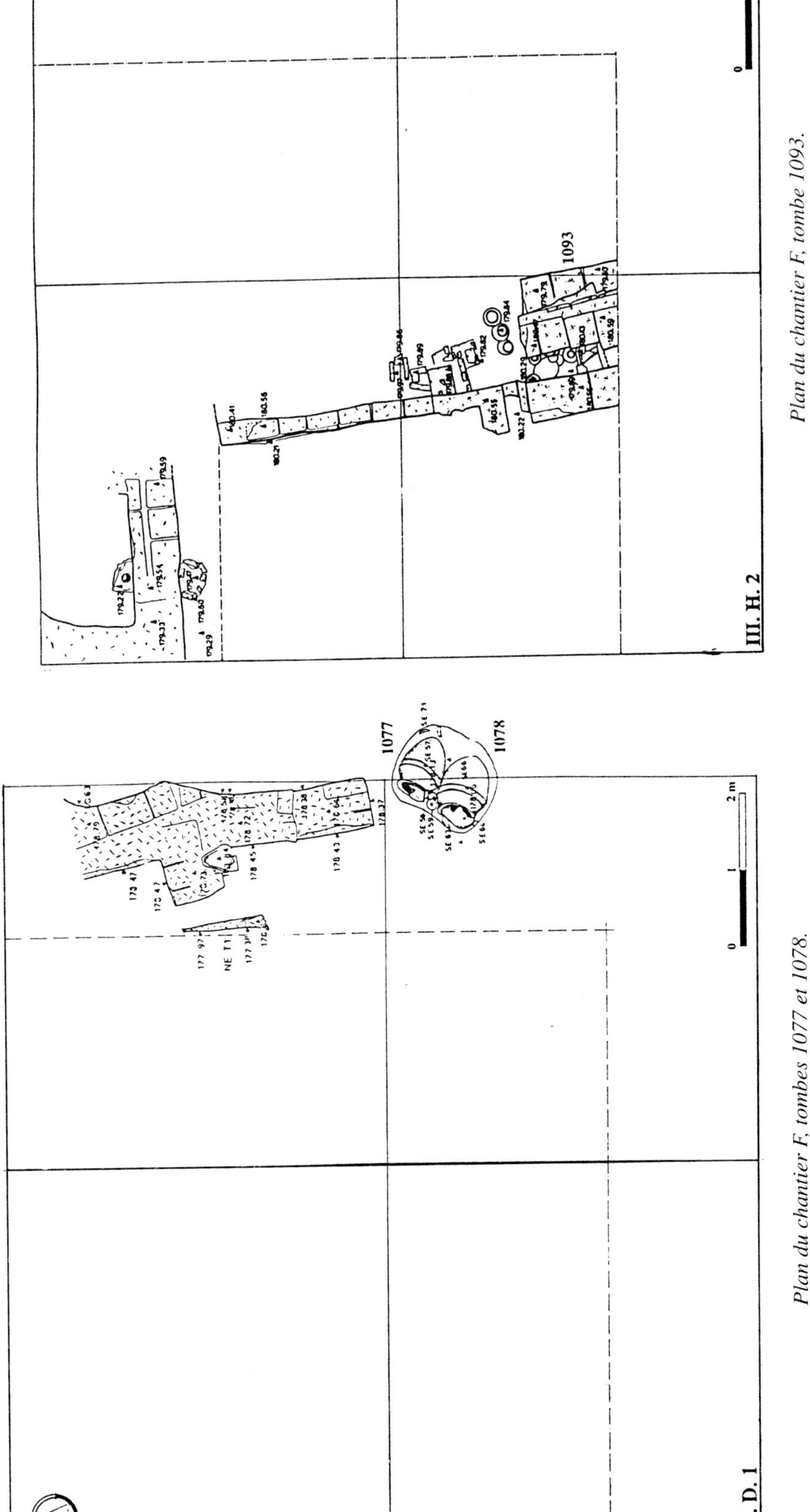

Plan du chantier F, tombe 1093.

Plan du chantier F, tombes 1077 et 1078.

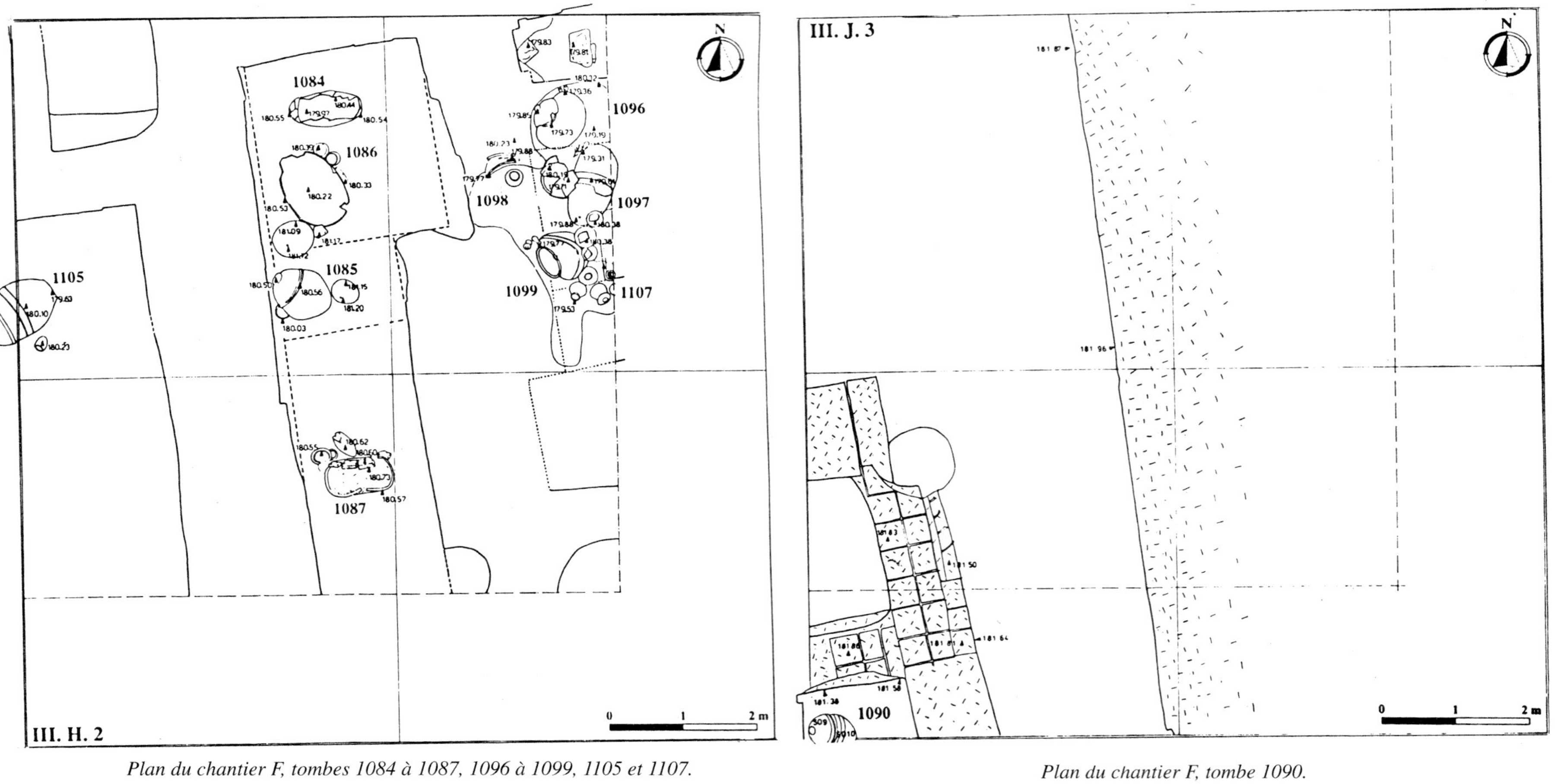

Plan du chantier F, tombes 1084 à 1087, 1096 à 1099, 1105 et 1107.

Plan du chantier F, tombe 1090.

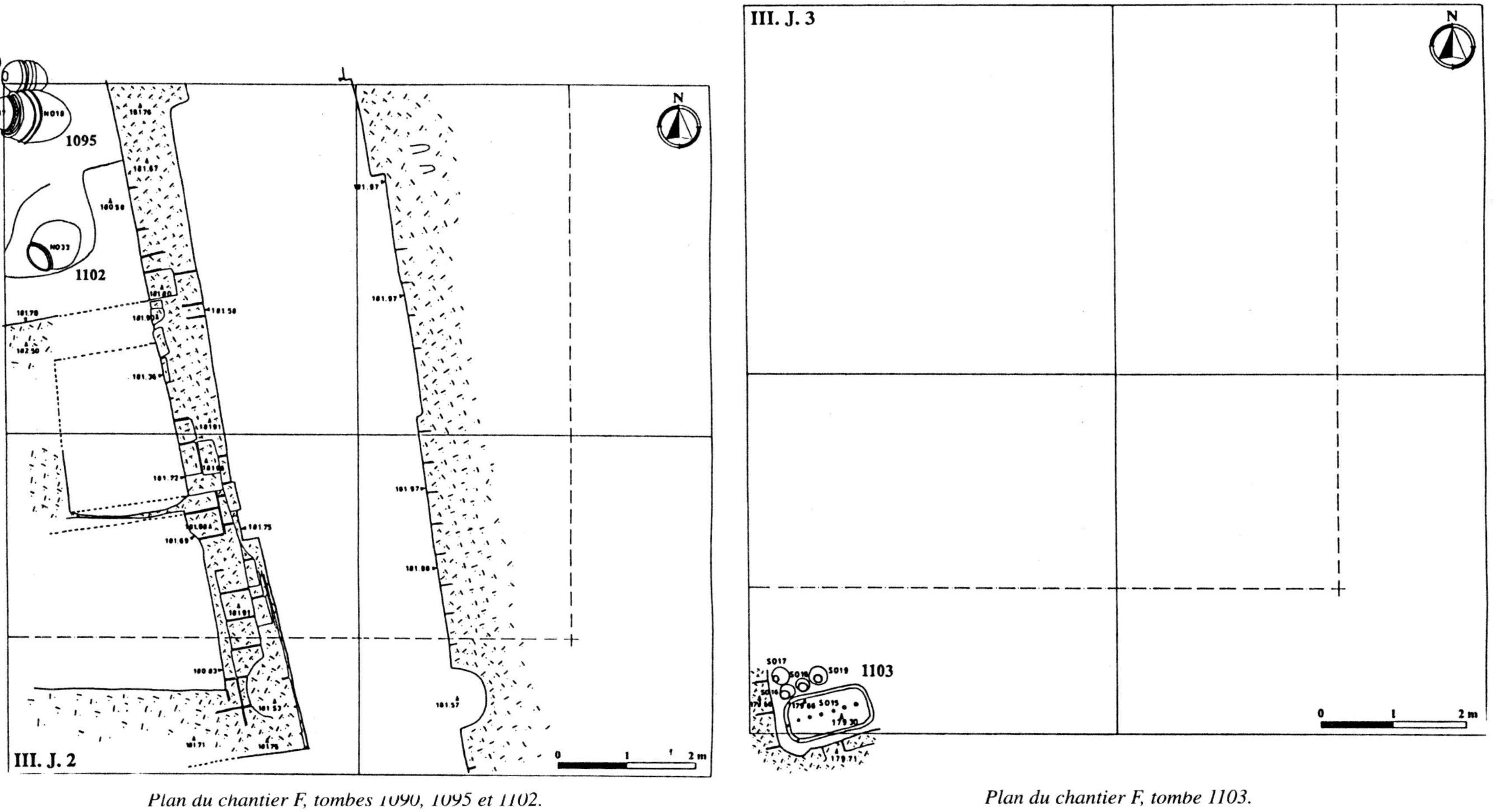

Plan du chantier F, tombes 1090, 1095 et 1102.

Plan du chantier F, tombe 1103.

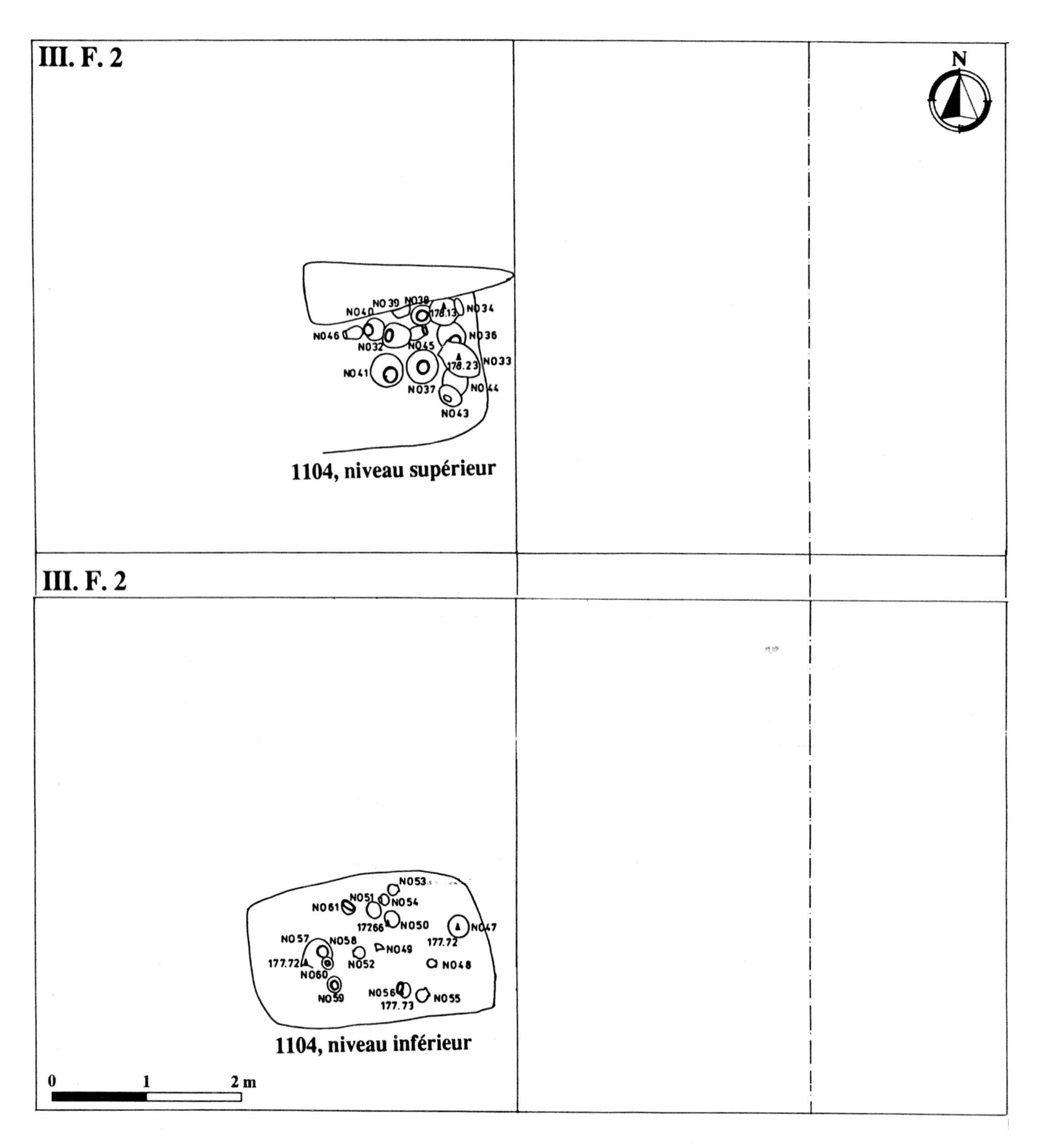

Plan du chantier F, tombe 1104.

Tombe 677.

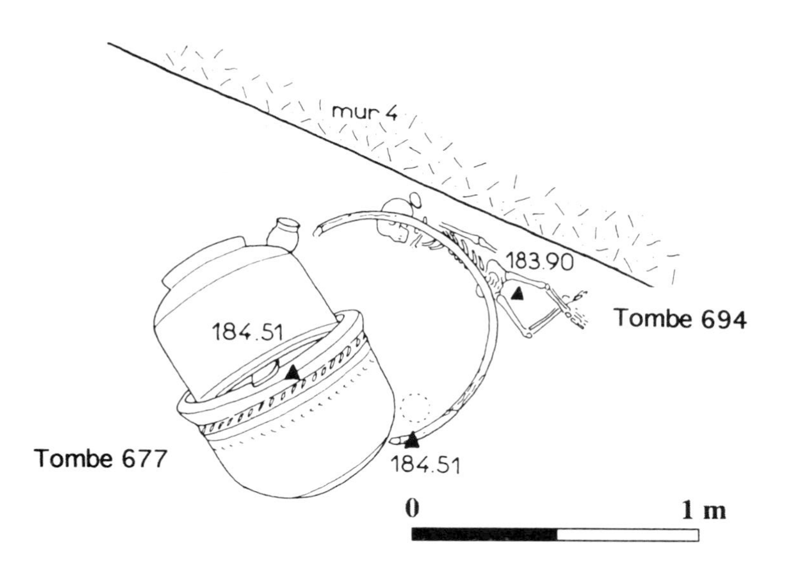

Tombes 677 et 694.

Restes de tissu de la tombe 677.

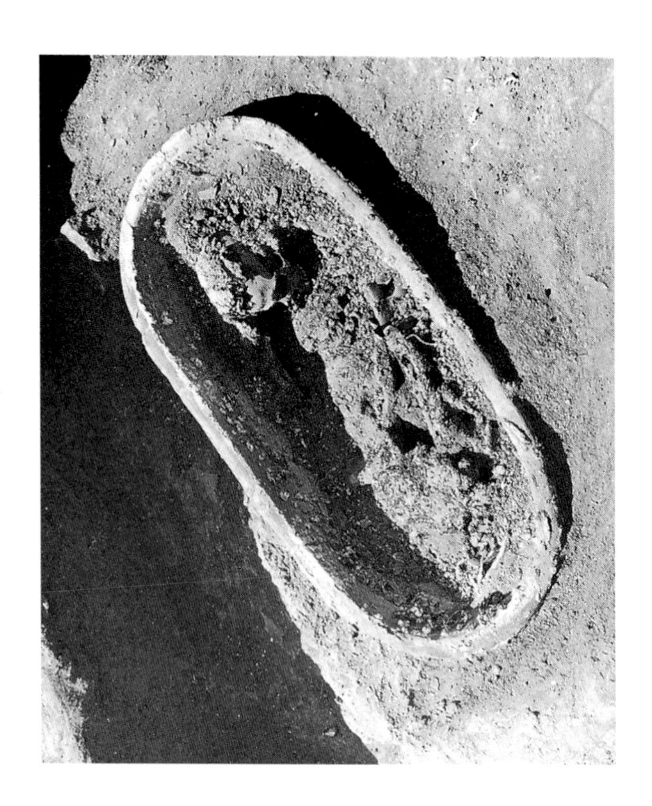

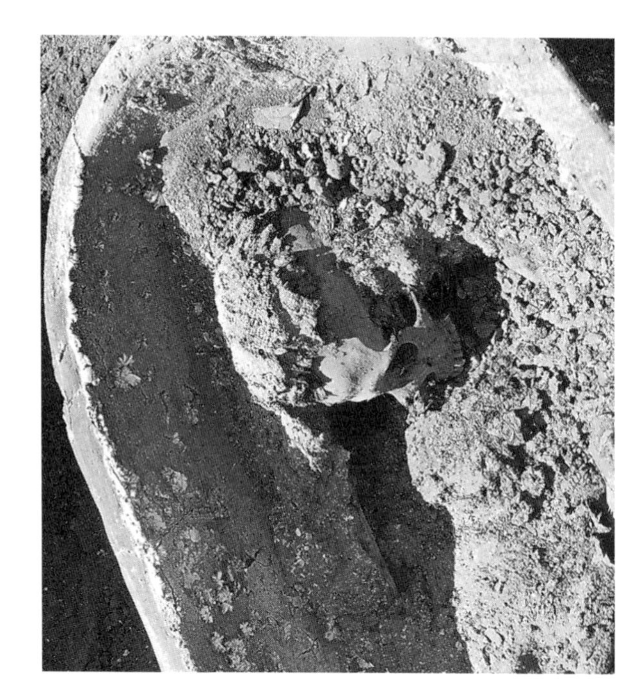

Tombe 678.

Planche 115

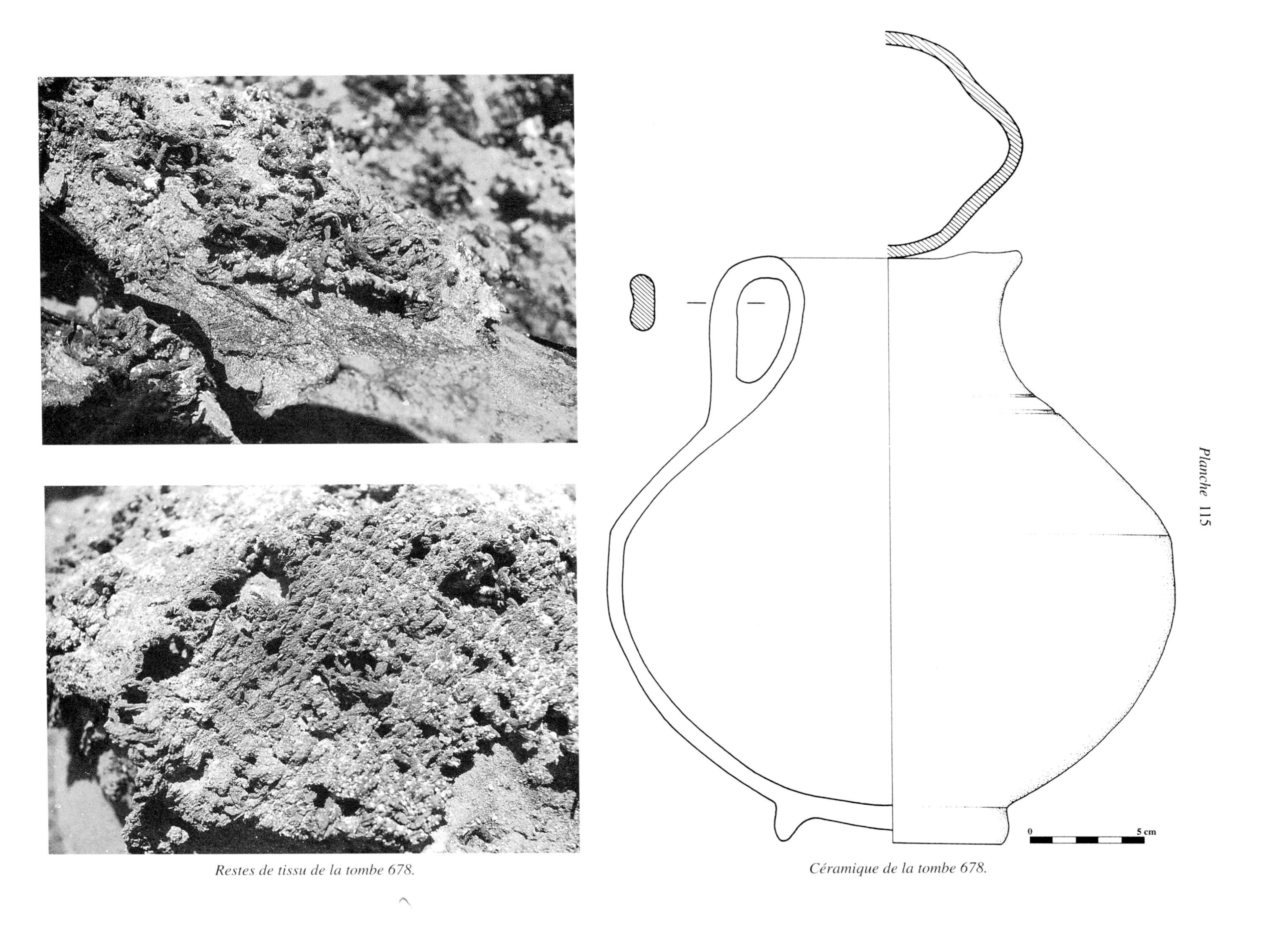

Restes de tissu de la tombe 678.

Céramique de la tombe 678.

Tombe 689.

Tombe 686.

Tombe 703.

Tombe 686 après ouverture.

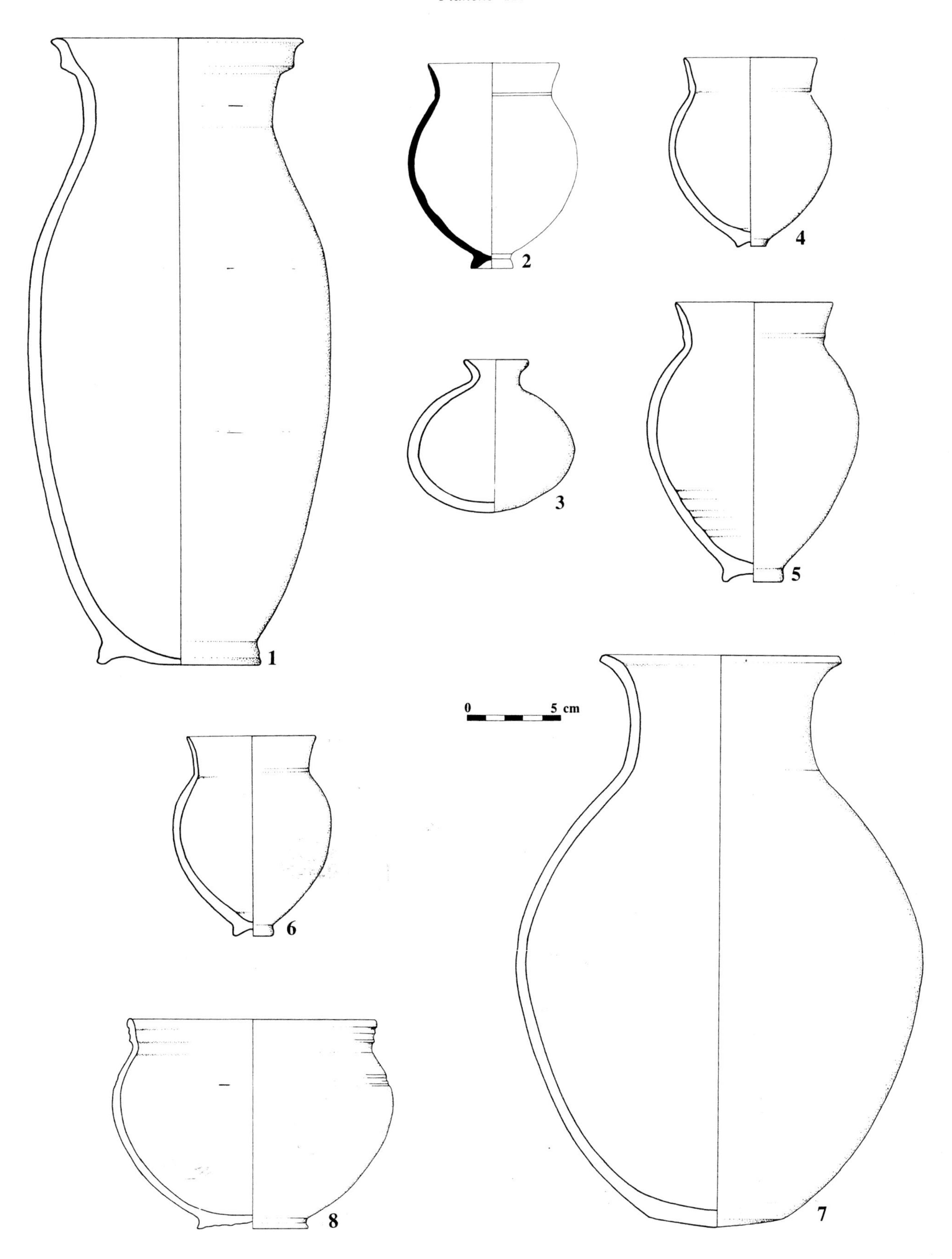

Céramiques des tombes 672 (1), 677 (2), 681 (3 à 6) et 692 (7-8).

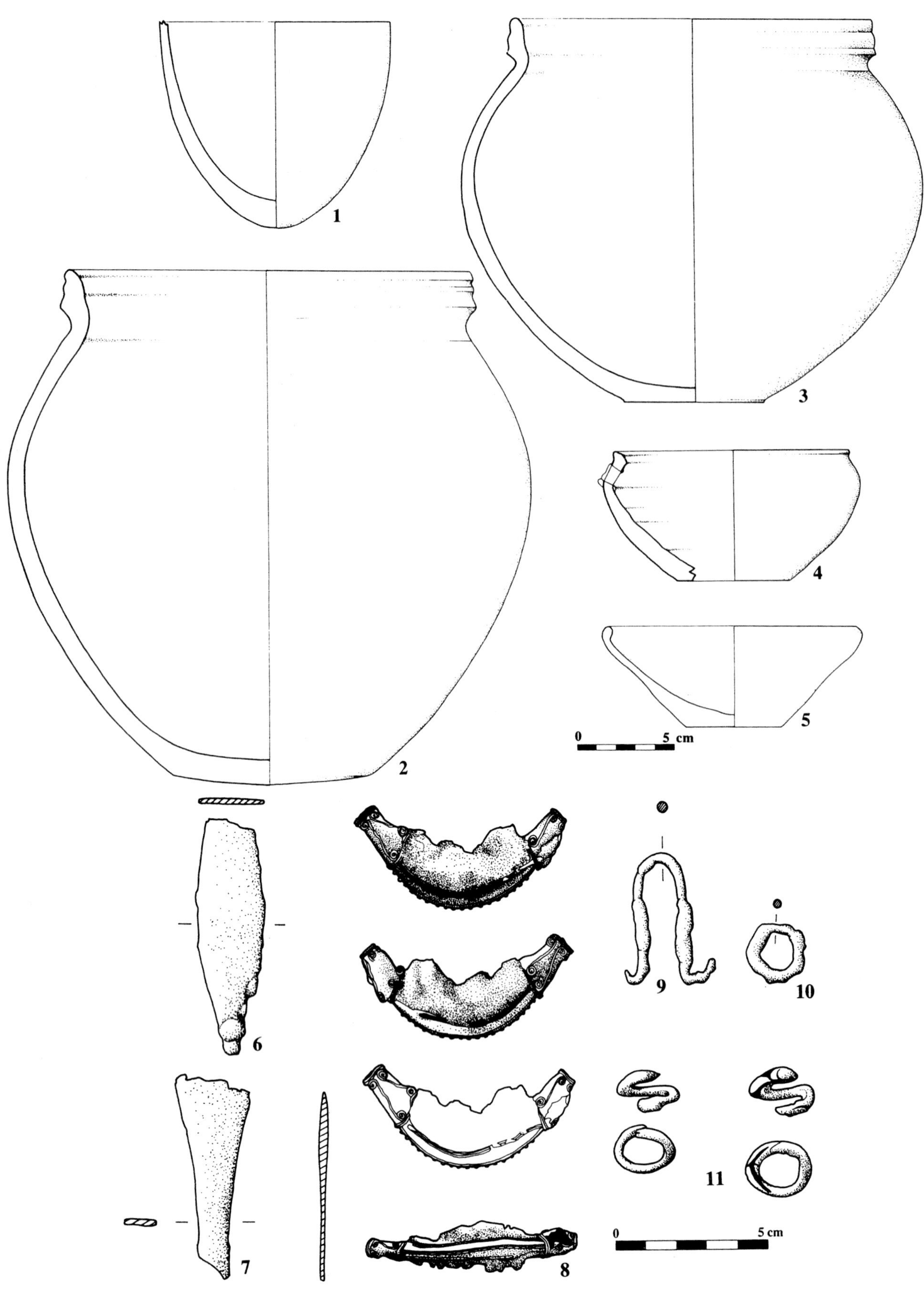

Mobilier de la tombe 688.

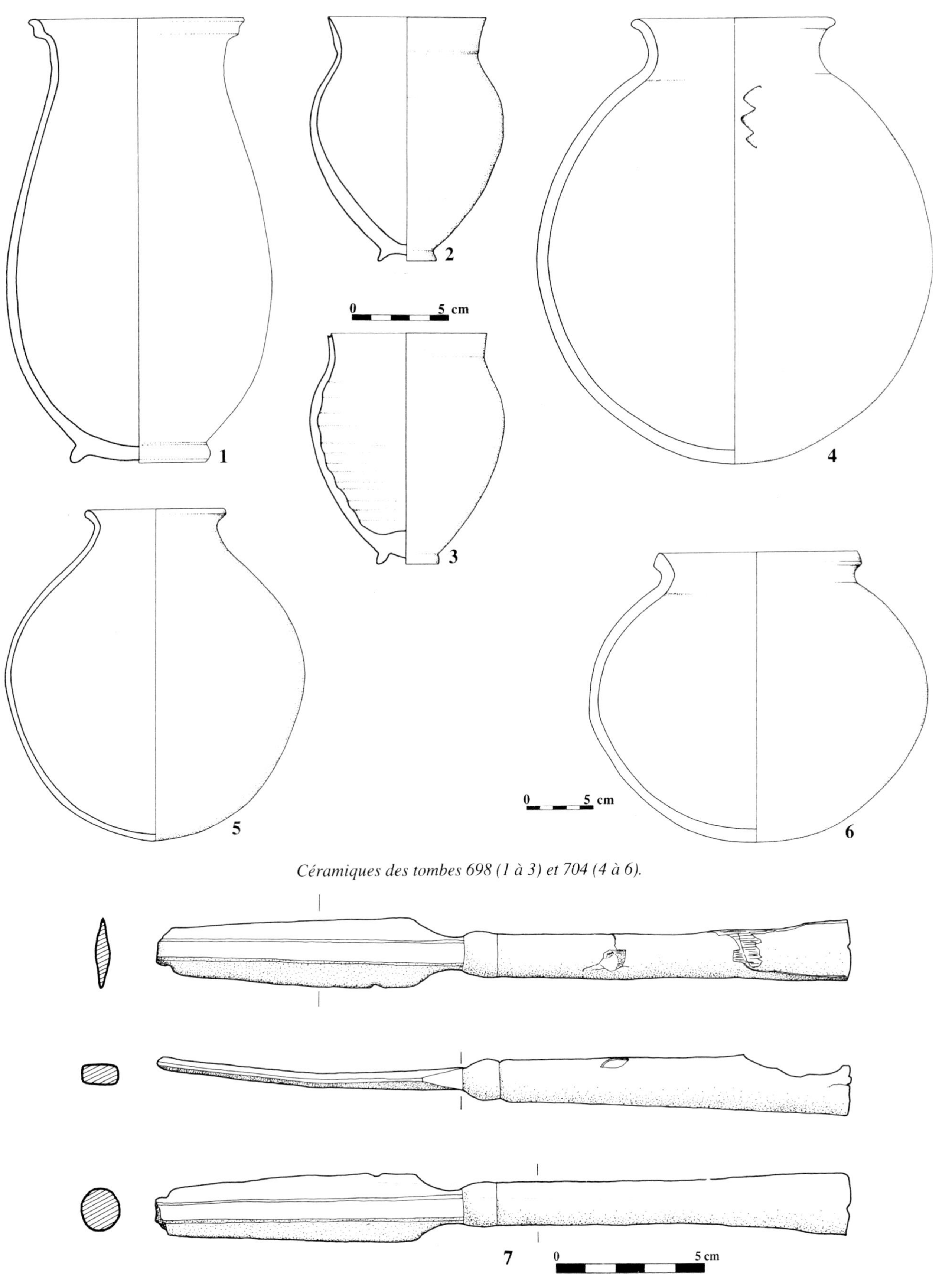

Céramiques des tombes 698 (1 à 3) et 704 (4 à 6).

Poignard de la tombe 704 (7).

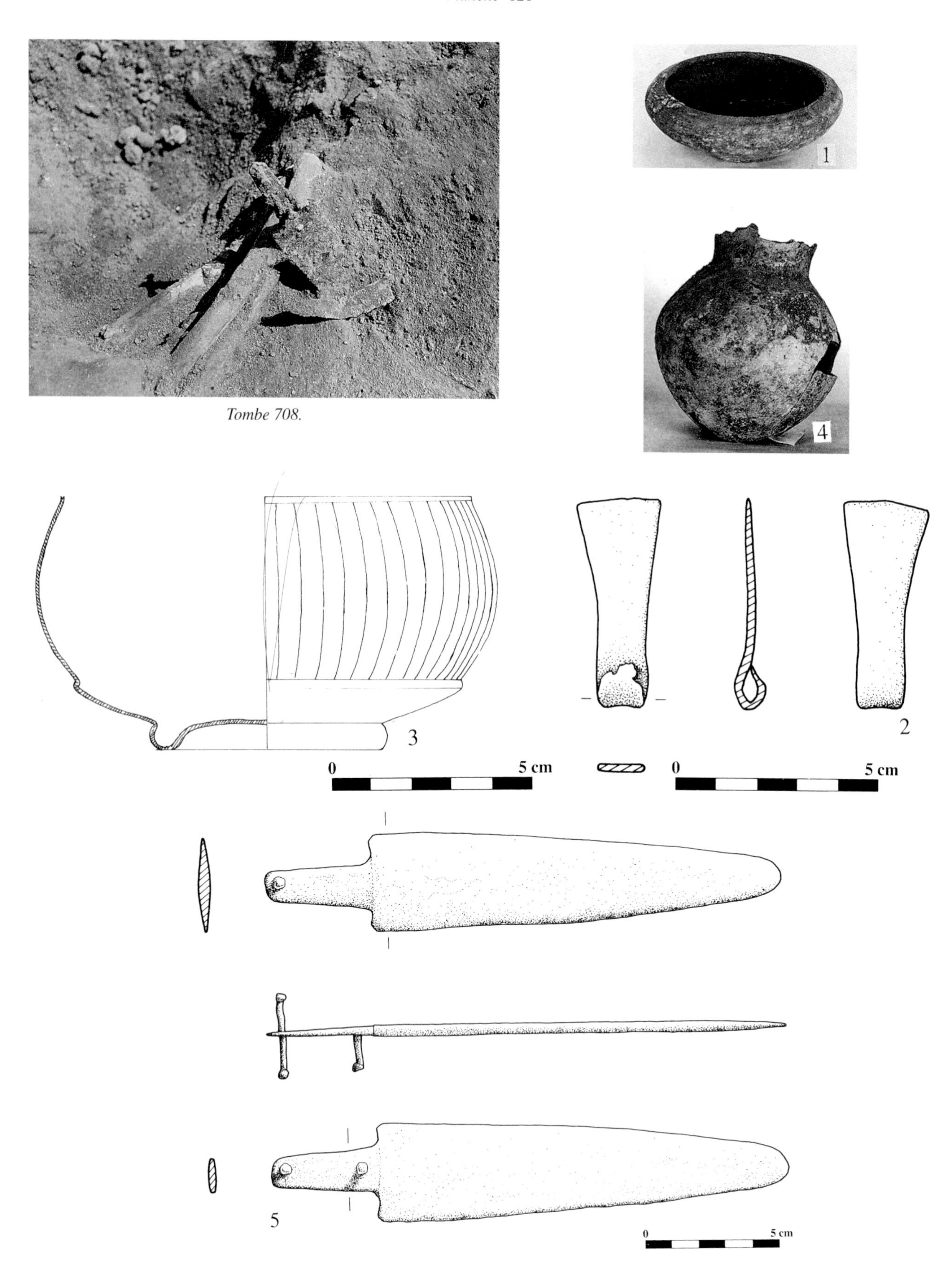

Tombe 708.

Céramiques des tombes 708 (1) et 710 (4) et objets des tombes 673 (3) et 708 (2, 5).

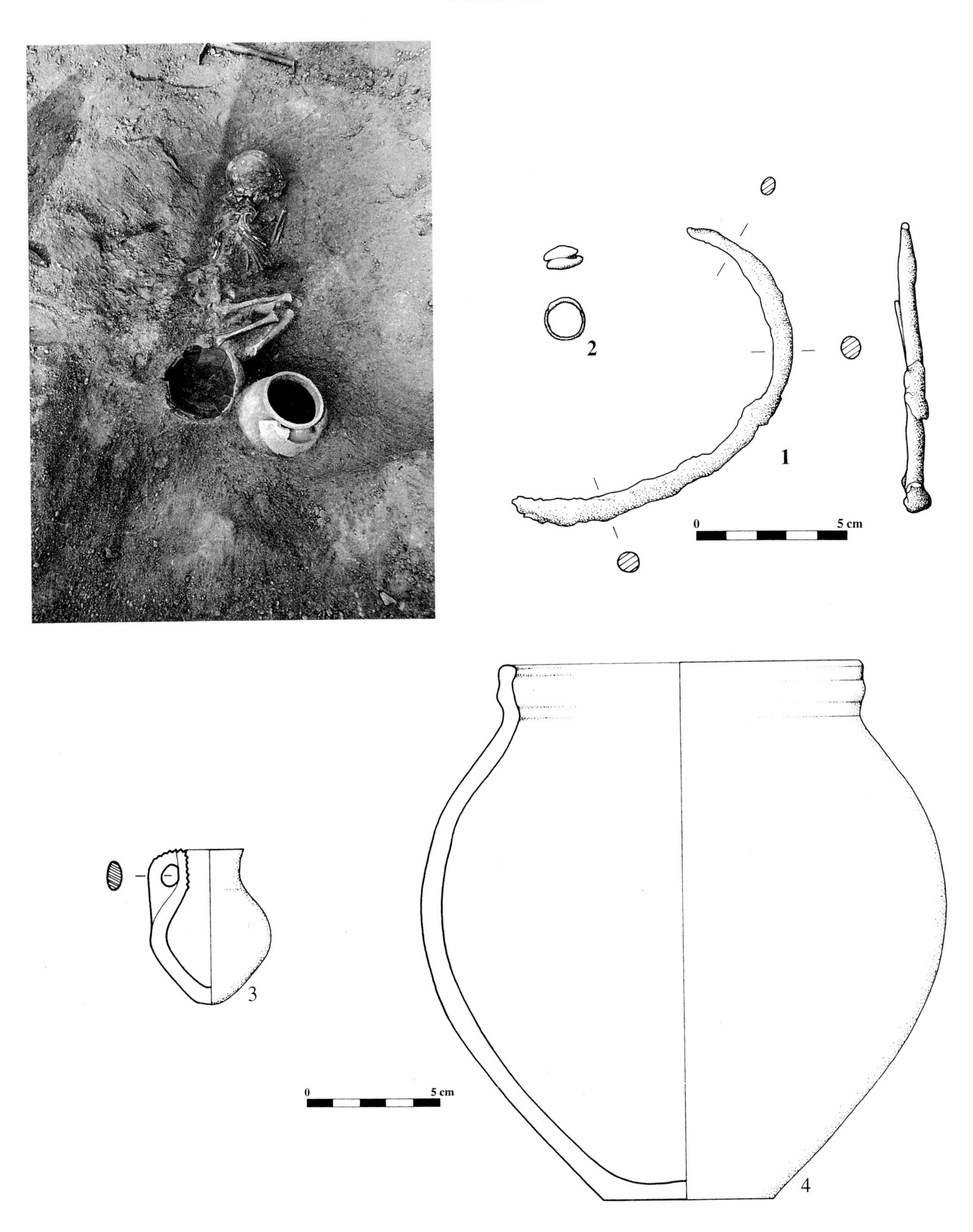

Tombe 722 et son mobilier.

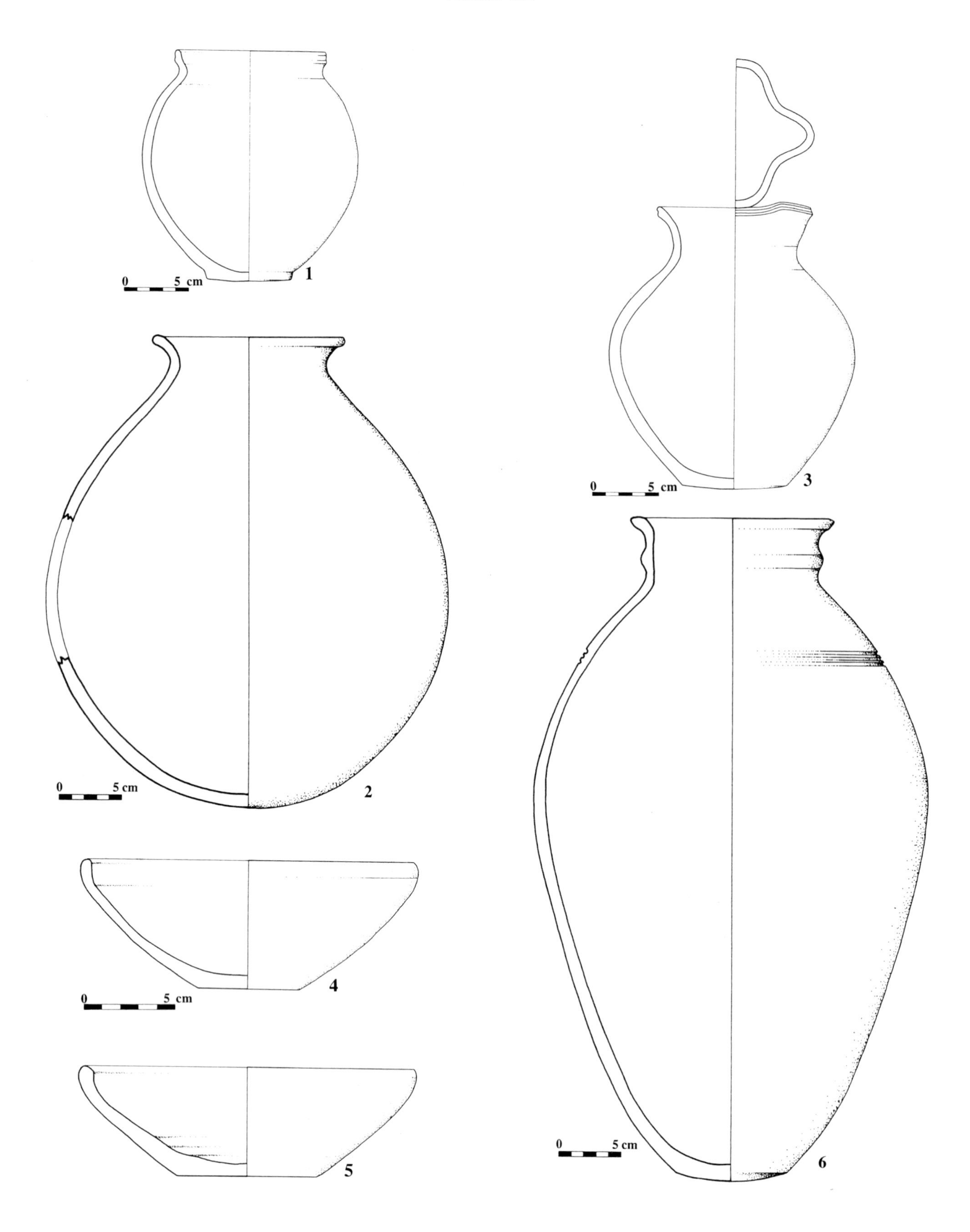

Céramiques des tombes 711 (1), 715 (2), 724 (3, 4, 5) et 725 (6).

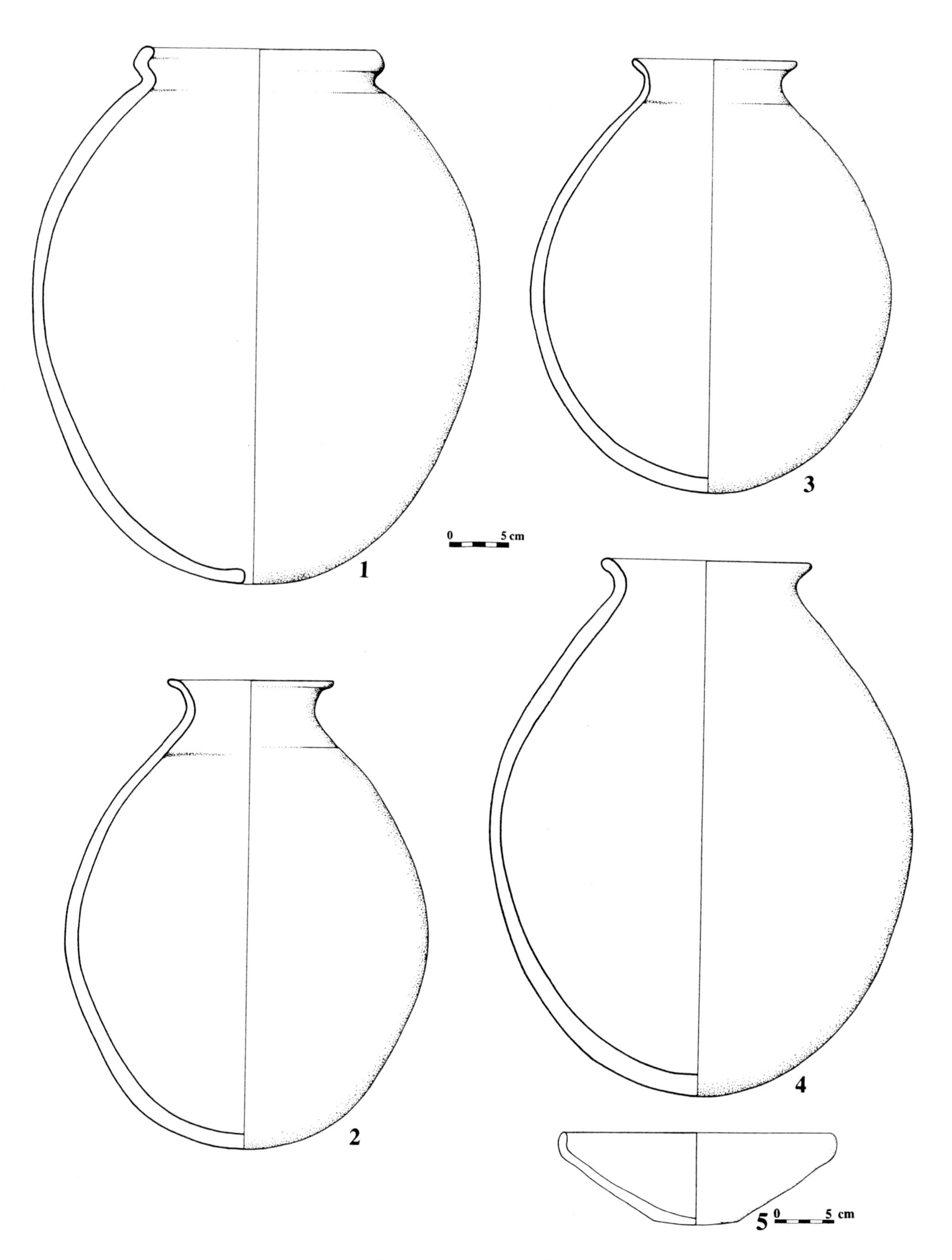

Céramiques de la tombe 716.

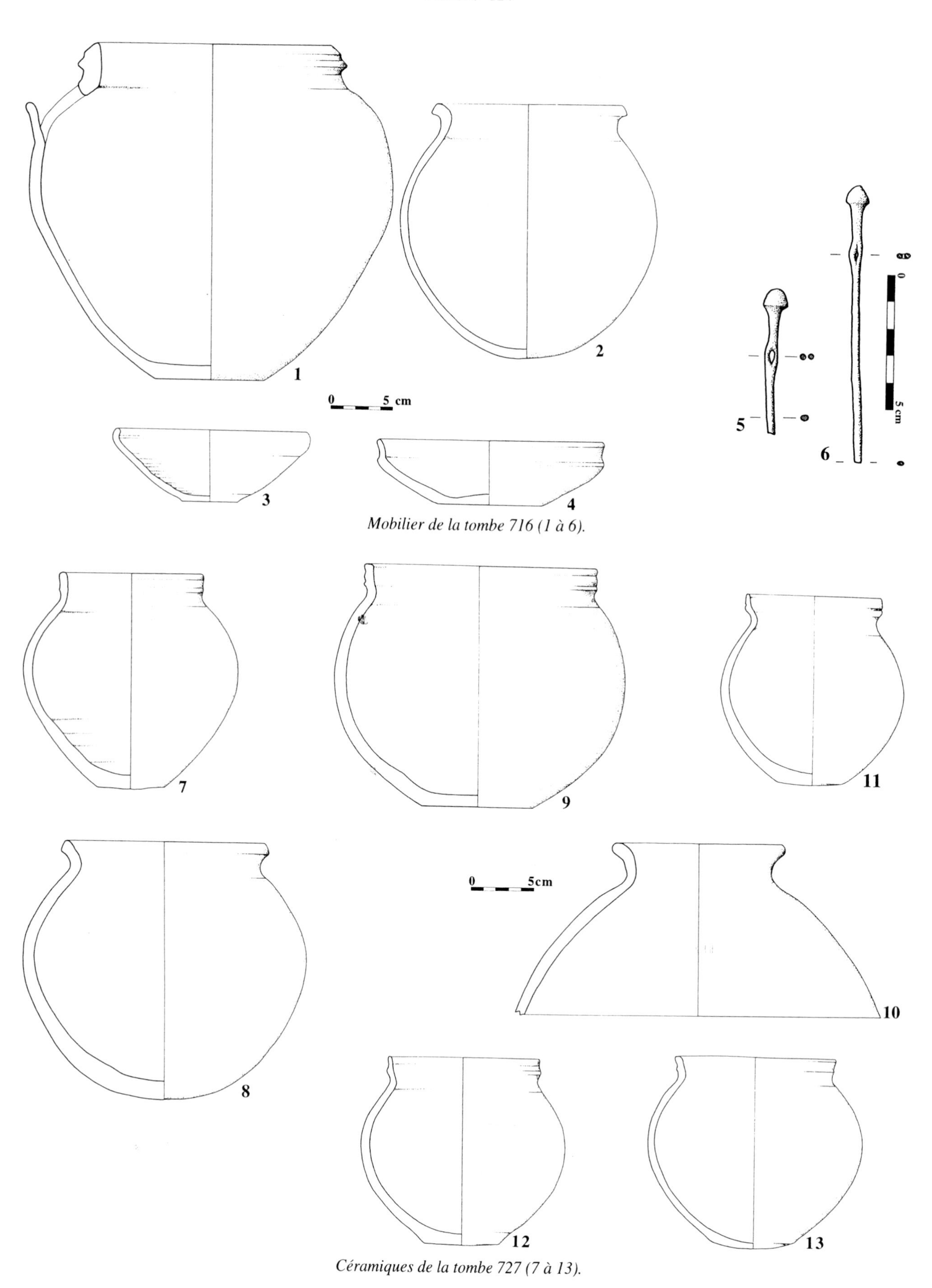

Mobilier de la tombe 716 (1 à 6).

Céramiques de la tombe 727 (7 à 13).

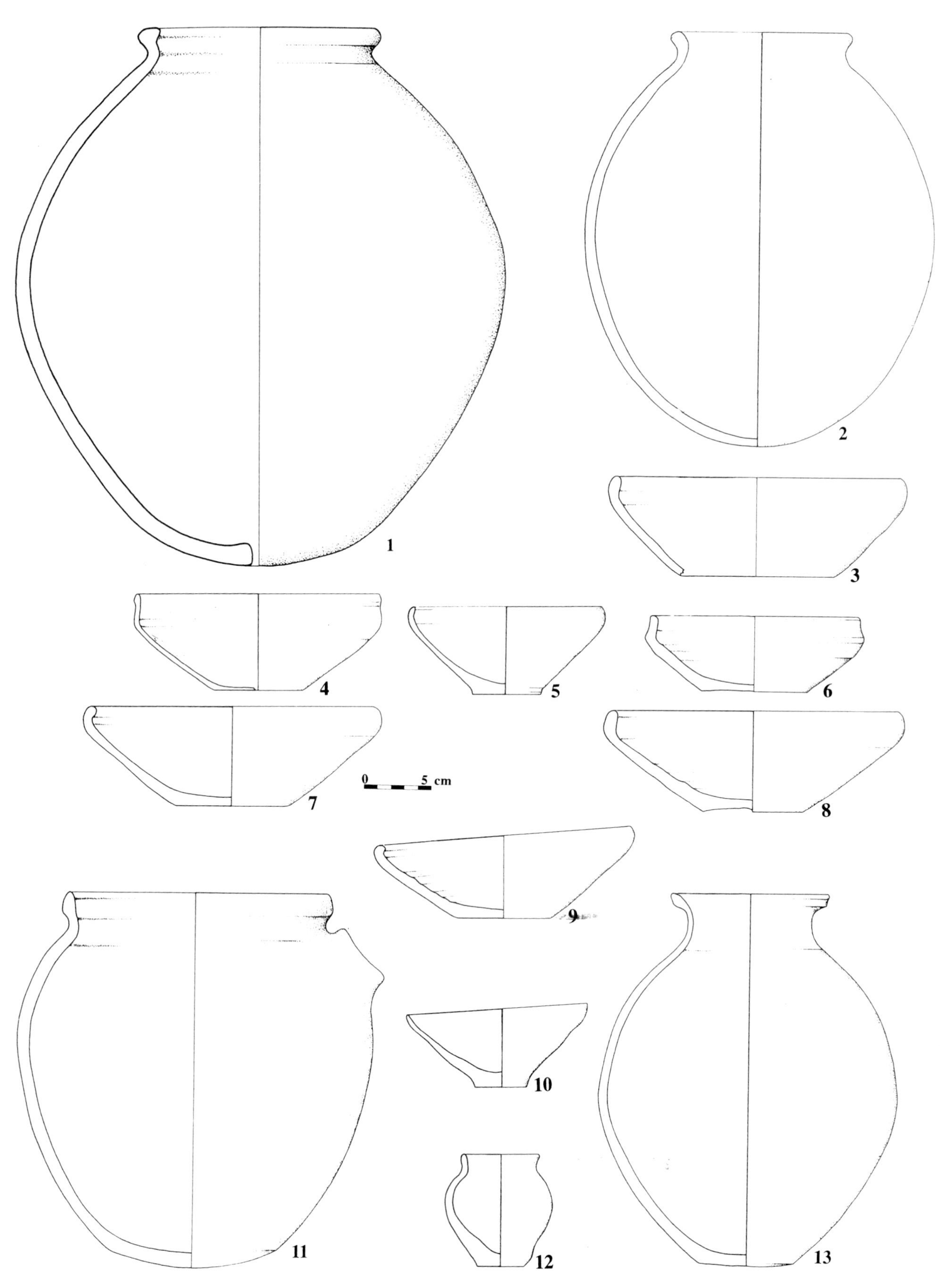

Céramiques de la tombe 727.

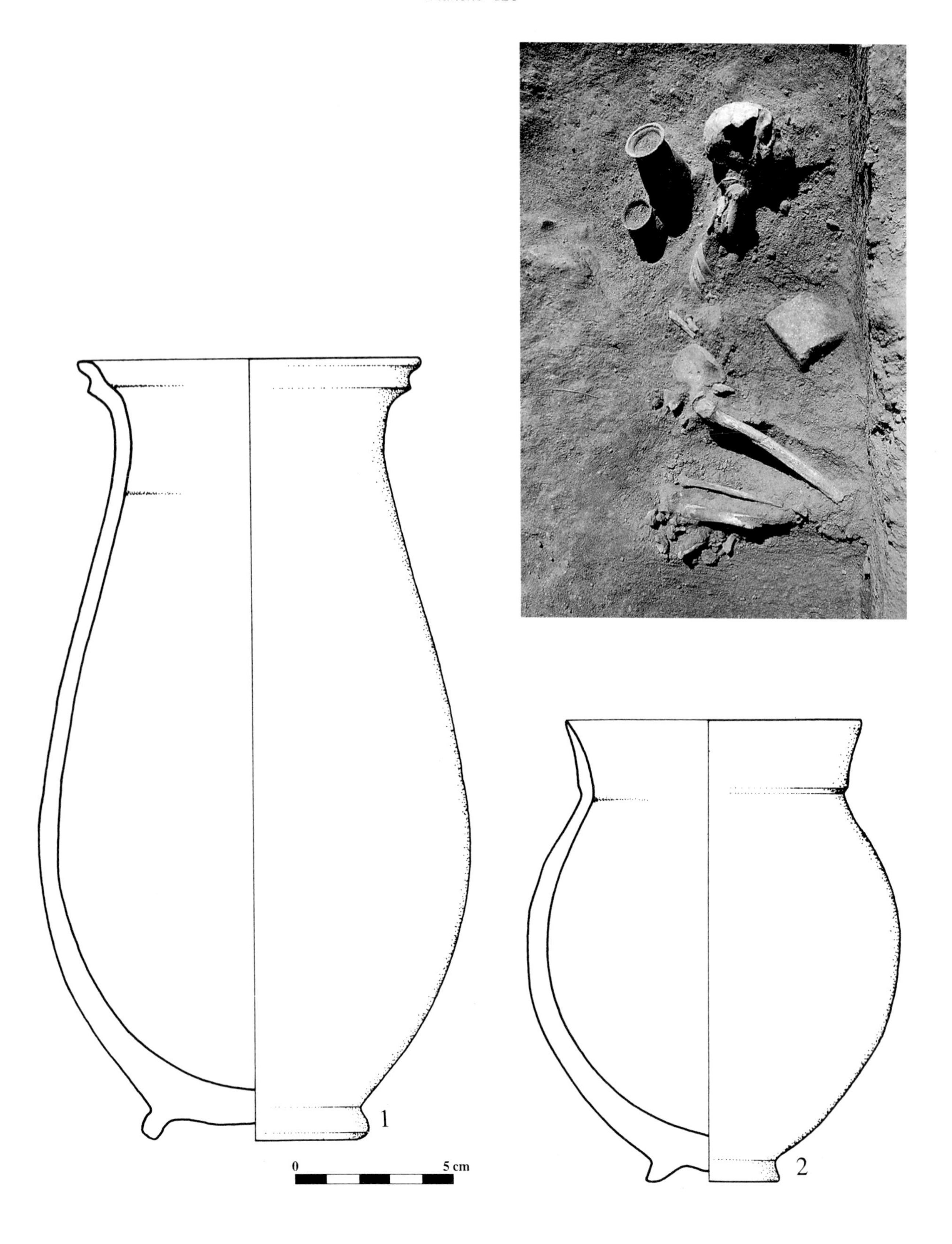

Tombe 726 et son mobilier.

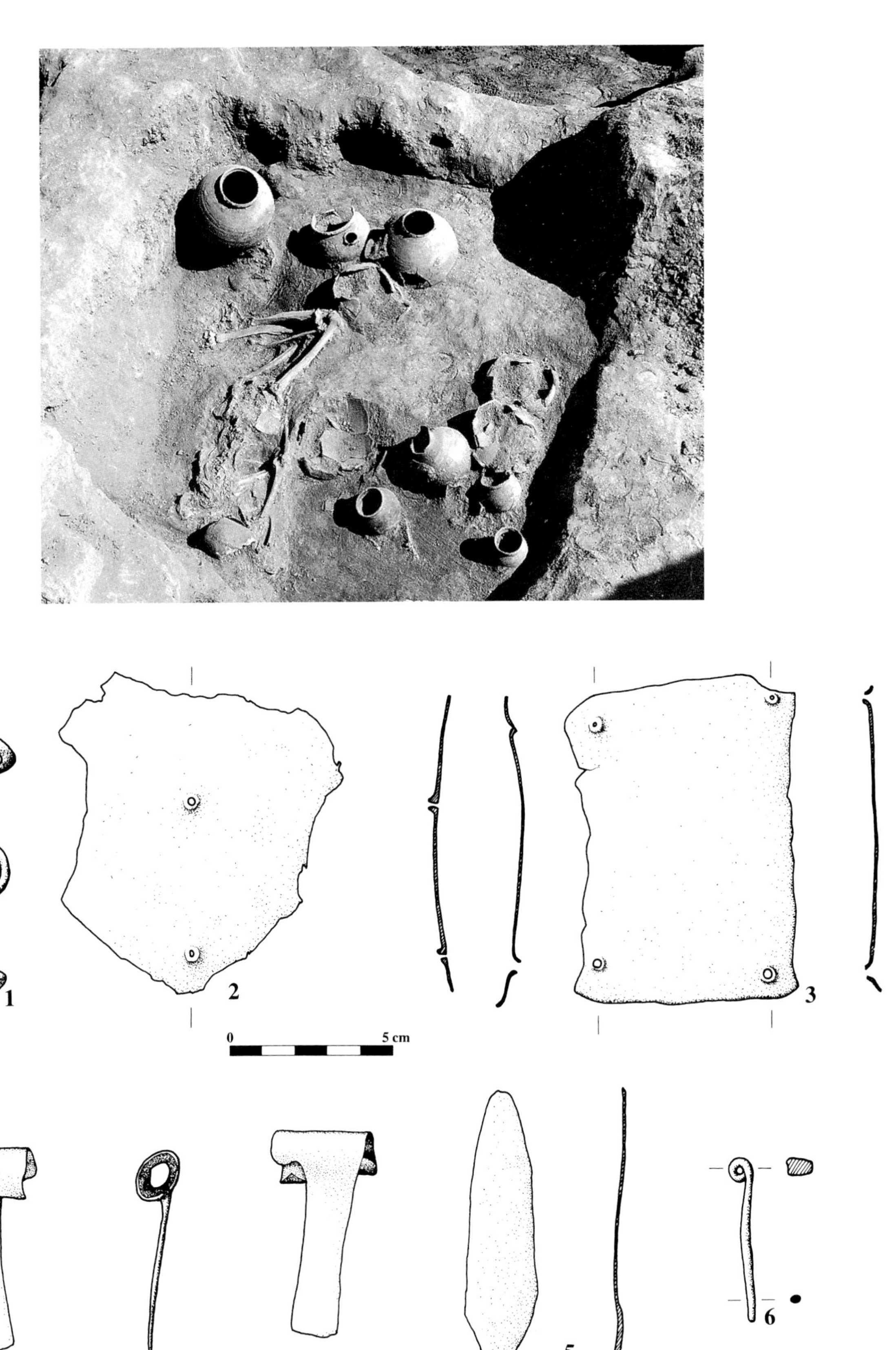

Tombe 727 et son mobilier.

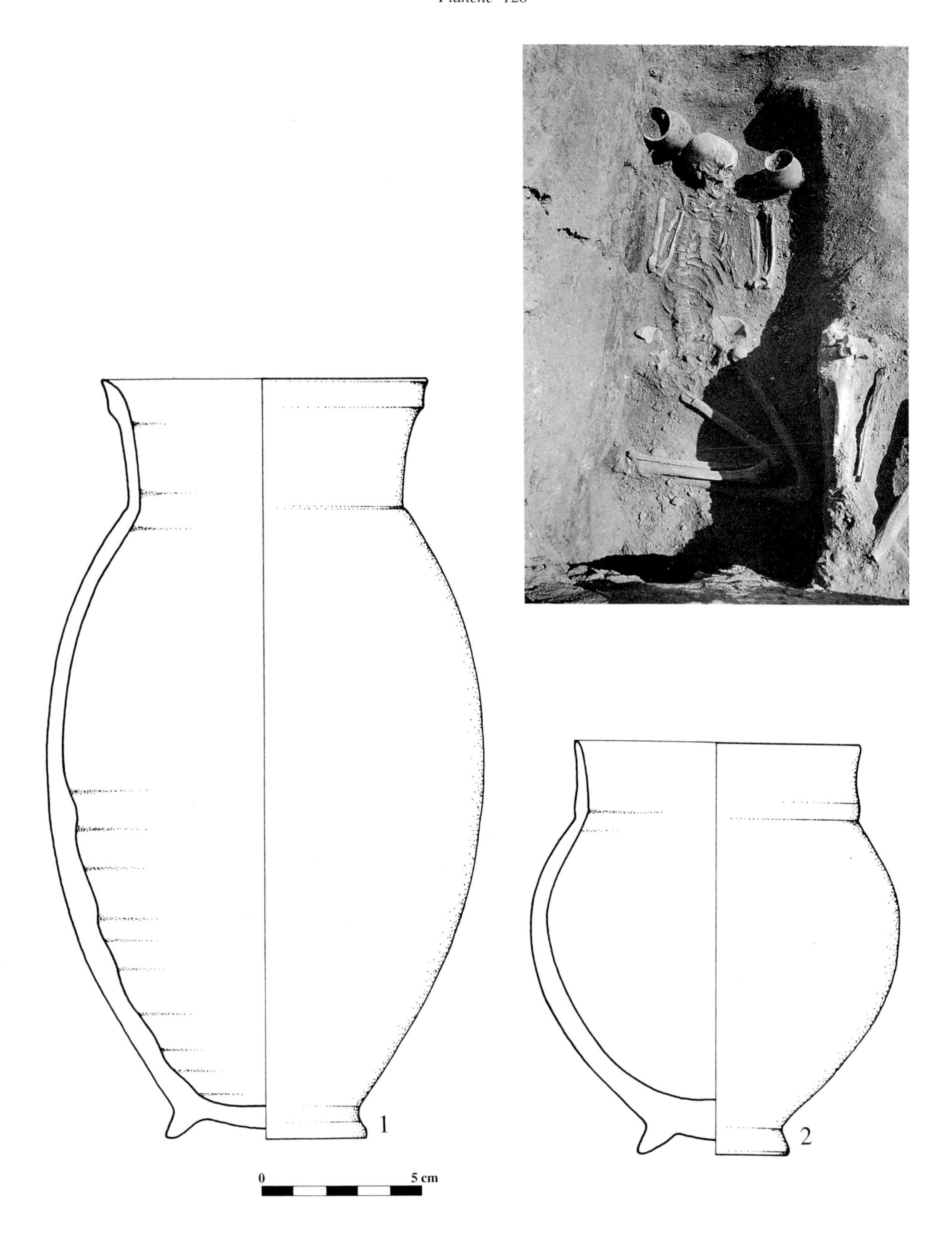

Tombe 728 et son mobilier.

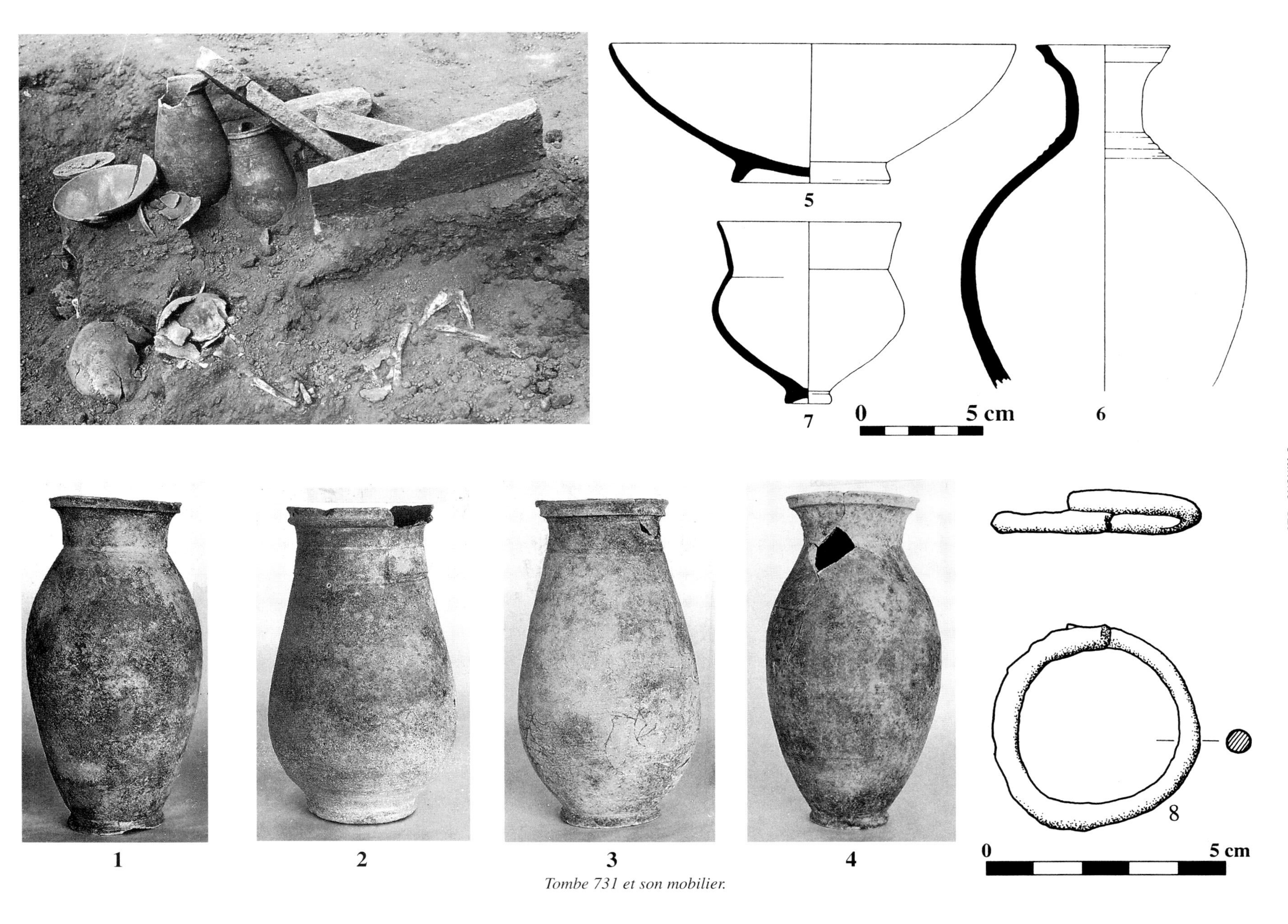

Tombe 731 et son mobilier.

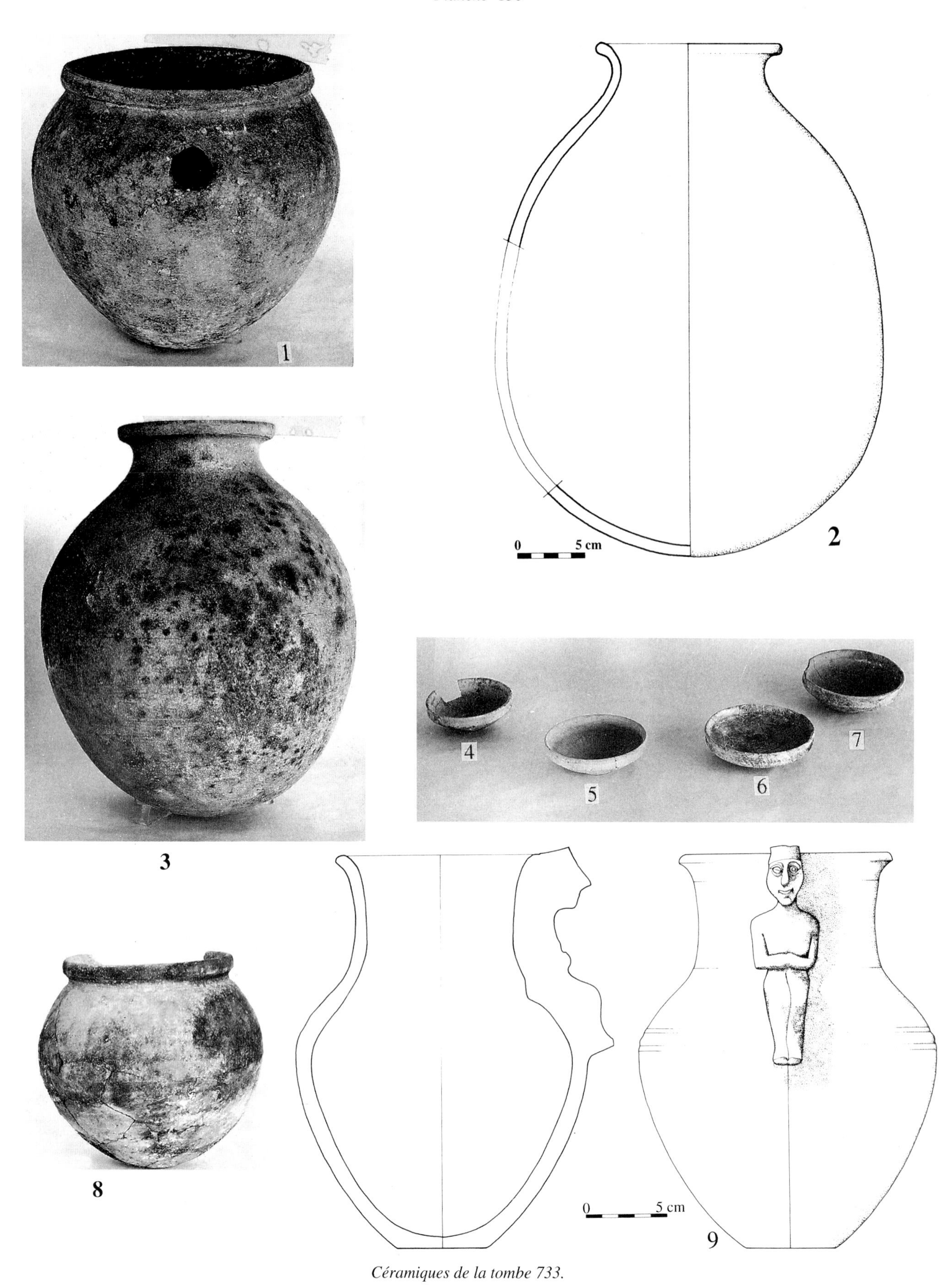

Céramiques de la tombe 733.

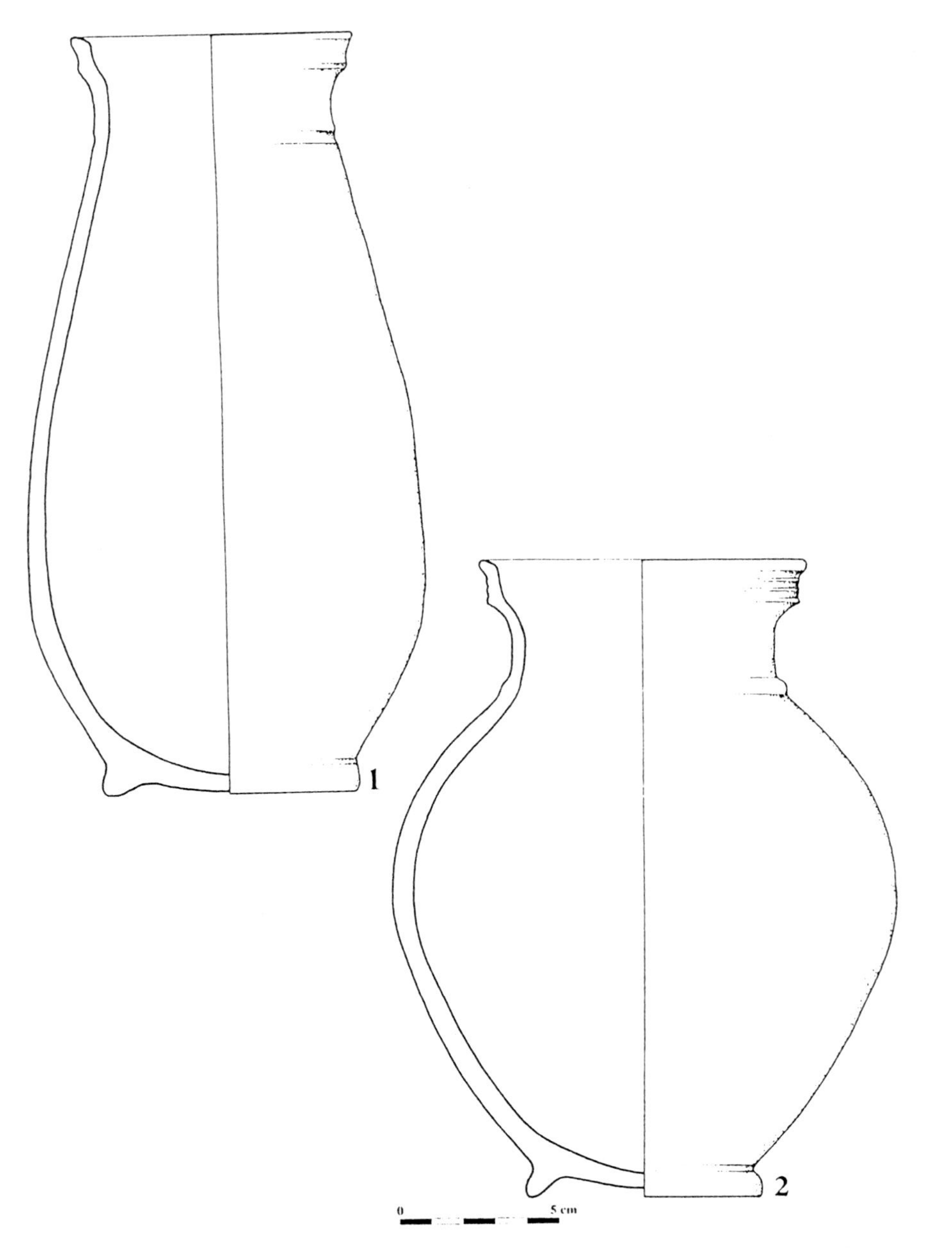

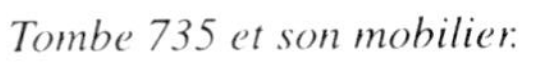

Tombe 735 et son mobilier.

Tombe 736.

Céramique de la tombe 730.

Tombe 736 et son mobilier.

Tombes 726, 728 et 729.

Tombe 739.

Natte de la tombe 755.

Tombe 749.

Mobilier de la tombe 749.

Tombe 755.

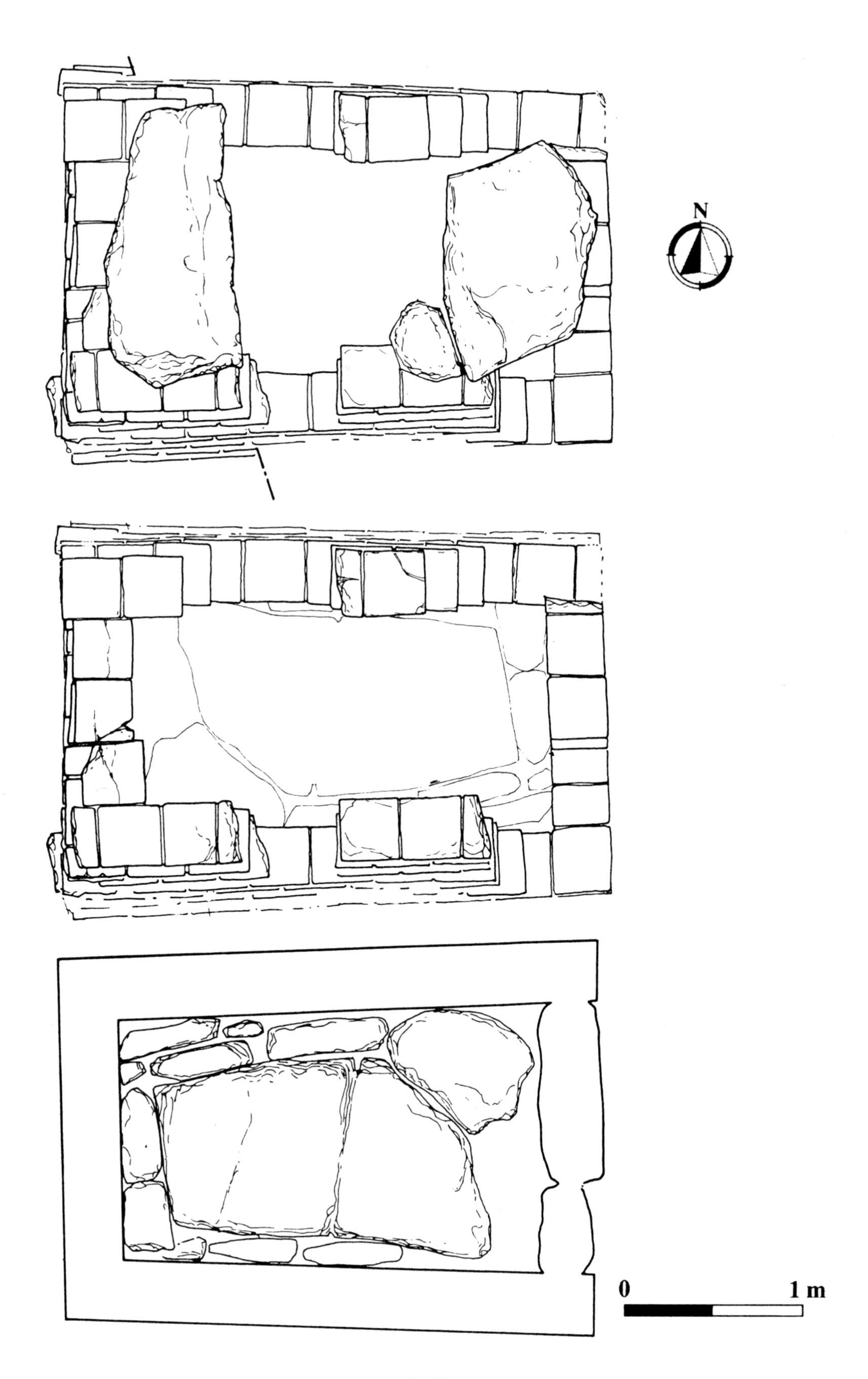

Tombe 755.

Tombe 756.

Restes de linceul de la tombe 756.

Céramiques de la tombe 757 (1, 2).

Céramiques des tombes 774 (3) et 775 (4).

Tombe 760 et son mobilier.

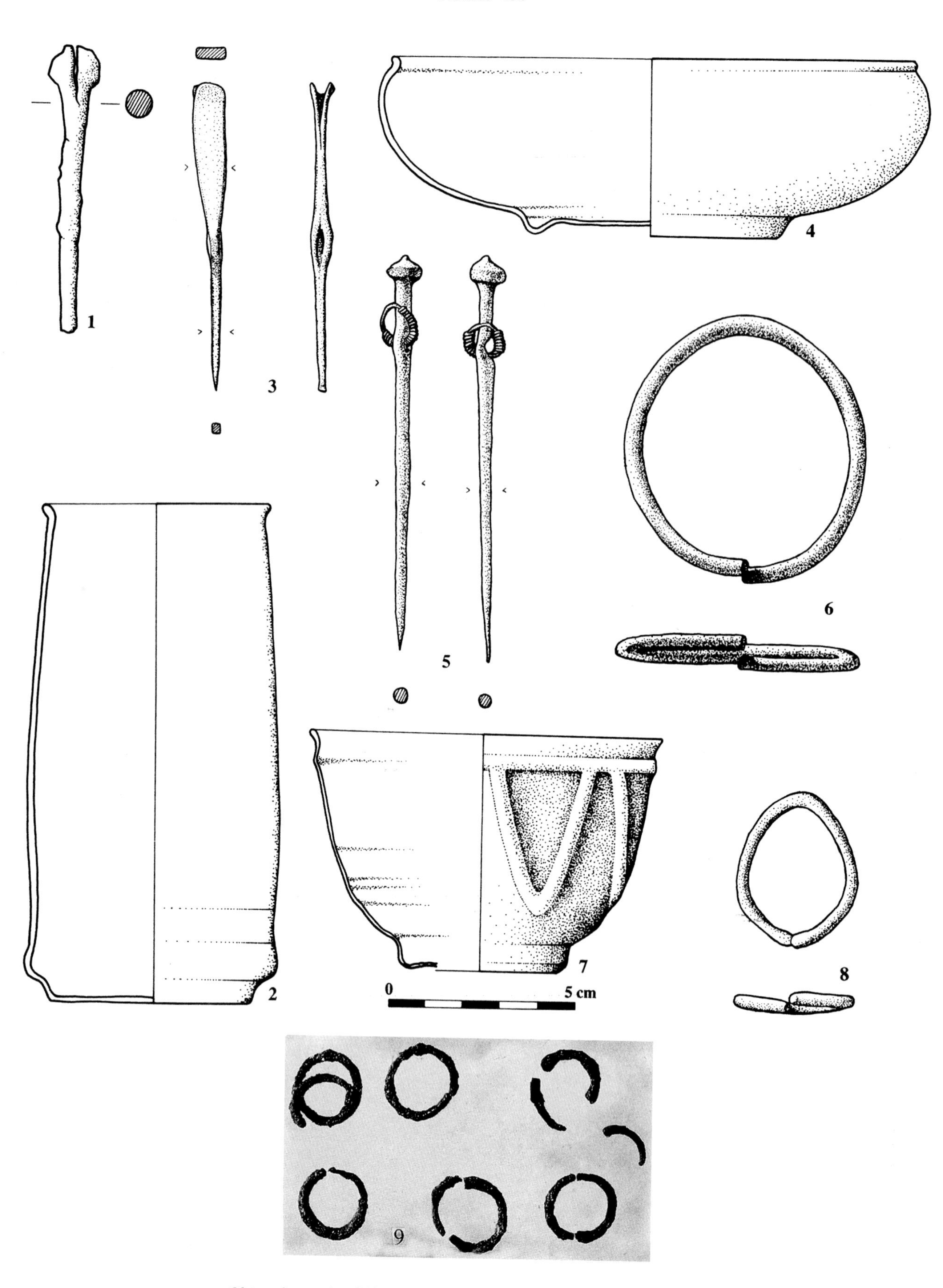

Objets des tombes 712 (1), 733 (2), 747 (3), 760 (4, 5, 6, 7, 9) et 762 (8).

Planche 139

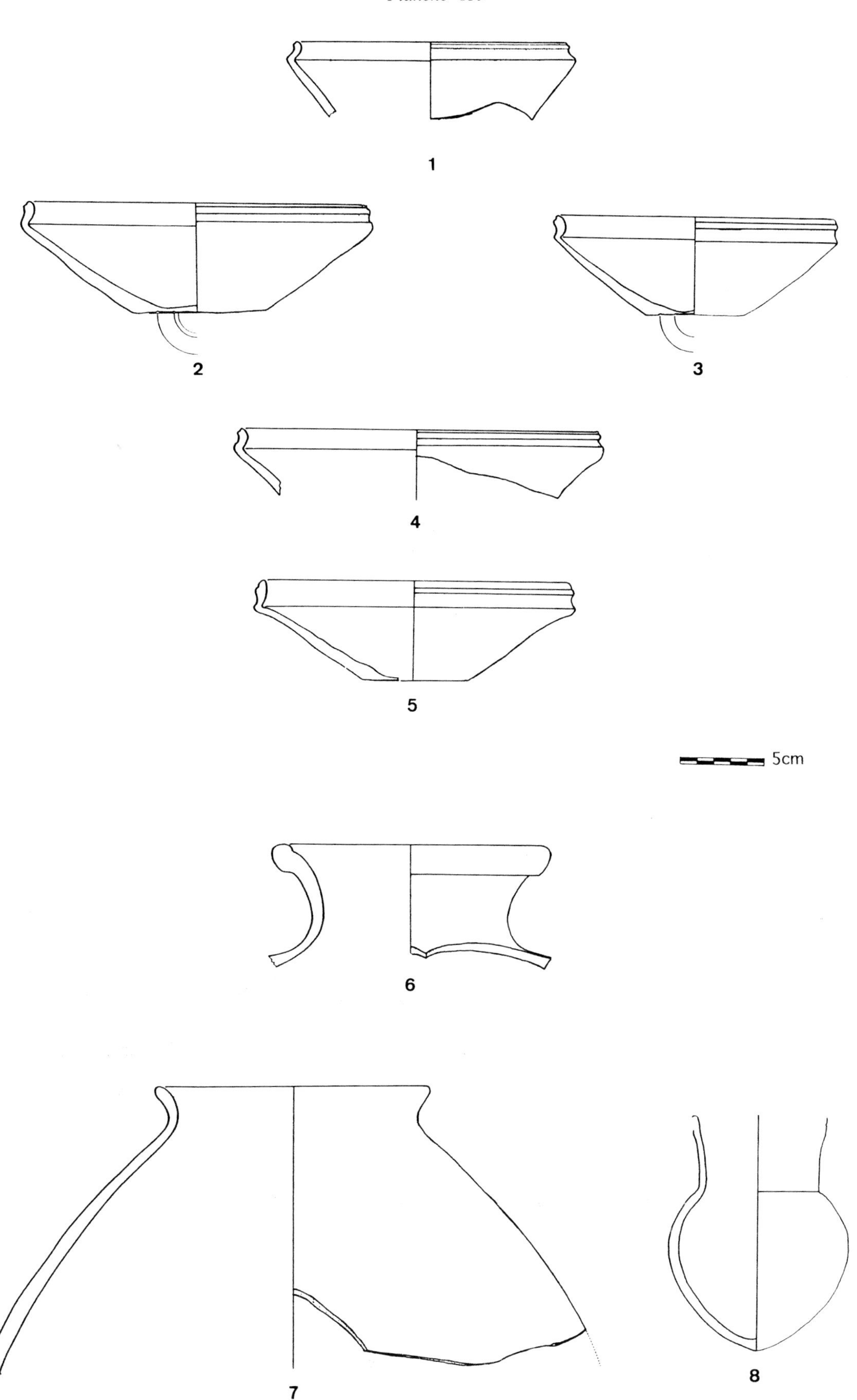

Céramiques du tombeau 763 (dans M. Lebeau, M.A.R.I. 3, 1984, p. 221).

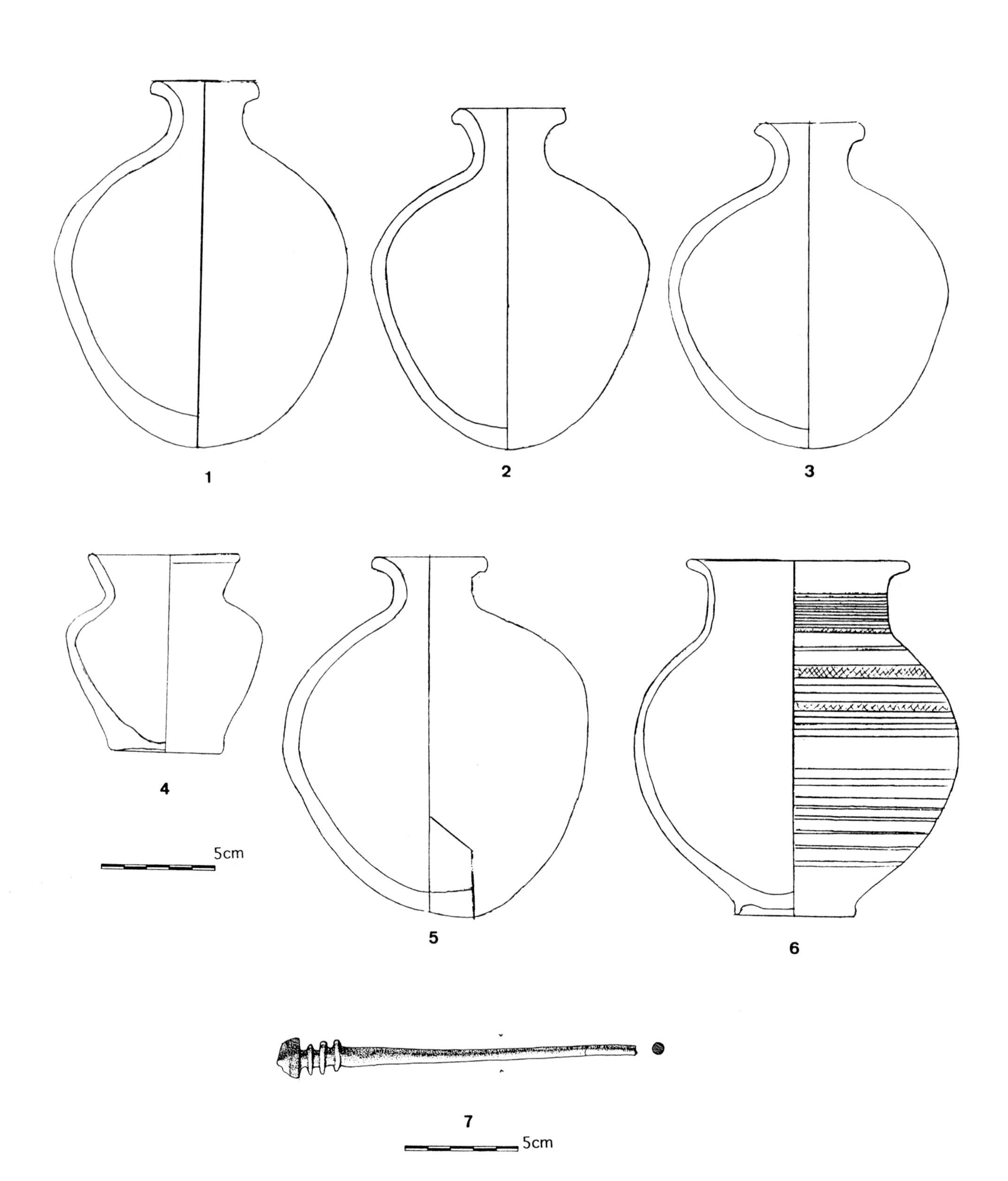

Céramiques et objets de la tombe 765.

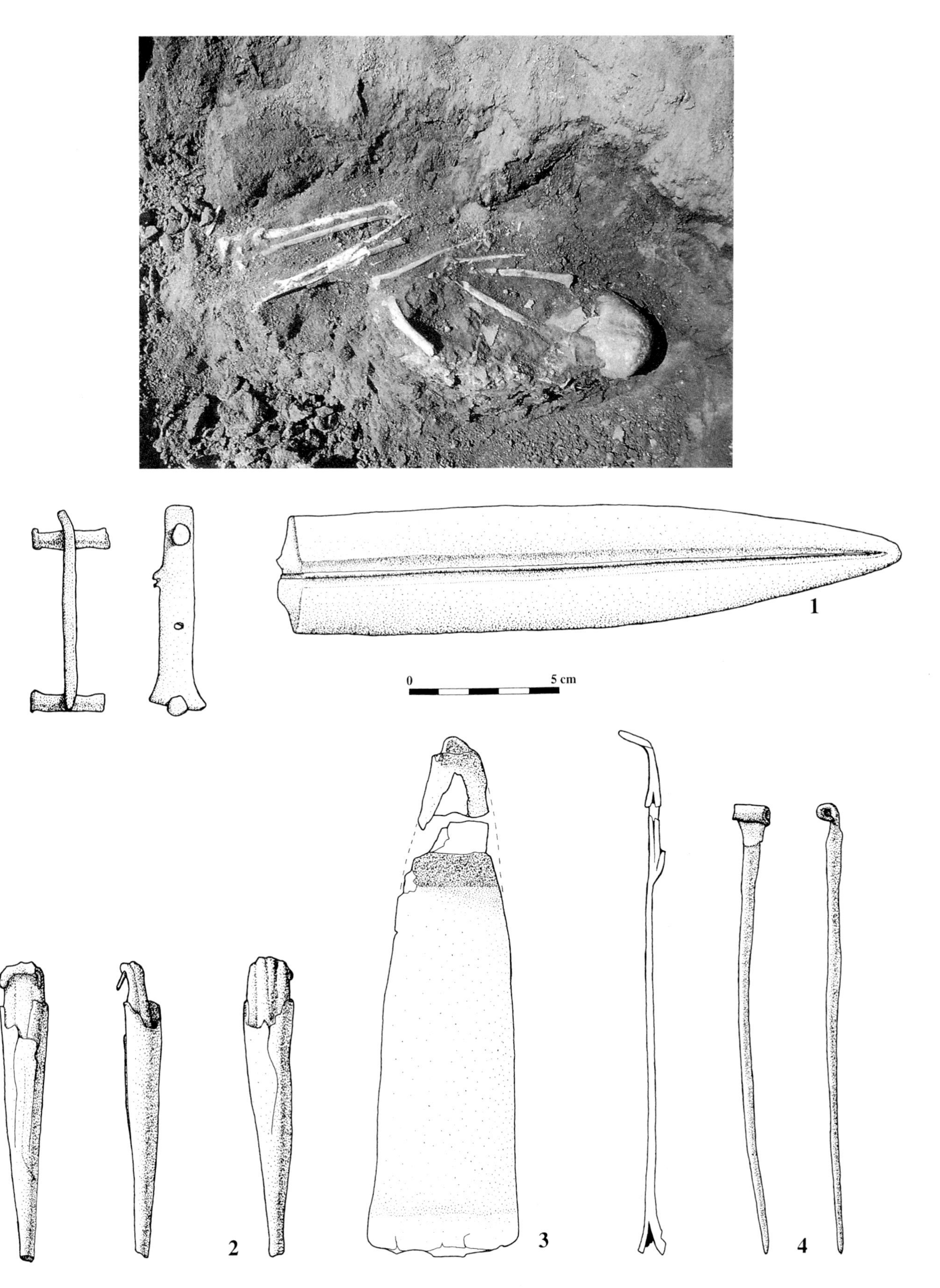

Tombe 766 et son mobilier.

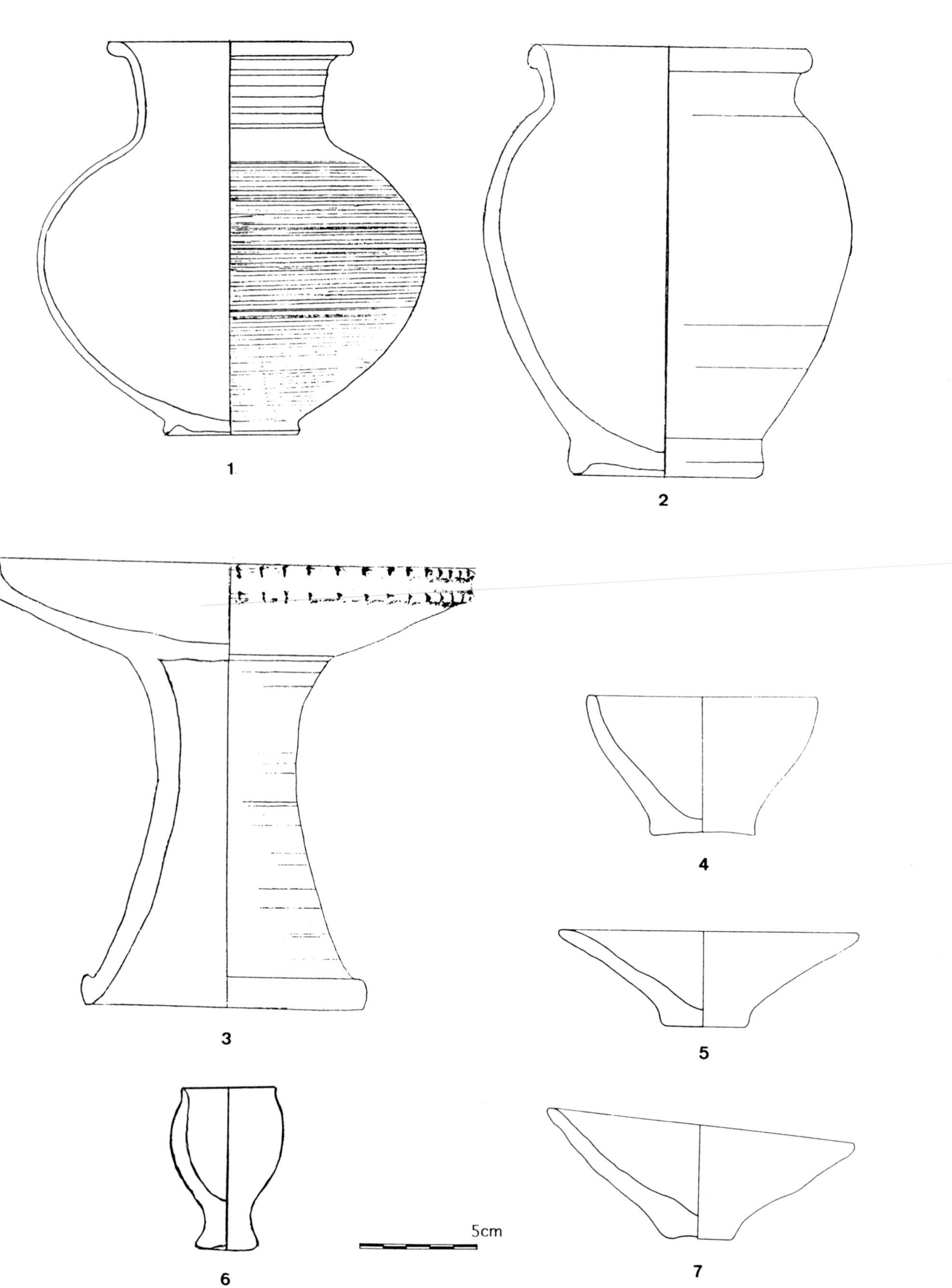

Céramiques de la tombe 766.

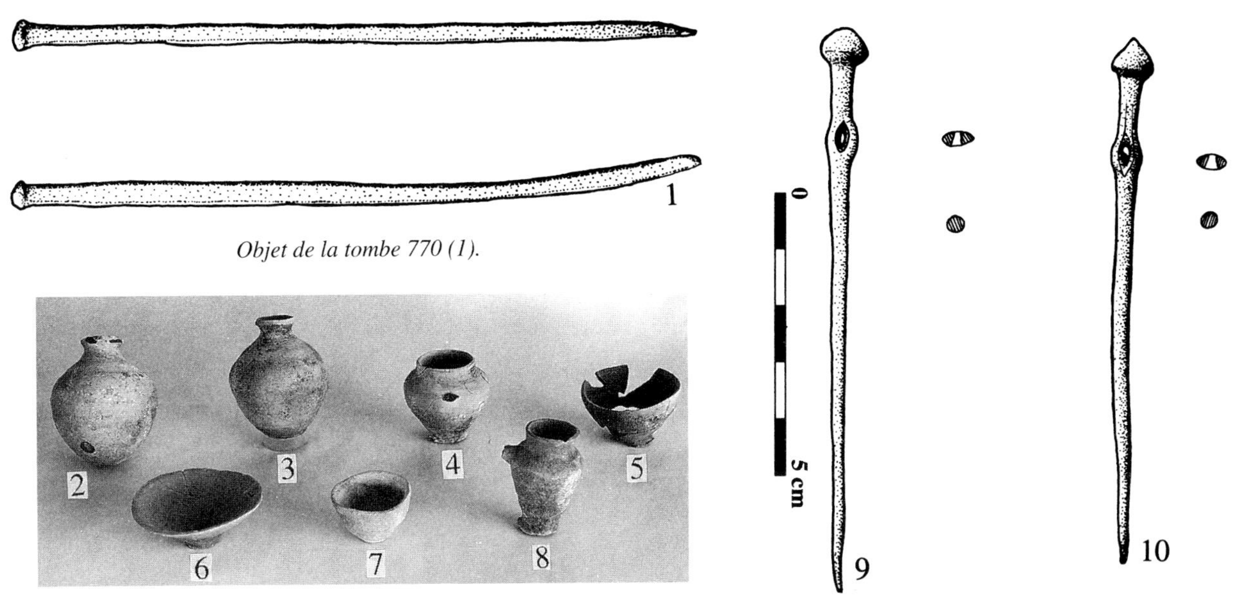

Objet de la tombe 770 (1).

Céramiques de la tombe 771 (2 à 8).

Objets de la tombe 771 (9, 10).

Céramiques des tombes 777 (11, 12) et 778 (13, 14, 15).

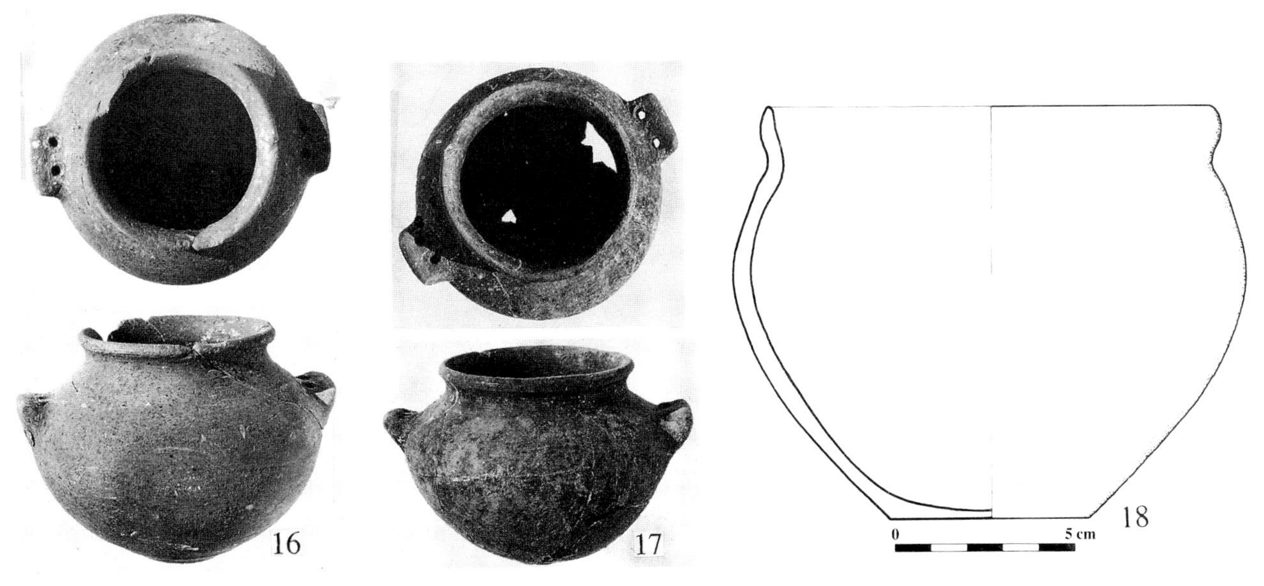

Céramiques de la tombe 781 (16, 17, 18).

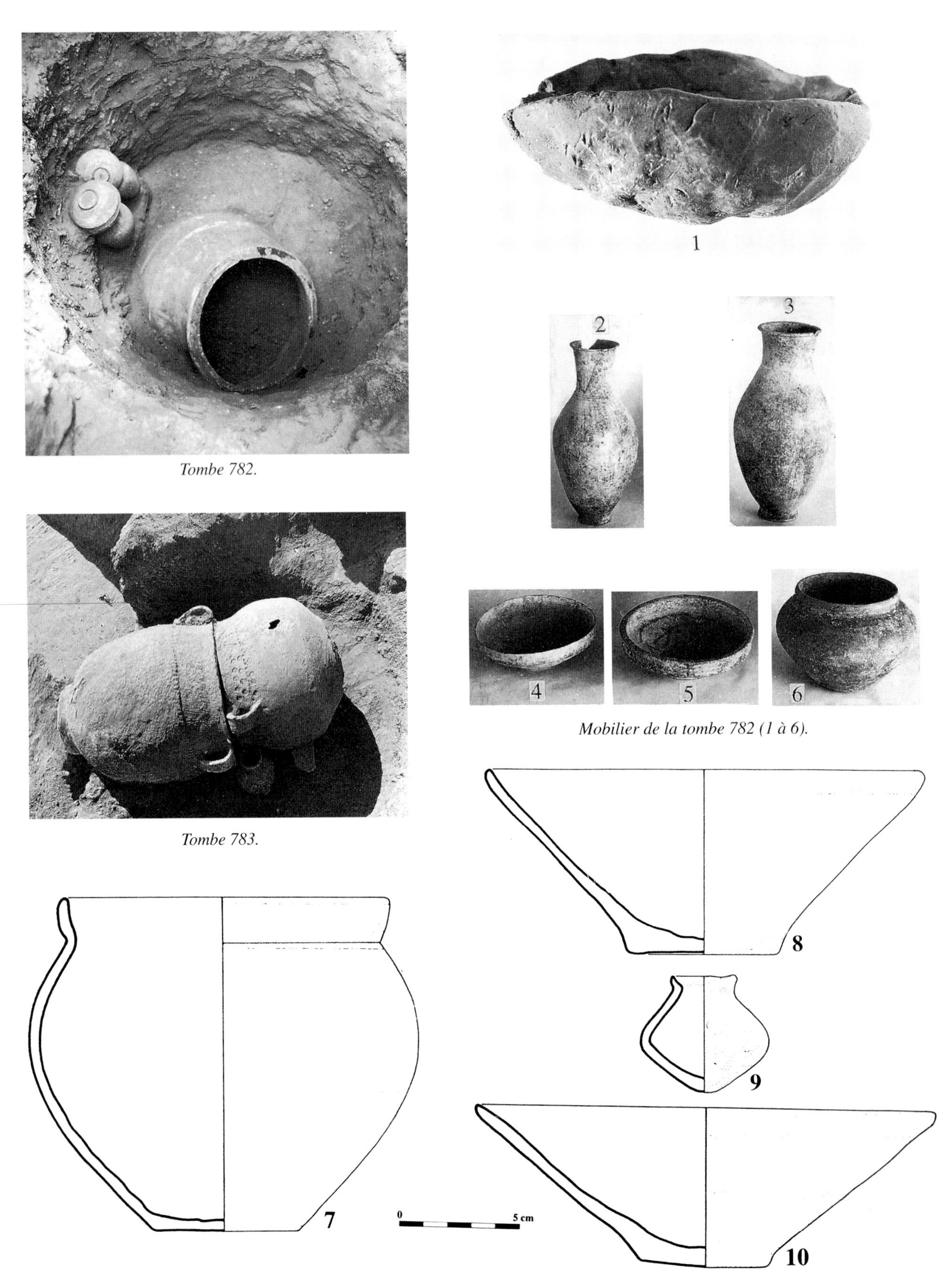

Tombe 782.

Tombe 783.

Mobilier de la tombe 782 (1 à 6).

Céramiques de la tombe 790 (7 à 10).

Tombe 792.

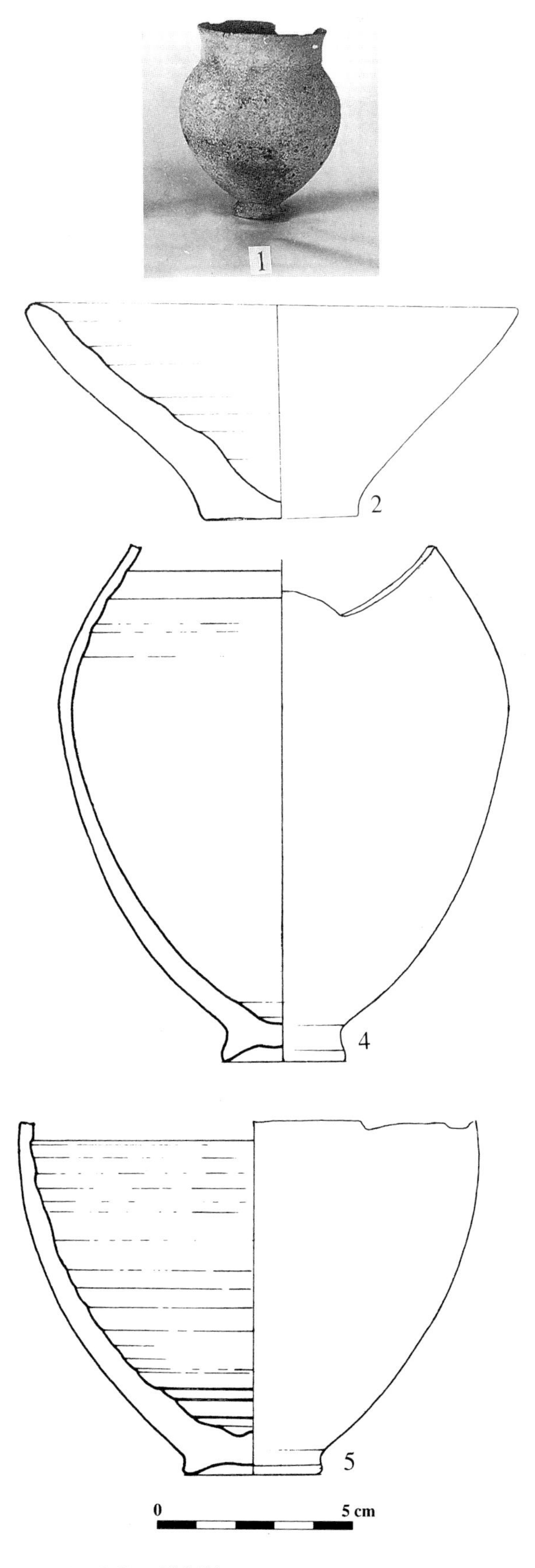

Céramiques des tombes 791 (1), 792 (3), 795 (4, 5) et 796 (2).

Tombe 800.

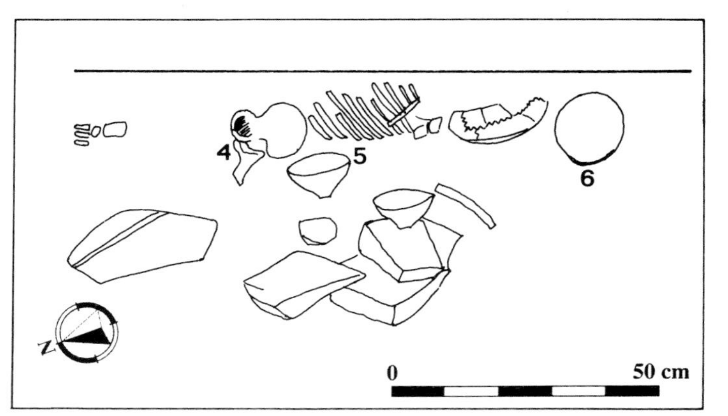

Tombe 800.

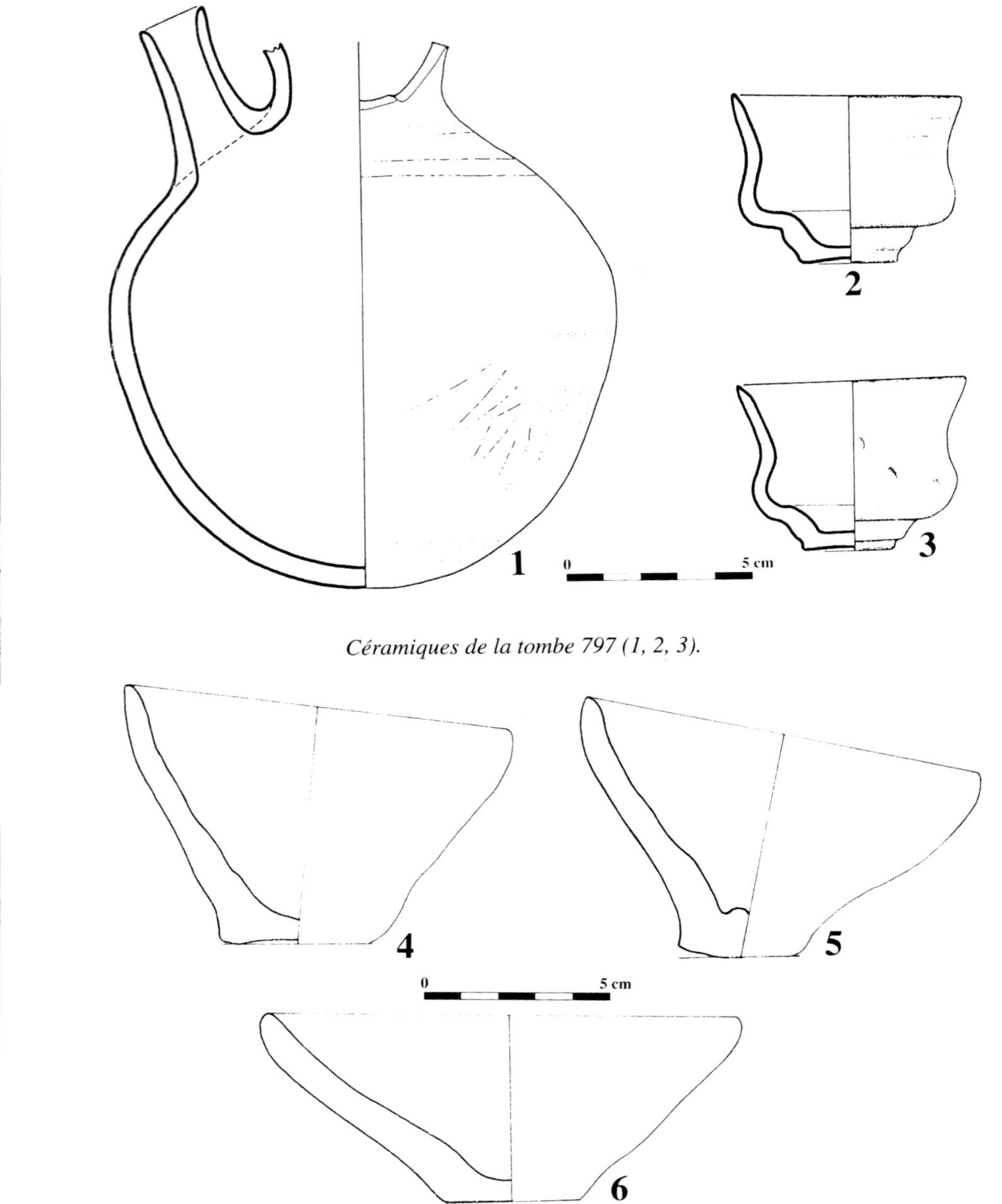

Céramiques de la tombe 797 (1, 2, 3).

Céramiques de la tombe 800 (4, 5, 6).

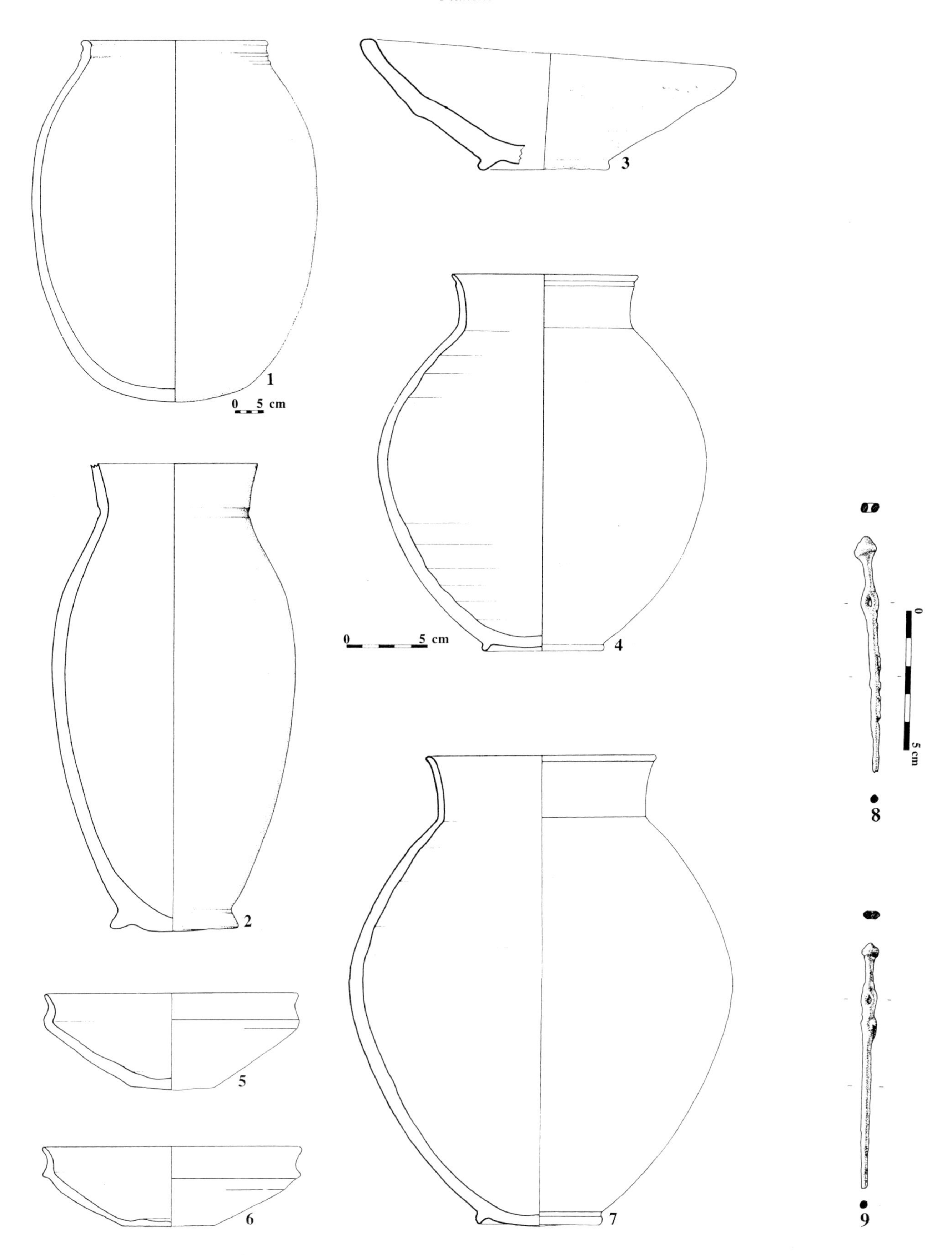

Céramiques des tombes 734 (2), 738 (1) et 801 (3), mobilier de la tombe 808 (4 à 9).

Tombe 807.

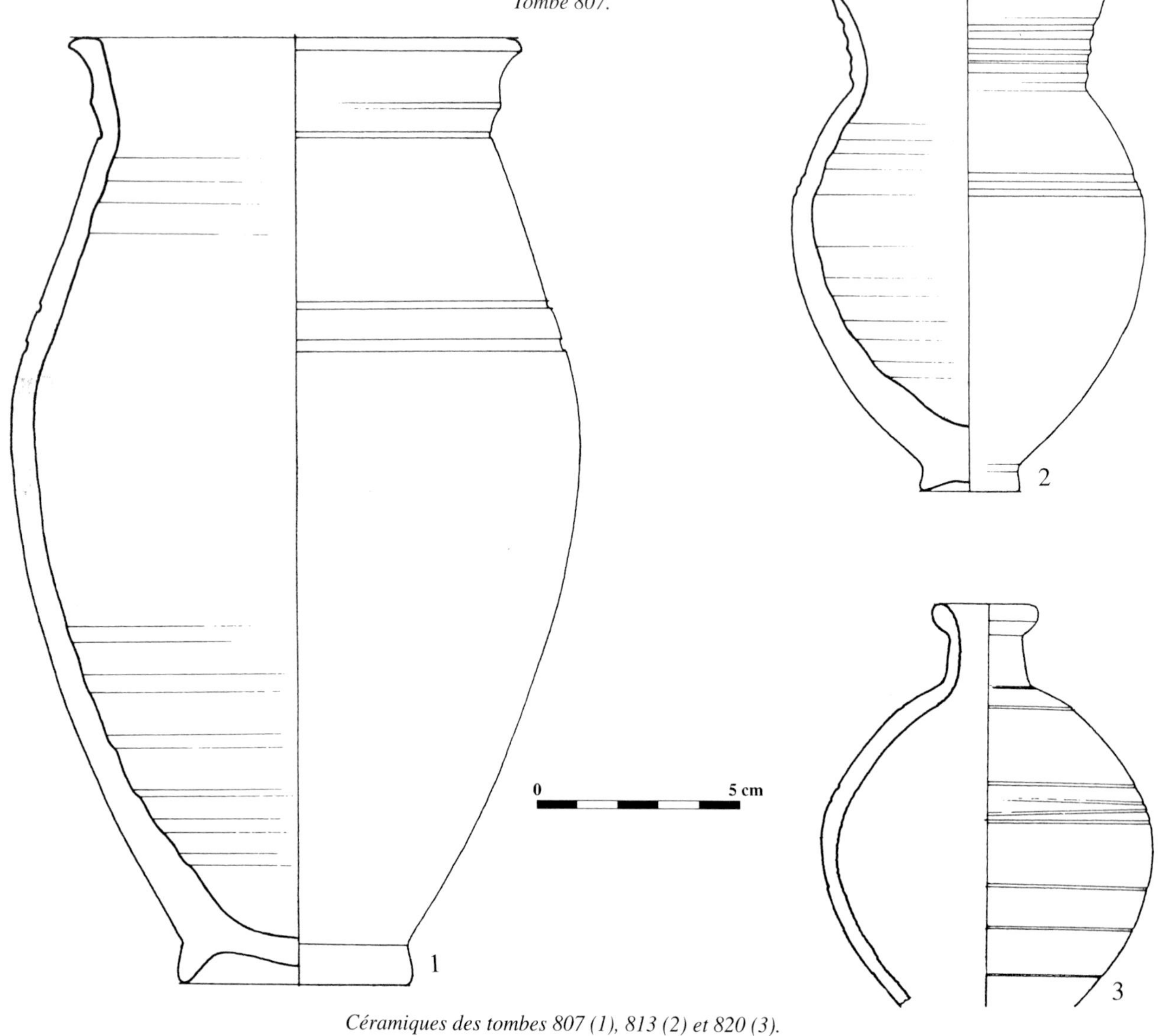

Céramiques des tombes 807 (1), 813 (2) et 820 (3).

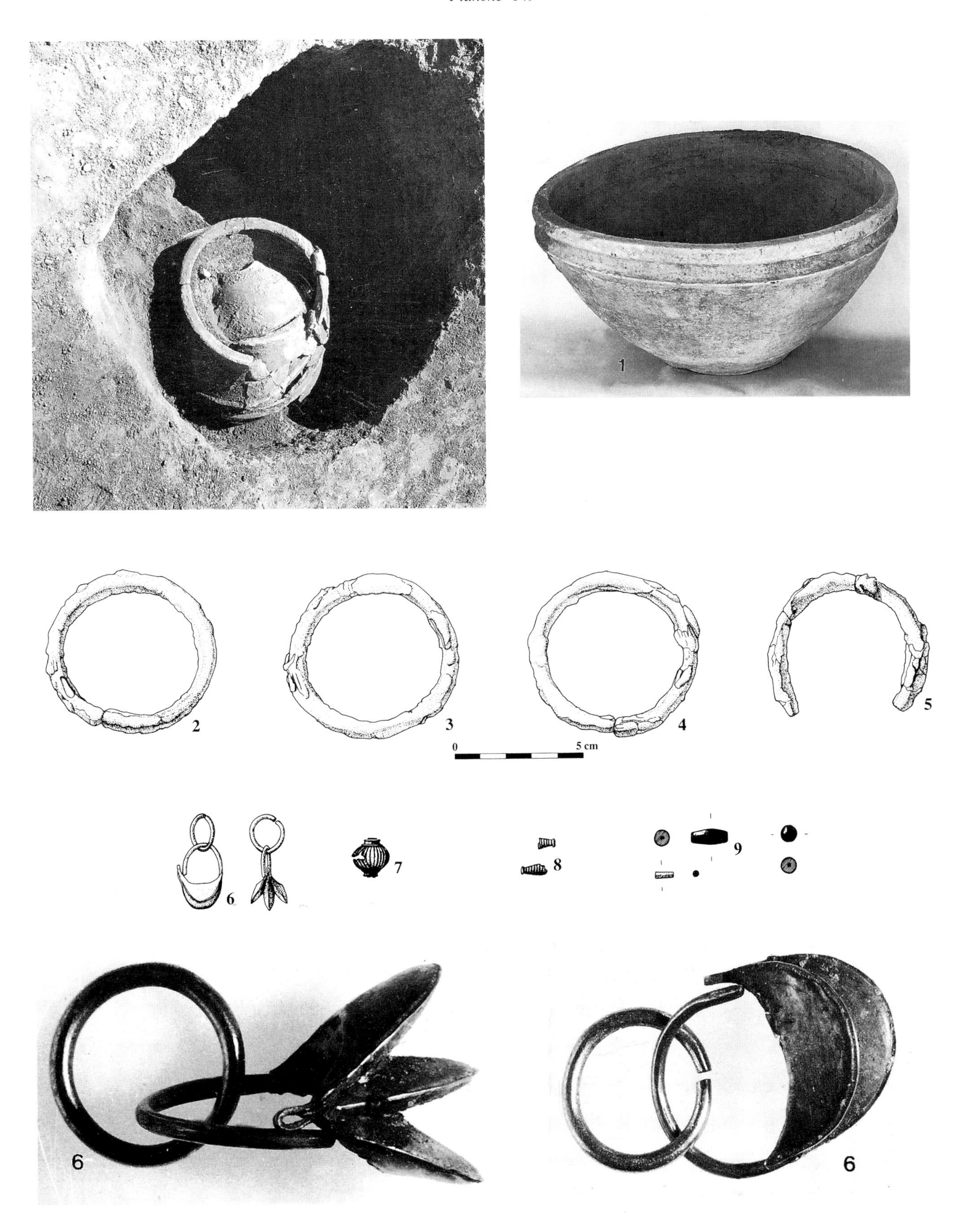

Tombe 809 et son mobilier.

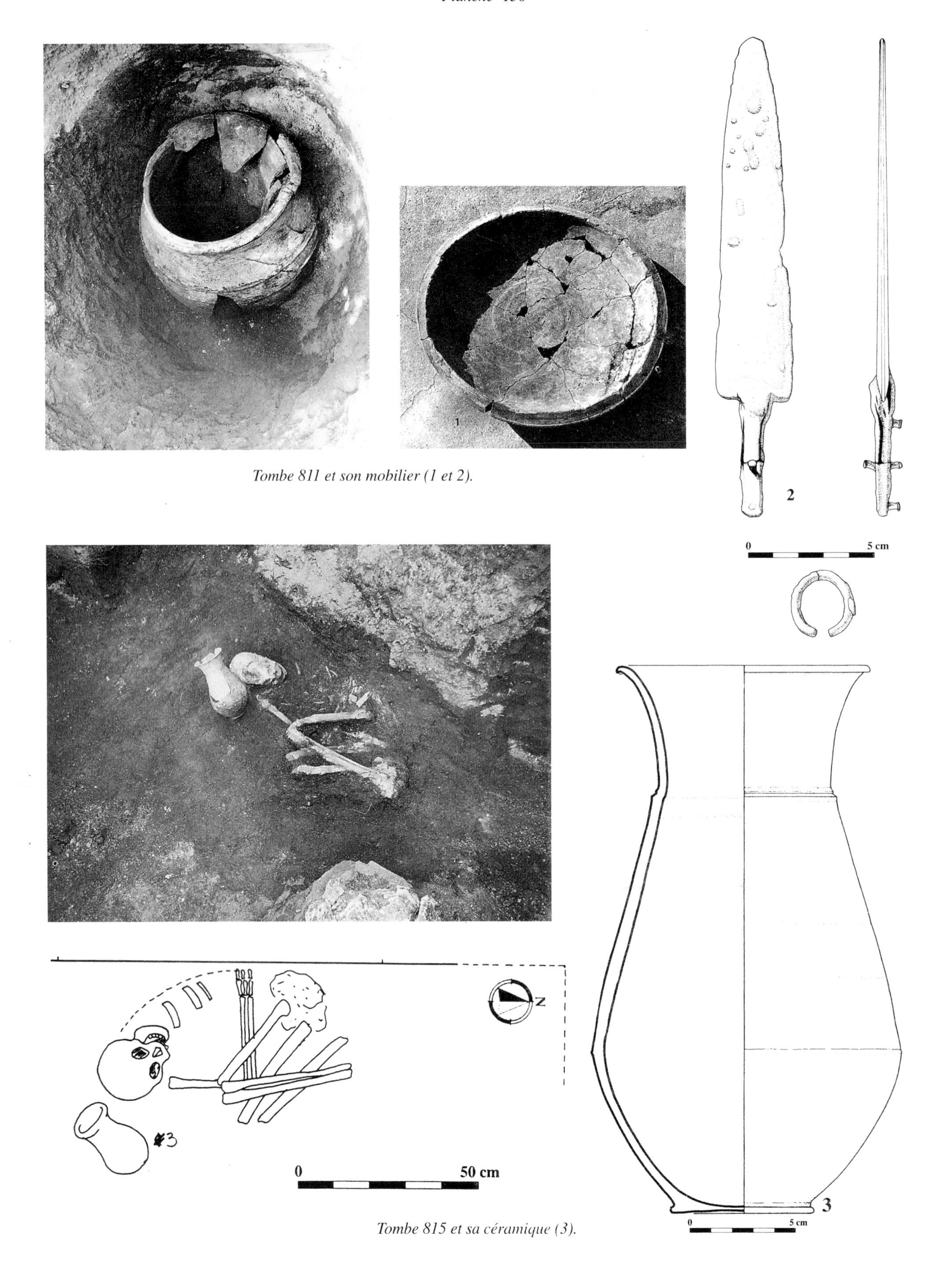

Tombe 811 et son mobilier (1 et 2).

Tombe 815 et sa céramique (3).

Céramiques des tombes 818 (1 à 6) et 826 (7).

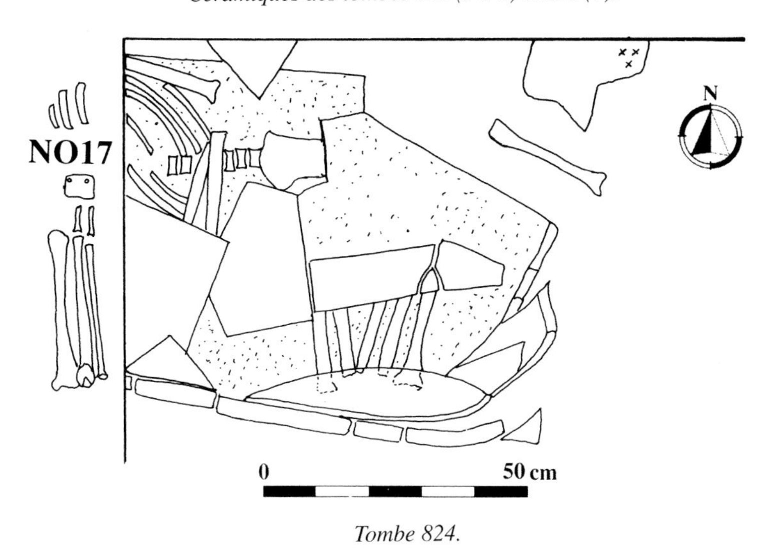

Tombe 824.

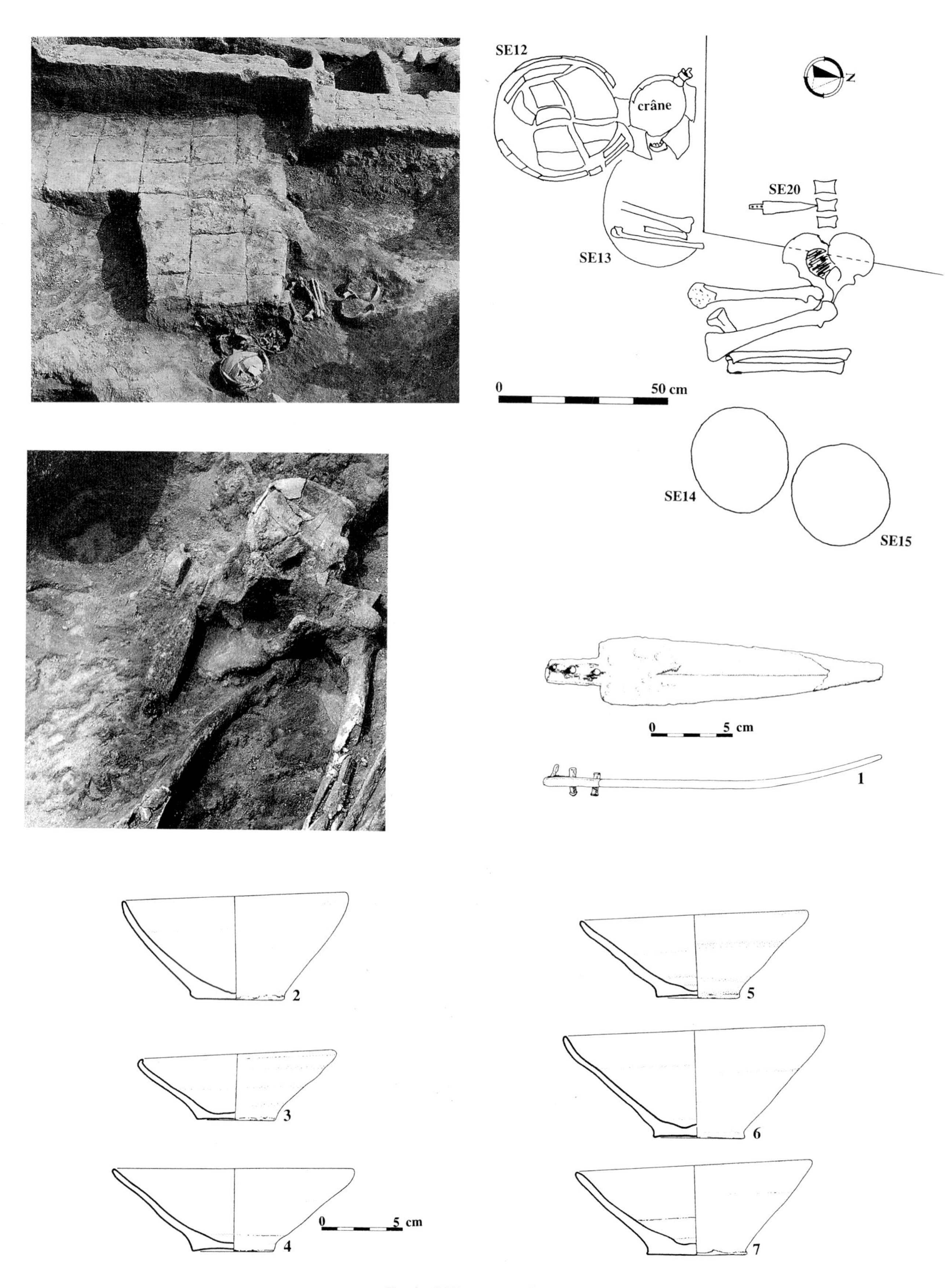

Tombe 819 et son mobilier.

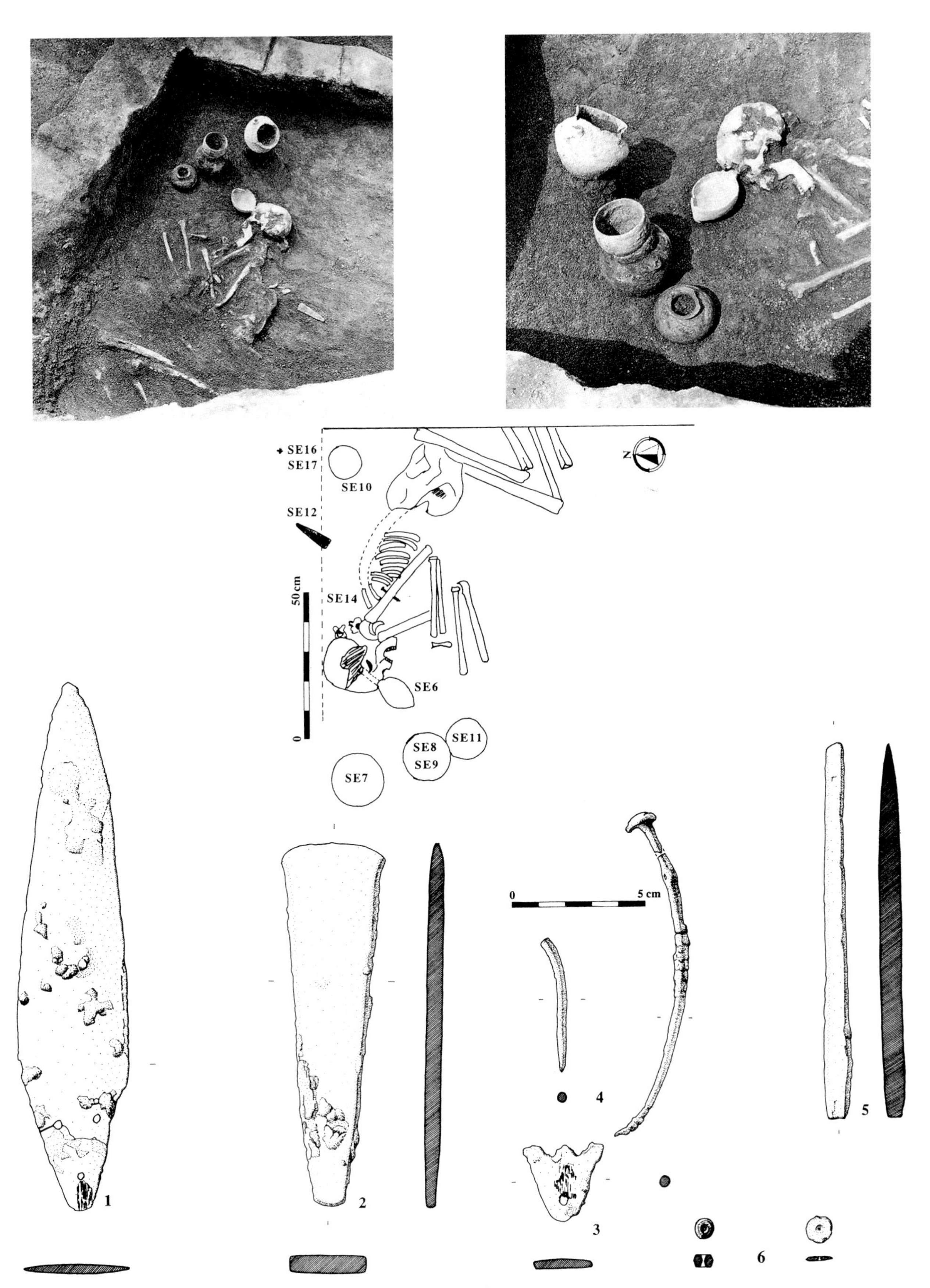

Tombe 823 et son mobilier.

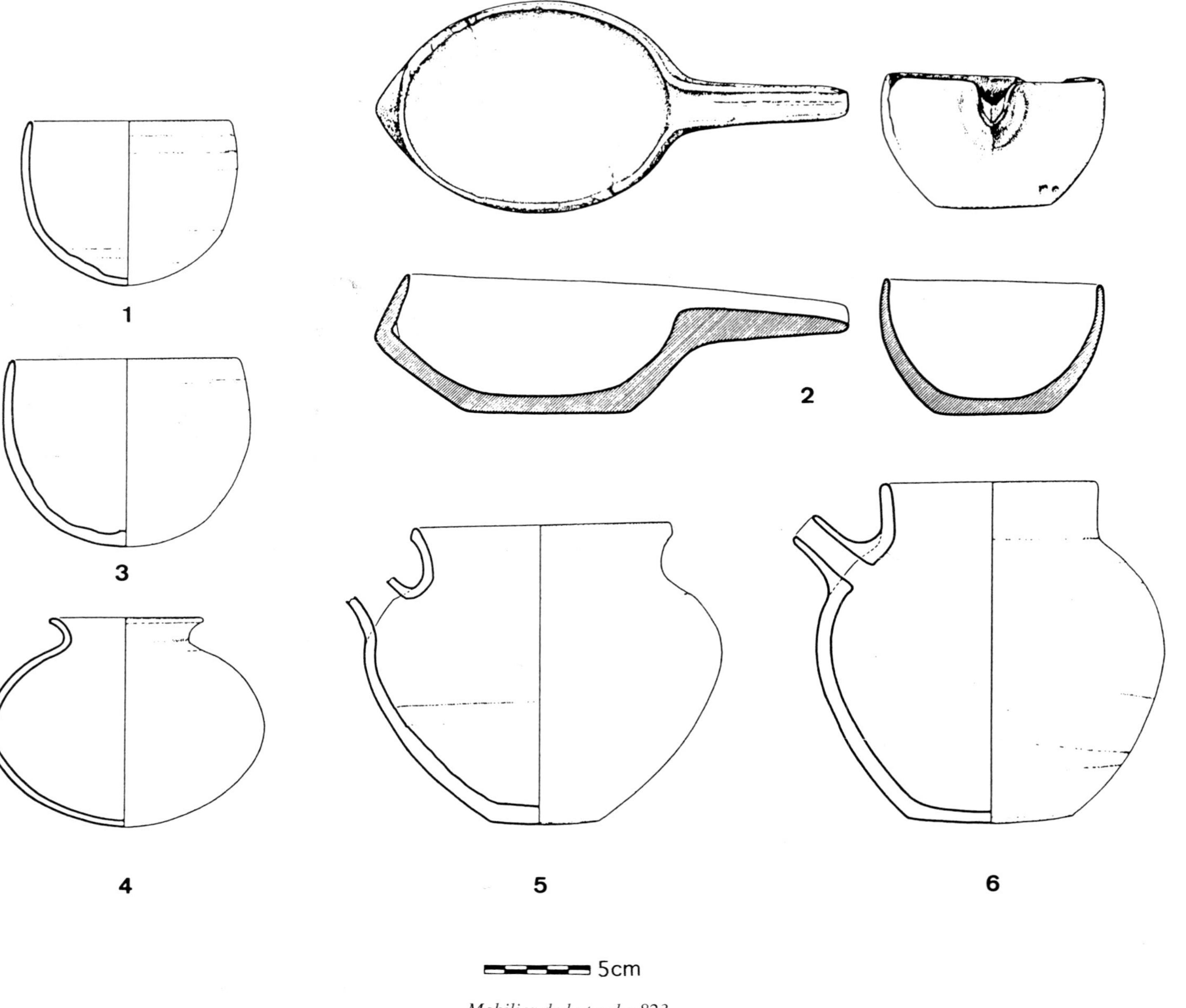

Mobilier de la tombe 823.

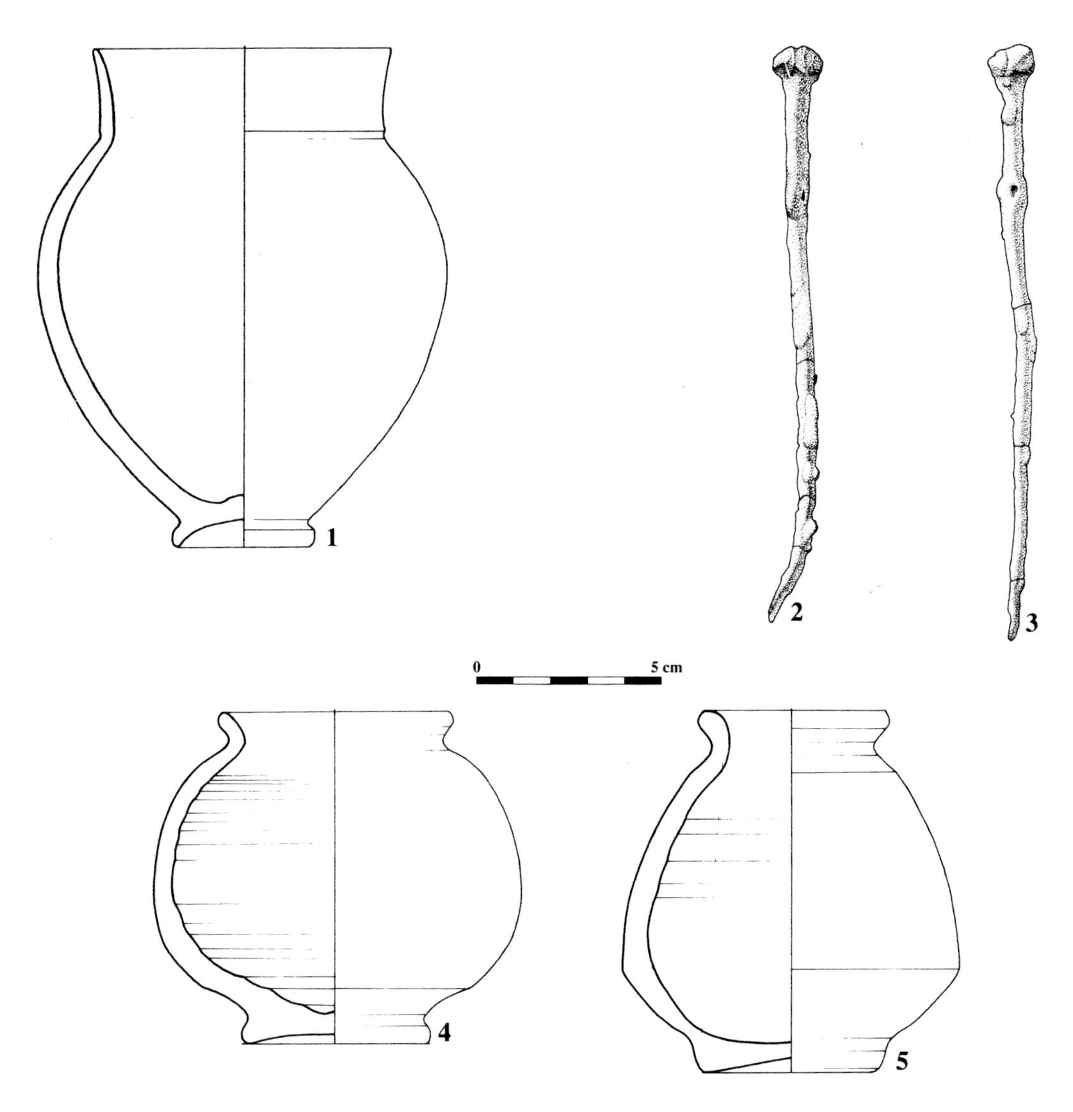

Mobilier de la tombe 825 (1, 2, 3), vases en faïence de la tombe 827 (4, 5).

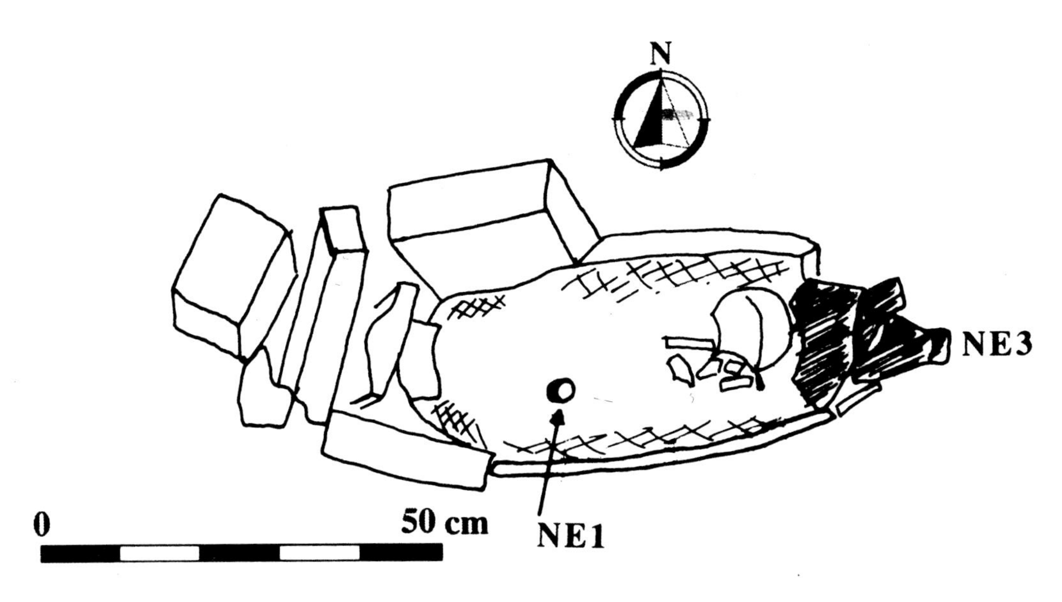

Tombe 835.

Tombe 828.

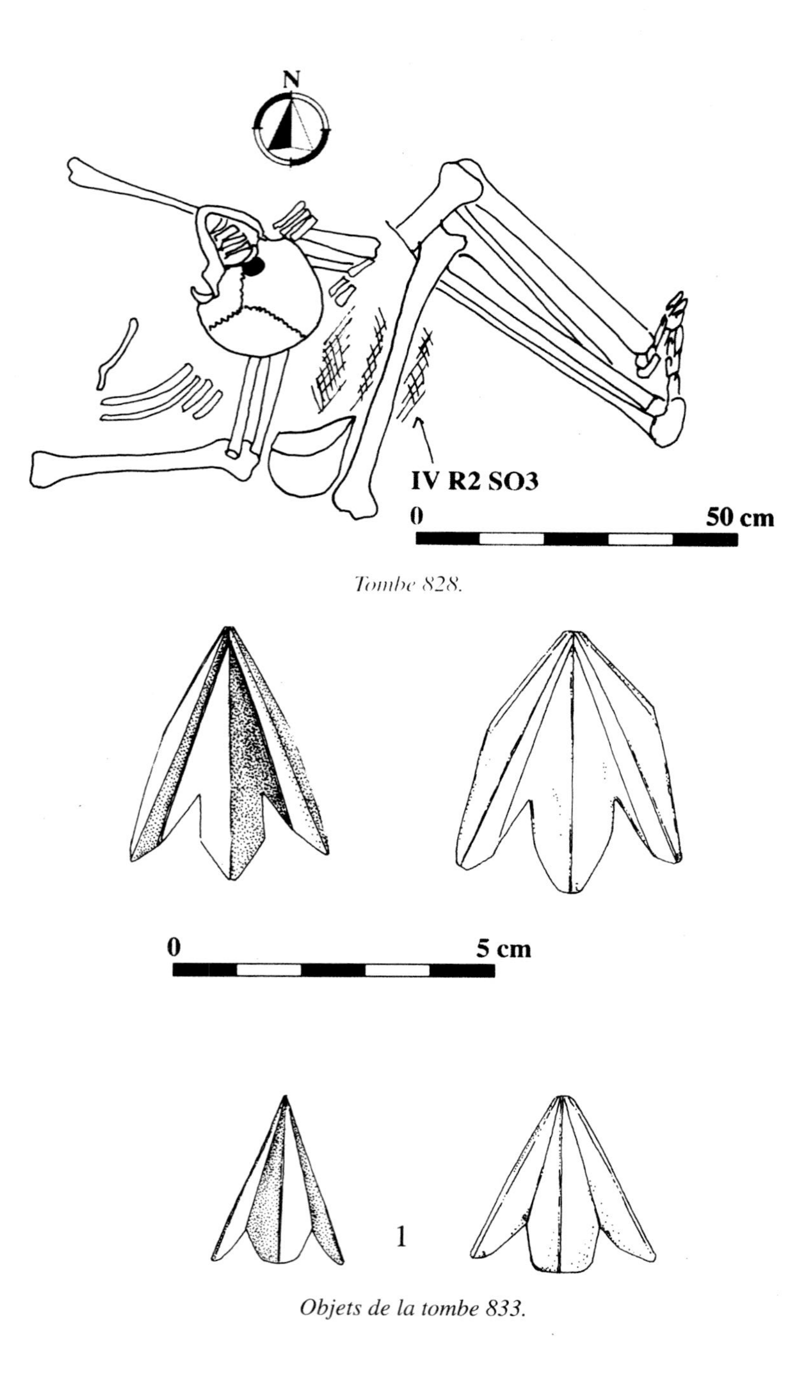

Tombe 828.

Objets de la tombe 833.

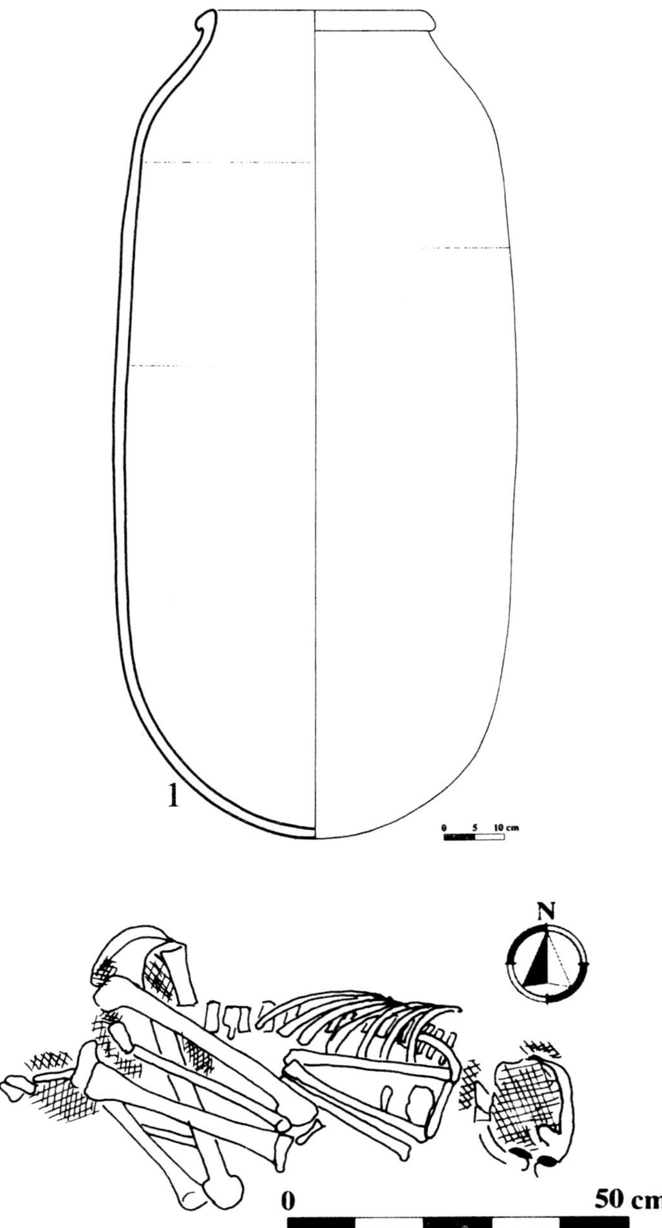

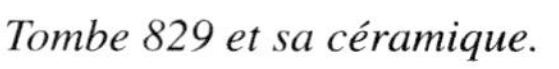

Tombe 829 et sa céramique.

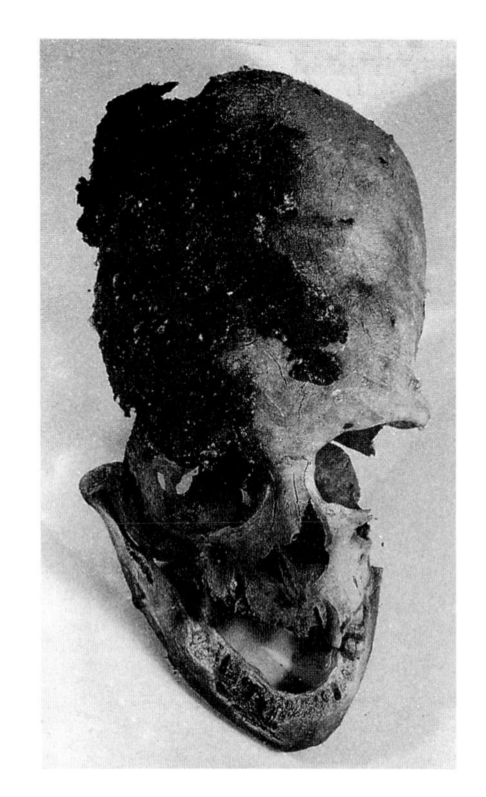

Tombe 829, linceul et crâne.

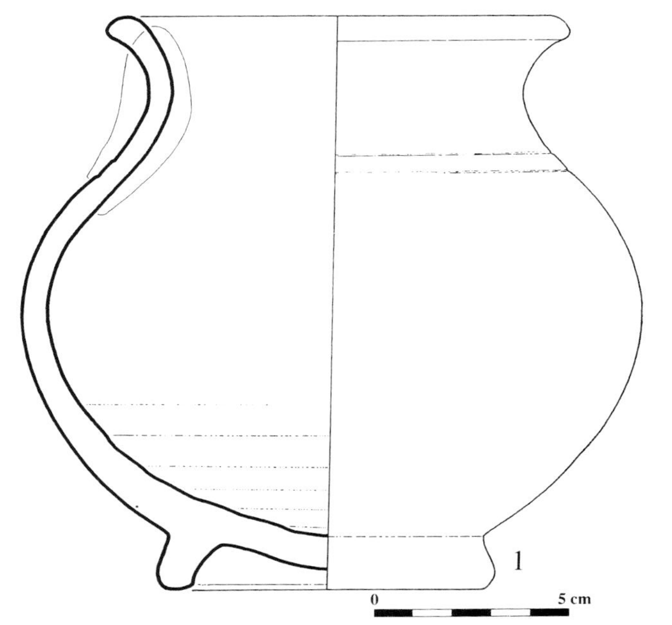

Tombe 830 et sa céramique.

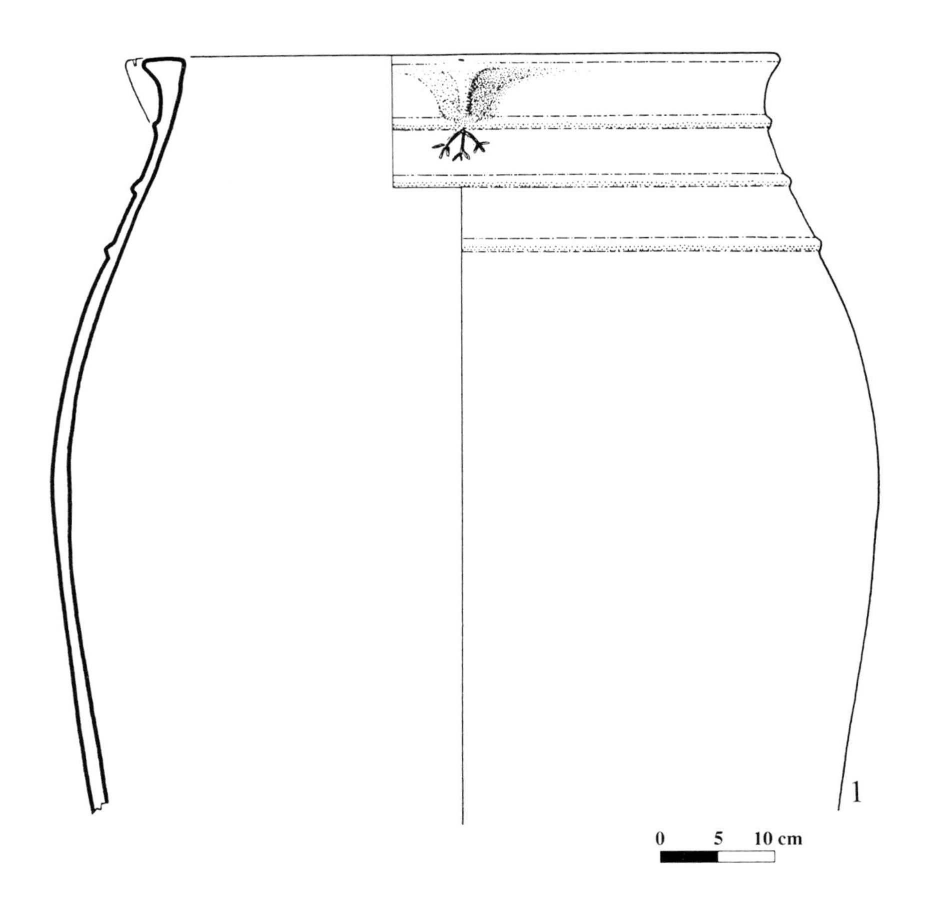

Tombe 834 et sa céramique.

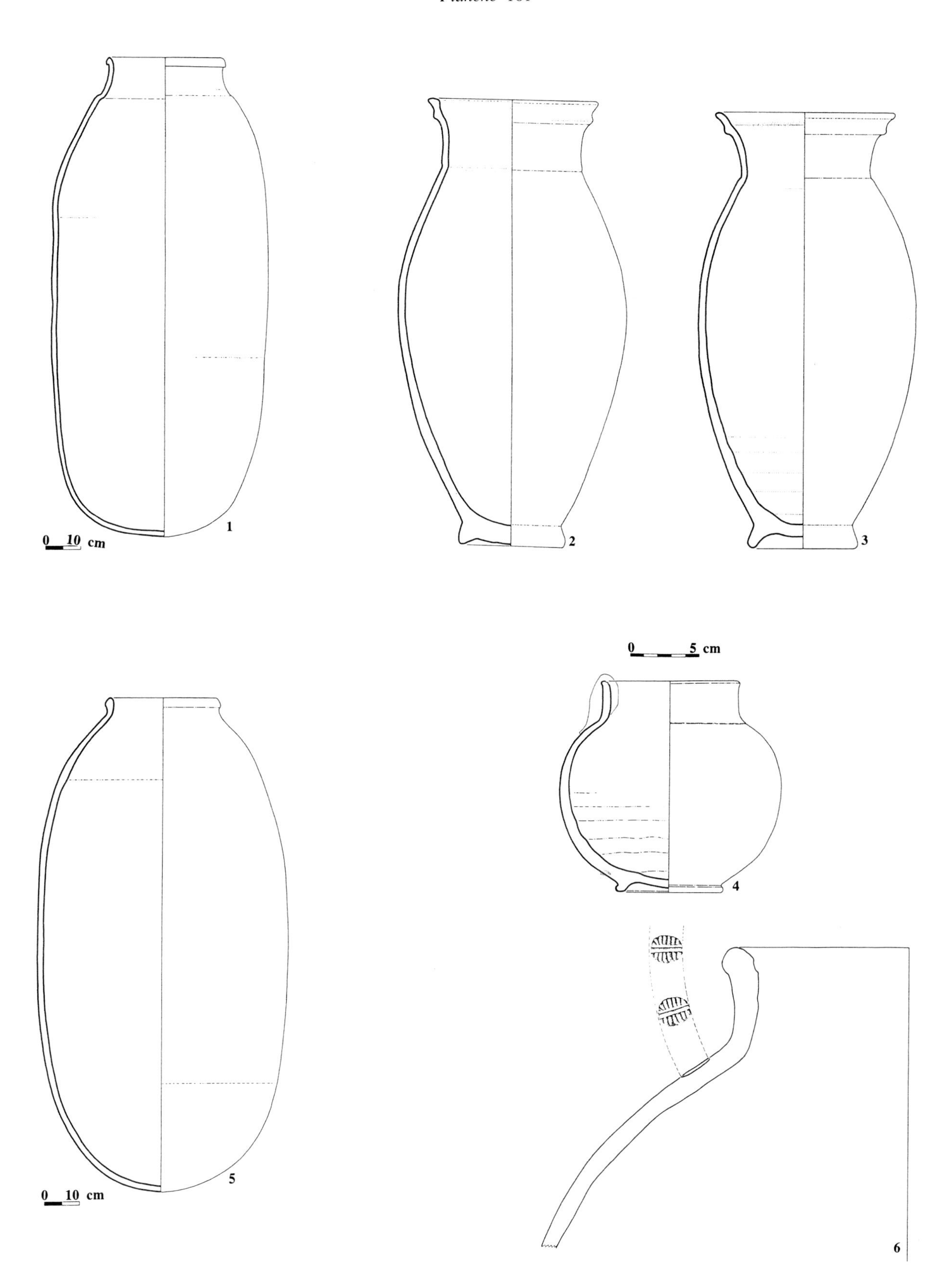

Céramiques des tombes 832 (1, 4), 834 (2, 3), 840 (5) et 849 (6).

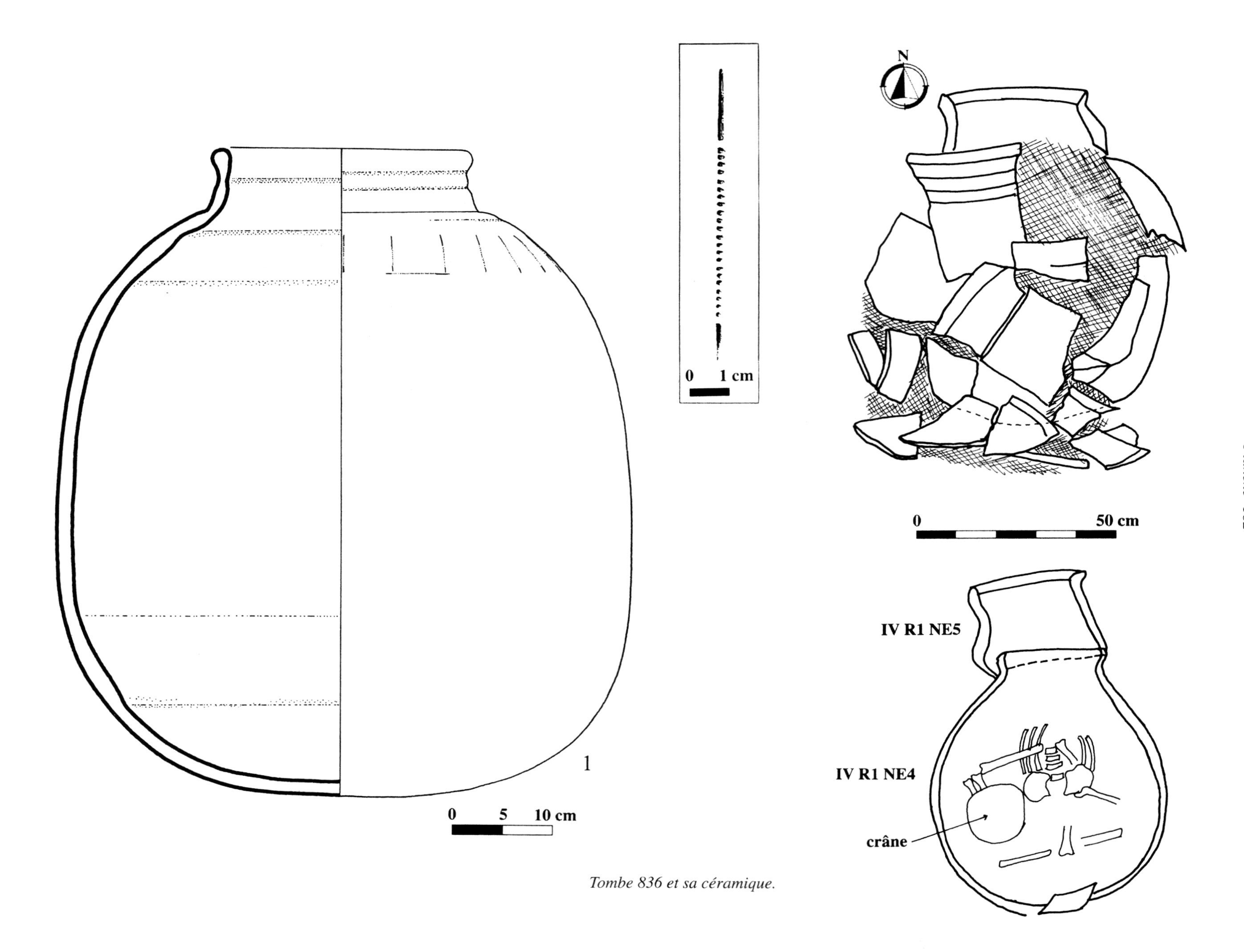

Tombe 836 et sa céramique.

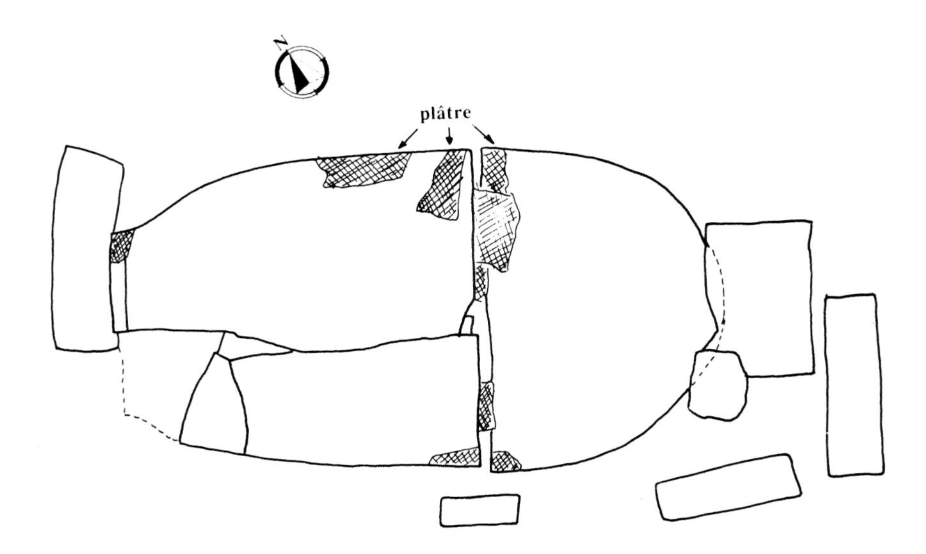

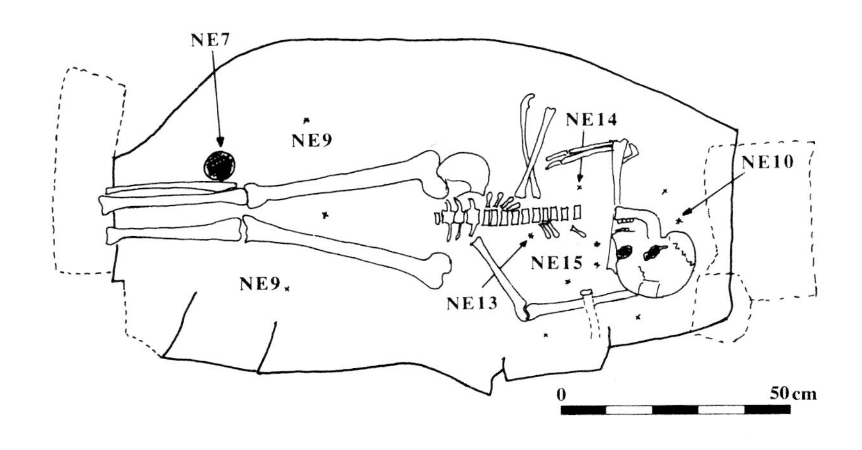

Tombe 840.

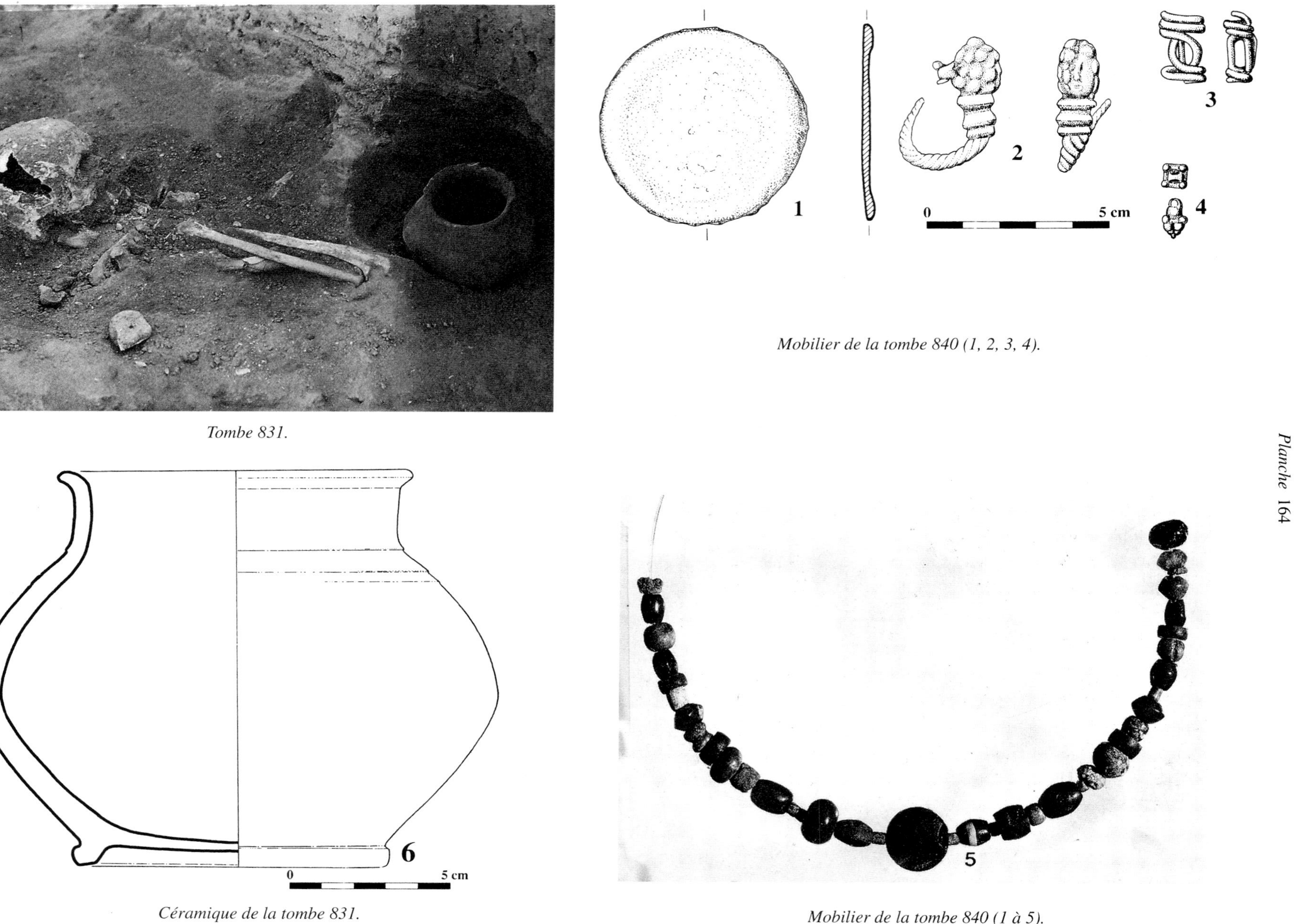

Tombe 831.

Mobilier de la tombe 840 (1, 2, 3, 4).

Céramique de la tombe 831.

Mobilier de la tombe 840 (1 à 5).

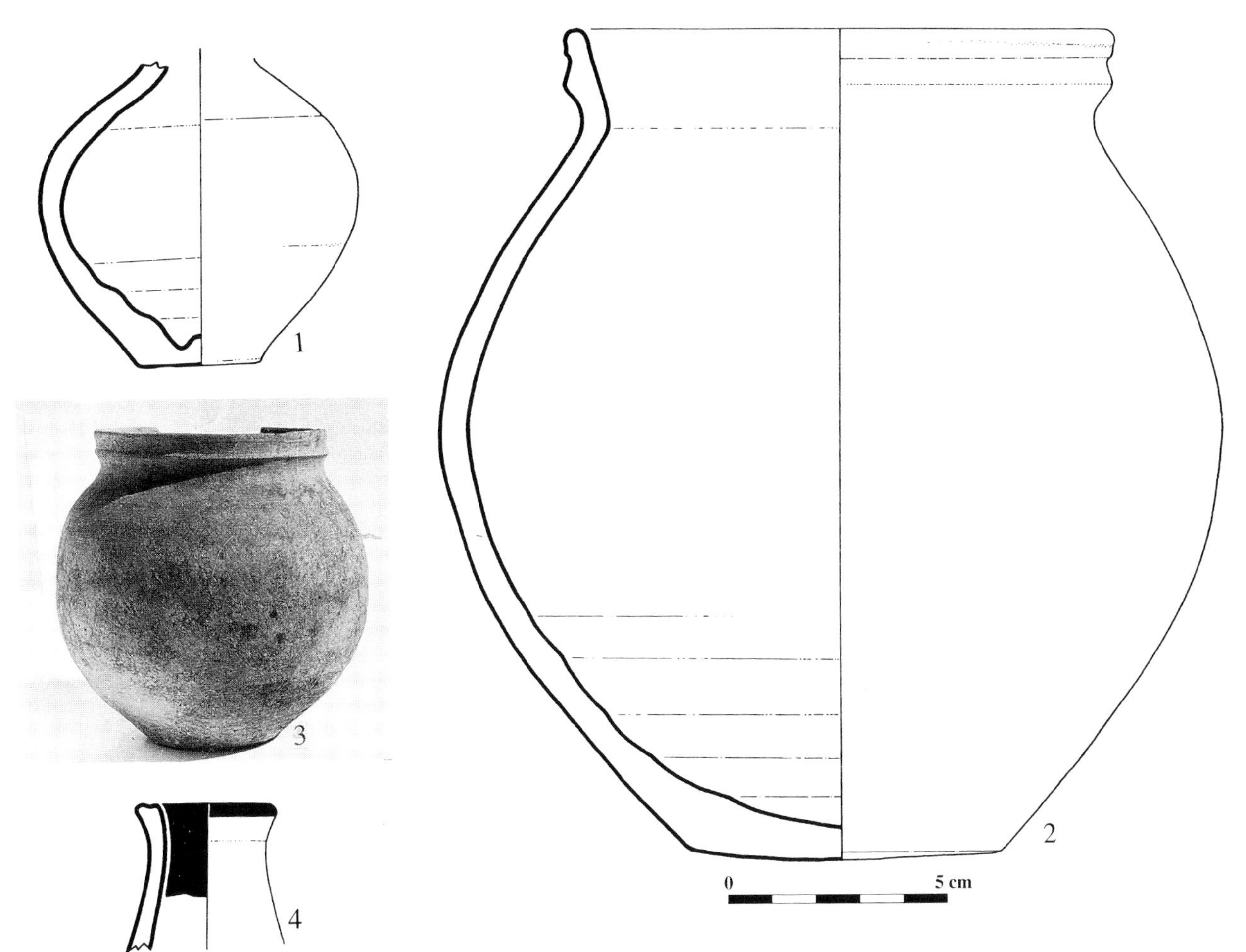

Tombe 842 et son mobilier.

Tombe 841.

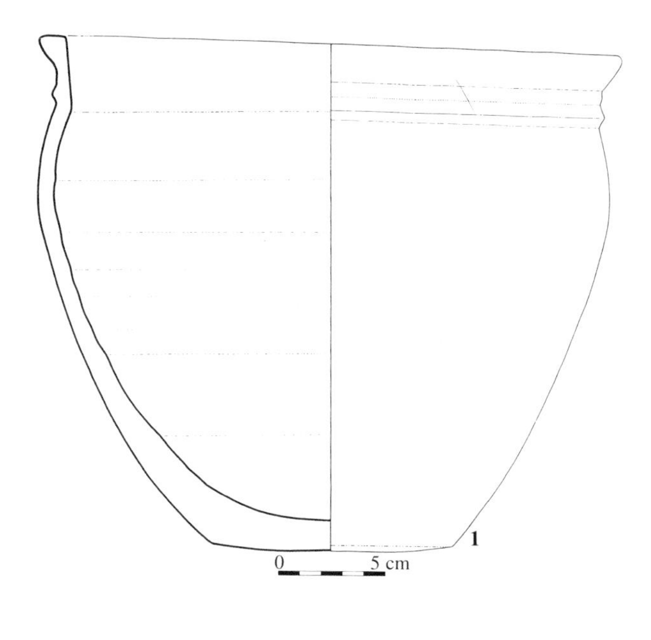

Tombe 843 et sa céramique.

3 2 1

Tombe 844 et son mobilier.

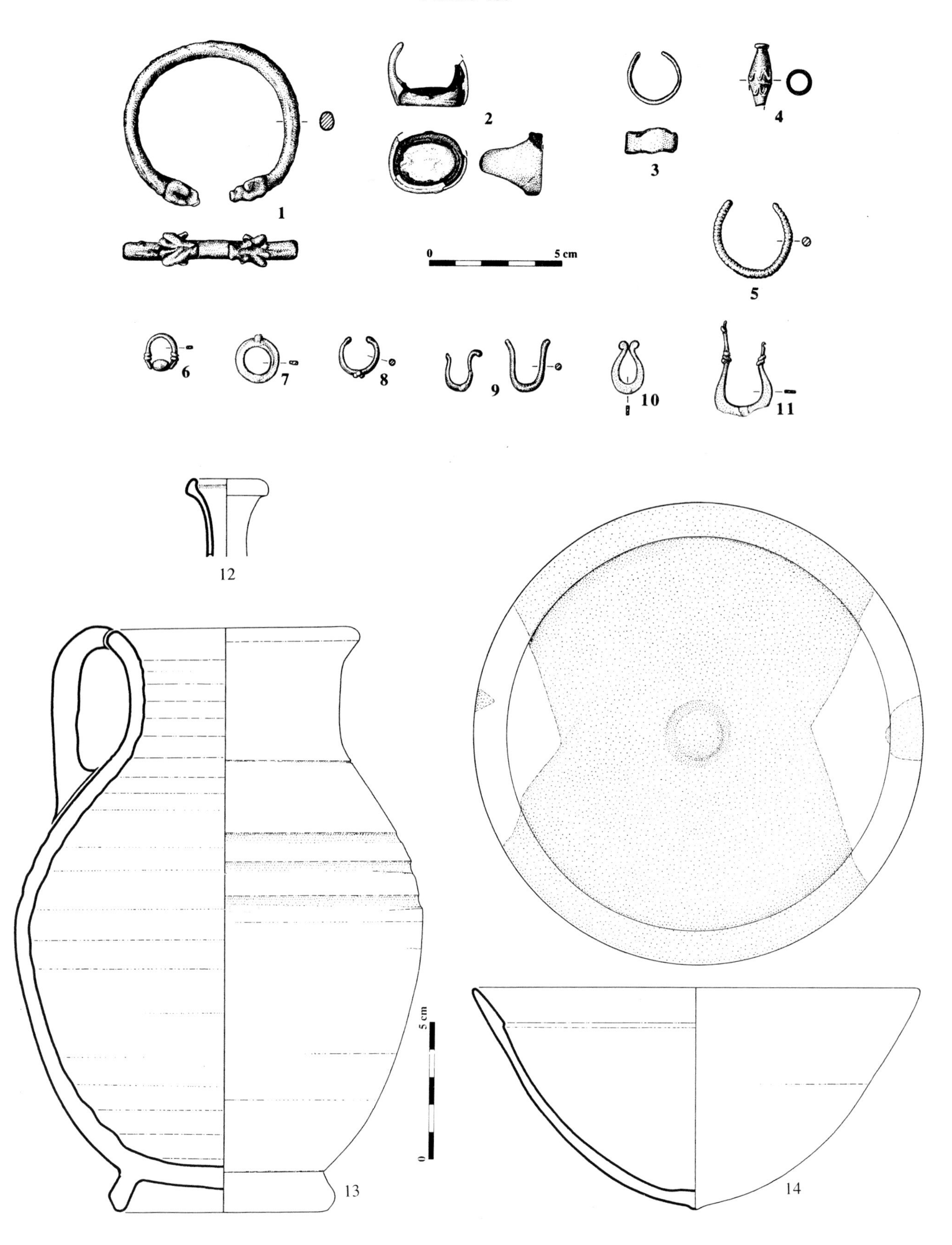

Mobilier de la tombe 844.

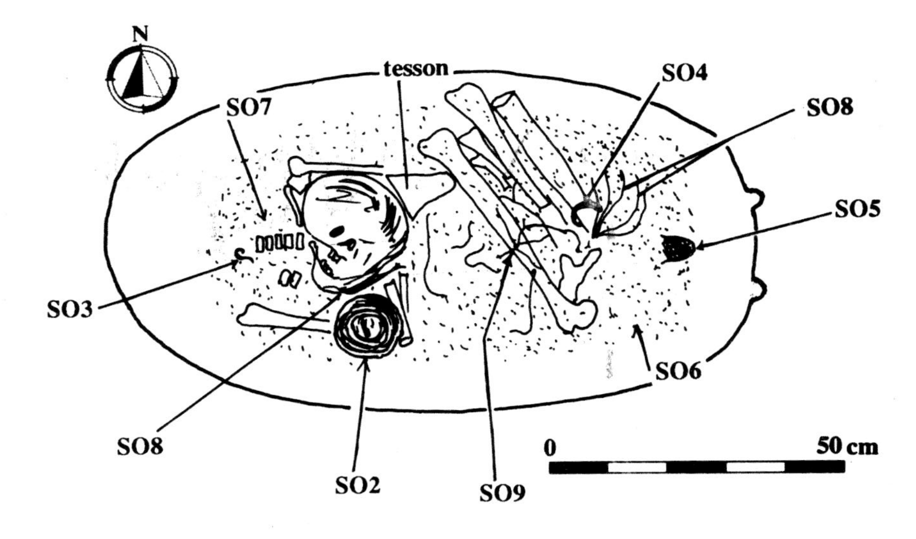

Tombe 845.

Tombe 845, linceul, sandale en cuir.

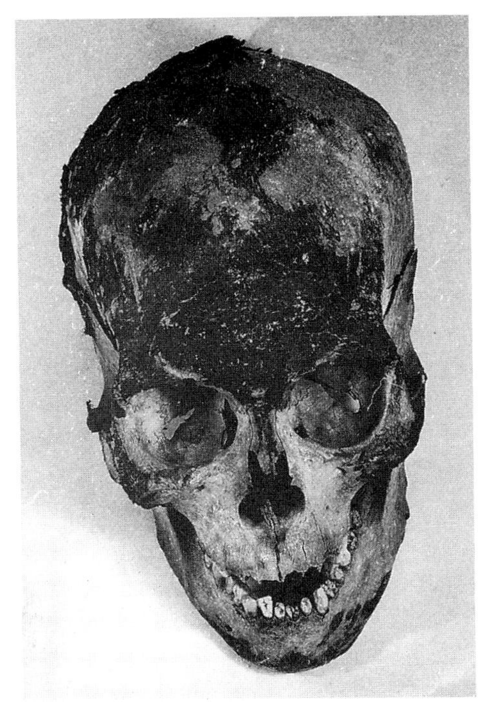

Crâne avec des restes de linceul.

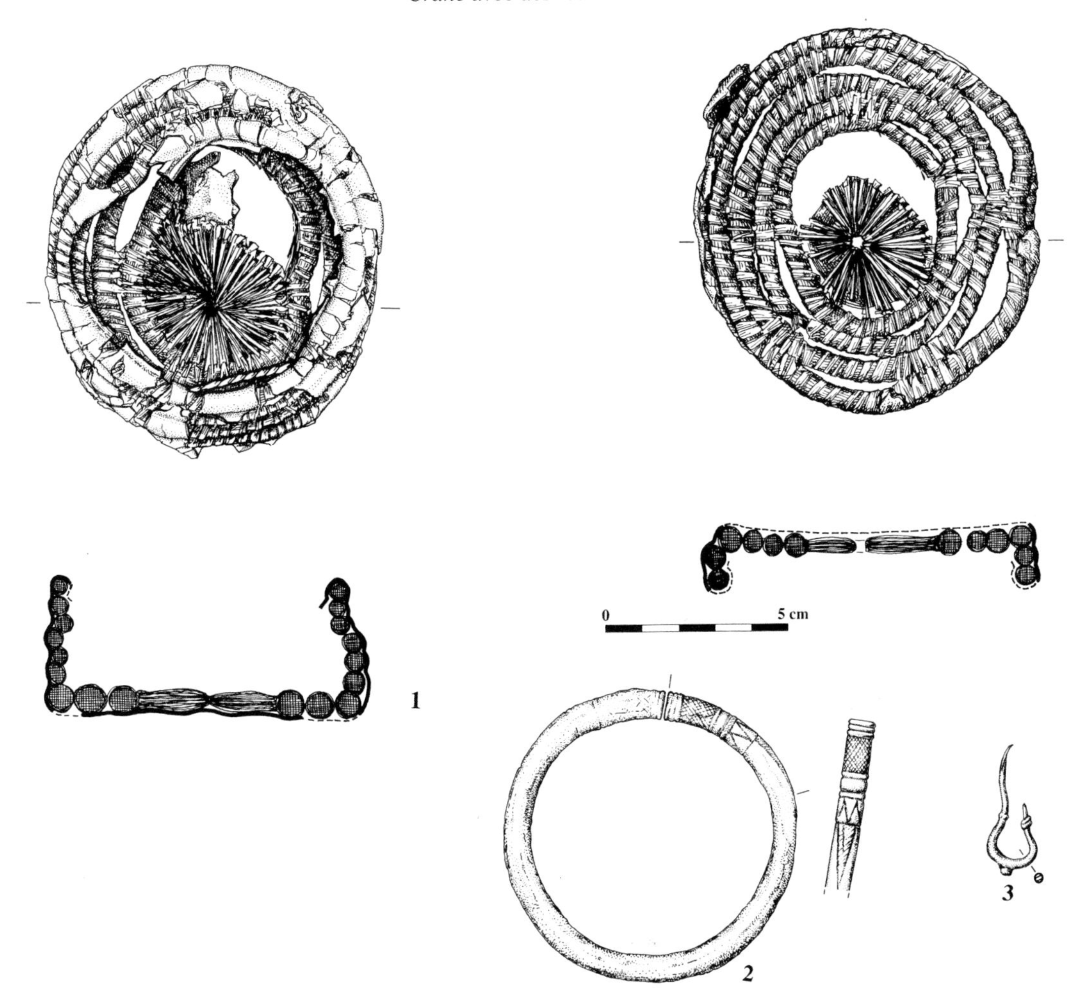

Mobilier de la tombe 845.

Linceuls de la tombe 845.

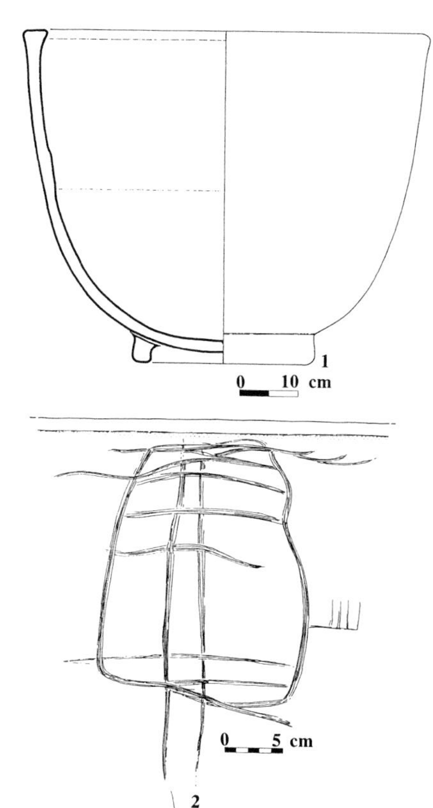

Tombe 846 et ses céramiques.

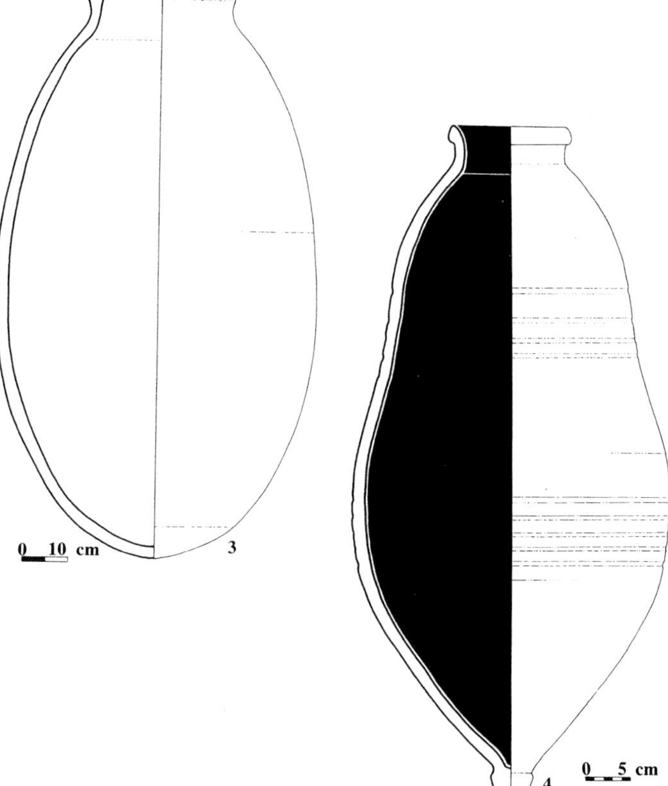

Tombe 847 et ses céramiques.

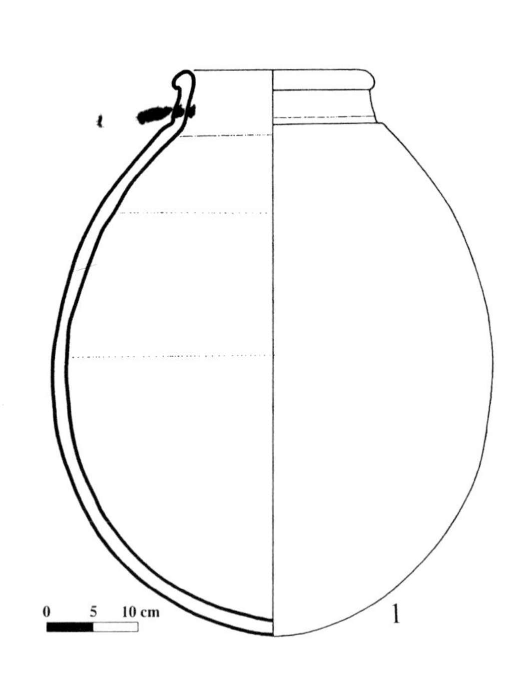

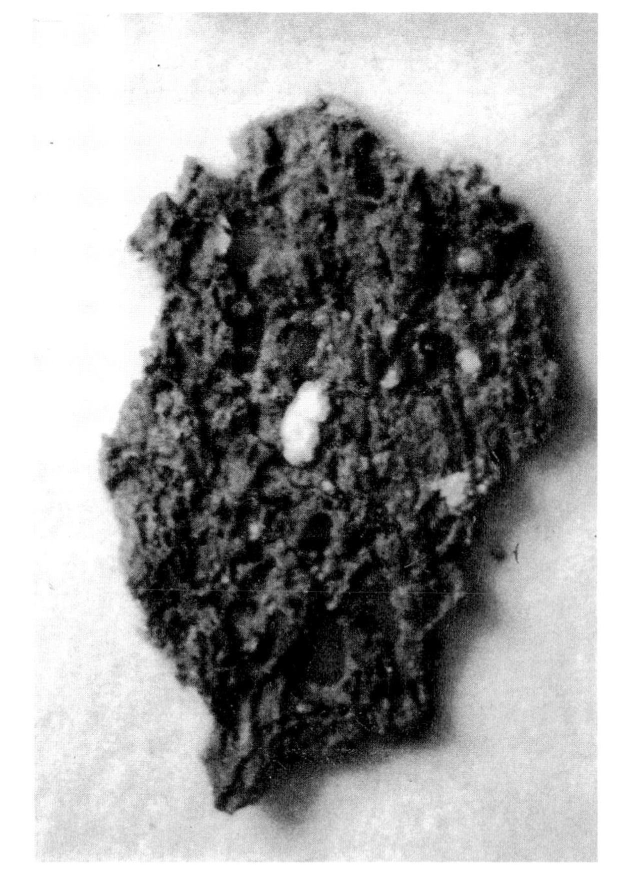

Tombe 848, céramique et linceul.

Tombe 850.

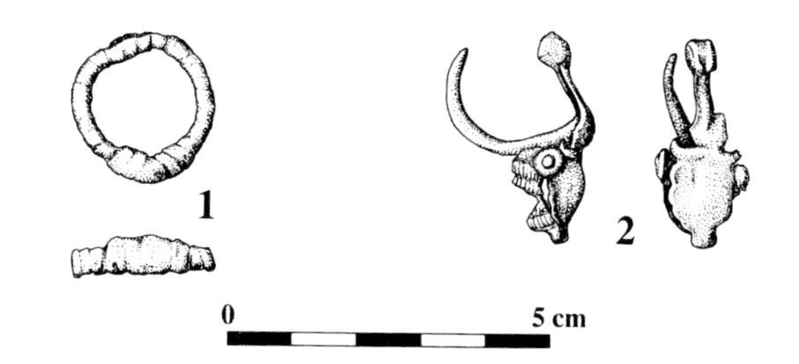

Objets de la tombe 850 (1, 2).

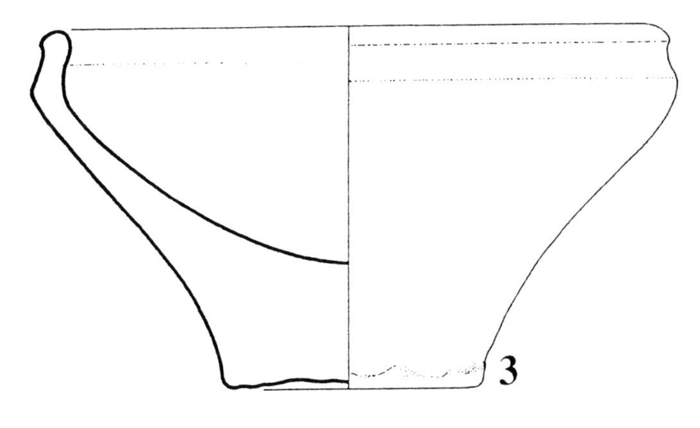

Céramique de la tombe 853 (3).

Tombe 857.

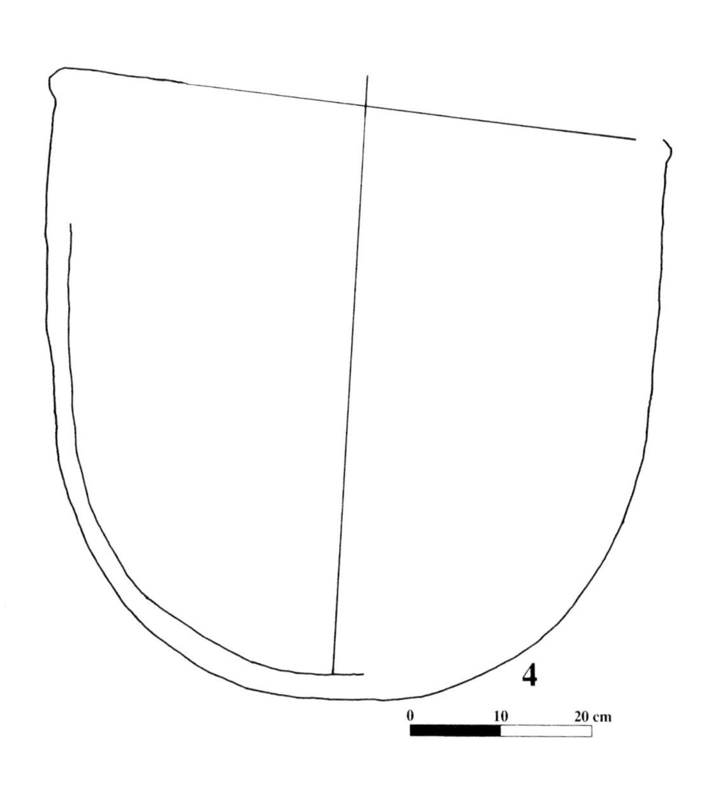

Céramique de la tombe 857 (4).

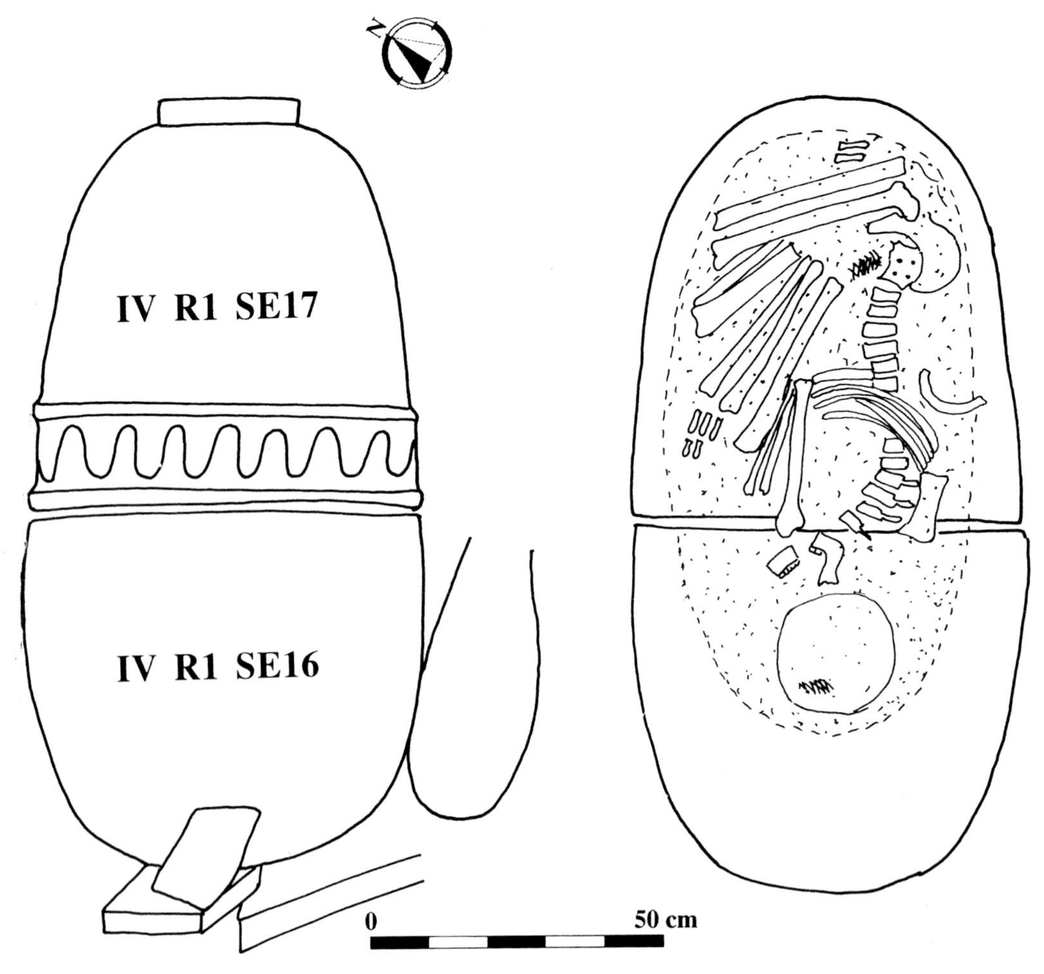

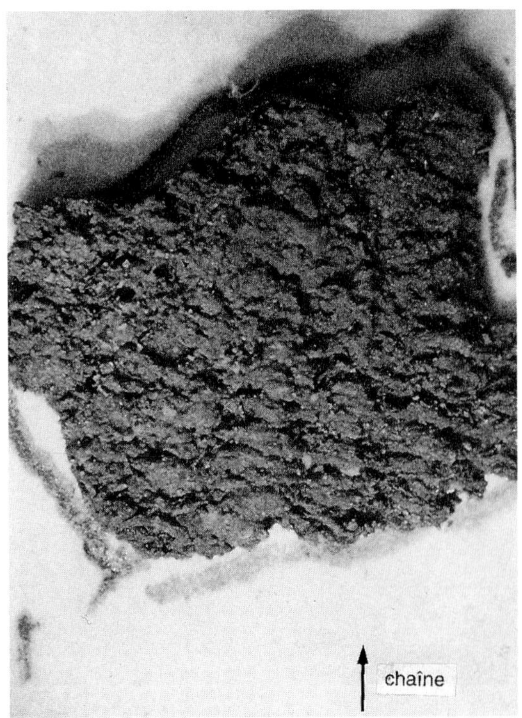

Tombe 857 et linceul.

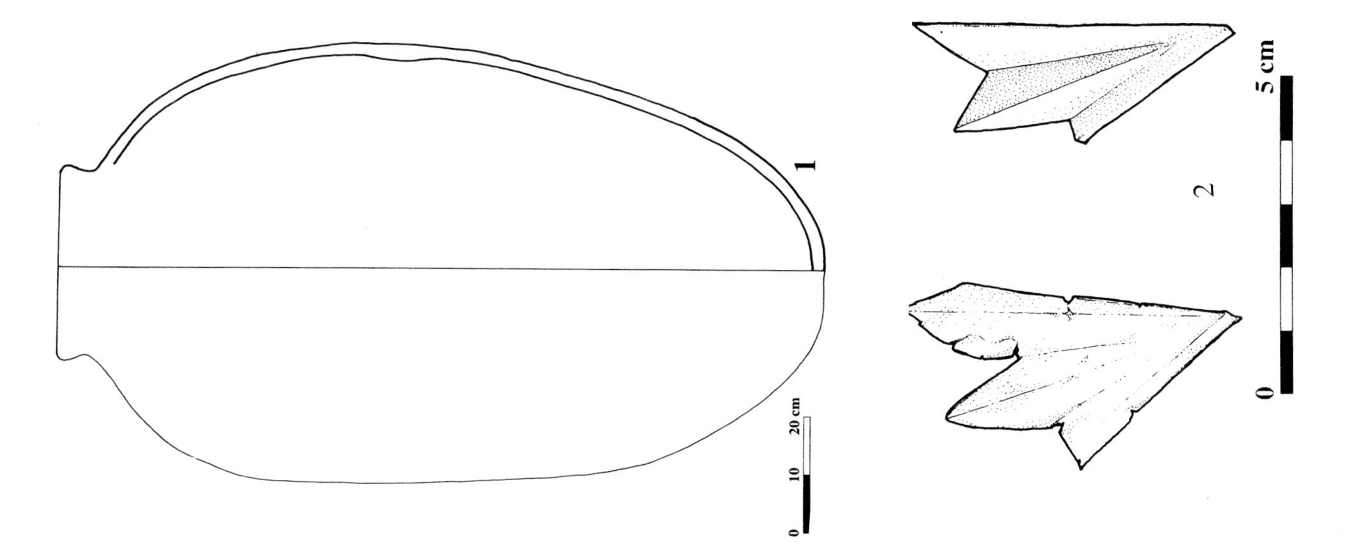

Tombe 858, céramique et objet (1, 2).

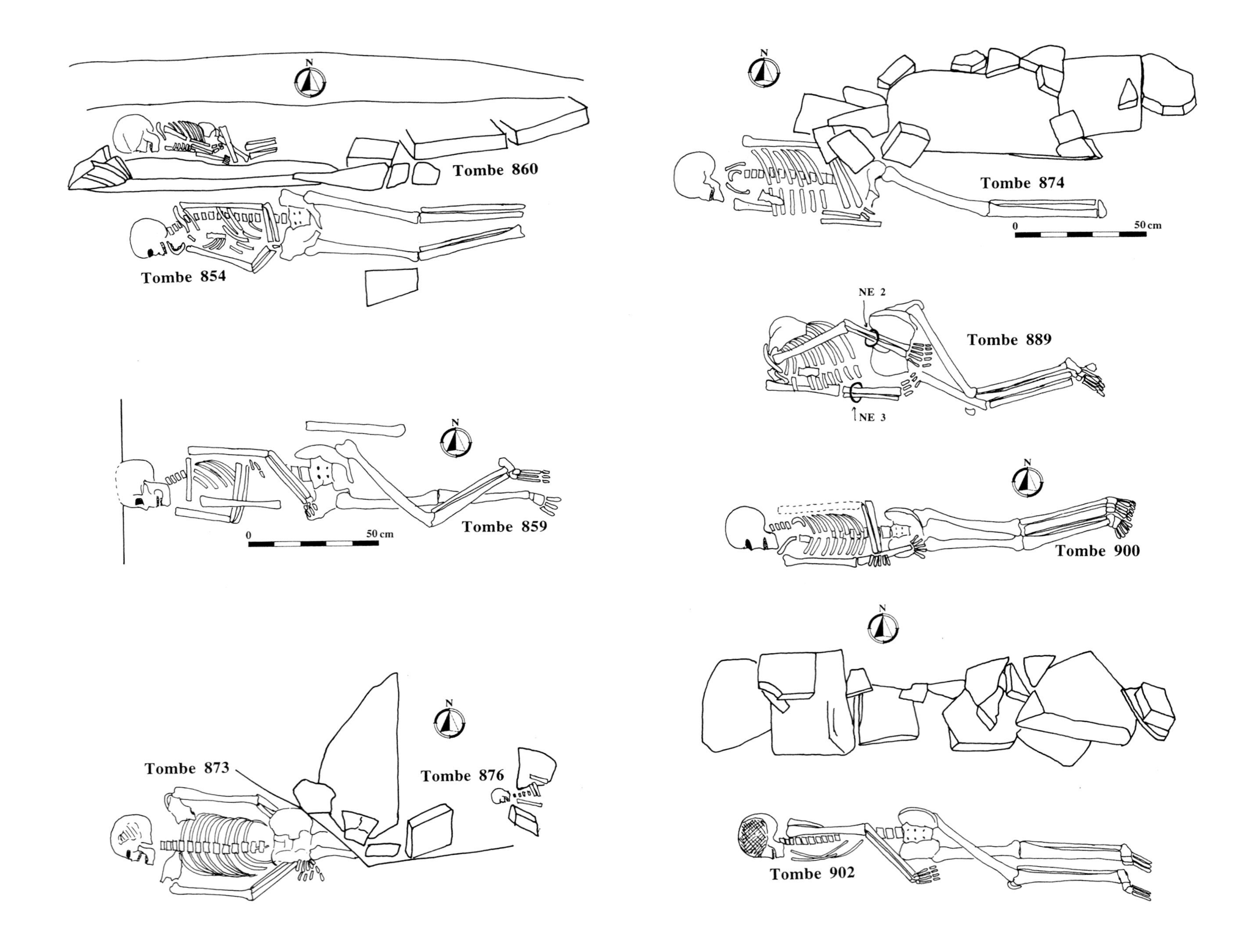

N
Tombe 860
Tombe 854
Tombe 874
0
50 cm
NE 2
Tombe 889
NE 3
Tombe 859
Tombe 900
Tombe 873
Tombe 876
Tombe 902

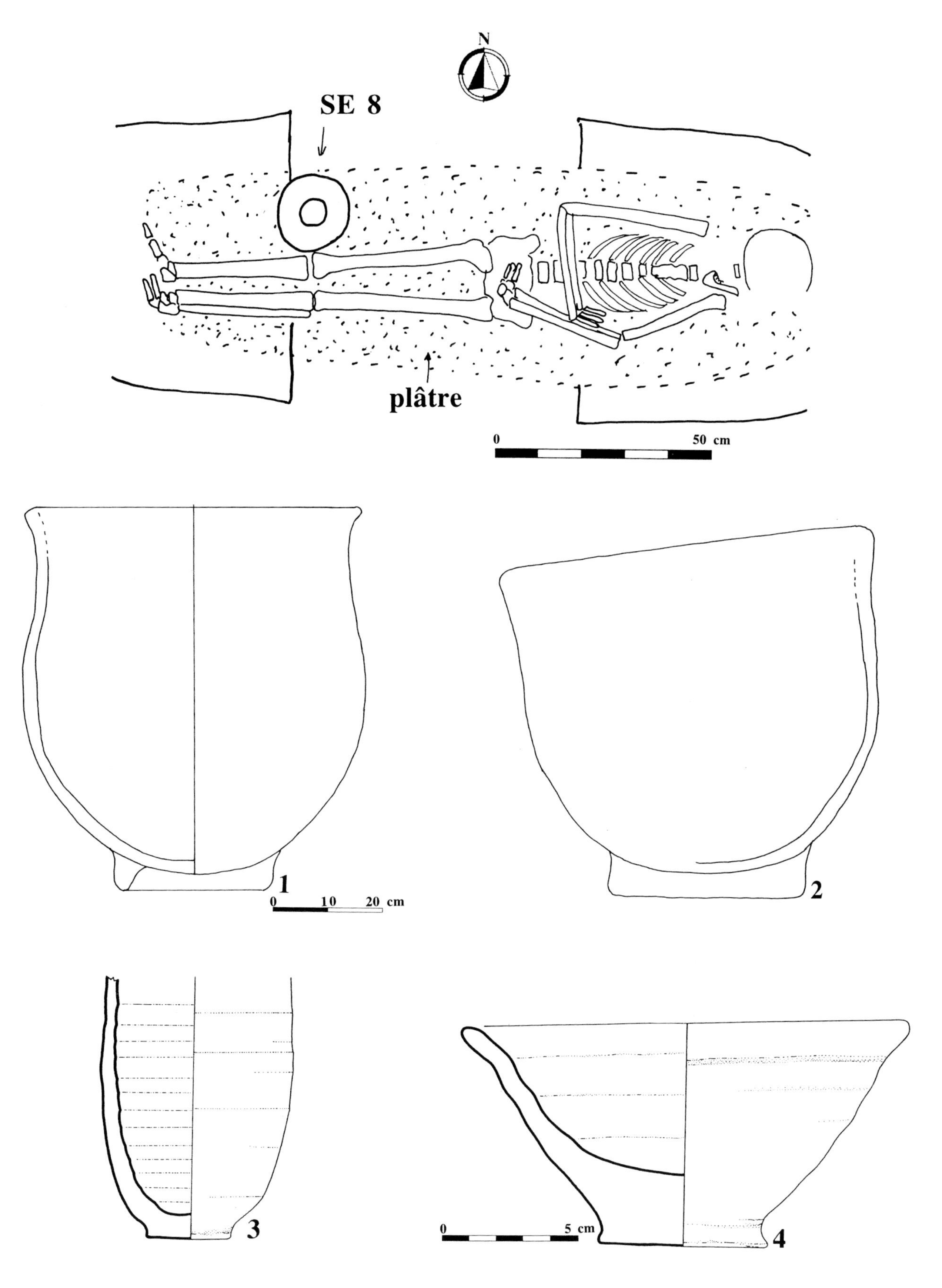

Tombe 863 et son mobilier.

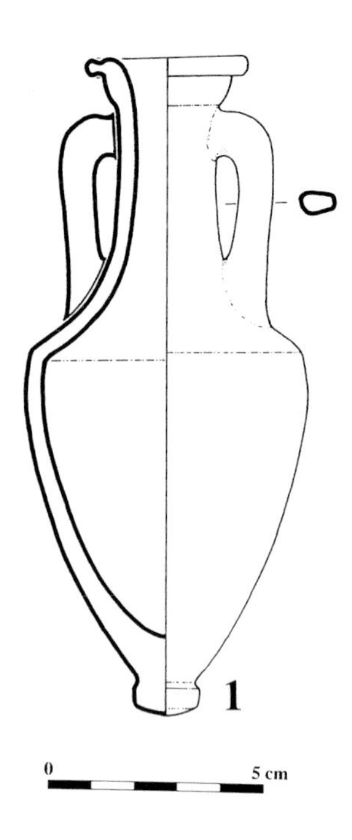

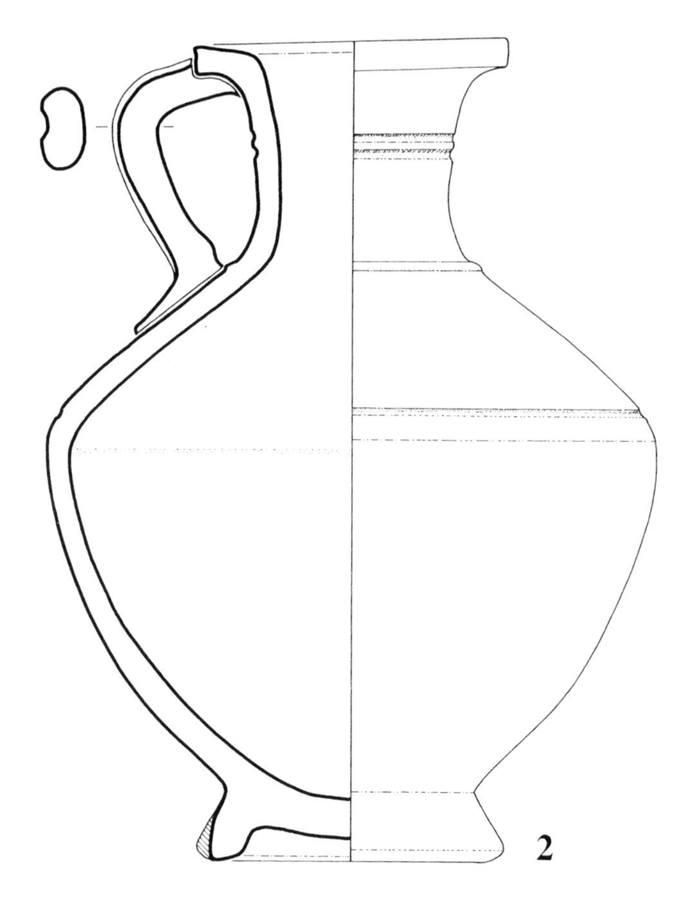

Tombe 866 et son mobilier.

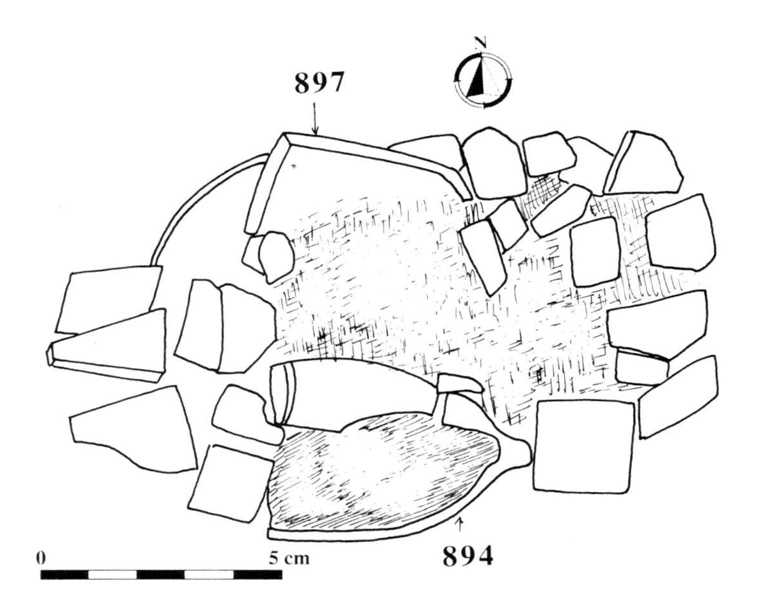

Objet de la tombe 896.

Tombes 894 et 897.

Tombes 894, 895, 896 et 897.

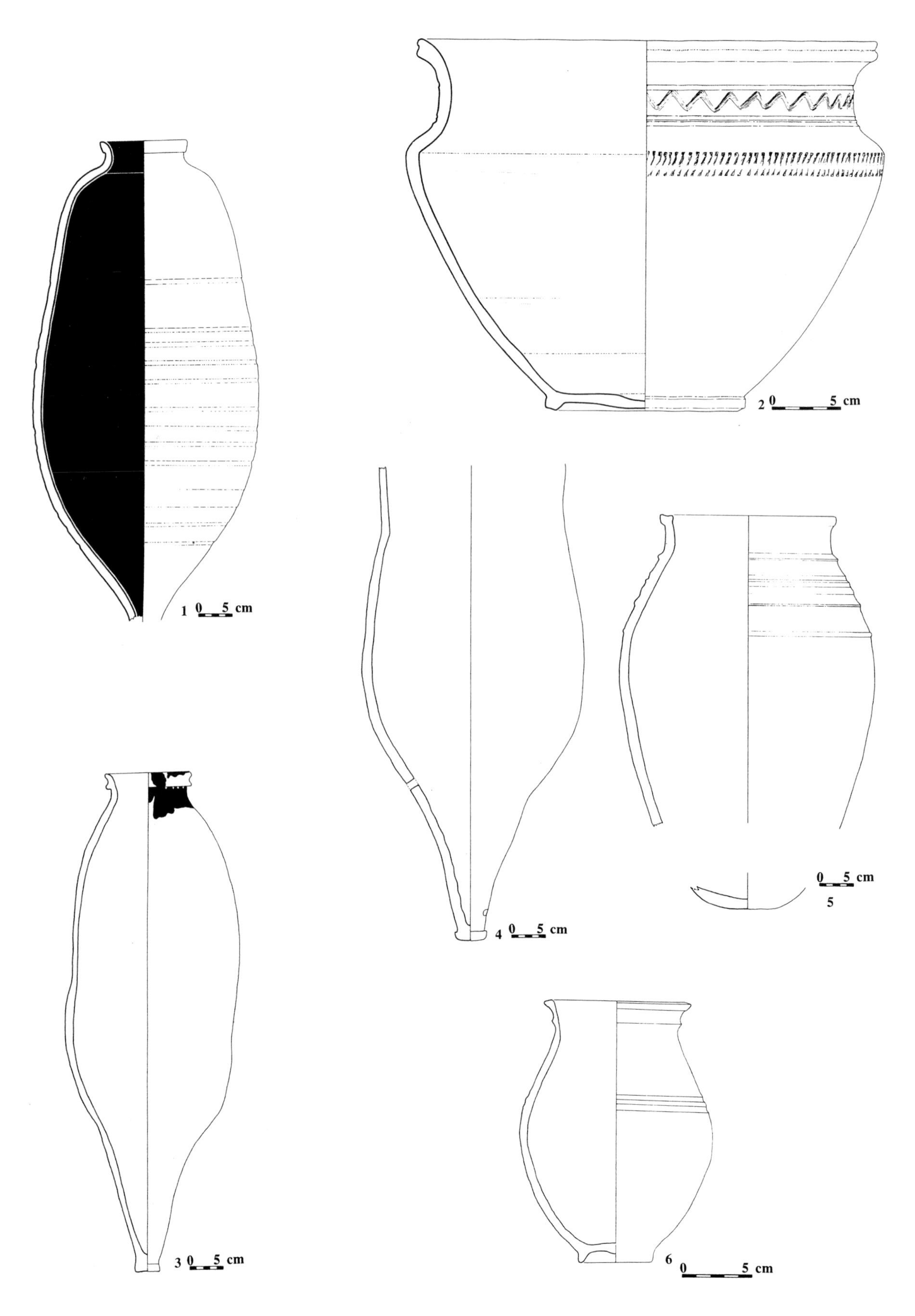

Céramiques des tombes 903 (1, 2), 913 (4), 916 (3) et 926 (5, 6).

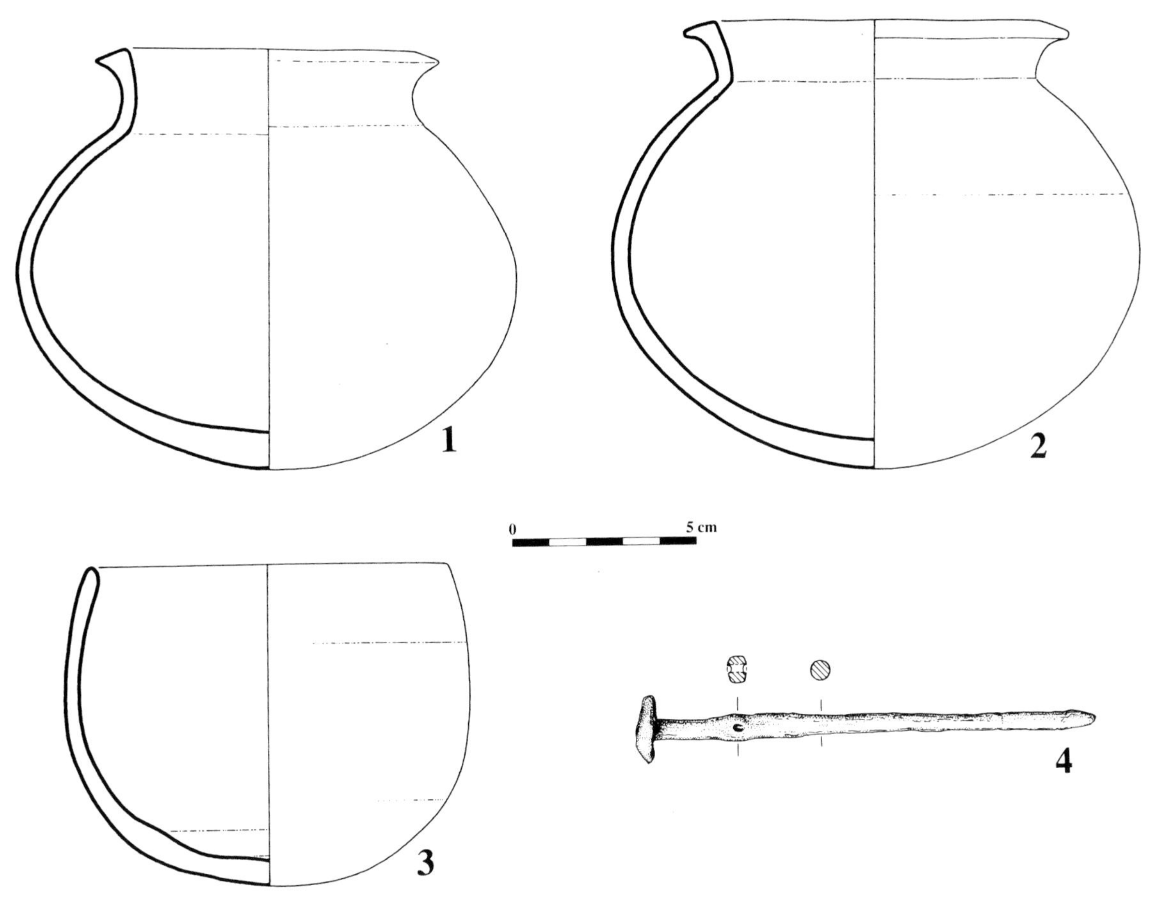

Mobilier de la tombe 910.

Tombe 913.

Tombe 915 et sa céramique.

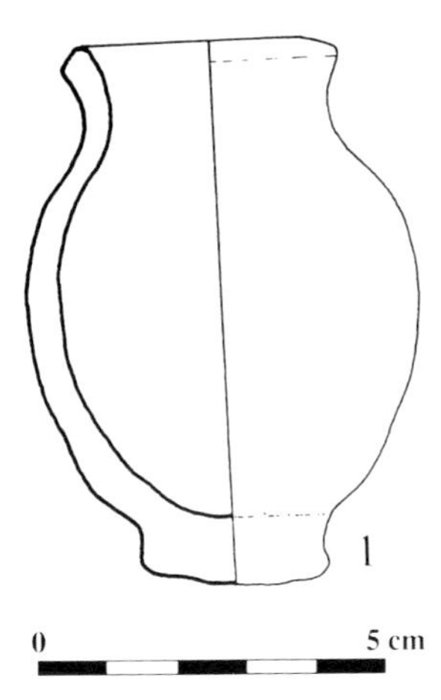

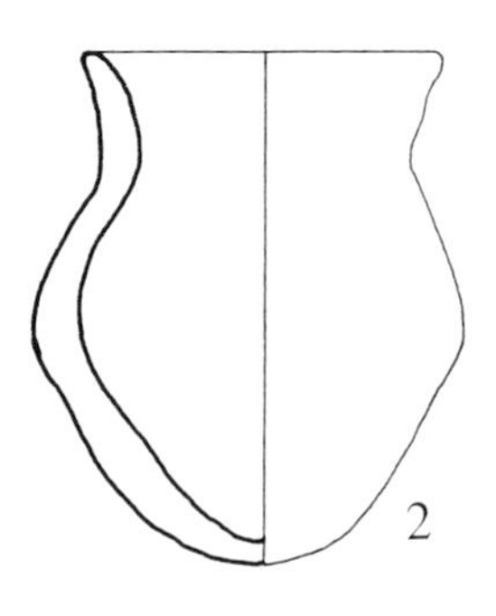

Tombe 920 et ses céramiques (1, 2).

Tombe 922.

Céramique de la tombe 929.

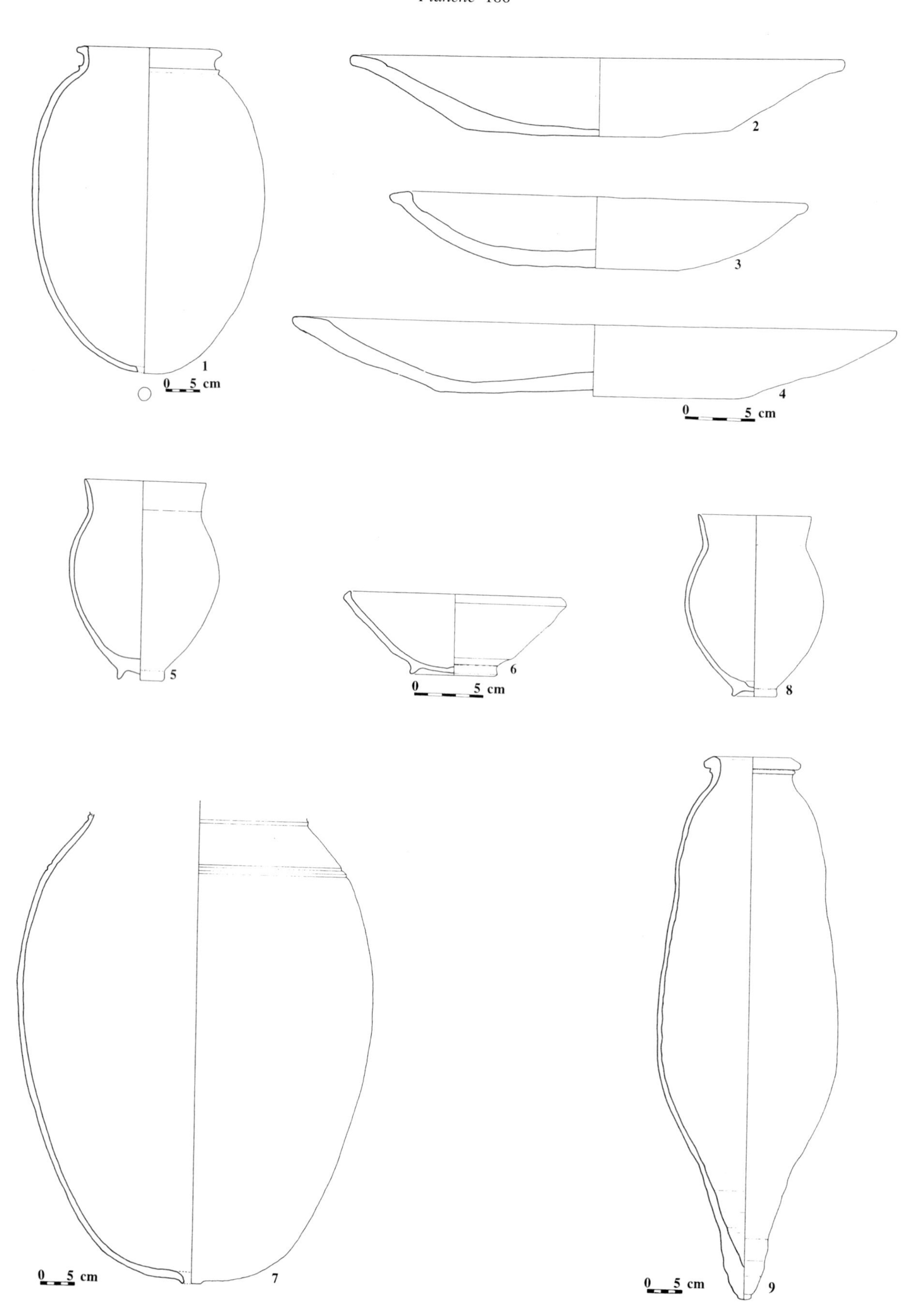

Céramiques des tombes 917 (1 à 5), 927 (6, 7, 8) et 937 (9).

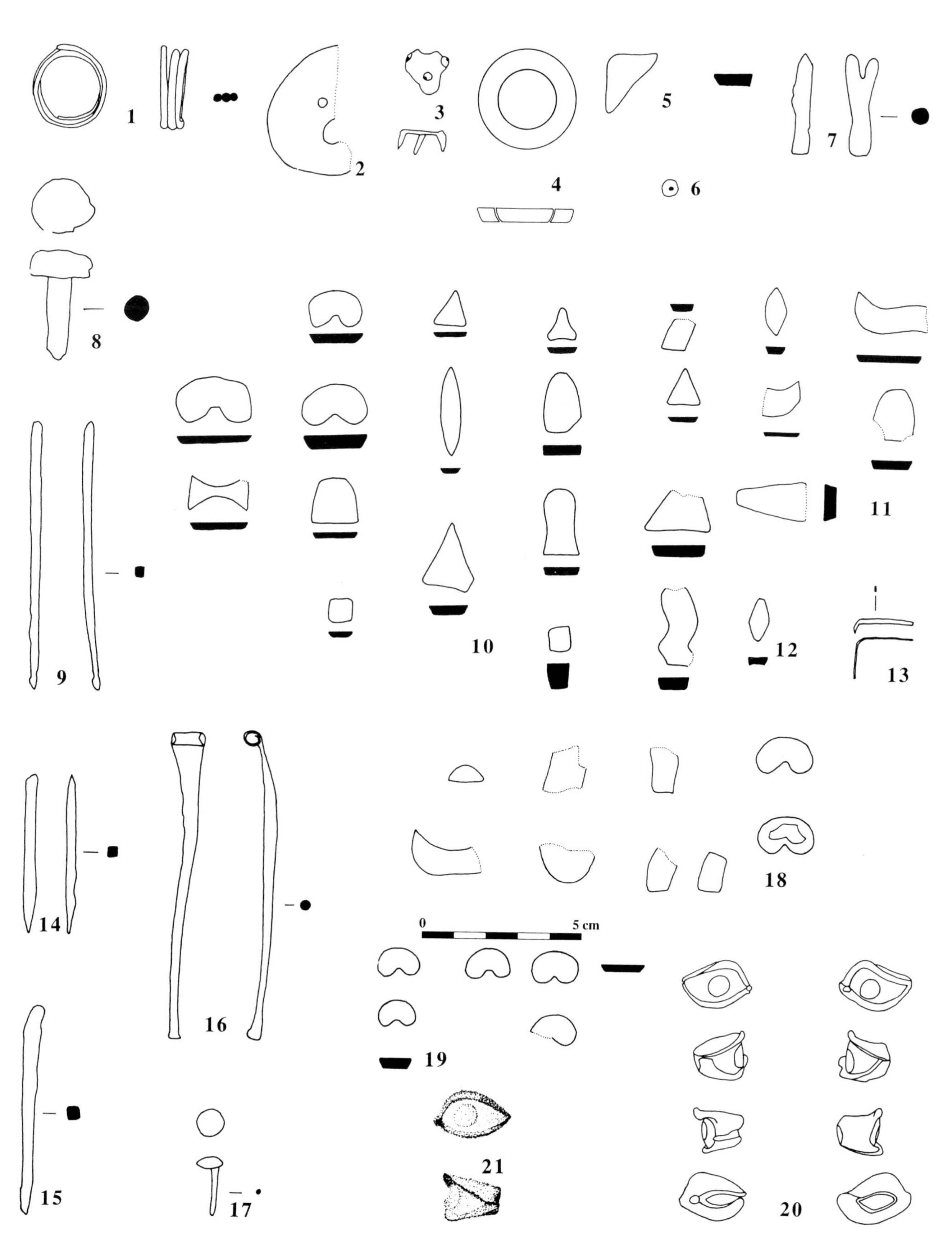

Objets du tombeau 928.

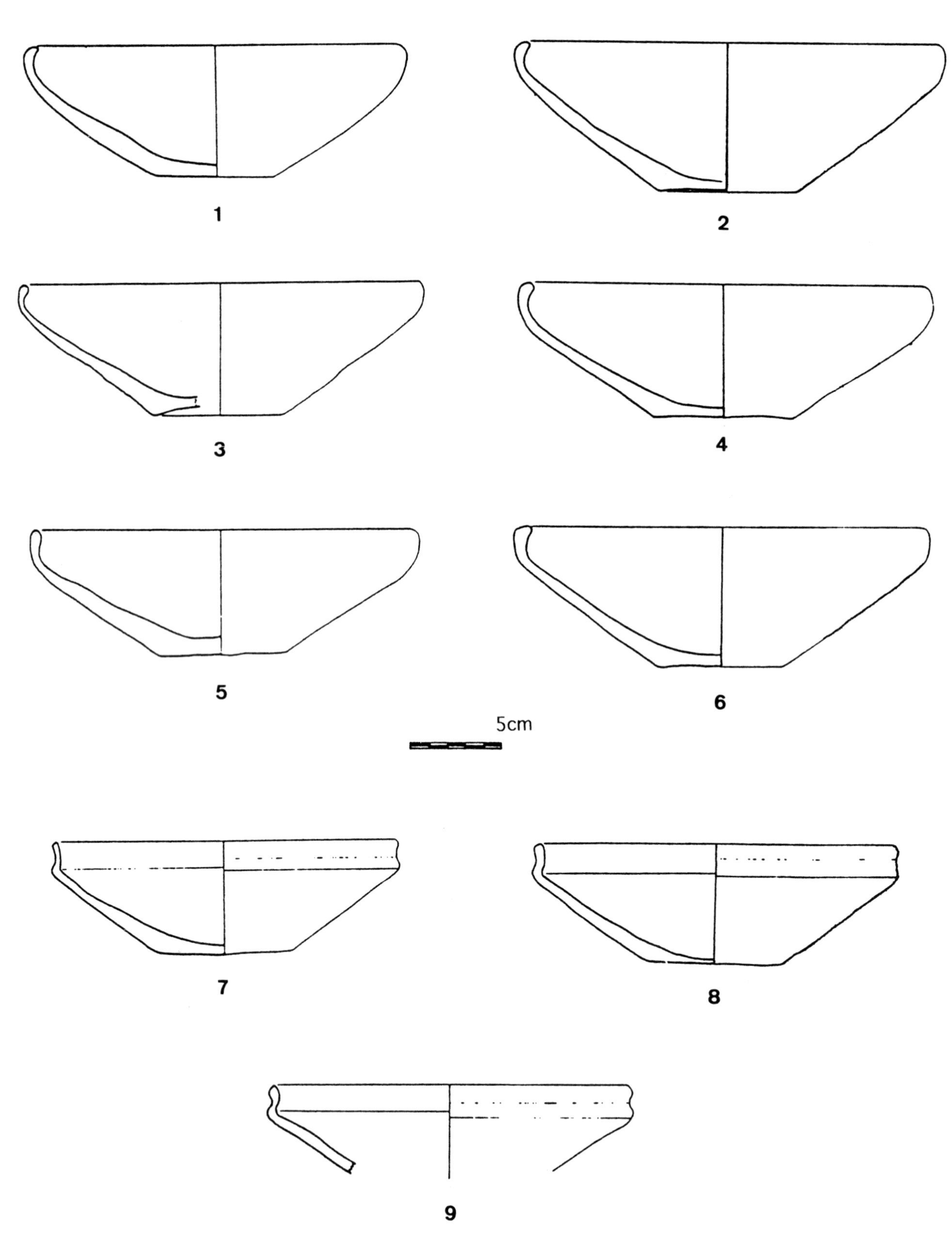

Céramiques du tombeau 928 (dans M. Lebeau, M.A.R.I. 6, 1990 b, p. 379).

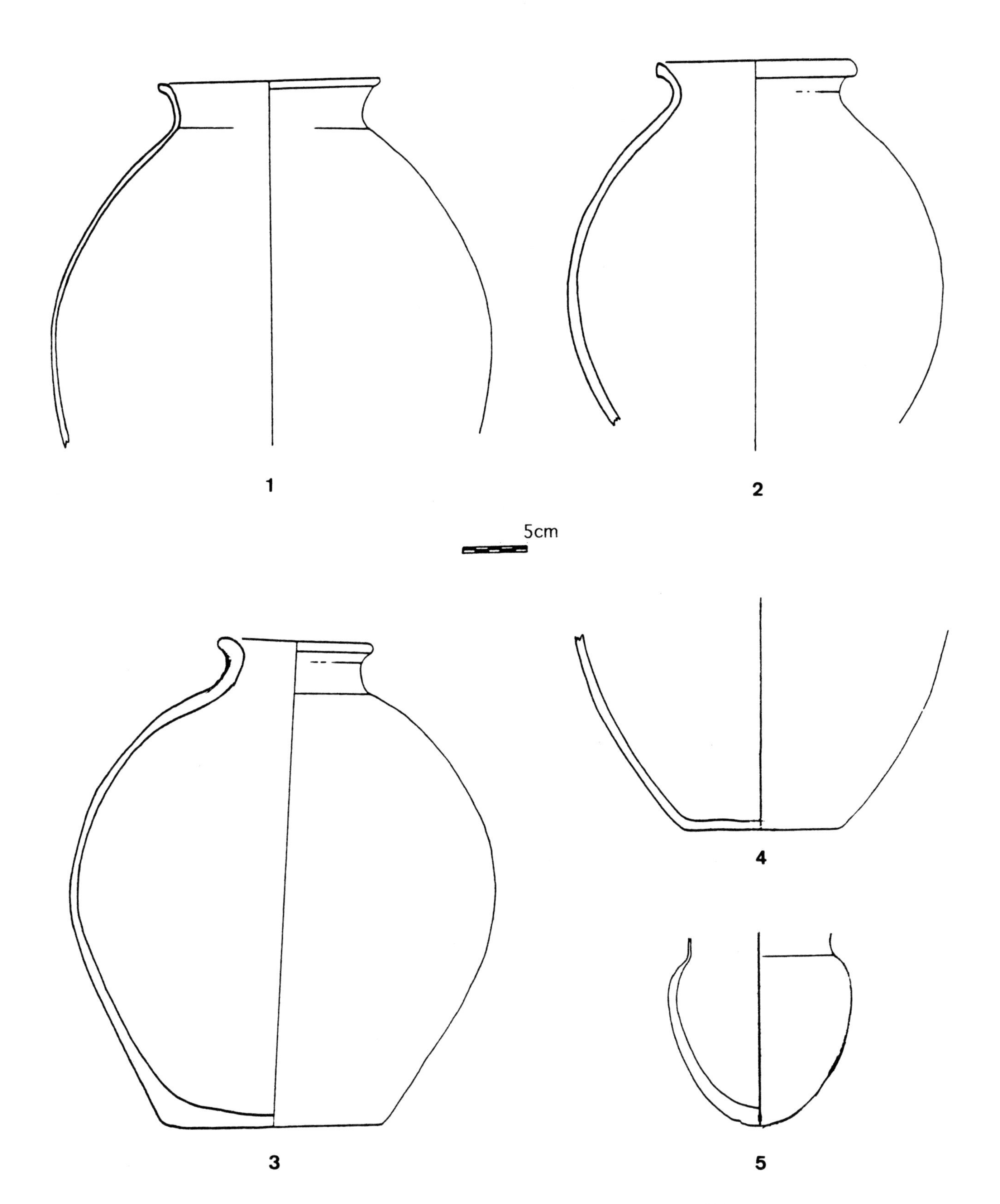

Céramiques du tombeau 928 (dans M. Lebeau, M.A.R.I. 6, 1990 b, p. 381).

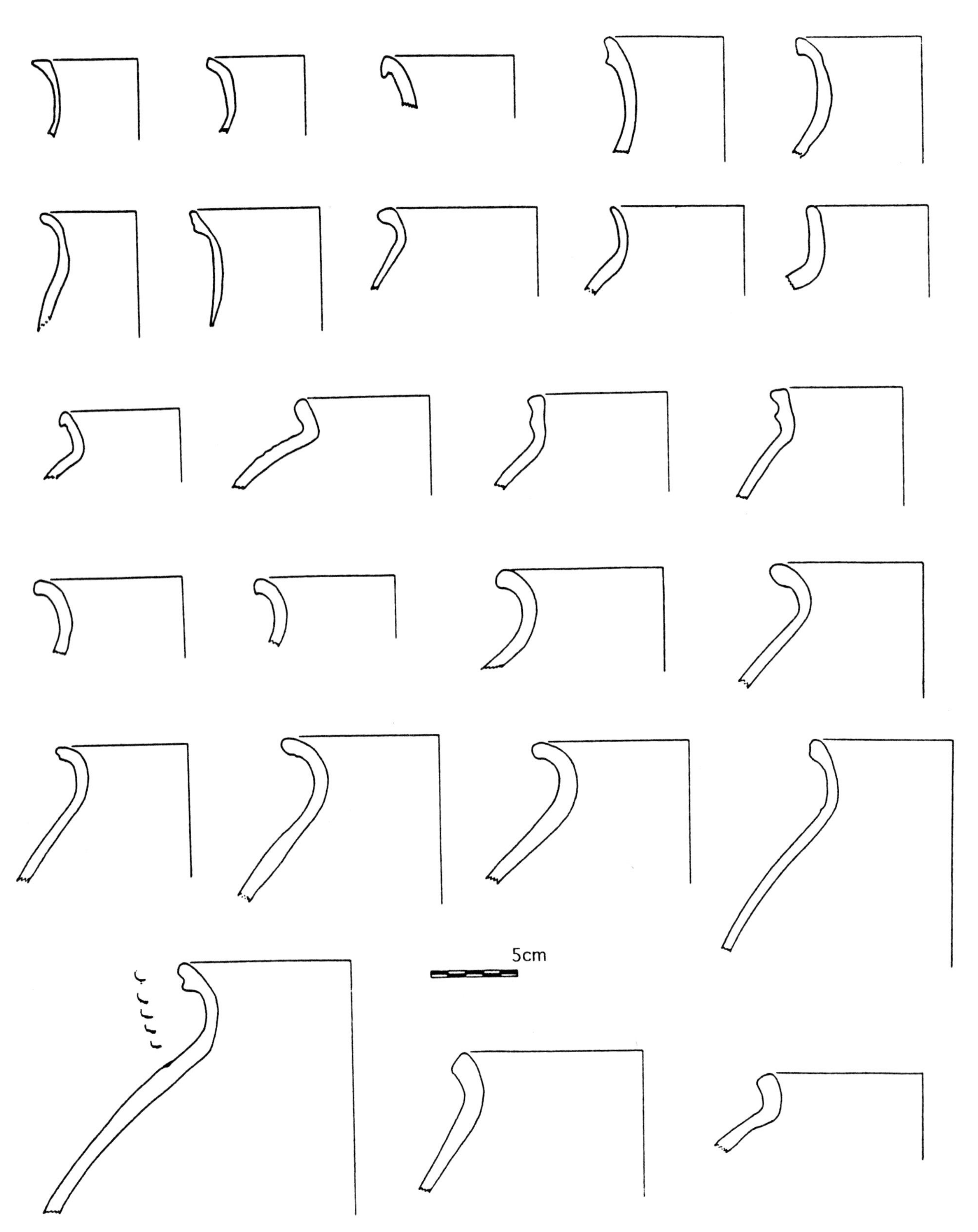

Céramiques du tombeau 928 (dans M. Lebeau, M.A.R.I. 6, 1990 b, p. 383).

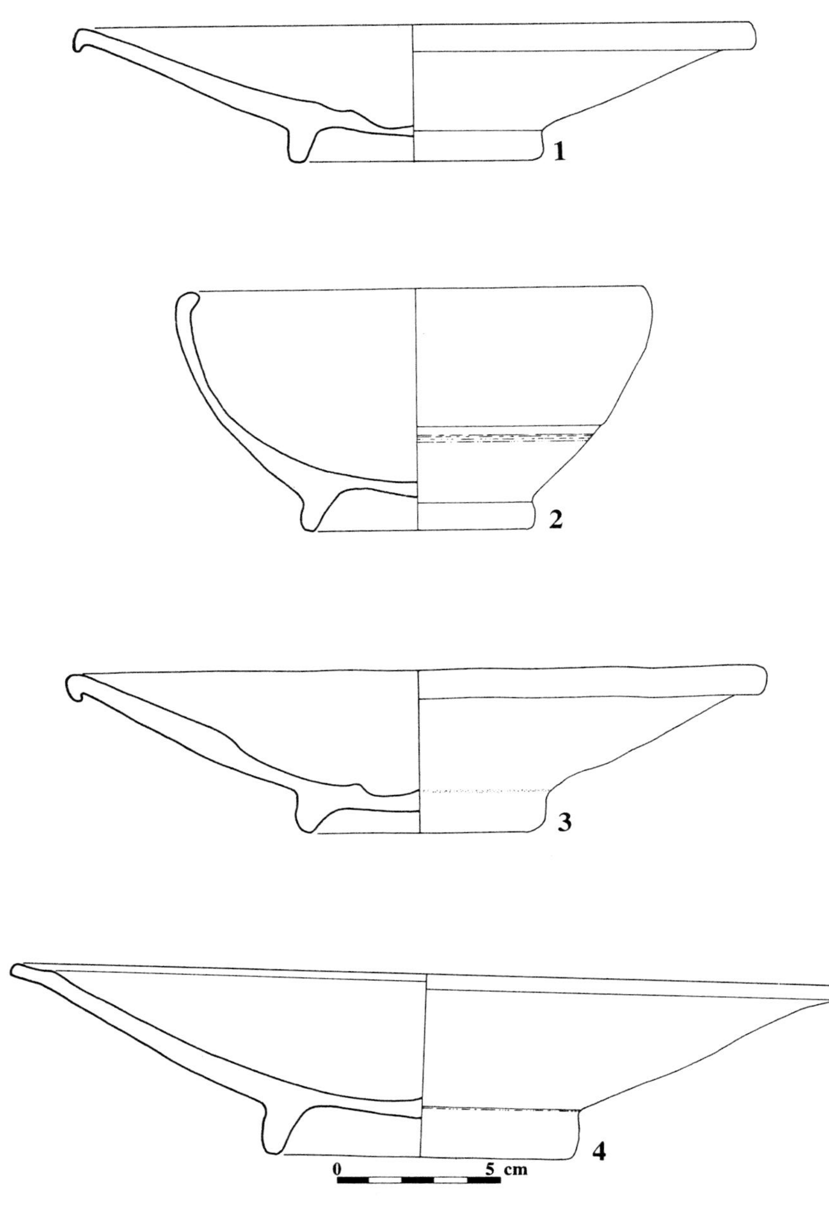

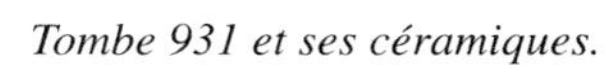

Tombe 931 et ses céramiques.

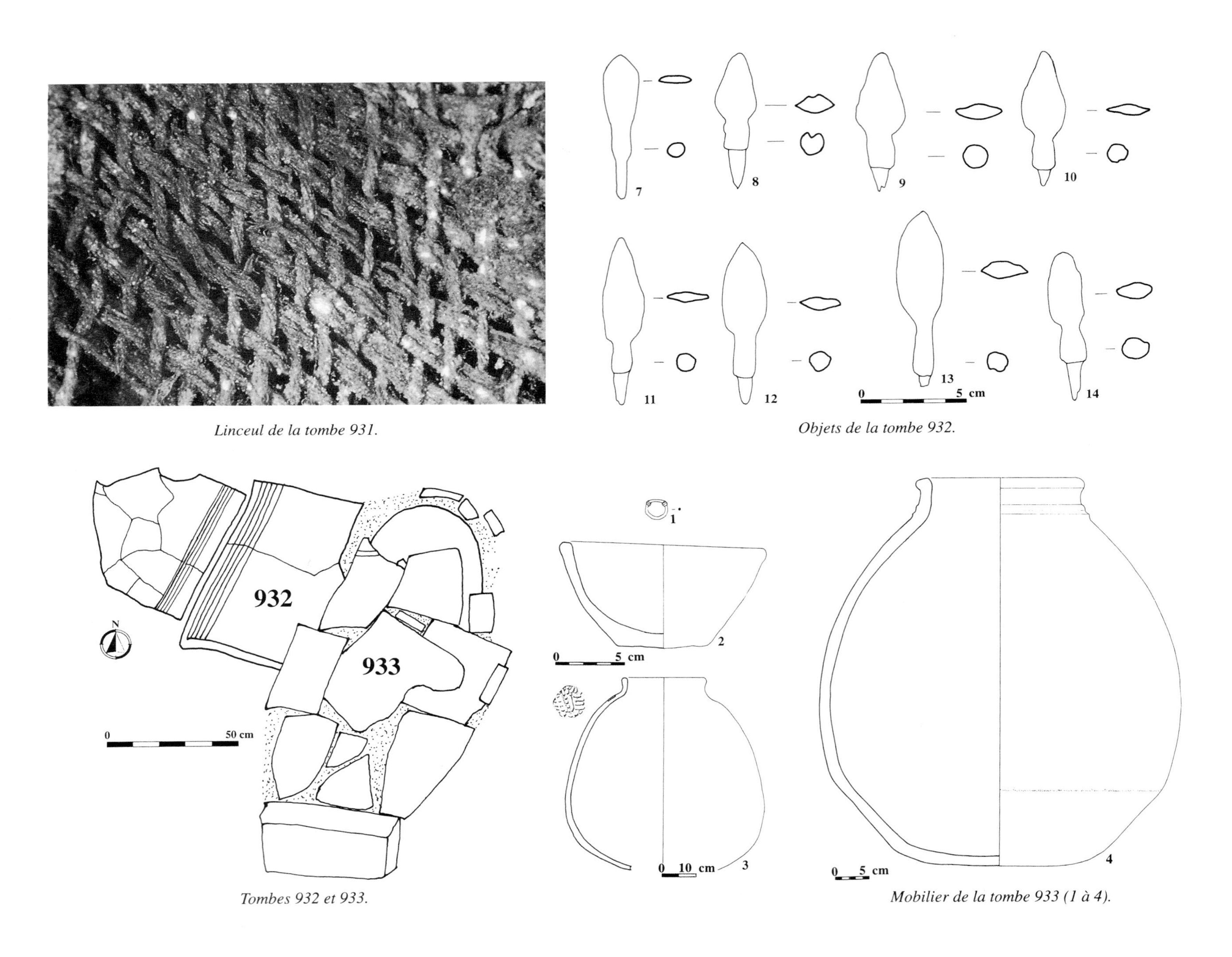

Linceul de la tombe 931.

Objets de la tombe 932.

Tombes 932 et 933.

Mobilier de la tombe 933 (1 à 4).

Tombe 934.

Tombe 935.

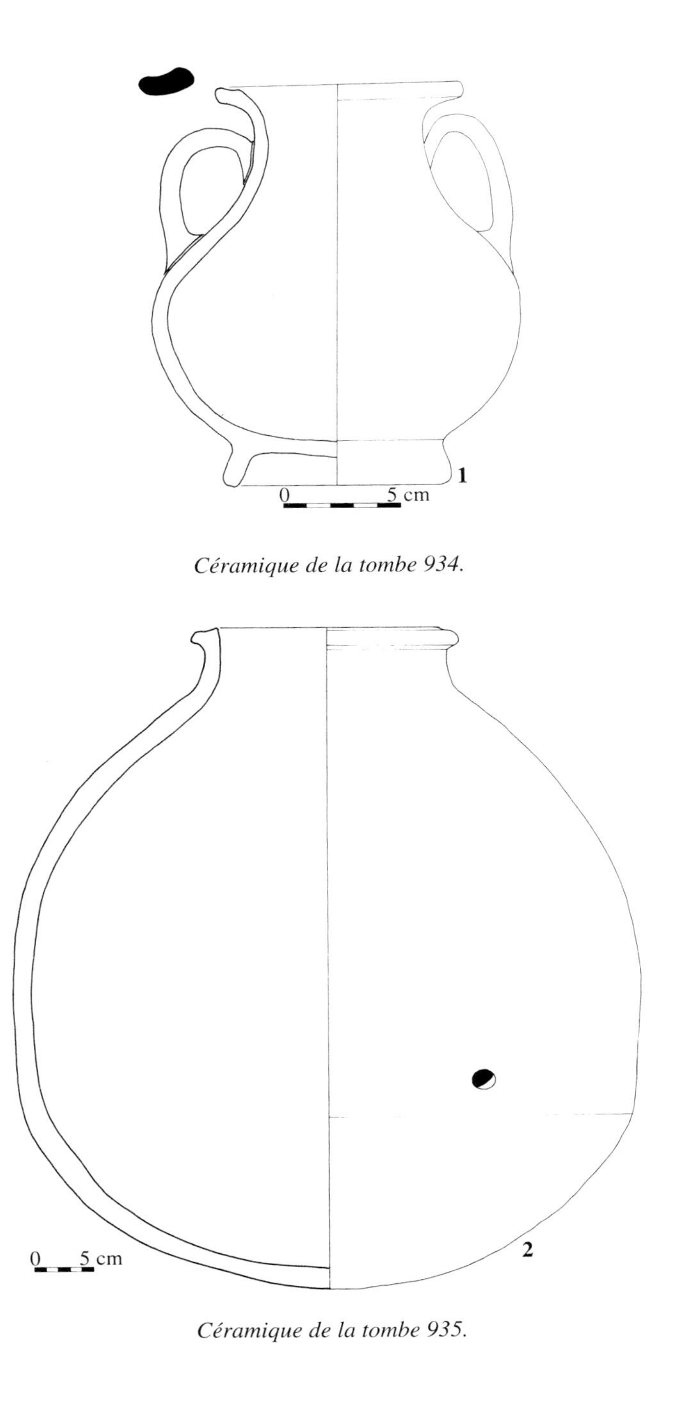

Céramique de la tombe 934.

Céramique de la tombe 935.

Linceul de la tombe 935.

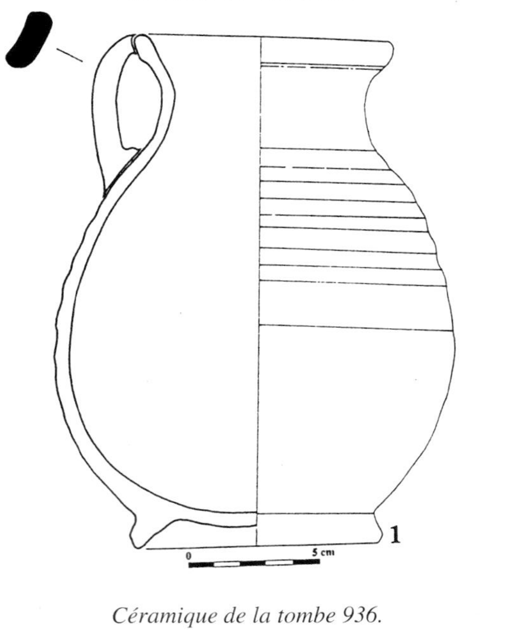

Céramique de la tombe 936.

Tombe 936.

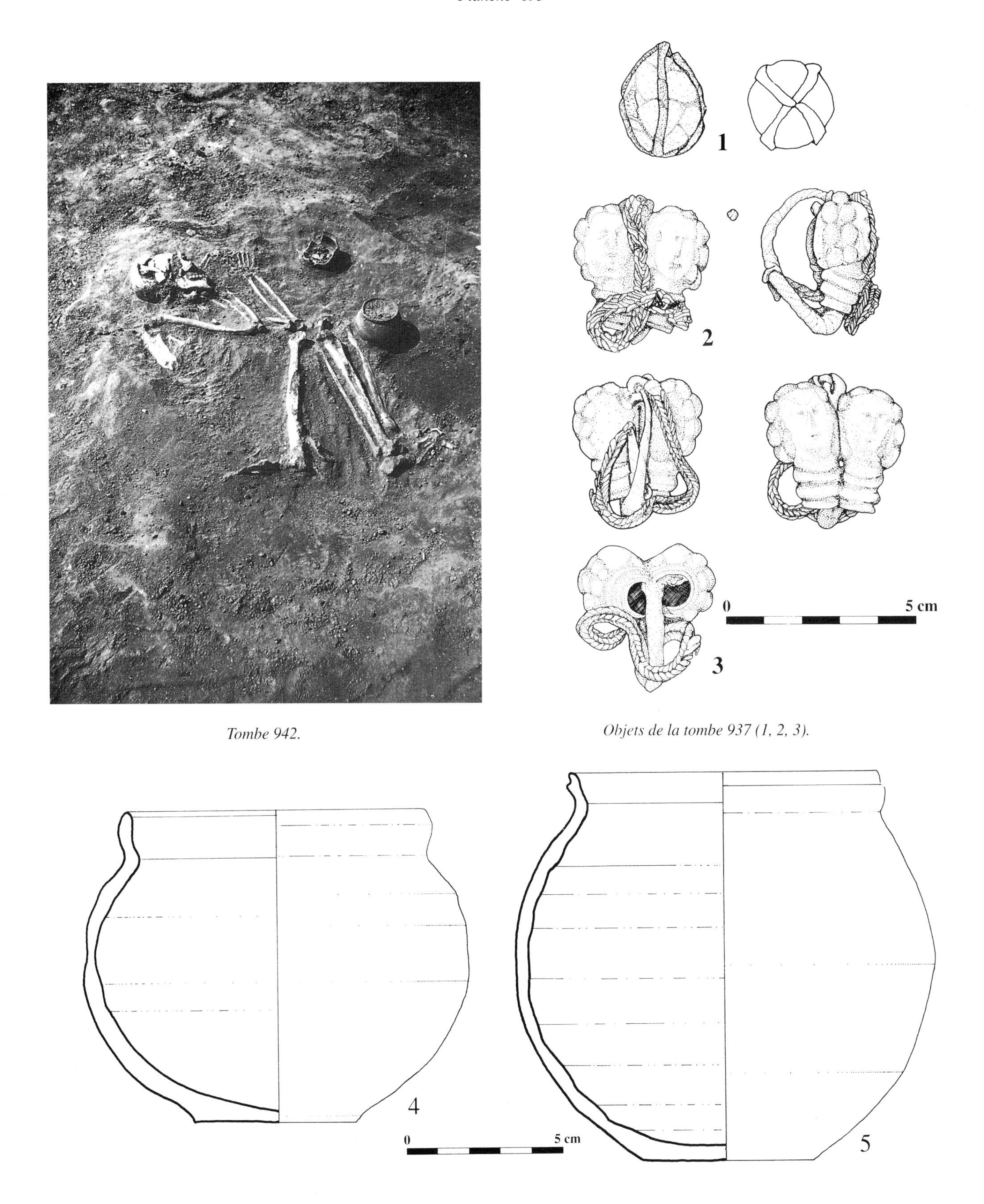

Tombe 942.

Objets de la tombe 937 (1, 2, 3).

Céramiques de la tombe 942 (4, 5).

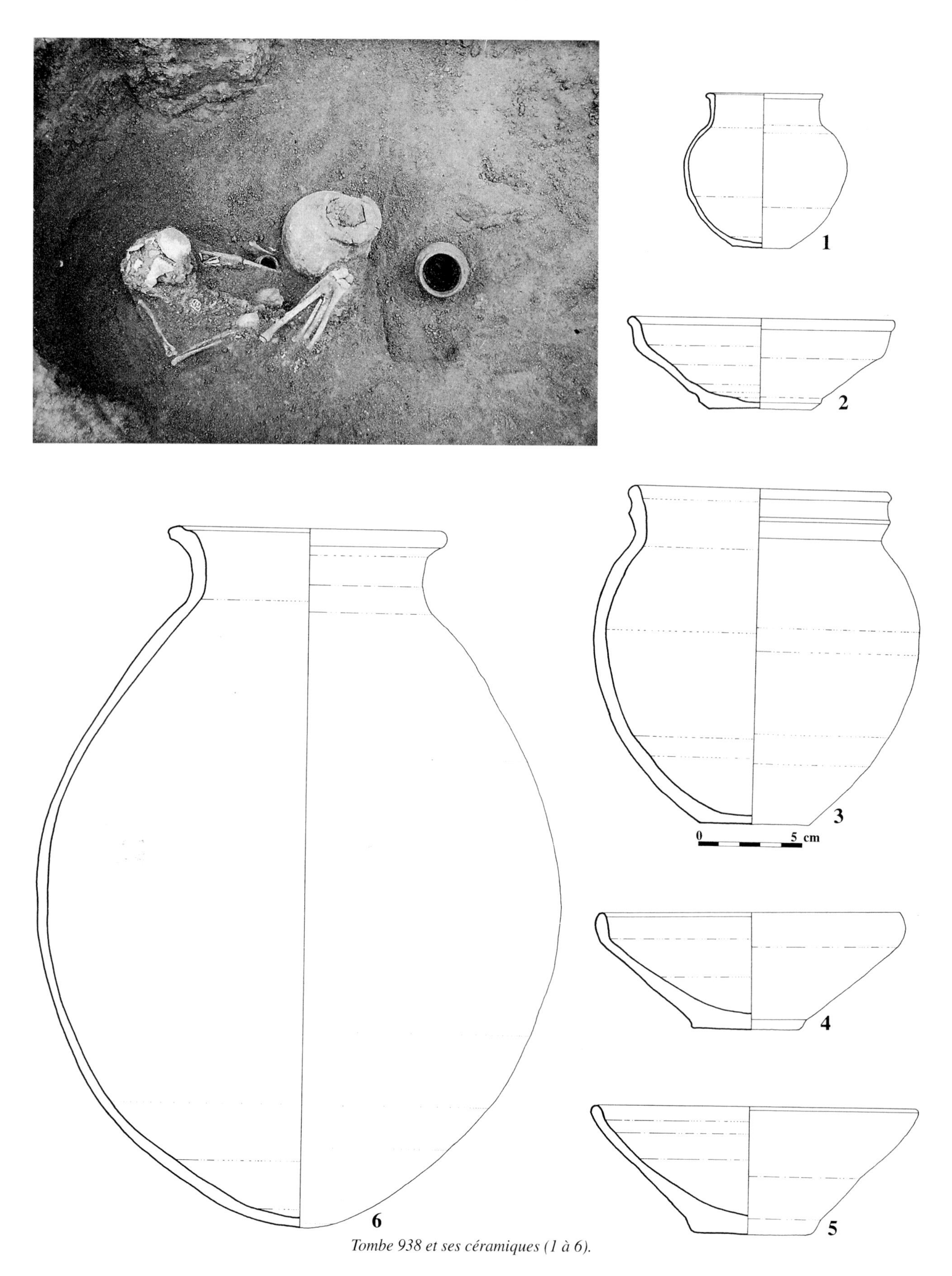

Tombe 938 et ses céramiques (1 à 6).

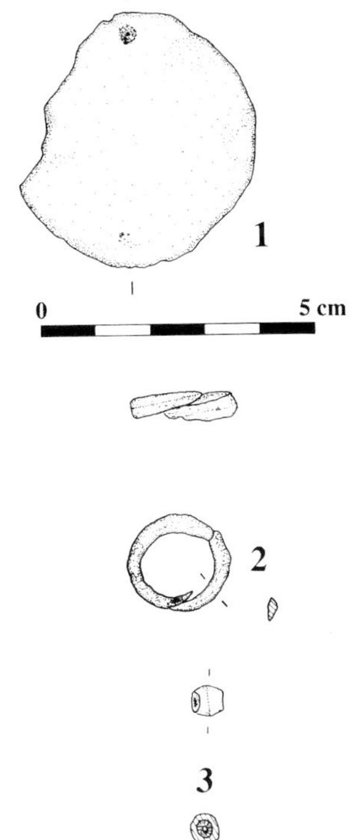

Tombe 940 et ses objets.

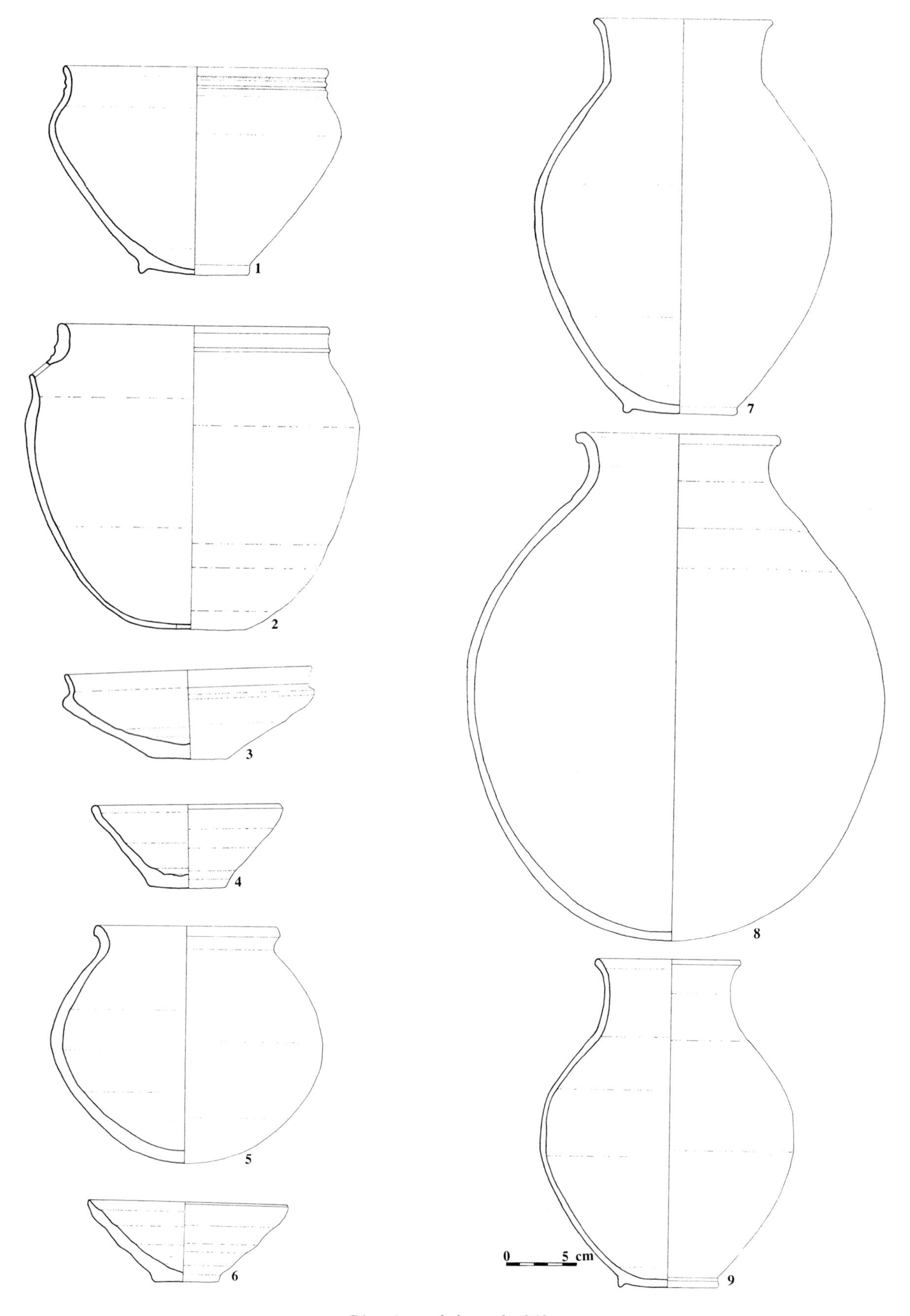

Céramiques de la tombe 940.

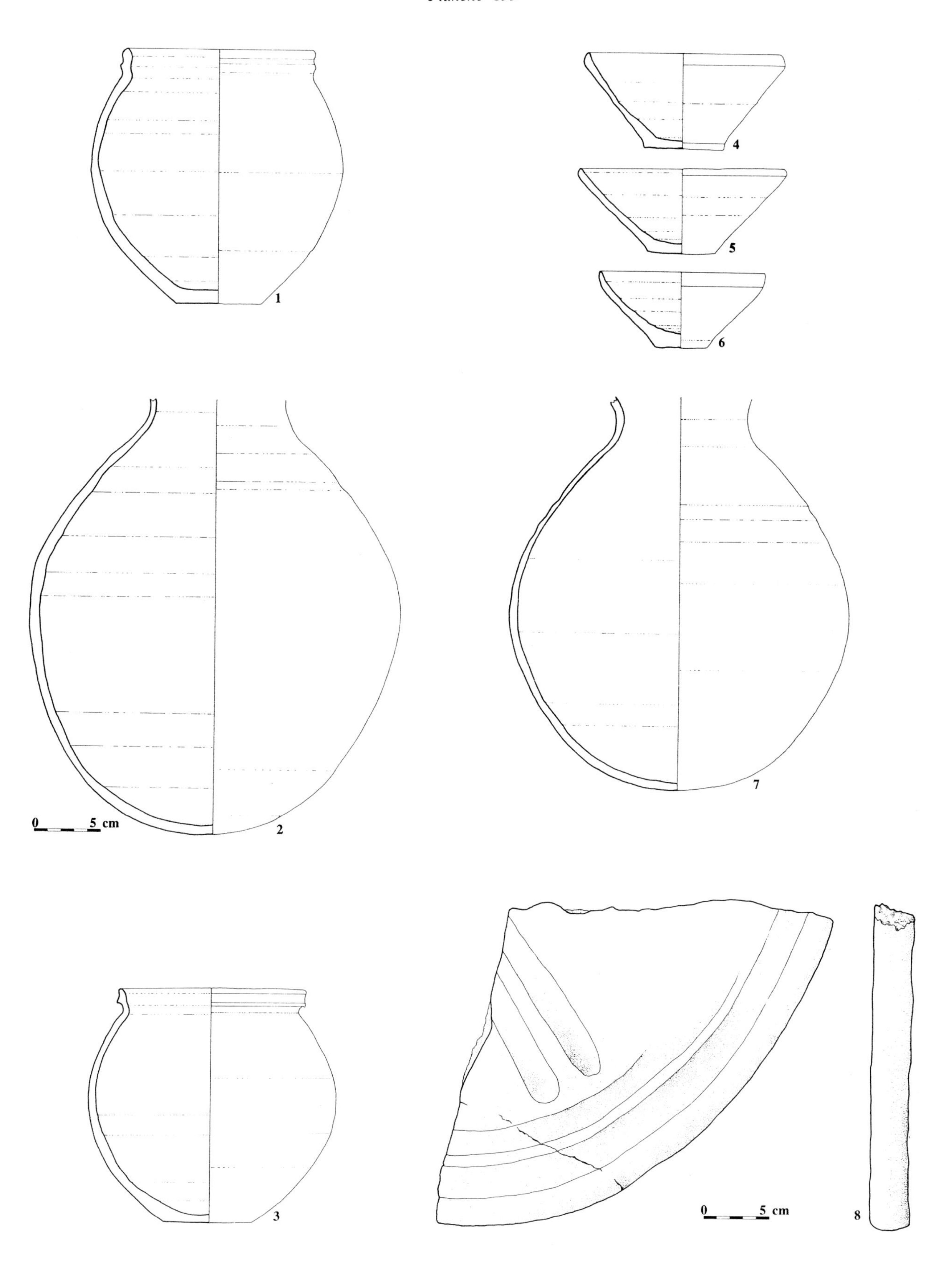

Céramiques de la tombe 940.

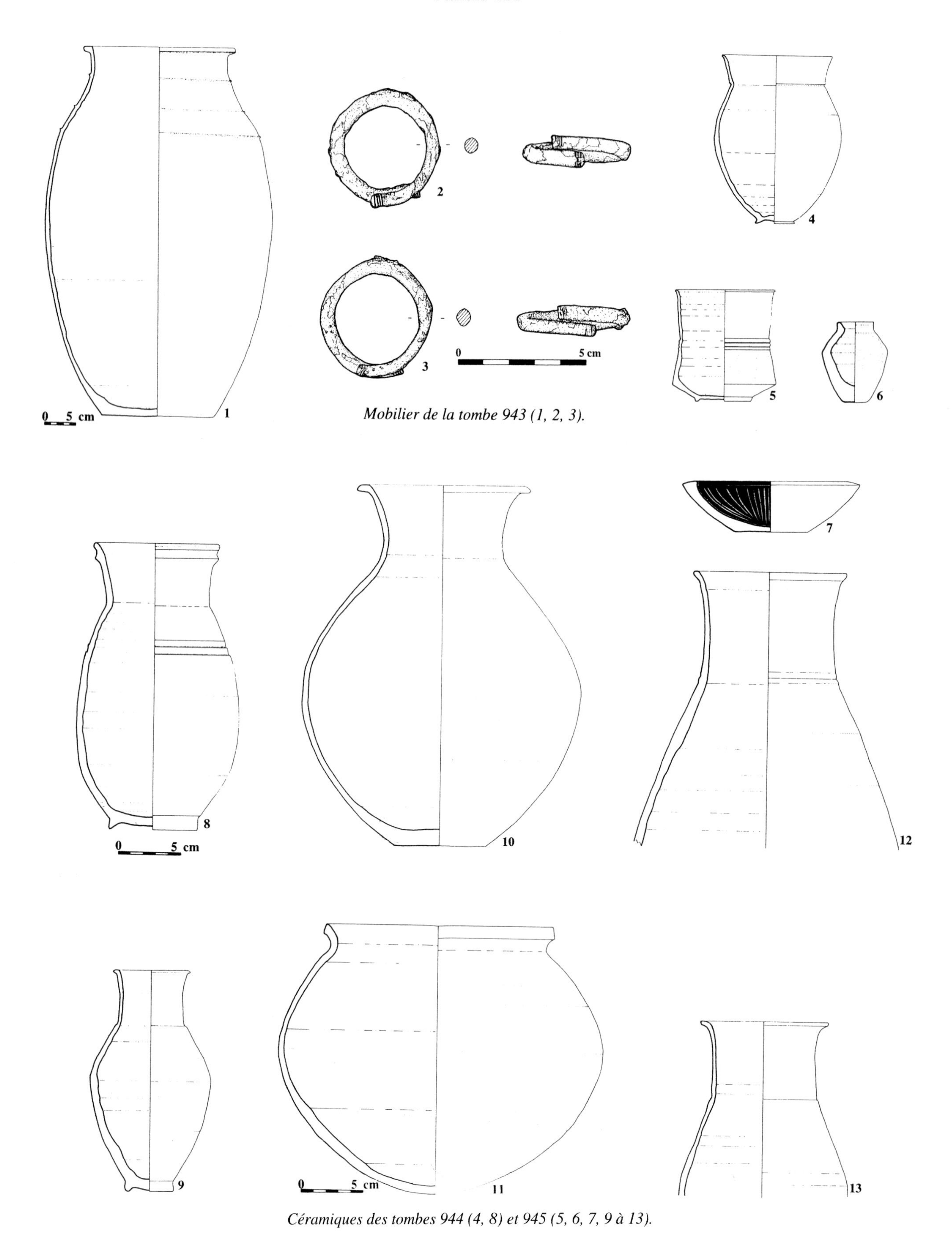

Mobilier de la tombe 943 (1, 2, 3).

Céramiques des tombes 944 (4, 8) et 945 (5, 6, 7, 9 à 13).

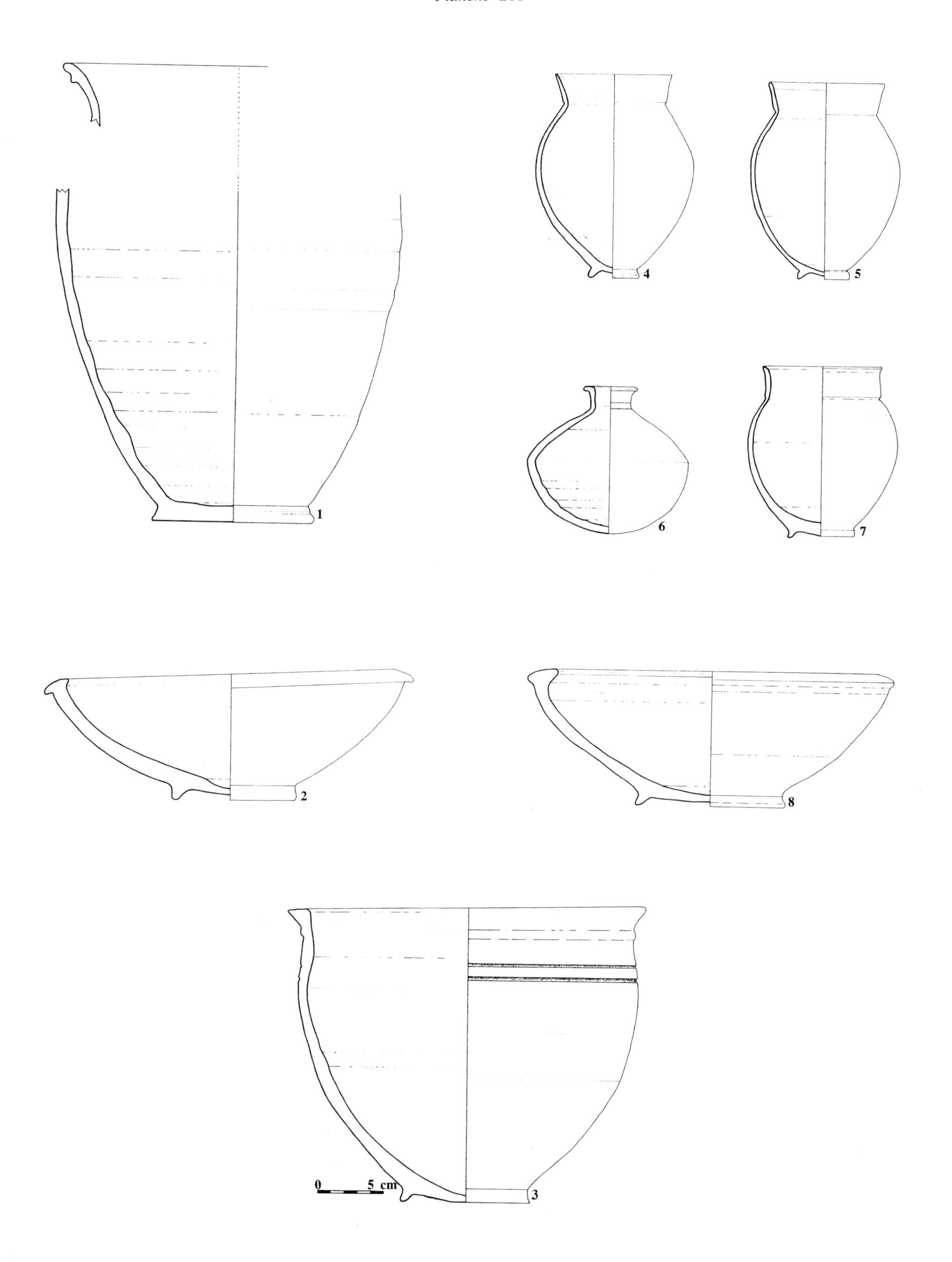

Céramiques des tombes 946 (1, 2), 948 (3) et 951 (4 à 8).

Tombe 952.

Tombe 954.

Tombe 959.

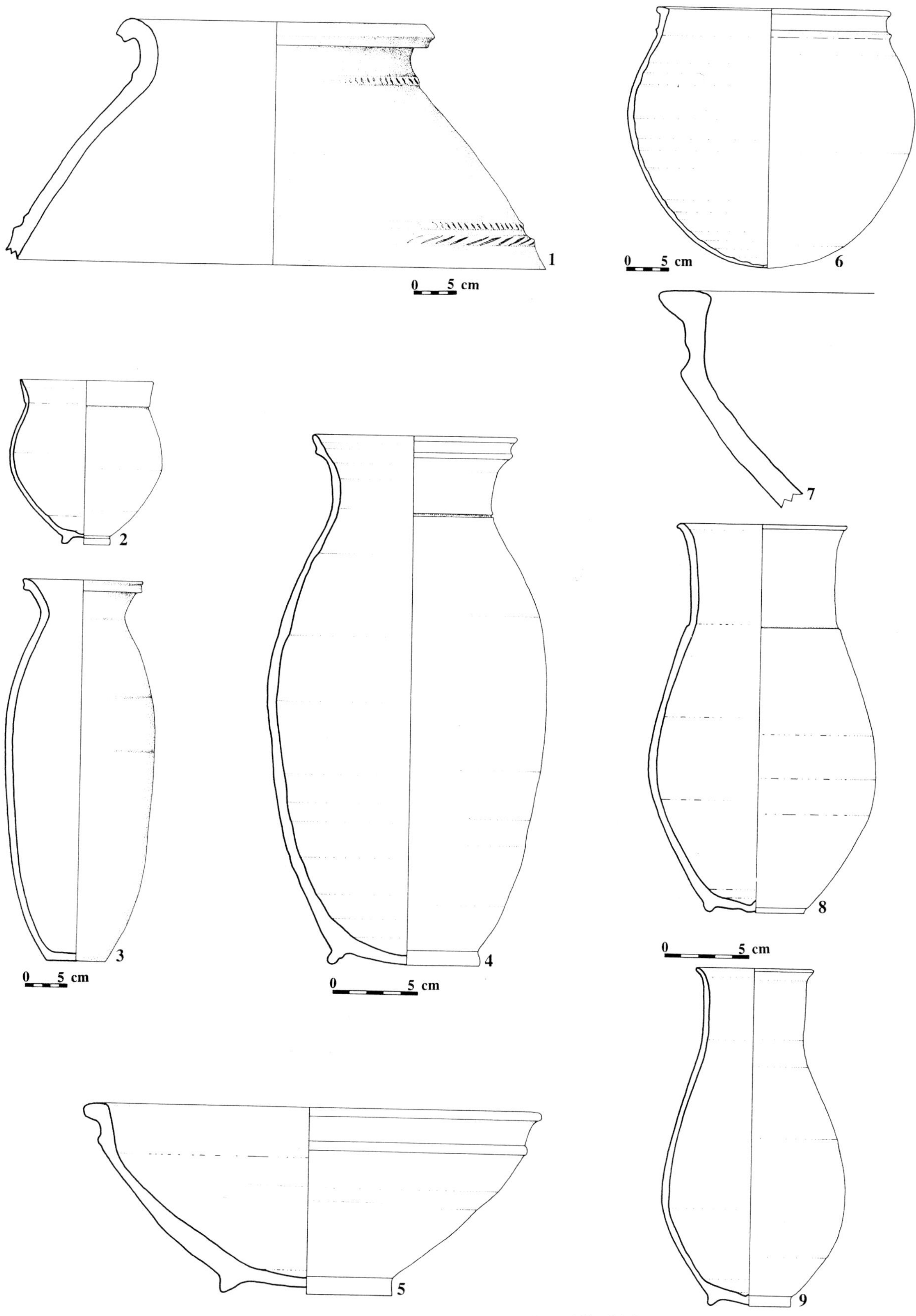

Céramiques des tombes 952 (1 à 5) et 960 (6 à 9).

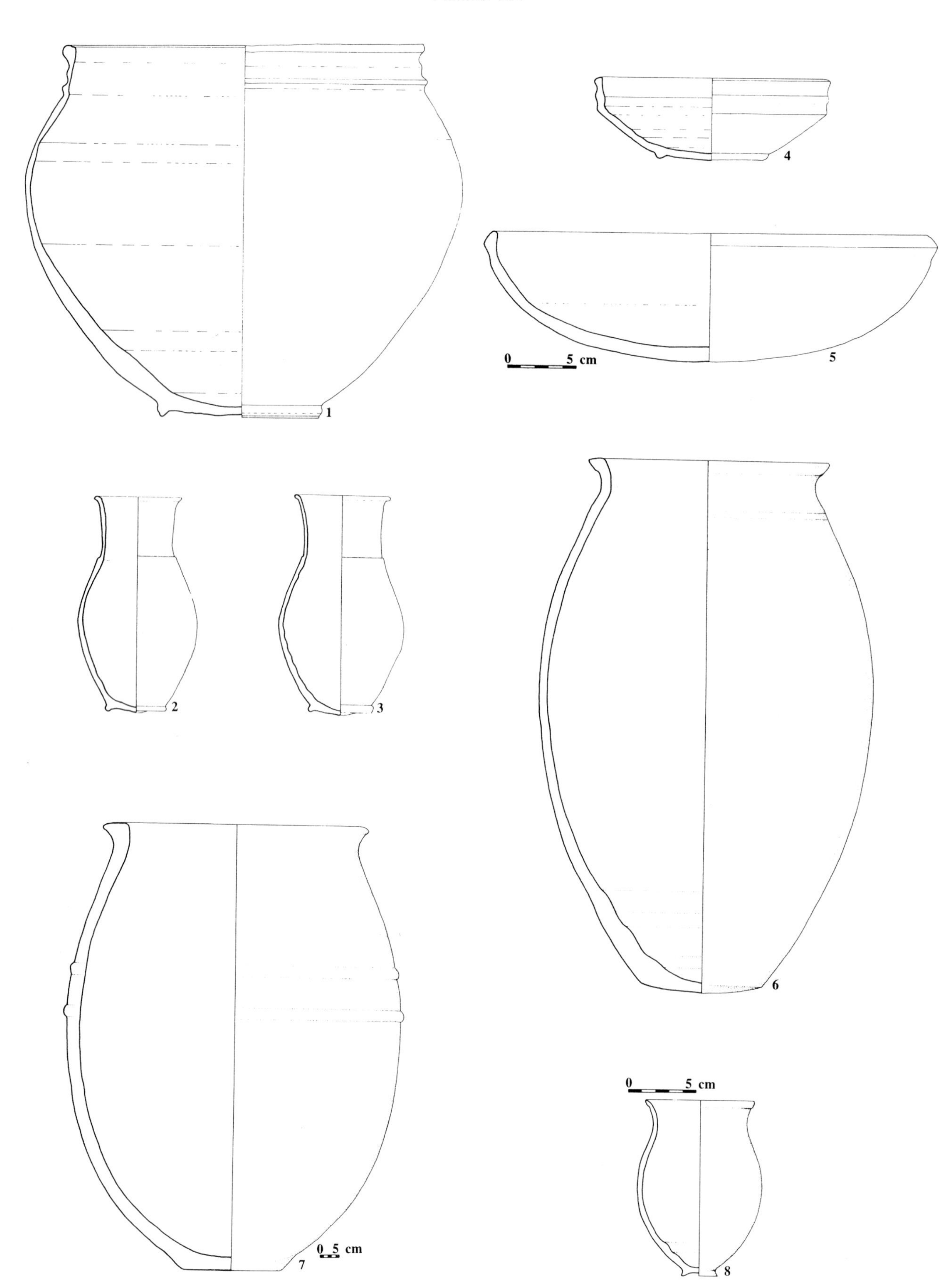

Céramiques des tombes 953 (1 à 5), 1020 (7, 8) et 1021 (6).

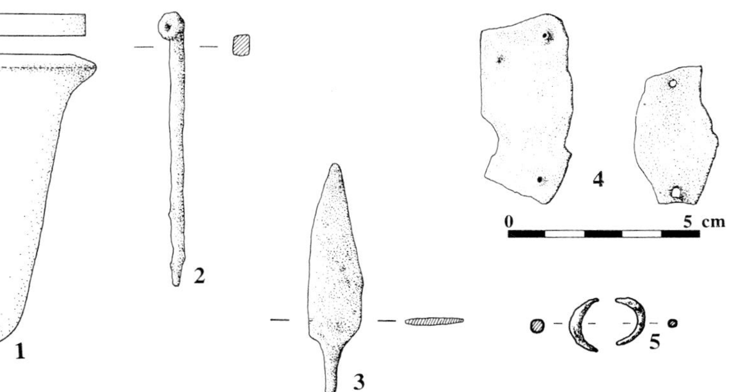

Tombe 1018 et son mobilier.

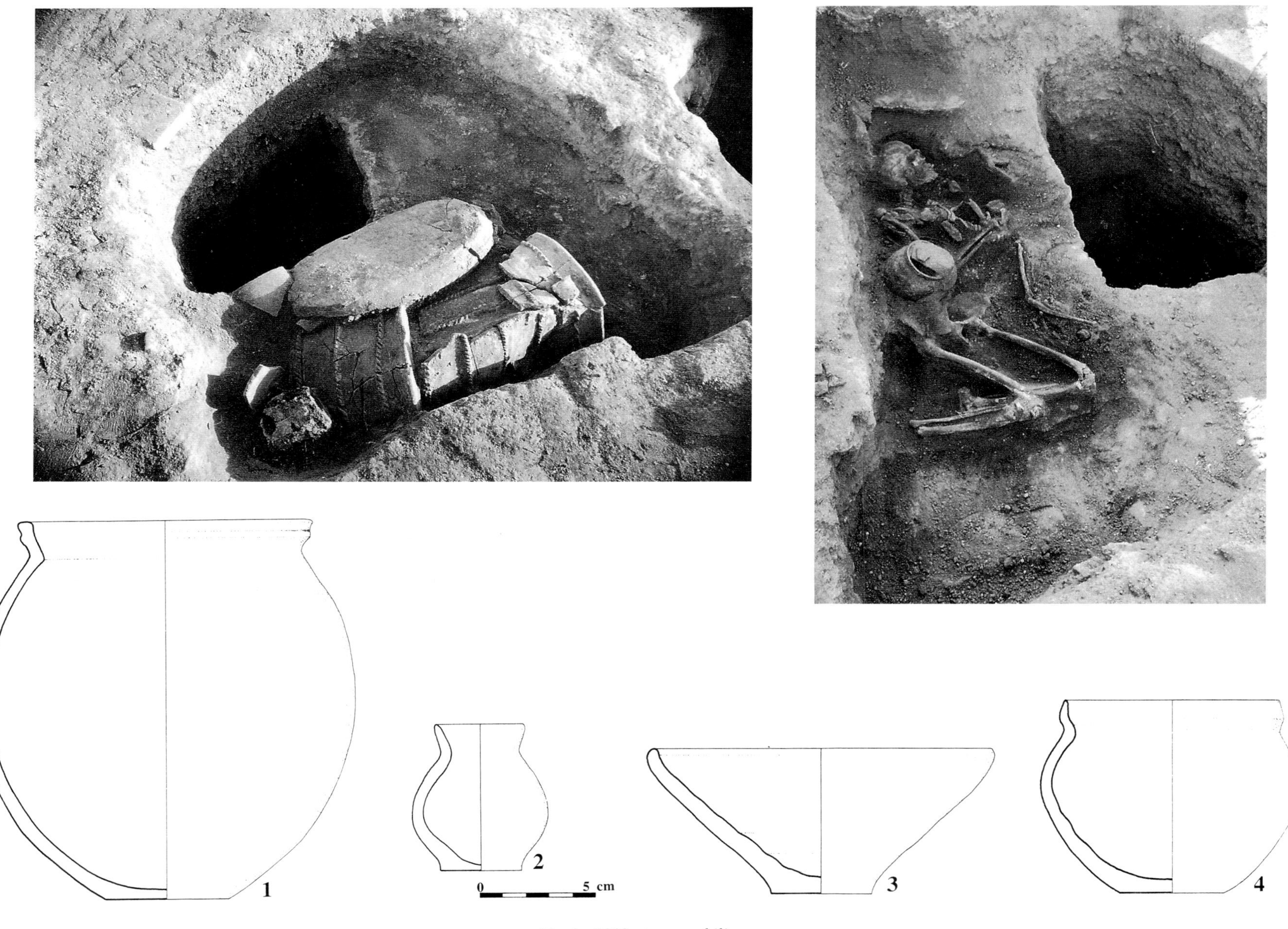

Tombe 1019 et son mobilier.

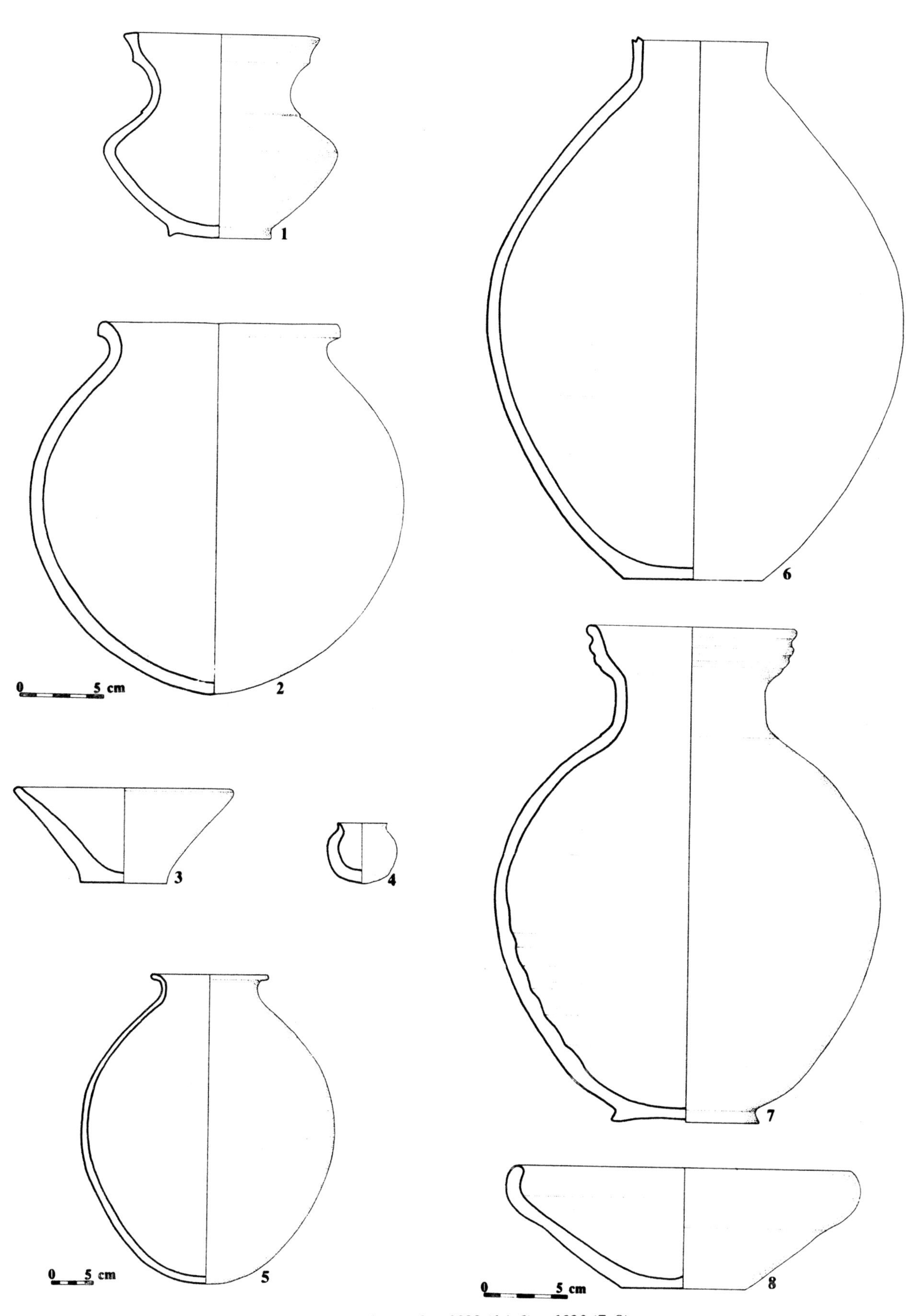

Céramiques des tombes 1022 (1 à 6) et 1023 (7, 8).

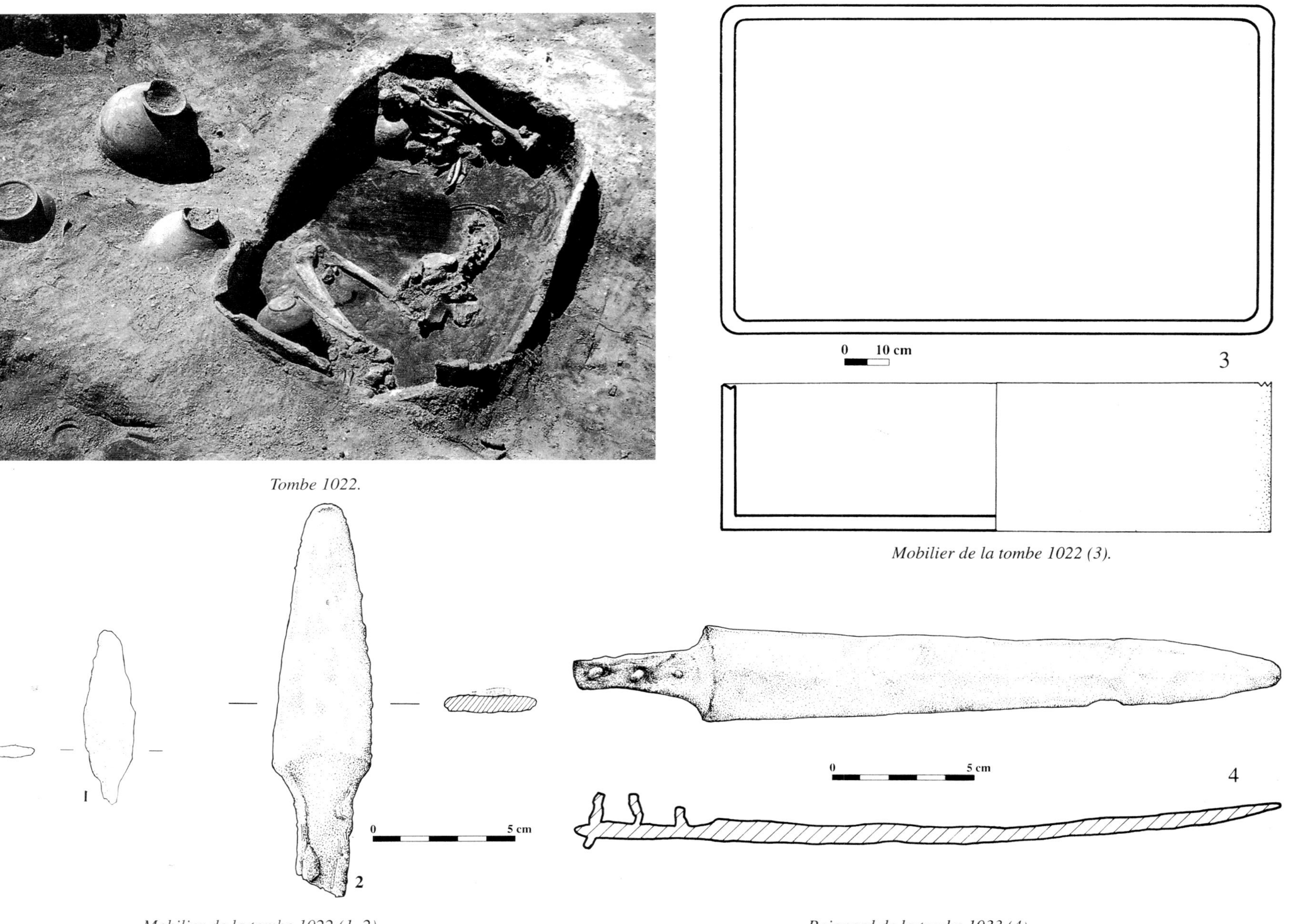

Tombe 1022.

Mobilier de la tombe 1022 (3).

Mobilier de la tombe 1022 (1, 2).

Poignard de la tombe 1033 (4).

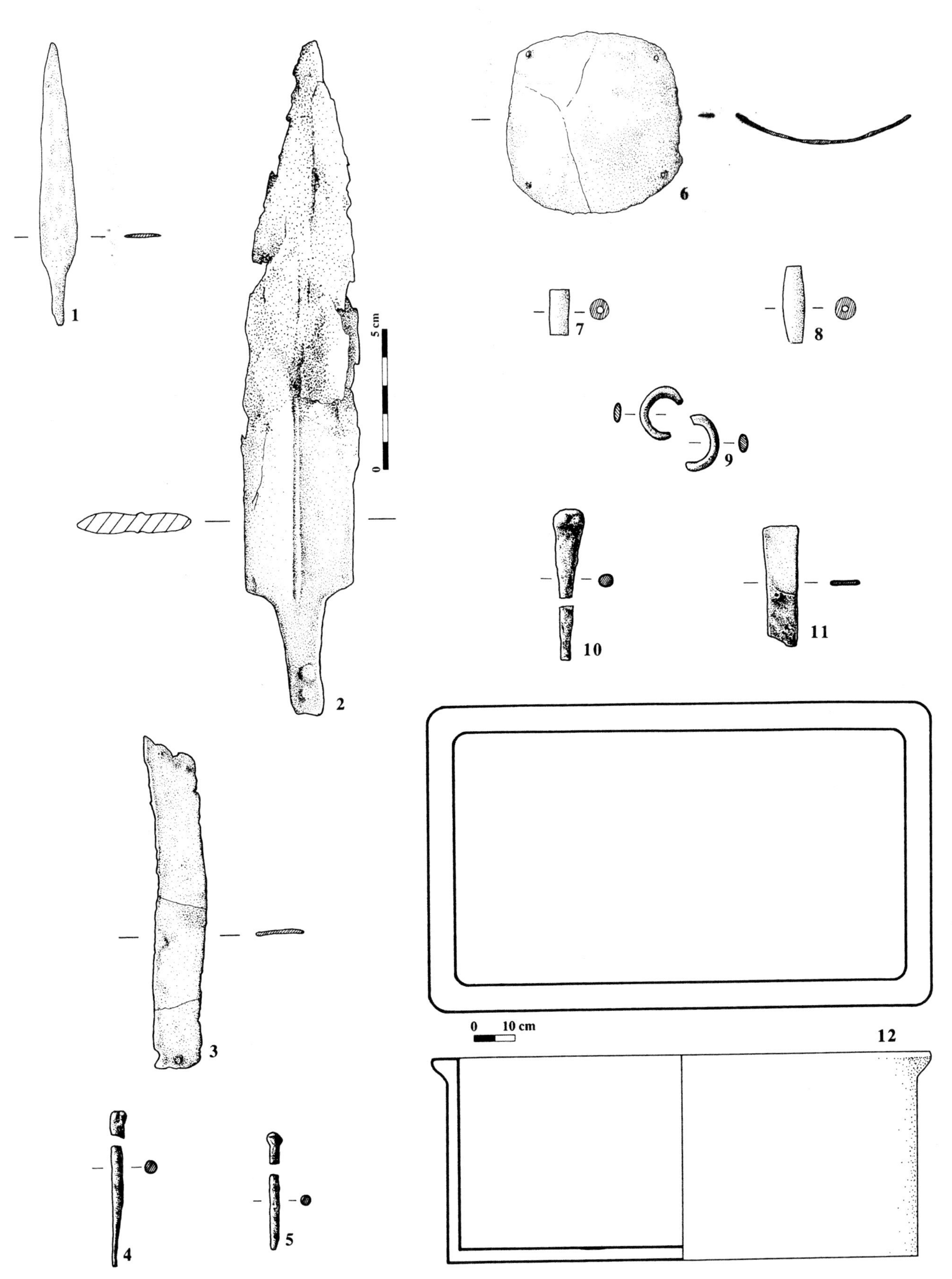

Mobilier de la tombe 1023.

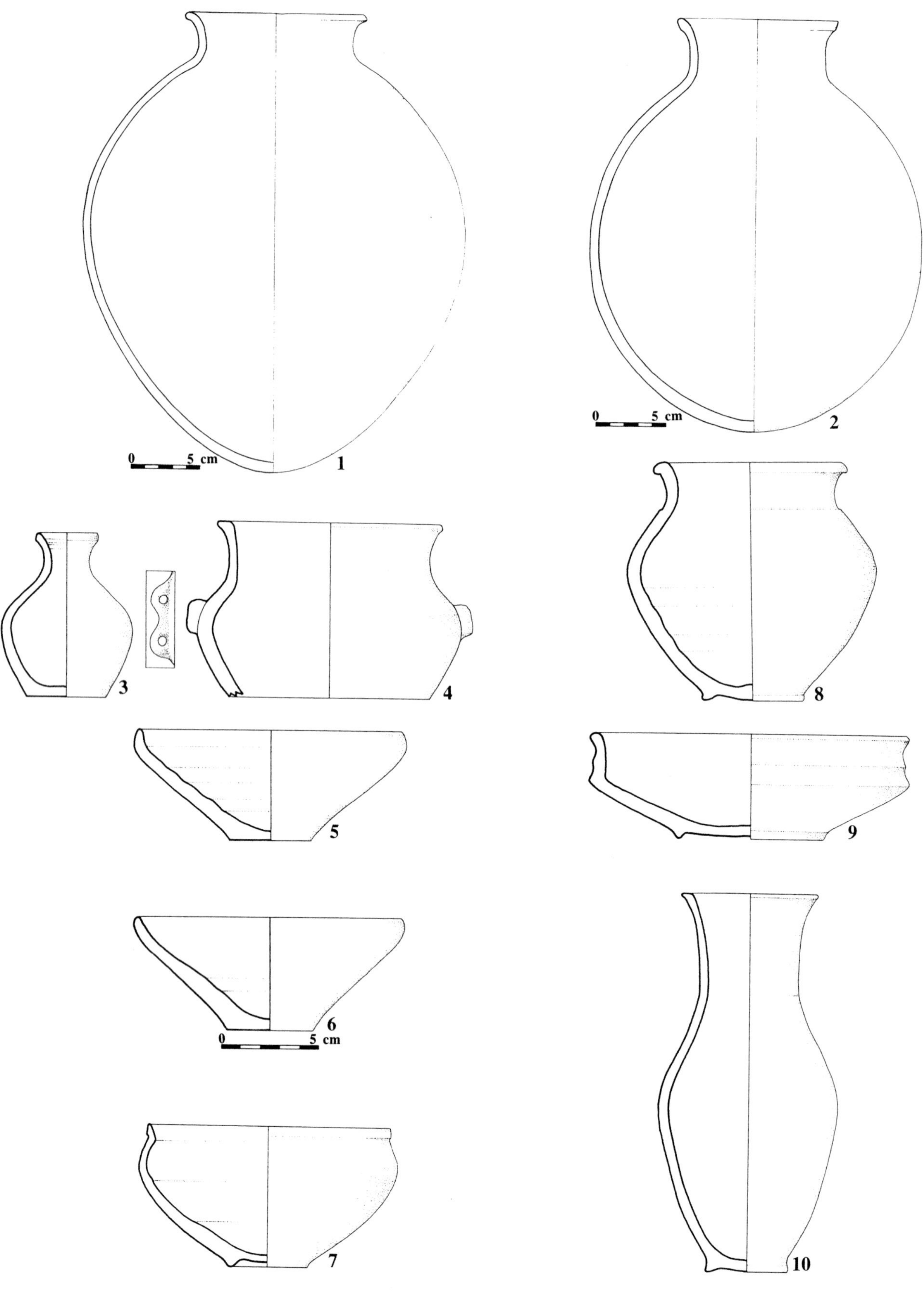

Céramiques des tombes 1025 (1 à 6) et 1026 (7 à 10).

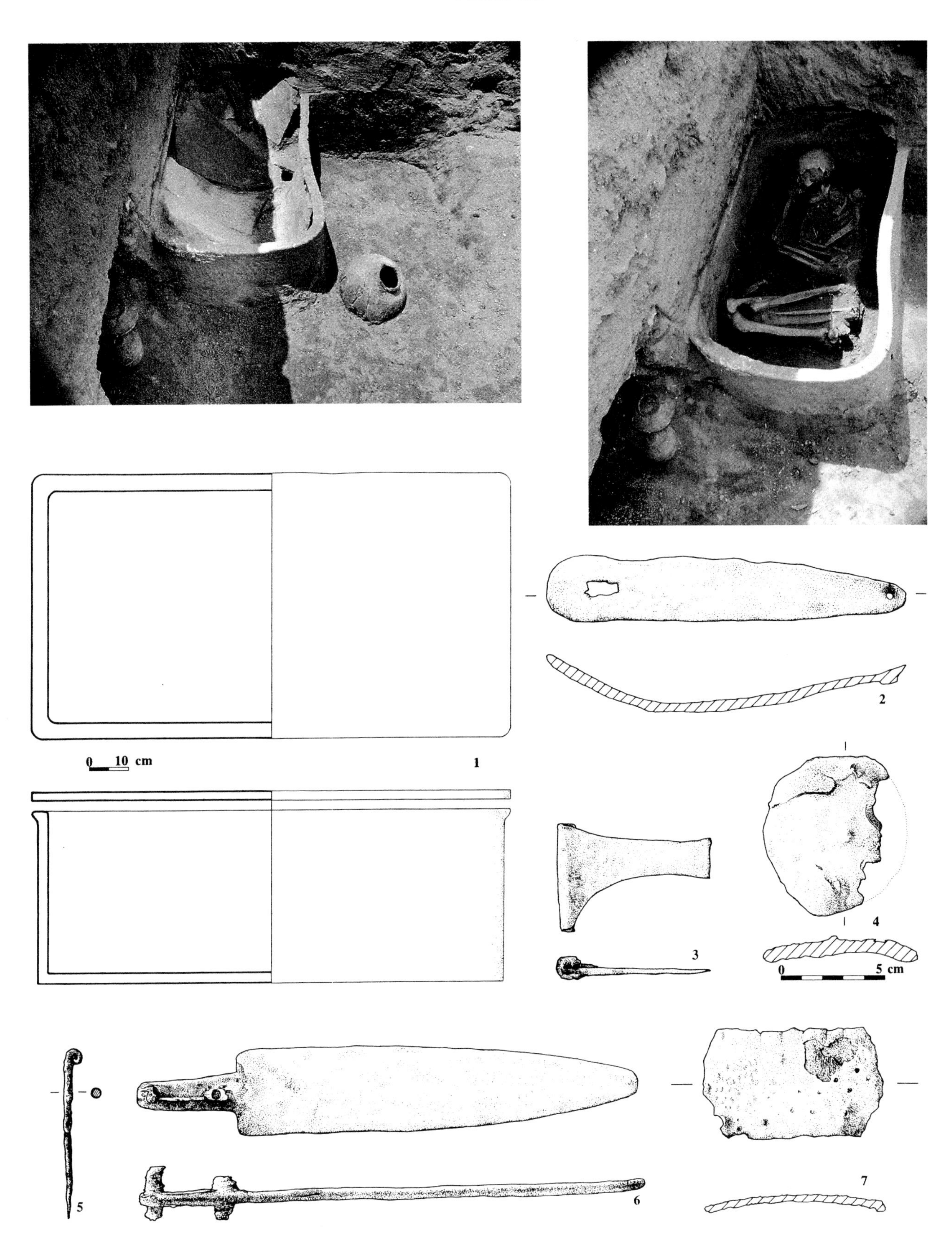

Tombe 1026 et son mobilier.

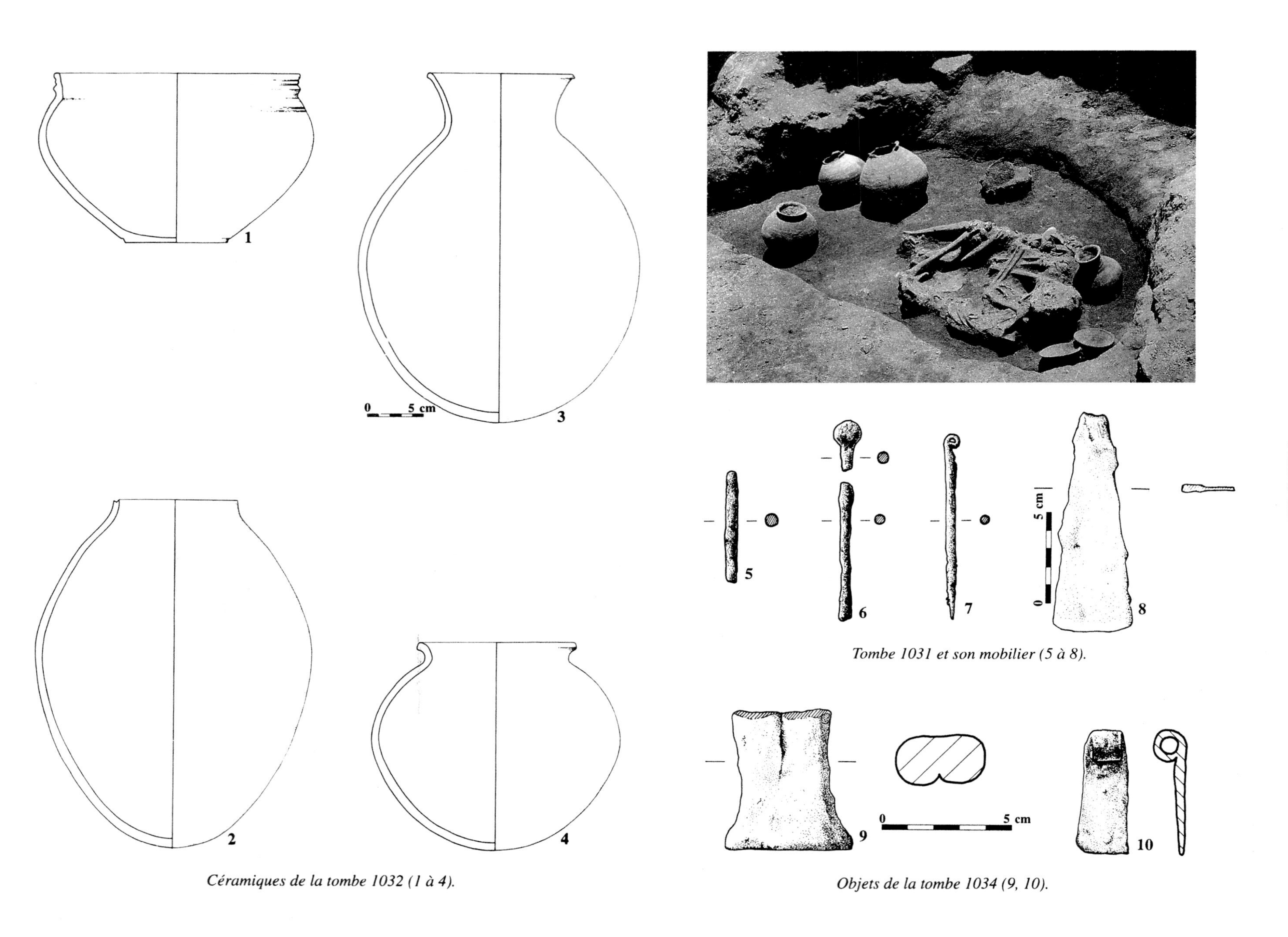

Céramiques de la tombe 1032 (1 à 4).

Tombe 1031 et son mobilier (5 à 8).

Objets de la tombe 1034 (9, 10).

Tombe 1034.

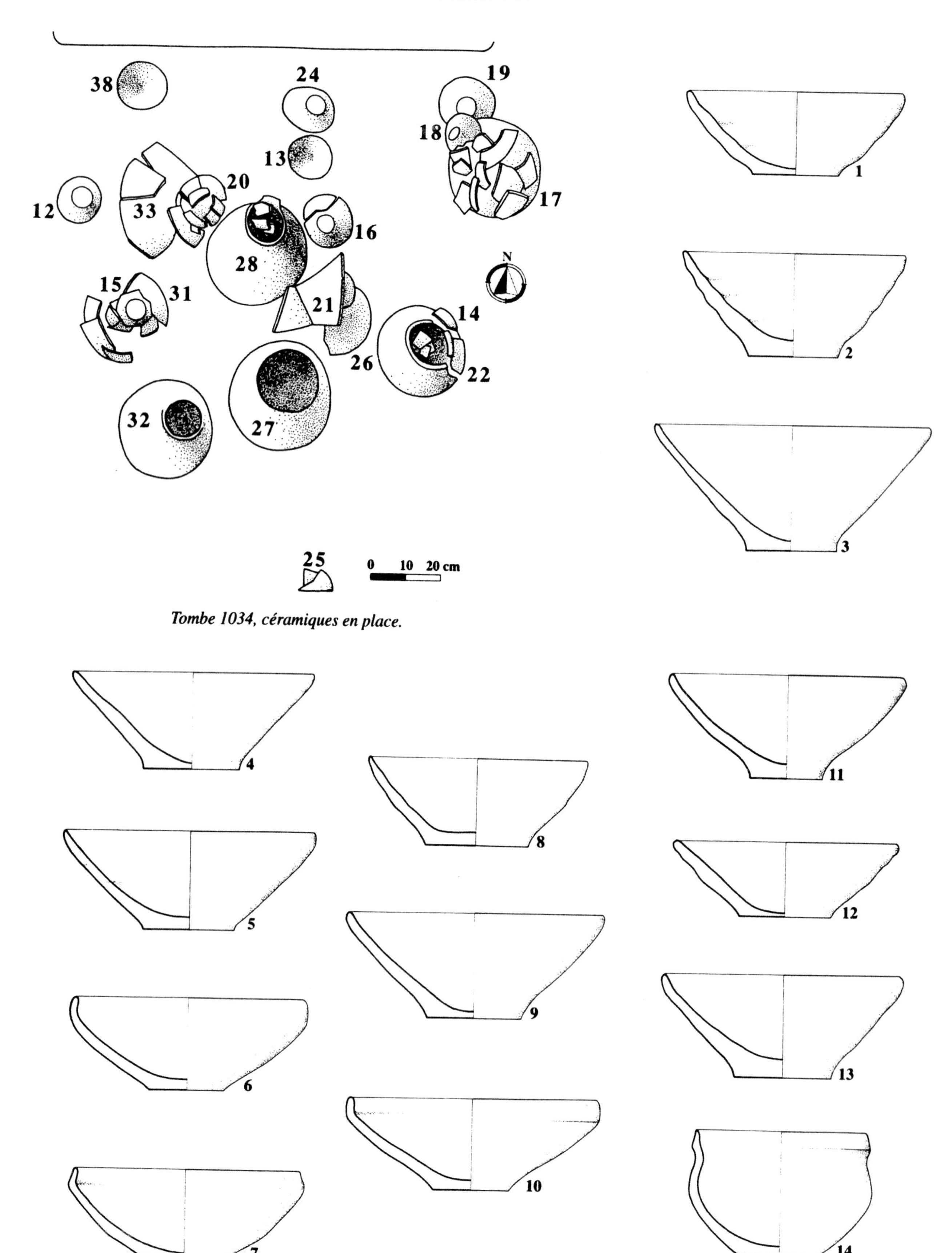

Tombe 1034, céramiques en place.

Céramiques de la tombe 1034.

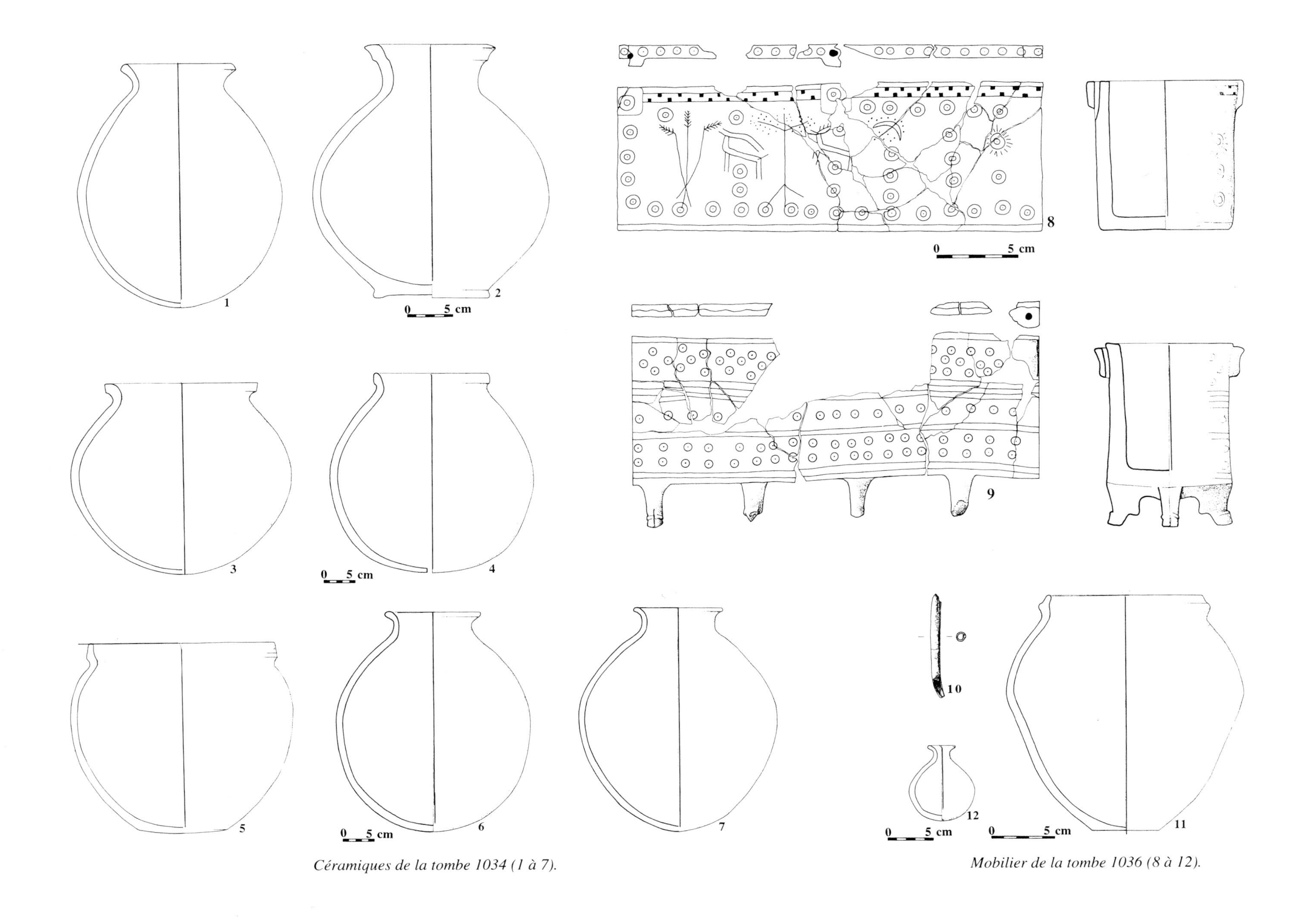

Céramiques de la tombe 1034 (1 à 7).

Mobilier de la tombe 1036 (8 à 12).

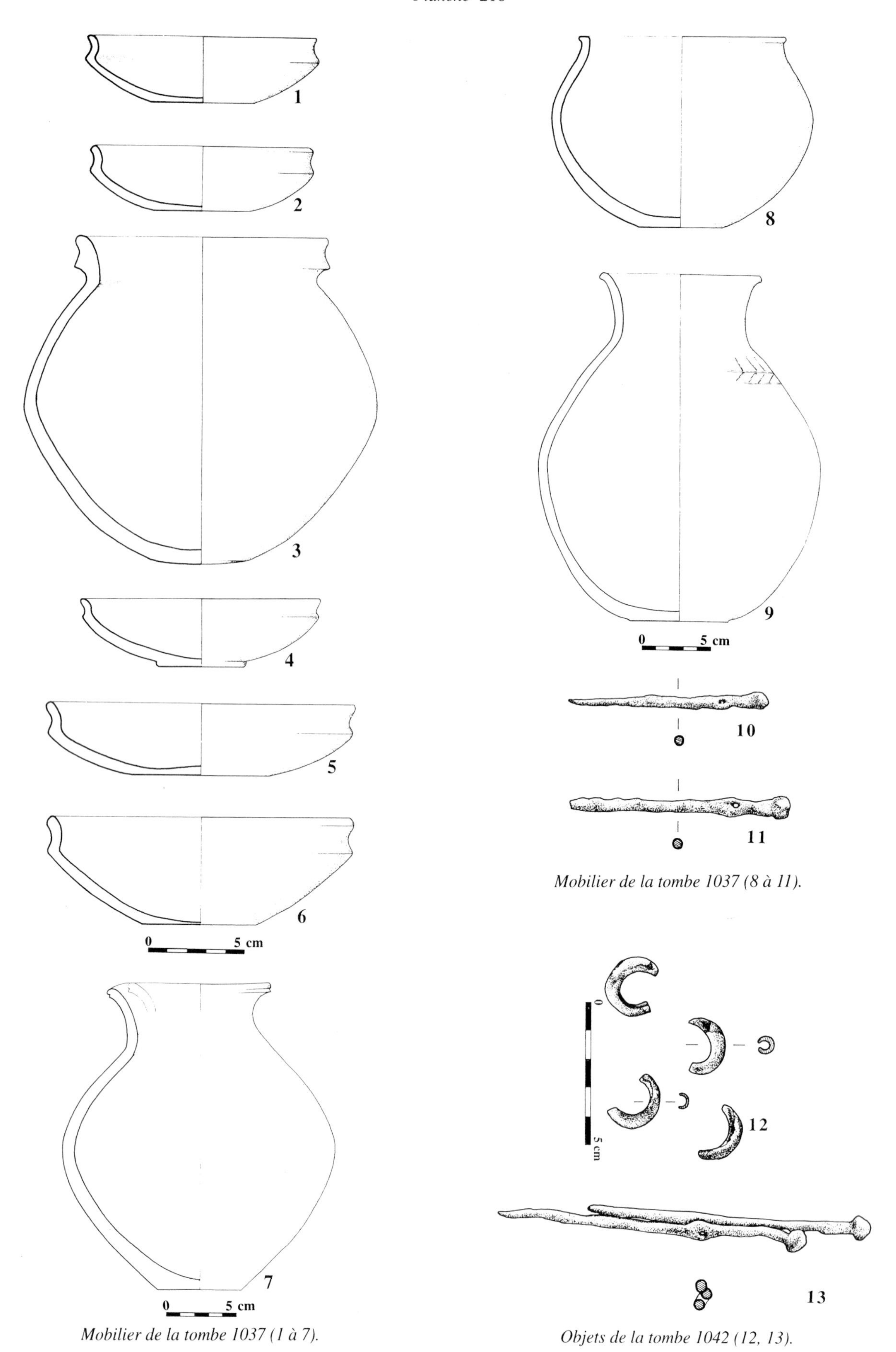

Mobilier de la tombe 1037 (1 à 7).

Mobilier de la tombe 1037 (8 à 11).

Objets de la tombe 1042 (12, 13).

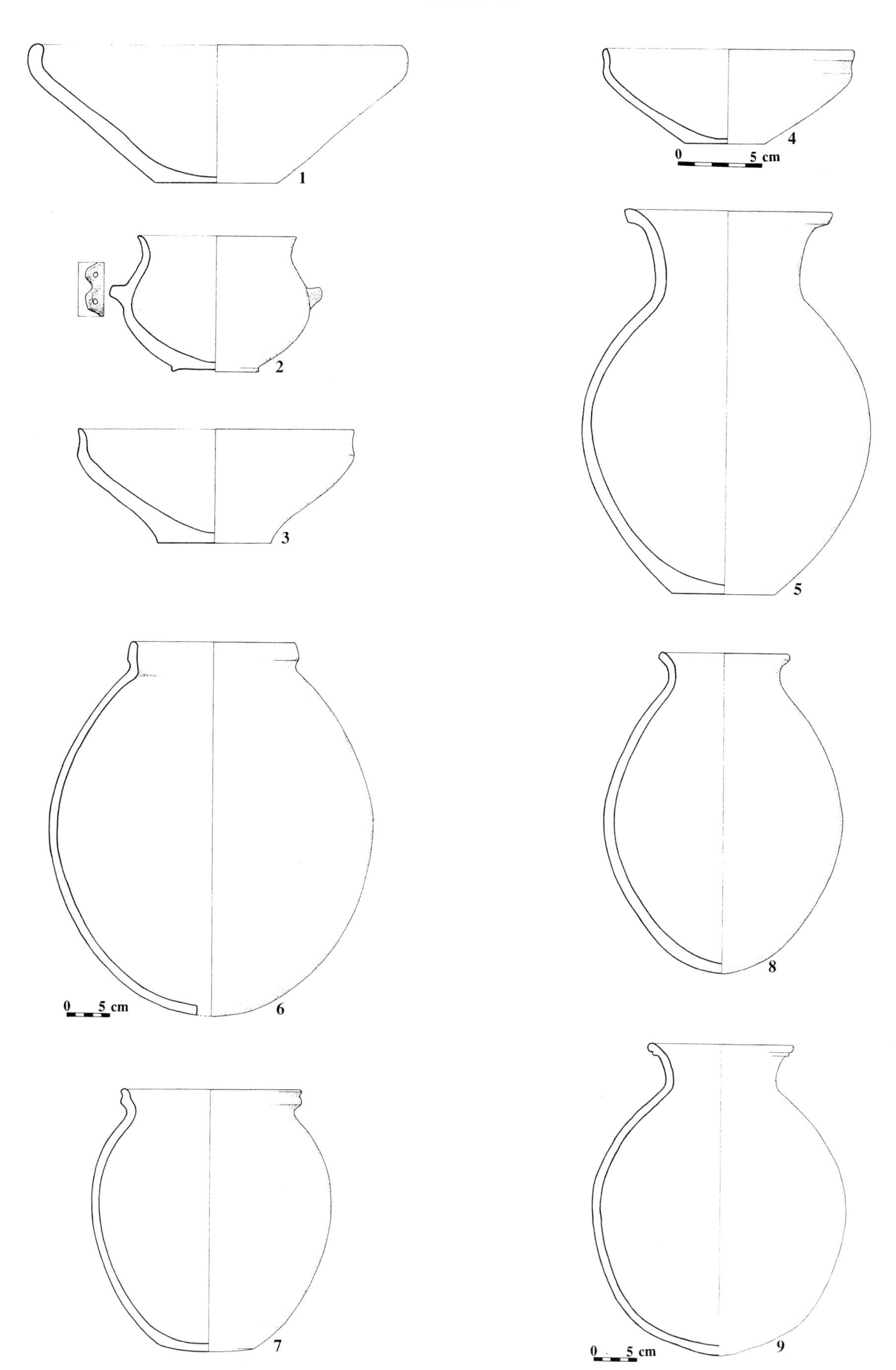

Céramiques de la tombe 1042.

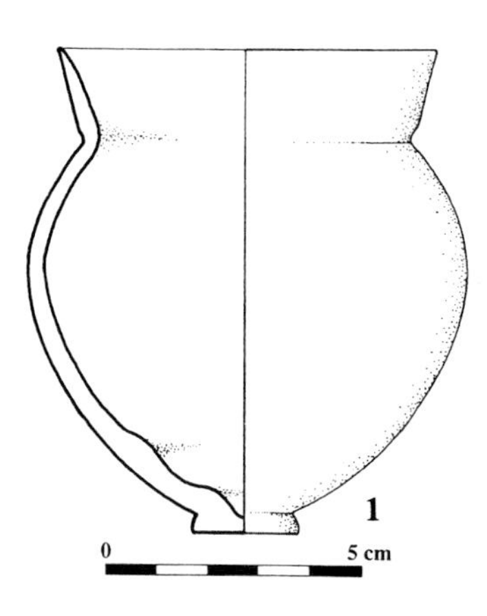

Tombe 1043 et sa céramique (1).

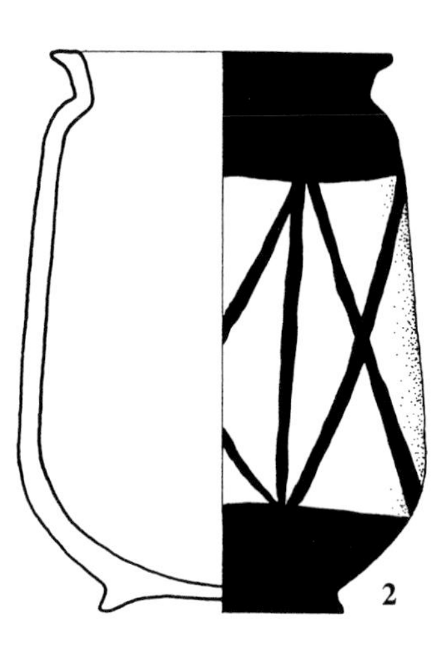

Tombe 1044 et sa céramique (2).

Tombe 1045.

Tombe 1047.

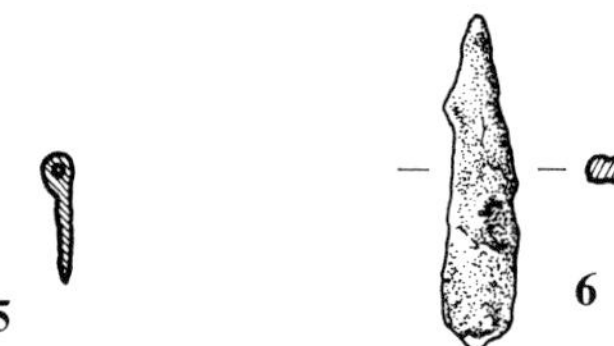

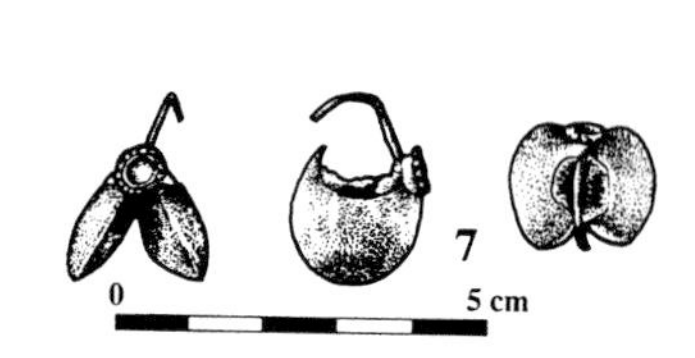

Mobilier de la tombe 1048 (3 à 7).

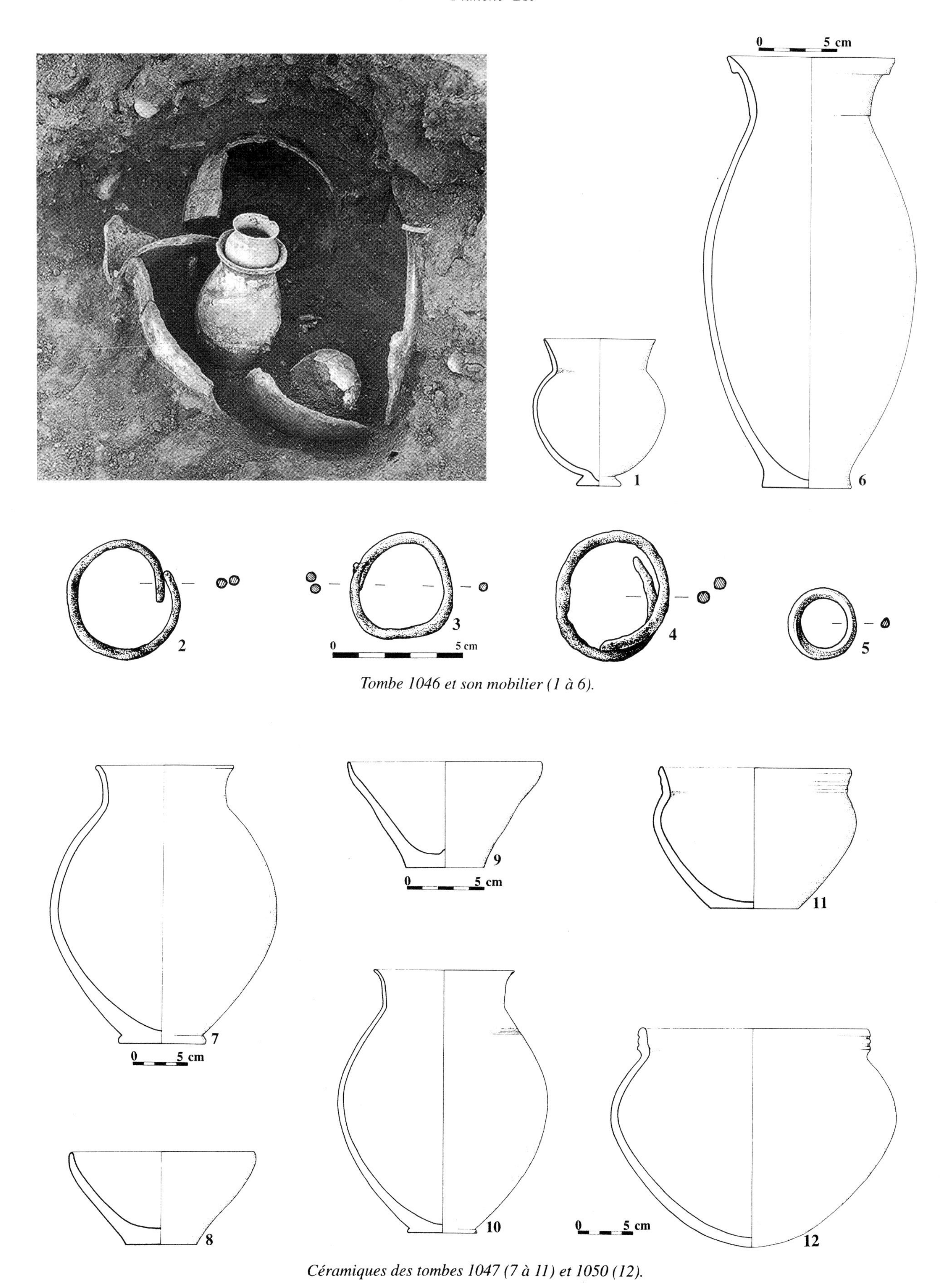

Tombe 1046 et son mobilier (1 à 6).

Céramiques des tombes 1047 (7 à 11) et 1050 (12).

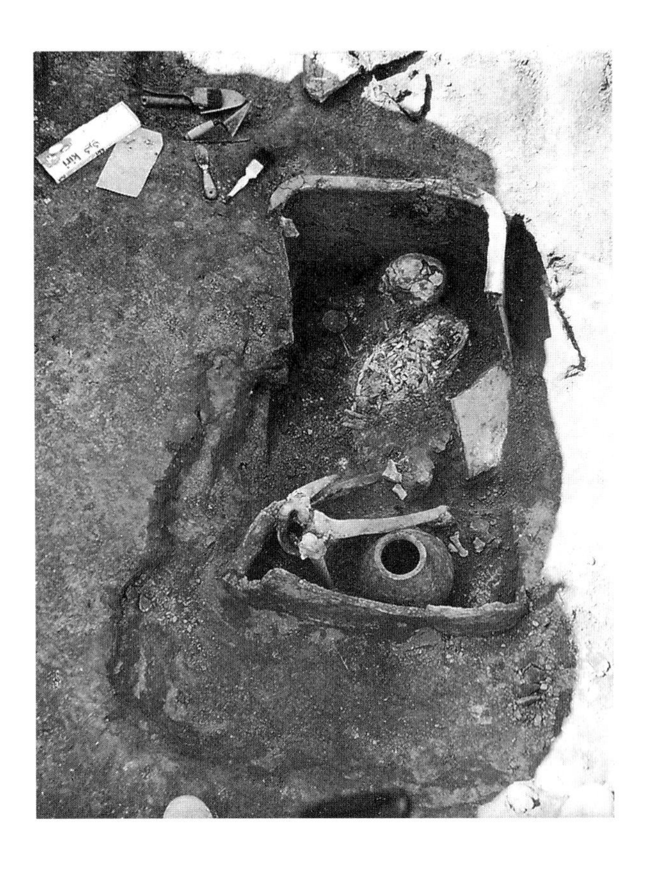

Tombe 1052.

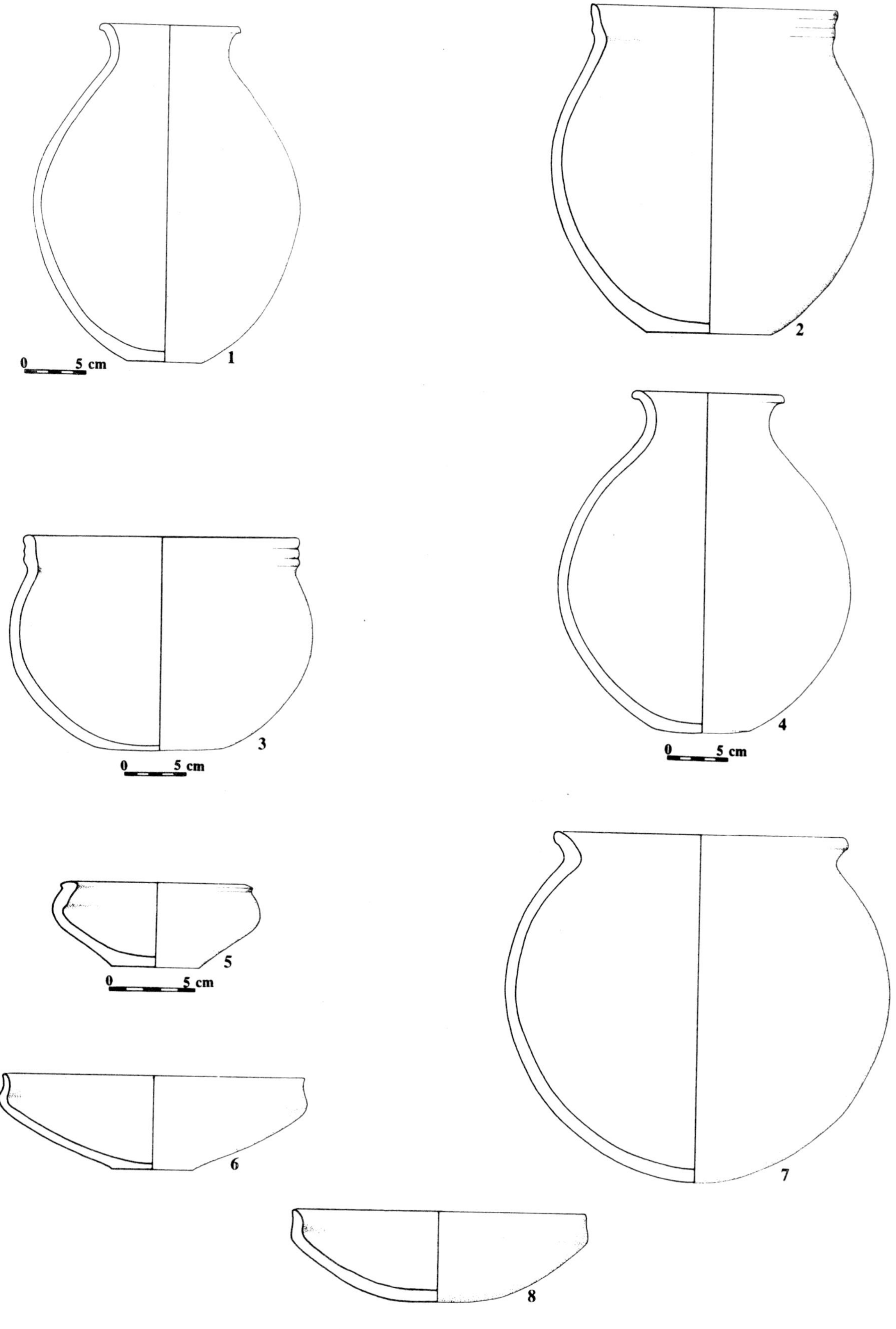

Céramiques de la tombe 1052.

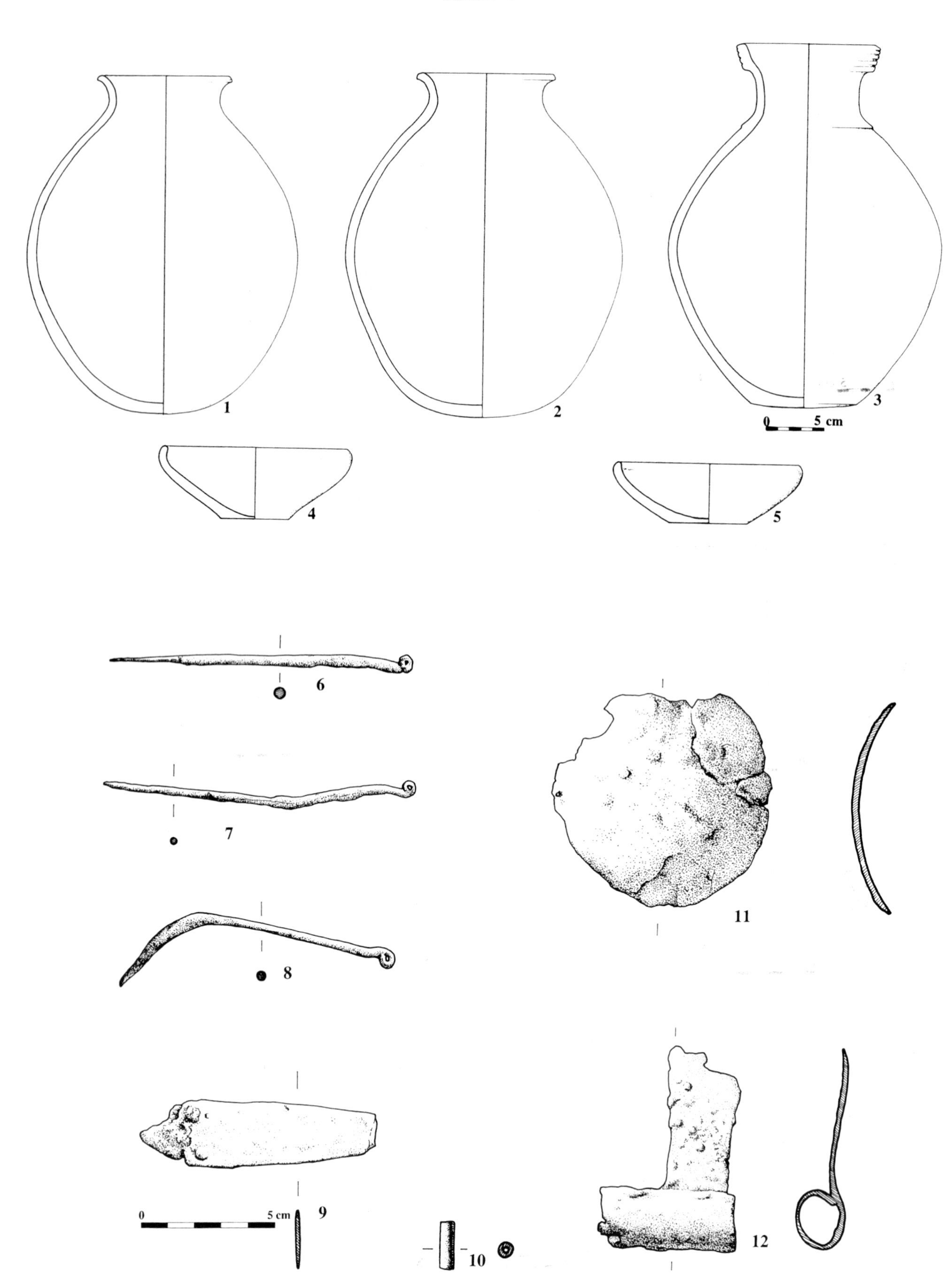

Mobilier de la tombe 1052.

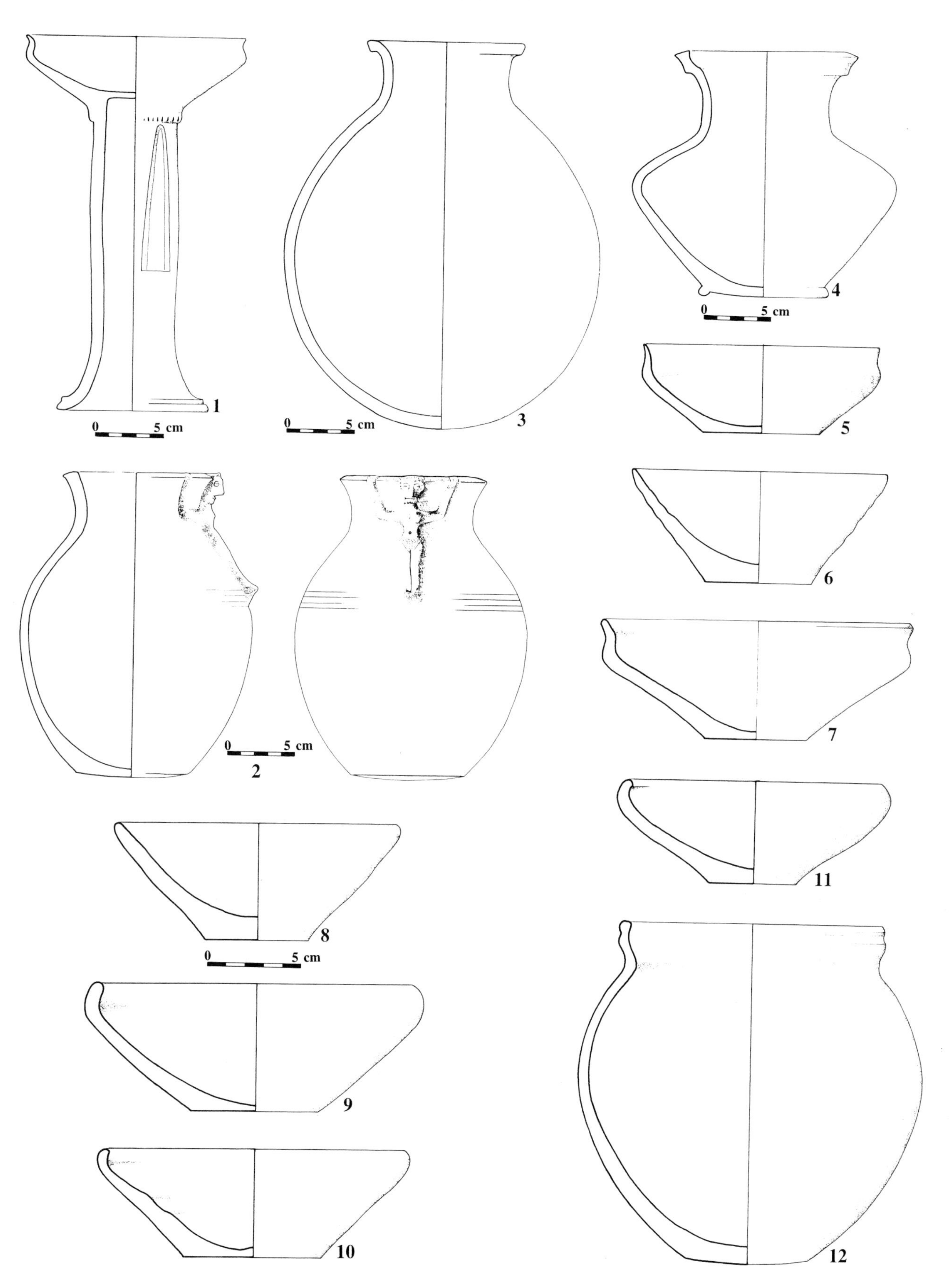

Céramiques de la tombe 1053.

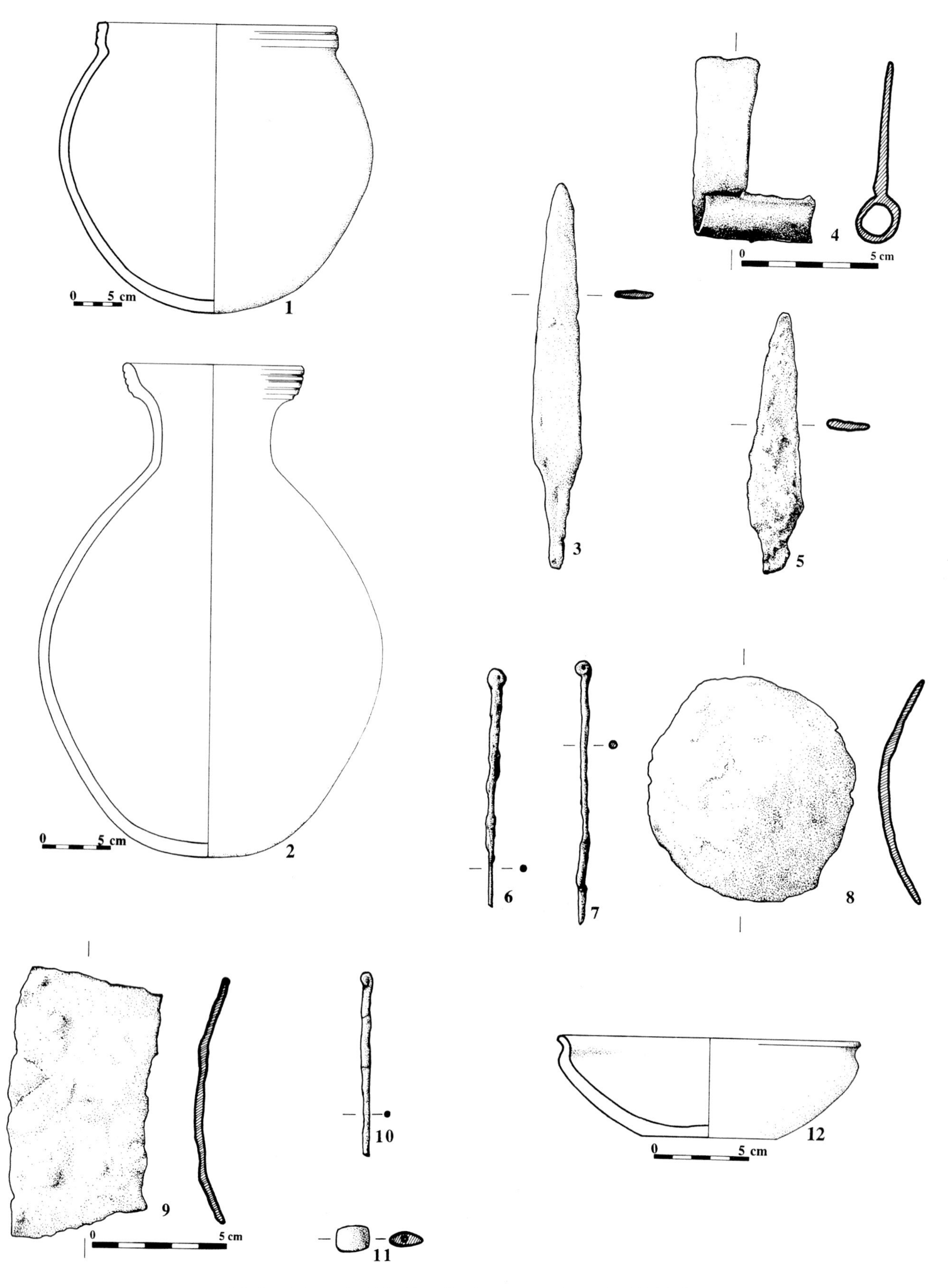

Mobilier de la tombe 1053 (1 à 11), céramique de la tombe 1054 (12).

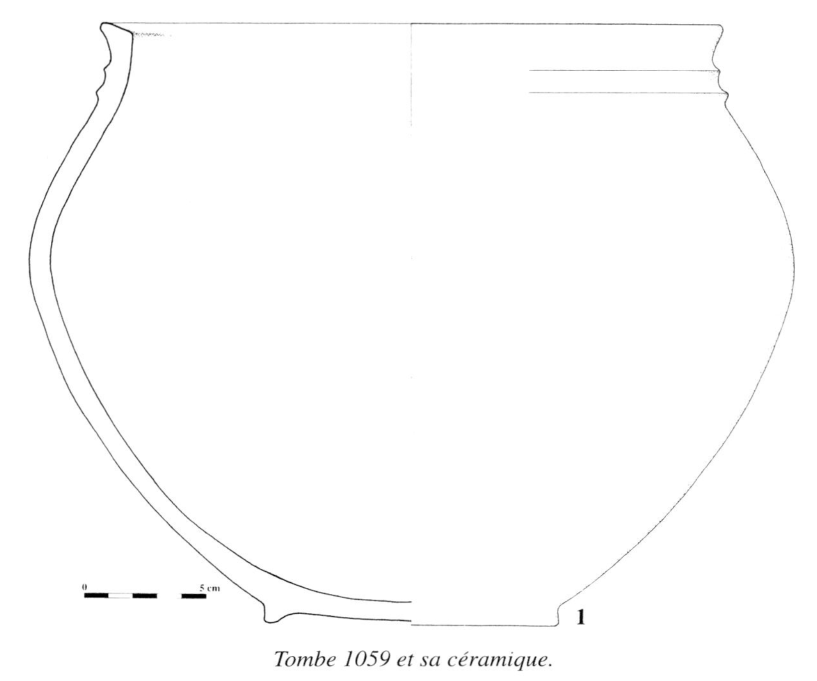

Tombe 1059 et sa céramique.

Tombe 1060.

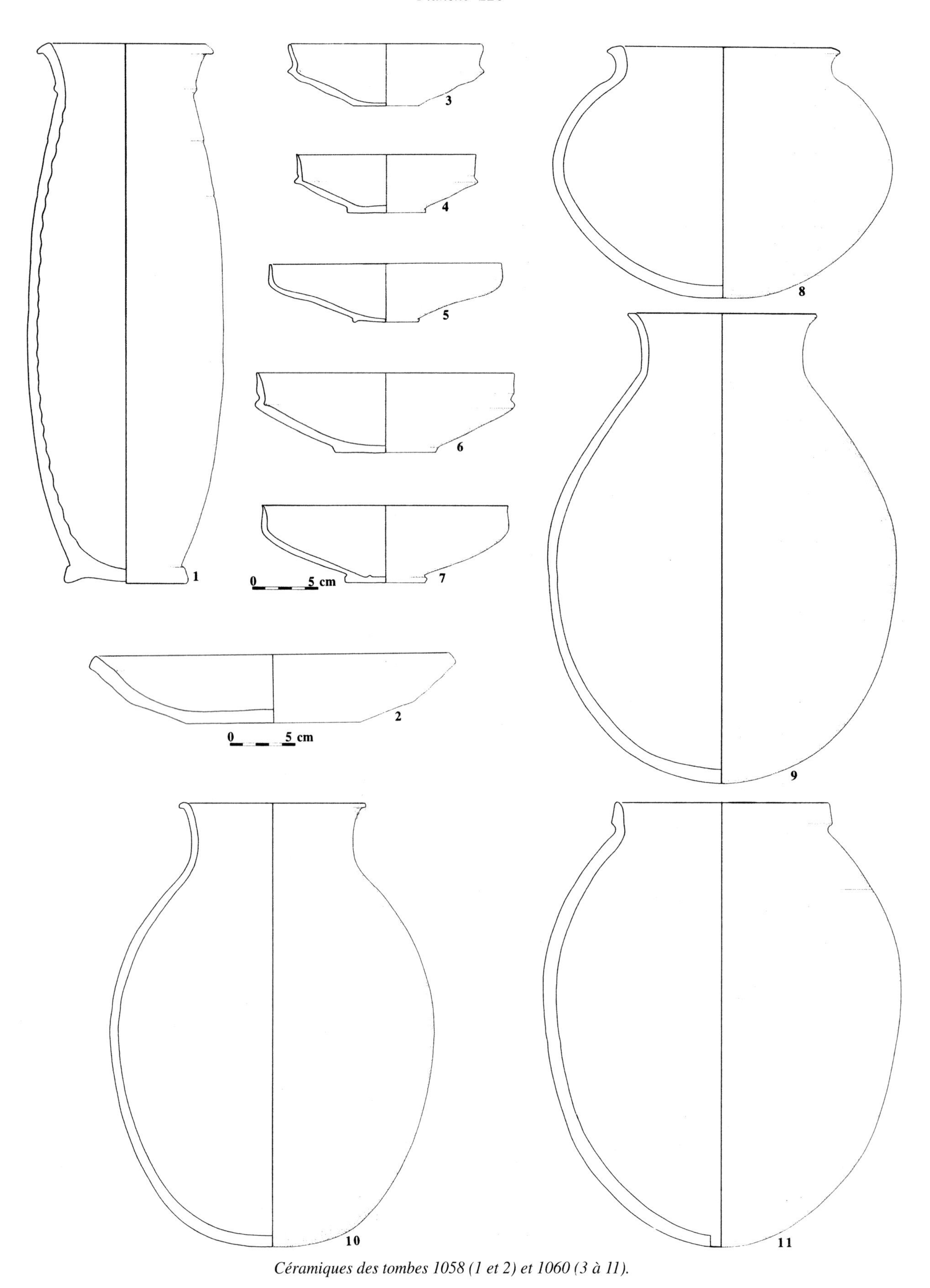

Céramiques des tombes 1058 (1 et 2) et 1060 (3 à 11).

Tombes 1060 et 1061.

Céramiques de la tombe 1061 (1 et 2).

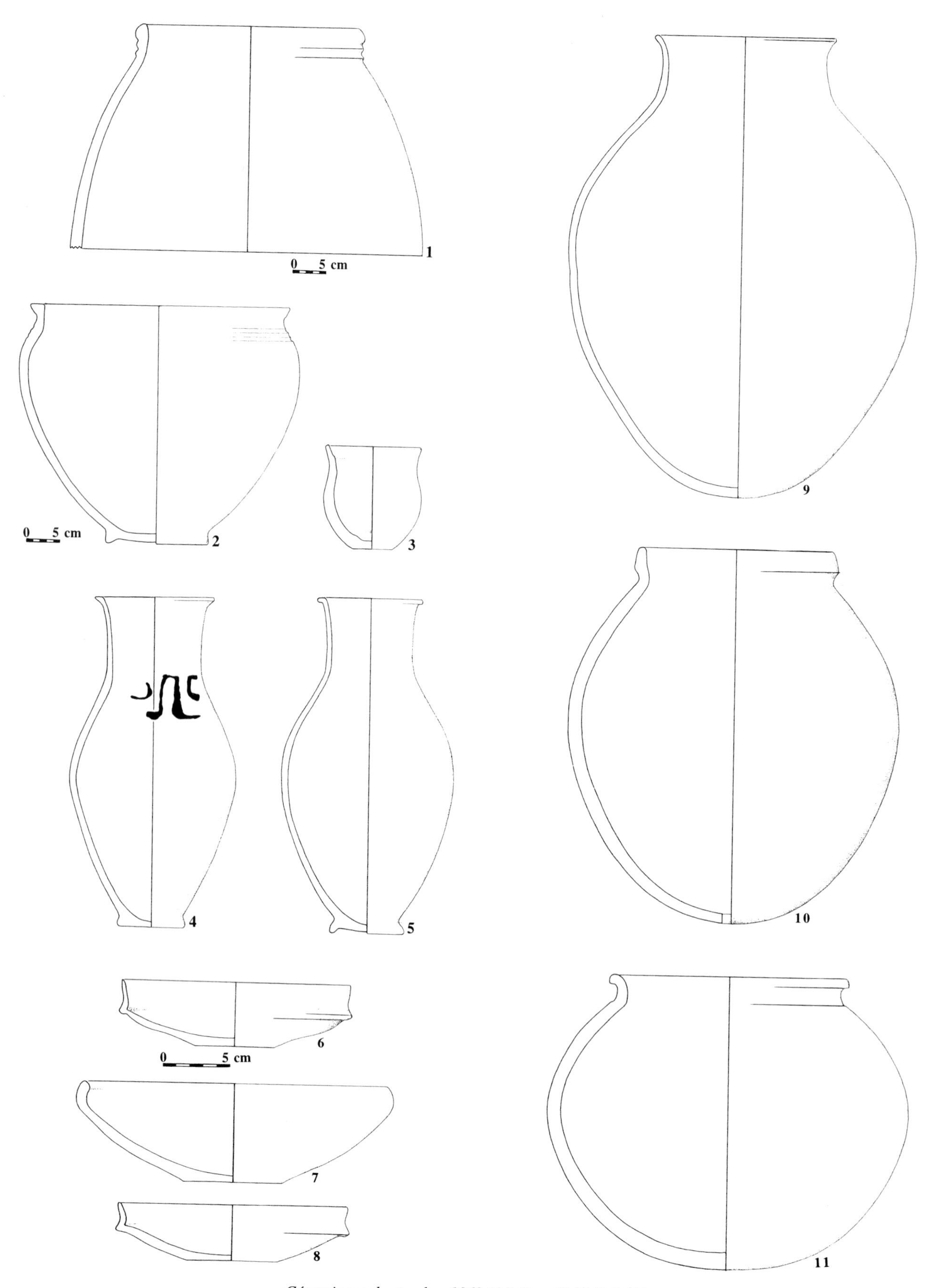

Céramiques des tombes 1062 (1 à 5) et 1063 (6 à 11).

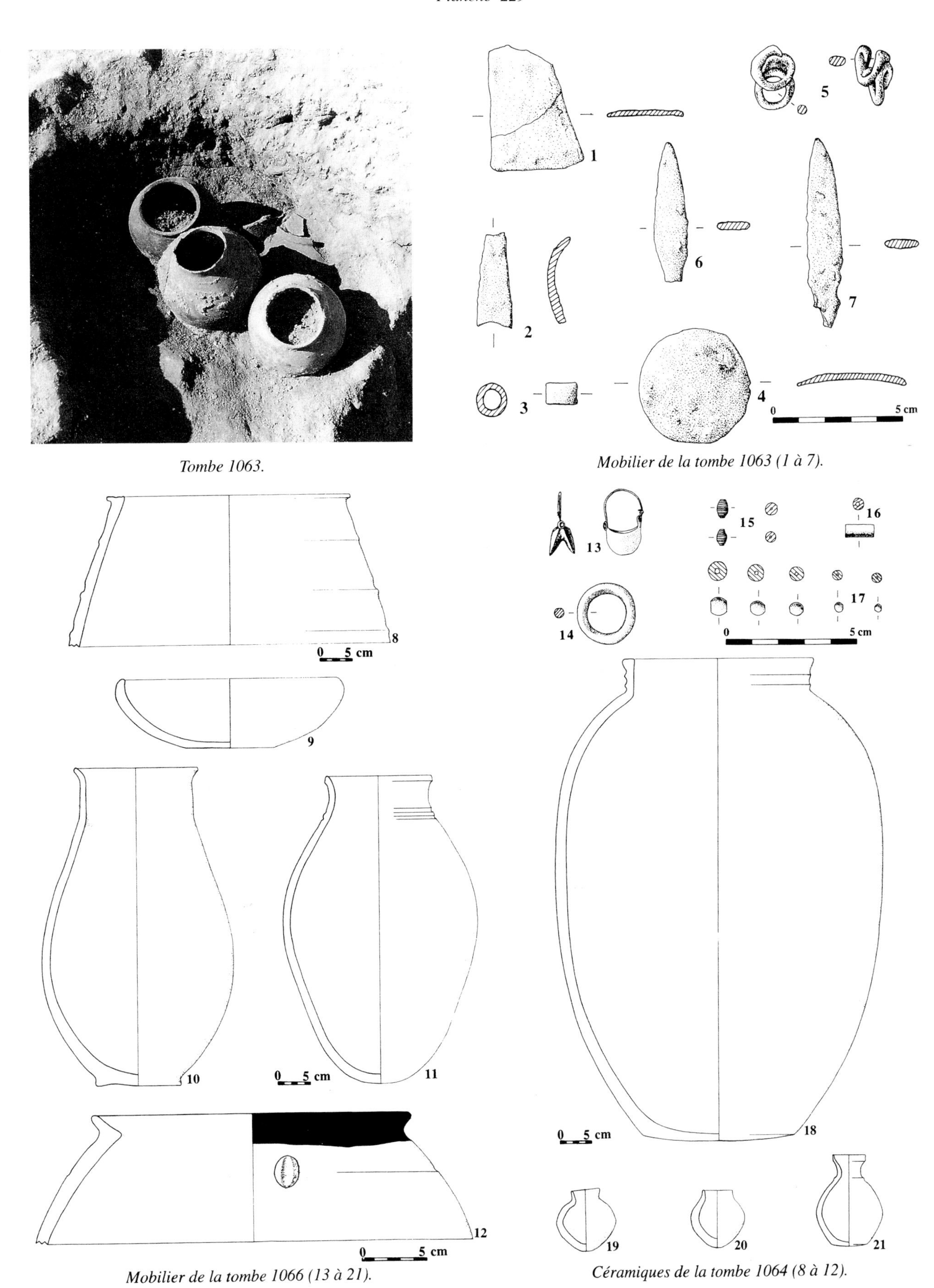

Tombe 1063.

Mobilier de la tombe 1063 (1 à 7).

Mobilier de la tombe 1066 (13 à 21).

Céramiques de la tombe 1064 (8 à 12).

Tombe 1065 et sa céramique.

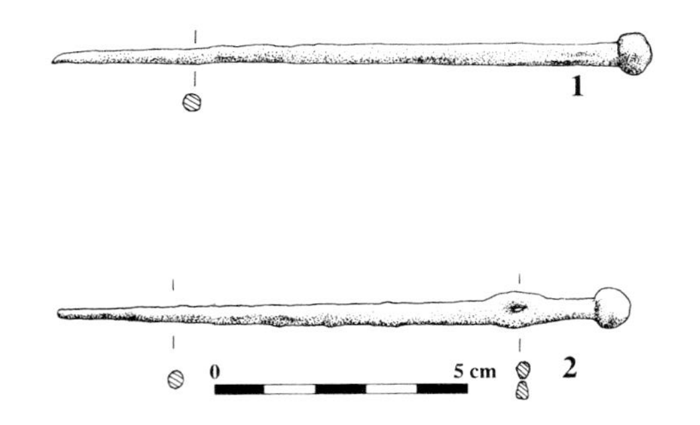

Tombe 1067 et ses objets (1 et 2).

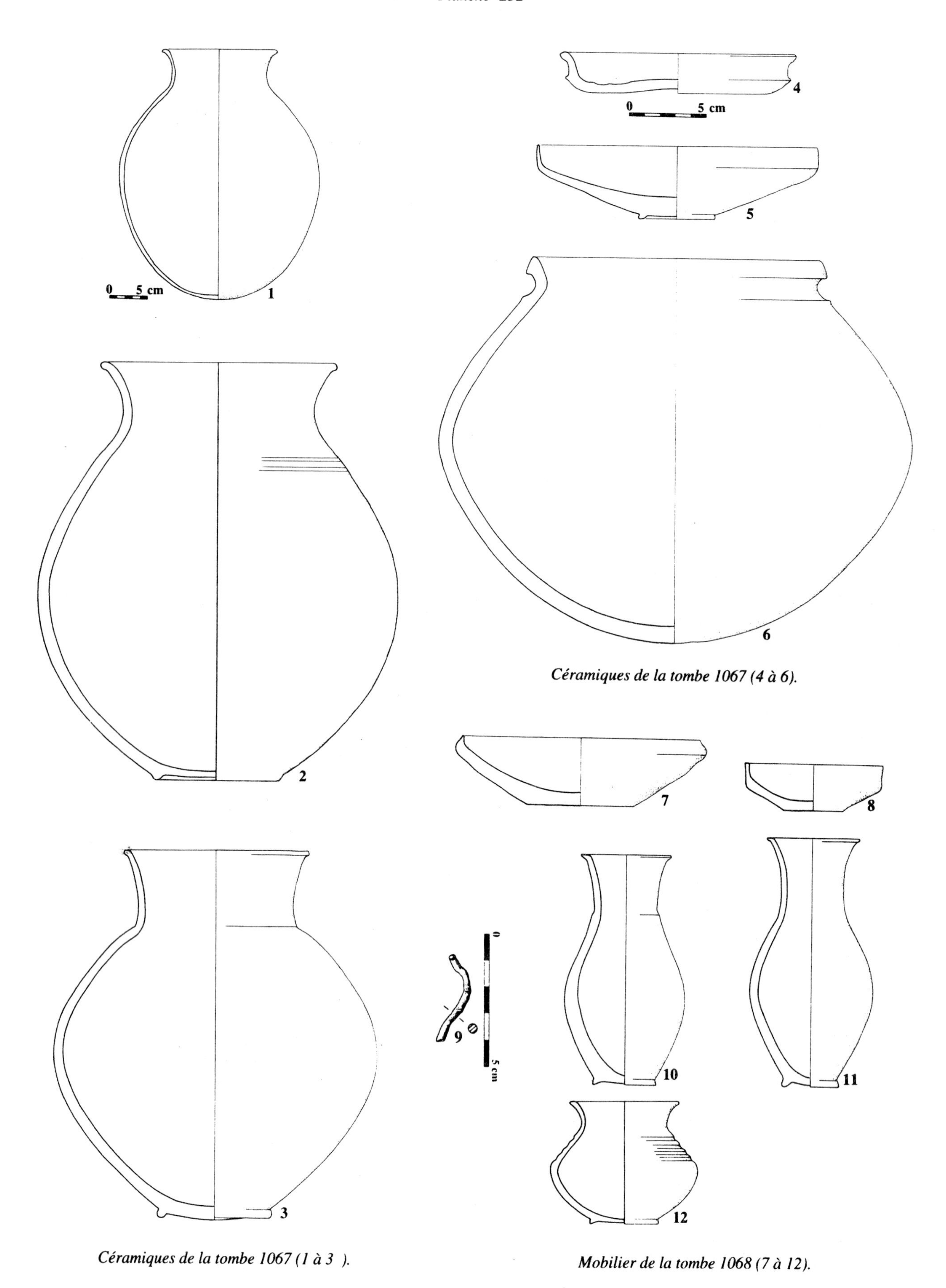

Céramiques de la tombe 1067 (4 à 6).

Céramiques de la tombe 1067 (1 à 3).

Mobilier de la tombe 1068 (7 à 12).

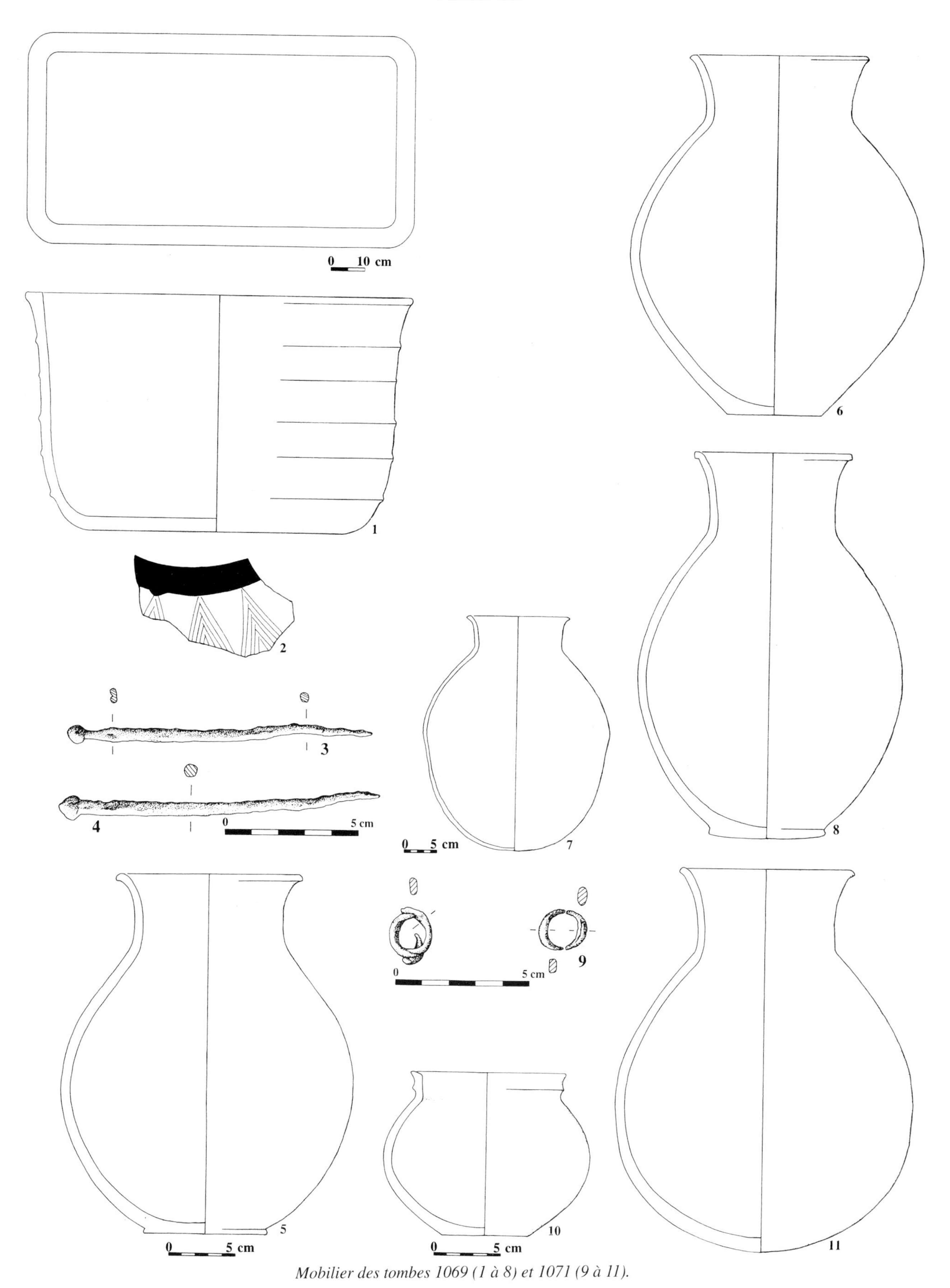

Mobilier des tombes 1069 (1 à 8) et 1071 (9 à 11).

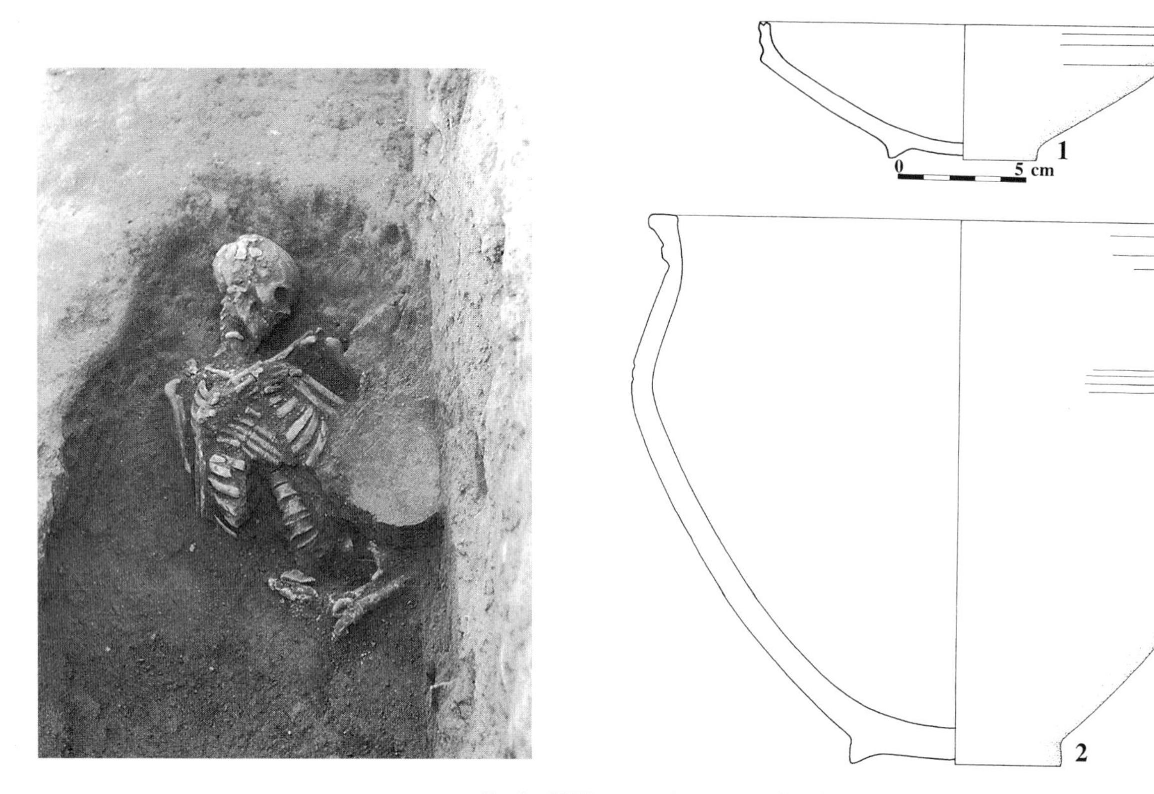

Tombe 1073 et ses céramiques (1 et 2).

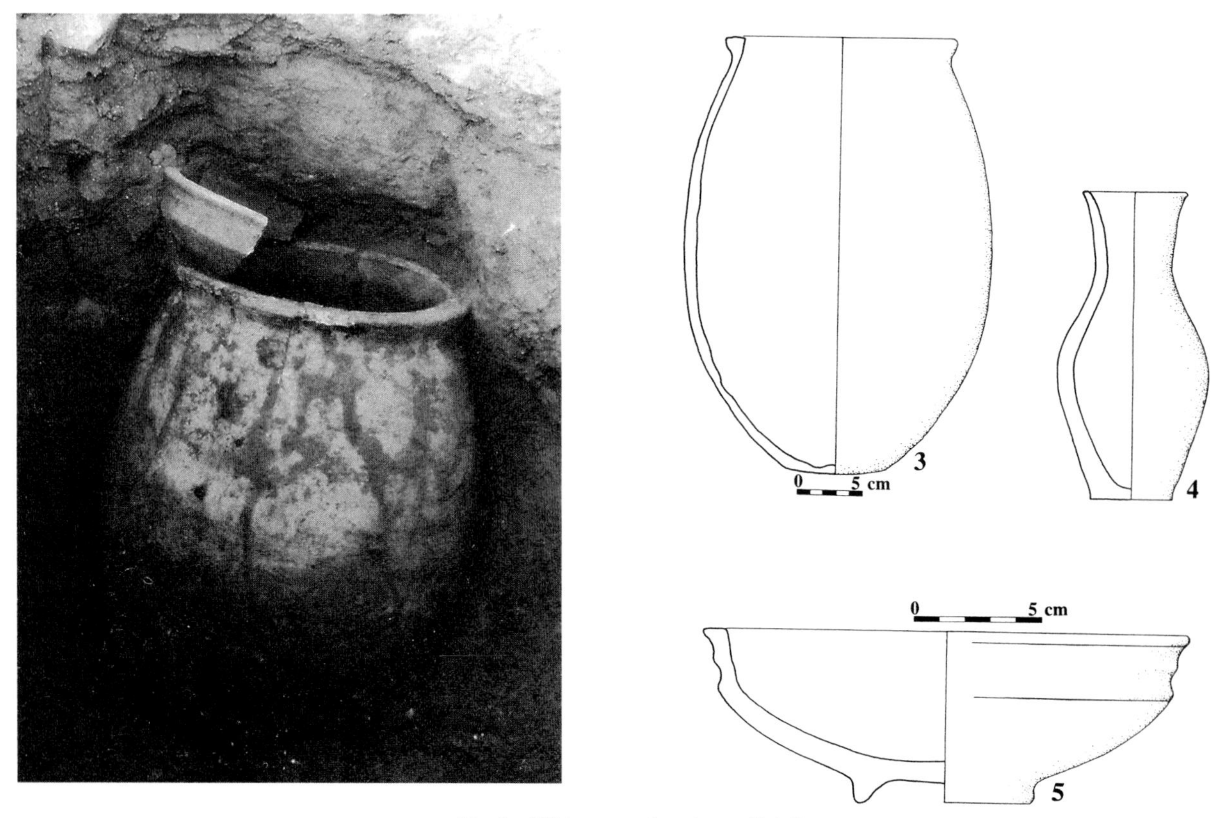

Tombe 1074 et ses céramiques (3 à 5).

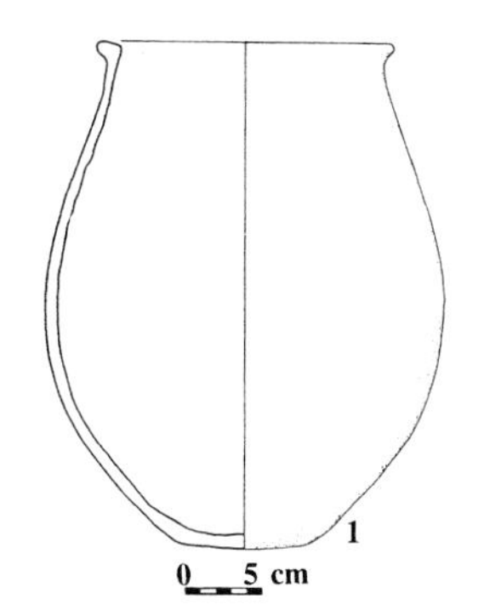

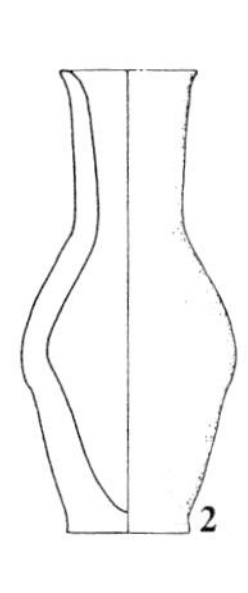

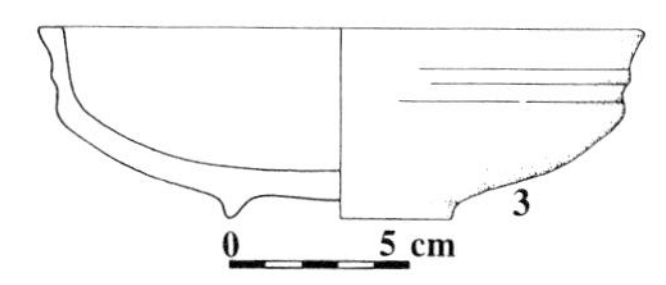

Céramiques de la tombe 1075 (1 à 3).

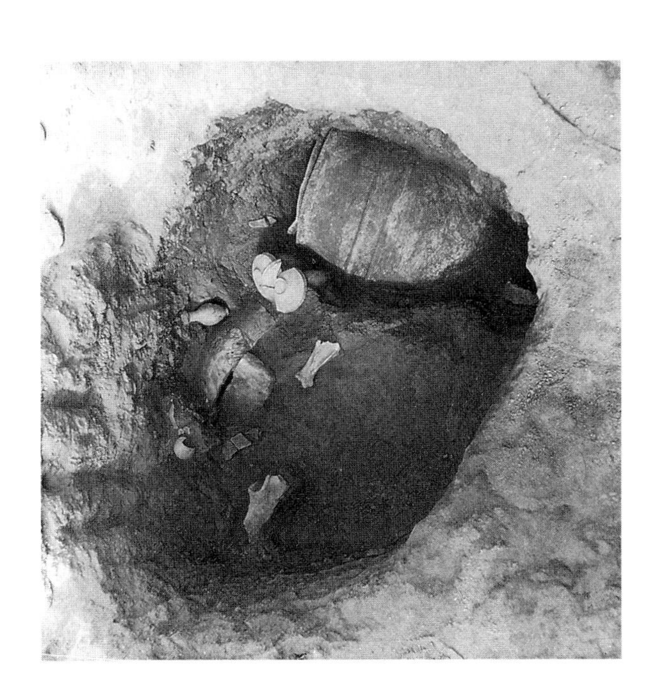

Tombes 1077-1078.

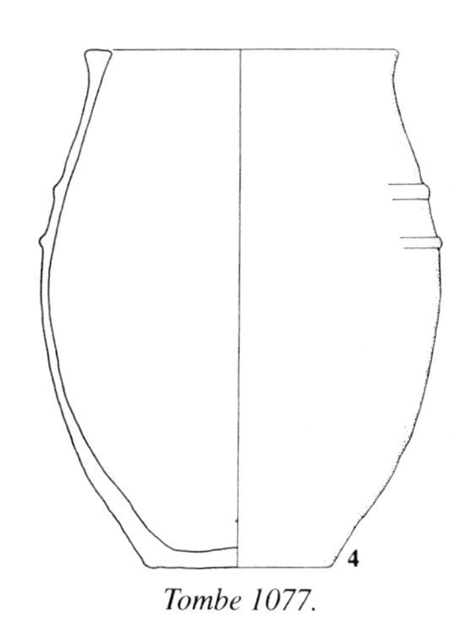

Tombe 1077.

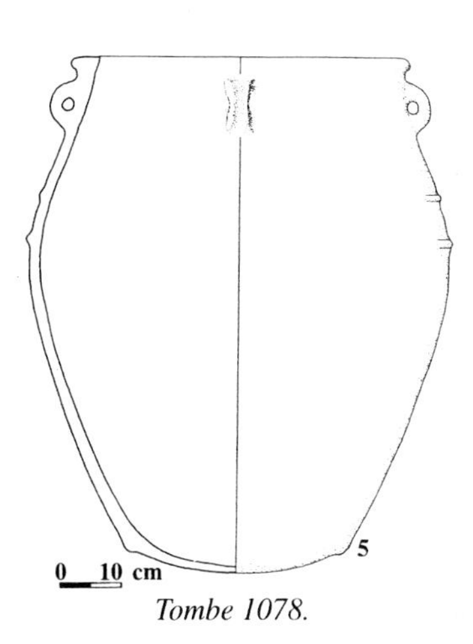

Tombe 1078.

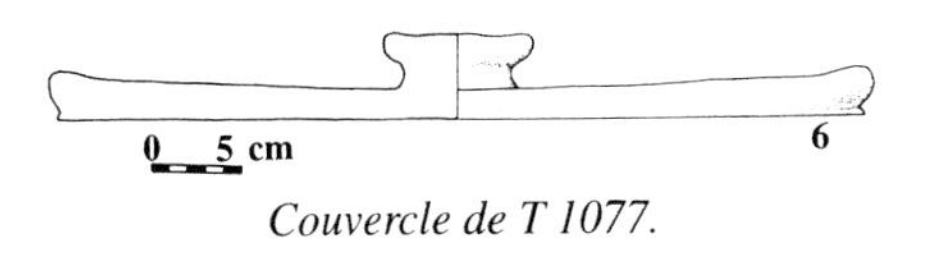

Couvercle de T 1077.

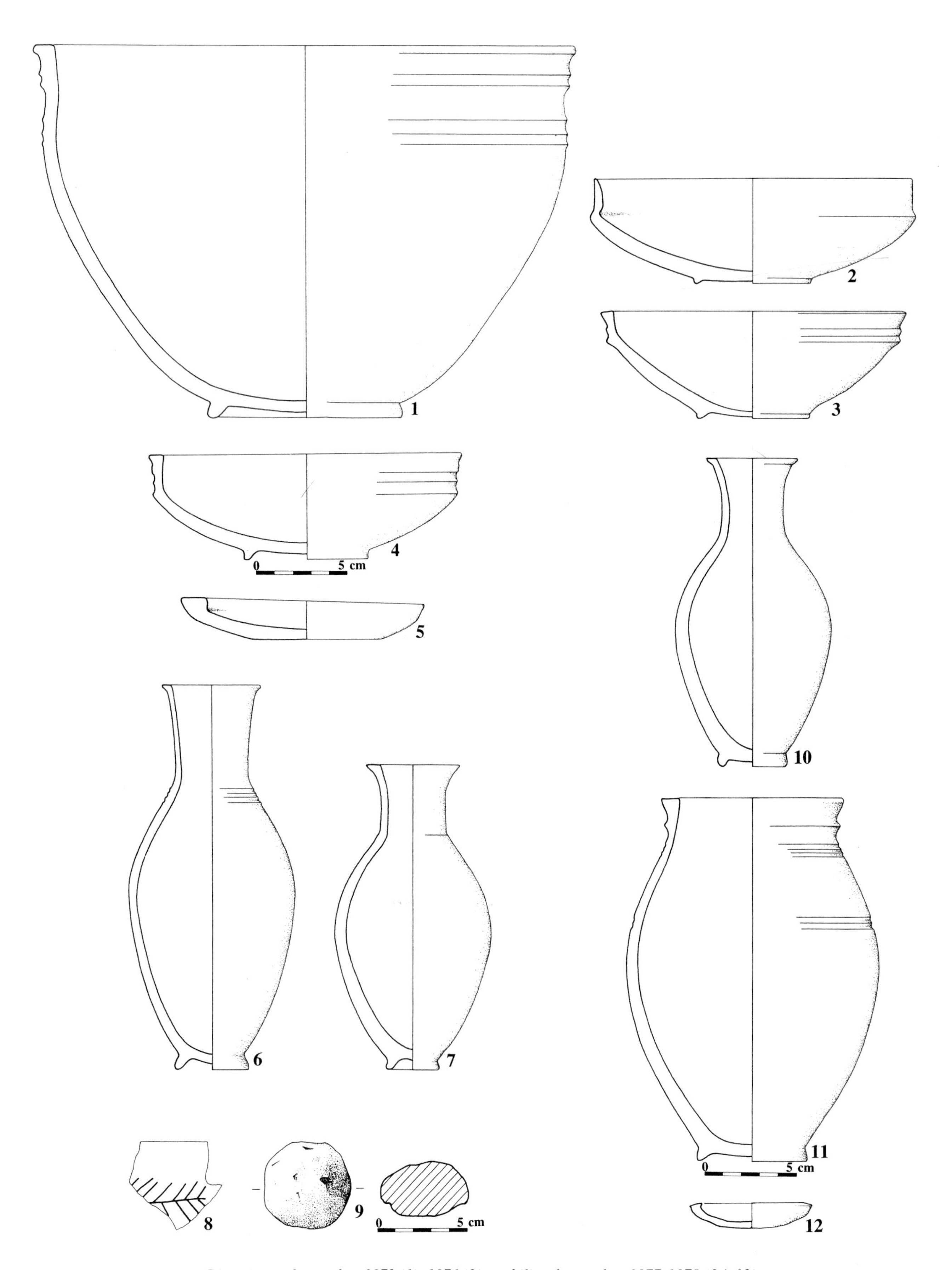

Céramiques des tombes 1072 (1), 1076 (2), mobilier des tombes 1077-1078 (3 à 12).

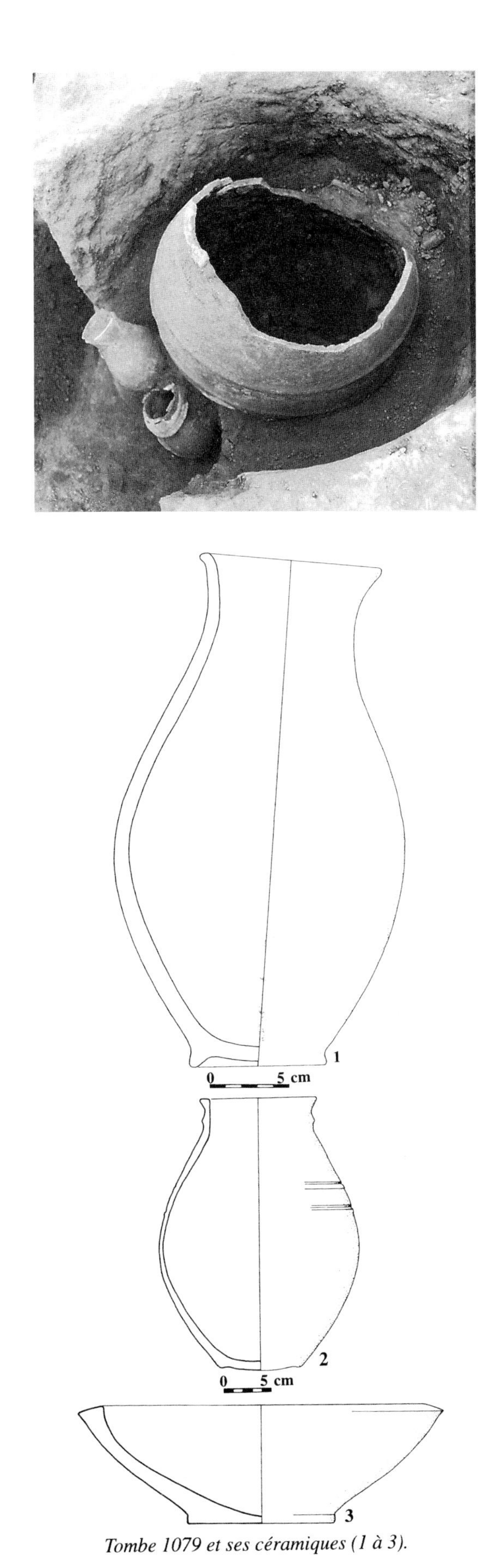

Tombe 1079 et ses céramiques (1 à 3).

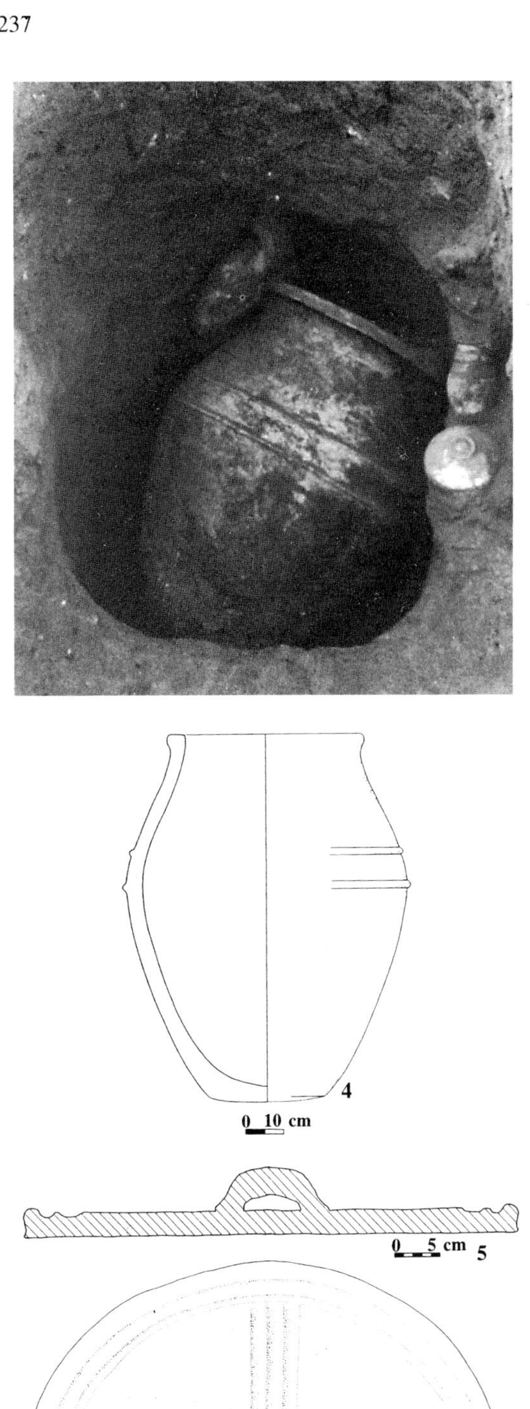

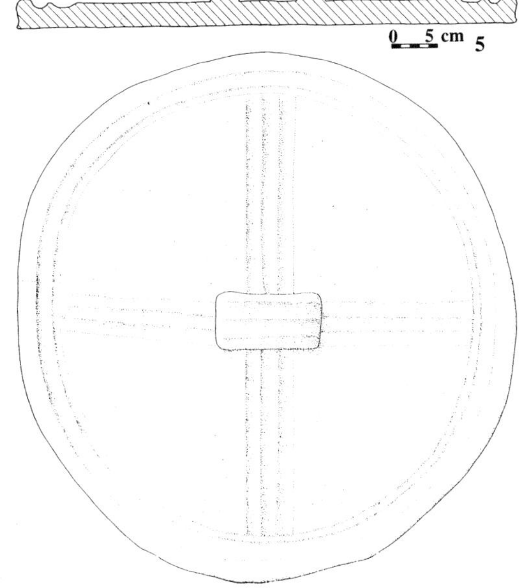

Tombe 1081, jarre funéraire et couvercle (4, 5).

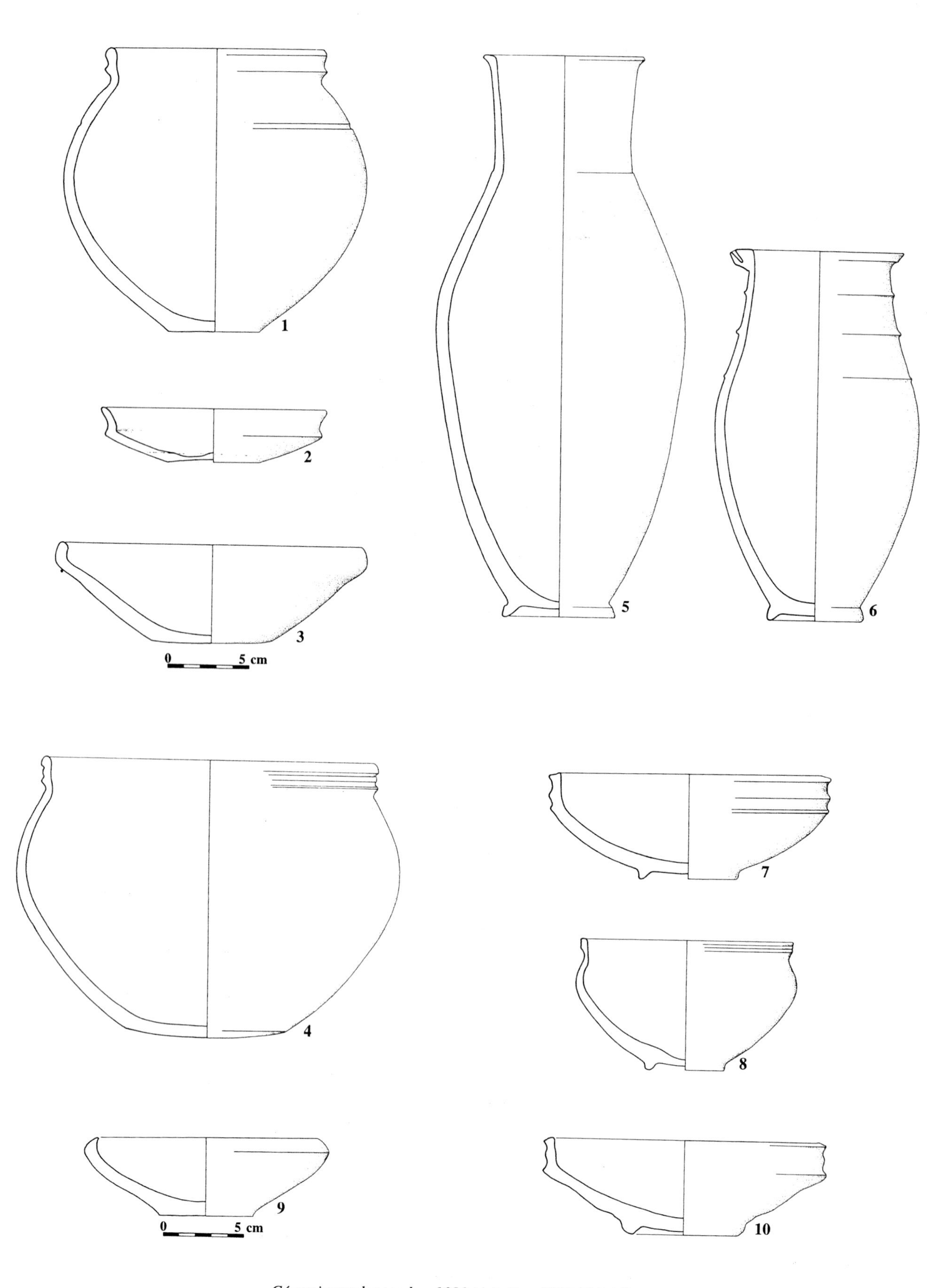

Céramiques des tombes 1080 (1 à 4) et 1081 (5 à 10).

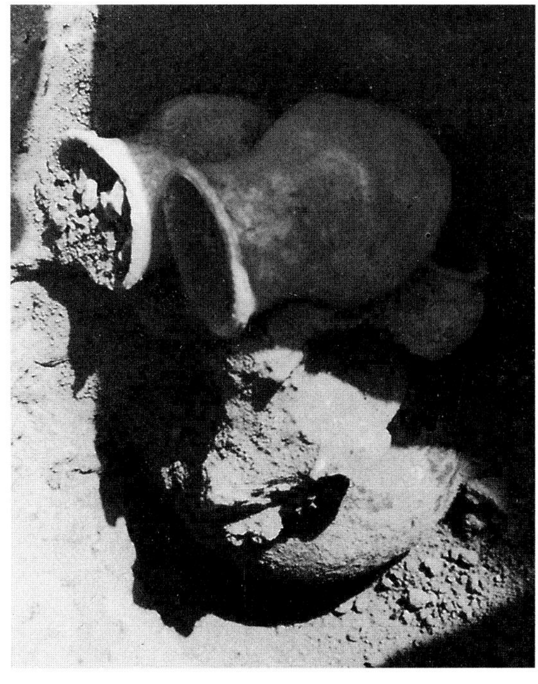

Tombe 1082.

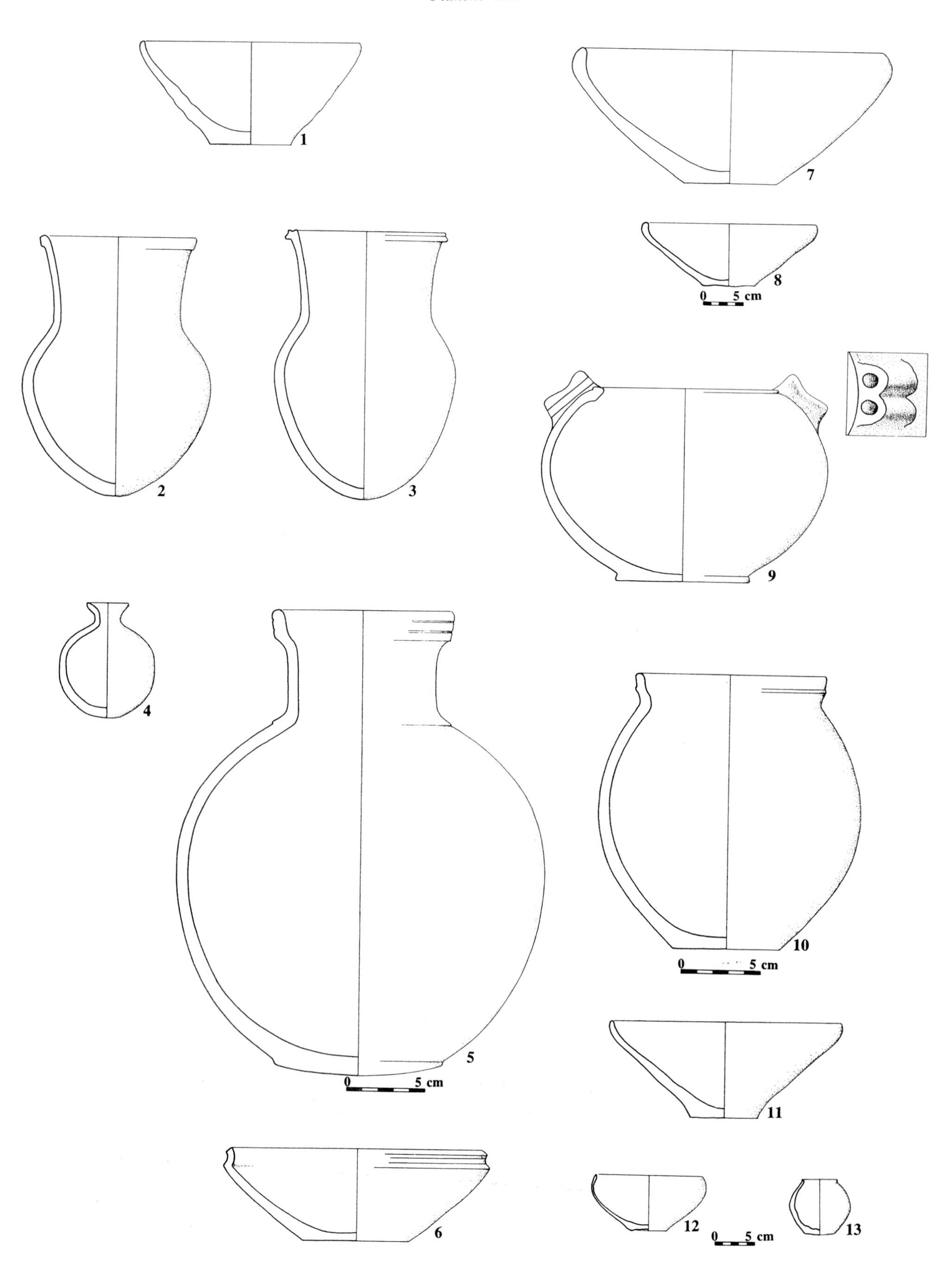

Céramiques de la tombe 1082.

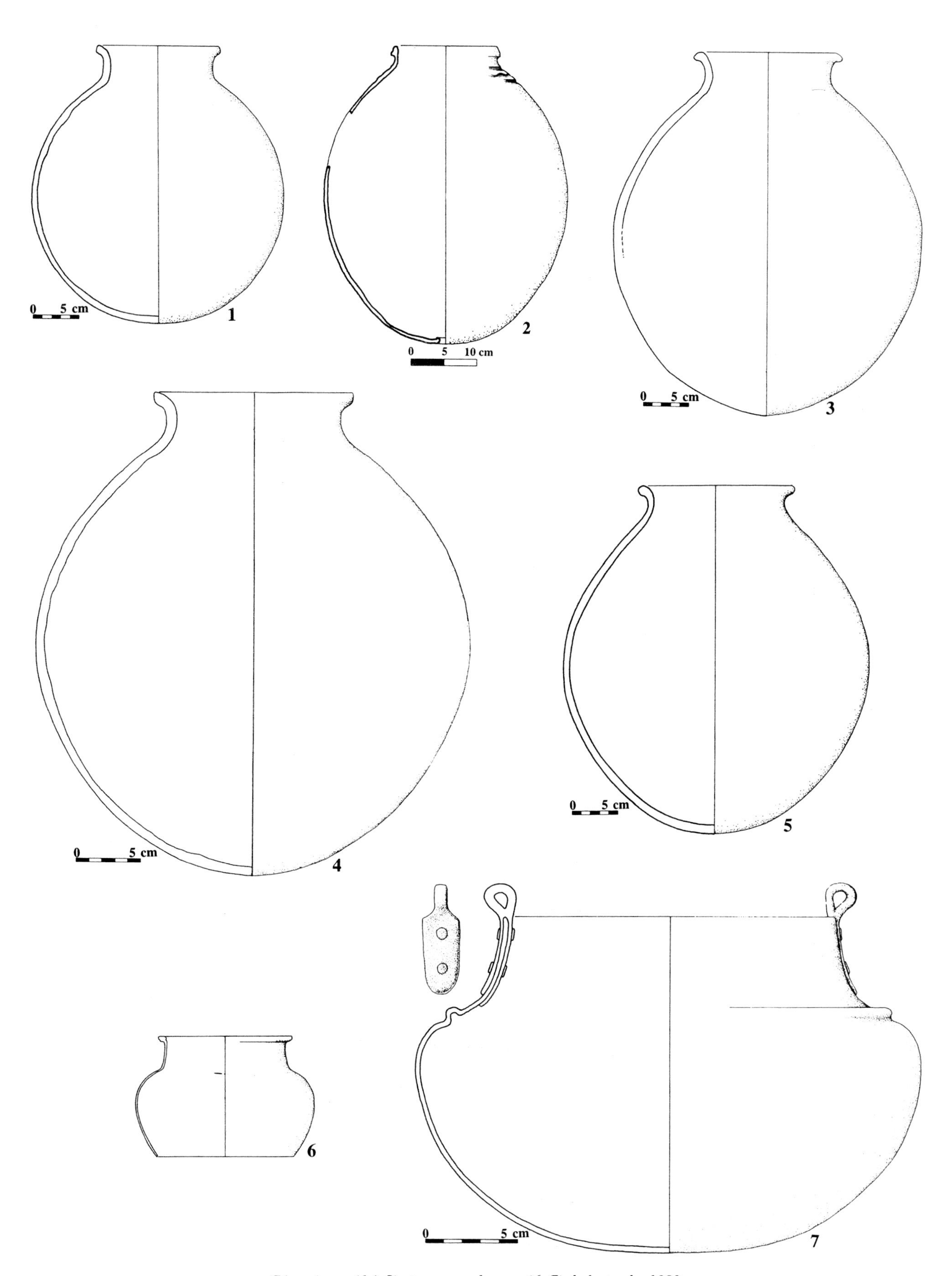

Céramiques (1 à 5) et vases en bronze (6, 7) de la tombe 1082.

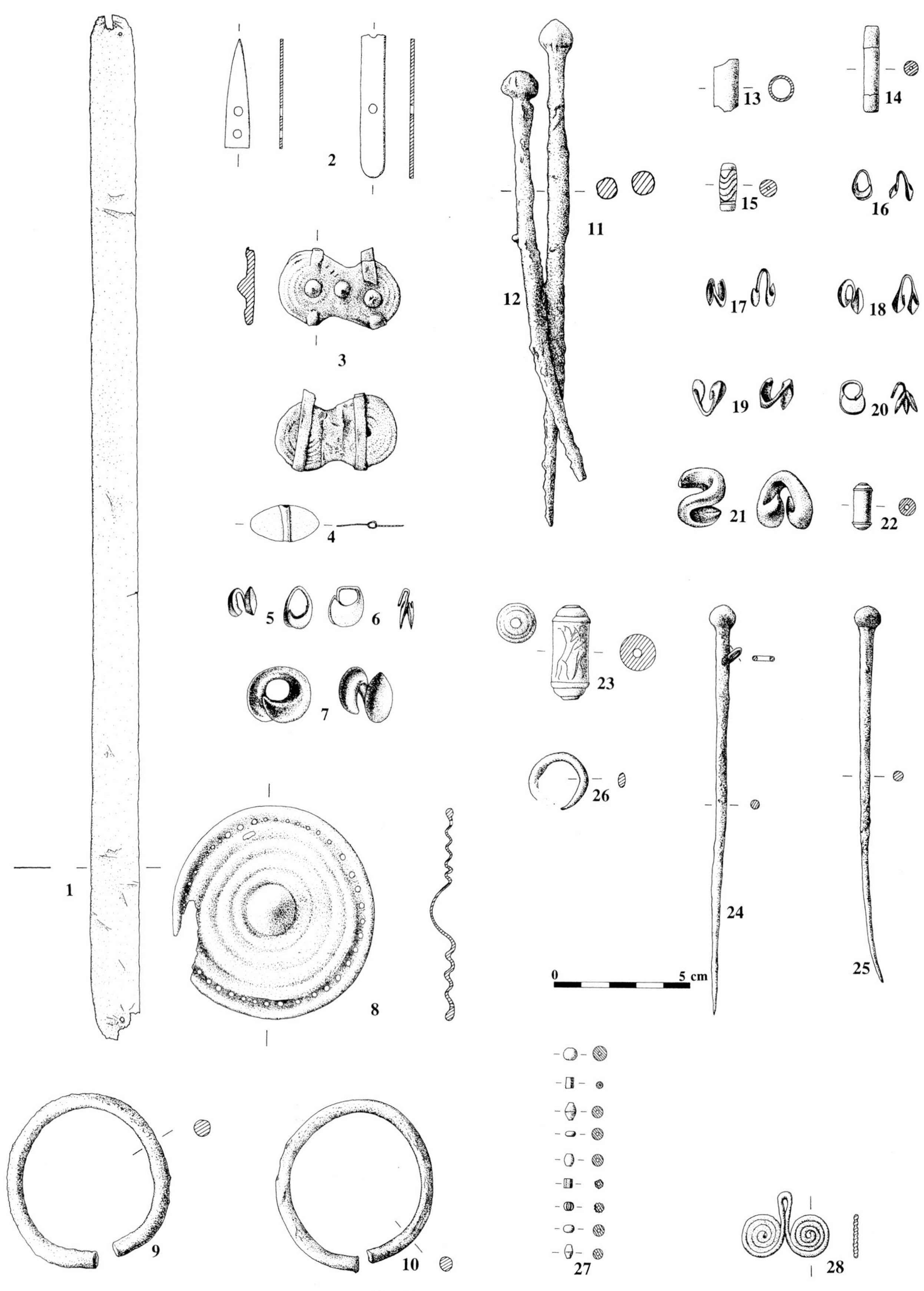

Mobilier de la tombe 1082.

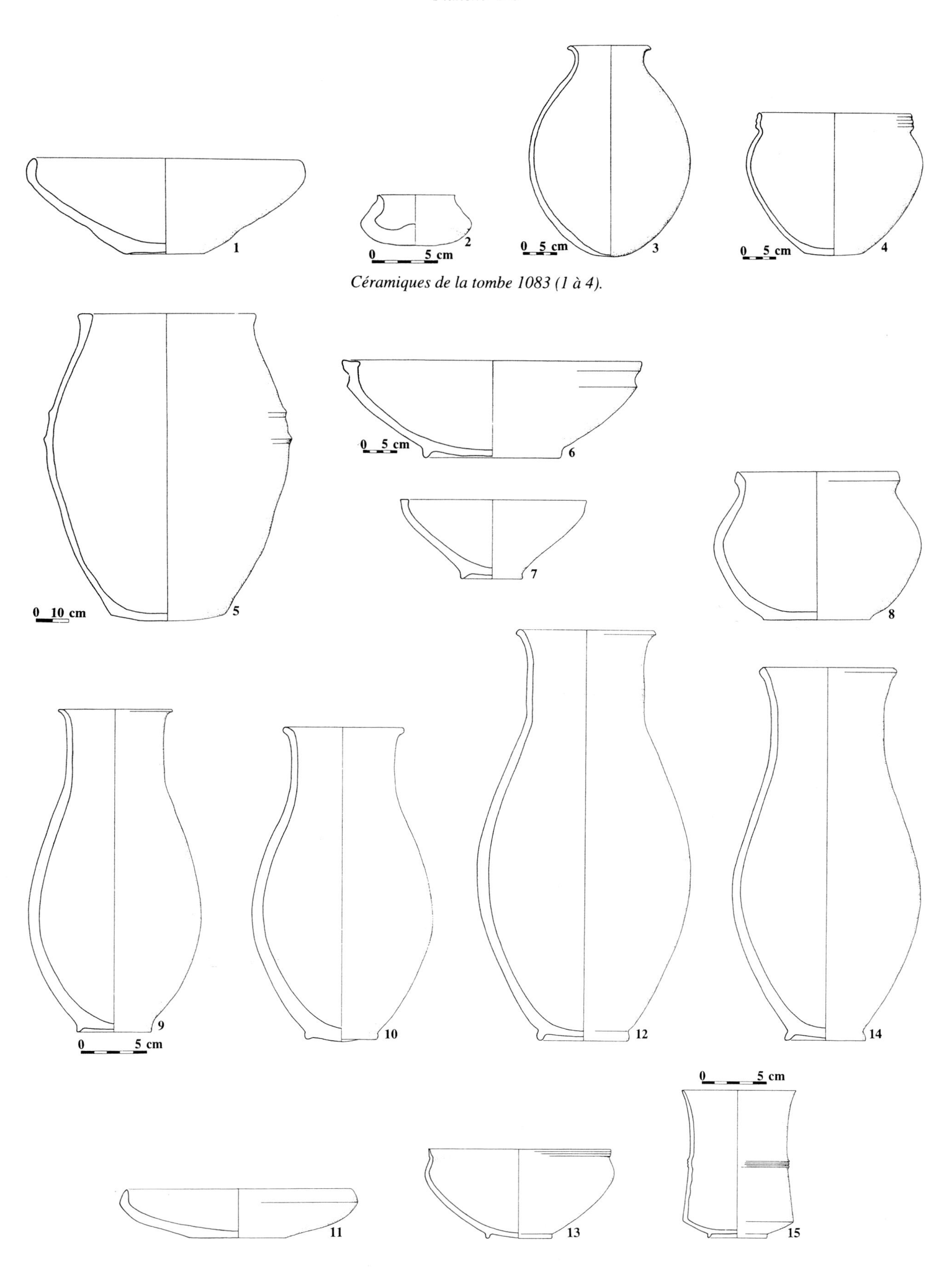

Céramiques de la tombe 1083 (1 à 4).

Céramiques de la tombe 1084 (5 à 15).

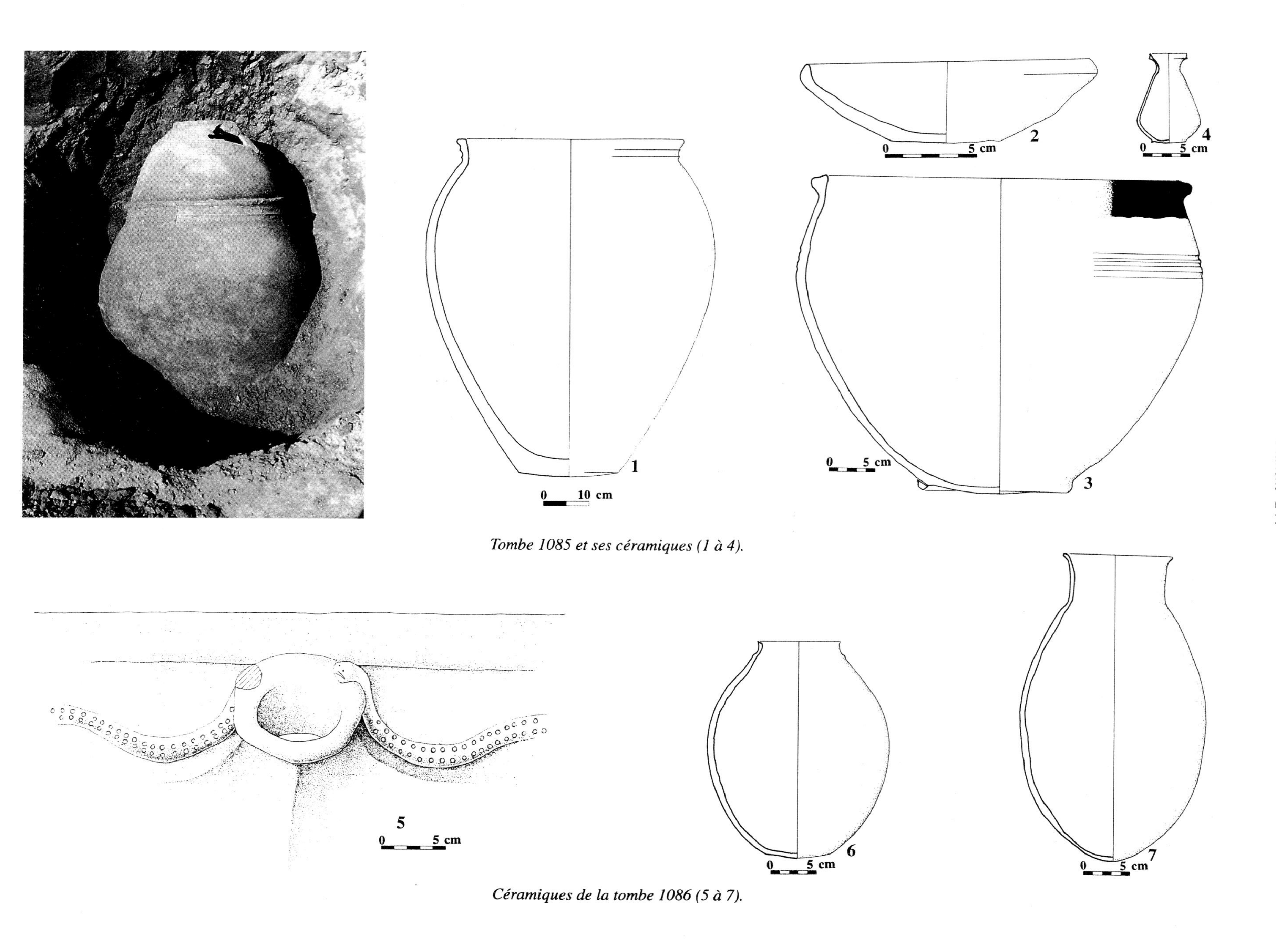

Tombe 1085 et ses céramiques (1 à 4).

Céramiques de la tombe 1086 (5 à 7).

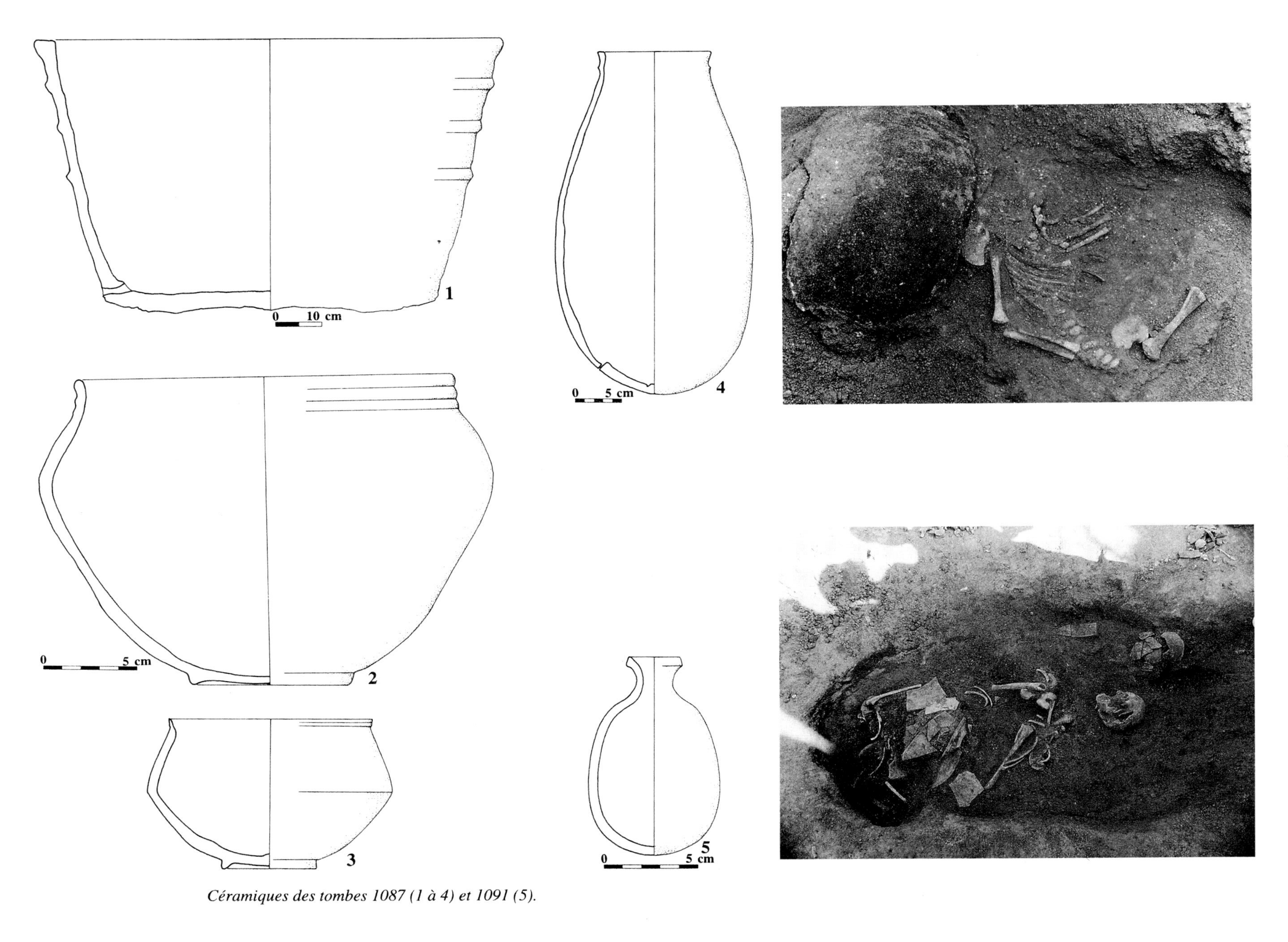

Céramiques des tombes 1087 (1 à 4) et 1091 (5).

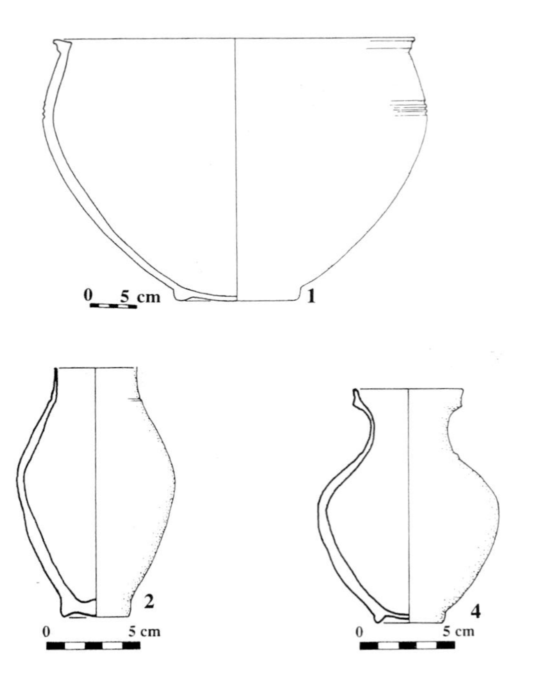

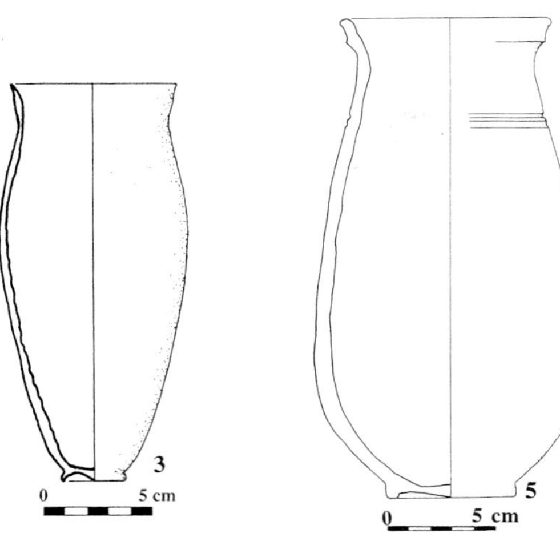

Céramiques de la tombe 1090 (1 à 5).

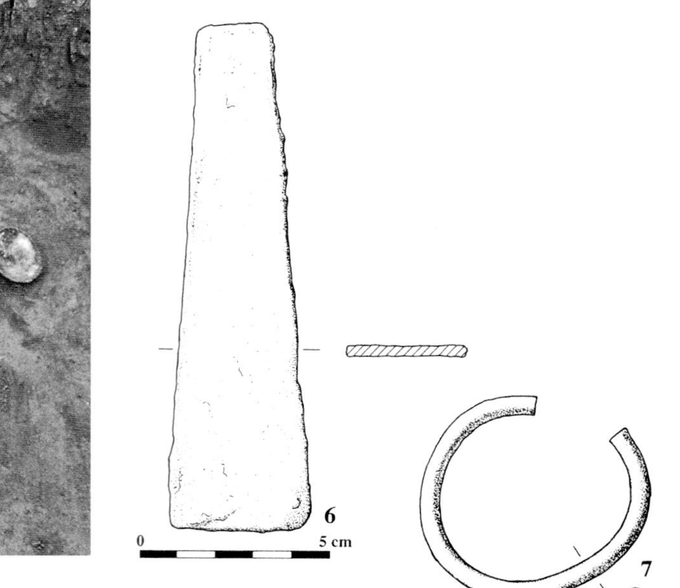

Tombe 1092 et son mobilier (6 et 7).

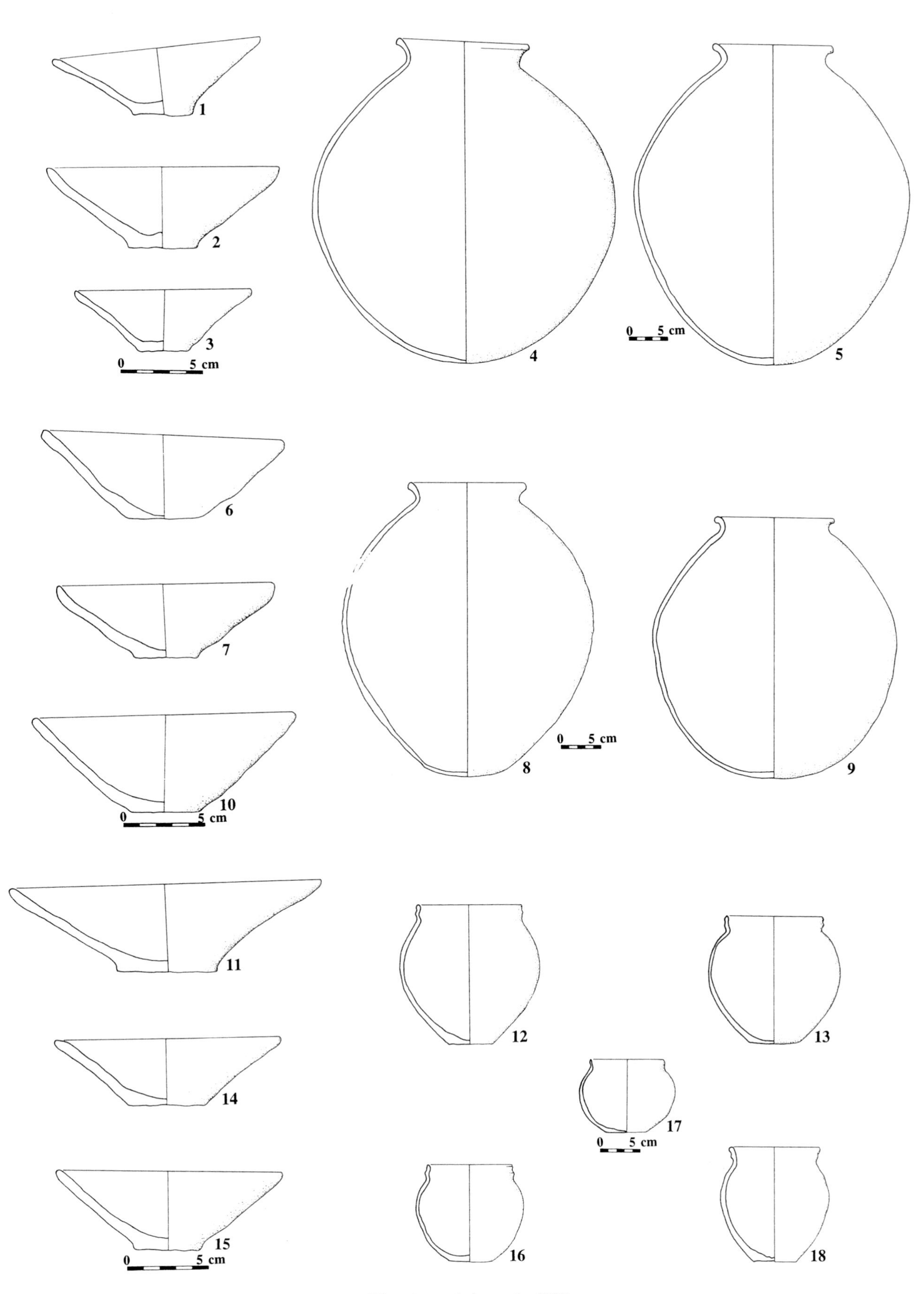

Céramiques de la tombe 1092.

Tombe 1093.

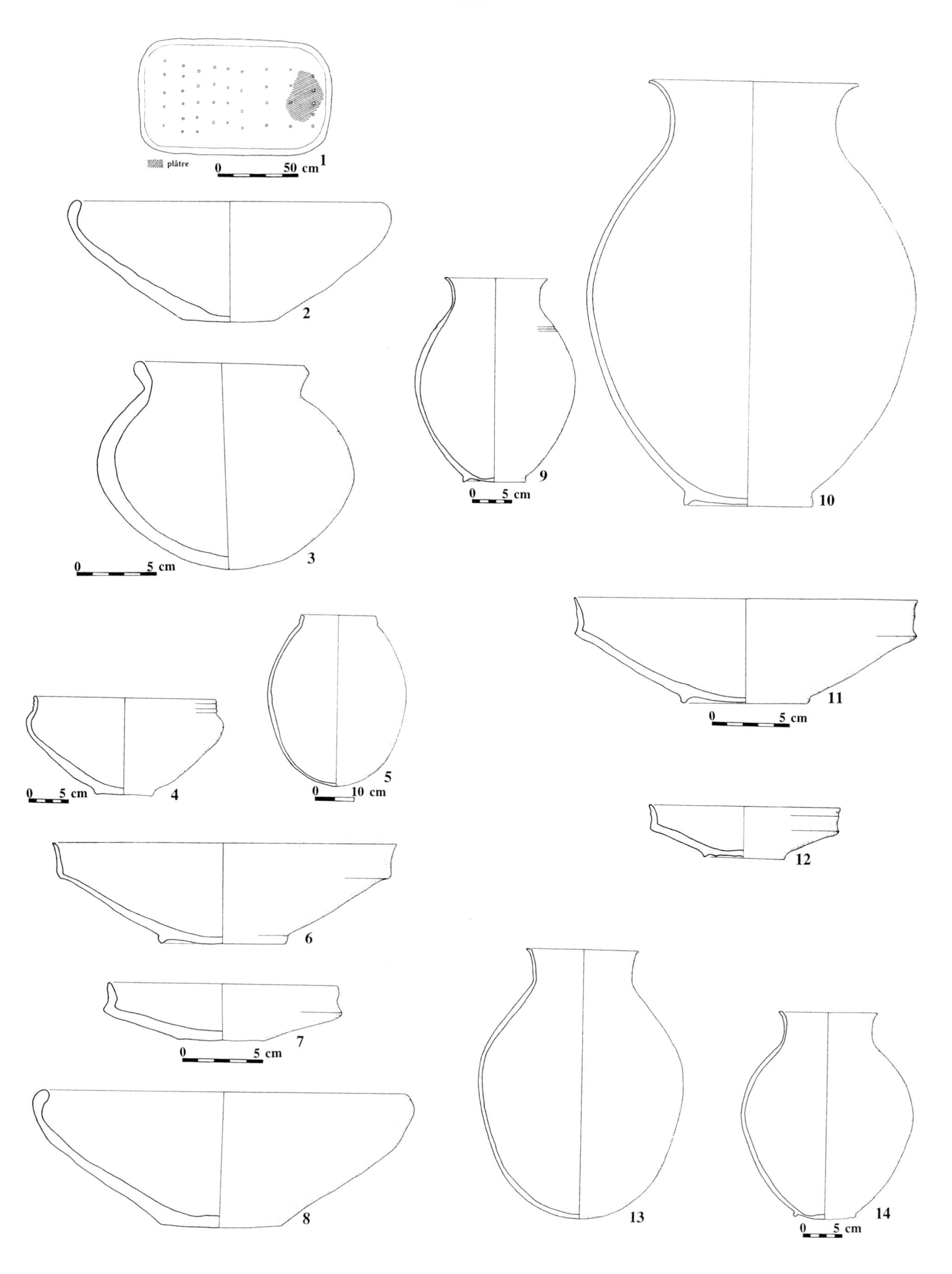

Céramiques de la tombe 1093.

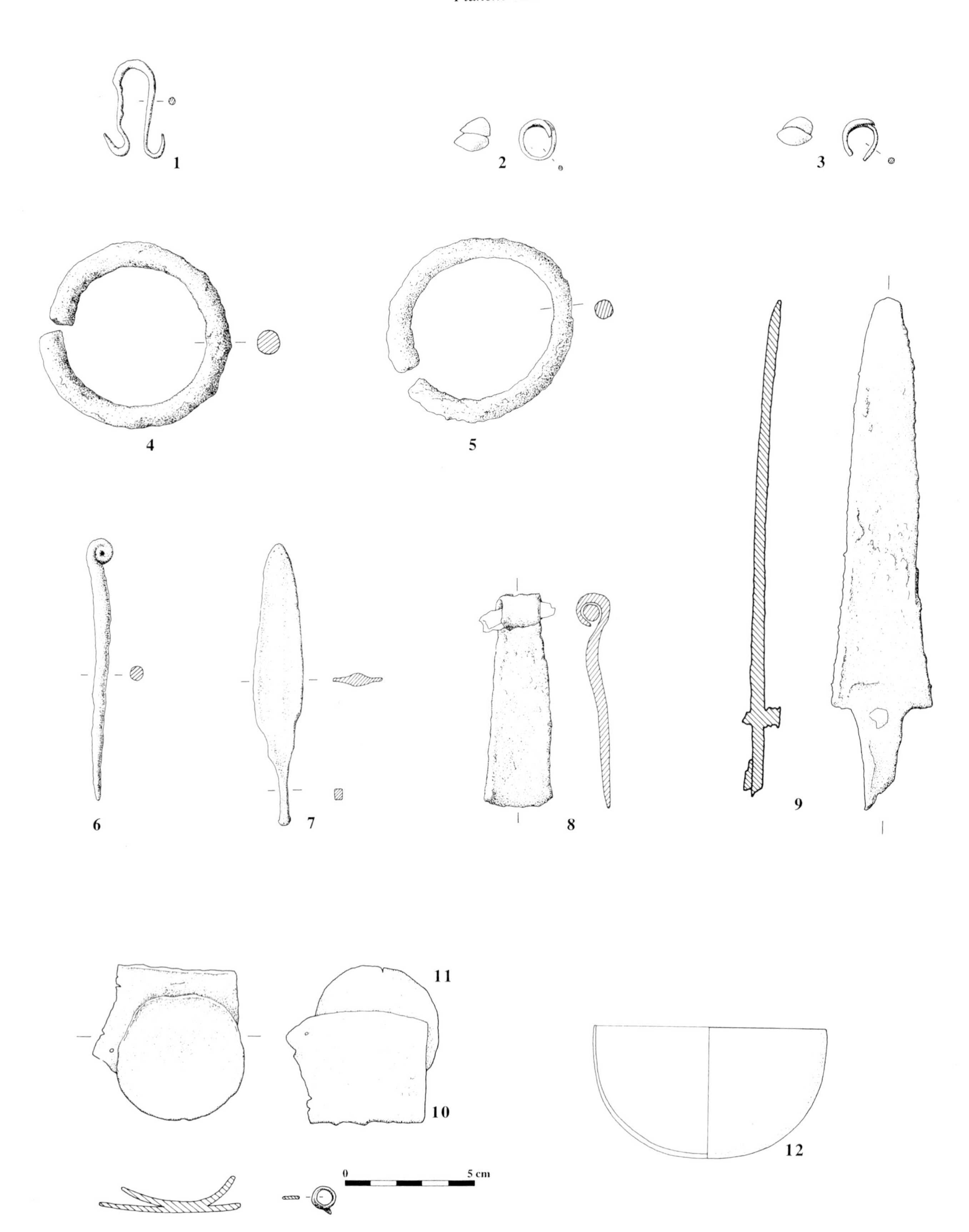

Mobilier de la tombe 1093.

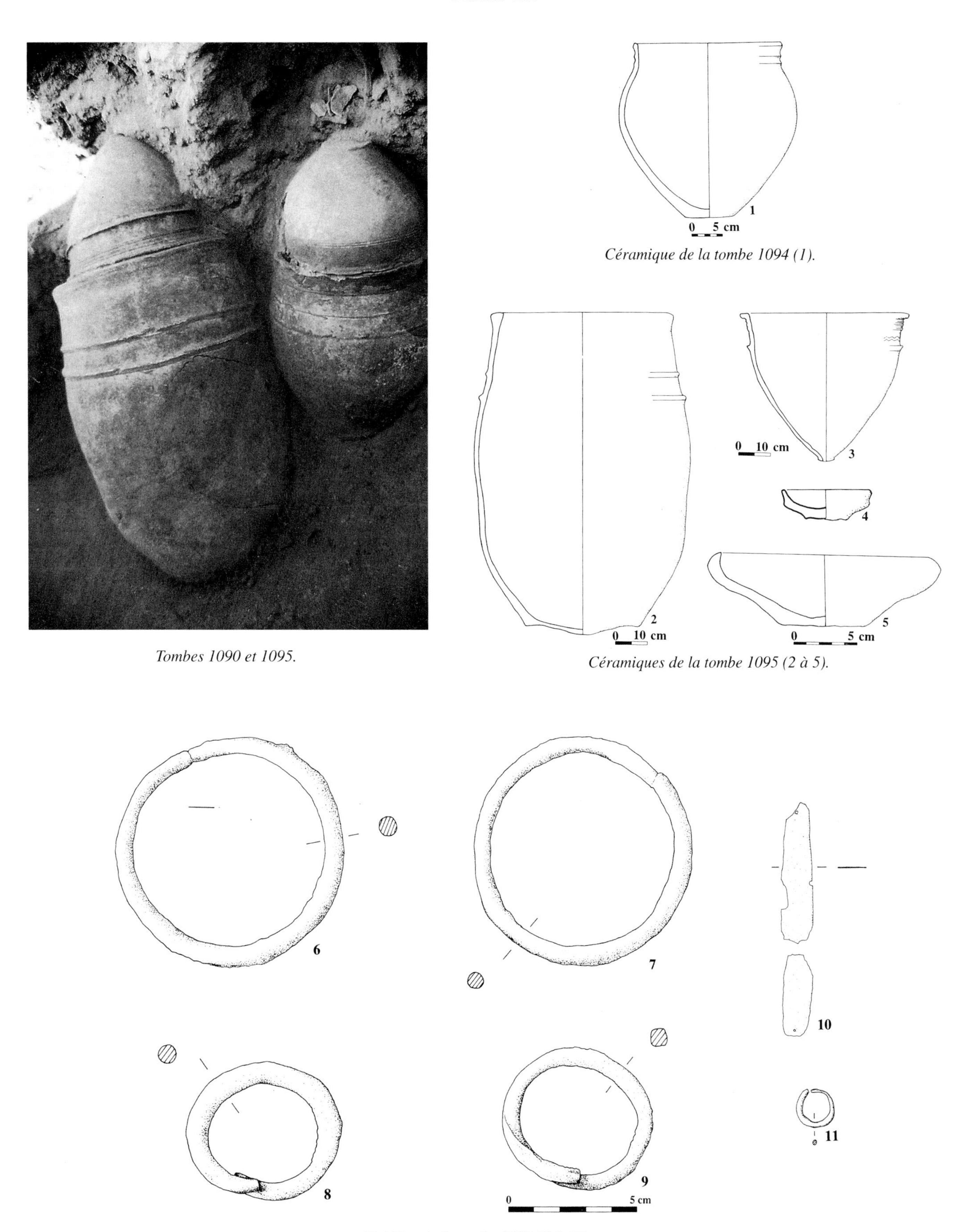

Céramique de la tombe 1094 (1).

Tombes 1090 et 1095.

Céramiques de la tombe 1095 (2 à 5).

Mobilier de la tombe 1095 (6 à 11).

Tombes 1099-1097-1098-1096.

Tombe 1099.

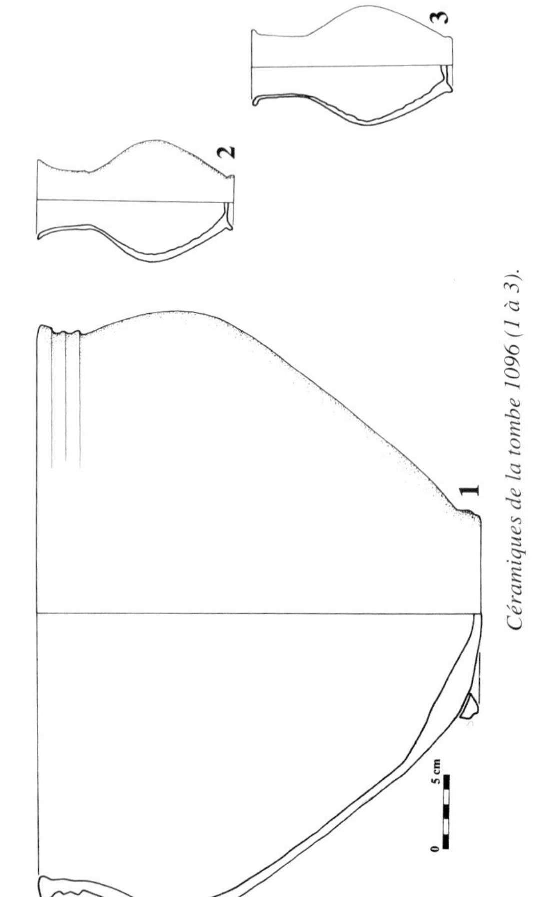

Céramiques de la tombe 1096 (1 à 3).

Tombes 1099, 1098, 1097 et 1096 (du haut vers le bas).

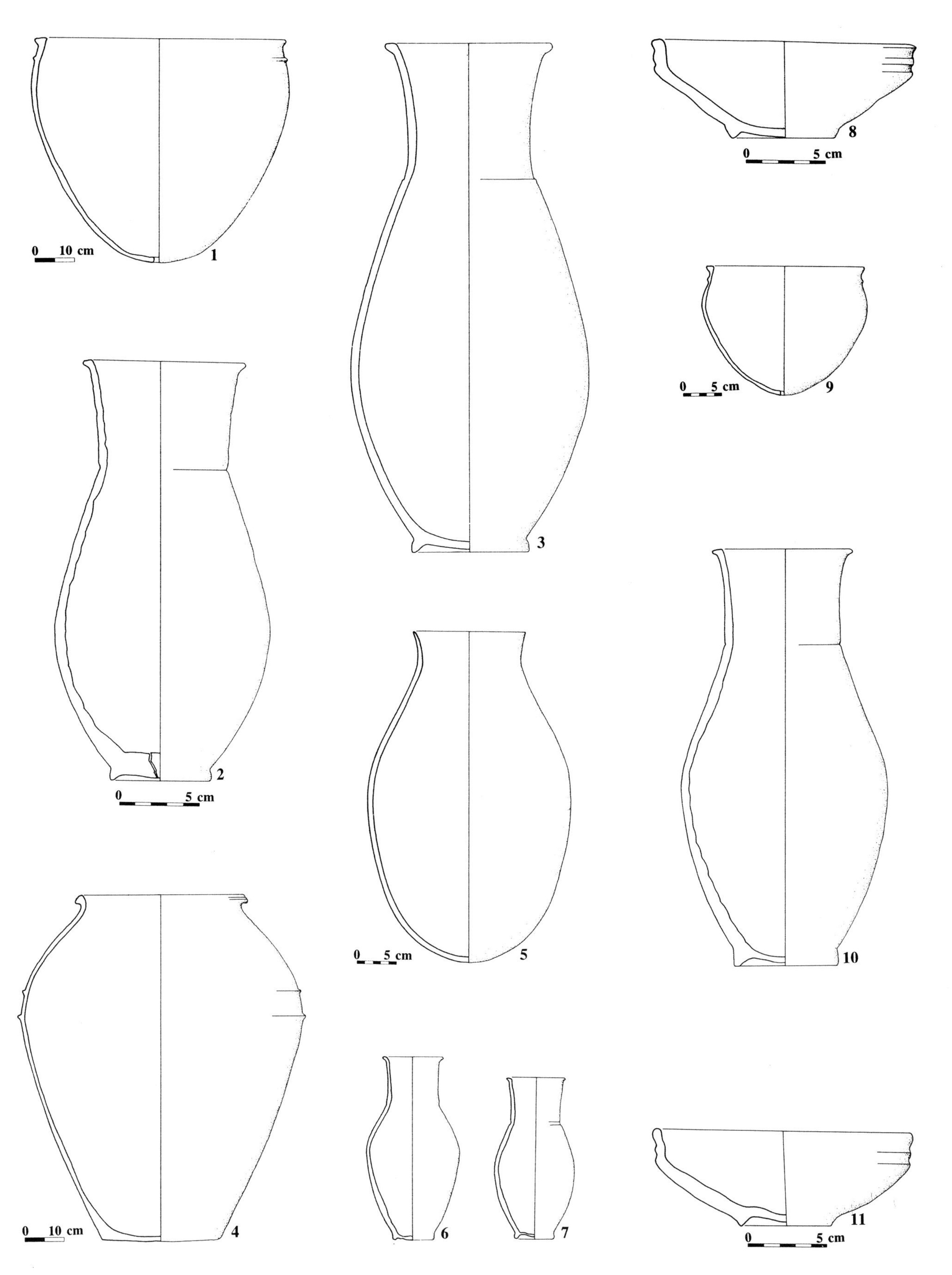

Céramiques des tombes 1097 (1 à 3), 1098 (5), 1099 (4, 6 à 8) et 1102 (9 à 11).

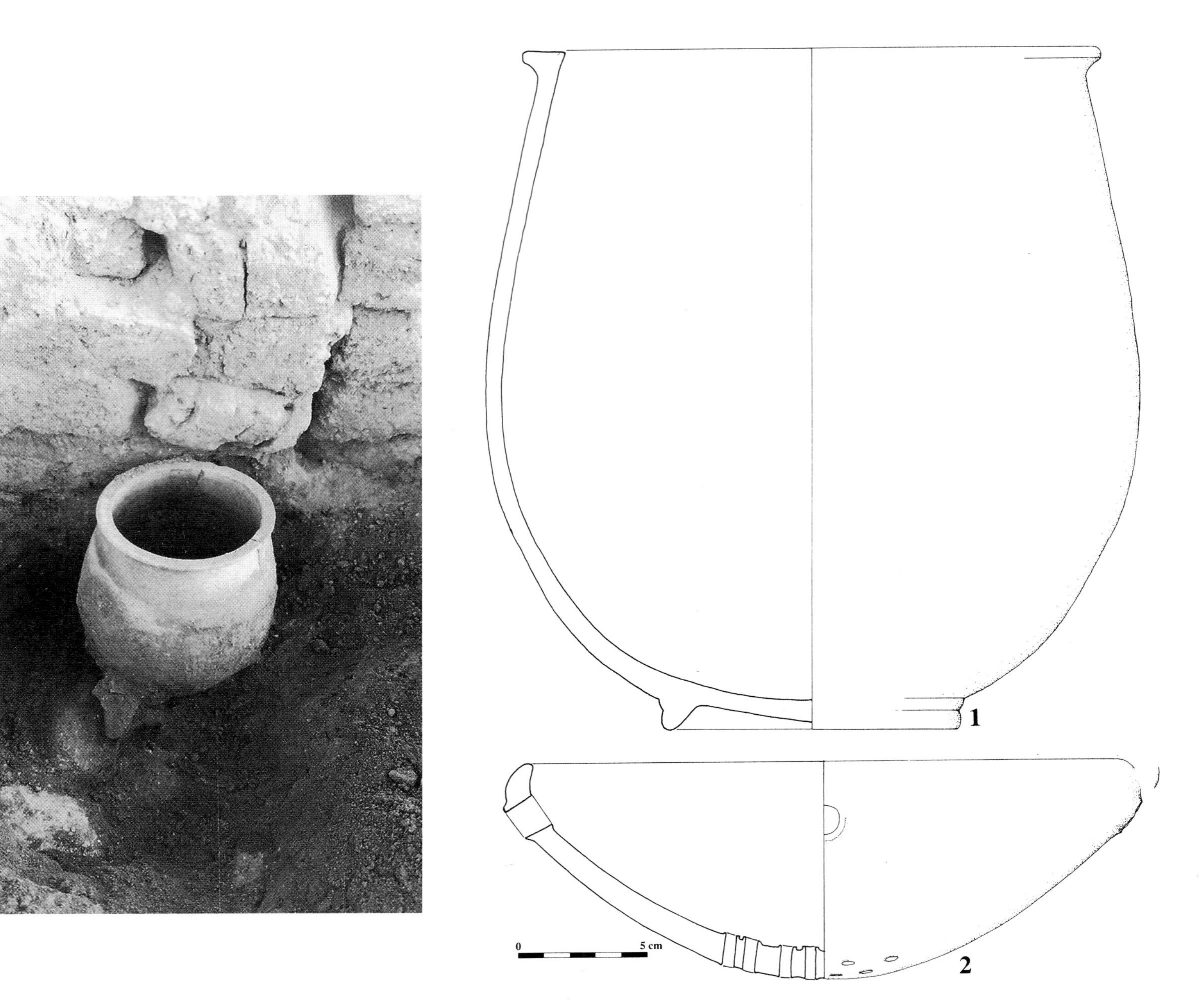

Tombe 1100 et ses céramiques (1 et 2).

Tombe 1102.

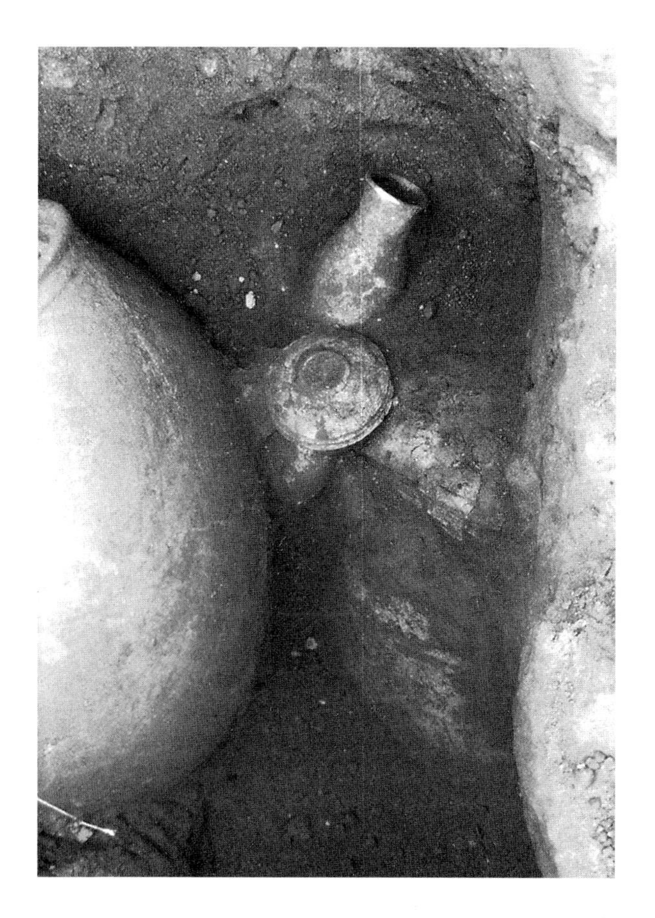

Tombes 1102 et 1108.

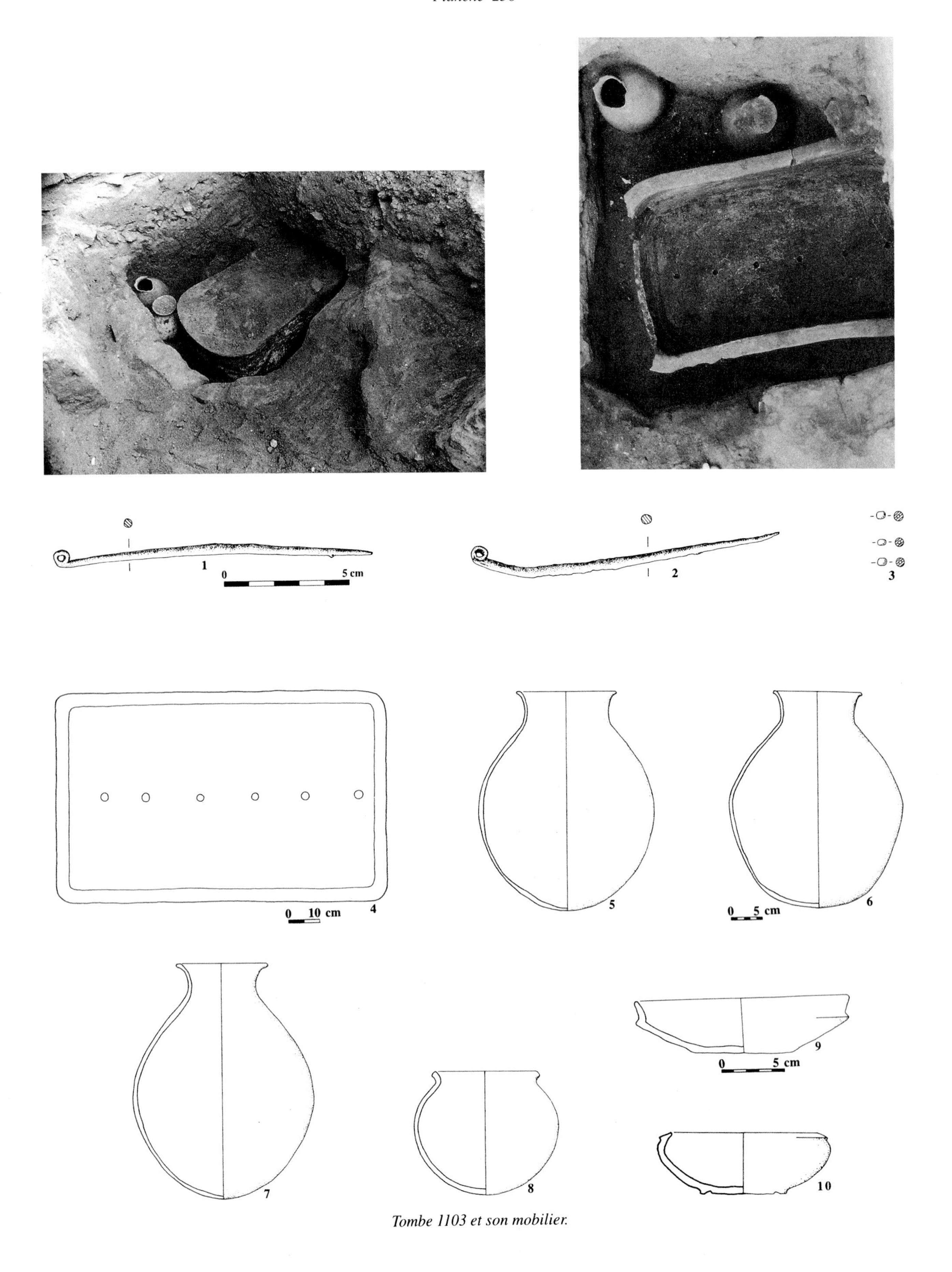

Tombe 1103 et son mobilier.

Tombe 1104 (niveau 1).

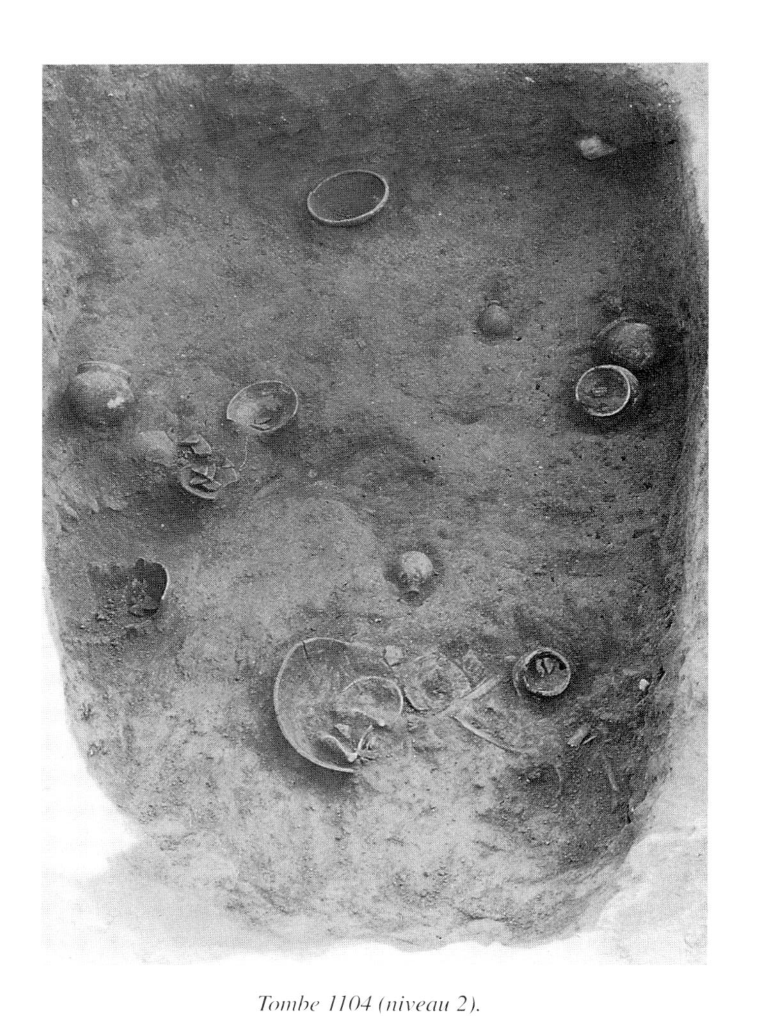

Tombe 1104 (niveau 2).

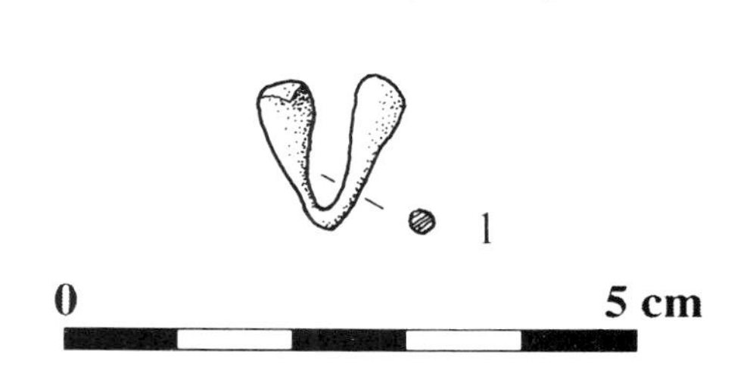

Objet de la tombe 1104.

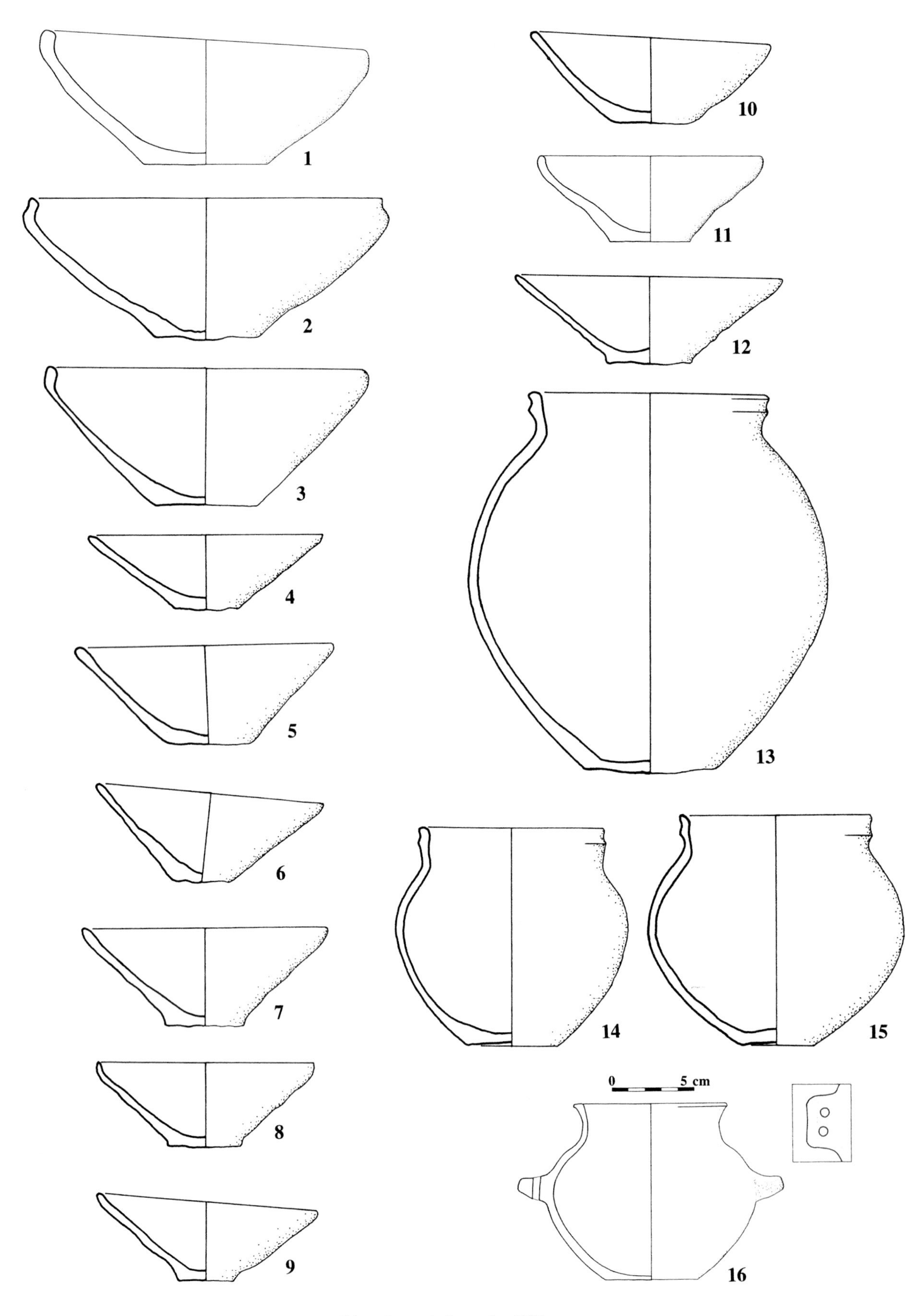

Céramiques de la tombe 1104.

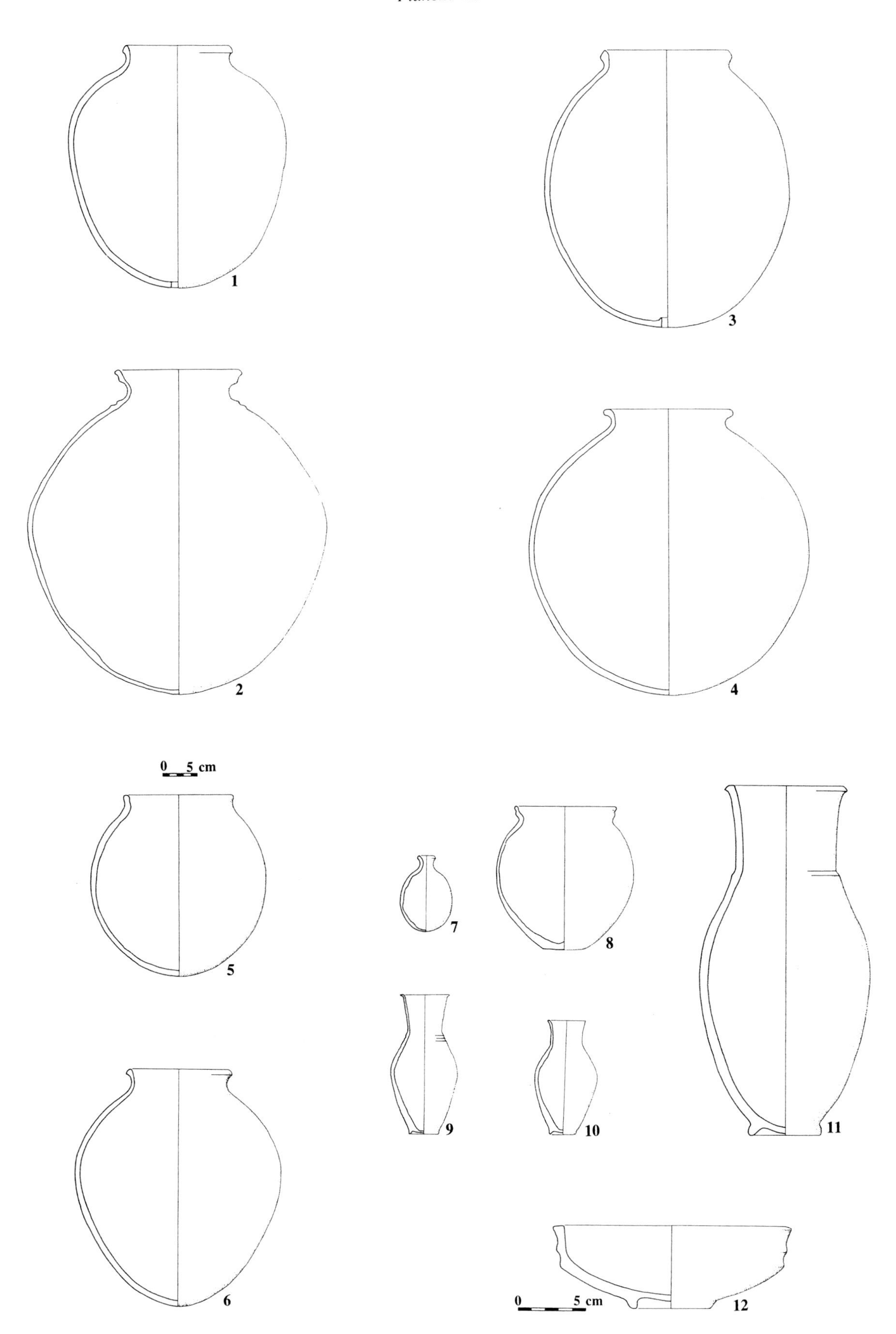

Céramiques des tombes 1104 (1 à 7), 1105 (8 à 10) et 1108 (11, 12).

Fouille de la cour 106 du palais du deuxième millénaire, tombes médio-assyriennes (cimetière 1).

Fouille de la cour 106, tombes médio-assyriennes (cimetière 1).

Cour 106 dégagée, vue de la zone plâtrée.

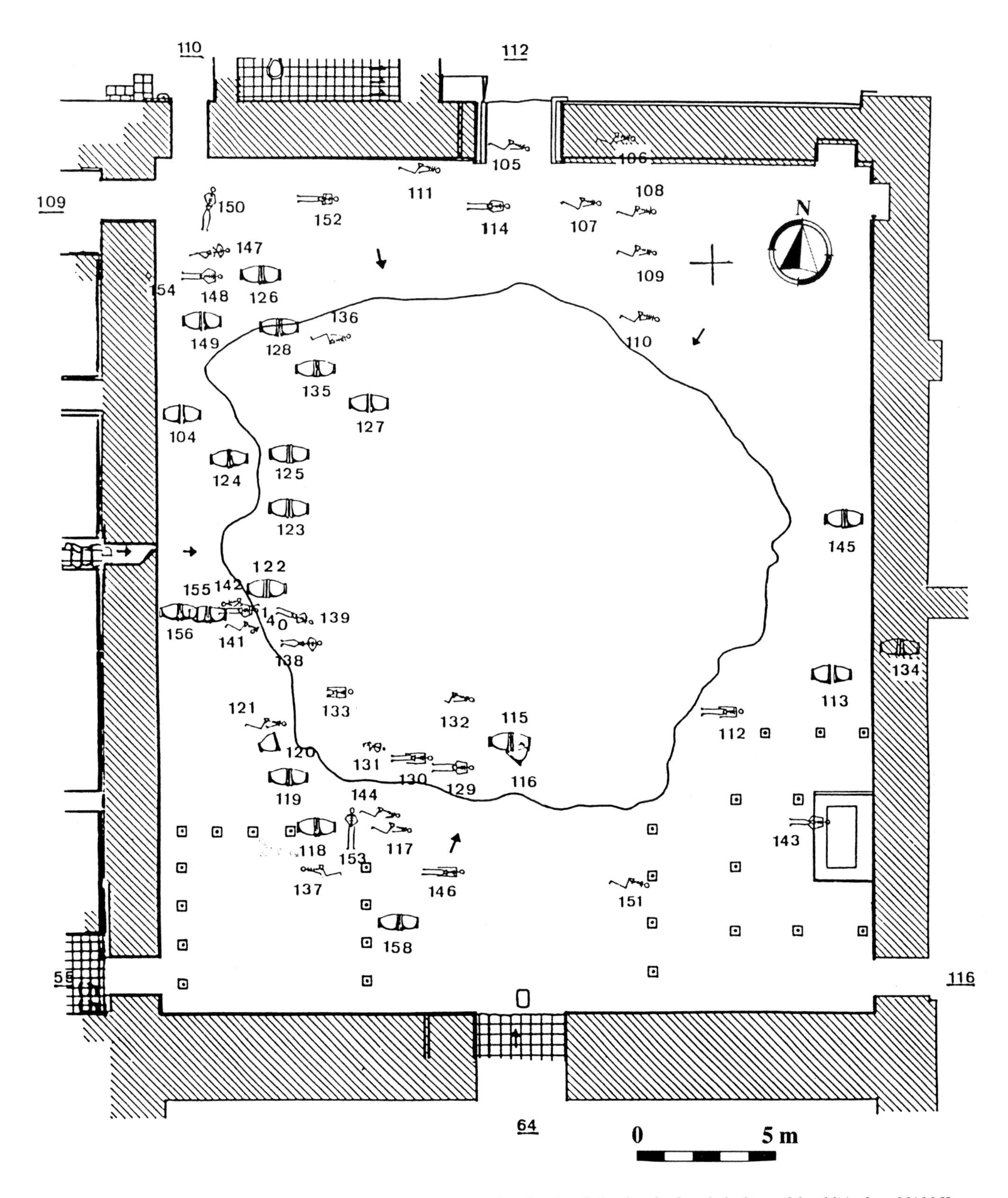

Plan de la cour 106 du palais du deuxième millénaire : superposition du plan de la planche 8 et de la figure 86 publiée dans MAM II-1, p. 82 ; traces de la zone plâtrée, tombes médio-assyriennes (cimetière 1).

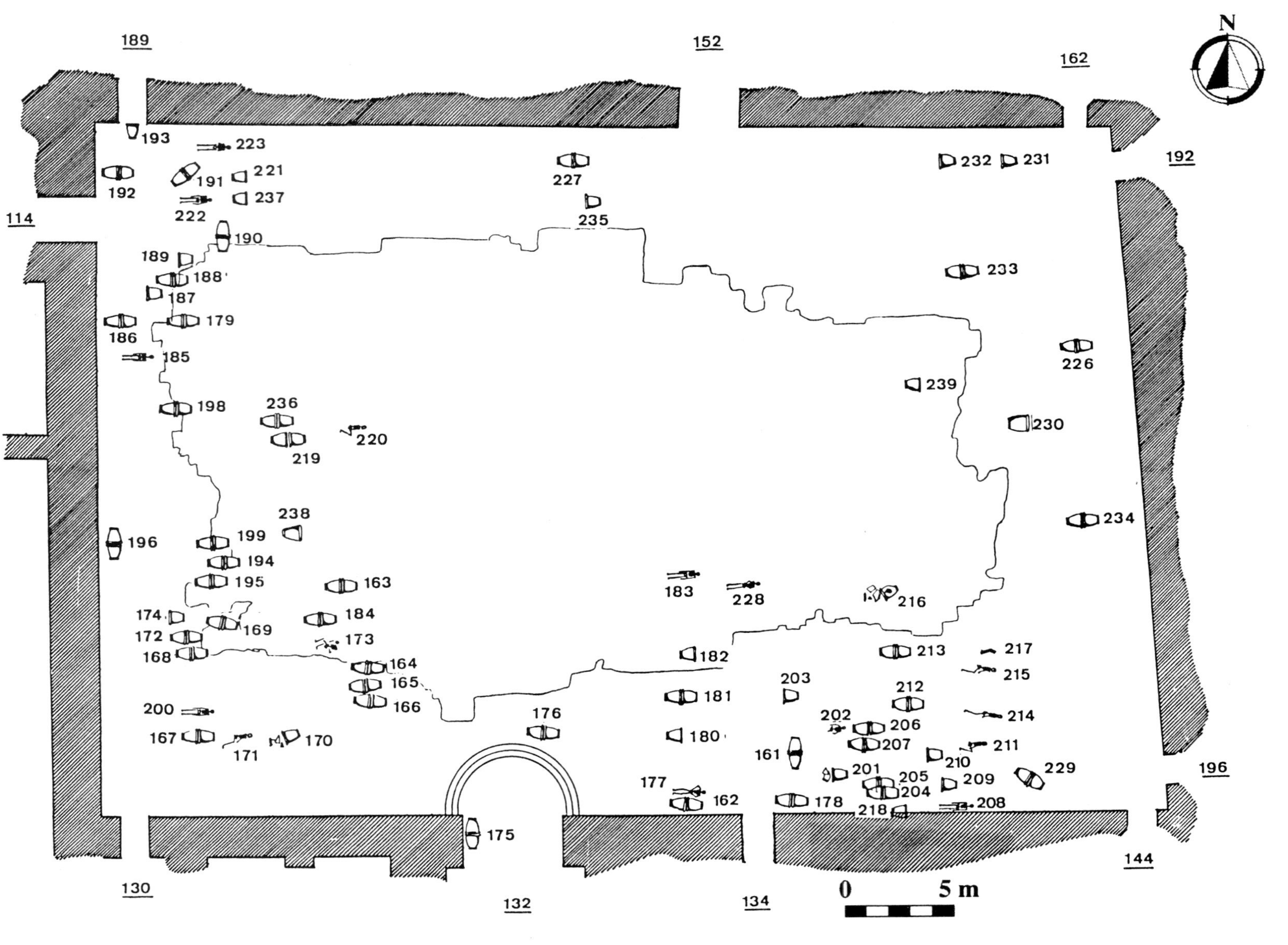

Plan de la cour 131 du palais du deuxième millénaire : superposition du plan de la planche 8 et de la figure 56 publiée dans MAM II-1, p. 56 ; tracé du dallage en briques cuites, tombes médio-assyriennes (cimetière 2).

Fouille de la cour 131 du palais du deuxième millénaire, tombes médio-assyriennes dans la zone sud (cimetière 2).

Cour 131 : traces de tombes médio-assyriennes dans le dallage de la zone sud.

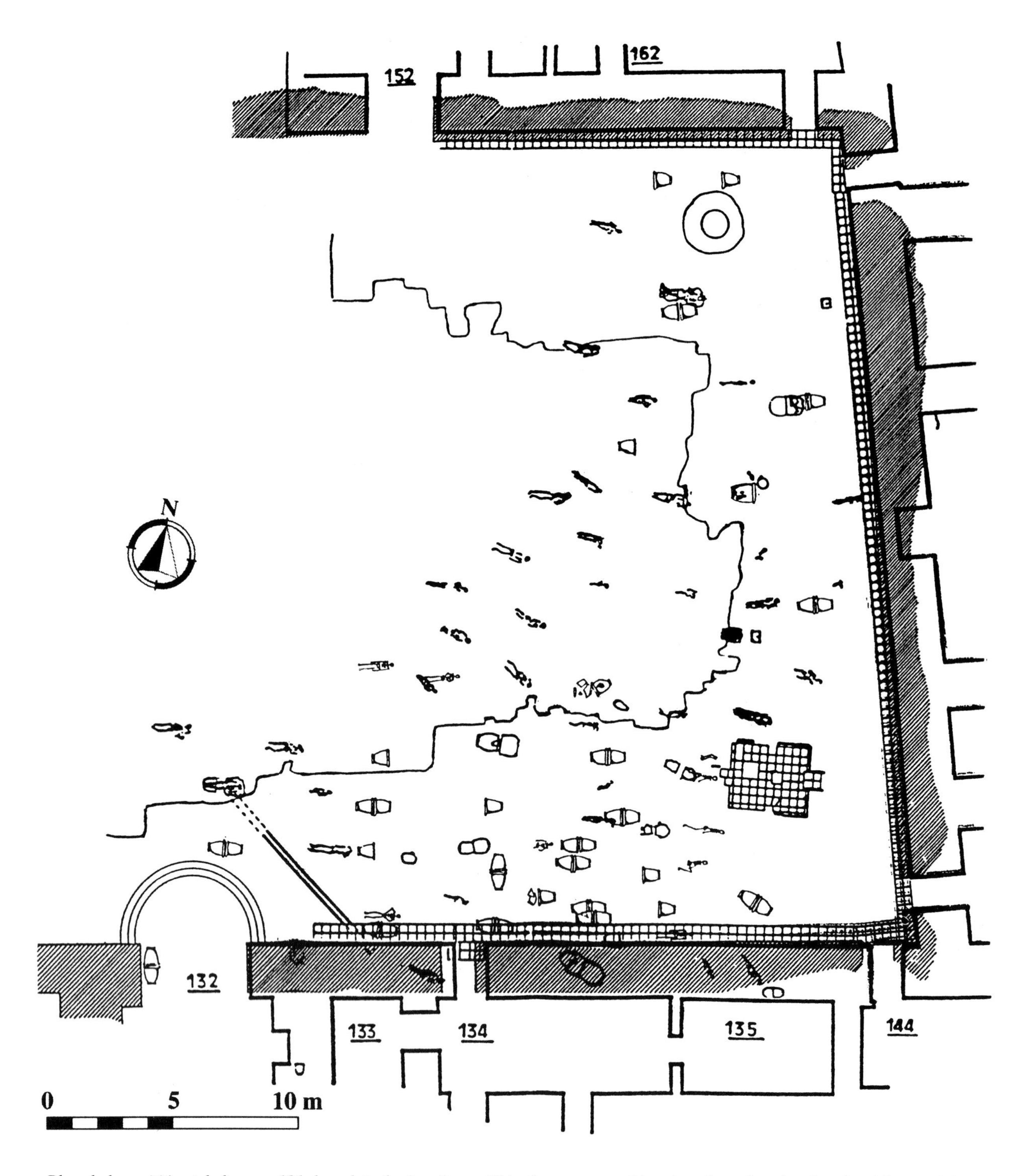

Plan de la moitié est de la cour 131 du palais du deuxième millénaire : superposition des plans des planches 8 et 15 ; tracé du dallage en briques cuites, tombes médio-assyriennes (cimetière 2).

Cour 131, traces des tombes médio-assyriennes dans le dallage de la zone sud (cimetière 2).

Tombes médio-assyriennes du secteur nord-est de la haute terrasse (cimetière 3).

Cour 131, traces des tombes médio-assyriennes dans le dallage de la zone est (cimetière 2).

Tombes médio-assyriennes du secteur nord-est de la haute terrasse (cimetière 3).

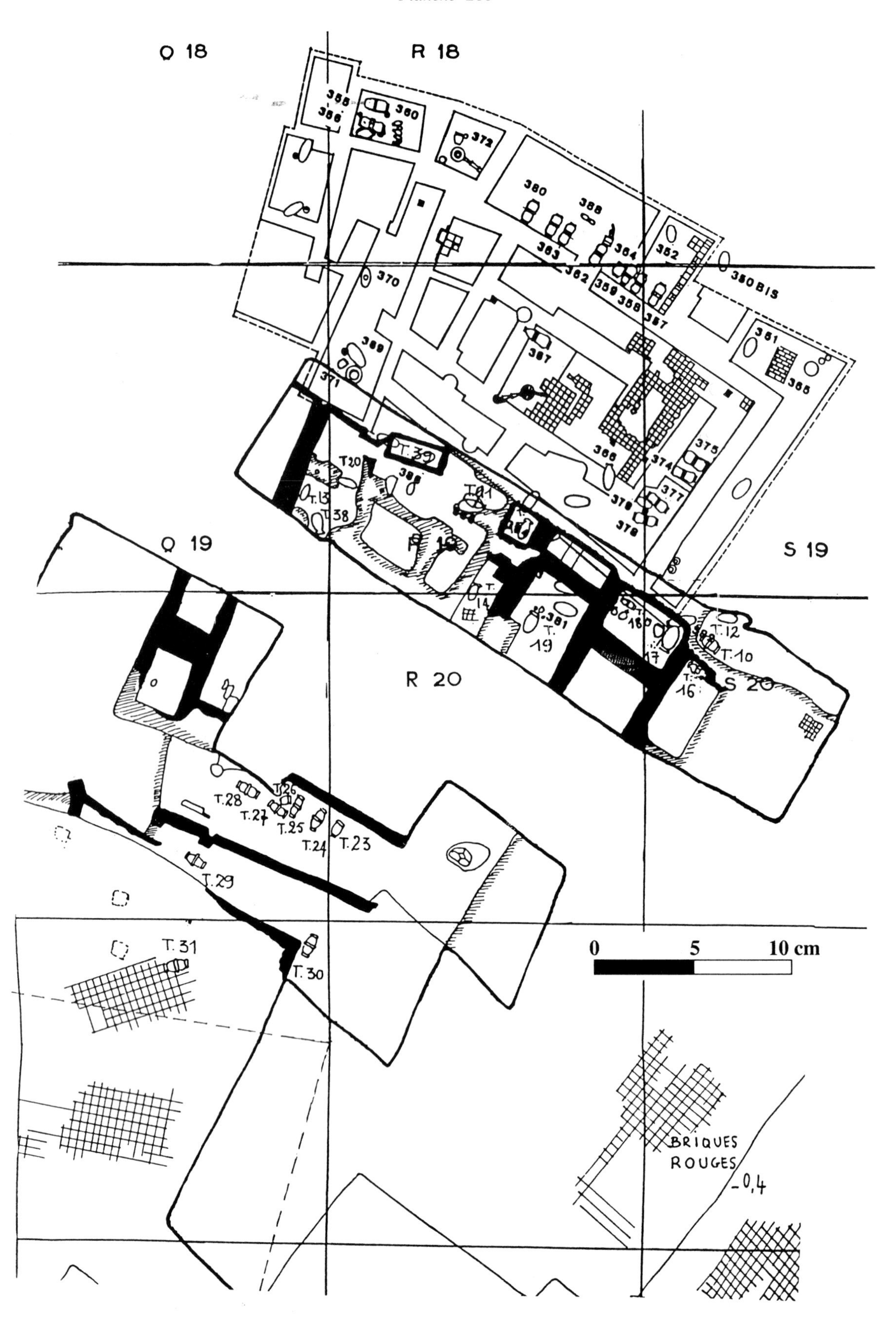

Plan de l'habitat mis au jour dans le secteur nord-est de la haute terrasse, superposition des plans des planches 4 et 12 tombes médio-assyriennes et séleucides.

- الوضعية التي تمت فيها عملية الدفن و اتجاه الهيكل .
- جنس المدفون و عمره .
- دراسة دقيقة للعظام .
- نسب توزع المدافن بين الصغار و البالغين .
- طبيعة العظام الحيوانية و البقايا النباتية التي رافقت هذه القبور .
- طبيعة الأثاث الجنائزي المرافق .

طرائق الدفن

ان دراسة مجمل هذه المعطيات بالرغم من عدم توفرها مجتمعة في بعض الحالات قد مكن الباحثة من الوصول الى عدد من النتائج النهائية التي نلخصها كالتالي :

تشابهت طرائق الدفن في المدافن المنفذة داخل الحفر الترابية (pleine terre) و كانت طبيعة الهياكل العظمية عند اكتشافها ترشدنا على ان المدفون قد وضع في اغلب الحالات على جانبه الايمن و بشكل منحني . كذلك فقد لوحظ اتباع اوضاع مماثلة للهياكل التي وضعت داخل النواويس والجرار الفخارية الكبيرة نظراً لصغر حجم هذه الاخيرة بالنسبة لهياكل الموتى المدفونين داخلها . بالمقابل فقد كانت الهياكل التي وجدت داخل الجرار المزدوجة الناقوسية الشكل (doubles cloches) ممتدة بشكل كامل و ذلك لكبر هذا النمط من المدافن و اتساعه لكامل جسم المدفون . اما هياكل الاطفال و حديثي الولادة فقد وجدت داخل الحفر الترابية او وضعت ضمن الجرار الفخارية و لما استعملت النواويس و الجرار المزدوجة الناقوسية الشكل (راجع الشكل رقم ٢ و الشكل رقم ٣) .

٣ - الأثاث الجنائزي

تألف الاثاث الجنائزي الذي رافق هياكل الموتى بشكل رئيسي من انماط منوعة من الاوان الفخارية (جرار و مشربيات و صحون ...) . و لوحظ في فترة البرونز القديم وجود انماط فخارية منوعة رافقها اعداد قليلة من اللقى الغير فخارية، بالمقابل ارتفع خلال العصر الاشوري الوسيط عدد اللقى الغير فخارية و تراجعت اعداد الاوان الفخارية (راجع الشكل رقم ٤ و الشكل رقم ٥) و بذلك فقدت الانماط المنوعة للمنتجات الفخارية دورها الاساسي كأثاث يرافق الموتى في الولائم الجنائزية لكي تستعيده خلال العصر الهيلينستي .

خلال فترة البرونز الوسيط الثاني لوحظ الغياب شبه الكامل للاسلحة المصنعة من البرونز (الخناجر و رؤوس السهام و البلطات الحربية) . اما الطاسات و الصحون البرونزية فقد غابت عن الأثاث الجنائزي العائد الى العصر الاشوري الوسيط و استعيض عنه بعلب للحلي (*pyxides*) و اوان مصنعة من مادة الفاينس (faïence) .

اعتباراً من منتصف الالف الثاني قبل الميلاد ازداد استعمال الحلي و المشابك و الخواتم و الاساور و حلقات الكعوب و الاقراط و الاختام و الامشاط و المرايا بالاضافة الى استعمالات محدودة لحلقات الانف و الجعران و الاقنعة المصنعة من مادة الفاينس و بعض الادوات المصنعة من الخشب و بيض النعام .

كانت بعض هياكل الموتى في العصر الهيلينستي ملفوفة بكفن كتاني في حين احيط الرأس بعمامة من القماش .

لا بد من الاشارة الى ان النواويس قد ضمت اعداداً كبيرة و متنوعة من الأثاث الجنائزي و انه قد وجدت داخل او بجانب بعض القبور او النواويس المتأخرة بقايا لعظام حيوانية او لباقات من الزهور .

٤ - الخلاصة

لقد مكننا هذا البحث التجميعي لانماط المدافن المكتشفة خلال الاعمال الاثرية في موقع تل الحريري - ماري من توفير معطيات اساسية لتطور طرائق الدفن عبر عصور متتالية و بالتالي دراسة الانتقال من وضع الموتى داخل الحفر الترابية البسيطة الى استعمال التوابيت و النواويس و الجرار البسيطة الاحادية او المزدوجة الناقوسية الشكل و قد لوحظ وجود نسب متدنية لمدافن الاطفال مما قد يدفعنا للتساؤل عن الشروط التي كانت تتم فيها عمليات دفن الاطفال و اذا كانت تتم بشكل دائم . اما تنوع و حجم الأثاث الجنائزي الذي رافق الموتى عبر العصور المختلفة فقد يرشدنا الى وجود طبقات اجتماعية مختلفة يلعب العامل الاقتصادي الدور الاساسي في تحديد سويتها .

الخلاصة

تتطرق هذه الدراسة الشاملة الى جمع و تقديم الوثائق و البقايا الاثرية التي اعطتها اعمال التنقيب عن اكثر من ١١٠٠ مدفن في موقع تل الحريري (ماري) خلال الفترة الزمنية التي امتدت من بداية اعمال التنقيب و البحث الاثري في هذا الموقع عام ١٩٣٣ و حتى المواسم الاخيرة .

تعود هذه المدافن الى فترات زمنية مختلفة تمتد منذ تأسيس الموقع في بداية الالف الثالث قبل الميلاد و حتى العصر الهيلينستي . و قد لوحظ استمرار اعمال الدفن فوق سطح الموقع لفترات زمنية طويلة بعد تخريب المدينة الامورية من قبل جيوش الملك البابلي حمورابي في القرن الثامن عشر قبل الميلاد .

قامت واضعة هذه الدراسة بجمع المعلومات العلمية و الصور الفوتوغرافية و المخططات و المساقط الهندسية للمدافن المرقمة من ١ الى ٦٧١ انطلاقا من الوثائق التي تركها الاستاذ اندري بارو (André PARROT) خلال الاعمال الاثرية و التنقيبية التي قام بها في الموقع في الاعوام التي امتدت من ١٩٣٣ و حتى ١٩٧٤ . كما قامت باعمال التوثيق و الدراسة للمدافن المرقمة من ٦٧٢ الى ١١٠٨ و المكتشفة خلال المواسم الممتدة من ١٩٨٢ الى ١٩٩٣.

جمعت المعطيات التي اعطتها اعمال الدراسة ضمن دليل (Catalogue) ضم ٢٦٦ لوحة للصور و المخططات الهندسية ، بالاضافة الى وصف كامل لهذه المدافن و ذلك على النحو التالي :

- النمط الذي ينتمي اليه المدفن .
- وصف الهيكل العظمي .
- تقديم الاثاث الجنائزي الذي رافق الهيكل العظمي .

تضمن هذا الاثاث الجنائزي مجموعة هامة من اللقى الاثرية تمت دراستها و مقارنتها و تأريخها استناداً الى المكتشفات التي اعطتها نتائج اعمال التنقيب في موقع تل الحريري و المواقع المعاصرة الاخرى و يمكن لنا ان نصنفها على النحو التالي :

- اوان فخارية منوعة .
- اسلحة .
- ادوات متنوعة .
- اوان غير فخارية .
- مجموعة من الحلي المتعددة الاشكال .

١ - مراحل الدفن الرئيسية

مكنتنا الدراسة الشاملة لمجموع المدافن من تمييز اربع مراحل تمت فيها اعمال الدفن على سطح الموقع :

- فترة البرونز القديم : التي ضمت عصر السلالات الباكرة (٢٧٥٠ - ٢٣٥٠ قبل الميلاد) و مرحلة الشاكاناكو (Shakkanakku) (٢٣٥٠-٢٠٠٠ قبل الميلاد) .
- فترتي البرونز الوسيط الاول (٢٠٠٠-١٧٦٠ قبل الميلاد) و البرونز الوسيط الثاني (١٧٦٠-١٥٩٤ قبل الميلاد) .
- فترة البرونز الحديث او ما يعرف بالعصر الاشوري الوسيط (١٥٣٠-١٢٠٠ قبل الميلاد) .
- العصر الهيلينستي (٣٠٠ قبل الميلاد - ٣٠٠ بعد الميلاد)

بالاضافة الى عدد من المدافن العائدة الى العصر الاسلامي و التي درست بشكل عام دون الدخول في التفاصيل الدقيقة .

٢ - انماط المدافن

تطورت انماط المدافن المكتشفة في الموقع عبر عدد من المراحل الزمنية المتتالية . ففي فترتي البرونز القديم و البرونز الوسيط تضائل عدد المدافن المنفذة داخل الحفر الترابية لكي تزداد اعمال الدفن داخل الجرار الفخارية الكبيرة . اما استعمال النواويس و الاحواض مستطيلة الشكل فقد ميز مرحلة الشاكاناكو (Shakkanakku) في حين لوحظ استخدام الجرار المزدوجة الناقوسية الشكل (doubles cloches) خلال العصر الاشوري الوسيط ، اما في العصر الهيلينستي فقد تمت اعمال الدفن في النواويس و داخل آنيتين فخاريتين كبيرتين تحملان شكل حبة الجوز (coquilles de noix) او في مدافن لها اشكال احواض وظيفتها حماية المدفون المسجى داخل حفر ترابية (راجع الشكل رقم ١).

لا بد من الاشارة الى وجود خمسة مدافن حجرية مؤرخة خلال فترة عصر السلالات الباكرة بالاضافة الى عدد آخر منفذ من الآجر أرخَ مدفنان منها في مرحلة الشاكاناكو (Shakkanakku) .

لقد كانت تتم عمليات الدفن خلال الفترات الزمنية المختلفة تحت ارضيات المساكن و اعتبارا من فترة البرونز الوسيط الثاني اي بعد انهيار المدينة نتيجة الاجتياح البابلي، ظهرت مجموعات من المقابر توزعت على النحو التالي :

- مقبرة كبيرة قامت فوق انقاض القصر الشرقي تمت فيها اعمال الدفن خلال الفترة التي تلت اندثار مدينة ماري .
- خلال العصر الاشوري الوسيط كانت اعمال الدفن تتم في ثلاث مقابر منتشرة فوق انقاض قصر زيمري - ليم (Zimri-Lim) الملكي والقطاع المقدس الذي يضم منشآت السطح المقدس المرتفع (Haute Terrasse) .
- بالمقابل استعملت في العصر الهيلينسي المقابر القائمة فوق انقاض القصر الشرقي و ضمن منشآت السطح المقدس المرتفع مما يعكس استمرارية في اعمال الدفن في هذه الاماكن من الالف الثاني و حتى الالف الاول قبل الميلاد .

قامت الباحثة بعد هذا التقديم المستفيض لطبيعة المقابر وانواعها، بدراسة دقيقة لانماط المدافن المؤرخة خلال فترات الدفن المختلفة و تم جمع كافة المعطيات وفق النقاط التالية :

تصدير

تعود المطبوعة النهائية الاخيرة لنتائج الحفريات التي تمت في موقع تل الحريري - ماري الى ثلاثين سنة خلت حيث خصصت في حينها الى نشر ما يعرف بكنز أور (trésor d'Ur) ضمن المجلد الرابع من مجموعة البعثة الاثرية في ماري (Mission Archéologique de Mari).

هذا التأخير في نشر الدراسات التحليلية اسبابه عديدة اهمها توقف الاعمال الاثرية في عام ١٩٧٤ على ارض الموقع من قبل الاستاذ اندري بارو (André PARROT) لمدة خمس سنوات و تعيين مدير جديد اعتباراً من العام ١٩٧٩ و تطوير برنامج جديد للبحث و ظهور الاعداد الثمانية من مجلة "ماري ، حوليات مخصصة للبحث المتعدد الاختصاصات" (Mari, Annales de Recherche Interdisciplinaires) و التي يتم اختصارها على النحو التالي (م . ا . ر . ي . - M.A.R.I.) و تنشر من قبل دار البحث عن الحضارات (Editions Recherches sur les Civilisations).

و كان يتحتم علينا قبل استئناف اعمال النشر المنهجية و المنتظمة معرفة الطريقة التي سيتم من خلالها دراسة و تنظيم ونشر الوثائق التي خلفها لنا الاستاذ اندري بارو و الشروط التي يجب ان تتوفر عند القيام بهذا العمل و الطريقة التي يجب اتباعها لجمع مجمل المعطيات المتوفرة و دراستها بصورة مستقلة او متكاملة مع النتائج التي اعطتها الاعمال الاثرية منذ العام ١٩٧٩ بالرغم من الاختلافات و التباينات في منهجية تسجيل المعطيات و توثيقها .

و بعد سبر شامل لمجمل المعطيات المتوفرة تبين لنا انه لا يمكن اتباع خطة واحدة لدراسة مجمل هذه الوثائق و من الافضل اتخاذ قرارات مستقلة لكل موضوع من الموضوعات المتوفرة و التركيز على افضلية القيام بابحاث شاملة و متكاملة للمعطيات التي وفرتها الاعمال الميدانية القديمة منها و الحديثة .

الدراسة التي نقدمها اليوم حول المدافن المكتشفة فوق سطح الموقع ليست الا محاولة للجمع بين مصدرين من الوثائق . فالاستاذ اندري بارو قام بالتعاون مع لوسيان لاروش (Lucienne LAROCHE) بالتحضير لدراسة المدافن التي تم الكشف عنها خلال مراحل التنقيب الاولى و تبين عند استئناف الاعمال الميدانية في العام ١٩٧٩ انه علينا اعادة النظر ببعض النتائج التي تم التوصل اليها و على الخصوص ان الخطة التي وضعها الاستاذ اندري بارو كانت تعتمد على نشر هذه المدافن من خلال فهرستها ضمن جداول من الصعب الاستفادة من كامل معطياتها في دراسة تحليلية شاملة . و انطلاقاً مما سبق و تمشياً مع الوثائق المتوفرة فقد تم المحافظة على ما بحوذتنا من معلومات تعود للمواسم الاولى و اضيفت اليها المدافن التي تم الكشف عنها اعتبارا من العام ١٩٧٩ .

لا بد من الاشارة هنا الى اننا لم نستبعد عند دراسة المدافن المنقب عنها حديثاً تحديد طبيعة اماكن الاكتشاف بدقة و هذا امر هام جدا سيمكننا من معرفة التقاليد الجنائزية المتبعة و علاقة هذه القبور مع المحيط الذي وضعت ضمنه ، كل هذا سيتم نشره عندما نباشر الدراسة النهائية لمختلف الحقول التي تم التنقيب عنها في الموقع .

كلفت السيدة ماريلو جان ماري بالقيام باعمال النشر الكاملة لهذه القبور بصفتها مشاركة مباشرة في اعمال الفريق الذي يقوم بالتنقيب في موقع تل الحريري - ماري و قد كانت مهمتها الكشف الميداني عن غالبية القبور التي ظهرت اثناء عمل البعثة في الحقول المختلفة و بذلك تمت عمليات التسجيل و الارشفة من قبلها و بصورة منهجية و موحدة مما سمح بالوصول الى نتائج و خلاصات هامة جمعت و قدمت في هذا المجلد .

ان عودة نشر التقارير النهاية لنتائج الاعمال الاثرية في موقع تل الحريري - ماري في هذا المجلد تحمل صفة رمزية فهي بمثابة حلقة الوصل بين مجموعة العمل الاولى برئاسة الاستاذ اندري بارو و المجموعة الحالية و يمكن لها ان تكون شاهداً للاستمرار في تحقيق الهدف المنشود منه و هو التعمق في التعرف على عاصمة الفرات الاوسط في الالف الثالث و بداية الالف الثاني قبل الميلاد بكل ما تحمله من صعوبات و تعقيدات .

و قد تم تطوير برنامج متكامل للقيام باعمال الدراسة النهائية للنتائج الاثرية التي تم الحصول عليها و سيتم نشر التقارير النهائية من الآن و صاعداً بصورة منتظمة وفق برنامج يجمع بين دراسة نتائج الاعمال التنقيبية في الحقول المختلفة و تقديم تحليلي لمختلف اللقى الاثرية التي اعطتها السويات الاثرية على تنوعها :

- النتائج النهائية لاعمال المسح الاثرية و الجيومورفولوجية المنفذة في وادي الفرات الاوسط بين عامي ١٩٨٢ و ١٩٨٧ من قبل ج . إ . مونشونبير (J.-Y. Monchambert) و ب . جيير (B. Geyer).

- النشر النهائي للقصر الشرقي الصغير او ما يعرف بعصر الشاكاناكو (Palais des Shakkanakku) الذي تم الكشف عنه في الحقل آ (A) من قبل ب . بوتيرلين (P. Butterlin) و ب . مولير (B. Muller) و محرر هذا التصدير و سيتبعه بصورة مباشرة النشر النهائي للحقل ب (B).

- النشر النهائي للُقى الذهبية من قبل ج . نيكوليني (G. Nicolini).

- التحضير للقيام بنشر دراسة اولى للبقايا الفخارية المكتشفة في الحقل ف (F) من قبل ن . بونز (N. Pons).

- القيام بدراسات شاملة لمجموع اللوحات الجدارية من قبل ب . موليد (B. Muller) . والأختام الإسطوانية من قبل د. بيير (D. Beyer) والدمى الطينية من قبل ي. فيغاند (I. Weygand).

- اما محرر هذا التصدير فسيقوم بنشر نتائج اعمال التنقيب في القصر العائد الى الالف الثالث قبل الميلاد و سيكمل دراسة القصر العائد الى بداية الالف الثاني وفقاً للمعطيات التي تم جمعها منذ العام ١٩٦٤.

انه برنامج واسع، كل ما نتمناه ان ترصد الامكانات المادية المناسبة لتحقيقه خلال فترة زمنية محددة .

جان كلود مرغرون